TABLE DES MATIÈRES

ÉDIMBOURG ET LES LOTHIANS

GLASGOW ET LA VALLÉE DE LA CLYDE

LE SUD

le Guide du **routard**

Directeur de collection et auteur
Philippe GLOAGUEN

Cofondateurs
Philippe GLOAGUEN et Michel DUVAL

Rédacteur en chef
Pierre JOSSE

Rédacteurs en chef adjoints
Amanda KERAVEL et Benoît LUCCHINI

Directrice de la coordination
Florence CHARMETANT

Rédaction
**Olivier PAGE, Véronique de CHARDON,
Isabelle AL SUBAIHI, Anne-Caroline DUMAS,
Carole BORDES, André PONCELET,
Marie BURIN des ROZIERS, Thierry BROUARD,
Géraldine LEMAUF-BEAUVOIS,
Anne POINSOT, Mathilde de BOISGROLLIER,
Alain PALLIER, Gavin's CLEMENTE-RUÍZ
et Fiona DEBRABANDER**

ÉCOSSE

2008/2009

Hachette

Avis aux hôteliers et aux restaurateurs

Les enquêteurs du *Guide du routard* travaillent dans le plus strict anonymat. Aucune réduction, aucun avantage quelconque, aucune rétribution n'est jamais demandé en contrepartie. Face aux aigrefins, la loi autorise les hôteliers et restaurateurs à porter plainte.

Hors-d'œuvre

Le *Guide du routard*, ce n'est pas comme le bon vin, il vieillit mal. On ne veut pas pousser à la consommation, mais évitez de partir avec une édition ancienne. Les modifications sont souvent importantes.

ON EN EST FIERS : www.routard.com

● *www.routard.com* ● Tout pour préparer votre périple. Des fiches sur plus de 180 destinations, de nombreuses informations et des services pratiques : photos, cartes, météo, dossiers, agenda, itinéraires, billets d'avion, réservation d'hôtels, location de voitures, visas... Mais aussi un espace communautaire pour échanger ses bons plans et partager ses photos. Sans oublier *routard mag*, ses reportages, ses carnets de route et ses infos pour bien voyager. La boîte à outils indispensable du routard.

Petits restos des grands chefs

Ce qui est bon n'est pas forcément cher ! Partout en France, nous avons dégoté de bonnes petites tables de grands chefs aux prix aussi raisonnables que la cuisine est fameuse. Évidemment, tous les grands chefs n'ont pas été retenus : certains font payer cher leur nom pour une petite table qu'ils ne fréquentent guère. Au total, plus de 700 adresses réactualisées, retenues pour le plaisir des papilles sans pour autant ruiner votre portefeuille. À proximité des restaurants sélectionnés, 280 hôtels de charme pour prolonger la fête.

Nos meilleurs campings en France

Se réveiller au milieu des prés, dormir au bord de l'eau ou dans une hutte, voici nos 1 700 meilleures adresses en pleine nature. Du camping à la ferme aux équipements les plus sophistiqués, nous avons sélectionné les plus beaux emplacements : mer, montagne, campagne ou lac. Sans oublier les balades à proximité, les jeux pour enfants... Des centaines de réductions pour nos lecteurs.

Avis aux lecteurs

Les réductions accordées à nos lecteurs ne sont jamais demandées par nos rédacteurs afin de préserver leur indépendance. Les hôteliers et restaurateurs sont sollicités par une société de mailing, totalement indépendante de la rédaction, qui reste donc libre de ses choix. De même pour les autocollants et plaques émaillées.

Le contenu des annonces publicitaires insérées dans ce guide n'engage en rien la responsabilité de l'éditeur.

Mille excuses, on ne peut plus répondre individuellement aux centaines de CV reçus chaque année.

LE CENTRE

LES GRAMPIANS

ABERDEEN ET SA RÉGION

LE ROYAL DEESIDE

LA CÔTE NORD DES GRAMPIANS

LA ROUTE DU WHISKY

LES HIGHLANDS

LE LOCH LOMOND

LES HIGHLANDS DU CENTRE

INVERNESS ET LE LOCH NESS

LE NORD DES HIGHLANDS

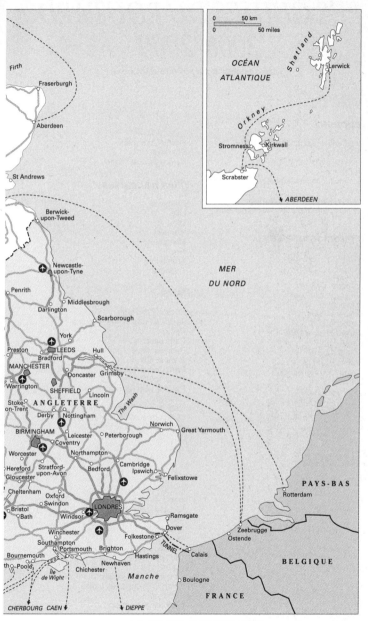

0 50 km
0 50 miles

OCÉAN
ATLANTIQUE

Shetland

Lerwick

Orkney

Stromness Kirkwall

Scrabster

↓ ABERDEEN

Firth

Fraserburgh

Aberdeen

St Andrews

Berwick-
upon-Tweed

Newcastle-
upon-Tyne

Penrith

Middlesbrough

Darlington

Scarborough

York

Preston LEEDS Hull

Bradford

MANCHESTER Doncaster Grimsby

Warrington

SHEFFIELD Lincoln

Stoke-
on-Trent ANGLETERRE

Derby Nottingham The Wash

BIRMINGHAM

Leicester Peterborough Norwich Great Yarmouth

Coventry

Worcester Northampton

Hereford Stratford- Bedford Cambridge
Gloucester upon-Avon Ipswich Felixstowe

Cheltenham

Oxford PAYS-BAS

Bristol Swindon Rotterdam

Bath Windsor LONDRES

Ramsgate

Winchester Dover

Southampton Folkestone Zeebrugge

Bournemouth Portsmouth Brighton Ostende

Poole Hastings TUNNEL Calais

Chichester Newhaven BELGIQUE

Île
de Wight Manche

↓ ↓ Boulogne

CHERBOURG CAEN ↓ ↓ DIEPPE

FRANCE

MER
DU NORD

LA GRANDE-BRETAGNE

LES GUIDES DU ROUTARD
2008-2009

(dates de parution sur **www.routard.com**)

France

Nationaux

- Nos meilleures chambres d'hôtes en France
- Nos meilleurs campings en France
- Nos meilleurs hôtels et restos en France
- Petits restos des grands chefs
- Tables à la ferme et boutiques du terroir

Régions françaises

- Alpes
- Alsace
- Aquitaine
- Ardèche, Drôme
- Auvergne, Limousin
- Bourgogne
- Bretagne Nord
- Bretagne Sud
- Châteaux de la Loire
- Corse
- Côte d'Azur
- Franche-Comté
- Languedoc-Roussillon
- Lorraine
- Lot, Aveyron, Tarn
- Nord-Pas-de-Calais
- Normandie
- Pays basque (France, Espagne), Béarn
- Pays de la Loire

- Poitou-Charentes
- Provence
- Pyrénées, Gascogne

Villes françaises

- Bordeaux
- Lille
- Lyon
- Marseille
- Montpellier
- Nice
- Strasbourg
- Toulouse

Paris

- Environs de Paris
- Junior à Paris et ses environs
- Paris
- Paris balades
- Paris exotique
- Paris la nuit
- **Paris, ouvert le dimanche (avril 2008)**
- Paris sportif
- **Paris à vélo (nouvelle éd. ; avril 2008)**
- Paris zen
- Restos et bistrots de Paris
- Le Routard des amoureux à Paris
- Week-ends autour de Paris

Europe

Pays européens

- Allemagne
- Andalousie
- Angleterre, Pays de Galles
- Autriche
- Baléares
- Belgique
- Castille, Madrid (Aragon et Estrémadure)
- Catalogne, Andorre
- Crète
- Croatie
- **Danemark, Suède (avril 2008)**
- Écosse
- Espagne du Nord-Ouest (Galice, Asturies, Cantabrie)
- Finlande
- Grèce continentale

- Hongrie, République tchèque, Slovaquie
- Îles grecques et Athènes
- Irlande
- Islande
- Italie du Nord
- Italie du Sud
- Lacs italiens
- Malte
- **Norvège (avril 2008)**
- Pologne et capitales baltes
- Portugal
- Roumanie, Bulgarie
- Sicile
- Suisse
- Toscane, Ombrie

LES GUIDES DU ROUTARD
2008-2009 *(suite)*

(dates de parution sur **www.routard.com**)

Villes européennes

- Amsterdam
- Barcelone
- Berlin
- Florence
- Lisbonne
- Londres
- Moscou, Saint-Pétersbourg
- Prague
- Rome
- Venise

Amériques

- Argentine
- Brésil
- Californie
- Canada Ouest et Ontario
- Chili et île de Pâques
- Cuba
- Équateur
- États-Unis côte Est
- **Floride (nouveauté)**
- Guadeloupe, Saint-Martin, Saint-Barth
- Guatemala, Yucatán et Chiapas
- **Louisiane et les villes du Sud (nouveauté)**
- Martinique
- Mexique
- New York
- Parcs nationaux de l'Ouest américain et Las Vegas
- Pérou, Bolivie
- Québec et Provinces maritimes
- République dominicaine (Saint-Domingue)

Asie

- **Bali, Lombok (mai 2008)**
- Birmanie (Myanmar)
- Cambodge, Laos
- Chine (Sud, Pékin, Yunnan)
- Inde du Nord
- Inde du Sud
- Indonésie (voir Bali, Lombok)
- Istanbul
- Jordanie, Syrie
- Malaisie, Singapour
- Népal, Tibet
- Sri Lanka (Ceylan)
- Thaïlande
- **Tokyo-Kyoto (mai 2008)**
- Turquie
- Vietnam

Afrique

- Afrique de l'Ouest
- Afrique du Sud
- Égypte
- Île Maurice, Rodrigues
- Kenya, Tanzanie et Zanzibar
- Madagascar
- Maroc
- Marrakech
- Réunion
- Sénégal, Gambie
- Tunisie

Guides de conversation

- Allemand
- Anglais
- Arabe du Maghreb
- Arabe du Proche-Orient
- Chinois
- Croate
- Espagnol
- Grec
- Italien
- **Japonais (nouveauté)**
- Portugais
- Russe

Et aussi...

- Le Guide de l'humanitaire
- **G'palémo (nouveauté)**

NOS NOUVEAUTÉS

G'PALÉMO (paru)

Un dictionnaire visuel universel qui permet de se faire comprendre aux 4 coins de la planète et DANS TOUTES LES LANGUES (y compris le langage des signes), il suffisait d'y penser !... Que vous partiez trekker dans les Andes, visiter les temples d'Angkor ou faire du shopping à Saint-Pétersbourg, ce petit guide vous permettra d'entrer en contact avec n'importe qui. Compagnon de route indispensable, véritable tour de Babel... Drôle et amusant, *G'palémo* vous fera dépasser toutes les frontières linguistiques. Pointez simplement le dessin voulu et montrez-le à votre interlocuteur... Vous verrez, il comprendra ! Tout le vocabulaire utile et indispensable en voyage y figure : de la boîte de pansements au gel douche, du train-couchettes au pousse-pousse, du dentiste au distributeur de billets, de la carafe d'eau à l'arrêt de bus, du lit *king size* à l'œuf sur le plat... Plus de 200 dessins, déclinés en 5 grands thèmes (transports, hébergement, restauration, pratique, loisirs) pour se faire comprendre DANS TOUTES LES LANGUES. Et parce que le *Guide du routard* pense à tout, et pour que les langues se délient, plusieurs pages pour faire de vous un(e) séducteur(trice)...

DANEMARK, SUÈDE (avril 2008)

Depuis qu'un gigantesque pont relie Copenhague et la Suède, les cousins scandinaves n'ont jamais été aussi proches. Les Suédois vont faire la fête le week-end à Copenhague et les Danois vont se balader dans la petite cité médiévale de Lund. À Copenhague et à Stockholm, c'est la découverte d'un art de vivre qui privilégie l'écologie, la culture, la tolérance et le respect d'autrui. Les plus curieux partiront à vélo randonner dans un pays paisible qui se targue depuis les Vikings d'être le plus ancien royaume du monde mais qui ne néglige ni le design ni l'art contemporain. Les plus sportifs partiront en trekking vers le Grand Nord où migrent les rennes et où le soleil ne se couche pas en été.

Nous tenons à remercier tout particulièrement Loup-Maëlle Besançon, Thierry Bessou, Gérard Bouchu, Grégory Dalex, Fabrice de Lestang, Cédric Fischer, Carole Fouque, Michelle Georget, David Giason, Lucien Jedwab, Emmanuel Juste, Jean-Sébastien Petitdemange, Thomas Rivallain, Claudio Tombari et Solange Vivier pour leur collaboration régulière.

Et pour cette nouvelle collection, nous remercions aussi :

David Alon et Andréa Valouchova
Bénédicte Bazaille
Jean-Jacques Bordier-Chêne
Nathalie Capiez
Louise Carcopino
Florence Cavé
Raymond Chabaud
Alain Chaplais
Bénédicte Charmetant
François Chauvin
Cécile Chavent
Stéphanie Condis
Agnès de Couesnongle
Agnès Debiage
Tovi et Ahmet Diler
Fabrice Doumergue et Pierre Mitrano
Céline Druon
Nicolas Dubost
Clélie Dudon
Aurélie Dugelay
Sophie Duval
Alain Fisch
Aurélie Gaillot
Lucie Galouzeau
Alice Gissinger
Adrien et Clément Gloaguen
Angela Gosmann
Romuald Goujon
Stéphane Gourmelen
Claudine de Gubernatis
Xavier Haudiquet
Claude Hervé-Bazin
Bernard Hilaire

Sébastien Jauffret
François et Sylvie Jouffa
Hélène Labriet
Lionel Lambert
Francis Lecompte
Jacques Lemoine
Sacha Lenormand
Valérie Loth
Béatrice Marchand
Philippe Martineau
Philippe Melul
Kristell Menez
Delphine Meudic
Éric Milet
Jacques Muller
Anaïs Nectoux
Alain Nierga et Cécile Fischer
Hélène Odoux
Caroline Ollion
Nicolas Pallier
Martine Partrat
Odile Paugam et Didier Jehanno
Laurence Pinsard
Xavier Ramon
Dominique Roland et Stéphanie Déro
Déborah Rudetzli
Corinne Russo
Caroline Sabljak
Prakit Saiporn
Jean-Luc et Antigone Schilling
Laurent Villate
Julien Vitry
Fabian Zegowitz

Direction : Nathalie Pujo
Contrôle de gestion : Joséphine Veyres, Vincent Leav et Hêloïse Morel d'Arleux
Responsable éditoriale : Catherine Julhe
Édition : Matthieu Devaux, Magali Vidal, Marine Barbier-Blin, Géraldine Péron, Jean Tiffon, Olga Krokhina, Virginie Decosta, Caroline Lepeu, Delphine Ménage et Émilie Guerrier
Secrétariat : Catherine Maîtrepierre
Préparation-lecture : Corinne Julien
Cartographie : Frédéric Clémençon et Aurélie Huot
Fabrication : Nathalie Lautout et Audrey Detournay
Couverture : Seenk
Direction marketing : Dominique Nouvel, Lydie Firmin et Juliette Caillaud
Responsable partenariats : André Magniez
Édition partenariats : Juliette Neveux et Raphaële Wauquiez
Informatique éditoriale : Lionel Barth
Relations presse France : COM'PROD, Fred Papet ☎ 01-56-43-36-38 ● info@com prod.fr ●
Relations presse : Martine Levens (Belgique) et Maureen Browne (Suisse)
Régie publicitaire : Florence Brunel

NOS NOUVEAUTÉS

BALI, LOMBOK (mai 2008)

Bali et Lombok possèdent des attraits différents et complémentaires. Bali, l'« île des dieux », respire toujours charme et beauté. Un petit paradis qui rassemble tout ce qui est indispensable à des vacances réussies : de belles plages dans le Sud, des montagnes extraordinaires couvertes de temples, des collines riantes sur lesquelles les rizières étagées forment de jolies courbes dessinées par l'homme, une culture vivante et authentique, et surtout, l'essentiel, une population d'une étonnante gentillesse, d'une douceur presque mystique.

Et puis voici Lombok, à quelques encablures, dont le nom signifie « piment » en javanais et qui appartient à l'archipel dés îles de la Sonde. La vie y est plus rustique, le développement touristique plus lent. Tant mieux. Les plages, au sud, sont absolument magnifiques et les Gili Islands, à deux pas de Lombok, attirent de plus en plus les amateurs de plongée. Paysages remarquables, pureté des eaux, simplicité et force du moment vécu... Bali et Lombok, deux aspects d'un même paradis.

TOKYO-KYOTO (mai 2008)

On en avait marre de se faire malmener par nos chers lecteurs ! Enfin un *Guide du routard* sur le Japon ! Voilà l'empire du Soleil-Levant accessible aux voyageurs à petit budget. On disait l'archipel nippon trop loin, trop cher, trop incompréhensible. Voici notre constat : avec quelques astuces, on peut y voyager agréablement et sans se ruiner. Dormir dans une auberge de jeunesse ou sur le tatami d'un *ryokan* (chambres chez l'habitant), manger sur le pouce des sushis ou une soupe *ramen,* prendre des bus ou acheter un *pass* ferroviaire pour circuler à bord du *shinkansen* (le TGV nippon)... ainsi sommes-nous allés à la découverte d'un Japon accueillant, authentique mais à prix sages ! Du mythique mont Fuji aux temples millénaires de Kyoto, de la splendeur de Nara à la modernité d'Osaka, des volcans majestueux aux cerisiers en fleur, de la tradition à l'innovation, le Japon surprend. Les Japonais étonnent par leur raffinement et leur courtoisie. Tous à Tokyo ! Cette mégapole électrique et fascinante est le symbole du Japon du IIIe millénaire, le rendez-vous exaltant de la haute technologie, de la mode et du design. Et que dire des nuits passées dans les bars et les discothèques de Shinjuku et de Ropponggi, les plus folles d'Asie ?

Remerciements

Pour cette nouvelle édition, nous tenons à remercier tout particulièrement :
Martha Bryce de *Visit Scotland*, Chantal Menez et Christiane Durand pour
leur aide et leur patience, ainsi que Carole Lozano pour son implication.

LES QUESTIONS QU'ON SE POSE LE PLUS SOUVENT

➤ **Quelle est la meilleure saison pour visiter l'Écosse ?**

Évidemment, un bon Écossais vous affirmera que l'été dure un week-end, quelque part en août. L'« optimum » climatique serait en fait en mai et en juin, période la moins mouillée ! Juillet et août sont aussi des mois agréables, avec bien plus d'animation.

➤ **Quel est le moyen de se loger au meilleur prix ?**

Écosse, pays des *B & B* bien sûr, mais aussi des AJ. Les *Youth Hostels* et *Backpackers* sont les AJ les moins chères et les plus créatives : château hanté, wagons réhabilités ou baraquements sauvages, il y en a pour tous les goûts. Fréquentées par des jeunes du monde entier, mais aussi par des familles.

➤ **Camping ou pas camping ?**

En voilà une bonne question. Le pays est plutôt bien équipé en la matière, à condition de cohabiter avec les *midges,* sortes de moustiques qui sévissent de juin à octobre ! Quant au camping sauvage, il est très facile de planter sa tente dans les régions les plus isolées (demander l'autorisation au propriétaire du terrain). Dernier détail : il fait frisquet dans le Nord !

➤ **La nourriture est-elle chère ?**

Prohibitive ! Le prix moyen d'un plat (copieux) tourne autour de 16 €. Autant vous faire une raison, opter pour les *bar meals* dans les pubs (bien moins cher), pour les *fish and chips* et les restos indiens qui ont aussi l'avantage de rester ouverts plus tard le soir. Cependant, ne partez pas sans avoir essayé un vrai *breakfast* et le fameux *haggis.* Dans certains *B & B,* le petit déj est même composé de *haggis.* Quelle veine !

➤ **Le pays est-il dangereux ?**

En dehors des *midges* et des moutons qui traversent la route sans prévenir, on ne court que peu de risques... Évidemment, comme partout, certains coins des grosses villes peuvent devenir dangereux le soir, notamment à cause de la consommation d'alcool.

➤ **Comment choisir une région ?**

Pas grand-chose de commun en effet entre le Sud et ses grandes villes (Édimbourg, Glasgow), et les Highlands, avec seulement dix habitants au kilomètre carré. Entre la frénésie urbaine et le silence impressionnant des grands espaces, c'est à vous de voir. Pourquoi pas les deux ?

➤ **Les Highlands sont-ils vraiment sauvages ?**

Définitivement... oui ! Entre les landes sans fin, les *single track roads* bien tortueuses, les paysages somptueux et les montagnes parfois inquiétantes, on s'en met plein les yeux ! Les habitants ne manquent pas de caractère non plus. Bref, c'est l'aventure et le dépaysement...

➤ **Quels sports peut-on pratiquer ?**

Golf, canoë sur les lochs, randonnée pédestre, cycliste ou équestre dans les landes, pêche au saumon et à la truite, observation de phoques sur les plages ensoleillées... Autant d'occasions de se sentir tout petit devant une nature sans limites...

➤ **Quelles sont les régions où l'on a le plus de chance de croiser un fantôme ?**

Nessie n'a pas le monopole des légendes. Les terres embrumées, les mystérieux châteaux des Highlands ou les pierres levées de l'île de Lewis sont propices à toutes les frousses...

➤ **Le kilt est-il toujours porté ?**

Le kilt est né dans les Highlands... et n'est pas encore mort ! Certes, il est moins répandu qu'autrefois, mais les jeunes générations le portent à nouveau avec fierté.

➤ **Les Écossais ont-ils le sens de la fête ?**

Oui, pardi ! Ils font même la fête assez tôt : les pubs se remplissent dès la fin d'après-midi. Tradition celtique oblige, on y danse, on y chante et on y boit !

LES COUPS DE CŒUR DU ROUTARD

● « Socialiser » dans un pub, un des sports favoris des Écossais avec le rugby et les fléchettes (darts). Ça tombe bien, les règles sont bien moins compliquées !

● Partir à la découverte des passages (closes) et autres venelles d'Édimbourg pour sentir battre le cœur moyennâgeux de la ville.

● Suivre les aventures de Marie Stuart à la trace en imaginant les scènes romantico-tragiques qui se déroulaient au palais d'Holyrood à Édimbourg.

● Déguster des scones dans un salon de thé et prolonger son plaisir de gourmand déclaré en rapportant des shortbreads, divins sablés 150 % pur beurre.

● Faire une overdose de musées gratuits à Édimbourg et surtout à Glasgow, tous d'une très grande richesse culturelle.

● Pénétrer dans le Blair Castle, fief des ducs d'Atholl depuis le XIIIᵉ siècle. Le dernier propriétaire est toujours le détenteur d'un privilège unique en Europe, puisqu'il dispose de sa propre armée.

● S'aventurer dans le Queen Elizabeth Forest Park, au cœur de la région des Trossachs, véritable sanctuaire écolo-touristique. Puis s'offrir une escapade sur le loch Katrine à bord du bateau à vapeur SS Sir Walter Scott.

● Découvrir au petit matin les îles impassibles de Seil et d'Easdale depuis les rives d'Oban, et partir à la rencontre des baleines.

● Prendre rendez-vous avec la préhistoire dans les Orcades où les pierres levées de Stenness et le cercle de Brodgar représentent le cœur néolithique de l'archipel. Forte impression, surtout le soir au coucher du soleil. Moins connu que Stonehenge mais tout aussi intéressant.

● Entreprendre une balade jusqu'au phare de Noup Head sur l'île de Westray, dans l'archipel des Orcades et se sentir bien petit au milieu de ces paysages grandioses, de ces falaises majestueuses. De la grande Écosse vivifiante, comme on l'aime.

● Faire le tour de l'archipel des Shetland en allant de böds en böds (ancien refuge de pêcheurs). Un bon plan pas cher et convivial.

● Emprunter les single track roads le long des côtes fragmentées des Highlands, perdu entre lochs et landes et se croire au bout du monde.

● Être vraiment au bout du monde dans la péninsule de Coigach et plonger depuis Achnahaird vers les Summer Isles, îlots rocheux déchiquetés et jetés à la mer, qui, par temps dégagé, offre un spectacle époustouflant.

● Échouer sur la plage de sable blanc d'Almevich dans la région d'Assynt, baignée par une mer turquoise.

● Changer de paysage tous les quarts d'heure dans le nord des Highlands et s'étonner chaque fois un peu plus du nombre de moutons sur la route, des rapaces qui tournoient dans le ciel et des Highlands cows en bordure de champs, ces improbables et photogéniques vaches poilues, qui viennent s'immortaliser devant les appareils photos des rares touristes.

● Se laisser envoûter par les châteaux, qu'ils s'appellent Scone, Glamis ou Dunrobin... ils abritent encore sûrement un fantôme maison.

● Assister aux Highland Games et s'extasier devant un lancer de tronc d'arbre assurément viril, un tir à la corde forcément stratégique ou un jet de panse de brebis farcie carrément... loufoque !

● Pratiquer l'humour avec les Écossais. Ils en ont à revendre.

COMMENT Y ALLER ?

EN AVION

Les compagnies régulières

▲ AIR FRANCE

Rens et résa au ☎ *36-54 (0,34 €/mn, tlj 24h/24), sur* ● *airfrance.fr* ●*, dans les agences Air France et dans ttes les agences de voyages. Fermées dim.*

➤ Air France dessert Édimbourg avec 3 vols/j. directs partenariat avec *Cityjet*, ainsi qu'Aberdeen 2 à 3 fois/j. partenariat avec la compagnie *Régional*. Ces 2 destinations sont desservies au départ de Paris-Charles-de-Gaulle, aérogare 2, hall F.

Air France dessert également Dundee via Londres plusieurs fois par jour en semaine au départ de Paris et de Strasbourg en partenariat avec *Cityjet* et *Scotairways*.

Air France propose à tous des tarifs attractifs toute l'année. Vous avez la possibilité de consulter les meilleurs tarifs du moment, rubrique « Offres spéciales », « Promotions » sur le site ● airfrance.fr ●

Le programme de fidélisation Air France-KLM vous permet d'accumuler des *miles* à votre rythme et de profiter d'un large choix de primes. Avec la carte *Flying Blue,* vous êtes immédiatement identifié comme client privilégié lorsque vous voyagez avec tous nos partenaires.

Air France propose également la carte Fréquence Jeune, réservée aux jeunes âgés de 2 à 24 ans résidant en France métropolitaine, dans les départements d'Outre-Mer, au Maroc ou en Tunisie. Avec plus de 18 000 vols par jour, 900 destinations, et plus de 100 partenaires, Fréquence Jeune vous offre autant d'occasions d'accumuler des *miles* partout dans le monde.

▲ BRITISH AIRWAYS

Infos et résa : ☎ *0825-825-400 (0,15 €/mn).* ● *ba.com* ●

➤ Vols disponibles vers Édimbourg, Glasgow, Aberdeen et Inverness avec correspondance à Londres (Heathrow ou Gatwick) au départ de Paris-Roissy-Charles-de-Gaulle et de province (Ajaccio, Bastia, Bordeaux, Grenoble, Lyon, Marseille, Montpellier, Bâle-Mulhouse, Nantes, Nice et Toulouse). British Airways propose 11 vols/j. au départ de Paris-Roissy-Charles-de-Gaulle vers Londres Heathrow.

▲ BMI

Rens et résa : ☎ *01-41-91-87-04 (lun-ven 8h-19h).* ● *flybmi.com* ●

➤ Vols vers Glasgow, Édimbourg et Aberdeen via Londres au départ de Nice. Pour plus d'informations, consulter le site internet.

▲ KLM

– Paris : ☎ *0892-70-26-08 (0,34 €/mn).* ● *klm.com* ● *Résa par téléphone, Internet ou dans les agences Air France.*

➤ KLM dessert plusieurs fois par jour Aberdeen, Édimbourg et Glasgow, via Amsterdam-Schiphol, au départ de Paris, Bordeaux, Clermont-Ferrand, Lyon, Marseille, Nice, Strasbourg, Nantes et Toulouse.

Les compagnies *low-cost*

Ce sont des compagnies dites « à bas prix ». De nombreuses villes de province sont desservies, ainsi que les aéroports limitrophes des grandes villes. Ne pas trop espérer trouver facilement des billets à prix plancher lors des périodes les plus fréquentées (vacances scolaires, week-end...).

AIR FRANCE

faire du ciel le plus bel endroit de la terre

28 D couloir
E centre
F fenêtre

◻ Ecrans individuels

◻ Glaces pour les enfants

◻ Détente pour les parents

Découvrez Air France à petits prix.

AIR FRANCE KLM

www.airfrance.fr

Afin de réduire les files d'attente dans les aéroports, certaines font même payer l'enregistrement aux comptoirs d'aéroport. Pour éviter cette nouvelle taxe qui ne dit pas son nom, les voyageurs ont intérêt à s'enregistrer directement sur Internet où le service est gratuit. La résa se fait parfois par téléphone (pas d'agence, juste un numéro de réservation et un billet à imprimer soi-même) et aucune garantie de remboursement n'existe en cas de difficultés financières de la compagnie. En outre, les pénalités en cas de changement d'horaires sont assez importantes et les taxes d'aéroport rarement incluses. Il faut aussi rappeler que plusieurs compagnies facturent maintenant les bagages en soute. Ne pas oublier non plus d'ajouter le prix du bus pour se rendre à ces aéroports, souvent assez éloignés du centre-ville. Une fois à bord, c'est service minimum. Au final, même si les prix de base restent très attractifs, il convient de prendre en compte tous ces frais annexes pour calculer le plus justement son budget.

▲ FLYGLOBESPAN

Résa (à Édimbourg) : ☎ *00-44-131-466-76-12. Ou en ligne* ● *flyglobespan. com* ●
➤ Cette compagnie écossaise assure en été (avr-oct) 3 à 5 vols/sem au départ de Nice vers Édimbourg (1 à 2 vols/sem en hiver). Les liaisons hivernales (déc-mars) entre Grenoble et Édimbourg seront probablement reconduites l'hiver 2008-2009 à raison d'1 vol/sem. Vérifier sur leur site.

▲ RYANAIR

Rens : ☎ *0892-232-375 (0,34 €/mn).* ● *ryanair.com* ●
➤ Ryanair propose à destination de Glasgow-Prestwick 1 à 2 vols/j. directs tte l'année au départ de Paris-Beauvais, 3 liaisons/sem en hiver depuis Grenoble, ainsi que 3 vols/sem en été de Marseille. Pendant la saison estivale, Marseille est également reliée à Édimbourg 2 fois/sem. Tarifs particulièrement intéressants, sur tous les vols. Attention au surplus de bagages. Renseignez-vous sur les offres promotionnelles. Un bus assure la liaison de Paris, entre la porte Maillot et l'aéroport de Beauvais avant et après chaque vol Ryanair. Les tickets de bus sont à acheter directement auprès du chauffeur : 13 € un aller simple. Les navettes partent 3h avant le départ des vols à Beauvais. Prévoir d'être porte Maillot 30 mn à l'avance. De même, 2 bus relient l'aéroport de Glasgow-Prestwick au centre de Glasgow, ainsi qu'un train (réduction de 50 % sur présentation de votre billet d'avion Ryanair).

▲ FLYBE

Résa (en Grande-Bretagne) : ☎ *00-44-1392-268-529. Ou en ligne* ● *flybe.com* ●
➤ Flybe dessert Édimbourg au départ de Paris-Roissy-Charles-de-Gaulle à raison de 2 à 3 vols/j. selon la saison. Bergerac et Rennes sont également reliés à la capitale écossaise 1 fois/sem, en été slt (début mai-début oct).

▲ JET2.COM

Résa (en Grande-Bretagne) : ☎ *00-44-207-150-03-74. Ou en ligne* ● *jet2.com* ●
➤ La compagnie britannique Jet2.com opère des liaisons saisonnières à destination d'Édimbourg. En été (de mi-mai à fin sept) : 2 à 3 vols/sem depuis Avignon ; 1 à 2 fois/sem au départ de La Rochelle. Une liaison avec Toulouse est également prévue en été. En hiver (de mi-déc à début avr) : depuis Chambéry à raison d'1 à 3 fois/sem.

▲ EASYJET

Rens et résa : ☎ *0899-65-00-11 (1,34 €/appel, puis 0,34 €/mn).* ● *easyjet.com* ●
➤ Easyjet assure des vols quasi quotidiens depuis Paris-Roissy-Charles-de-Gaulle à destination de Glasgow et d'Édimbourg.

EN VOITURE

De la France à l'Angleterre

Avec la navette Eurotunnel, via le tunnel sous la Manche

Eurotunnel est situé sortie n° 42 sur l'A 16 à Calais. C'est le service le plus rapide pour rejoindre l'Angleterre en voiture ! Vous arrivez à Folkestone en 35 mn, directement sur la M 20.

Vous embarquez dans la navette sans quitter votre véhicule, ce qui rend le voyage idéal pour les personnes à mobilité réduite, avec des enfants ou même lorsque vous voyagez avec un ami à 4 pattes !

Durant les 35 mn de traversée à bord de votre véhicule, vous pouvez vous détendre et consulter votre guide préféré pour préparer votre escapade !

– *Fréquence :* les départs se font 24h/24. Réservez votre billet à l'avance par Internet pour obtenir les meilleurs tarifs.

– *Billet :* sur place, lorsque vous avez réservé, des bornes automatiques vous permettent d'imprimer votre titre de transport et de gagner du temps !

– *Tarifs :* ils varient selon les périodes de fortes ou faibles affluences. C'est un tarif par véhicule quel que soit le nombre de passagers.

– *Résa :* ● eurotunnel.com ● ou auprès du centre d'appels au ☎ 0810-63-03-04 *(prix d'un appel local).*

Par le ferry

Voir « En bateau ».

De l'Angleterre à l'Écosse

De Douvres ou Folkestone, prendre la M 20 jusqu'à Londres. À Londres, suivre l'autoroute périphérique M 25 jusqu'à Oxford. De là, emprunter la M 40 jusqu'à Birmingham. Remonter ensuite jusqu'à Carlisle par la M 6, puis prendre l'A 74 en direction de Glasgow. De Glasgow à Édimbourg, suivre la M 8.

En cas de débarquement à Hull, prendre la M 62 jusqu'à Leeds, puis l'A 1 (*motorway* jusqu'à Newcastle), et longer la côte jusqu'à Édimbourg. Cette variante permet de remonter la vallée de la Tweed pour visiter les Borders. Mais attention, l'A 1 est souvent encombrée : des lecteurs recommandent de prendre l'A 68 (au niveau de Darlington), qui permet de traverser un beau parc naturel.

EN TRAIN

De la France à l'Angleterre

En TGV Eurostar

➤ *Paris (Gare du Nord)-Londres (St Pancras International) :* 1 train/h en moyenne, min 2h15 par le tunnel sous la Manche.

➤ *Paris-Ashford :* 3 à 6 allers-retours/j., 2h de voyage.

➤ *Lille-Londres :* une dizaine d'allers-retours/j., env 1h20 de voyage.

➤ *Lille-Ashford :* 2 à 4 allers-retours/j., 1h de voyage.

➤ *Calais-Frethun-Londres :* 3 allers-retours/j., 1h20 de voyage.

Également des lignes directes plus ou moins saisonnières à destination de Londres et de Ashford depuis Marne-la-Vallée (toute l'année), Avignon (en été), Aime-la-Plagne (en hiver), Bourg-Saint-Maurice (en hiver) et Moutiers (en hiver).

Au départ des principales villes de province, Eurostar propose toute l'année des prix comprenant le trajet en train jusqu'à Lille-Europe ou Paris, puis le voyage en Eurostar.

Gaéland ASHLING

ECOSSE

CIRCUITS
B & B
HOTELS
COTTAGES
MANOIRS
GOLF
PECHE

Branchez-vous sur la ligne verte

Réservation et achat des billets

▲ **SNCF**
– *Ligne directe Eurostar :* ☎ *0892-35-35-39 (0,34 €/mn), tlj, 7h-22h.*
– *Internet :* • *voyages-sncf.com* • *ou directement :* • *eurostar.com* •
– Dans les gares, les boutiques SNCF et les agences de voyages agréées.
– *Billet à domicile :* commandez et payez votre billet par téléphone ou sur Internet,
la SNCF vous l'envoie gratuitement à domicile.

Pour voyager au meilleur prix

Eurostar propose de nombreuses réductions. Pour en profiter au maximum, il faut
réserver à l'avance. Les billets sont en vente 3 mois avant la date de départ pour les
trajets effectués depuis la province et 4 mois avant depuis Paris ou Lille. Les promotions sont aussi fréquentes. Lors de la réservation, demandez toujours le meilleur
tarif disponible.

En train, puis bateau

Les lignes ferroviaires ne desservent pas les gares maritimes françaises. On
conseille donc cette formule aux habitants du Nord, aux claustrophobes (sous le
tunnel) et à ceux qui ont vraiment le temps.
Dorénavant, il faut prendre le train pour Calais, Boulogne ou Dieppe. *À l'arrivée,
des navettes sont assurées avec les gares maritimes d'embarquement.* Pour
les traversées, voir « En bateau ».
Côté britannique, de nombreux trains relient les villes portuaires à Londres.

De la Belgique à l'Angleterre

Il existe une dizaine de liaisons en sem (7 le w-e) entre Bruxelles-Midi et Londres
(gare de St Pancras International), par l'Eurostar (min 2h15 de voyage). *Rens :*
☎ *02-528-28-28.* • *b-rail.be* •

De l'Angleterre à l'Écosse

Les trains à destination de l'Écosse partent de la gare de King's Cross à Londres,
sauf certains trains à destination de la côte est et les trains de nuit, qui partent
exclusivement de la gare de Euston. Réservations de trains-couchettes *(Caledonian Sleepers)* auprès de *Scotrail* • *firstgroup.com/scotrail* •
➤ *Pour Édimbourg et Glasgow :* liaisons directes, départ ttes les heures env.
Durée : env 5h.
➤ *Pour Aberdeen et Inverness :* entre 4 et 6 allers-retours/j. Compter 9h pour Inverness ; 7h pour Aberdeen.

EN BUS

De la France à l'Angleterre

En bus puis bateau, ou via Eurotunnel

▲ **EUROLINES**
Rens : ☎ *0892-89-90-91 (0,34 €/mn).* • *eurolines.fr* • Vous trouverez également
les services d'Eurolines sur • *routard.com* • Bureaux à Paris (5e, 9e, 12e arrondis-
sements), La Défense, Versailles, Avignon, Bordeaux, Clermont-Ferrand, Dijon,
Grenoble, Lille, Lyon, Marseille, Metz, Montpellier, Mulhouse, Nancy, Nantes, Nice,
Nîmes, Perpignan, Rennes, Strasbourg, Toulouse et Tours.
Deux gares routières internationales à Paris :

🚌 *Gallieni :* ☎ *0892-89-90-91*
(0,34 €/mn). Ⓜ Gallieni.

🚌 *La Défense :* ☎ 01-49-03-40-63.
Ⓜ La Défense-Grande-Arche.

MIQUE-AUX-NOCES

HEUREUSEMENT,
ON NE VOUS PROPOSE
PAS QUE LE TRAIN.

MYKONOS,
TOUTE L'EUROPE
ET LE RESTE DU MONDE.

Voyages-
sncf.com

Voyages-sncf.com, première agence de voyage sur Internet avec plus de 600 destinations dans le monde, vous propose ses meilleurs prix sur les billets d'avion et de train, les chambres d'hôtel, les séjours et la location de voiture. Accessible 24h/24, 7j/7.

Leader européen des voyages en lignes régulières internationales par autocar, Euro-lines dessert Londres, ainsi que plus de 1 200 destinations au Royaume-Uni, en partenariat avec *National Express.*

– *Pass Eurolines :* pour un prix fixe valable 15 ou 30 jours, vous voyagez autant que vous le désirez sur le réseau entre 32 villes européennes.

De l'Angleterre à l'Écosse

Il existe des compagnies privées qui organisent des circuits et excursions. Les auto-cars en Grande-Bretagne parcourent tout le pays et offrent des tarifs généralement plus avantageux que le train. D'autant plus si on voyage avec la compagnie *low-cost Megabus* qui relie notamment Londres à Édimbourg à prix imbattables. *Rens :* ☎ 0900-160-09-00 ● megabus.com ●

Pour relier la capitale britannique à l'Écosse, la compagnie *National Express* (☎ 08705-80-80-80. ● nationalexpress.com ●) assure, quant à elle, 2 à 3 départs quotidiens de Londres (*Victoria Bus Station*) pour Édimbourg et Glasgow. Égale-ment des liaisons entre Londres et Aberdeen, Inverness. À noter que *National Express* n'effectue que des trajets entre l'Angleterre et l'Écosse et non entre villes écossaises.

Il est possible de réserver et de recevoir son billet par Internet pour impression ou bien par fax ou par la poste. *BMS (British Marketing Service) : 99, bd Haussmann, 75008 Paris.* ☎ 01-42-66-07-07. ● bms-travelshop.com ● Si vous n'avez pas réservé votre place, arrivez à l'avance, car le bus part une fois plein, et ce même avant l'horaire prévu.

EN BATEAU

De la Belgique à l'Écosse

▲ SUPERFAST FERRIES

– *En France : Euromer, 5-7, quai de Sauvages, CS 10024, 34078 Montpellier Cedex 3.* ☎ 04-67-65-95-12 ou 14. ● euromer.net ● Prix intéressants. ***Viamare Cap Mer,** 6-8, rue de Milan, 75009 Paris.* ☎ 01-42-80-94-87. ● viamare.fr ● Et ***Navi-france,** 20, rue de la Michodière, 75002 Paris.* ☎ 01-42-66-65-40. ● navifrance. net ● Également à **British Marketing Services :** *99, bd Haussmann, 75008 Paris.* ☎ 01-42-66-07-07. ● bms-travelshop.com ●

– *En Belgique : **Grecorama,** rue Royale, 97-99, Bruxelles 1000.* ☎ 02-226-40-60. ● grecorama.be ● Pour cette traversée, il est conseillé de réserver longtemps à l'avance.

➢ Il s'agit pour l'instant de la seule compagnie à relier l'Écosse au continent. Trois départs par semaine de Zeebrugge en Belgique pour le port de Rosyth, au niveau de Dunfermline, à env 20 km d'Édimbourg. Compter 18h de traversée. Départ à 18h, arrivée en Écosse à 11h le lendemain mat. Le voyage s'effectue dans des cabines de 2 à 4 pers, ou en fauteuils. Tarifs intéressants ; un peu plus cher les ven et sam. Les Français peuvent se rendre à Zeebrugge par l'autoroute A 1 Paris-Lille, puis A 17 jusqu'à Bruges via Kortrijk (Courtrai). Également en train jusqu'à Bruges où il existe un service de navettes pour Zeebrugge, situé à 18 km.

De la Belgique ou des Pays-Bas au nord de l'Angleterre

▲ P & O FERRIES

Rens et résa : ☎ 0825-120-156 (0,15 €/mn) pour les Français ou ☎ 070-70-77-71 pour les Belges. ● poferries.com ● Et dans les agences de voyages.

➢ La compagnie P & O Ferries assure une liaison entre Zeebrugge (en Belgique) et Hull (situé en Angleterre, à 400 km d'Édimbourg). Un départ/j. Compter env 12h de traversée. Seulement 2 km séparent la gare de Zeebrugge du bateau. On peut visi-ter Bruges (à 18 km) avant de partir. Une navette vous attend. Le dîner et le petit déj anglais facultatifs sont facturés en plus du billet.

Également 1 traversée tlj depuis Rotterdam (Pays-Bas) jusqu'à Hull. Durée : 10h.

NOUVEAUTÉ

PARIS À VÉLO (avril 2008)

Le *Guide du routard* propose enfin de vous faire découvrir Paris du haut d'un vélo. À travers une dizaine d'itinéraires thématiques créés par des spécialistes de la petite reine, ce nouveau guide propose non seulement une visite architecturale des grands monuments et des plus beaux sites de la capitale, mais aussi la découverte d'un Paris secret, poétique et bien souvent verdoyant, que seul le vélo permet de parcourir. Toutes les balades sont accessibles à tous, débutants ou confirmés, et modulables à loisir grâce au système *Vélib'*. De nombreuses anecdotes permettent de découvrir « la petite histoire » des monuments et de mieux sentir la personnalité de chaque quartier. *Paris à Vélo,* c'est aussi une mine d'infos pratiques, du choix de sa bicyclette aux tuyaux pour circuler en toute sécurité, en passant par toutes les astuces pour profiter vraiment de *Vélib'*. Alors, tous à vos biclounes et bonnes balades !

▲ **EUROMER**
– *Montpellier : 5-7, quai de Sauvages, CS 10024, 34078 Montpellier Cedex 3.* ☎ *04-67-65-95-12 ou 14.* ● *euromer.net* ●
➣ Propose des traversées à destination de Hull (Angleterre) au départ de Zee-brugge (Belgique) ou de Rotterdam (Pays-Bas).

De la France au sud de l'Angleterre

▲ **BRITTANY FERRIES**
Centre de résa à Roscoff : ☎ *0825-828-828 (0,15 €/mn).* ● *brittanyferries.fr* ● Brittany Ferries propose 5 lignes :
➣ *Roscoff-Plymouth :* de 4h45 à 6h de traversée, selon le navire (1 à 3 départs/j.).
➣ *Saint-Malo-Portsmouth :* 9h de trajet (1 départ/j., jusqu'à 2 le w-e).
➣ *Caen-Ouistreham-Portsmouth :* 6h de trajet et 3h40 avec un navire rapide (jusqu'à 3 départs/j.).
➣ *Cherbourg-Poole :* 4h30 de trajet (1 ou 2 départs/j.).
➣ *Cherbourg-Portsmouth :* 3h de traversée en navire rapide (1 ou 2 départs/j.).
Brittany Ferries propose aussi des séjours en Écosse en *B & B,* hôtels, demeures de caractère, centres de loisirs, cottages ou pubs-auberges. Vous pouvez également profiter d'un circuit en autocar ou de l'une des 2 formules autotours qui, entre châteaux, loch, whisky et tartan, permettent de découvrir le meilleur de l'Écosse.

▲ **P & O FERRIES**
Rens et résa : ☎ *0825-120-156 (0,15 €/mn).* ● *poferries.com* ● *Et dans les agences de voyages.*
Cette compagnie propose des traversées mini croisières sur les lignes suivantes :
➣ *Calais-Douvres :* relié par 5 superferries en 75 mn (en moyenne). Jusqu'à 25 départs/j. (ttes les 30 mn aux moments d'affluence).
➣ *Bilbao-Portsmouth :* du Pays basque espagnol, 2 liaisons/sem vers le port anglais. Compter 35h à l'aller et 29h au retour.

▲ **SEAFRANCE**
– *Paris : 1, av. de Flandre, 75019.*
– *Calais : 2, pl. d'Armes, 62100.*
Pour tte la France, rens et résa ferries et séjours dans votre agence de voyages ou au ☎ *0825-826-000 (n° Indigo ; 0,15 €/mn).* ● *seafrance.com* ●
➣ La compagnie assure 15 traversées/j. entre Calais et Douvres (1h30).

▲ **CONDOR FERRIES**
Gare maritime de la Bourse et terminal ferry du Naye, BP 99, 35412 Saint-Malo Cedex. ☎ *0825-135-135 (0,15 €/mn).* ● *condorferries.com* ● *Résa en ligne possible.*
➣ Condor Ferries assure des liaisons régulières tte l'année de Saint-Malo vers Poole et Weymouth (en 4h30, car-ferries grande vitesse). Unique sur le trans-Manche, le *duty-free* est toujours en vigueur.

▲ **TRANSMANCHE FERRIES**
Rens et résa : ☎ *0800-650-100 (n° Vert).* ● *transmancheferries.com* ●
➣ La compagnie propose 3 à 4 traversées/j. selon la saison entre Dieppe et Newha-ven à bord de navires très récents. Durée : 3h45.

LES ORGANISMES DE VOYAGES

– Ne pas croire que les vols à tarif réduit sont tous au même prix pour une même destination à une même époque : loin de là. On a déjà vu, dans un même avion partagé par deux organismes, des passagers qui avaient payé 40 % plus cher que les autres. De plus, une agence bon marché ne l'est pas forcément toute l'année (elle peut n'être compétitive qu'à certaines dates bien précises). Donc, contactez tous les organismes et jugez vous-même.

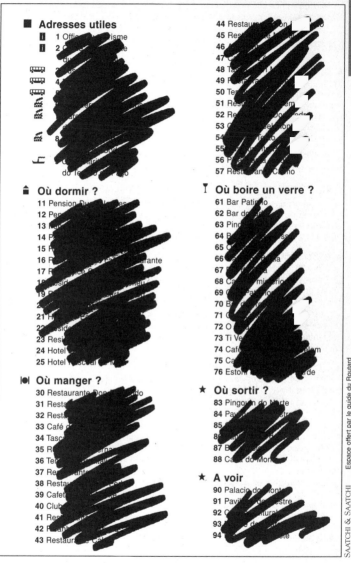

■ **Adresses utiles**

i 1 Offi... ...risme
i 2 ...

Où dormir ?

11 Pension ...
12 Pen...
13 ...
14 P...
15 P...
16 R...
17 R...
18 ...
19 ...
21 H...
22 ...
23 Resi...
24 Hotel ...
25 Hotel ...

|○| **Où manger ?**

30 Restaurante Do... ...do
31 Resta...
32 Resta...
33 Café ...
34 Tasc...
35 R...
36 Ter...
37 Re...
38 Resta...
39 Cafet...
40 Club...
41 Res...
42 P...
43 Restaur...

44 Restaur... ...
45 Res...
46 A...
47 C...
48 Ta...
49 P...
50 Ter...
51 Rest...
52 Re...
53 ...
54 ...
55 ...
56 P...
57 Rest...rant... ...omo

Ⓨ **Où boire un verre ?**

61 Bar Pati...
62 Bar d...
63 Pin...
64 B...
65 ...
66 ...
67 ...
68 Ca...
69 ...
70 B...
71 ...
72 O...
73 Ti Ve...
74 Café...
75 Ca...
76 Estot...

★ **Où sortir ?**

83 Pingo...n do Morte
84 Pav...
85 ...
86 ...
87 B...
88 Ca...

★ **A voir**

90 Palacio ...
91 Pavil...
92 C...
93 ...
94 ...

Espace offert par le guide du Routard

SAATCHI & SAATCHI

reporters
sans frontières

www.rsf.org

N'attendez pas qu'on vous prive de l'information pour la défendre.

– Les organismes cités sont classés par ordre alphabétique, pour éviter les jalousies et les grincements de dents.

EN FRANCE

▲ BENNETT
Rens : ☎ 0825-12-12-36 (0,15 €/mn). ● *bennett.fr* ● *Brochures disponibles gratuitement.*
Ancienne agence parisienne (depuis 1918), aujourd'hui marque de *Vacances Transat,* spécialiste de la Scandinavie, de la Finlande, de l'Islande, de l'Irlande, de la Grande-Bretagne. Séjours, circuits accompagnés et itinéraires spéciaux pour automobilistes.

▲ BOURSE DES VOLS / BOURSE DES VOYAGES
Infos : ● *bdv.fr* ● *ou par téléphone, au ☎ 0892-888-949 (0,34 €/mn), lun-sam 8h-22h.*
Agence de voyages en ligne, bdv.fr propose une vaste sélection de vols secs, séjours et circuits à réserver en ligne ou par téléphone. Pour bénéficier des meilleurs tarifs aériens, même à la dernière minute, le service de Bourse des Vols référence en temps réel un large panel de vols réguliers, charters et dégriffés au départ de Paris et de nombreuses villes de province à destination du monde entier !

▲ BRITISH MARKETING SERVICES
– Paris : 99, bd Haussmann, 75008. ☎ 01-42-66-07-07. ● *bms-travelshop.com* ● Ⓜ *Saint-Augustin. Lun-ven 10h-19h, sam 10h-18h.*
Sous l'enseigne *La Boutique du Voyage,* l'agence, spécialiste de la Grande-Bretagne, organise des voyages sur mesure. On peut y réserver ses hébergements bien sûr, mais aussi les transports internationaux et intérieurs (*Britrail,* forfait Paris-Bruges en *Thalys,* puis liaison jusqu'en Écosse avec *Superfast-Ferries*). Des événements culturels sont également proposés par une équipe expérimentée dans l'art du beau voyage.

▲ COMPTOIR DES PAYS CELTES
– Paris : 344, rue Saint-Jacques, 75005. ☎ 0892-239-039 (0,34 €/mn). ● *comptoir. fr* ● Ⓜ *Port-Royal. Lun-sam 10h-18h30.*
– Toulouse : 43, rue Peyrolières, 31000. ☎ 0892-232-236 (0,34 €/mn). *Lun-sam 10h-18h30.*
L'authenticité, les mythes, les traditions et les couleurs de l'Écosse ne sont jamais bien loin lorsque leurs conseillers vous aident à bâtir un voyage. Comptoir des Pays Celtes propose un grand choix d'hébergements de charme, des idées de voyages originales et bien d'autres suggestions à combiner selon son budget, ses envies et son humeur.
Chaque Comptoir est spécialiste d'une ou plusieurs destinations : Afrique, Brésil, États-Unis, Canada, Désert, Italie, Islande, Groenland, Maroc, Pays celtes, Égypte, Scandinavie, pays du Mékong.

▲ FUAJ
– Paris : antenne nationale, 27, rue Pajol, 75018. ☎ 01-44-89-87-27/26. ● *fuaj.org* ● Ⓜ *La Chapelle, Marx-Dormoy ou Gare-du-Nord. Lun 10h-17h, mar-ven 10h-18h. Rens dans ttes les auberges de jeunesse, les points d'information et de résa en France et sur le site* ● *hihostels.com* ●
La FUAJ (Fédération unie des auberges de jeunesse) accueille ses adhérents dans 155 auberges de jeunesse en France. Seule association française membre de l'IYHF *(International Youth Hostel Federation),* elle est le maillon d'un réseau de 4 200 auberges de jeunesse réparties dans 81 pays. La FUAJ organise, pour ses adhérents, des activités sportives, culturelles et éducatives ainsi que des rencontres internationales. Les adhérents de la FUAJ peuvent obtenir gratuitement les brochures *Voyages en liberté/Go as you please, Printemps-Eté, Hiver, le Guide des*

AJ en France. Le guide international regroupe la liste de toutes les auberges de jeunesse dans le monde. Ils sont disponibles à la vente (7 €) ou en consultation sur place.

▲ GAELAND ASHLING

– *Paris : 4, quai des Célestins, 75004.* ☎ *0825-12-30-03 (0,15 €/mn). Lun-ven 9h30-18h30, sam 10h-17h.*
– *Toulouse : 5, rue des Lois, 31000.* ☎ *0825-12-70-07 (0,15 €/mn). Lun-ven 9h30-18h30, sam (fév-oct) 10h-17h. Et dans ttes les agences de voyages.*
● *gaeland-ashling.com* ●
Trois destinations phares pour ce tour-opérateur spécialisé sur l'ouest de l'Europe (la Grande-Bretagne, l'Écosse et l'Irlande). L'équipe est composée de fanas de la Grande-Bretagne, qui connaissent très bien la destination. En Grande-Bretagne, sélection rigoureuse d'hôtels en Angleterre, au pays de Galles ou en Écosse. Du week-end à Londres (hôtels toutes catégories) aux *B & B* ou manoirs de charme dans le reste du pays, les hôtels ont été sélectionnés en privilégiant le charme et la qualité, du plus familial au plus luxueux.

▲ NOUVELLES FRONTIÈRES

Rens et résa dans tte la France : ☎ *0825-000-825 (0,15 €/mn).* ● *nouvelles-frontie res.fr* ●
Les 13 brochures Nouvelles Frontières sont disponibles gratuitement dans les 210 agences du réseau, par téléphone et sur Internet. Plus de 30 ans d'existence, 1 400 000 clients par an, 250 destinations, une chaîne d'hôtels-clubs *Paladien* et une compagnie aérienne, *Corsairfly.* Pas étonnant que Nouvelles Frontières soit devenu une référence incontournable, notamment en matière de tarifs. Le fait de réduire au maximum les intermédiaires permet d'offrir des prix « super-serrés ». Un choix illimité de formules vous est proposé : des vols sur la compagnie aérienne de Nouvelles Frontières au départ de Paris et de province, en classe Horizon ou Grand Large, et sur toutes les compagnies aériennes régulières, avec une gamme de tarifs selon votre budget. Sont également proposés toutes sortes de circuits, aventure ou organisés ; des séjours en hôtels, en hôtels-clubs et en résidences ; des week-ends, des formules à la carte (vol, nuits d'hôtel, excursions, location de voitures...), des séjours neige.
Avant le départ, des réunions d'information sont organisées. Intéressant : des brochures thématiques (plongée, rando, trek, thalasso).

▲ PLEIN VENT VOYAGES

Résa et brochures dans les agences du Sud-Est et du Rhône-Alpes.
Premier tour-opérateur du Sud-Est, Plein Vent assure toutes ses prestations (circuits et séjours) au départ de Lyon, Marseille et Nice. L'Écosse fait partie de ses destinations phares. Plein Vent garantit ses départs et propose un système de « garantie annulation » performant.

▲ SCANDITOURS / CELTICTOURS

– *Paris : 36, rue de Saint-Pétersbourg, 75008, rez-de-chaussée.* ☎ *01-42-85-64-30.* Ⓜ *Place-de-Clichy. Lun-jeu 10h-18h30, ven 10h-17h30.*
Si Scanditours est une véritable institution sur les pays nordiques, Celtictours consacre sa programmation à l'Irlande et l'Écosse. Circuit accompagnés et voyages individuels : transport aérien, location de voitures, autotours, séjours à la ferme, en maisons de pêcheur , en auberges, en hôtels ou en manoirs.
On peut également réserver des traversées à bord de *P & O Ferries.*

▲ VOYAGES-SNCF.COM

Voyages-sncf.com, première agence de voyages sur Internet, propose des billets de train, d'avion, des chambres d'hôtel, des locations de voitures et des séjours clés en main ou Alacarte® sur plus de 600 destinations et à des tarifs avantageux. Leur site ● voyages-sncf.com ● permet d'accéder tous les jours, 24h/24 à plusieurs services : envoi gratuit des billets à domicile, Alerte Résa pour être informé de l'ouverture des résas et profiter du plus grand choix, calendrier des meilleurs prix (TTC), mais aussi des offres de dernière minute et des promotions...

Et grâce à l'Éco-comparateur, en exclusivité sur ● voyages-sncf.com ●, possibilité de comparer le prix, le temps de trajet et l'indice de pollution pour un même trajet en train, en avion ou en voiture.

▲ VOYAGES WASTEELS

Centre d'appels infos et ventes par téléphone : ☎ *0825-887-070 (0,15 €/mn).* *65 agences en France, 140 en Europe. Pour obtenir l'adresse et le numéro de télé-phone de l'agence la plus proche de chez vous, rdv sur* ● *wasteels.fr* ●

Voyages Wasteels propose pour tous des séjours, des week-ends, des vacances à la carte, des croisières, des locations mer et montagne, de l'hébergement en hôtel, des voyages en avion ou en train et de la location de voitures, au plus juste prix, parmi des milliers de destinations en France, en Europe et dans le monde.

▲ VOYAGEURS EN IRLANDE ET DANS LES ÎLES BRITANNIQUES

Le grand spécialiste du voyage en individuel sur mesure. ● *vdm.com* ●
– *Paris :* La Cité des Voyageurs, *55, rue Sainte-Anne, 75002.* ☎ *0892-23-61-61 (0,34 €/mn).* Ⓜ *Opéra ou Pyramides. Lun-sam 9h30-19h.*
Également des agences à Bordeaux, Grenoble, Lille, Lyon, Marseille, Montpellier, Nantes, Nice, Rennes, Rouen, Strasbourg et Toulouse.

Pour partir à la découverte de plus de 120 pays, 120 conseillers-voyageurs, de près de 30 nationalités et grands spécialistes des destinations, donnent des conseils, étape par étape et à travers une collection de 27 brochures, pour élaborer son propre voyage en individuel.

Voyageurs du Monde propose également une large gamme de circuits accompa-gnés (Famille, Aventure, Routard...). Voyageurs du Monde a développé une politi-que de « vente directe » à ses clients, sans intermédiaire.

Dans chacune des *Cités des Voyageurs,* tout rappelle le voyage : librairies spécia-lisées, boutiques d'accessoires de voyage, expositions-ventes d'artisanat ou encore cocktails-conférences. Toute l'actualité de VDM à consulter sur leur site internet.

EN BELGIQUE

▲ CONNECTIONS

Rens et résa au ☎ *070-233-313.* ● *connections.be* ● *Lun-ven 9h-21h, sam 10h-17h.*

Spécialiste du voyage pour les étudiants, les jeunes et les *Independent travellers.* Le voyageur peut y trouver informations et conseils, aide et assistance (revalida-tion, *routing...*) dans 22 points de vente en Belgique et auprès de bon nombre de correspondants de par le monde.

Connections propose une gamme complète de produits : des tarifs aériens spé-cialement négociés pour sa clientèle (licence IATA), une très large offre de « last Minutes », toutes les possibilités d'arrangement terrestre (hébergement, locations de voitures, *self-drive tours,* vacances sportives, expéditions) ; de nombreux ser-vices aux voyageurs comme l'assurance voyage « Protections » ou les cartes inter-nationales de réductions (la carte internationale d'étudiant ISIC).

▲ NOUVELLES FRONTIÈRES

– *Bruxelles (siège) : bd Lemonnier, 2, 1000.* ☎ *02-547-44-22.* ● *nouvelles-fron tieres.be* ●
– *Également d'autres agences à Bruxelles, Charleroi, Liège, Mons, Namur, Water-loo, Wavre et au Luxembourg.*

Voir le texte dans la partie « En France ».

▲ SENS INVERSE

– *Beauraing : Fg-St-Martin, 22, 5570.* ☎ *082-689-856.* ● *sensinverse.com* ●

Agence de voyages éco-touristique qui propose des voyages accompagnés de guides locaux passionnés, et axés sur la découverte de l'environnement naturel, culturel, rural et humain de différentes régions de France comme à l'étranger, notamment en Écosse. L'équipe est très engagée dans la protection de la nature et la sauvegarde du patrimoine et des cultures. Tous leurs voyages ont comme point commun la marche à pied à un rythme modéré et en petit groupe.

COMMENT Y ALLER ?

▲ SERVICE VOYAGES ULB
– *Bruxelles : campus ULB, av. Paul-Héger, 22, CP 166, 1000.* ☎ *02-648-96-58.*
– *Bruxelles : rue Abbé-de-l'Épée, 1, Woluwe, 1200.* ☎ *02-742-28-80.*
– *Bruxelles : hôpital universitaire Érasme, route de Lennik, 808, 1070.* ☎ *02-555-38-49.*
– *Bruxelles : chaussée d'Alsemberg, 815, 1180.* ☎ *02-332-29-60.*
– *Ciney : rue du Centre, 46, 5590.* ☎ *083-216-711.*
– *Marche : av. de la Toison-d'Or, 4, 6900.* ☎ *084-31-40-33.*
– *Wepion : chaussée de Dinant, 1137, 5100.* ☎ *081-46-14-37.* ● *servicevoyages. be* ● *Lun-ven 9h-17h.*
Service Voyages ULB, c'est le voyage à l'université. Billets d'avion sur vols charters et sur compagnies régulières à des prix hyper-compétitifs.

▲ TAXISTOP AIRSTOP
Pour ttes les adresses Airstop, un seul numéro de téléphone : ☎ *070-233-188.*
Taxistop : ☎ *070-222-292.* ● *airstop.be* ● *Lun-ven 9h-18h30, sam 9h-14h.*
– *Taxistop/Airstop Bruxelles : rue Fossé-aux-Loups, 28, 1000.*
– *Airstop Anvers : Sint Jacobsmarkt, 84, 2000.*
– *Airstop Bruges : Dweersstraat, 2, 8000.*
– *Airstop Courtrai : Badastraat, 1A, 8500.*
– *Taxistop/Airstop Gand : Maria Hendrikaplein, 65B, 9000.*
– *Airstop Louvain : Maria Theresiastraat, 125, 3000.*
– *Taxistop Ottignies : bd Martin, 27, 1340.*
Taxistop propose un système de covoiturage alors qu'Airstop offre une large gamme de prestations, du vols sec au séjour tout compris à travers le monde.

▲ ZUIDERHUIS (BELGIAN BIKING)
– *Gand : H.-Frère-Orbanlaan, 34, 9000.* ☎ *09-233-45-33.* ● *zuiderhuis.be* ●
« Maison de voyage » installée en Flandre qui centralise les propositions de *Vreemde kontinenten, Te Voet, Explorado* (pour les jeunes entre 18 et 30 ans), mais qui développe aussi, et c'est son originalité, ses propres programmes de vacances cyclistes, individuels ou en groupe, avec réservations d'étapes et assistance logistique en Belgique, en Europe et dans le monde (*Cameleon bike* et *Belgian biking*).

EN SUISSE

▲ NOUVELLES FRONTIÈRES
– *Genève : 10, rue Chantepoulet, 1201.* ☎ *022-906-80-80.*
– *Lausanne : 19, bd de Grancy, 1006.* ☎ *021-616-88-91.*
Voir le texte dans la partie « En France ».

▲ STA TRAVEL
● *statravel.ch* ●
– *Bienne : 4, General-Dufourstrasse 4, 2502.* ☎ *058-450-47-50.*
– *Fribourg : 24, rue de Lausanne, 1701.* ☎ *058-450-49-80.*
– *Genève : 3, rue Vignier, 1205.* ☎ *058-450-48-30.*
– *Lausanne : 26, rue de Bourg, 1003.* ☎ *058-450-48-70.*
– *Lausanne : à l'université, Anthropole, 1015.* ☎ *058-450-49-20.*
– *Montreux : 25, av. des Alpes, 1820.* ☎ *058-450-49-30.*
– *Neuchâtel : 2, Grand-Rue, 2, 2000.* ☎ *058-450-49-70.*
– *Nyon : 17, rue de la Gare, 1260.* ☎ *058-450-49-00.*

Agences spécialisées notamment dans les voyages pour jeunes et étudiants. Gros avantage en cas de problème : 150 bureaux STA et plus de 700 agents du même groupe répartis dans le monde entier sont là pour donner un coup de main *(Travel Help)*.

STA propose des voyages très avantageux : vols secs *(Skybreaker)*, billets Euro Train, hôtels, écoles de langues, voitures de location, etc. Délivre la carte internationale d'étudiant et la carte Jeune Go 25.

STA est membre du fonds de garantie de la branche suisse du voyage ; les montants versés par les clients pour les voyages forfaitaires sont assurés.

AU QUÉBEC

▲ TOURS CHANTECLERC
● *tourschanteclerc.com* ●

Tours Chanteclerc est un tour-opérateur qui publie différentes brochures de voyages : Europe, Amérique du Nord, Amérique du Sud, Asie et Pacifique Sud, Afrique et le Bassin méditerranéen en circuits ou en séjours. Il se présente comme l'une des « références sur l'Europe » avec deux brochures : groupes (circuits guidés en français) et individuels. « Mosaïque Europe » s'adresse aux voyageurs indépendants qui réservent un billet d'avion, un hébergement (dans toute l'Europe), des excursions ou une location de voiture.

▲ TOURSMAISON
● *toursmaison.ca* ●

Spécialiste des vacances sur mesure, ce voyagiste offre l'Europe à la carte toute l'année (plus de 17 pays). Toursmaison propose des locations de voitures pratiquement partout dans le monde. Des billets pour le train, les attractions, les excursions et les spectacles peuvent également être achetés avant le départ.

▲ VACANCES TOURS MONT ROYAL
● *toursmont-royal.com* ●

Le voyagiste propose une offre complète sur les destinations et les styles de voyages suivants : Europe, forfaits tout compris, circuits accompagnés ou en liberté. Au programme Europe, tout ce qu'il faut pour les voyageurs indépendants : location de voitures, cartes de train, bonne sélection d'hôtels, excursions à la carte, etc. À signaler : l'option achat/rachat de voiture (17 jours minimum), avec prise en France et remise en France ou ailleurs en Europe.

▲ VOYAGES CAMPUS / TRAVEL CUTS
Pour contacter l'agence la plus proche : ● *voyagescampus.com* ●

Campus/Travel Cuts est un réseau national d'agences de voyages qui propose des tarifs aériens sur une multitude de destinations pour tous et plus particulièrement en classe étudiante, jeunesse, enseignants. Il diffuse la carte d'étudiant internationale (ISIC), la carte jeunesse (IYTC) et la carte d'enseignant (ITIC). Voyages Campus publie quatre fois par an le *Müv,* le magazine du nomade (● *muvmag.com* ●). Voyages Campus propose un programme de Vacances-Travail *(SWAP),* son programme de volontariat *(Volunteer Abroad)* et plusieurs circuits au Québec et à l'étranger. Le réseau compte quelque 70 agences à travers le Canada, dont neuf au Québec.

ÉCOSSE UTILE

Pour la carte de l'Écosse, se reporter au cahier couleur.

ABC DE L'ÉCOSSE

- **Superficie :** 78 783 km².
- **Population :** 5 116 900 hab. (soit 8,5 % de la population du Royaume-Uni).
- **Capitale :** Édimbourg.
- **Monnaie :** la livre sterling (£).
- **Régime :** démocratie parlementaire. Parlement autonome écossais depuis 1999.
- **Chef de l'État :** la reine Elizabeth II depuis le 6 février 1952.
- **Premier ministre :** Gordon Brown.

AVANT LE DÉPART

Adresses utiles

En France

🏠 **Office de tourisme de Grande-Bretagne :** ● gbinfo@visitbritain.org ● visitbritain.fr ● Très pro. Sur son site, liste d'hébergements, d'événements, d'infos pratiques, promotions, etc. N'hésitez pas aussi à contacter directement le TIC (Tourist Information Centre, syndicat d'initiative) de la ville concernée (pas besoin d'adresse), qui vous enverra une documentation plus précise sur la région (la plupart du temps en anglais). À noter que les brochures disponibles à l'office de tourisme et dans les TIC écossais sont gratuites, mais les plans, guides et cartes détaillés peuvent être payants. Commande de documentation également disponible sur le site de l'Écosse ● visitscotland. fr ● Dans la boutique en ligne ● visitbritain.fr/boutique ●, possibilité d'acheter ses billets de trains, d'attractions, de spectacles, cartes routières, le Great British Heritage Pass (châteaux, jardins et manoirs en Grande-Bretagne), etc. et de les recevoir par courrier 2 à 4 jours plus tard ou sous forme de bons d'échange à imprimer.

■ **Consulat de Grande-Bretagne :** service visas, 16, rue d'Anjou, 75008 Paris. ☎ 01-44-51-31-01. ● ambgb. com ● Ⓜ Concorde ou Madeleine. Lun-ven 9h30-12h30, 14h30-16h30, mais slt sur rdv pour les visas. Consultez aussi le site ● visainfoservices.com ●

■ **Keith Prowse :** 7, rue de Clichy, 75009 Paris. ☎ 01-42-81-88-88. ● keith prowse.com ● Pas d'accueil du public. Permanence téléphonique lun-ven 10h-18h. Agence de billetterie internationale. Réservations pour des excursions, attractions et concerts. Attention, les tarifs sont un peu majorés par les frais d'agence.

En Belgique

Visit Britain (office de tourisme britannique) : • british.be@visitbritain.org • visitbritain.be/fr • Envoi gratuit de brochures et achat sur leur boutique en ligne du *Great British Heritage Pass* (châteaux, jardins et manoirs en Grande-Bretagne), des billets de trains, d'attractions, de spectacles, cartes routières, guides touristiques.

■ **Ambassade de Grande-Bretagne :** rue d'Arlon, 85, Bruxelles 1040. ☎ 02-287-62-11 • britishembassy.gov.uk/belgium • Permanence téléphonique lun-ven 9h-17h30. La demande de visa, pour les ressortissants qui en ont besoin, se fait uniquement en ligne (et sur rendez-vous).

En Suisse

Visit Britain : • gbinfo@visitbritain.org • visitbritain.com/suisse • Infos et demande de brochures par mail uniquement.
■ **Consulat de Grande-Bretagne :** 58, av. Louis-Casaï, 1216 Genève. ☎ 022-918-24-00 (serveur vocal). • britishembassy.ch • Lun-ven 8h30-11h30, 14h-

16h. Il n'est pas possible de se rendre au consulat sans rendez-vous. Les demandes de visas, pour les ressortissants étrangers (hors Union européenne), se font par Internet auprès du site de l'ambassade ou de • visainfoservices.com •

Au Canada

Visit Britain : ☎ 1-888-847-48-85 (appel gratuit). • visitbritain.ca • Pas d'accueil du public. Permanence téléphonique lun-ven 9h-17h. Infos et demande de brochure par téléphone et mail.

■ **Haut Commissariat de la Grande-Bretagne :** 80 Elgin St, Ottawa (Ontario) K1P-5K7. ☎ (613) 237-15-30. • britainincanada.org • Infos concernant les visas sur leur site internet.

Formalités

– **Passeport** ou **carte nationale d'identité** en cours de validité (un permis de séjour en France ne suffit pas). Les mineurs non accompagnés par un de leurs parents doivent, en principe, présenter une autorisation parentale de sortie du territoire. Se renseigner auprès du consulat de Grande-Bretagne de son pays d'origine.
Attention : la Grande-Bretagne ne faisant pas partie de l'espace Schengen, certaines formalités, dont bien sûr les contrôles d'identité, y ont toujours cours.
Les *ressortissants hors de l'Union européenne* doivent se renseigner au service des visas du consulat de Grande-Bretagne (voir plus haut), et à leur propre consulat.
– **Pour la voiture :** permis de conduire national, carte grise, carte verte, et n'oubliez pas l'identification du pays d'origine (le F, le B ou le CH) à l'arrière du véhicule.
– **Voyager avec des animaux :** chats et chiens peuvent poser les pattes sur le territoire britannique sans avoir à endurer six mois de quarantaine. C'est le *Programme de voyage des animaux de compagnie* (PVAC). Mais un voyage outre-Manche avec Médor ou Poussy ne s'improvise pas. Votre animal devra être en possession d'un « passeport européen », se faire implanter une puce et refaire tous les vaccins nécessaires, et ce, IMPÉRATIVEMENT 6 mois avant le départ. Sans oublier le traitement antiparasitaire subi entre 48h et 24h avant votre enregistrement. Plus de renseignements auprès de votre véto. Sachez aussi, que le voyage ne peut s'effectuer qu'en voiture, et uniquement en voiture, soit à bord d'un ferry (mais tout dépend de la compagnie), soit via *Eurotunnel* (pas par l'*Eurostar,* donc).

Pour tout renseignement complémentaire, consulter le site internet de l'ambassade de Grande-Bretagne ● ambgb.com ●

Carte européenne d'assurance maladie

Pour un séjour temporaire en Grande-Bretagne, pensez à vous procurer la carte européenne d'assurance maladie. Il vous suffit d'appeler votre centre de sécurité sociale (ou se connecter au site internet de votre centre, encore plus rapide !) qui vous l'enverra sous une quinzaine de jours. Cette carte fonctionne avec tous les pays membres de l'Union européenne (y compris les douze petits derniers), ainsi qu'en Islande, au Lichtenstein, en Norvège et en Suisse. C'est une carte plastifiée bleue du même format que la carte Vitale. Elle est valable un an, gratuite, et personnelle (chaque membre de la famille doit avoir la sienne, y compris les enfants). Attention, la carte n'est pas valable pour les soins délivrés dans les établissements privés.

Assurances voyage

■ *Routard Assistance* (c/o AVI International) : 28, rue de Mogador, 75009 Paris. ☎ 01-44-63-51-00. ● avi-international.com ● Depuis 1995, Routard Assistance en collaboration avec AVI International, spécialiste de l'assurance voyage, propose aux routards un tarif à la semaine qui inclut une assurance bagages de 1 000 € et appareils photos de 300 €. Pour les séjours longs (2 mois à 1 an), il existe le plan *Marco Polo.* Routard Assistance est aussi disponible en version « light » (durée adaptée aux week-ends et courts séjours en Europe). Dans les dernières pages de chaque guide vous trouverez un bulletin d'inscription.
■ *Air Monde Assistance :* 5, rue Bourdaloue, 75009 Paris. ☎ 01-42-85-26-61. Fax : 01-48-74-85-18. Assurance-assistance voyage, monde entier. Frais médicaux, chirurgicaux, rapatriement... Air Monde utilise l'assureur *Mondial Assistance.* Application de franchises.
■ *AVA :* 25, rue de Maubeuge. 75009 Paris. ☎ 01-53-20-44-20. ● ava.fr ● Un autre courtier fiable. Capital pour ceux qui souhaitent s'assurer en cas de décès-invalidité-accident lors d'un voyage à l'étranger. Attention franchises pour leurs contrats d'assurance voyage.
■ *Pérès Photo Assurance :* 18, rue des Plantes, 78600 Maison-Lafitte. ☎ 01-39-62-28-63. ● pixel-assur.com ● Assurance de matériel photo tous risque. Devis basé sur le prix d'achat de votre matériel. Avantage : garantie à l'année. Inconvénient : franchise et prime d'assurance peuvent être supérieures à la valeur de votre matériel.

Carte internationale d'étudiant (carte ISIC)

Elle prouve le statut étudiant dans le monde entier et permet de bénéficier de tous les avantages, services et réductions étudiants du monde, soit plus de 37 000 avantages, dont plus de 8 000 en France, en matière de transports, d'hébergements, de culture, de loisirs, etc. C'est la clé de la mobilité étudiante !
La carte ISIC donne aussi droit à des avantages exclusifs sur tout ce qui a trait au voyage (billets d'avion spéciaux, assurances de voyage, carte de téléphone internationale, cartes SIM, location de voitures, navettes aéroport...). En Écosse, pensez bien à demander systématiquement si une réduction est accordée aux porteurs de la carte.
Pour plus d'informations sur la carte ISIC et pour la commander en ligne, rendez-vous sur les sites internet propres à chaque pays.

Pour l'obtenir en France

Pour localiser un point de vente proche de chez vous, • *isic.fr* • ou ☎ *01-49-96-96-49.* Puis s'y présenter muni :
– éventuellement d'une preuve du statut d'étudiant (carte d'étudiant, certificat de scolarité...) ;
– d'une photo d'identité ;
– 11 € (16 € pour les plus de 26 ans ; 23 € pour la carte « famille »), par correspondance, ajouter 2 € pour les frais d'envoi des documents d'information sur la carte. Émission immédiate.

En Belgique

La carte ISIC coûte 9 € et s'obtient sur présentation de la carte d'identité, de la carte d'étudiant et d'une photo auprès de :

■ *Connections : rens au* ☎ *02-550-01-00.* • *isic.be* •

En Suisse

Dans toutes les agences *STA Travel (*☎ *058-450-40-00),* sur présentation de la carte d'étudiant, d'une photo et de 20 Fs. Commande de la carte en ligne : • isic.ch • ou • statravel.ch •

Carte FUAJ internationale des auberges de jeunesse

Cette carte, valable dans 81 pays, permet de bénéficier de tarifs avantageux dans les quelque 4 000 AJ membres du réseau *Hostelling International* réparties dans le monde entier. Les périodes d'ouverture varient selon les pays et les AJ. À noter, la carte AJ est surtout intéressante en Europe, aux États-Unis, au Canada, au Moyen-Orient et en Extrême-Orient (Japon...).

Pour tous renseignements et réservations en France

Sur place

■ *Fédération unie des auberges de jeunesse (FUAJ) :* 27, rue Pajol, 75018 Paris. ☎ 01-44-89-87-27. • *fuaj.org* • Ⓜ *Marx-Dormoy ou La Chapelle. Lun 10h-17h, mar-ven 10h-18h. Montant de l'adhésion : 11 € pour les moins de 26 ans et 16 € pour les autres (tarifs 2007).* Munissez-vous de votre pièce d'identité lors de l'inscription. Une autorisation des parents est nécessaire pour les moins de 18 ans (une photocopie de la carte d'identité du parent qui autorise le mineur est obligatoire). Inscription possible également dans toutes les AJ, points d'information et de réservation FUAJ en France.

Par correspondance

Envoyez une photocopie recto verso d'une pièce d'identité et un chèque correspondant au montant de l'adhésion. Ajoutez 2 € pour les frais d'envoi de la FUAJ. Vous recevrez votre carte sous une quinzaine de jours.

– La FUAJ propose aussi une **carte d'adhésion « Famille »,** valable pour les familles de 2 adultes ayant un ou plusieurs enfants âgés de moins de 14 ans. Coût : 23 €. Fournir une copie du livret de famille.
– La carte donne également droit à des réductions sur les transports, les musées et les attractions touristiques de plus de 80 pays. Ces avantages varient d'un pays à l'autre, ce qui n'empêche pas de la présenter à chaque occasion, cela peut toujours marcher.

En Belgique

Son prix varie selon l'âge : entre 3 et 15 ans, 3 € ; entre 16 et 25 ans, 9 € ; après 25 ans, 15 €.

Renseignements et inscriptions

■ **LAJ :** rue de la Sablonnière, 28, 1000 Bruxelles. ☎ 02-219-56-76. ● laj.be ●
■ **Vlaamse Jeugdherbergcentrale**

(VJH) : Van Stralenstraat, 40, B 2060 Antwerpen. ☎ 03-232-72-18. ● vjh. be ●

En Suisse

Le prix de la carte dépend de l'âge : 22 Fs pour les moins de 18 ans, 33 Fs pour les adultes et 44 Fs pour une famille avec des enfants de moins de 18 ans.

Renseignements et inscriptions

■ **Schweizer Jugendherbergen (SH) :** service des membres des AJ suisses,

Schaffhauserstr. 14, 8042 Zurich. ☎ 044-360-14-14. ● youthhostel.ch ●

Au Canada

Elle coûte 35 $Ca pour une durée de 16 à 26 mois et 175 $Ca à vie. Gratuit pour les enfants de moins de 18 ans qui accompagnent leurs parents. Pour les mineurs voyageant seuls, la carte est gratuite, mais la nuit est payante (moindre coût). Ajouter systématiquement les taxes.

Renseignements et inscriptions

■ **Auberges de Jeunesse du Saint-Laurent/St Laurent Youth Hostels :**
– À Montréal : 3514 av. Lacombe, (Québec) H3T-1M1. ☎ (514) 731-10-15. N° gratuit (au Canada) : ☎ 1-866-754-10-15.
– À Québec : 94 bd René-Lévesque

Ouest, (Québec) G1R-2A4. ☎ (418) 522-2552.
■ **Canadian Hostelling Association :** 205 Catherine St, bureau 400, Ottawa (Ontario) K2P-1C3. ☎ (613) 237-78-84. ● hihostels.ca ●

ARGENT, BANQUES, CHANGE

Fin 2007, la livre sterling valait environ 1,50 €.
Le Royaume-Uni fait partie de l'Union européenne, mais sur le plan monétaire, les Britanniques font toujours cavalier seul (avec les Suédois et les Danois).
À noter qu'en Écosse, on utilise aussi la **livre écossaise,** même si celle-ci ne diffère de la **livre anglaise** que par le nom et l'aspect des billets. Toutefois, si la seconde est acceptée dans tout le royaume, l'inverse n'est pas vrai : il arrive que la livre écossaise soit refusée en Angleterre.
Le mieux, pour régler vos dépenses courantes (essence, hôtels, restaurants...), est de payer avec une carte de paiement. Les frais restent moins élevés qu'en retirant de grosses sommes au distributeur. Pour disposer d'argent liquide, le plus simple reste quand même les distributeurs de billets. Ce n'est pas plus avantageux que le change (car bien sûr l'opération comporte des frais), mais au moins, cela évite de devoir se promener avec tout son argent sur soi. Quand c'est possible, préférez utiliser le distributeur automatique d'une banque, pendant les horaires d'ouverture de celle-ci. En cas de pépin (carte avalée, erreur de numéro...), il est plus facile (et rapide) de récupérer sa carte au guichet de l'établissement.

Enfin, si vous devez quand même changer, allez dans les banques, les bureaux de change (parfois ouverts le dimanche) et même certains offices de tourisme.

Attention, certaines régions (comme la péninsule d'Ardnamurchan, sur la côte ouest) ne disposent ni de banque ni de distributeur. Mieux vaut donc prévoir suffisamment de liquide avant ou s'adresser aux petits magasins qui pratiquent le *cash-back* pour dépanner : on effectue un petit achat par carte en se faisant débiter le montant souhaité, et le commerçant rend la différence en liquide.

– **Commission :** seuls quelques bureaux de change ne prennent pas de commission (alors que toutes les banques le font). On vous conseille évidemment ces derniers.

– **Taux de change :** c'est grosso modo le même où que vous alliez, tant sur l'argent liquide que les chèques de voyage.

– **Chèques de voyage :** attention, dans certaines villes (Oban, par exemple), les banques n'acceptent pas les chèques de voyage, il faut donc les changer au bureau de change de l'office de tourisme.

– **Les banques** ouvrent généralement du lundi au vendredi, 9h30-16h30 (ou 17h) ; certaines ferment pour le déjeuner. Mais les horaires demeurent à la discrétion des agences et peuvent donc varier. La plupart des grandes banques ouvrent aussi le samedi matin, quelques-unes toute la journée, voire quelques heures le dimanche.

Cartes de paiement

Quelle que soit la carte que vous possédez, chaque banque gère elle-même le processus d'opposition et le numéro de téléphone correspondant ! Avant de partir, notez donc bien le numéro d'opposition propre à votre banque (il figure souvent au dos des tickets de retrait, sur votre contrat ou à côté des distributeurs de billets), ainsi que le numéro à seize chiffres de votre carte. Bien entendu, conserver ces informations en lieu sûr, et séparément de votre carte. Par ailleurs, l'assistance médicale se limite aux 90 premiers jours du voyage.

– **Carte MasterCard :** *numéro d'urgence assistance médicale au* ☎ *(00-33) 1-45-16-65-65.* ● *mastercardfrance.com* ● *En cas de perte ou de vol, composer le numéro communiqué par votre banque ou à défaut le numéro général :* ☎ *(00-33) 892-69-92-92 pour faire opposition 24h/24.*

– **Carte American Express :** *téléphoner en cas de pépin au* ☎ *(00-33) 1-47-77-72-00. Numéro accessible 24h/24 et tlj, PCV accepté en cas de perte ou de vol.* ● *americanexpress.fr* ●

– **Carte Bleue Visa :** *numéro d'urgence assistance médicale* (Europ Assistance) *au* ☎ *(00-33) 1-45-85-88-81. Pour faire opposition, contacter le numéro communiqué par votre banque ou à défaut depuis l'étranger le* ☎ *1-410-581-9994 (PCV accepté).* ● *carte-bleue.fr* ●

– *Pour ttes les cartes émises par la* **Banque Postale,** *composer le* ☎ *0825-809-803 (0,15 €/mn) et pour les DOM ou depuis l'étranger :* ☎ *(00-33) 5-55-42-51-96.*

Western Union Money Transfer

En cas de besoin urgent d'argent liquide (perte ou vol de billets, chèques de voyage, carte de paiement), vous pouvez être dépanné en quelques minutes grâce au système *Western Union Money Transfer*. Pour cela, demandez à quelqu'un de vous déposer de l'argent en euros dans l'un des bureaux *Western Union* ; les correspondants en France de *Western Union* sont la *Banque postale (fermée sam ap-m, n'oubliez pas !* ☎ *0825-00-98-98 ; 0,15 €/mn) et Travelex* en collaboration avec la *Société Financière de Paiement (SFDP),* ☎ *0825-825-842 (0,15 €/mn).* L'argent vous est transféré en moins de 15 mn. La commission, assez élevée, est payée par l'expéditeur. Possibilité d'effectuer un transfert en ligne 24h/24 par carte de paiement (*Visa* ou *MasterCard* émise en France). ● *westernunion.com* ●

ACHATS

Horaires des boutiques

En règle générale, les magasins sont ouverts du lundi au samedi, 9h-17h30 (plus tard le jeudi, dans les grandes villes, pour le *late night shopping*). Toutefois, certains d'entre eux, en particulier les grandes surfaces, restent ouverts de plus en plus tard le soir, et même le dimanche.

À rapporter

– Les CD de musique traditionnelle.
– La joaillerie celtique, dont certains « bijoux-émaux » fabriqués avec des tiges de bruyère *(heathergems)*.
– Les couvertures, plaids, écharpes, cravates en tartan.
– Les fameux bonbons *Quality Street,* la marmelade (goûtez celle au whisky, un régal !), les sauces, le thé (rapporter de préférence les thés fumés *Assam* et *Lapsang Souchong,* introuvables en sachet en France), les biscuits *Shortbread* et *Oatcakes* (même s'ils sont moins chers chez nous !).
– Les vêtements (shetlands, costumes, vestes *Harris Tweed,* chaussettes écossaises).
– Les magasins *Marks & Spencer* présentent un large choix de produits alimentaires et vestimentaires (les sous-vêtements, notamment, sont connus pour leur qualité), à prix abordables.
– La chaîne de boutiques *Edinburgh Woollen Mill* propose différentes laines à des prix intéressants (pulls en shetland, cachemires, beaux tweed...).
– Si vous achetez un kilt, ajoutez-y les chaussettes hautes qui mettront en valeur vos mollets d'acier. Pour éviter qu'elles ne tirebouchonnent, les Écossais ont inventé de très curieuses chaussures « trèfle » échancrées, dont les longs lacets s'entrelacent autour de la jambe... Sexy !
– Toutes sortes d'objets originaux ou classiques et pas trop chers dans les boutiques du *National Trust* ; recherchez-les pour la qualité mais aussi pour la B.A. : c'est une organisation publique où chacun s'associe pour préserver l'héritage britannique, sauver des châteaux, des villages et des sites naturels.

Un peu de vocabulaire

Au *shop assistant* qui vous demande *Can I help you ?,* vous pouvez répondre *(no), I'm just looking.* Pour demander sa taille, c'est : *Have you got my size ?*
Si vous insistez pour essayer, *Can I try it on ?,* on vous invitera à aller au *fitting room,* salon d'essayage, souvent communautaire et convivial, et on vous demandera peut-être *Does it fit ?* pour savoir si cela vous va.
Vous pouvez demander plus grand *(I'd like a larger one)* ou plus petit *(a smaller one).* La caisse est le *pay desk (please pay here).* Quand on donne la monnaie *(change)* ou autre chose à quelqu'un, on dit *Here you are* (voici). Et un cadeau, c'est *a present* ou *a gift* ; du papier d'emballage, *wrapping paper.*
Pour la correspondance des tailles, voir la rubrique « Mesures ».

BUDGET

Le coût de la vie en Écosse est, pour les Français et les Belges, bien plus élevé que dans leur pays.

Hébergement

Les campings et AJ sont en général un peu plus coûteux qu'en France. Les *B & B,* quant à eux, sont assez chers et les hôtels à prix quasi prohibitifs (raison pour

laquelle on vous en indique peu dans ce guide). À savoir aussi : sauf mention contraire, les tarifs affichés s'entendent par personne (sur la base de l'occupation d'une chambre double), aussi bien dans les hôtels que les *B & B*.
– *Campings :* £ 9-14 (13,50-21 €) pour 2 personnes et une (petite) tente.
– *Bon marché :* moins de £ 20 (30 €) par personne. En AJ, compter £ 13-16 (19,50-24 €) la nuit.
– *Prix moyens :* £ 20-30 (30-45 €) par personne.
– *Chic :* £ 30-40 (45-60 €) par personne.
– *Plus chic :* plus de £ 40 (60 €) par personne.

Restaurants

Tout dépend bien sûr de l'appétit et de la gourmandise. En général, les portions sont assez copieuses pour pouvoir se passer d'une entrée et d'un dessert. Déjà ça de gagné ! D'ailleurs, les fourchettes de prix que nous vous indiquons ne concernent généralement qu'un plat de résistance... servi le soir car, le midi, beaucoup de restaurants affichent une carte moins chère (à bon entendeur !).
– *Bon marché :* £ 3-7 (4,50-10,50 €).
– *Prix moyens :* £ 7-15 (10,50-22,50 €).
– *Chic :* à partir de £ 15 (22,50 €).

Visites

Outre les musées gratuits (et il y en a quand même un certain nombre), il faut compter £ 1-6 (1,50-9 €) pour visiter un musée, des jardins, une distillerie, une fabrique ou une abbaye. Un tarif raisonnable donc, malgré quelques exceptions. À noter que les seniors, étudiants et enfants bénéficient souvent de réductions. Les châteaux arrivent en tête du hit-parade, puisque les droits d'entrée s'échelonnent de £ 2-10 (3-15 €), selon l'importance de l'édifice.

Spécial fumeurs

Les cigarettes sont hors de prix ! Fumer des billets de banque reviendrait moins cher. Sachez aussi que depuis 2006, il est interdit de fumer dans tous les lieux publics, quels qu'ils soient, pubs inclus ! Les hôtels et les *B & B* peuvent proposer des chambres fumeurs, à condition qu'elles soient équipées d'un système de ventilation propre. Préciser lors de la réservation, si on souhaite une chambre fumeur.

CLIMAT

Victime de tant de blagues et d'ironie, la météo en Écosse est un vrai sujet de conversation ! Comme on l'imagine, la température est rarement torride. Les mauvaises langues prétendent qu'il n'y a ici que deux saisons, celle du parapluie et celle de l'imperméable. Les pluies atteignent rarement le

> **DOUCHE ÉCOSSAISE**
>
> *Dicton écossais :* « *Si tu peux voir la colline là-bas, c'est qu'il va pleuvoir. Si tu ne la vois pas, c'est qu'il pleut !* »

stade du déluge. Il s'agit plutôt de bruines, durables et régulières sur l'ensemble de l'année (avec une légère pointe en décembre, janvier et juillet).
En tant que routard aguerri, ciré, polaire, pull, bonnet... feront tout naturellement partie de votre paquetage.
Un tuyau pour ne jamais être pris au dépourvu : adopter la technique du « vêtement en plus ». Les Écossais, endurcis, ont tendance à se vêtir plus légèrement que nous. Donc, s'ils sont en T-shirt, ajoutez un pull ; s'ils sont en pull, prévoyez un blouson ; s'ils portent un blouson léger, enfilez votre doudoune ; s'ils sont très couverts, restez à l'intérieur ! On exagère à peine. Hormis les précipitations, le vent peut s'avérer

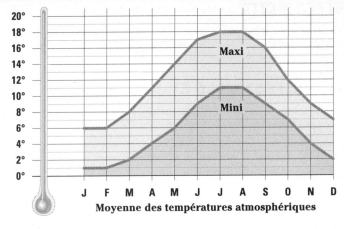

Moyenne des températures atmosphériques

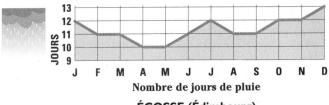

Nombre de jours de pluie

ÉCOSSE (Édimbourg)

fort désagréable, surtout quand il vient du nord ; et ce même en été. Derrière ce tableau noir, noter cependant que toute la frange est bénéficie d'un bon ensoleillement, du moins par rapport au reste du pays.

Selon les Écossais, le printemps serait peut-être la meilleure saison pour visiter l'Écosse. Bon compromis entre température, ensoleillement, durée du jour et *midges* (voir plus loin pour les non-initiés). En hiver, on peut skier dans les hautes terres d'Écosse à partir de 1 000 m. En été, les températures grimpent jusqu'à 18 °C à Édimbourg. La canicule, quoi !

DANGERS ET ENQUIQUINEMENTS

L'Écosse n'est pas une destination à problème. Vous risquez donc peu de voir votre séjour perturbé par quelque manifestation de la délinquance.

Toutefois, en cas de vol ou d'agression, rendez-vous au poste de police le plus proche et faites une déclaration, au moins pour votre assurance.

Avertissement : ne pas voyager avec une **bombe lacrymogène** dans sa voiture ; à plus forte raison sur soi. Ici c'est un délit, qui peut vous coûter la prison et une amende pour port d'arme dangereux.

DÉCALAGE HORAIRE

La Grande-Bretagne est à l'heure GMT de fin octobre à fin mars, puis à GMT + 1. Nous, nous sommes à GMT + 1, puis à GMT + 2. Ce n'est pas qu'ils veulent à tout prix nous embêter, mais leur Ouest est vraiment plus à l'ouest. Nous sommes quand même à la même heure pendant presque un mois !

ÉLECTRICITÉ

Tension électrique : 240 V. Les prises sont différentes, plus grosses, munies de trois broches et protégées de fusibles. Adaptateurs peu encombrants, assez faciles à trouver sur place dans les drogueries ou supermarchés ou à acheter avant de partir.

FÊTES, FESTIVALS ET JOURS FÉRIÉS

Le programme est chargé ! Pour les fêtes locales, se reporter aux chapitres concernés. Les offices de tourisme mettent également à votre disposition une brochure détaillée, *What's On* (édition bisannuelle), qui recense toutes les manifestations à travers le pays, mais qui, malheureusement, n'est pas toujours facile à trouver. Il est toutefois possible de la consulter sur ● *whatson-scotland.co.uk* ● ou de trouver des infos sur ● *visitscotland.com* ●

– ***Up-Helly-Aa :*** *le dernier mar de janv, aux îles Shetland.* C'est la fête du feu. Cette manifestation fait appel à un rite très ancien, remontant au temps des Vikings.
– ***Burns Night :*** *le 25 janv.* Célébration du poète national, Robert Burns. Dégustation de *haggis* avec une goutte de whisky.
– ***Le festival folklorique international d'Édimbourg :*** *en mars.* Il met à l'honneur la musique et les danses locales.
– ***Les Highland Games*** ou ***Highland Gathering :*** *en juil et en août.* Organisées par de nombreuses villes. Voir plus loin « *Highland Games* ».
– ***Festival international d'Édimbourg et Military Tattoo :*** *en août.* Voir le chapitre consacré à la ville.
– ***Belladrum Festival*** (près d'Inverness) : *mi-août pdt 2 j.* ● *tartanheartfestival.co.uk* ● Concerts en plein air, ambiance « Woodstock » : pop, rock, folk attirant des milliers de fans.
– ***Festival des Borders :*** *en oct.* Manifestations théâtrales et musicales dans plusieurs villes de la région.
– ***Bonfire Night :*** *le 5 nov.* Commémoration de la tentative de Guy Fawkes en 1605 de mettre le feu au Parlement britannique. Au programme, bûcher pour Guy Fawkes et feux d'artifice.
– ***Saint-Andrews Day :*** *le 30 nov.* Andrew est l'équivalent écossais du saint Patrick irlandais.
– ***Jours fériés*** (Bank Holidays) : *Les 1er et 2 janv ; le ven précédant Pâques (Good Friday) ; le 1er lun de mai (May Day) ; le dernier lun de mai (Spring Bank Holiday) ; le 1er lun d'août (Summer Bank Holiday) ; les 25 et 26 déc (Boxing Day).* Tout est fermé ces jours-là.

HÉBERGEMENT

Pour info, le site Internet de l'office de tourisme de Grande-Bretagne permet de rechercher tous types d'hébergements (hôtels, *B & B,* auberges de jeunesse, campings). Disponibilité des établissements, réservation en ligne, localisation de chaque hébergement sur une carte et liste des attractions à voir aux alentours. Pratique.

Les auberges de jeunesse (SYHA, Scottish Youth Hostels Association)

La Grande-Bretagne fait partie des pays qui possèdent le plus d'AJ officielles au kilomètre carré. Compter £ 12-25 (18-37,50 €) par personne en fonction de l'AJ. Pas de petit déjeuner (ni d'ailleurs de dîner).
Rens : ● *syha.org.uk* ● Résa par ☎ 08701-55-32-55 ou (01786) 891-400. Ou par courrier : *SYHA Central Reservation Service, 7, Glebe Crescent, Stirling FK8 2JA.*

Dans tous les cas, on vous demandera un numéro de carte de paiement. Sachez aussi que les AJ peuvent vous réserver une nuit dans n'importe quelle autre AJ. La carte de membre coûte £ 8 (12 €) sur place pour les plus de 16 ans. Pour les non-membres supplément de £ 1 (1,50 €) par nuit. Au bout de 7 nuits passées en AJ, si vous résidez dans l'Union européenne, vous devenez membre.

Dernier petit tuyau : une carte de fidélité permet d'avoir la 8e nuit gratuite (en dortoir) dans n'importe quelle AJ pour peu qu'elle ne tombe ni un vendredi ni un samedi (ni en août à Édimbourg).

Enfin, sachez que beaucoup d'AJ sont fermées en hiver.

En Écosse, les auberges sont souvent confortables. Elles disposent toutes au moins d'une cuisine (le plus souvent bien équipée), d'une salle à manger et d'une laverie (ou d'un service pressing le cas échéant), complétées la plupart du temps par un salon TV, un accès Internet (payant), et parfois une épicerie de dépannage. L'hébergement est proposé le plus souvent en dortoirs de 2 à 8 lits (non mixtes). Certaines AJ proposent des chambres familiales, à réserver. D'autres peuvent accueillir les handicapés ; renseignements au siège.

Il est toujours plus sage de réserver (notamment sur l'île de Skye), surtout en juillet et août, les week-ends ou pendant des vacances scolaires.

Les AJ indépendantes

Dénommées *Independent Hostels, Bunkhouses* ou encore *Backpackers Houses,* elles sont encore plus répandues que les AJ officielles. Cela dit, vous n'en trouverez quasiment pas dans le sud de l'Écosse. Le caractère personnel du lieu leur confère souvent une atmosphère chaleureuse : déco délirante, soirées à thème... La plupart sont bien tenues, mais, bien sûr, il peut y avoir des exceptions. Même tarif, grosso modo, que les AJ officielles (sauf qu'il n'y a pas de carte de membre, tout le monde paie le même tarif), et même équipement de base (cuisine, laverie, connexion Internet payante). En principe, pas de dortoirs mixtes. Pour réserver, le plus simple est de téléphoner directement à l'auberge. Certaines acceptent les cartes de paiement, d'autres pas. Parmi les réseaux les plus pratiques :

■ *SIH* (Scottish Independent Hostels) : quelque 130 auberges dans le pays. Infos : PO Box 7024. Fort William, PH33 6YX. ● hostel-scotland.co.uk ● Sur place, se procurer la carte *Blue Hostel Guide* (gratuite), qui indique très clairement les différents établissements.

■ *Scotland TopHostels :* des adresses urbaines (à Édimbourg, Glasgow, Oban, Fort William, Inverness, Pitlochry et Skye). ● scotlandstophostels.com ● Propose également les *MacBackpackers Tours* (voir plus loin « Transports intérieurs. Le bus »).

– Enfin, également une base de données mondiale d'adresses où dormir bon marché : ● hostels.com ● Un autre site intéressant : ● hostelworld.com ●

Les *Bed & Breakfast*

Ce sont les précurseurs de nos maisons d'hôtes. Vous êtes donc chez l'habitant. Enfin en théorie, car certains *B & B* vont jusqu'à louer sept, voire dix chambres, parfois même dans une maison distincte de celle des propriétaires. Pire, on a même vu certains *B & B* équipés d'un comptoir et d'un râtelier pour y suspendre les clefs ! Dans ce cas, le lieu porte le nom de *guesthouse,* c'est-à-dire une mini-structure hôtelière. Quoi qu'il en soit, le *B & B* reste de loin préférable à l'hôtel. Nettement moins cher (sans que ce soit donné), il offre un hébergement de confort équivalent avec souvent le charme, la chaleur et la convivialité en plus. Il permet aussi d'aller à la rencontre des Écossais et de parler l'anglais avec vos hôtes.

Le prix affiché s'entend par personne, sur la base de l'occupation d'une chambre double, et inclut évidemment le petit déj. Les personnes seules paieront (presque) toujours plus cher, qu'elles occupent une chambre simple ou double.

Certains *B & B* acceptent les cartes de paiement (moyennant une commission). Renseignez-vous avant, ou prévoyez du liquide.

À signaler que tous les offices de tourisme (qui possèdent en général la liste des *B & B* du coin) peuvent se charger de vous y réserver une chambre... moyennant une commission (£ 1,50-4, soit 2,30-6 €) ou mettront à votre disposition un téléphone (payant) pour que vous puissiez effectuer vous-mêmes les réservations.

On peut se procurer une liste (non exhaustive) des *B & B* auprès de l'office de tourisme de Grande-Bretagne. Sinon, on peut toujours passer par l'intermédiaire de l'organisation *B & B*. Paiement avant le départ, ce qui simplifie les formalités sur place. *Pour obtenir leur brochure, contactez* l'Association française B & B France : ☎ 01-34-19-90-00. ● bedbreak.com ●

Enfin, sachez que le *Scottish Tourist Board* attribue à tous ses membres (certains *B & B* n'en font pas partie, par choix) un nombre d'étoiles (de une à cinq) censé refléter la qualité globale du lieu (confort, aménagement, décoration, etc.). Ne vous y fiez pas totalement non plus car, franchement, on a vu des *B & B* 2 étoiles qui en valaient quatre... et inversement.

Les *self-caterings*

Location pour le week-end, la semaine ou la quinzaine d'un logement meublé. Très intéressant pour les séjours familiaux. Le *Scottish Tourist Board* publie un guide *Self-Catering*, qui peut vous aider dans votre choix.

Chez l'habitant, dans des manoirs et presbytères

Une association, la *Wolsey Lodges,* propose une quarantaine d'adresses de vieux manoirs, d'anciens presbytères en Écosse dont les proprios accueillent des hôtes pour une ou plusieurs nuits. Prix raisonnables. Fantômes non garantis. Une façon originale et intéressante de séjourner en Écosse. Brochures envoyées sur demande.

■ **Wolsey Lodges Ltd :** 9, *Market Pl,* | ☎ (01473) 822-058. ● *wolsey-lodges.* *Hadleigh, Ipswich, Suffolk IP7 5DL.* | *co.uk* ●

Possibilité de trouver des *B & B* dans des fermes avec :

■ **Scottish Farmhouse Holidays :** *Dot* | ● *scotfarmhols.com* ● Demander leur *Destination Ltd., 2, Barefoots Ave, Eye-* | catalogue qui propose également des *mouth, TD14 5JH.* ☎ *(01890) 751-830.* | locations.

Logement en auberge de campagne

Dépaysement garanti : poutres noircies par le temps et grand feu de cheminée. Beaucoup de ces auberges datent des XVIIe et XVIIIe siècles. Une liste disponible sur le site de l'office de tourisme de Grande-Bretagne, ● visitbritain.fr ● rubrique « Où dormir ? ».

L'échange d'appartements

Il s'agit, pour ceux qui possèdent une maison, un appartement ou un studio, d'échanger leur logement contre celui d'un adhérent du même organisme dans le pays de leur choix, pendant la période des vacances. Cette formule offre l'avantage de pouvoir passer des vacances à l'étranger à moindres frais, en particulier pour les couples avec enfants.

■ **Intervac :** 230, bd Voltaire, 75011 | *annonce sur Internet.* Catalogue sur *Paris.* ☎ *0820-88-83-42 (0,12 €/mn).* ● *in-* | demande. *tervac-online.com* ● *L'inscription (100 €)* | ■ **Homelink International :** 19, *cours* *donne droit à la publication d'une* | *des Arts-et-Métiers, 13100 Aix-en-*

Provence. ☎ 04-42-27-14-14. ● home link.fr ● Adhésion annuelle : 115-175 €, | parution Internet, ou Internet et catalogue papier.

Les hôtels

On ne s'étendra pas sur ce mode d'hébergement, beaucoup plus cher que le *B & B*, pour une qualité d'hébergement comparable (sur le plan du confort). En revanche, nombre d'entre eux possèdent un restaurant, presque toujours ouvert aux non-résidents et pas plus cher que les restaurants classiques.

Les résidences universitaires

En été, dans toutes les grandes villes universitaires, possibilité de louer à la nuit ou à la semaine des chambres en cité U, assez confortables mais d'une déco des plus impersonnelle. Plus abordable pour ceux qui ont une carte d'étudiant. C'est souvent intéressant (mais pas donné pour autant), car l'équipement est correct et elles ne sont pas trop loin du centre.

Les campings

Assez nombreux. Demandez, dans les offices de tourisme *(TIC),* la liste complète des campings ou rendez-vous sur le site de l'office de tourisme de Grande-Bretagne (● visitbritain.fr ●) pour obtenir une liste par région.
La plupart des terrains sont fermés d'octobre ou novembre à mars. Comme chez nous, leur degré de confort varie. Cela va de l'aire en pleine nature à peine pourvue d'un bloc sanitaire au camping 5 étoiles avec supermarché, centre de fitness, piscine, pub avec karaoké, etc. Quasiment tous possèdent au moins une laverie en plus des sanitaires. Les prix varient en fonction du nombre de personnes et du type d'emplacement. Compter entre £ 9-15 (13,50-22,50 €) pour deux adultes et une (petite) tente. Beaucoup de campings louent aussi des caravanes ou des mobile homes à la semaine, voire pour 2 nuits.
Sinon, le camping sauvage dans les coins isolés est très bien accepté, à condition de demander l'autorisation au propriétaire du terrain.

Handicapés

Les Britanniques ont pensé à vous bien avant nous et sont exemplairement équipés... Pour tous renseignements (en anglais uniquement) et conseils :

■ *Holiday Care Information Unit : Tourism for All, The Hawkins Suite, Enham Pl, Enham Alamein, Andover* | SP11 6JS. ☎ 0845-124-9971 *(de Grande-Bretagne slt).* ● holidaycare.org.uk ●

Par ailleurs, le *Scottish Tourist Board,* dans sa brochure *B & B,* indique une liste d'adresses *facilities for disabled.*

ITINÉRAIRES CONSEILLÉS

Une semaine

Édimbourg (2 jours)
➤ Le château, la cathédrale Saint-Giles, Museum of Edinburgh, Palace of Holyroodhouse, le quartier de Grassmarket, Museum of Scotland, la National Gallery of Scotland et une balade dans New Town.

La route du Whisky (1 jour)
➤ Le château de Glamis ou Dunnottar en route, Glenfiddich à Dufftown, Strathisla à Keith et Macallan près de Craigellachie.

Les Highlands (3 jours)
➤ Inverness et le Loch Ness, Fort William, Glencoe, le Loch Lomond.

Glasgow (1 jour)
➤ The Burell Collection, Glasgow School of Art, Museum of Transport, la cathédrale Saint Mungo.

Dix jours

Édimbourg (2 jours)
Même programme que ci-dessus.

Les Highlands (5 jours)
➤ Inverness et le Loch Ness (1 jour), Ullapool, Gairloch, Torridon, Lochcarron (1 jour), l'île de Skye (2 jours), la péninsule d'Ardnamurchan, Fort William, Glencoe (1 jour).

Le Centre (1 jour)
➤ Les Trossachs avec Aberfoyle et Callander, balades en forêt et sur le Loch Katrine, le château et la vieille ville de Stirling.

Glasgow (2 jours)
➤ Même programme que ci-dessus avec, en plus, le People's Palace et New Lanark dans les environs.

Trois semaines

Édimbourg et environs (3 jours)
➤ Même programme que plus haut avec, en plus, les environs de la ville : Rosslyn Chapel, North Berwick et Tantallon Castle, Blackness Castle, Linlithgow Palace.

Le Sud (3 jours)
➤ Saint Abbs ; Kelso et Floors Castle ; Melrose et Abbotsford House (la maison de Walter Scott), Peebles et Traquair House, Dumfries et Drumlanrig Castle ; Kirkcudbright (les vieilles maisons fleuries et les bateaux colorés), Culzean Castle.

Glasgow (2 jours)
Même programme que pour l'itinéraire de 10 jours.

Le Centre (4 jours)
➤ Les Trossachs avec Aberfoyle et Callander, balades en forêt et sur le Loch Katrine, le château, Old Town Jail et la vieille ville de Stirling (1 jour).
➤ La péninsule de Fife : Culross, Lower largo, Elie, Pittenweem, Anstruther, Crail, Saint Andrews : la cathédrale, le château et la plage des West Sands (1 jour et demi).
➤ Scone Palace, Dunkeld ; le château de Glamis ; Pitlochry et Blair Castle (1 jour et demi).
➤ La route du Whisky (1 jour) : Glenfiddich à Dufftown ; Strathisla à Keith et Macallan près de Craigellachie.

Les Highlands (8 jours)
➤ Aviemore et le Cairngorm (1 jour) ; Inverness et le Loch Ness (1 jour) ; Ullapool, Gairloch, Torridon, Lochcarron (1 jour) ; l'île de Skye (2 jours) ; la péninsule d'Ardnamurchan, Fort William (1 jour) ; Glencoe, Oban (1 jour) ; le Loch Lomond (1 jour).

LANGUE

Un peu de vocabulaire

je, moi	*I* (aïe), *me*
tu, toi	*you*
il, le, lui	*he, him*
elle, la, lui	*she, her*
nous	*we, us*
ils, elles, les, leur, eux	*they, them*
hier	*yesterday*
aujourd'hui	*today*
demain	*tomorrow*
maintenant	*now*
plus tard	*later*
salut	*hello, hi*
bonjour (le matin)	*good morning*
bonjour (l'après-midi)	*good afternoon*
bonsoir	*good evening*
bonne nuit	*good night*
au revoir	*good bye* ou *cheerio*
s'il vous plaît	*please*
merci	*thank you* ou *thanks*
pardon	*sorry*
je ne comprends pas	*I don't understand*
pouvez-vous répéter ?	*can you repeat ?*
pouvez-vous expliquer ?	*can you explain ?*
où ?	*where ?*
combien ?	*how much ? how many ?*
quand ?	*when ?*
à quelle heure ?	*what time ?*
qui ?	*who ?*
quelle heure est-il ?	*what time is it ?*
qu'est-ce qui se passe ?	*what's the matter ? what's going on ?*
pourquoi ?	*why ?*
pouvez-vous me dire	*could you tell me*
comment aller à... ?	*the way to... ?*
à gauche	*on the left*
à droite	*on the right*
arrêtez	*stop*
gardien, gérant (d'une AJ)	*warden*

Expressions utiles

Au téléphone, votre interlocuteur commence par débiter son numéro et son identité, bien pratique. Si toutefois vous voulez parler à quelqu'un d'autre, c'est : *Could I speak to... ?* On vous dira alors peut-être : *Hold on* (ne quittez pas) ; enfin, pour laisser un message (que vous aurez pris soin de préparer à l'avance), dites : *Can I leave a message* ?
Une autre expression utile chez les Britanniques : *I'm afraid I'm a bit cold,* pour signaler que vous gelez ; ou *Could I have another blanket ?* pour avoir une couverture en rab.
Et pour être totalement « *aware* », ne pas oublier le **Guide de conversation du routard** en anglais avec tous les mots qui sauvent !

Quelques petites particularités écossaises

Sachez que si nos amis écossais parlent théoriquement la langue de Shakespeare, ils ont la particularité de rouler les « r » et de prononcer quelques sons de façon très gutturale, comme le « ch » de *loch.* Bref, vous aurez parfois du mal à les comprendre, d'autant qu'ils utilisent aussi du vocabulaire gaélique issu du *broad scots,* un dialecte dérivé de l'anglais, de l'irlandais, du gaélique et du français.

Oui, du français, car à l'époque de l'Auld Alliance, nombre d'expressions provenaient de notre langue, comme *Gardy loo* (gare à l'eau !), que l'on criait aux passants avant de vider son pot de chambre par la fenêtre. Ou encore *Proochez moo* (approchez-vous), une manière pour les commerçants de héler les clients. D'ailleurs, on mange toujours du *porage* (potage) et du *haggis* (dérivé de hachis), et on aime bien un peu de *syboe* (ciboulette) dans l'*ashet* (l'assiette).

Voici, avant de vous lâcher dans les Highlands, quelques mots que vous risquez d'entendre :

– *auld :* vieux
– *aye :* oui
– *ben :* montagne
– *bonnie :* jolie
– *brae :* pente, colline
– *cairn :* monticule de pierres
– *ceilidh :* veillée traditionnelle (avec musique, chansons, danse, contes et histoires...)
– *croft :* petite ferme (mot anglais qu'on retrouve tout le temps)
– *dram :* une dose de whisky
– *dun :* un fort
– *eilean :* île
– *firth :* estuaire
– *glen :* vallée
– *inver :* embouchure
– *kirk :* église
– *laird :* propriétaire
– *loch :* lac
– *mizzle :* brouillard et crachin (contraction de *mist* et *drizzle*)
– *wee :* petit
– *wynd :* rue étroite

Pour le reste, c'est tout pareil que l'anglais, enfin... presque.

LIVRES DE ROUTE

Deux stars dominent le monde de la littérature écossaise : Robert Burns et Walter Scott. Chacun à sa manière, ils ont contribué à restaurer la conscience nationale et à rendre leurs lettres de noblesse à la langue et aux traditions des Highlands, bafouées et réduites à une dimension provinciale par la défaite de Culloden en 1746. Sans oublier Robert Louis Stevenson, dont *L'Étrange cas du Docteur Jekyll et de Mister Hyde* constitue la meilleure introduction aux mystères d'Édimbourg (Flammarion, coll. poche, 1999, 152 p.).

– **Marie Stuart** (1935), de Stefan Zweig (Livre de Poche, 2004). Cette biographie fouillée de Marie Stuart se lit presque comme un roman et offre une belle approche de l'histoire sombre et violente de l'Écosse au XVIe siècle.

– **Le Fond de l'enfer** (1991), de Ian Rankin (Livre de Poche, 2004). Pendant que les touristes mitraillent les monuments de la capitale, l'inspecteur Rébus veille, scrute sans illusion la face cachée d'Édimbourg et traque le crime dans les bas-fonds de Pilmuir ou dans les belles demeures de New Town. Et c'est sans doute ce qui fait l'originalité de l'auteur, la description méticuleuse de l'Édimbourg contemporain. D'ailleurs, le style précis et le rythme haletant de ses romans (dont les enquêtes de l'inspecteur Rébus) ont fait de Ian Rankin l'écrivain de polars le plus lu de Grande-Bretagne. Lire également *Le Jardin des pendus* (Folio), *L'Étrangleur d'Édimbourg* (Livre de Poche) ou *La Mort dans l'âme* (Le Rocher).

– **Trainspotting** (1993), d'Irvine Welsh (Le Seuil, coll. « Points », 1998). Né dans un quartier populaire d'Édimbourg, Irvine Welsh a tâté de tous les métiers avant de devenir écrivain. C'est probablement ce qui fait la force de *Trainspotting,* l'histoire sans concession d'un groupe d'amis miné par la drogue, l'histoire du mal-être d'une partie de la jeunesse anglo-saxonne. Un roman qui gêne autant qu'il fascine, et qui fit l'effet d'un séisme dans le milieu littéraire anglais des années 1990. Irvine Welsh a même joué dans l'adaptation de son œuvre, portée à l'écran par Dany Boyle.

– **Les Confessions d'un pêcheur justifié** (1824), de James Hogg (Gallimard, coll. « L'Imaginaire », 1987). Le romantisme gothique des landes décrites par un berger autodidacte.

– La romancière Muriel Spark, écossaise d'origine ayant partagé son temps entre l'Afrique et l'Italie, garde l'humour satirique et mordant de ses compatriotes dans **Les Belles Années de Mademoiselle Brodie** (1961 ; Fayard, 1992). Plusieurs romans chez Gallimard en coll. « Folio ».

– **Le Fanatique** (2000), de James Robertson (éd. Métailié, 2003). Un chômeur dépressif, ex-étudiant en histoire à la thèse inachevée, se trouve embauché malgré lui pour jouer le rôle d'un fantôme pendant des visites guidées d'Édimbourg. Intrigué, il fait des recherches sur son personnage, un extrémiste religieux du XVIIe siècle, qui va finir par l'obséder. Une plongée étonnante et effrayante à la fois dans l'Édimbourg d'aujourd'hui (le touriste qui hurle lors des apparitions du fantôme, ça pourrait être vous !) et dans l'Écosse du XVIIe siècle, où fanatisme religieux, conspirations et corruptions dirigent le pays.

– **Le Poinçonneur Hines** (1984), de James Kelman (éd. Métailié, 1999). Poinçonneur de bus à Glasgow, Robert Hines s'ennuie à mourir. Copains, foot, femme et enfant et, surtout, une imagination sans limite sont ses remèdes pour échapper à la morne routine de son métier. « J' fais des trous, des petits trous, encore des petits trous... »

– **Sunset Song** (1932), de Lewis Grassic Gibbon (éd. Métailié, coll. « Suites », 2004). L'Écosse du Nord pendant et après la Première Guerre mondiale vue par Chris Gutherie, déchirée entre son attachement à sa terre natale, si belle, si dure, si sauvage, et une autre vie, plus spirituelle, loin de cette culture paysanne.

– **Whisky à gogo** (1947), de Compton Mackenzie (éd. Terre de Brume, 2004). Le whisky vient à manquer dans une île isolée du nord de l'Écosse. Le drame ! L'abstinence entraîne humeur grise et conflits. Heureusement un cargo transportant le breuvage sacré s'échoue sur les côtes... Un roman qui date un peu, mais encore plein d'humour.

– Ceux qui désirent poursuivre ce voyage dans la littérature écossaise liront l'œuvre d'A. L. Kennedy, une des plumes les plus brillantes et les plus originales du monde littéraire anglo-saxon contemporain. Son écriture forte, noire, piquée d'un humour grinçant, marque le lecteur à défaut de le transporter dans un monde léger et optimiste ! (**Un besoin absolu,** éd. de L'Olivier, 2003 ; **Paradis,** éd. de L'Olivier.)

– **Le Cœur de l'Hiver** (1975), de Dominic Cooper (éd. Métailié, 2006). Une rencontre entre Alasdair Mór, un pêcheur de homard solitaire sur la côte ouest et un couple récemment installé près de chez lui. D'un conflit de voisinage à une course tragique vers la violence.

– **Écosse, derrière les noms** (2001) de Kenneth White (éd. Terre de Brume). Ce célèbre écrivain et poète écossais est installé en Bretagne depuis les années 1960. À travers son texte et les photos de Jean Hervoche, Kenneth White dessine les contradictions de ce pays brut et sauvage, qui se cherche encore. Il nous fait pénétrer aux confins de cette « terre de brume ».

– N'oublions pas non plus l'album d'Hergé, **L'Île noire** (éd. Casterman), où Tintin est aux prises avec un monstre qui tient plus de King Kong que de Nessie. Pour la petite histoire, Hergé n'a jamais mis les pieds en Écosse, si bien qu'avant la parution de l'album en anglais, l'éditeur britannique répertoria 131 incohérences. Hergé chargea son collaborateur de parcourir l'Écosse tel Tintin, appareil photo en bandoulière. C'est pourquoi il existe une version remaniée datant de 1965.

MESURES

Même si la Grande-Bretagne est maintenant « *metric* », nos problèmes, eux, sont loin d'être résolus.

Longueur

– 1 *pouce* = 1 *inch* = 2,54 cm.
– 1 *pied* = 1 *foot* = 12 *inches* = 30,48 cm.
– 1 *yard* = 3 *feet* = 91,44 cm.
– 1 *mile* = 1,6 km environ (pour convertir les kilomètres en miles, multiplier par 0,62).

Poids

– 1 *ounce* = 1 *oz* = 28,35 g.
– 1 *pound* (livre) = 1 *lb* (libra) = 0,454 kg.
– 1 *stone* = 1 *st* = 6,348 kg.

Température

0 °C = 32 °F ; température du corps = 98.4 °F (et le thermomètre se met sous le bras ou dans la bouche) ; 100 °C = 212 °F. Les plus matheux peuvent convertir selon la formule suivante : °C = 5 ÷ 9 x (F - 32).

Volume

– 1 *pint* = 0,57 l.
– 1 *gallon* = 4,54 l.

Tailles

Vêtements pour femmes

France	38	40	42	44	46
GB (robes)	10	12	14	16	18
GB (pulls)	32	34	36	38	40

Vêtements pour hommes (pulls et chemises)

France	39	40	41	42	43
GB	15,5	16	16,5	17	17,5

Pour les pantalons, les tailles sont celles que vous connaissez sur les jeans.

Chaussures

France	37	38	39	40	41	42	43
GB	4	5	6	7	8	9	10

Pour les enfants

Stature en centimètres	100	125	155
Âge	3-4	7-8	12
Stature en inches	40	50	60

MUSÉES ET MONUMENTS

La plupart sont très bien entretenus et parfaitement mis en valeur. Deux organismes se partagent la gestion de la quasi-totalité des sites les plus intéressants d'Écosse : **Historic Scotland (HS)** et le **National Trust for Scotland (NTS).** Le prix des entrées pouvant être assez élevé (£ 3-10 ; 4,50-15 €), il est préférable de se procurer un *pass* donnant libre accès aux différents sites. Le petit problème réside dans le fait que chaque organisme propose son propre *pass*. Difficile de choisir entre l'un ou l'autre. Sachez tout de même qu'en gros, *HS* est mieux implanté au sud *(Lothian, Borders, Dumfries & Galloway)* et *NTS* au nord *(Grampians, Highlands)*, le centre étant également partagé entre les deux. De notre côté, nous nous efforçons de préciser pour chacun des sites de nos rubriques « À voir » par quel organisme il est géré (en indiquant derrière le nom du site, entre parenthèses, *HS* ou *NTS*).

– *Historic Scotland* (HS) : ☎ (0131) 668-86-00. ● historic-scotland.gov.uk ● Le *pass* s'achète soit directement à la caisse des lieux répertoriés, soit avant le départ, sur le site internet d'*Historic Scotland* ou celui de l'agence *BMS* ● bms-travelshop. com ● Explorer Pass de 3 j. (valide 5 j.) : £ 19 (28,50 €). Pour 7 j. (valide 14 j.) : £ 27 (40,50 €). Pour 10 j. (valide 30 j.) £ 32 (48 €). Réduc. Adhésion annuelle £ 37 (55,50 €) : accès illimité pdt un an.
Historic Scotland gère plus de 300 monuments dans toute l'Écosse, dont les châteaux d'*Édimbourg*, de *Stirling*, de *Linlithgow* et de *Dirleton*.
– *National Trust for Scotland* (NTS) : ☎ (0131) 243-93-00. ● nts.org.uk ● Le pass s'achète aux guichets des sites. Ticket pour 3 j. : £ 16 (24 €). Pour 7 j. : £ 21 (31,50 €). Pour 14 j. : £ 26 (39 €). Réduc. Adhésion annuelle : £ 40 (60 €).
National Trust for Scotland gère une centaine de propriétés et sites naturels dans toute l'Écosse. Parmi les sites les plus prestigieux, les châteaux et jardins de *Fraser, Crathes, Drum, Fyvie, Brodick* et *Culzean.*
– *Great British Heritage Pass* : ● britishheritagepass.com ● En vente sur leur site ; sur place, mais uniquement dans les offices de tourisme d'*Édimbourg et de Glasgow* ; ou en France auprès d'agences (tarifs majorés) comme BMS : 99, bd Haussmann, 75008 Paris. ☎ 01-42-66-07-07. ● bms-travelshop.com ● Ⓜ Saint-Augustin. Lun-ven 10h-19h, sam 10h-18h. Carte valable 4 j. : £ 28 (42 €). Pour 7 j. : £ 39 (58,50 €). Pour 15 j. : £ 52 (78 €). Pour 1 mois : £ 70 (105 €). Existe aussi pour une famille (2 adultes et 3 enfants). Réservé aux touristes étrangers. Il donne libre accès à près de 600 châteaux, manoirs et jardins répartis dans toute la Grande-Bretagne.

POSTE

Bureau de poste se dit *post office. (Ouv en général lun-ven 9h-17h30 ; sam 9h-12h30).* Gamme complète de services dans les postes des grandes villes (transfert d'argent, poste restante...). En zone rurale les bureaux de poste sont souvent couplés à un magasin d'alimentation générale. Les services sont limités à la vente des timbres, à l'envoi et à la réception des lettres et paquets.
Les timbres *(stamps)* s'achètent aussi dans les offices de tourisme, les supermarchés et les stations-service. L'affranchissement d'une **carte postale** pour l'Europe est de £ 0,48 (0,72 €).
La présentation d'une adresse britannique est la suivante : nom du destinataire, rue, ville et seulement ensuite le code postal.
À l'intérieur du Royaume-Uni, on poste le courrier en *first class* (courrier rapide) ou *second class* (lent). Pour l'Europe et le monde, demander *an european stamp* ou *a worldwide stamp*. On vous proposera alors deux tarifications : par avion, *air mail*, ou « voie de surface », *surface mail*. Cartes postales et lettres sont toujours envoyées par avion. Ouf ! Le courrier arrivera probablement avant votre retour. Compter tout de même trois à quatre jours. Pour l'envoi de colis, la différence de prix devient significative, mais sachez qu'un paquet envoyé par voie terrestre mettra jusqu'à trois semaines pour arriver à destination.
Enfin, les boîtes aux lettres sont de forme variable mais toutes peintes en rouge vif.

ÉCOSSE UTILE

SANTÉ

Médecine générale : consultations gratuites dans les *Medical Centres*. On peut également aller dans les services d'urgence des hôpitaux. Ce service est gratuit et l'on vous donnera gratuitement les médicaments nécessaires pour tenir jusqu'au lendemain, ainsi qu'une ordonnance pour le reste. En cas de grippe pendant une épidémie, allez dans les grandes pharmacies du centre-ville (dans la rue, demandez *Boots,* tout le monde connaît !).

Il faut souvent prendre rendez-vous à l'avance à la *surgery* (consultation) : insistez sur l'urgence pour que l'on ne vous soigne pas la semaine prochaine votre rhume d'aujourd'hui.

– *Services de secours :* ☎ *999. Appel gratuit.*

Même avec votre carte de santé européenne (qui remplace le formulaire E111, voir en début de guide la rubrique « Avant le départ »), il est conseillé de prendre une assurance complémentaire (pour les consultations chez les spécialistes).

SITES INTERNET

Infos pratiques

● *routard.com* ● Tout pour préparer votre périple. Des fiches pratiques sur plus de 180 destinations, de nombreuses informations et des services : photos, cartes, météo, dossiers, agenda, itinéraires, billets d'avion, réservation d'hôtels, location de voitures, visas... Et aussi un espace communautaire pour échanger ses bons plans, partager ses photos ou trouver son compagnon de voyage. Sans oublier *routard mag,* ses reportages, ses carnets de route et ses infos pour bien voyager. La boîte à outils indispensable du routard.

● *visitscotland.com* ● Le site officiel de l'office national de tourisme en Écosse, avec une version française. Une mine d'infos pour préparer votre séjour.

● *undiscoveredscotland.com* ● Des infos sur tous les lieux, avec de nombreux liens intéressants. Un vrai guide touristique, avec photos. En anglais.

● *scotlandgroupsguide.com* ● Les pages jaunes du tourisme en Écosse. Toutes les infos pratiques en quelques clics.

● *welcome-scotland.com* ● Une vraie banque de données touristiques en ligne. Traduction en français.

Sites généralistes

● *franco-ecossaise.asso.fr* ● Parfait pour trouver une brève histoire de l'Écosse et la « Vieille Alliance », comprendre l'autonomie, les institutions politiques et la presse écossaise, le tout en français.

● *scotlands.com* ● Site culturel (en anglais) où se mêlent infos littéraires, politiques et économiques.

Actualités

● *scotland.gov.uk* ● L'information officielle délivrée par le gouvernement écossais. Des dépêches, des messages du Premier ministre, des infos économiques. En anglais.

● *scotsman.com* ● L'info écossaise en temps réel, fournie par le site de l'un des principaux quotidiens écossais. Pratique. En anglais.

Culture et loisirs

● *tartans.scotland.net* ● Tout sur les origines, la fabrication, les formes et l'histoire du célèbre tissu écossais. En anglais.

● **scotch-whisky.org.uk** ● Pour enfin connaître la différence entre le *single* et le *pure malt* whisky et l'orthographe exacte : whisky ou whiskey ? Telle est la question.
● **lochnessinvestigation.org** ● Tout ce que vous avez toujours voulu savoir sur le Loch Ness sans jamais oser le demander. Thèses, photos et présentations des outils de recherche à l'appui. En anglais (des suggestions peuvent être envoyées à l'auteur).

TÉLÉPHONE ET TÉLÉCOM

– Malgré le portable, on trouve toujours les vieilles cabines rouges traditionnelles un peu partout. Elles fonctionnent avec des pièces de monnaie, des cartes téléphoniques ou même les principales cartes de paiement. Si le bip-bip est lent, la ligne est occupée. Pour les coups de fil locaux, utiliser plutôt les pièces. En revanche, pour un appel en France, mieux vaut acheter une carte de téléphone « spécial étranger » (en vente chez les marchands de journaux) ; ça vous reviendra nettement moins cher. Sachez aussi que vous paierez moins cher du lundi au vendredi de 18h à 6h et le week-end.
– **Grande-Bretagne → Grande-Bretagne :** composer l'*area code* précédé du « 0 », sauf si vous vous trouvez dans la zone de l'indicatif en question. Nous l'indiquons dans le bandeau de la ville traitée. Sinon, vous pouvez appeler d'une cabine le ☎ 192 (gratuit), vous serez renseigné par une opératrice. À noter que les numéros sont toujours épelés chiffre par chiffre, et que le zéro se prononce « O » comme la lettre. Ainsi 20 se dira « two o » et non « twenty ».
– **Grande-Bretagne → France :** 00 + 33 + n° du correspondant (sans le « 0 » initial).
– **France → Grande-Bretagne :** 00 + 44 + indicatif régional (sans le « 0 » initial) + n° du correspondant.

Internet

L'accès à Internet par le wi-fi s'étend : on le retrouve proposé dans les cafés des grandes villes, mais aussi jusque dans certains *B & B* perdus au fin fond des Highlands. Du coup, les cybercafés ont moins la cote.
Sinon, un des meilleurs moyens pour consulter Internet consiste à se rendre dans les bibliothèques municipales, c'est en principe gratuit. Ça tombe bien, il y en a partout ! Attention toutefois aux horaires d'ouverture très restreints dans les petites villes.
Signalons encore la présence, dans les grandes villes, de cabines Internet, c'est-à-dire de cabines téléphoniques où le téléphone a tout simplement été remplacé par un écran d'ordinateur et un clavier...
Certaines AJ possèdent aussi une borne, pas forcément très bon marché, mais bien pratique.

TRANSPORTS INTÉRIEURS

Pour tout renseignement sur les transports publics en Écosse, qu'il s'agisse des bus, trains ou ferries, appelez *Traveline Scotland* au ☎ *(0871) 200-22-33.* ● *traveline.org.uk* ●

La route

L'état des routes est, dans l'ensemble, excellent. N'oubliez pas votre *Michelin* n° 501, l'une des meilleures cartes d'Écosse. Vous y découvrirez que plus des deux tiers des routes sont vertes, c'est-à-dire « pittoresques ». Sinon, les cartes *Travelmaster (Ordnance Survey)* n°s 2, 3 et 4 sont idéales pour trouver tous les petits bleds perdus, avec en prime un rendu exceptionnel du relief. D'une manière générale, se fier aux panneaux arborant le chardon : ils indiquent les itinéraires et attractions touristiques nationaux. En hiver, les routes sont facilement fermées en cas d'enneigement ; pensez aux chaînes.

Sinon l'essence est plus chère que chez nous, surtout le gazole (environ £ 1 le litre, soit 1,50 €). Plus on monte vers le nord et/ou dans les îles, plus les prix augmentent. On trouve des pompes un peu partout, même dans les coins isolés, mais les prix s'en ressentent. Elles sont parfois accessibles 24h/24 en payant par carte bancaire. Essence sans plomb se dit *unleaded petrol*. Et le GPL devient LGP !

Distances entre les principales villes

Distance entre les villes (en km)	Aberdeen	Aviemore	Ayr	Braemar	Durness	Edinburgh	Falkland	Glasgow	Glencoe	Helmsdale	Inveraray	Inverness	John O'Groats	Kyleakin	Melrose	Oban	Pitlochry	Stirling	Tomintoul	Ullapool
Aberdeen		136	291	94	346	202	149	256	264	285	274	174	370	302	261	288	152	192	100	267
Aviemore	136		277	91	243	214	173	226	126	182	202	232	331	224	274	181	102	180	38	165
Ayr	291	277		235	493	120	150	58	190	432	144	323	517	355	152	150	194	163	288	402
Braemar	94	91	235		306	150	107	178	208	246	202	134	331	294	208	216	66	138	53	260
Durness	446	243	493	306		456	414	445	302	134	395	174	152	283	515	355	346	421	253	110
Edinburgh	202	214	120	150	456		60	74	192	395	168	285	480	355	59	200	112	58	202	376
Falkland	149	173	150	107	414	60		93	171	354	165	242	438	326	118	180	70	58	160	334
Glasgow	256	226	58	178	445	74	93		142	384	96	275	470	275	117	150	136	42	230	355
Glencoe	264	126	190	208	302	192	191	142		242	93	136	326	165	248	64	142	136	165	211
Helmsdale	285	182	432	246	134	395	354	384	242		334	114	85	238	454	296	285	362	194	131
Inveraray	274	202	144	202	395	168	165	96	93	334		226	420	258	273	60	136	115	240	306
Inverness	174	232	323	134	174	285	242	275	136	114	226		198	162	342	186	174	250	82	94
John O'Groats	370	331	517	331	152	480	488	470	326	85	420	198		323	540	380	370	446	278	218
Kyleakin	302	224	355	294	283	355	326	275	165	238	258	162	323		413	218	256	300	241	173
Melrose	261	274	152	208	515	59	118	117	148	454	273	342	540	413		256	171	114	261	435
Oban	288	181	150	216	355	200	180	150	64	296	60	186	380	218	256		150	144	219	266
Pitlochry	152	102	194	66	346	112	70	136	142	285	136	174	370	256	171	150		94	118	266
Stirling	192	180	163	138	421	58	58	42	136	362	115	250	446	300	114	144	94		188	342
Tomintoul	100	38	288	53	253	202	160	230	165	194	240	82	278	241	261	219	118	188		174
Ullapool	267	165	402	260	110	376	334	355	211	131	306	94	218	173	435	266	266	342	174	

Table de conversion

Miles	Km		Miles	Km
1	1,609		6	9,656
2	3,219		7	11,265
3	4,828		8	12,875
4	6,437		9	14,484
5	8,047		10	16,093

Le code de la route

Vous devez être en possession du permis de conduire national, de la carte grise et de la carte verte d'assurance.

Attention, la priorité à droite n'existe pas : donc, à chaque carrefour, des feux, un stop ou des lignes peintes sur la chaussée indiquent qui a la priorité.

Aux RONDS-POINTS, À PRENDRE DANS LE SENS DES AIGUILLES D'UNE MONTRE, les automobilistes déjà engagés sont prioritaires. On appelle ces ronds-points *roundabouts*.

Les *piétons* engagés sont toujours, eux aussi, prioritaires. Faites-y particulièrement attention, ainsi qu'aux *pelican-crossings,* visuels et sonores, et aux *zebra-crossings,* signalés par des boules jaunes lumineuses.

On ne badine pas avec les *limitations de vitesse* :
– en ville : 30 miles (48 km/h) ;
– sur la route : 60 miles (97 km/h) ;
– sur les autoroutes *(motorways)* et routes à deux voies séparées *(dual carriageways)* : 70 miles (113 km/h).

On s'habitue à cette conduite, et vous verrez vite qu'il ne sert à rien de pousser, ralenti qu'on est par les *roundabouts*. Un détour pour prendre une autoroute, même éloignée, vous fait souvent gagner un temps considérable. Les autoroutes sont gratuites, ça mérite d'être mentionné !

En cas d'accrochage, il n'existe pas de constat. On s'échange juste les numéros de plaques minéralogiques et les polices d'assurance. Dans les voitures de location, vous aurez sans doute un formulaire dans la boîte à gants. Écrire : *It's not my fault. I am not to blame.* C'est aux assurances de juger !

La conduite à gauche

Si cette perspective vous cause quelque tracas, soyez de suite apaisé : on s'y habitue très vite. Veillez simplement, lorsque vous sortez du bateau ou de l'aéroport, à prendre le premier rond-point dans le sens contraire à celui auquel vous êtes habitué ! Idem quand vous traversez une route : attention, les voitures n'arrivent pas du côté habituel. Sur les routes étroites des Highlands, les *passing places* (des petits espaces aménagés tous les 300 m environ) permettent de *laisser passer.*

PLUS ADROIT À GAUCHE

Dès le Moyen Âge, les cavaliers avaient compris l'avantage de se tenir à gauche de la chaussée. En effet, en cas d'attaque, il était bien plus aisé pour les droitiers, qui tenaient donc leur épée dans la main droite, de faire face à l'adversaire. Napoléon, toutefois, imposa la conduite à droite dans tous les pays qu'il conquit. Il n'en fallut pas plus pour que les Britanniques conservent leur conduite à gauche...

Les Écossais sont très courtois sur la route ; c'est vraiment reposant et appréciable. En revanche, ils ont tendance à se garer n'importe où, même si c'est dangereux !

Le stationnement

Peu problématique dans les coins paumés, il s'avère beaucoup plus difficile et onéreux lorsqu'on arrive en ville.

Pour un stationnement un peu prolongé, préférer le *Long Stay Parking* au *Short Stay Parking.* Même s'il vous faudra souvent marcher un petit peu plus pour rejoindre le centre (et encore pas toujours !), les tarifs du premier sont beaucoup plus doux.

Par ailleurs, ne pas jouer avec l'indulgence des contractuels (pour un stationnement prolongé de « seulement » quelques minutes, par exemple) et inutile de prétendre que vous ne comprenez pas l'anglais : ils sont intraitables, dans tous les cas. Addition toujours salée. En ville, une rue sans voitures garées ou presque, sans parcmètre ni horodateur ? Méfiance : il s'agit sans doute d'une rue où le stationnement est réservé aux riverains, avec la mention *residents parking* ou *residents only* peinte à même la chaussée. P.V. garanti si vous y stationnez. En ville, les lignes jaunes sur le bord de la route indiquent des restrictions. Avec une ligne jaune unique, le stationnement est autorisé en dehors des heures indiquées sur les panneaux. Sur les lignes jaunes doubles, il est interdit de stationner.

La location de voitures

Pour louer une voiture, il faut avoir 21 ans minimum chez la plupart des loueurs et un, voire deux ans de permis. Attention, l'assurance « tous risques » (souvent obligatoire pour les jeunes conducteurs) n'est généralement pas incluse ; supplément conséquent. Vous pouvez également vous renseigner auprès de l'agence *Auto Escape.*

■ *Auto Escape : N° gratuit :* ☎ 0800-920-940. ☎ 04-90-09-28-28. • *autoescape.com* • *Résa conseillée. Réduction supplémentaire de 5 % aux lecteurs de ce guide sur l'ensemble des destinations.* Vous trouverez également les services d'*Auto Escape* sur • *routard.com* • Cette agence réserve auprès des loueurs de véhicules de gros volumes de location d'affaires, ce qui garantit des tarifs très compétitifs.
■ Toutes les compagnies de location de voitures comme *Hertz* (☎ 01-39-38-38-38. • *hertz.fr* •), *Avis* (☎ 0820-00-08-88 ; 0,12 €/mn. • *avis.fr* •) ou *Budget* (☎ 0825-00-35-64 ; 0,15 €/mn. • *budget.fr* •) sont disponibles depuis la France pour l'Écosse.

Le stop

Vous poireauterez peut-être 3h au bord d'une route à une voie, envahie par les moutons, au crépuscule, sous une pluie diluvienne. Et ça ne sera tout simplement pas votre jour. Car, en général, les Écossais prennent assez facilement en stop, et davantage encore en milieu rural. De plus, si vous leur montrez que vous aimez l'Écosse, comme ils sont très fiers de leur pays (à juste titre d'ailleurs), ils n'hésiteront pas à faire des détours pour vous faire découvrir des coins qui échappent aux touristes. Un truc : un de nos lecteurs jouait du pouce avec une pancarte « *Not far* » (« Pas loin »). Des conducteurs s'arrêtaient en lui demandant où c'était « *Not far* »... et il a ainsi effectué son voyage, à sauts de puce !

Les bicyclettes

Dans les petites villes et les villages, il est souvent possible de louer des bicyclettes *(hire a bike)* à la journée, à un prix... plus ou moins correct.
Presque tous les trains ont des fourgons qui permettent d'embarquer votre vélo, certes en nombre limité. Il vaut mieux réserver en demandant le système *bike it by train* (gratuit).

Le bus

C'est le mode de transport public le plus répandu en Écosse, et pour cause : le réseau ferroviaire est relativement limité. La compagnie nationale *Citylink* relie, par les grands axes, les différentes régions du pays. À l'intérieur de celles-ci, c'est une ou plusieurs compagnie(s) locale(s) qui assure(nt) le relais. Vous pourrez généralement en obtenir gratuitement les horaires (sous forme de brochure) dans les offices de tourisme. Pratique. À noter que si les villes d'une certaine importance possèdent leur gare routière, en revanche, dans les petites villes, les bus s'arrêtent simplement à un endroit donné, généralement dans le centre, sur la place principale. Inutile aussi de préciser que plus on s'écarte des grands chemins, plus la fréquence des bus diminue, jusqu'à devenir nulle dans certains coins reculés. Dernier recours alors : les bus (ou fourgons) postaux, qui se rendent jusque dans les petits bleds au moins une fois par jour, sauf le dimanche bien sûr. (*Rens dans les offices de tourisme de la région concernée ou sur Internet :* • *royalmail.com/postbus* •). Pour les bus urbains, toujours avoir l'appoint car on paie à l'aide d'un petit *automate* qui ne rend pas la monnaie.

PLANS ET CARTES
EN COULEURS

SOMMAIRE

2

L'ÉCOSSE

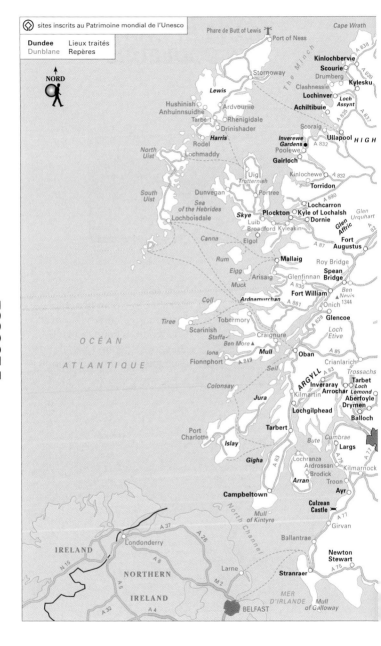

sites inscrits au Patrimoine mondial de l'Unesco

Dundee Lieux traités
Dunblane Repères

NORD

Phare de Butt of Lewis
Port of Ness
Cape Wrath

Kinlochbervie
Scourie
Drumberg
Stornoway
Kylesku
Clashnessie
Lochinver Loch Assynt
Lewis
Achiltibuie
Hushinish
Ardvourlie
Anhuinnsuidhe
Tarbert
Rhenigidale
Scoraig
Ullapool H I G H
Drinishader
Harris
Inverewe
Gardens A 832
Rodel
Poolewe
North
Uist
Lochmaddy
Gairloch

Uig
Kinlochewe A 832
Trotternish
Torridon
South
Uist
Dunvegan
Portree
A 890
Sea
of the Hebrides
Lochcarron
Skye **Plockton** **Kyle of Lochalsh**
Lochboisdale
Luib
Dornie
Glen
Urquhart
Broadford Kyleakin
Glen
Canna
Elgol
Fort
Augustus
A 87

Rum
Mallaig
Roy Bridge
Eigg
Spean
Arisaig
Glenfinnan
Bridge
Muck
A 830
Ben
Fort William
Nevis
Coll
Ardnamurchan A 861
1344
Onich

Tiree
Tobermory
Glencoe
Scarinish
Craignure
Loch
Staffa
Etive
Ben More ▲
O C É A N
Iona
Mull
Oban
Fionnphort A 849
Crianlarich
Seil
A T L A N T I Q U E
Trossachs
Tarbet
Colonsay
Inveraray Loch
Arrochar Lomond
Jura
Kilmartin
Aberfoyle
Drymen
Lochgilphead
Balloch

Port
Tarbert
Charlotte
Bute Cumbrae
Islay
Largs
Lochranza
Gigha A 83
Ardrossan
Brodick
Kilmarnock
Arran
Troon
Campbeltown
Ayr
Culzean
Castle
Mull
of Kintyre
Girvan

A 37
Ballantrae
Newton
Londonderry A 26
Stewart
IRELAND
Larne
Stranraer
NORTHERN
IRELAND
MER
D'IRLANDE Mull
BELFAST of Galloway

The Minch

North Channel

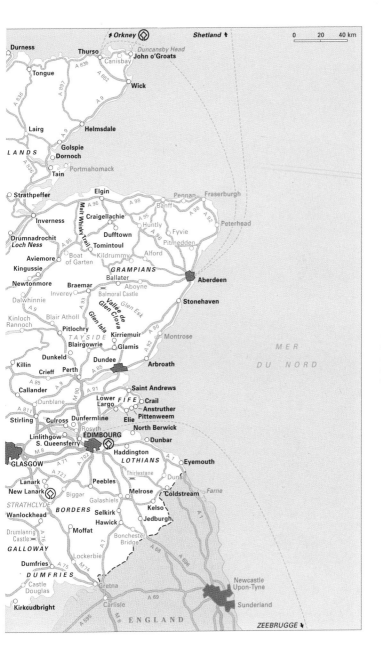

L'ÉCOSSE

4

ÉDIMBOURG – PLAN GÉNÉRAL

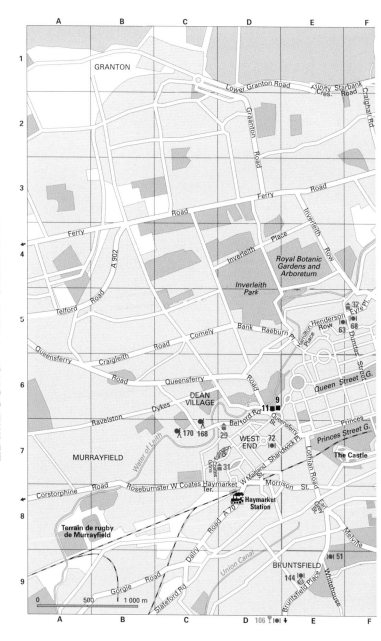

A **B** **C** **D** **E** **F**

1
GRANTON
Lower Granton Road
Trinity Starbank
Cres. Road
Craighall Rd

2
Granton Road

3
Ferry Road
Road
Inverleith

4
Ferry
A 902
Inverleith Place
Inverleith
Royal Botanic Gardens and Arboretum
Inverleith Row

5
Telford Road
Bank Comely Raeburn Pl.
Inverleith Park
Henderson Place
Hamilton Place
Eyre Pl. 32
63 68
Dundas Street G.

6
Queensferry
Craigleith Road
Queensferry
Road
DEAN VILLAGE
Queen Street G.
Princes
9
11
Queensferry St.
Ravelston Dykes
Water of Leith
Belford Rd
Princes Street G.

7
MURRAYFIELD
170 168
29
WEST END
72
Eglinton Cres.
Coates Gdns
31
W Maitland St.
Shandwick Pl.
Lothian Road
The Castle

8
Corstorphine Road
Roseburnster W Coates Haymarket Ter.
Morrison St.
Haymarket Station
Dalry Road A 70
Grove St
Melville

Terrain de rugby de Murrayfield

9
Gorgie Road
Stateford Rd
Union Canal
BRUNTSFIELD
144
51
Bruntsfield Place
Whitehouse

0   500   1 000 m

A **B** **C** **D** 106 **E** **F**

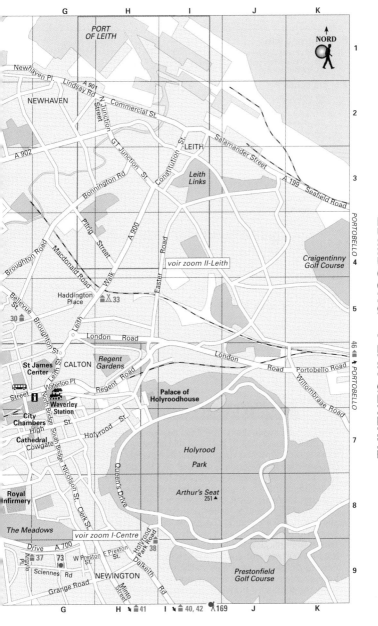

ÉDIMBOURG – REPORTS DU PLAN

NOUVEAUTÉ

PARIS, OUVERT LE DIMANCHE (avril 2008)

Que faire à Paris le dimanche ? On se creuse bien souvent les méninges pour trouver des activités dominicales qui ne viennent pas toujours spontanément à l'esprit ! Toutes générations confondues ! Voici de quoi vous prouver que la capitale ne s'endort pas sur ses lauriers le jour du Seigneur. Assister aux concerts du dimanche matin, au théâtre du Châtelet, pendant que les enfants sont pris par la main avec des activités annexes, fallait juste y penser ; remplir son couffin au marché bio des Batignolles et visiter gratuitement les grands musées parisiens, le 1er dimanche de chaque mois, reste une aubaine ! Des balades culturelles aux activités sportives et familiales en passant par des haltes romantiques, nous avons cherché à satisfaire la curiosité de tous en débusquant des trouvailles parfois insolites... Mais une journée de détente et de loisirs serait incomplète sans l'essentiel : une bonne table pour se restaurer quand les pieds ne vous portent plus. Le branché parisien y trouvera une sélection de brunchs. En outre, on indique, bien sûr, des restos de cuisine traditionnelle, toujours au meilleur rapport qualité-prix.

ÉDIMBOURG – REPORTS DU PLAN

ÉDIMBOURG – REPORTS DU PLAN

ÉDIMBOURG – CENTRE (ZOOM I)

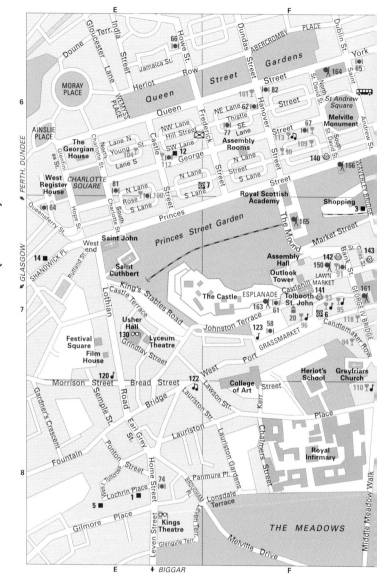

E F

MORAY PLACE

Doune Terr.
Gloucester Lane
India Street
Howe St.
Jamaica St.
Heriot Row
66
Dundas Street
ABERCROMBY PLACE
York
Dublin St.
65
164
North St. David St.
Saint St. David St.

Queen Street Gardens

AINSLIE PLACE
WEMYSS PLACE
Queen Street
101
82
62
NE Lane
Hanover
Street
67
113
109
Melville Monument
St Andrew Square
Andrew St.

Glenfinlas St.
The Georgian House
Charlotte Square
North Charlotte St.
Young St.
Lane N
NW Lane
Hill Street
SW Lane
12
George
104
112
Thistle
77
SE Lane
Street
N Lane
Assembly Rooms
N. Lane
99
140
166
WAVERLEY BRIDGE

PERTH, DUNDEE

West Register House
81
South Charlotte St.
N Lane
Rose
100
S Lane
Princes
N Lane
George Street
7
S Lane
S Lane
Street
Royal Scottish Academy
3
Shopping
Market Street

Queensferry St.
Hope St.
64
The Mound
165

GLASGOW
SHANDWICK PL.
14
West End
Rutland St.
Saint John
Princes Street Garden

Castle Terrace
Lothian
Saint Cuthbert
King's Stables Road
Assembly Hall
142
150
91
Outlook Tower
Castlehill
LAWN MARKET
Bank St.
St Giles St.
143
161
GEORGE IV BRIDGE

Usher Hall
130
Lyceum Theatre
Grindlay Street
The Castle
ESPLANADE
Castlehill
Tolbooth St. John
163
61
141
20
93
95
118
6
96

Festival Square
Film House
120
Johnston Terrace
123
58
GRASSMARKET
West
Port
94
Candlemaker Row

Morrison Street
Bread Street
Bridge
122
Lawson Str.
College of Art
Street
Heriot's School
Greyfriars Church
110

Gardner's Crescent
Semple St.
Earl Grey St.
Ponton Street
Home Street
Lauriston St.
Lauriston
Lauriston Gardens
Chalmers Street
Place
Royal Infirmary

Fountain
Tollcross
74
1
5
Lochrin Place
BROUGHAM PL.
Panmure Gardens
Leven Terr.
Lonsdale Terrace
Middle Meadow Walk

Gilmore Place
Leven St.
Kings Theatre
Glengyle Terr.
THE MEADOWS
Melville Drive

E ↓ BIGGAR F

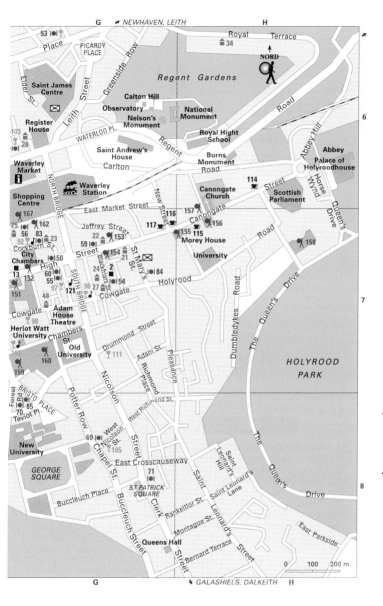

ÉDIMBOURG – CENTRE (ZOOM I)

ÉDIMBOURG – CENTRE (ZOOM I)

⌂	Où dormir ?			78	Waterfront Wine Bar
	43	The Conifers		79	Skippers Bistro
	45	Ardmor House		80	Fishers
⦿	Où manger ?		⦿ ♪	Où boire un verre ?	
				Où sortir ?	
	75	Daniel's Bistro			
	76	Britannia Spice		107	The Shore

ÉDIMBOURG – REPORTS DU PLAN

NOUVEAUTÉ

LOUISIANE ET LES VILLES DU SUD (paru)

La Louisiane s'est relevée des blessures du cyclone Katrina et elle a retrouvé toute sa joie de vivre ! C'est le moment de découvrir ou de revenir dans ce pays métissé où cultures créole et latine se mêlent au gré de la cuisine, des fêtes et du jazz. Partez à la rencontre des Cajuns, nos chaleureux cousins d'Amérique dont la langue délicieuse vous intimera de « laisser le bon temps rouler » et de vous déhancher sur un « fais dodo » endiablé. Empruntez ensuite l'*highway 61* et revisitez vos classiques entre Memphis et Nashville, ces villes mythiques qui ont vu naître tour à tour le blues, la country et le rock n' roll. Glissez-vous enfin dans la peau de Scarlett O'Hara et faites craquer les planchers des vastes demeures des planteurs du « vieux Sud », de Charleston, Savannah ou Atlanta. Et plongez dans les vestiges d'un passé alliant gloire, splendeur et combat pour l'émancipation.

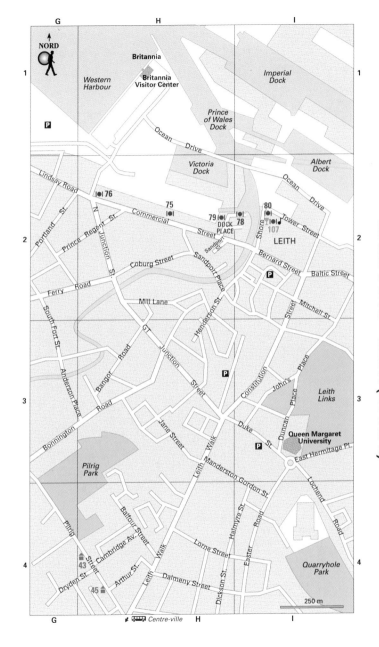

ÉDIMBOURG – LEITH (ZOOM II)

ÉDIMBOURG – LEITH (ZOOM II)

GLASGOW – CENTRE (PLAN I)

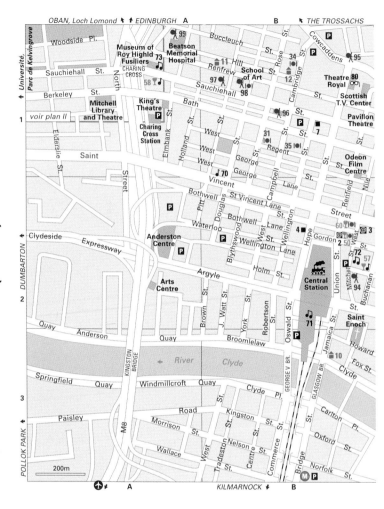

OBAN, Loch Lomond / EDINBURGH A   B   THE TROSSACHS

voir plan II

KILMARNOCK

200m

■ **Adresses utiles**

🛈 Tourist Information Centre
🏛 Queen Street Station
🏛 Central Station
🚌 Buchanan Bus Station
✉ Poste
@ 2 Hub Internet Cafe
@ 3 Easy Internet Café
  4 American Express
  6 Borders
  7 Librairie Waterstone's

🛏 **Où dormir ?**

  10 Euro Hostel
  11 McLays Guest House
  12 Travelodge Glasgow Central

|◉| **Où manger ?**

  30 Café Gandolfi
  31 Where the Monkey Sleeps
  32 Mono
  34 The Wee Curry Shop
  35 Fratelli Sarti
  36 Mao Cafe
  37 City Merchant
  98 Resto universitaire

🍸 🎵 **Où boire un verre ?**
Où sortir ?

  50 Horse Shoe Bar
  51 Victoria Bar
  52 Blackfriars
  54 Babbity Bowster

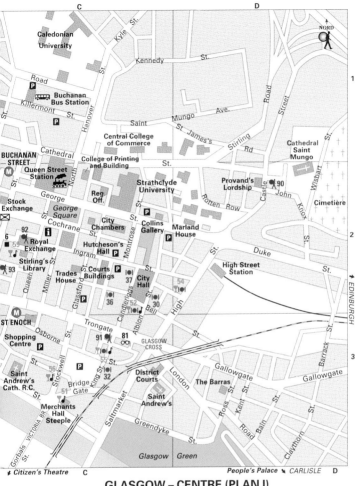

GLASGOW – CENTRE (PLAN I)

GLASGOW – CENTRE (PLAN I)

55 13ᵗʰ Note
56 The Scotia
57 Bar Ten
58 Nice'n' Sleazy
59 B. Lo
60 Drum & Monkey

♪ ♫ **Où écouter de la bonne musique ? Où danser ?**

70 King Tut's Wah Wah Hut
71 The Arches
72 The Tunnel
73 The Garage

👓 **Où assister à un spectacle ?**

80 Theatre Royal

81 Tron Theatre

🎥 **À voir**

90 Saint Mungo Museum of Religious Life and Art
91 Sharmanka Kinetic Gallery
92 Gallery of Modern Art
93 Princes Square
94 Lighthouse
95 Museum of Piping
96 Willow Tearoom
97 Centre for Contemporary Arts
98 Glasgow School of Art
99 Tenement House Museum

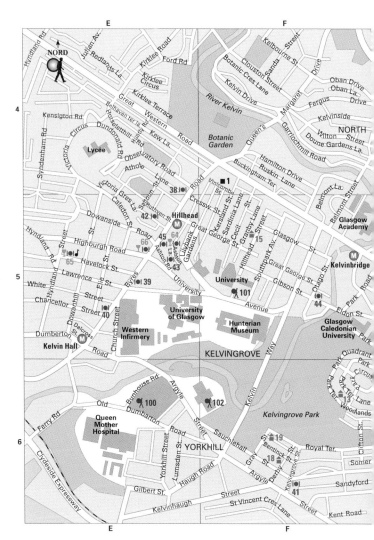

GLASGOW – WEST END (PLAN II)

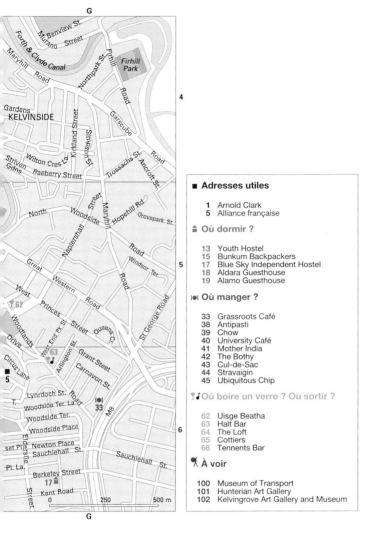

■ **Adresses utiles**

1 Arnold Clark
5 Alliance française

⌂ **Où dormir ?**

13 Youth Hostel
15 Bunkum Backpackers
17 Blue Sky Independent Hostel
18 Aldara Guesthouse
19 Alamo Guesthouse

|●| **Où manger ?**

33 Grassroots Café
38 Antipasti
39 Chow
40 University Café
41 Mother India
42 The Bothy
43 Cul-de-Sac
44 Stravaigin
45 Ubiquitous Chip

🍷♪ **Où boire un verre ? Où sortir ?**

62 Uisge Beatha
63 Halt Bar
64 The Loft
65 Cottiers
66 Tennents Bar

🎐 **À voir**

100 Museum of Transport
101 Hunterian Art Gallery
102 Kelvingrove Art Gallery and Museum

GLASGOW – WEST END (PLAN II)

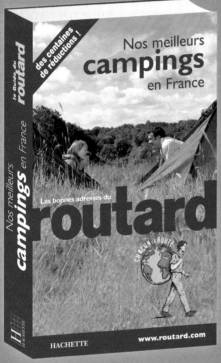

Bon à savoir aussi, *Citylink* propose l'*Explorer Pass,* une carte permettant de circuler librement pendant 3 jours sur 5 (£ 35, soit 52,50 €), 5 jours sur 10 (£ 59, soit 88,50 €) ou 8 jours sur 16 (£ 79, soit 118,50 €). L'*Explorer Pass* vous donne également droit à certaines réductions sur les ferries à destination des îles et sur environ 70 adresses d'hébergement.

■ **Scottish Citylink Coaches :** *Buchanan Bus Station, Killermont St, Glasgow G2 3NP.* ☎ *08705-50-50-50.* ●*citylink.co.uk* ●

Sinon, la compagnie **Megabus** (bus *low-cost*) permet de voyager à partir de £ 1 (1,50 €). Le principe est simple : plus on réserve tôt, meilleur est le tarif. Le concept est valable sur toute la Grande-Bretagne, mais concerne uniquement les villes.
■ *Megabus :* ☎ *0900-160-09-00 (numéro surtaxé) tlj 7h-22h.* ● *megabus.com* ●

Enfin, plusieurs compagnies organisent des tours en minibus avec guide à travers l'Écosse, d'une durée de un à sept jours. En voici quelques-unes :

■ **Mac Backpackers :** *105, High St, à Édimbourg.* ☎ *(0131) 558-99-00.* ●*mac backpackers.com* ● Tours spécialement conçus pour les routards. Chaque circuit est accompagné par un guide écossais qui n'a pas son pareil pour vous proposer les meilleurs plans randos ou visites.
■ *Haggis :* 60, High St, à Édimbourg.

☎ *(0131) 557-93-93.* ● *haggisaventures.com* ● Là encore, plutôt pour les routards.
■ *Rabbies :* 207, High St, à Édimbourg. ☎ *(0131) 226-31-33.* ● *rabbies. com* ● Virées à travers toute l'Écosse. Programmes bien ficelés. Agence réputée pour son sérieux.

Le train

Pratique pour relier les villes les plus importantes d'Écosse mais, en gros, ça s'arrête là. Procurez-vous dans les gares les petites brochures reprenant les horaires des trains sur telle ou telle ligne. *Rens :* ☎ 08457-48-49-50. ● *firstgroup.com/scotrail* ● ou ● *nationalrail.co.uk* ● *Achat de billets en ligne sur le site de l'agence* BMS ● *bms-travelshop.com* ● Voici quelques infos utiles :
– les billets achetés suffisamment longtemps à l'avance peuvent revenir de 30 à 60 % moins cher. Ça s'appelle les *saver-tickets.* Bien se renseigner au guichet des gares, les offres de tarifs variant souvent d'un parcours à l'autre ;
– les *friend fares,* en réservant à l'avance (nombre de places limité) et valables sur certaines lignes uniquement, permettent de voyager en groupe de trois ou quatre personnes à prix réduits.

Plusieurs forfaits intéressants pour les routards

– **BritRail Euro Consecutive Pass :** permet de voyager librement sur tout le réseau ferroviaire britannique (Angleterre, pays de Galles, Écosse) pendant 2, 4, 8, 15, 22 ou 31 jours consécutifs. Tarifs réduits pour les moins de 26 ans et les plus de 60 ans ; gratuité pour les enfants de moins de 5 ans.
– **BritRail Euro Flexipass :** même chose que le *BritRail Euro Consecutive Pass,* mais en plus souple. Permet de voyager 2, 3, 4, 8 ou 15 jours (consécutifs ou non) répartis sur un mois.
– ATTENTION, ces forfaits ne sont pas vendus en Grande-Bretagne et doivent être achetés sur le continent avant de partir. *Rens auprès de la SNCF au* ☎ *36-35 (rubrique « billets », puis « international »).* Pas de vente de ces *passes* par téléphone, il faut se rendre dans les boutiques SNCF, aux guichets des grandes gares. Également sur ● *britrail.com* ● Achat des *passes* en ligne. Noter qu'ils sont moins chers hors saison.
Aucune photo n'est nécessaire.

Ces *passes* peuvent être combinés avec un *Britrail Family Pass* : voyage gratuit pour un enfant de moins de 15 ans pour tout achat par un adulte d'un *Consecutive* ou *Flexipass*.

– ***Britrail Scottish Freedom Pass :*** permet de circuler librement (pas avant 9h15 en semaine, hormis sur certaines lignes) sur le réseau ferroviaire écossais (*Scotrail, GNER* et *Virgin*), celui des compagnies maritimes *Caledonian MacBrayne,* réduction *avec Northlink Ferries* vers les Shetland et les Orcades), ainsi que sur certaines lignes des autocars *Citylink, Stagecoach (Fife), Highland Country Buses* (nord-est des Highlands et Skye), *First Edinburgh* (sud) et *Bowmans Coaches* (Mull). Le forfait est disponible en 2e classe uniquement, pour 4 jours répartis sur 8 jours, ou pour 8 jours sur 15 jours.

En vente en France chez *BMS* (☎ 01-42-66-07-07 ou en ligne sur ● bms-travelshop.com●). Également sur le site de *Britrail* (● britrail.com●). Ou encore sur place, aux guichets des principales gares.

Forfaits disponibles en Écosse uniquement :

– ***Highland Rover :*** forfait de 4 jours sur 8. Même principe que le *Freedom of Scotland Travel Pass,* mais seulement pour les Highlands.

– ***Central Scotland Rover :*** forfait de 3 jours sur 7. Pour le centre de l'Écosse, Édimbourg et Glasgow (et son métro). Idéal pour faire les festivals.

Les ferries

Comme on peut s'en douter, l'Écosse dispose d'un excellent réseau de ferries, permettant de passer aisément d'une île à l'autre. À de rares exceptions près, voitures, caravanes et camping-cars y sont acceptés, mais les tarifs sont très élevés. Certaines liaisons ne sont pas assurées le dimanche ni en basse saison. En général, vous devez vous présenter 30 à 45 mn avant l'embarquement. Il est également préférable de réserver son ticket la veille du départ, voire plusieurs jours à l'avance (et jusqu'à deux semaines avant sur les lignes très touristiques) en été. Demandez les brochures avec les horaires et les prix *(Timetables and Fares).*

Pour l'Ouest

■ ***Caledonian MacBrayne :*** The Ferry Terminal, Gourock PA 19 1QP. ☎ (01475) 650-100. ● calmac.co.uk● Propose plusieurs forfaits pour faire les îles (prix très variables) :

– *Island Hopscotch Ticket :* permet de composer votre itinéraire parmi une vingtaine de routes proposées. Formule économique pour les voitures.

Valable un mois après la première traversée. Pour autant, vous devez toujours réserver à l'avance. Avec ce *pass,* les cyclistes ne paient pas pour leurs deux roues.

– *Island Rover :* utilisable sur toutes les liaisons pour des périodes de 8 ou 15 jours.

Pour le Nord

■ ***John O'Groats Ferries :*** The Ferry Office, Caithness KW1 4YR. ☎ (01955) 611-353. ● jogferry.co.uk● Liaisons saisonnières (piétons seulement) entre John O'Groats et Burwick, sur les îles Orcades.

■ ***Pentland Ferries :*** Pier Rd, Saint Margaret's Hope. ☎ (01856) 831-226. ● pentlandferries.co.uk ● Ferries entre Gills (à l'est de Thurso) et Saint Margaret's Hope sur les Orcades.

■ ***Orkney Ferries :*** Shore St, Kirkwall,

Orkney. ☎ (01856) 872-044. ● orkneyferries.co.uk ● Liaisons inter-îles dans les Orcades.

■ ***Shetland Islands Council :*** Town Hall, Upper Hillhead, Lerwick. ☎ (01595) 693-535. ● shetland.gov.uk/ferries ● Liaisons locales dans l'archipel des Shetland.

■ ***Northlink Ferries :*** ☎ 0845-6000-449. ● northlinkferries.co.uk ● La compagnie qui relie les Orcades et les Shetland depuis Aberdeen et Scrabster.

TRAVAILLER EN ÉCOSSE

Joignez l'utile à l'agréable (?) et travaillez ; la situation de l'emploi est variable, tenez-vous prêt pour la plonge ! Le guide *Summer Jobs in Britain* est disponible dans les librairies anglaises à Paris (*Brentano's, W. H. Smith, Galignani,* entre autres).
– Les agences proposant des séjours au pair ou des stages (dans un contexte professionnel ou linguistique) sont recensées sur le site de l'office de tourisme de Grande-Bretagne : ● visitbritain.fr ●
Vous pouvez, entre autres, vous adresser à :

■ *Chambre du Commerce Franco-Britanique :* 31, rue Boissy-d'Anglas, 75008 Paris. ☎ 01-53-30-81-30. ● francobritishchambers.com ● Site internet riche en conseils, adresses et plusieurs guides pratiques y sont en vente.
■ *The British Council :* 9, rue de Constantine, 75007 Paris. ● britishcouncil.fr ● Pour les possibilités de travail,

stages et séjours au pair.
■ *Contacts :* 27, rue de Lisbonne, 75008 Paris. ☎ 01-45-63-35-53. ● contacts.org ● Ⓜ *Miromesnil* ou *Saint-Augustin. Autres bureaux à Lyon, Aix-en-Provence et Toulouse. Sur rdv slt.* L'association propose des stages en entreprise (non indemnisés) et des séjours au pair.

HOMMES, CULTURE ET ENVIRONNEMENT

« May the wind don't blow your kilt ».

Proverbe écossais

Écosse, pays de légendes... et bien plus encore. Si les fantômes et le monstre du Loch Ness attirent encore quelques curieux, la plupart des voyageurs recherchent le subtil mélange entre une nature brute et sauvage, une histoire riche et une culture singulière. Écosse, terre de brume... Les amoureux de landes et de lochs romantiques, de bruyères, de falaises et de cascades rentreront comblés, surtout s'ils s'aventurent dans le nord-ouest du pays, à la découverte des Highlands. Cette région figure en effet parmi les mieux préservées d'Europe : moins de dix habitants au kilomètre carré ! Peut-être une plus forte densité de moutons qu'ailleurs... quelques vaches atypiques aux poils longs et à la frange rebelle *(Highlands cows),* ainsi que d'innombrables phoques et oiseaux qui peuplent la multitude d'îles. Dépaysement garanti ! Quant aux Écossais, on les découvre chaleureux et généreux. Tout comme leur cuisine... pour prévenir de l'hiver rigoureux. Goûtez donc le *haggis,* fameuse panse de brebis, tant redouté chez nous et pourtant plébiscité « meilleur plat d'Écosse ». Rassurez-vous, le seul ennemi potentiel du routard reste la pluie. À tel point que l'Écossais prétend avoir inventé le kilt pour ne plus avoir à mouiller ses bas de pantalons ! Le lecteur avisé veillera donc à emporter bottes et ciré. Et à faire preuve d'un peu de patience : les paysages rivalisent tellement de beauté entre chaque grain...

BOISSONS

– **Thé et café :** il existe de nombreux *coffee shops,* où l'on peut prendre le thé ou le café. Si vous désirez un café noir *(black coffee),* précisez-le, sinon on vous servira un café au lait. De même pour le thé. De plus en plus de cafés servent un vrai *espresso.*

– **Boissons non alcoolisées :** que ceux qui supportent mal l'alcool demandent un *babycham* (sorte de mousseux) dans les pubs, ou un jus de fruits (souvent plus cher que l'alcool). Essayez aussi la boisson favorite des jeunes Écossais, le *IRN-BRU,* recommandée en cas de gueule de bois.

– **Vins :** les amateurs de vin se réjouiront de trouver de plus en plus de *wine bars,* mais attention, c'est assez cher. Cela dit, le prix du vin a tendance à baisser grâce à la concurrence. C'est d'ailleurs l'occasion de découvrir les vins du Nouveau Monde (des États-Unis, de Nouvelle-Zélande, d'Afrique du Sud ou encore d'Australie). On peut aussi apporter sa bouteille dans certains restos ou à la table d'hôtes de son *B & B,* ces derniers ne possédant pas souvent de licence d'alcool.

– **Vins doux :** il y a le xérès d'Espagne *(a glass of medium sherry, please !),* délicieux, pas très cher et très apprécié des vieilles dames. Essayez aussi le porto *(port).* Quant aux alcools forts, ils n'allègeront évidemment pas votre bourse.

– **Liqueurs douces :** si vous aimez, goûtez le *Drambuie* ou l'*Irish cream,* au café. Si vous préférez les mélanges, essayez un *dry martini* (pas du tout ce que vous attendez) ou une *vodka and lime* (prononcer « laïme »), pour faire écossais. Le *lime* est à la fois une rondelle de citron vert et du sirop de citron. Pour une rondelle de citron jaune, préciser *lemon.*

– **Bières :** pour un demi, commander *half a pint* (prononcer « affepaïnte ») et non juste *half* qui signifie également une mesure de whisky ; *a pint* (0,57 l) revient moins cher, mais demande un entraînement à la course aux w-c. *A lager shandy* est un panaché (moitié-moitié), tandis qu'avec un *lager top,* on vous sert trois quarts de bière et un quart de limonade. *A snakebite* est un mélange cidre-bière. Quant au cidre lui-même, il est parfois servi à la pompe. Pour les non-amateurs de bière : la *ginger ale* vous séduira peut-être.
– Le choix de **whiskies** est impressionnant (voir plus bas). Sachez encore que le breuvage est taxé en Écosse à près de 65 %. Il est tellement cher qu'on conseille de s'initier là-bas mais d'acheter sa marque préférée en... France. Si vous tenez quand même à rapporter un souvenir, optez plutôt pour des millésimes particuliers (vingt ans d'âge et plus) ou des whiskies rares (type *single-cask*).

Conseils du même tonneau (de bière)

Bon, maintenant un petit topo sur les bières écossaises. Tout d'abord, dans un pub, on ne demande pas simplement *a beer.* Le terme est trop vague. Ce serait un peu comme si vous demandiez « du vin rouge » (sans autre précision). Bref, sachez qu'il y a plusieurs sortes de bière :
1) La *lager,* toujours blonde, bien pétillante et servie fraîche. On la trouve en bouteille ou à la pression *(on tap).* La plus répandue est sans conteste la *Tennant's lager.*
2) La *ale,* qui désignait autrefois une bière sans houblon. Aujourd'hui, c'est le mot utilisé pour toute bière plus ou moins brune, moins gazeuse *(just fizzy)* que la *lager.* Si vous en voulez une, demandez par exemple la *70* (ou *80*) *Shillings* ou la *Tartan Special Heavy* (plus forte). À signaler aussi : la *real ale,* servie à la pompe (c'est-à-dire à la force du bras) plutôt qu'à la pression, et à température ambiante. Un peu comme dans *Astérix chez les Bretons,* à part que, contrairement à ce que suggère la mine d'Obélix, elle est vraiment bonne. Goûtez, vous nous en direz des nouvelles !
3) La *stout,* ou bière noire, comme la *Guinness.* La plupart sont irlandaises, mais il en existe des écossaises, comme la *Sweetheart Stout* ou la *Orkney Dark Island* (extra !).
Et le terme *beer* dans tout ça ? Simple : il est générique, englobant donc tout ce qui précède. Vous comprenez maintenant pourquoi il fallait qu'on vous mette un peu au parfum !
Pour la petite histoire, sachez que les Écossais, en évoquant la mousse des bières anglaises, parlent de liquide vaisselle, car, pour eux, elle manque incontestablement d'épaisseur !

Le whisky

Deux règles concernant le whisky :
1) ne jamais boire un whisky sans eau ;
2) ne jamais boire de l'eau sans whisky.
Avant d'expliquer ce qu'est le whisky, il peut être judicieux de dire comment ça se boit, car, après tout, c'est le plus important. D'abord, ne vous avisez pas, devant un Écossais, de mettre du *Coca* ou de l'eau gazeuse dans votre verre de whisky. D'ailleurs, un proverbe assure qu'il est deux choses que les Écossais préfèrent nues ; et que l'une d'elles est le whisky. Cette pernicieuse habitude de mélanger le whisky avec n'importe quoi, importée des États-Unis, choque les vrais amateurs. On raconte qu'un Écossais, invité à table chez un Français qui avait commis cette faute, se vengea astucieusement en mettant un sucre dans son vin. Le whisky, ce n'est pas une boisson que l'on boit quand on a soif. Bref, ça demande un peu de savoir-vivre. Seule exception à la règle : on peut allonger son whisky d'un peu d'eau fraîche (mais non gazeuse !).
L'étranger se trahit souvent quand il commande : *a whisky* dans un pub, même si le garçon le comprend, le terme habituel étant *a dram* ou *a half,* une mesure de

whisky ordinaire. Distillé au moins à partir du XVe siècle par les moines, le nom même du breuvage vient de *uisgebeatha,* signifiant « eau-de-la-vie » en gaélique. Par glissement linguistique, *uisgebeatha* serait devenu « uisce » puis « fuisce », et enfin whisky. La première distillerie fut fondée en 1775, alors que l'on estime les premières productions vieilles de 500 ans dans les Highlands. La distillation de ce breuvage, prati-

> ## WHISKEY OU WHISKY ?
>
> *Un « e » qui en dit long sur l'origine du breuvage. Pour être « inscotchable », sachez que l'ajout du « e » date du XIXe siècle. Il fut adopté par les Irlandais, désireux de se démarquer du Scotch whisky. Le terme whiskey est aujourd'hui employé en Irlande et aux États-Unis. Mais le plus important n'est-il pas de savoir comment on le sert : avec ou sans glaçon ?*

quée depuis longtemps de manière clandestine, fut réglementée dès le XVIIIe siècle. Enfin, le *Scotch whisky* ne peut être produit qu'en Écosse.

Les différentes catégories de whisky

– **Malt whisky :** l'élite des whiskies ! Au mieux, il est *single malt* (100 % d'orge maltée, une seule distillerie), voire issu d'un seul tonneau *(single-cask)* ; sinon, il peut être *pure malt* (100 % d'orge maltée) mais résultant d'un assemblage de plusieurs *single malt* provenant de différentes distilleries (on l'appelle aussi *vatted malt,* terme souvent employé dans la littérature). Dans le cas de mélange, l'année inscrite sur la bouteille correspond toujours au whisky le plus jeune. La plupart sont fabriqués dans les Highlands. Attention, le malt n'est pas une plante naturelle, c'est tout simplement le nom donné à l'orge germée, qui sera ensuite séchée à la tourbe *(peat)* pour ajouter du caractère. Le liquide qui résulte de son mélange avec de l'eau sera distillé deux fois. Mais seul le cœur *(heart)* du breuvage sera mis en fût. La tête *(head),* trop forte, et la queue *(tail),* trop faible, sont de nouveau distillées. Comble d'ironie pour cet alcool célèbre : ce qui fait son secret, c'est l'eau. Et dans l'eau écossaise, on retrouve la *tourbe* (cercle infernal !). En effet, en ruisselant le long des montagnes et en traversant la terre, l'eau se charge en goût (et en couleur, d'où son aspect parfois un peu jaunâtre au sortir du robinet). La tourbe est noire au nord de l'Écosse, iodée et de couleur brune sur les îles de Skye et d'Islay. L'eau utilisée par les distilleries de l'île d'Islay, sur la côte ouest, contient bien plus d'arômes de tourbe que l'eau de la région de la Spey (Speyside), entre Inverness et Aberdeen. Résultat, les whiskies qui y sont élaborés (Ardbeg, Bowmore, Bruichladdich, Bunnahabhain, Caol Ila, Lagavulin, et Laphroaig pour l'île d'Islay ; Talisker pour Skye) jouissent de saveurs uniques. Comme l'écrit Thierry Bénitah, directeur de *Whisky Magazine,* dans l'*ABCdaire du Whisky* : « se verser un pur malt de l'île d'Islay, c'est capturer dans son verre la puissance de l'océan... ». Inspirant !

Par ailleurs, plus les *alambics* sont hauts, plus l'alcool aura de contact avec le cuivre et plus le goût sera doux (et inversement, comme de bien entendu !). Le *malt whisky* vieillit parfois dans des cuves en chêne pendant plusieurs dizaines d'années. Mais un *Scotch whisky* peut être légalement vendu après trois ans. Enfin, il faut savoir qu'au bout de quinze ans, un tiers du tonneau s'est évaporé, c'est ce qu'on appelle l'*Angelshare* (la part des anges).

– **Grain whisky :** les vrais amateurs ne reconnaissent pas à ce breuvage le droit de porter le nom de « whisky ». Il est plus léger et a moins de goût. Il est aussi moins cher et destiné aux mélanges de *blended.* On ne s'étendra pas sur ce liquide sans grand intérêt. Généralement, il est fabriqué avec 10 à 20 % d'orge ainsi qu'avec d'autres céréales telles que le maïs ou le blé.

– **Blended whisky :** de tous les whiskies écossais consommés dans le monde, 90 % sont des *blended.* On trouve dans leur composition 60 à 80 % de *grain whisky* et 20 à 40 % de *malt whisky.* Plus de 2 500 marques sont enregistrées en Grande-Bretagne. On ne s'étonnera pas, bien sûr, que depuis ces dernières années on mette dans le *blended* de plus en plus de *grain whisky* et de moins en moins de *malt.* Peu à peu, les différences de goût entre les *blended* s'amenuisent afin de satisfaire un maximum de gens. On dit même que certaines grandes marques modifient le mélange en fonction du pays qui l'achète. Il en est ainsi au Japon. Une société japonaise a racheté la distillerie *Ben Nevis* de Fort William, et le goût a été adapté au goût nippon, disent certains experts, que nous appellerons des « whiskylogues » !

Infos pratiques

– Bon nombre de distilleries n'acceptent pas les enfants en dessous de 8 ans.
– Il existe deux cartes à thème sur le whisky : *Collins* et *Bartholomew.* Un petit guide très bien fait, *Whisky,* de Carol P. Shaw, dans la collection Collins Gem, répertorie les distilleries qu'on peut visiter et vous aidera à choisir entre les nombreuses marques.
– Pour en savoir plus : *ABCdaire du Whisky* de Thierry Bénitah (éd. Flammarion, 1996). À lire avant toute initiation. Carte bien faite avec localisation des distilleries. L'auteur est directeur de la *maison du Whisky* à Paris et fondateur de la revue *Whisky Magazine.* ● whiskymag.fr ●

La route des distilleries écossaises (notre best of)

Certaines distilleries sont citées et commentées dans notre guide, d'autres non. Voir plus loin « La route du Whisky » dans le chapitre sur « les Grampians ». Bonne route !
– *La distillerie Edradour à Pitlochry (Perthshire) :* une des plus petites d'Écosse. Elle appartient à un indépendant qui travaille de façon artisanale. Edradour produit en un an ce que des grandes marques comme *Glenfiddish* produisent en une semaine. La visite est gratuite. Accueil formidable.
– *La distillerie Glenturret à Crieff (Perthshire) :* ce serait la plus vieille distillerie officielle d'Écosse, datant de 1775. Très mignonne. Les trois quarts des whiskies produits sont vendus sur place.
– *La distillerie Glenfarclas à Ballindalloch (Speyside) :* visite sérieuse et très pointue.
– *La distillerie Glenlivet à Glenlivet (Speyside) :* fondée en 1823, c'est la plus ancienne distillerie régularisée de la *Speyside.* À présent, elle appartient au groupe *Chivas,* contrôlé par *Pernod-Ricard.* Très moderne, avec un ascenseur pour handicapés. Très isolée, on la repère de loin. Encore plus charmante en hiver sous la neige.
– *La distillerie Strathisla à Keith (Speyside) :* la plus méconnue. Et pourtant une des plus belles avec sa roue à aubes et ses toitures en forme de pagode.
– *La distillerie Glen Grant à Rothes (Moray, Speyside) :* la plus exotique avec ses jardins de style africain. Un ancien propriétaire avait adopté un jeune Kenyan qui devint lord et distillateur !
– *La distillerie Aberlour à Aberlour (Speyside) :* la plus pédagogique. Les visiteurs peuvent mettre le whisky dans la bouteille et le tirer du fût.
– *La distillerie Balvenie à Dufftown, Keith (Speyside) :* une des rares à posséder sa propre aire de maltage, et – encore plus rare – sa propre tonnellerie, et son unité d'embouteillage. Dépend de *Glenfiddish.*
– *La distillerie Bruichladdich à Bruichladdich (Islay, Argyll) :* la plus médiatique. Équipée de caméras vidéo, elle a même été surveillée par les experts avisés du Pentagone, qui croyaient y voir des installations ressemblant à celles des usines d'armes de destruction massive. Et pourtant, Islay ne ressemble pas à l'Irak. Résultat, de grandes chaînes de TV connaissent cette distillerie depuis qu'elle fit la une du *New York Times.* La prochaine fois, les experts de la CIA la renommeront sans doute « Irakladdich » !

CHÂTEAUX ET FANTÔMES

Carte postale de l'Écosse, le château en ruine au bord d'un loch aux eaux troubles a toujours stimulé l'imagination des âmes romantiques. Les Écossais, en gens avisés, ont bien exploité le filon. Ils ont préservé soigneusement chaque pierre, restauré les châteaux les moins délabrés, et les ont ouverts à un public plein de respect et d'admiration pour les chères vieilles reliques de l'aristocratie et leurs occupants... fussent-ils fantomatiques.

Les châteaux

Cela dit, tous les châteaux ne ressemblent pas à des donjons lugubres survolés de corbeaux croassant. Un petit descriptif des différents styles peut vous aider : vous en trouverez dans les dépliants du *National Trust of Scotland* ou de *Historic Scotland,* deux organismes qui en gèrent chacun plusieurs dizaines.

Déjà à l'âge du fer, les anciens habitants de l'Écosse ont élevé de mystérieuses tours rondes et creuses, maçonnées de pierres, les « brochs ». On peut en voir aux Shetland.

À l'instar des mottes normandes, les châteaux médiévaux écossais se limitaient à de simples donjons défensifs pourvus d'une cour intérieure cernée d'une palissade de bois, bientôt remplacée par une muraille de pierre. Il fallut attendre la Renaissance pour voir les seigneurs écossais se préoccuper de décoration et de raffinement. La couronne d'Écosse, bien stable sur ses assises, se permit quelques fantaisies inspirées d'outre-Manche comme à Stirling, Linlithgow et Falkland. Après la Réforme, où les terres de l'Église furent distribuées, on assista à une prolifération de petits châteaux, toujours inspirés du donjon : les *towerhouses* au plan en forme de L ou de Z. La technique de l'encorbellement arrondit alors les formes carrées, et les constructions se dotèrent d'une multitude de détails purement décoratifs : tourelles, pignons, clochetons, plafonds peints et cheminées monumentales. Tous ces éléments contribuèrent à donner aux châteaux écossais ce style pittoresque et inimitable, le « baronial », qui s'étendit bientôt à toute la Grande-Bretagne, et qui perdura jusqu'au XIXe siècle, avec le « Gothic Revival ».

Tout en gardant des formes extérieures inspirées des forteresses médiévales, les demeures de prestige se parèrent de plus en plus d'intérieurs influencés par le classicisme et le style palladien. Une lignée d'architectes de haute volée, la famille Adam, rassembla toutes ces tendances dans un style propre qu'on qualifie aussi de géorgien, en référence aux longs règnes de George II et George III (1727-1820). On leur doit Hopetoun House, Haddo House, Mellerstain et Culzean. Inspirées de ses voyages en Italie, les réalisations de Robert Adam allient rigueur classique et raffinement des décorations.

Sans parvenir à retrouver la veine du « baronial » du XVIIe siècle, les palais de Scone, Abbotsford, Dalmeny House et Balmoral sous Victoria furent les porte-drapeaux d'un style authentiquement britannique face aux influences continentales.

Les fantômes

Les fantômes, quant à eux, naissent au XIXe siècle de la fièvre spéculative et du romantisme ambiant. La présence d'un fantôme dans la demeure s'avère une plus-value pour sa valeur immobilière. Ah bon ? Les agents chargés de la vente d'une habitation hantée sont tenus d'informer discrètement l'acheteur des habitudes et petites manies du spectre ! Lorsqu'un château en est dépourvu, votre hôte dans l'embarras s'excusera avec une pointe de regret.

HANTE QUI PEUT

Le château de Glamis détient un drôle de record ! En plus du monstre de Glamis, sorte de Quasimodo enfermé dans un cachot, de pièces secrètes et d'une chambre des tortures, il a hébergé pas moins d'une demi-douzaine d'apparitions régulières : « Jack the Runner » arpente le domaine en courant, et Beardie, joueur invétéré, erre à la recherche d'un partenaire de jeu à plumer. Serezvous le prochain pigeon de Beardie ?

Conduite à tenir en cas d'une rencontre fortuite avec un fantôme : selon les spécialistes, il convient, une fois l'effet de surprise dissipé, d'engager la conversation d'une manière courtoise et respectueuse. Puis d'écouter avec intérêt leur histoire, ils adorent raconter leur triste destinée. Puis de les saluer et de continuer bien tranquillement sa route.

CINÉMA ET ÉCOSSE

Depuis quelques décennies, les producteurs se sont pris de passion pour les époustouflants décors naturels du pays, et les films s'y tournent à manivelles redoublées. La liste suivante n'est bien sûr pas exhaustive...

– Tout a commencé en 1935 avec le grand « Hitch » filmant pour *Les 39 Marches* une fuite éperdue au milieu des poutrelles d'acier du pont sur le Firth of Forth.

– John Ford y a fait jouer le rôle de *Marie Stuart* à Katharine Hepburn en 1936 (rôle repris par Vanessa Redgrave en 1971).

– En 1948, dans *Whisky à gogo,* réalisé par Alexander Mackendrick, les habitants d'une île des Hébrides dévalisent la cargaison de *single malt* d'un navire échoué et font tourner les troupes anglaises en bourrique.

– En 1964, Peter Watkins réalise ce qu'il définit lui-même comme une « reconstitution documentaire » avec *La Bataille de Culloden,* film tourné sur le champ de bataille même (à Culloden Moor, près d'Inverness) et avec des acteurs amateurs, tous descendants d'hommes morts au combat.

– En 1968, Stanley Kubrick réalise quelques scènes psychédéliques de *2001, Odyssée de l'espace* dans le Glen Nevis.

– En 1980, Bertrand Tavernier utilise le décor urbain un peu vieillot de Glasgow pour mettre en scène une œuvre de science-fiction : *La Mort en direct,* avec Romy Schneider et Harvey Keitel.

– Un an plus tard, Jean-Jacques Annaud exploite la nature vierge des Highlands pour évoquer les débuts de l'humanité dans *La Guerre du feu.* Souvenez-vous : « Graoumpff aargh... » Dialogues inoubliables !

– Sur une musique de Vangélis, *Les Chariots de feu* (1981) furent tournés en partie à Saint Andrews, Édimbourg et dans les Highlands.

– *Local Hero* (1983, avec Burt Lancaster) consacra le cinéaste écossais Bill Forsyth, auteur d'une fable écologique dans laquelle un petit village de pêcheurs est convoité par une multinationale de la pétrochimie. À Pennan, dans le Banffshire, la cabine téléphonique rouge qui joue un rôle dans le film est une véritable attraction touristique.

– Suivent en 1986 les prestations de Christophe Lambert dans *Highlander* (le premier fut tourné dans le Glen Coe et le Glen Uig), où Conrad McLeod traverse les Highlands et les siècles sans une égratignure et finit par tomber sur plus immortel que lui ! Les versions deux et trois pèchent par manque d'originalité.

– *Braveheart* en 1995, de et avec Mel Gibson, met en scène le héros médiéval William Wallace qui flanqua la raclée aux Anglais au pont de Stirling à la fin du XIIIe siècle. Le bel Australien était déjà tombé amoureux de l'Écosse quand il était petit, lors du tournage (près de Stonehaven) du *Hamlet* de Franco Zeffirelli. Les extérieurs grandioses de *Braveheart* furent tournés au pied du Ben Nevis et des Mamore Mountains, dans les environs de Fort William.

– *Rob Roy,* le légendaire Robin des Bois écossais, est incarné en 1995 par Liam Neeson. Chassé de ses terres par le duc de Montrose, l'éleveur de bétail devient un hors-la-loi jacobiste qui n'aura de cesse de se venger contre l'injustice du pouvoir. Images de la côte ouest (Glen Nevis, le Loch Etive et Tioram Castle) et des jardins de Drummond Castle.

– Le succès des précédents attirant les capitaux hollywoodiens, 1996 voit sortir *Mary Reilly* (en servante du *Dr Jekyll*), de Stephen Frears, avec Julia Roberts et John Malkovitch, et pour lequel le « Royal Mile » d'Édimbourg fut immobilisé pendant plusieurs jours.

– La même année, Lars von Trier trouve sur la côte ouest (entre autres, la petite église de Lochailort) et sur l'île de Skye la beauté sauvage et tourmentée pour faire écho à la folie des sentiments dans **Breaking the Waves.**

– Toujours en 1996, les Anglais Michael Winterbottom et Ken Loach font villes à part : Édimbourg pour **Jude** (avec Kate Winslet) ; Glasgow pour **Carla's Song** puis **My name is Joe** (deux ans plus tard), **Sweet Sixteen** (2002) et enfin **Just a Kiss** (2004).

– Le thriller **Mission impossible** de Brian de Palma avec Tom Cruise, Emmanuelle Béart et Jean Reno, gros succès en 1996, utilise la voie ferrée Dumfries-Annan, dans le sud-ouest du pays, pour une scène de poursuite haletante.

– En 1997, **Trainspotting** de Danny Boyle met en scène de jeunes talents écossais aujourd'hui confirmés, notamment Ewan McGregor et Robert Carlyle. Cette fiction montre un autre visage d'Édimbourg et devient un film culte. Des scènes sont également tournées à Glasgow et Rannoch Moor.

– **Harry Potter et la pierre philosophale** (2001), **Harry Potter et la Chambre des Secrets** (2002), de Chris Columbus, ainsi qu'**Harry Potter et la Coupe de Feu** (2005), de Mike Newell, sont en partie tournés en Écosse, du côté de Fort William. À Glenfinnan, on reconnaît l'aqueduc filmé dans *La Chambre des Secrets*.

– En 2002, **The Magdalene Sisters** de Peter Mullan, filmé autour de Dumfries et Galloway, fait souffler un vent de polémique et éclater un tonnerre de protestations au Vatican qui, s'insurge contre la vision donnée de ces « couvents-prisons ». Résultat : Lion d'or à Venise.

– En 2006, le **Da Vinci Code,** best-seller de Dan Brown adapté à l'écran par Ron Howard, met en scène Tom Hanks, Jean Reno et Audrey Tautou. On y découvre la *Rosslyn Chapel,* près d'Édimbourg.

– En 2007, **Le Dernier roi d'Écosse** de Kevin Macdonald. Une histoire inspirée par un fait réel : un jeune médecin écossais part en Ouganda où il devient médecin personnel d'Idi Amin Dada. Il assiste à la prise du pouvoir et à la démence du tyran sanguinaire. Forest Whitaker est remarquable dans son interprétation du despote, ce qui lui a valu un oscar bien mérité.

CLANS ET TARTANS

Les clans

Le type de relations qui existe entre les Écossais constitue l'un des traits fondamentaux de la société celte.

Le clan, bien sûr, en émane directement. Le mot gaélique *clann* signifie « enfants », « descendance ». Le clan, ce fut d'abord une famille avec le père pour chef. Son fils lui succédait ; de là vinrent les noms de famille commençant par *Mac,* qui signifie « fils ». Puis les liens parentaux se sont desserrés, et le terme prit une signification beaucoup plus large : appartenaient au clan tous ceux qui reconnaissaient l'autorité de son chef, dont tous les membres de la tribu portaient le nom. Les divisions naturelles de l'Écosse celte ont sans doute favorisé cette organisation sociale des clans soumis à une autorité patriarcale, et érigée en système tribal. Entre eux, les guerres étaient fréquentes et leur puissance gênait parfois les rois qui, à maintes reprises, tentèrent de réduire leur influence. Aussi, la répression des clans a atteint son paroxysme à partir de 1746, lorsque les jacobites ont perdu la bataille de Culloden. La Couronne a alors confisqué les terres appartenant aux clans. Le port du tartan et les signes d'appartenance à un clan ont été interdits pendant presque un siècle.

– Chaque clan revendiquait **sa devise** en gaélique, en anglais ou parfois en français. Les clans aux devises françaises étaient les clans les plus proches du parti français et de la reine Marie Stuart.

Les tartans

Le particularisme des clans s'est manifesté dans le port du tartan, un tissu écossais dont les motifs et les couleurs varient d'un clan à l'autre. L'obligation de porter le tartan du clan est une invention de la fin du XVIIIe siècle.

À l'origine, les tissus arboraient un dessin très simple à deux ou trois couleurs. Les teintures étaient obtenues à partir de plantes, de racines, bref, de produits naturels ; il va de soi que chaque vallée avait ses produits, donc ses couleurs, et les gens d'une même région portaient souvent des étoffes semblables. À chaque clan correspondait aussi une plante que l'on accrochait à son chapeau. Avec l'apparition des couleurs chimiques, les dessins sont devenus plus élaborés et plus variés. Aujourd'hui, l'industrie du tartan génère plus de 500 millions d'euros par an. Un registre national du tartan devrait bientôt recenser tous les motifs et attribuer un label aux tartans fabriqués en Écosse.

Notez qu'il existe, aux éditions Collins, un petit guide très bien fait, *Clans & Tartans,* qui explique à travers les tartans l'histoire d'une centaine de clans (en anglais).

CORNEMUSES

One, two, three ! Lorsque des centaines de cornemuses attaquent à l'unisson les premières mesures de *Scotland the Brave* aux championnats mondiaux de cornemuse à Glasgow, c'est le cœur de l'Écosse qui se gonfle de fierté nationale à l'écoute de cet instrument à la sonorité puissante et agressive, qui fut pourtant longtemps mis au ban des réprouvés. Le « Highland bagpipe », assimilé par les Anglais à la révolte jacobite, fut en effet carrément interdit, jusqu'à ce que l'état-major britannique en reconnaisse les vertus entraînantes et guerrières, et l'impose dans tous les régiments écossais (même ceux des Lowlands, qui n'en avaient jamais été équipés !).

La cornemuse standard, à ne pas confondre avec le biniou breton et la *uiellan pipe* irlandaise, plus douce, se compose d'un sac en peau de chèvre *(bag),* de flûtes *(pipes)* et du *chanter,* tuyau sur lequel se joue la mélodie. Les trois tuyaux percés *(drones)* produisent l'accompagnement et le *blow pipe* permet de souffler dans le sac pour le gonfler à pression constante.

Art écossais par excellence, la cornemuse est jouée sur deux registres traditionnels : le *ceol mor,* grande musique écrite pour elle, et le *ceol beag,* musique légère inspirée des marches, gigues et autres danses populaires (*strathspey* et *reels*). Depuis, des musiciens pop, tels Paul McCartney, Mike Oldfield et Rod Steward, ont intégré la cornemuse dans des morceaux restés célèbres.

Des concours se déroulent durant les « Northern Meeting Piping Competitions » à Inverness en septembre, et à Oban pour les « Argyll Gatherings ».

CUISINE

En Écosse, on mange un peu plus tôt qu'en France. Pas toujours évident, en effet, de se faire servir un dîner après 21h. Il est également conseillé de prendre son déjeuner avant 14h, sous peine d'être réduit à manger ses derniers biscuits. Le *breakfast,* servi en général entre 8h et 9h, commence le plus souvent par des *cereals* ou du *porridge* (bouillie d'avoine au lait) et un jus de fruit. Vient ensuite le *cooked breakfast* avec des œufs au plat, du bacon et des saucisses. En général, il y a également un petit accompagnement de tomates, champignons, voire parfois des *baked beans* (haricots en sauce sur toast). Certains hôtes vont même jusqu'à proposer du haddock, des *kippers* (filets de harengs), du saumon (parfois fumé) ou du *black pudding* (boudin noir). Enfin, pour terminer, des toasts beurrés accompagnés de marmelade d'orange. Et pour arroser le tout, thé ou café au lait. Avec un tel bombardement au lever, on peut souvent oublier le déjeuner. Si les *B & B* maintiennent, le plus souvent, ce rituel matinal, tous les hôtels ne sont pas aussi généreux.

Où manger ?

En gros, vous avez le choix entre les pubs (qui ont fréquemment une partie restaurant) et les restaurants (proprement dits), en général un peu plus chers (mais ce n'est pas systématique). Les deux proposent le plus souvent une carte différente pour le midi et le soir. Les prix du *lunch* sont plus doux, la plupart des plats, en particulier dans les pubs, tournant autour des £ 6-8 (9-12 €)... Le soir, il faudra compter plus, mais vous aurez aussi droit à une assiette plus travaillée. Les deux types d'établissements sont en principe ouverts tous les jours.

Pensez aussi, pour le midi, aux snacks et aux célèbres *fish and chips* qui permettent de manger sur le pouce pour pas cher, même si parfois cela sent un peu le graillon. Et puis, signalons les restaurants indiens, qui pratiquent des prix modérés, servent une bonne cuisine et se distinguent par des horaires d'ouverture très souples.

Enfin, si vous fréquentez les campings ou les AJ (où il est toujours possible de cuisiner), n'oubliez pas de faire vos courses dans les supermarchés. Fouillez les rayons de boîtes de conserve, mais aussi ceux des sandwichs (vaste choix), des *pies* et des quiches, ces tartes à la viande ou aux légumes.

Le repas classique

Difficile à définir... Outre le national *fish and chips,* parlons plutôt de ce qu'on trouve en général à la carte des pubs et des restos ordinaires. En vedette, du moins le midi : *baked potatoes,* filet de haddock, *steak'n'ale pie* (bœuf dans une sauce à la bière), scampi, *macaroni cheese...* Ces plats généreux nourrissent bien leur homme, mais laisse rarement un souvenir impérissable. En revanche, les établissements un brin plus chic servent des plats plus travaillés, sorte de nouvelle cuisine écossaise qui mêle des senteurs et des saveurs glanées de-ci, de-là. Ce qui nous vaut d'être parfois (très) agréablement surpris.

En famille (dans un *B & B* par exemple), le repas se compose généralement d'une viande ou d'un poisson et de deux légumes, *two veg,* bouillis, avec une prédilection pour les pois étrangement verts. De temps à autre, un hors-d'œuvre (*pie* ou soupe) est servi, puis pour finir invariablement, un dessert cuisiné, quelquefois improbable... telle la *jelly* multicolore qui entre dans la composition du *trifle.* D'autres nous ravissent plus facilement comme l'*apple pie,* le *sticky toffee pudding,* le *banoffee pie,* les glaces... ou même un *cheesecake* (base de biscuit sur lequel on ajoute une sorte de mousse au fromage blanc et à la crème) et autres *carrot cakes.*

À signaler encore, en famille ou dans certains salons de thé, le *high tea,* c'est-à-dire le thé qui remplace le dîner, car il s'accompagne de sandwichs, *crumpets, pancakes, buns* et *scones* (pâte à pain et à brioche), puis de gâteaux crémeux. Le fromage (généralement à pâte cuite, type cheddar) existe bien, mais on vous le servira... après le dessert. Essayez alors le *stilton,* en sirotant (mais oui !) un verre de porto. Avec de la chance, on vous offrira peut-être un *night cap.* Il s'agit d'une goutte de whisky, signe de l'hospitalité écossaise.

Les spécialités écossaises

Enfin, l'Écosse possède encore quelques délicieuses spécialités. D'abord le *haggis* ; c'est une panse de mouton farcie avec la fressure de l'animal, sel, poivre, oignons, céréales, en général accompagnée de purée de navets et de pommes de terre. Si sa composition ne vous convainc pas, sachez qu'il existe une version végétarienne. La viande est remplacée par un mélange de haricots noirs, lentilles, champignons, carottes et autres épices, et le tour est joué. Même forme, même couleur, et à chacun sa saveur. Autre précision : le *haggis* est un plat et uniquement un plat ! On le dit car les Écossais adorent faire croire aux touristes que c'est un animal et vous invitent à venir le chasser, un peu comme le dahu de chez nous.

Pour la viande, pensez à goûter le bœuf **Aberdeen Angus** (de qualité supérieure), la *grouse* (le lagopède ou coq de bruyère d'Écosse), le *pheasant* (faisan) et le *venison* (cerf) qu'on peut aussi servir en tourte.

Essayez également les **stovies,** à base de pommes de terre et d'oignons accommodés avec de la viande (sorte de hachis parmentier) ou des légumes. Le **scotch broth** et le **cok a leekie** sont des bouillons de mouton ou de bœuf pour le premier, de poulet pour le second. Pour finir, n'oubliez pas les produits de la mer : soupes de poisson, plats à base de haddock, la truite, le saumon bien sûr (d'élevage, ne pas avoir d'illusion) à la chair ferme et peu grasse, ainsi que les fruits de mer.

Enfin, pensez à goûter la marmelade de Dundee, dont la renommée remonte au XVIIIe siècle !

– Pour profiter du meilleur de la cuisine écossaise, se rendre sans hésitation dans les établissements recommandés par le *Taste of Scotland* (● taste-of-scotland. com ●), rigoureusement sélectionnés pour leurs qualités culinaires. Certes, il faudra bien souvent y mettre le prix, mais, entre nous, rien de tel pour s'initier à une cuisine singulière.

– Pour Édimbourg et Glasgow, *The List* (● list.co.uk ●) édite un guide annuel, le *Eating & Drinking Guide,* en principe vers avril. Il recense toutes les meilleures adresses du moment, par type de cuisine.

ÉCONOMIE

La mise en valeur des ressources naturelles de l'Écosse présente deux aspects bien distincts. D'un côté, une agriculture fondée sur l'élevage et ses débouchés, associée à l'exploitation des richesses de la mer ; de l'autre, une extraction massive des ressources minières remontant à la grande révolution industrielle écossaise (qui précéda même celle de l'Angleterre), qui a pérennisé une industrie lourde, aujourd'hui sur le déclin. La découverte des gisements de pétrole de la mer du Nord a ravivé les espoirs, d'autant que la hausse du prix du baril de brut ces derniers temps rend l'exploitation plus rentable qu'il y a quelques années.

La relative pauvreté des terres a toujours empêché le développement des cultures, si ce n'est au prix d'un drainage fastidieux des sols tourbeux. L'élevage d'ovins a tout naturellement constitué la source de revenus la plus attractive pour les propriétaires terriens, qui n'ont pas hésité au XVIIIe siècle à chasser les fermiers pour les remplacer par des troupeaux de moutons. C'est le tragique épisode des « clearances » qui ont désertifié les Highlands et contraint leurs habitants à prendre le chemin de l'exil pour le Nouveau Monde. La laine de ces millions de moutons a ainsi permis à l'armée britannique d'équiper ses soldats lors des conquêtes de l'empire, et les filatures des vallées de la Clyde et de la Tweed ont constitué, dès le début du XIXe siècle, le creuset de l'industrialisation écossaise. La **laine** garde encore, avec le **tourisme,** une place significative dans l'économie.

Fjords, lochs et rivières constituent le biotope idéal pour l'élevage du **saumon,** de la truite et des crustacés. Largement encouragées par les subventions européennes, les « fermes marines » fleurissent et exportent avec succès leurs produits frais ou fumés. Pêche et chasse attirent les amateurs fortunés, qui n'hésitent pas à débourser des sommes faramineuses pour avoir le droit de tirer sur la fameuse *grouse* ou un des 40 000 *red deers* (cerfs) abattus chaque année. Double gain pour le proprio : il encaisse le droit de chasse et garde la viande. Les droits de pêche sont heureusement moins onéreux, mais, sachant qu'un lord possède une rivière de la source à l'embouchure, les aristos écossais ont encore de beaux jours devant eux...

Activité traditionnelle de l'Écosse, la **pêche en haute mer** à l'aide de petits chalutiers subit de plein fouet la concurrence des navires-usines des autres nations européennes. Pourtant, des villes entières ont prospéré, dans le Nord, voici un siècle, grâce aux *silver darlings,* les harengs que l'on fumait et conditionnait en tonneaux.

Première exportation et principale ressource en taxes du gouvernement, le *whisky* et ses secrets vous sont exposés plus haut dans « Boissons ».

Comme de nombreux pays industrialisés, l'Écosse a subi une réelle chute de l'industrie et de l'agriculture, au profit des services. Dans ce secteur, les activités financières arrivent en tête. Néanmoins, les instances économiques du pays s'accordent à penser que le secteur industriel connaîtra prochainement un renouveau... Deuxième source d'exportation, la chimie. D'un point de vue énergétique, l'Écosse mise désormais sur le nucléaire (avec en complément l'énergie hydro-électrique). Quant à l'électronique, les nouvelles techniques de communication (on parle même de Silicon Valley entre Glasgow et Édimbourg) et les retombées économiques du boom pétrolier (transports, construction de plates-formes de forage et raffineries), elles constituent autant d'opportunités de conserver l'économie écossaise en bonne santé.

ENVIRONNEMENT

« Écosse, terre des grands espaces vouée à la nature et à sa protection » : voici une belle idée, à laquelle travaille le pays depuis ces dernières années. Et il était temps ! L'Écosse a perdu plus de 99 % de sa forêt primitive. La régénération de cette forêt est d'autant plus difficile que la population de cerfs augmente. De même, la décision de planter des conifères dans un but exclusivement commercial est un sujet on ne peut plus polémique, puisque ces arbres entraînent une acidification des sols et leur appauvrissement. Or ce phénomène nuit aussi bien à la faune qu'à la flore. Même la couverture de bruyère des Highlands est en régression. Elle abrite pourtant une vie sauvage incomparable, et l'équilibre de nombreuses espèces (comme la *grouse*) dépend d'elle. Seule une politique à long terme permettra une gestion durable des sols et de la forêt. Toutefois, avec l'abattage annuel de cerfs, la chasse facilite, d'une certaine manière, la régénération du couvert végétal et contribue ainsi à l'entretien des Highlands.

Voilà pourquoi il était urgent qu'une politique de conservation se mette en place. Elle concerne aujourd'hui près d'un cinquième du territoire, et met l'accent sur la création de parcs nationaux. Ceux du Loch Lomond, les Trossachs et le massif des Cairngorms ont déjà vu le jour. Les réserves naturelles se multiplient : 70, gérées par le *Scottish Natural Heritage,* sont ouvertes au public et parcourues de chemins balisés. Le *National Trust for Scotland* et le *Scottish Wildlife Trust* en administrent plusieurs autres. La *Royal Society for the Protection of Birds* s'occupe, comme son nom l'indique, des nombreuses réserves ornithologiques, particulièrement des sites où nichent les oiseaux marins.

L'Écosse paie également un lourd tribut en matière de *contamination des sols,* due à l'essor passé de l'industrie lourde et à une absence de prise en charge des nuisances engendrées, désormais, par l'industrie. En juillet 2000, des mesures ont donc été prises pour dépolluer les sites concernés. Entre 2004 et 2006, c'est près de £ 15 millions (22,5 millions d'euros) qui ont été mis à disposition de l'ensemble des communes dont les sols sont contaminés. Celles-ci ont pu ainsi identifier les pollueurs et dépolluer les zones concernées.

En matière de *gestion des déchets,* l'Écosse prend conscience des changements à mettre en œuvre.

Les énergies renouvelables

Les besoins en électricité de la Grande-Bretagne sont si importants que le réseau actuel n'arrive pas à y subvenir convenablement. D'où l'idée du gouvernement britannique d'avoir recours aux énergies renouvelables. Celles-ci, à l'horizon 2010, devraient constituer 18 % de la production d'électricité, et 50 % en 2020...

– *Les éoliennes :* il serait question d'installer la plupart d'entre elles sur la côte ouest de l'Écosse, plus particulièrement aux îles Hébrides. Malgré les griefs des opposants au projet (nombreux dans les villages du nord de l'île de Lewis et autour d'Ullapool), un parc de 140 turbines sera opérationnel au large de Glasgow à l'été 2009. Il devrait s'agir du plus grand parc éolien d'Europe qui fournira en électricité quelque 200 000 foyers écossais !

– **L'hydrolienne :** en 2009, devrait être installé au nord du pays un prototype d'hydrolienne. En capturant l'énergie créée par les courants marins, il est plus aisé de prévoir la quantité d'électricité produite qu'avec les éoliennes, soumises aux aléas du vent. Mais cette technique n'est pas encore dénuée d'impact sur la faune et la flore autour des installations. Parallèlement, des prototypes de bouées sous-marines sont aussi expérimentées.

– **La biomasse :** près de Lockerbie (sud de l'Écosse), la plus grande centrale britannique alimentée à la biomasse (matières organiques utilisées comme source d'énergie) est opérationnelle depuis la fin de l'année 2007.

FAUNE ET FLORE

Nulle part ailleurs en Europe on ne retrouve à aussi grande échelle une nature sauvage comme en Écosse. La faune et la flore, un temps menacées, bénéficient aujourd'hui d'une large politique de protection (voir ci-dessus « Environnement »). De plus, le faible peuplement, le relief accusé, la proximité permanente de la mer et la découpe de ses rivages en font un paradis pour les randonneurs et les observateurs de la vie animale.

Sur les versants escarpés des montagnes, on peut trouver des plantes arctiques-alpines, vestiges des périodes glaciaires. Le renne, l'élan, le sanglier et l'ours brun ont disparu, mais les forêts de pins d'Écosse, qui ont subsisté après l'exploitation intensive du bois, servent de refuge aux grands tétras (ou coqs de bruyère), aux martres et à l'écureuil roux. Les landes de bruyère voient s'ébattre des troupeaux de cerfs, et, au sommet des montagnes, planent les aigles royaux et les faucons pèlerins. Deux rapaces mangeurs de poisson, le pygargue à queue blanche et le balbuzard pêcheur, se rencontrent aux abords des *lochs* de la côte ouest. Le courlis et le chevalier aboyeur s'observent dans les régions tourbeuses du Caithness, alors que le chat sauvage et la loutre préfèrent les rochers de la côte ouest.

Aux Shetland, les petits poneys bien connus qui, autrefois, tiraient les wagonnets de charbon dans les galeries de mines, sont des descendants de l'espèce des âges glaciaires.

Les falaises du rivage écossais, et plus particulièrement les archipels des Orcades et des Shetland, constituent le terrain d'observation privilégié des oiseaux marins. On y trouve les plus grandes concentrations du monde en macareux, fous de Bassan, guillemots de Troïl, pétrels fulmars, cormorans huppés, labbes et goélands qui squattent la moindre petite corniche pour y abriter leur couvée. Spectacle exaltant que ces oiseaux qui planent face au vent et plongent brusquement en une courbe élégante au ras des flots.

Les amateurs d'oiseaux se procureront en librairie le *Collins Birds Guide* : la bible des ornithologues, en format poche, avec photos et silhouette de chaque espèce. Dans les îles, on rencontre couramment des phoques gris se prélassant au soleil sur un rocher et parfois, au large de Mull ou dans l'estuaire du Moray Firth, des dauphins vous font un brin de conduite. Apercevoir des rorquals ou des baleines tient plus du coup de chance, mais quelques excursionnistes de la côte ouest vous promettent la bonne surprise. Sachez cependant que ces « safaris marins », souvent mal menés (les organismes étant plus soucieux du profit économique de l'opération que du bien-être des bêtes), menacent ces espèces, perturbées et stressées par des bateaux parfois trop rapides, trop nombreux, trop proches et polluant leur environnement. Pour tenter de protéger phoques et baleines, des chartes de « bonne conduite » ont été mises en place. Ainsi dans le Moray Firth, par exemple, avant d'opter pour un prestataire, assurez-vous qu'il adhère au *Dolphin Space Programm. Pour plus d'infos :* ● greentourism.org.uk ● wdcs.org ●

■ *Visit Scotland* édite une superbe brochure : *Wildlife Scotland.* ● http://wildlife.visitscotland.com ● ou au ☎ 0845-22-55-121.

■ *Scottish Natural Heritage :* 2, Anderson Pl. ☎ (0131) 447-47-84. ● snh.org.uk ●

■ *National Trust for Scotland :* 28, Charlotte Sq Edinburgh. ☎ (0844) 493-21-00. ● nts.org.uk ●

■ *Scottish Wildlife Trust :* Cramond House, Cramond Glebe Rd, Edinburgh. ☎ (0131) 312-77-65. ● swt.org.uk ●

■ *Royal Society for the Protection of Birds :* Dunedin House, 25, Ravelston Terrace, Edinburgh. ☎ (0131) 311-65-00. ● rspb.org.uk ●

■ *Forestry Commission :* Silvan House, 231, Costorphine Rd, Edinburgh. ☎ (0131) 334-03-03. ● forestry.gov.uk ●

FILER À L'ÉCOSSAISE

Ce sont les moines des grandes abbayes qui, dès le XIIIe siècle, importèrent de France et des Flandres les techniques du tissage et du filage. Toutes les conditions pour passer de l'artisanat à une activité industrielle florissante étaient réunies : riches pâtures constellées de moutons, rivières aux nombreuses cascades et banquiers entreprenants. Rouet, tricoteur et métier à tisser à vapeur furent les étapes techniques qui firent des *Borders* une région au développement économique précoce.

Si les *tartans* sont produits à l'échelle industrielle, les fameux lainages des Shetland, tissés de manière artisanale, reproduisent des motifs traditionnels.

Le *tweed* est né au début du XIXe siècle, lorsque des tisserands de Jedburgh bousculèrent la tradition des carreaux en introduisant des moucheteures dues à la torsion de fils de couleurs différentes. Des générations entières de gentlemen ont fait du tweed (du nom de la rivière écossaise) le symbole du confort et de l'élégance décontractée. Les mauvaises langues ajoutent aussitôt que son succès est dû à sa qualité de tissu inusable et donc diablement économique.

GAÉLIQUE ET RENAISSANCE CELTIQUE

Fàilte ! (bienvenue !), voilà le slogan des Écossais de l'Ouest et des îles qui vous accueillent en *Alba* (Écosse en gaélique). Si les habitants de la côte occidentale de l'Écosse parlant réellement le gaélique ne sont pas légion (à peine 80 000, et moins de 1 000 dont c'est la seule langue), la redécouverte du monde celtique est un fait de société qui ne peut passer inaperçu.

Le gaélique d'Écosse est apparenté aux autres langues celtiques : l'irlandais (langue officielle de l'Eire), le manxois (de l'île de Man), le gallois, le cornique (des Cornouailles) et bien sûr le breton. Cette minorité linguistique dispose de moyens importants pour tenter de redynamiser son usage : des crèches et des sections primaires l'enseignent, et des émissions de *BBC, ITV* ou *Radio-Scotland* diffusent quotidiennement des programmes en gaélique. En Argyll, sur Skye et dans les Hébrides, toutes les indications de lieu sont dans les deux langues. Mais c'est sur les îles d'Harris et Lewis (Hébrides) que la pratique de la langue gaélique et sa défense mobilisent le plus. Environ 80 % des habitants de ces deux îles s'avèrent bilingues gaélique-anglais.

Beaucoup de jeunes Écossais sont sensibles à leur héritage celtique, à travers la musique notamment, avec des groupes comme *Capercaille, Runrig* ou encore *Julie Fowlis.* Toute la poésie des ballades, des légendes du pays des brumes s'exprime grâce aux instruments traditionnels – violon, flûteau, harpe – et aux voix cristallines des chanteuses. En janvier, à Glasgow, se tient le festival *Celtic Connection* qui rassemble des artistes venus d'Irlande, de France, d'Espagne, du Canada et des États-Unis. D'innombrables festivals folk fleurissent tout au long de la saison et attirent de plus en plus de monde autour de *ceilidhs* (concerts de musique traditionnelle ou soirées de danses folkloriques, parfois les deux ; à ne pas manquer pendant votre séjour). Les artisans ne sont pas en reste et remettent au goût du jour la joaillerie celtique et l'illustration proche de l'enluminure médiévale.

GÉOGRAPHIE

La superficie de l'Écosse avoisine les 78 000 km², un territoire que la France pourrait contenir sept fois. Située aux marges de l'Europe, elle est séparée de l'Angleterre par les monts Cheviot et bordée par la mer du Nord sur sa façade est, et par l'Atlantique à l'ouest.

Pour simplifier, l'Écosse est formée de massifs anciens relevés au tertiaire, où l'empreinte des anciens glaciers forme de profondes vallées en auge, appelées *straths* ou *glens.* La proximité de la mer ne fait qu'accentuer le relief en s'insérant profondément dans les terres, formant ainsi une multitude d'estuaires *(firths)* et de lacs *(lochs).* De ce fait, le littoral représente près de 10 000 km et plusieurs centaines d'îles ou îlots.

À l'intérieur des terres, on distingue quatre grands ensembles :

– **Les Southern Uplands** au sud, « hautes terres du Sud », dont l'altitude varie entre 300 m et 843 m au Merrick, dans le sud-ouest. Malgré leur faible altitude et leur forme arrondie, elles présentent déjà certaines caractéristiques des Highlands. C'est dans cette région que les rivières Clyde et Tweed prennent leur source.

– **Les Central Lowlands,** « basses terres du Centre », constituent une plaine d'effondrement au sol fertile. Elles sont bordées par les failles du *Southern Upland Fault* au sud et du *Highland Boundary Fault* au nord, traversant l'Écosse en diagonale. C'est aussi dans cette zone que coulent les plus longs fleuves d'Écosse, la Clyde et en partie la Tay.

– **Les Highlands,** « hautes terres », couvrent plus de la moitié du pays. C'est ici que l'on trouve les plus grands lacs d'Écosse : le Loch Lomond (le plus grand), le Loch Ness (le plus connu), mais aussi le Loch Tay et le Loch Katrine, très impressionnants. Cette zone est séparée par le Great Glen, une ligne de faille suivant un axe sud-ouest/nord-est, c'est-à-dire de Fort William à Inverness, où se niche le Loch Ness. *Où commencent les vrais Highlands sauvages ?* C'est justement tout ce qui se trouve au nord de cette diagonale Fort William-Inverness, qui passe par le Loch Ness. Là s'étendent à l'infini les vastes paysages de la solitude écossaise, traversés par des routes étroites avec les fameux *passing places* (ces petits espaces aménagés tous les 300 m pour permettre aux automobilistes de se croiser). Dans cette contrée, les troupeaux de moutons gambadent sur la route, tandis que des *cattle grids* (tubes métalliques horizontaux) sur la chaussée les obligent à rester dans leur champ et à ne pas empiéter dans le domaine du voisin.

– **Le massif des Grampians :** le relief montagneux, qui se trouve à l'est de la faille du Loch Ness, forme le massif des Grampians, courant de Fort William à Stonehaven. Il se compose de hauts plateaux à l'est culminant au Ben MacDui (1 309 m). Au fur et à mesure que l'on progresse vers l'ouest, le paysage devient de plus en plus accidenté, s'élevant jusqu'à 1 343 m au Ben Nevis, le plus haut sommet de Grande-Bretagne. Le réseau hydrographique se limite à quelques rivières comme la Spey, la Dee ou le Don.

– Pour compléter l'ensemble, ajoutons les *îles.* Au sud, dans l'estuaire de la Clyde, se trouve l'île d'Arran, facile d'accès et donc très visitée. Les îles de l'Ouest, *Western Isles,* se divisent en *Hébrides,* dites Intérieures (de Gigha à Skye) et Extérieures (de Barra à Lewis et Harris). Enfin, au nord, se situent deux importants archipels, les *Orcades* et les *Shetland.* Chacune de ces îles, de par son isolement, conserve fièrement son identité.

HIGHLAND GAMES

Ces manifestations estivales, version moderne des douze travaux d'Hercule, se déroulent dans les Highlands. La plus prestigieuse a lieu à Braemar en présence de la reine, rien que ça ! Les concurrents sont professionnels ou amateurs, mais ces derniers, soumis aux lois de l'olympisme, prennent les jeux très au sérieux. Revêtus de l'indispensable kilt, les participants se livrent à des épreuves à la mesure de leur virilité : le lancer de tronc *(tossing the caber)*, le tir à la corde, le jet de pierre, les épreuves d'athlétisme, la lutte, le lancer de poids *(weight throwing)* ou de marteau. Seule la *Highland dancing*, danse traditionnelle écossaise, avec son style comparativement aérien, rompt avec la puissance des autres disciplines.

Mais n'allez pas croire que tout est affaire de biscotos : le lancer de tronc exige un savoir-faire indéniable. Jugez plutôt : un tronc de sapin long de 6 m, pesant pas moins de 60 kg, est placé à la verticale dans les mains du lanceur. Celui-ci court chargé du lourd fardeau, s'arrête et le lance le plus haut possible. Le tronc doit toucher le sol de son extrémité supérieure. Un juge attribue ensuite son verdict. Quand on vous disait que c'était tout un art...

Le tout se déroule dans une ambiance joyeuse, rythmée par le son des cornemuses.

> ## UNE BONNE FARCE !
>
> *À l'origine, un humoriste écossais suggère, par provocation, l'idée saugrenue d'un lancer de panse de brebis farcie. C'est vrai que ça manquait ! Bien évidemment, notre farceur était persuadé que l'épreuve serait jugée « shocking » ! Que nenni ! Les organisateurs sont séduits et des championnats ont lieu. Le haggis de compétition pèse 680 g et le record est de 55 m. Et que fait-on de ladite panse une fois lancée ? Un festin sans doute !*

Petite précision : quand on compte se rendre dans un village qui accueille les *Highland Games,* réserver l'hébergement très longtemps à l'avance. Les jeux sont très populaires et on vient de partout pour y assister.

HISTOIRE

La préhistoire et les Romains

Environ 9 000 ans av. J.-C., l'Angleterre n'était pas encore une île. La Manche n'avait pas tout à fait recouvert la bande de terre reliant la France et l'Angleterre, favorisant le passage de quelques hordes préhistoriques. Ainsi, c'est une peuplade d'origine ibérique qui érigea vers le IIIe millénaire av. J.-C. des mégalithes sur les côtes sud et ouest de l'archipel britannique, lequel abritait déjà plusieurs peuples individualisés. Les premiers Indo-Européens à s'établir dans l'île sont vraisemblablement les Pictes. Du VIe au IIIe siècle av. J.-C., d'autres tribus celtes débarquent. Ayant refoulé les Pictes au nord, dans les hautes terres d'Écosse, les nouveaux venus se répandent dans l'île et prennent le nom de Bretons. Ils baptisent Gallois leurs frères installés à l'ouest, dans les collines du pays de Galles. Cette île peu peuplée représente alors une proie réputée facile pour le grand César, vainqueur des Gaulois. Soucieux d'acquérir du prestige à bon compte, le Romain lance deux expéditions – en 55 et 54 av. J.-C. – vers cette terre inconnue (on doutait même de son existence). « Là, dit Plutarque, il fit plus de mal à ses ennemis que de bien à ses soldats, car il n'y avait rien qui valut la peine de le prendre : la population vivait mal, et elle était pauvre. »

La véritable invasion a lieu sous Claudius, un siècle plus tard. Rome se heurte aux Gallois, retranchés dans leurs collines. Du coup, elle abandonne l'Écosse aux Pictes, qui, s'ils n'ont aucune envie de se laisser « civiliser », sont assez évolués pour apprécier les richesses de l'empire : ils pillent sans relâche les riches plaines du nord de l'Angleterre. Après sa visite en l'an 122, l'empereur Hadrien, exaspéré, tente de les contenir en construisant le fameux mur qui porte son nom. Ce vaste ouvrage, hérissé de fortins à intervalles réguliers et de tours de défense, s'étend sur 116 km d'une côte à l'autre, de Wallsend (« fin du mur », près de Newcastle-upon-Tyne) à Bownes-on-Solway. Mais en comparaison avec la Grande Muraille de Chine, il fait à peine figure de ralentisseur. Ses imposants vestiges attirent tout de même de nombreux touristes, qui viennent y contempler l'échec romain devant les redoutables guerriers écossais. En 407 apr. J.-C., les derniers Romains quittent l'Angleterre, chassés par des révoltes de plus en plus fréquentes. Leur échec incombe aussi à leur incapacité à maintenir en l'état un immense empire devenu trop lourd à administrer.

La naissance de l'Écosse

L'île est périodiquement razziée par des pirates irlandais, les Scots, ainsi que par les Saxons, leurs collègues germains. Avec l'aide de peuples cousins – les Jutes et les Angles –, ces derniers vont dévorer peu à peu tout le territoire, en refoulant les Celtes dans les extrémités de l'île. Et particulièrement en Écosse ! Les Scots avaient déjà débarqué sur la côte ouest, chassant les Pictes « invincibles » dans le nord et le nord-est des Highlands. Maintenant, les Bretons, fuyant les Germains, se pressent dans les Lowlands du Sud : un grand royaume germanique, la Northumbrie, s'édifie à leur porte... Durant six siècles, ils vont tous se disputer l'Écosse.

Il faut attendre le IXᵉ siècle pour que Kenneth MacAlpine, un Picte, réunisse sous une même bannière les différents royaumes. Il devient le premier roi d'Écosse et érige Dunkeld au rang de capitale ecclésiastique de son royaume. Depuis le VIIIᵉ siècle, les Vikings mènent leurs raids sur l'Europe. D'après la légende, les Norses (Vikings norvégiens) attaquent de nuit un camp écossais. Seul petit imprévu, le champ de chardons dans lequel ils avancent. Dommage pour l'effet de surprise, les cris de douleur réveillent les Écossais, qui infligent une sévère défaite aux attaquants. Le chardon devient l'emblème du pays (on lui devait bien ça !). Cette victoire ne représente qu'un simple répit : les Norvégiens conquièrent peu à peu le territoire (tout en s'intégrant complètement à leur nouveau pays).

En 1040, Macbeth, rendu célèbre par Shakespeare, assassine le roi scot Duncan Iᵉʳ pour lui rafler le trône. Ce meurtre répond à plusieurs motifs : rétablir les Pictes à la tête du royaume et venger le meurtre de Kenneth III, le grand-père de sa femme, par Malcolm II, le grand-père de Duncan. Ennemies jurées, les deux familles n'en restent pas là, puisqu'en 1057, Malcolm Canmore, qui n'est autre que le fils aîné de Duncan, défie Macbeth. Le roi meurt au combat près d'Aberdeen. À la mort de Macbeth, son successeur et beau-fils Lulach règne à peine un an avant de succomber à son tour aux ambitions de Malcolm. Celui-ci est « enfin » couronné en 1058.

Son habileté politique confère au pays calme et prestige. Il est aidé en cela par son épouse Margaret, qui accroît les raffinements de la Cour et renforce l'influence de l'Église aux dépens des traditions celtes. Cela lui vaudra d'être canonisée. Alors que le roi des Scots tente à plusieurs reprises d'envahir l'Angleterre de William II, c'est lui qui tombe dans une embuscade et meurt sur le champ de bataille d'Alnwick en 1093, en même temps que son fils et successeur désigné, Edward. Sa femme est emportée 4 jours plus tard. Trois des fils de Malcolm deviennent rois. Le plus jeune, David monte sur le trône en 1124. Il renforce l'organisation, la richesse et l'autonomie de l'Écosse. On ne peut pas en dire autant de son petit-fils, William Iᵉʳ. Fait prisonnier par une patrouille anglaise, il est retenu à Falaise en Normandie. Henri II le relâche en échange d'un traité par lequel William se place sous l'autorité du roi d'Angleterre (1174). Il faut attendre Richard Cœur de Lion qui, contraint par une trésorerie défaillante, revend à l'Écosse son indépendance (1189).

À la fin du XIIIᵉ siècle, la lignée des Canmore s'interrompt. Robert the Bruce, un cousin, est alors désigné comme héritier, titre revendiqué par un autre cousin, John Baillol. Les partisans de ce dernier demandent alors l'arbitrage d'Édouard Iᵉʳ d'Angleterre, qui, en échange, exige la reconnaissance de sa suzeraineté en Écosse. Édouard choisit John Baillol, qui ne sera que son homme de paille. Mais le faible roi écossais finit par se révolter. Son échec cuisant déclenche l'invasion de l'Écosse par les troupes anglaises. C'est alors (en 1295) qu'est signée l'*Auld Alliance* entre la France et l'Écosse. La plus vieille alliance européenne se justifie par l'identification d'un ennemi commun : l'Angleterre (elle deviendra caduque lorsque James VI réunit les deux couronnes anglaise et écossaise en 1603). Face à l'envahisseur, William Wallace prend la tête de la rébellion et écrase en 1297 l'armée rivale à Stirling. La revanche ne tarde pas. Lâché par les nobles, Wallace s'enfuit, mais il est rapidement fait prisonnier. Jugé traître à l'Angleterre, il est pendu, écartelé et décapité, « écossé », en quelque sorte... Les morceaux de son corps sont ensuite dispersés dans différentes grandes villes, pour l'exemple !

Robert the Bruce suit le chemin tracé par Wallace. Il se fait couronner à Scone et, en 1314, boute les Anglais hors du territoire, lors de la célèbre bataille de Bannockburn. En 1320, les barons de Robert the Bruce établissent la déclaration d'Arbroath, dans laquelle ils prêtent allégeance au roi, spécifiant « que jamais en aucune manière » ils ne consentiront à se « soumettre au gouvernement des Anglais ». L'indépendance de l'Écosse n'est reconnue qu'en 1328 par le traité de Northampton. La mort de Robert the Bruce est suivie d'une période de troubles, d'insécurité, qu'aucun des rois ne parvient à maîtriser. Devant l'incompétence de la royauté, les clans des Highlands se renforcent et les pillages se multiplient. L'Écosse est ruinée lorsque les Stuarts (du clan Stewart) arrivent au pouvoir.

Les Stuarts

Il y a des prénoms difficiles à porter... Les quatre Jacques qui se succèdent connaîtront tous une mort violente. Quant au cinquième, il meurt de chagrin après avoir donné naissance à une fille, Marie. Elle n'aura pas une fin plus heureuse que ses illustres prédécesseurs. Après avoir épousé, puis enterré, François II (le roi au règne le plus éphémère de l'histoire de France), elle regagne l'Écosse en 1560. Son retour coïncide avec la victoire des réformateurs, enlevée de haute lutte par John Knox. Le disciple de Calvin prêche un retour à la parole divine, sans idolâtrie et surtout sans roi. Tournés contre la royauté et s'opposant à la réunification des deux Églises anglaise et écossaise, les partisans de John Knox (on les appelait « presbytériens » – peut-être à cause de leur courte vue !), signent le « Convenant de Dieu », une promesse faite à Dieu « d'établir Sa Très Bénie Parole ». Après quelques émeutes (Knox est loin d'être un tendre), notamment à Perth où la plupart des monastères sont détruits en deux jours, la nouvelle Église est enregistrée au Parlement sans sourciller. John Knox, qui avait dénoncé le « monstrueux régime des femmes » (!), met fin en œuvre pendant déstabiliser Marie Stuart.

Pour la reine, ce ne sera qu'un affrontement parmi tous ceux qui conduiront à sa chute. Elle épouse tout d'abord son cousin lord Darnley. Jaloux comme pas deux, il fait assassiner le secrétaire préféré de sa « bien-aimée », Rizzio, de 56 coups de poignard ! Mais le tendre époux succombe à son tour. La reine est soupçonnée, ce qui ne l'empêche pas de convoler avec l'assassin de son mari, le comte de Bothwell. À cette époque, ses ennemis s'acharnent, John Knox en tête, qui enrage contre cette catholique au pouvoir. Les barons se révoltent, le comte s'enfuit et la reine abdique.

Après un bref emprisonnement, elle s'évade pour se réfugier en Angleterre auprès de sa cousine (et rivale de toujours) la reine Elizabeth. Celle-ci trouve la réfugiée somme toute gênante. Elle-même est sans descendance et craint pour son trône, d'autant que Marie a toujours des partisans en Écosse. Du coup, elle la maintient en captivité pendant 18 ans et finit par la faire exécuter en 1587, condamnée sous le prétexte d'un prétendu complot fomenté contre la reine.

Mais l'inévitable se produit : l'Écosse conquiert l'Angleterre. Plus exactement Jacques VI, le fils de Marie Stuart, alors roi d'Écosse, accède au trône d'Angleterre à la mort d'Elizabeth en 1603. Il prend le nom de Jacques Ier d'Angleterre. Les deux couronnes reposent dorénavant sur la même tête. Promettant de revenir en Écosse, Jacques Ier s'installe pourtant dans le confort londonien et n'en bougera pas. L'Écosse capitule, abandonnée par son roi.

La guerre civile et Oliver Cromwell

Avec l'avènement de Charles Ier (1625-1649), l'Angleterre connaît une guerre civile, puis une quasi-dictature militaire avec, à sa tête, Oliver Cromwell. Charles est un roi assoiffé de pouvoir et il essaie de gouverner en passant outre le Parlement, les rapports entre ce dernier et la Couronne s'étant déjà détériorés sous le règne de Jacques Ier. Le conflit politique dégénère en guerre civile avec, d'un côté, l'armée du Parlement menée par Cromwell et, de l'autre, celle de Charles Ier, soutenue par l'Écosse. De 1642 à 1651, les combats font rage et se soldent par l'exécution de Charles Ier le 30 janvier 1649. L'Angleterre devient ainsi le premier État européen moderne à décapiter son roi et à proclamer la suprématie des droits parlementaires sur un pouvoir délégué par le ciel. Cromwell prend alors le titre de Lord Protector ! Terminator aurait mieux convenu. Les Écossais, partisans de l'héritier de Charles Ier, Charles II, donnent du fil à retordre à Cromwell en 1650 et 1651. En 1653, celui-ci fait publier l'*Instrument of Government,* la première constitution écrite de l'Angleterre. Cinq ans plus tard, à la mort de Cromwell, son fils le remplace brièvement avant la restauration de la monarchie, en 1660, avec le retour du roi Charles II. Une justice *post mortem* est rendue et les corps de Cromwell et de deux de ses compagnons sont exhumés puis pendus comme traîtres, à Tyburn dans Hyde Park, à Londres. L'emplacement du gibet est aujourd'hui marqué d'une pierre à l'angle nord-est de Hyde Park, sur une borne de carrefour.
Charles II poursuit la lutte contre les presbytériens. Son successeur, en 1685, Jacques II, tente une nouvelle fois de remettre en question l'autorité du Parlement. Cette politique ne tarde pas à provoquer une nouvelle rébellion et, trois ans plus tard, le souverain est tout simplement déposé. Le Parlement choisit alors d'appeler William III, qui est à la fois neveu et gendre de Jacques Ier, et roi de Hollande ! William III, docile, signe le *Bill of Rights* en 1689, un acte qui limite officiellement les prérogatives du roi. À partir de cette date, la monarchie britannique ne remettra plus jamais en question l'autorité du Parlement, et son pouvoir déclinera pour s'en remettre aux mains des ministres.

Vers la réunification

Si l'union des deux couronnes s'est effectuée sans trop de heurts, la lune de miel entre l'Angleterre et l'Écosse est plutôt houleuse. D'abord parce que les Highlands, fidèles aux Stuarts, ne reconnaissent le roi que du bout des lèvres. Un des chefs du clan MacDonald de Glencoe, moins empressé que les autres (mais surtout bloqué par les intempéries), prête allégeance avec une semaine de retard. La réaction anglaise est, elle, immédiate. Voulant faire un exemple, le roi charge les Campbell (ennemis jurés des MacDonald) d'exécuter pour insubordination la plupart des MacDonald le 3 février 1692 (carnage connu sous le nom de « massacre de Glencoe »).
Économiquement, l'Écosse n'est pas dans un meilleur état. L'Angleterre réduit les importations écossaises et leur ferme les portes de ses colonies. Au bord de la ruine, l'Écosse signe l'Acte d'union en 1707. Le parlement écossais est aboli, la Province conservant toutefois une certaine indépendance en matière religieuse et judiciaire. La capitulation horrifie les jacobites (partisans des Stuarts). Un premier soulèvement échoue en 1715. Une deuxième tentative est faite en 1745 sous la bannière de Bonnie Prince Charlie (descendant des Stuarts, prétendant à la Couronne, mais dont la famille est exilée en France depuis 1688). Soutenu par les Highlanders et la France, il franchit la frontière et atteint Derby. Seulement, loin de leurs foyers, les chefs de clans ne savent plus où poser leurs kilts. L'armée gouvernementale (sous le commandement du duc de Cumberland, *the Butcher*) les repousse jusqu'à Culloden. La bataille de Culloden (avril 1746) est une débandade, les jacobites sont écrasés et Bonnie Prince Charlie est contraint à la fuite. La Couronne fait alors payer aux Highlanders leur rébellion, démantèle les clans et interdit kilt et cornemuse.

Alors que l'Écosse entre ensuite dans une période de prospérité économique, les Highlands se vident de leurs habitants. Ceux-ci, et notamment les petits fermiers (crofters), chassés par les propriétaires qui veulent récupérer leurs terres pour l'élevage de moutons, émigrent vers l'Amérique du Nord et Glasgow. La ville ouvrière connaît l'une des situations les plus désastreuses d'Europe : conditions de travail précaires, insalubrité et chômage. Ni l'Église ni le gouvernement basé à Londres ne s'épuisent à résoudre les problèmes de l'Écosse. Parallèlement à l'intégration progressive de la Province britannique à l'Angleterre, un mouvement national se développe dès la fin du XIXe siècle. En 1934, le parti nationaliste écossais est créé.

La nation écossaise aujourd'hui

Les mauvaises langues prétendent qu'entre Anglais et Écossais, les rapports sont un peu... tendus. Voici d'ailleurs une petite blague lumineuse : Dieu était en train de créer la Terre. Il dit à son assistant : « Maintenant nous allons créer l'Écosse. Mettons-y des paysages de rêve, des montagnes majestueuses, des lacs magnifiques, une nature enchanteresse... » Son assistant lui répondit : « Dieu, n'êtes-vous pas un peu trop généreux avec ces Écossais ? » Et Dieu lui répliqua : « Attends un peu de voir les voisins que je vais leur donner. » Il est vrai que, tout en faisant partie intégrante de la Grande-Bretagne, l'Écosse n'en conserve pas moins des particularismes, que respecte aujourd'hui le gouvernement et qui font d'elle une nation à part entière.

L'Écosse a ses propres systèmes juridique et éducatif, son Église (l'Église presbytérienne), sans oublier bien sûr son équipe nationale de football et sa célèbre équipe de rugby.

Sur le plan politique, ce fort sentiment national est représenté par le parti national écossais (le SNP), soutenu, entre autres, par l'acteur Sean Connery. Mécontents de ne pas être suffisamment soutenus par Londres, de ne pas profiter davantage des revenus du pétrole de la mer du Nord, et plus favorables dans leur ensemble que les Anglais à l'Europe, les Écossais sont de plus en plus nombreux à réclamer une décentralisation qui leur permettra, pensent-ils, de mieux résoudre leurs propres problèmes économiques. Et les économies, comme chacun sait, sont cruciales en Écosse !

Devant tant d'aspirations à une autonomie, et conformément à ses promesses électorales, Tony Blair (qui est d'ailleurs né à Édimbourg) a présenté, en juillet 1997, devant la Chambre des communes, son projet d'autonomie pour l'Écosse. En septembre, les Écossais se sont prononcés par référendum sur ce projet : à 74 %, ils ont approuvé la création d'un parlement autonome. Celui-ci est élu en 1999. Le parlement d'Édimbourg est inauguré par la reine. La nouvelle assemblée est dotée de tous les pouvoirs, à l'exception de la monnaie, du recouvrement des impôts, des relations extérieures, de la Défense et des questions de mœurs (avortement). Un gouvernement de coalition (travaillistes et libéraux-démocrates) est issu de ce parlement. Quant au SNP, le parti national écossais, il garde un objectif final : l'indépendance de l'Écosse.

Ironie de l'histoire : les Écossais ont voté pour avoir leur propre assemblée 700 ans, jour pour jour, après la bataille de Stirling où William Wallace avait vaincu les Anglais...

Aujourd'hui, les Écossais sont déçus par les résultats de l'autonomie, notamment sur le plan économique, mais aussi sur le plan politique, ressentant un certain abandon de la part de politiciens brillants qui préfèrent entreprendre une carrière nationale à Londres. Toutefois, suite aux élections législatives de mai 2007, c'est un député indépendantiste, Alex Salmond, qui occupe le poste de Premier ministre d'Écosse. Il souhaite poser la question de l'indépendance au cours d'un référendum à organiser d'ici 2011.

Principales dates historiques

– **55 av. J.-C. :** Jules César débarque en Grande-Bretagne. Colonisation romaine.
– **450 :** début des invasions anglo-saxonnes.
– **843 :** Kenneth MacAlpin devient le premier roi des Scots et des Pictes.
– **Fin du IXᵉ siècle :** raids des Vikings.
– **1295 :** signature de l'*Auld Alliance* entre la France et l'Écosse.
– **1297 :** William Wallace se révolte contre l'occupant anglais et remporte la bataille de Stirling.
– **1314 :** victoire de Robert the Bruce à Bannockburn. Les Anglais sont en fuite.
– **1320 :** déclaration d'Arbroath.
– **1328 :** l'indépendance de l'Écosse est reconnue.
– **1587 :** exécution de Marie Stuart, héritière du trône d'Angleterre, accusée de complot contre la reine Elizabeth Iʳᵉ.
– **1603 :** union des couronnes d'Angleterre et d'Écosse avec Jacques VI d'Écosse et Jacques Iᵉʳ d'Angleterre, fils de Marie Stuart.
– **1650-1651 :** l'Écosse est rattachée au nouveau régime du Commonwealth, suite à la guerre victorieuse menée par Cromwell.
– **1707 :** Acte d'union. Les deux royaumes d'Angleterre et d'Écosse sont définitivement réunis.
– **1715 :** révolte des jacobites qui refusent l'Acte d'union.
– **1745 :** Charles Édouard Stuart, surnommé Bonnie Prince Charlie, mène la seconde révolte jacobite.
– **1746 :** les jacobites sont écrasés à Culloden.
– **Début XIXᵉ siècle :** révoltes populaires durement réprimées.
– **1837 :** avènement de la reine Victoria. Naissance du mouvement chartiste, qui demande le droit de vote pour tous.
– **1884 :** réforme électorale. Le droit de vote est accordé à toutes les classes du pays.
– **1914 :** le gouvernement britannique se range aux côtés de la France contre l'Empire germanique.
– **1934 :** création du parti national écossais *(Scottish National Party)*.
– **Septembre 1939 :** la France et la Grande-Bretagne déclarent conjointement la guerre à Hitler.
– **1940 :** Winston Churchill succède à Chamberlain.
– **1945-1951 :** gouvernement travailliste d'Attlee, marqué par des nationalisations et des mesures sociales.
– **1952 :** avènement de la reine Elizabeth II.
– **1964 :** découverte de pétrole en mer du Nord.
– **1972 :** adhésion de la Grande-Bretagne au Marché commun.
– **1974-1979 :** gouvernement travailliste.
– **1979 :** gouvernement conservateur de Margaret Thatcher. Référendum sur la *devolution* (décentralisation). Le parti nationaliste perd neuf sièges.
– **1987 :** pour la troisième fois, le parti conservateur, sous la houlette de Mrs Thatcher, remporte les élections législatives.
– **1990 :** Margaret Thatcher démissionne, après onze années d'exercice du pouvoir. John Major, chancelier de l'Échiquier du précédent gouvernement, est élu pour la remplacer.
– **1991 :** John Major et le parti conservateur remportent les élections à la Chambre des communes. Un an plus tard, la Grande-Bretagne, avec quelques réserves, signe le traité européen de Maastricht.
– **1994 :** ouverture du tunnel sous la Manche.
– **1996 :** crise de la « vache folle », qui remet en cause les rapports de la Grande-Bretagne avec les pays européens.
– **1997 :** l'élection de Tony Blair, leader du parti travailliste, met fin à 18 ans de pouvoir conservateur. Mort de lady Diana Spencer, princesse de Galles, qui soulève

une émotion nationale (certes plus forte en Angleterre qu'en Écosse) et remet en question l'existence d'une monarchie trop figée. Les Écossais plébiscitent à 74 % la création d'un parlement autonome.

– *1999 :* le gouvernement britannique octroie l'autonomie à l'Écosse. Un parlement est élu en mai. Mise en place d'un exécutif composé de libéraux-démocrates et de travaillistes, ces derniers ayant obtenu 40 % des voix. Le SNP, le parti national écossais, recueille 30 % des voix.

– *2002 :* un incendie ravage une partie du centre historique d'Édimbourg, classé au Patrimoine mondial de l'Unesco. Heureusement, les dégâts sont limités.

– *2003 :* Tony Blair engage militairement la Grande-Bretagne dans le conflit irakien, aux côtés des États-Unis, malgré une vive opposition du peuple britannique et la démission de membres de son gouvernement.

– *2004 :* le nouveau Parlement est inauguré en octobre, œuvre de l'architecte catalan Enrico Miralles, sur le site de Holyrood.

– *2005 :* réélection de Tony Blair. La Grande-Bretagne obtient l'organisation des Jeux olympiques en 2012. Ouverture du 31e sommet du G8 à Gleneagles, près d'Édimbourg ; à l'ordre du jour, l'annulation de la dette des pays pauvres. En même temps, à Londres, trois bombes explosent dans le métro et une autre dans un bus à impériale ; bilan : 56 victimes.

– *Juillet-décembre 2005 :* présidence britannique de l'Union européenne.

– *2006 :* tentative d'attentat contre plusieurs avions britanniques en plein vol. *The Economist* invite Tony Blair à tirer sa révérence, alors que Gordon Brown attend son heure. Création d'un nouveau parti politique : *Solidarity,* issu d'une scission de l'extrême gauche, disposant de huit sièges au parlement écossais.

– *2007 en bref :* aux élections de mai, le SNP *(Scottish National Party)* arrive en tête au parlement écossais. En juin, Gordon Brown, un Écossais, devient Premier ministre de Grande-Bretagne. Fin juin, attentat manqué à l'aéroport de Glasgow. Selon la police, il serait lié aux attentats à la voiture piégée déjoués dans le centre de Londres. En juillet, l'équipe du Chardon atteint les quarts de finale lors de la Coupe du monde de rugby.

KILT ET TRADITION DU COSTUME

« Il est remarquable de constater que le *kilt,* qui était à l'origine le costume traditionnel highlandais, est désormais associé à toute l'Écosse. En fait, les Gaëls portèrent d'abord un *plaid* ceinturé à la taille, une grande pièce de tartan qui leur servait de couverture la nuit et de manteau le jour. La tenue s'élabora : le plaid était enroulé autour de la taille, une première forme de *kilt,* et rejeté sur l'épaule gauche. Le *kilt* doit sa renommée aux régiments highlandais qui l'ont porté dès leur insertion dans l'armée. Il est fait d'une pièce de tartan plissée, de 7 à 8 m de long, et descend jusqu'aux genoux. Le *kilt* n'est porté que par les hommes et c'est un art. Ils attachent en effet une importance particulière aux accessoires. La bourse, portée sur le devant du *kilt,* le *sporran,* est de cuir. Les écussons, les *crest badges,* aux armoiries du clan, sont arborés avec fierté ; mal les utiliser serait les dévaloriser, et chacun a souci de faire respecter la règle. Enfin, le couteau *(Skean Dhu),* glissé dans la chaussette, complète la tenue. »

Ce paragraphe est extrait d'un ancien *Guide Évasion Écosse* (éd. Hachette), écrit par Aude Bracquemond, une très bonne copine à nous. Ce qu'elle ne dit pas, c'est que, sous le kilt, les Écossais ne portent pas de culotte. Si ! D'ailleurs, au XIXe siècle, les cadets écossais de l'Armée des Indes devaient marcher sur un miroir pour prouver qu'ils ne portaient rien sous le kilt ! Aujourd'hui, cette tradition a inspiré la population gay de Glasgow, qui remet le kilt au goût du jour... Il se porte mini, paré d'accessoires qu'un respect pour leurs ancêtres highlanders interdit d'évoquer, le tout rehaussé de l'indispensable Marcel... sexy ! Mais le nec plus ultra consiste à se faire offrir pour ses 18 ou 21 ans un kilt sur mesure. Souvenir typique en somme, mais le porterez-vous comme il se doit ?

MÉDIAS

Programmes en français sur TV5MONDE

TV5MONDE est reçue dans le pays par câble, satellite et sur Internet. Retrouvez sur votre télévision : films, fictions, divertissements, documentaires – qui témoignent de la diversité de la production audiovisuelle en langue française – et des informations internationales.

Le site ● tv5.org ● propose de nombreux services pratiques aux voyageurs (● tv5.org/voyageurs ●) et vous permet de partager vos souvenirs de voyage sur ● tv5.org/blogosphere ●

Pensez à demander dans votre hôtel sur quel canal vous pouvez recevoir TV5MONDE et n'hésitez pas à faire vos remarques sur le site ● tv5.org/contact ●

Presse

Les Britanniques sont très fiers de leur presse écrite, et pour rien au monde ils ne se passeraient de leurs quotidiens favoris. On en trouve une multitude, région par région, qui pourrait se diviser en deux catégories : les journaux écossais sérieux, *broadsheets,* comme *The Scotsman* d'Édimbourg, *The Herald* de Glasgow, *The Press & Journal* d'Aberdeen (le plus vendu dans les Highlands sous ses différentes éditions), et la presse à scandale, les *tabloids (The Daily Record, The Express...),* qui se distinguent par leur petit format. Les journaux de qualité impriment également une édition du dimanche, *Sunday Paper,* très populaire, et comportent de nombreux suppléments sur des thèmes variés comme le spectacle, la vie artistique, la politique, le voyage... Autrement, il est toujours possible d'acheter des quotidiens nationaux, *The Times, The Daily Telegraph, The Guardian,* exactement comme à Londres. Dans les grandes villes et les principales gares, vous vous procurerez aisément des journaux étrangers.

Radio

Sur les ondes, nous vous recommandons les programmes de *BBC Radio Scotland.* Une actualité interprétée à l'écossaise, relayée par de nombreuses plages de musique traditionnelle. Propose aussi des informations en gaélique. Il existe également de nombreuses radios locales, toutes plus ou moins intéressantes. Évidemment, vous trouverez toutes les autres radios de *BBC, radio 1* branchée *pop music, radio 2* propose une sélection musicale pour les plus âgés, *radio 3* pour du classique, *radio 4* avec beaucoup d'actualités et *radio 5* pour le sport. Cela étant dit, capter une station de radio dans les Highlands peut devenir un véritable cauchemar ! On peut aussi capter *France Inter,* mais pas toujours très clairement, sur 162 Khz.

Télévision

BBC diffuse également des programmes télévisés pour tous les goûts, d'une réalisation remarquable. Quant à *ITV,* elle propose des émissions régionales, formant ainsi un réseau à l'échelle écossaise. Par satellite, ce n'est pas le choix qui manque.

MIDGES

Par respect pour nos lecteurs qui ont vécu un véritable calvaire (bras et jambes boursouflés dans le meilleur des cas, tendance *elephant man* pour les autres), on tenait à vous avertir qu'il est des bébêtes qu'on préfère voir dans le dernier docu animalier qu'en face de soi. Les *midges* ressemblent à des moucherons (mensurations : 2 mm de long, 1,4 mm d'envergure !), version voraces, aussi gros que des grains de poivre, qui se déplacent en formation serrée avant de fondre sur leurs proies... vous, en l'occurrence !

En France, on les appelle des « simulies », car par leur aspect et leur comportement, ils simulent les moustiques et attaquent massivement dès le début de l'été. Pervers avec ça ! En fait, on devrait parler de ces sales bestioles au féminin, puisque seules les femelles piquent. Elles ont besoin des protéines du sang des animaux à sang chaud, dont les routards (!), pour mener leurs œufs à maturité. Belle consolation : vous contribuez à la perpétuation de l'espèce !... On les trouve le plus souvent près des lochs, et uniquement de juin à septembre-octobre, soit pile dans la haute saison touristique qui se transforme en garde-manger géant. Les *midges* sont particulièrement agressifs à l'aube et au crépuscule ; ils n'aiment ni le froid, ni les rayons du soleil, ni le vent, ni la fumée (voilà entre autres pourquoi on trouve tant de traces de feux de bois le long des lochs).

Autant le savoir, la piqûre de *midge* démange furieusement et peut être assez douloureuse. Les gratter peut provoquer des surinfections sévères. Les lotions vendues en France contre nos gentils moustiques aoûtiens n'y peuvent absolument rien... et, à vrai dire, celles vendues sur place guère plus. Un cosmétique, non destiné

initialement à la lutte anti-*midges* (!), *Skin so Soft* d'Avon, s'avère plutôt efficace ; c'est tellement gras que les *midges* doivent déraper dessus et s'y briser la trompe (en revanche, il faut renouveler le tartinage très fréquemment, et l'odeur et la texture sont, pour nous, assez désagréables !). Une lectrice a expérimenté aussi *Formula Jungle*... carrément ! Il semblerait que ça ne les éloigne pas, mais qu'ils ne piquent pas ou peu. À se procurer sur place, dans les pharmacies et les boutiques de souvenirs.

À défaut de pouvoir vous proposer le produit préventif miracle, signalons qu'une fois le mal fait, une seule goutte de *Tégarome du Dr Valnet* appliquée sur la piqûre soulage instantanément. Ce produit, à base d'huiles essentielles, s'achète en France. Sinon, une mamie expérimentée a conseillé à un lecteur de badigeonner sa main meurtrie et gonflée de... dentifrice ! Et ça a marché !

En prévention, on peut aussi accrocher à l'intérieur comme à l'extérieur des serpentins incandescents diffuseurs de pyréthrinoïdes, brancher des plaquettes pyréthrinoïdes ou encore acheter des moustiquaires imprégnées d'insecticides. À part ça, l'Écosse est vraiment un pays génial ! Si vous ne trouvez pas cet équipement en pharmacie, adressez-vous à :

■ *Catalogue Santé Voyage :* hotline gratuite : ☎ 01-45-86-41-91 (lun-ven 14h-18h). ● *astrium.com* ● *Dépôt vente :* 30, av. de la Grande-Armée, 75017 Paris. Ⓜ *Argentine. Lun-sam 10h-19h. Infos santé voyages, consultation ou téléchargement du catalogue, et commande en ligne sécurisée.

PERSONNAGES CÉLÈBRES

– *J. M. Barrie :* cet auteur, né en 1860 à Kirriemuir, est peut-être moins connu que le personnage de son œuvre la plus célèbre, Peter Pan, l'enfant qui ne voulait pas grandir. Apparu pour la première fois en 1902 dans un roman, Peter Pan devient célèbre avec une pièce de théâtre jouée à Londres en 1904. La pièce connaît un tel succès que Barrie la réécrit sous forme de conte. Dans cette histoire lue aux enfants, il s'adresse tout autant à leurs parents : pour vivre heureux, n'oubliez pas votre âme d'enfant, votre aptitude à l'émerveillement et à l'insouciance. Une recommandation qui nous plaît bien !

– *Alexander Graham Bell :* l'inventeur du téléphone, né à Édimbourg en 1847, avait dédié sa vie à l'amélioration du système de communication pour malentendants. Il émigre aux États-Unis en 1876 et met au point le premier téléphone. On lui doit d'autres inventions, comme le langage universel, un phonographe, des machines volantes. Assez curieusement, il n'éprouvait pas une grande affection pour sa première œuvre, affirmant qu'il n'utilisait jamais « la bête ».

– *Gordon Brown :* le Premier ministre britannique est écossais. Il est né à Giffnok, dans la banlieue sud de Glasgow en 1951. Élève brillant et précoce, il suit des études d'histoire à l'université d'Édimbourg, dont il sort diplômé en 1972. Député travailliste de la circonscription de Dunfermline de 1983 à 2005, il occupe le poste de chancelier de l'Échiquier (ministre chargé des finances et du Trésor) de 1997 à fin juin 2007. Il succède ensuite à Tony Blair à la tête du parti travailliste et devient *de facto* le nouveau Premier ministre. En ligne de mire, les élections qui devraient avoir lieu au plus tard en juin 2010.

– *Robert the Bruce :* le père de l'indépendance écossaise. Ses débuts sont hésitants. Il prête tout d'abord allégeance au roi d'Angleterre avant de se retourner contre lui et raviver le mouvement nationaliste écossais. Noble cause ? Non, intéressée : bon moyen d'accéder au trône, pense-t-il. Son éclatante victoire à Bannockburn en 1314 face aux Anglais le propulse au pouvoir. Après de nombreuses batailles, l'indépendance de l'Écosse est finalement reconnue en 1328. Par la suite, Robert Ier Bruce s'affirme comme un roi plein de sagesse, ramenant le calme dans son pays et accordant des droits au petit peuple. On l'appelait « le bon roi Robert » (à ne pas confondre avec la culotte de l'autre). Il meurt en 1329, emporté par la lèpre.

– *Robert Burns :* ce poète du XVIIIe siècle, né près de Ayr, trempait sa plume dans de l'acide, exprimant toute son opposition face à la suprématie anglaise. Il écrivait ses poèmes en écossais, réveillant par là même l'identité culturelle de l'Écosse. Il faudra encore attendre un siècle pour qu'elle soit politiquement reconnue par le Parlement. Aujourd'hui, on fête toujours l'anniversaire de Robert Burns le 25 janvier, occasion de déclamer ses poèmes.

– *Arthur Conan Doyle :* né à Édimbourg en 1859, médecin et surtout auteur des célèbres *Sherlock Holmes.* Il tua son héros en 1893, mais dut le faire ressusciter dix ans plus tard, suite aux pressions de ses lecteurs orphelins. L'écrivain contribua lui-même à résoudre plusieurs affaires, dont celle de George Edalji, victime de racisme et celle d'Oscar Slater, accusé à tort de meurtre : il fut relâché après 19 ans de détention. Ces deux célèbres erreurs judiciaires furent en grande partie à l'origine de la création de la cour d'Appel en 1907.

– *Sean Connery :* de son vrai prénom Thomas, il est né à Édimbourg en 1930. Avant d'endosser le célèbre costard de 007, il accumule les petits boulots : polisseur de cercueils, maçon et crémier, comme quoi ! En 1962, il est retenu pour le rôle de James Bond dans *Dr No,* notamment en raison du faible salaire réclamé par l'acteur alors inconnu ! On le retrouve également dans *Pas de printemps pour Marnie, L'homme qui voulut être roi, Le Nom de la rose, Indiana Jones et la Dernière Croisade* ou *À la rencontre de Forrester,* etc. Le succès ne lui est pas monté à la tête, à en croire un cinéaste : « À l'exception de Lassie, c'est la seule personne que je connaisse qui n'a pas été pourrie par le succès. » C'est en tout cas le champion du nationalisme écossais.

– *Mark Knopfler :* né à Glasgow en 1949, il « émigre » en Angleterre où il fonde avec son petit frère David, John Illsey et Pick Withers les *Dire Straits,* qui en argot londonien signifie « raide fauché ». Ils ne le resteront pas longtemps puisque, dès 1979, ils entonnent leur premier tube, *Sultans of Swing.* Dix ans plus tard, le groupe devient l'un des plus gros vendeurs du monde de la pop. Comment dit-on « plein aux as » en anglais ?

– *Macbeth :* tellement de choses ont été écrites sur son compte qu'on ne sait plus s'il s'agit d'un personnage de fiction ou ayant réellement existé. Se fondant sur des chroniques des XVe et XVIe siècles, déjà pas mal romancées, Shakespeare apporte une dimension encore plus dramatique au personnage, pour en faire une pièce vivante, susceptible de distraire son roi. D'ascendance royale, Macbeth a vécu au début du XIe siècle. Il épouse Gruoch (un nom pareil, ça ne s'invente pas !), petite-fille du roi Kenneth III, dont le premier mari et le père sont tués par le roi Duncan Ier. Décidé à venger sa femme avec l'arrière-pensée de monter sur le trône, Macbeth défie Duncan Ier sur un champ de bataille (vous suivez toujours ?) ; ce dernier meurt à la suite de ses blessures au château d'Elgin. Donc rien à voir avec le château de Glamis, dans lequel Shakespeare a situé son action. Macbeth est alors couronné Grand Roi des Écossais à Scone Palace. Il meurt en 1057 et est enterré à l'île d'Iona.

– *Rob Roy MacGregor :* il débute une carrière tardive de hors-la-loi, après s'être fait exproprier de ses terres par le duc de Montrose. Juste retour des choses : il vole les troupeaux et attaque les hommes du duc. Le Robin des Bois jacobite redistribue ce qu'il dérobe jusqu'au jour où il est capturé et relâché presque aussitôt. Il passe le reste de sa vie sur ses terres de Balquhidder, près de Stirling, où il est enterré. Son histoire est immortalisée en 1817 par le roman de Walter Scott, *Rob Roy,* et en 1995 par Hollywood.

– *Charles Rennie Mackintosh :* à Glasgow, impossible d'y échapper. Et pourtant, cet architecte, artiste et décorateur d'avant-garde, l'un des plus grands interprètes de l'Art nouveau, resta longtemps méconnu dans son pays. Parmi ses œuvres : la School of Art, Queen's Cross Church et Scotland Street School représentent le mieux le Glasgow Style dont il est à l'origine. En 1914, il quitte la ville, incompris de ses congénères, et s'exile à Londres, puis en France. Il meurt dans la capitale britannique, pratiquement oublié de tous. Aujourd'hui, des musées lui sont consacrés.

– *Joanne Kathleen Rowling :* écrivain rendue célèbre par le phénomène Harry Potter, dont l'idée lui est venue au milieu d'un train bondé quittant Londres. Née à Bristol, elle s'installe en 1994 à Édimbourg chez sa sœur avec sa petite fille, dont elle vient de divorcer du père au Portugal. Elle achève d'écrire *Harry Potter à l'école des sorciers* dans les cafés d'Édimbourg pour économiser sa facture de chauffage. En 10 ans, elle écrit 7 tomes sur le petit magicien et y met un point final en juillet 2007. Traduits dans une soixantaine de langues, les six premiers volumes se sont vendus à 325 millions d'exemplaires. Écossaise d'adoption, elle vit dans le Perthshire et figure désormais parmi les femmes les plus fortunées de Grande-Bretagne.

– *Walter Scott :* écrivain, poète romantique et historien, né à Édimbourg en 1771, il est à l'origine d'un tout nouveau style littéraire, le roman historique. Se destinant comme son père à la magistrature, il devient shérif du Selkirkshire puis chancelier à la cour d'Édimbourg. Son premier roman, paru sans nom d'auteur, *Waverley* (1814), connaît un succès immédiat. Reconnu au-delà des frontières de l'Écosse, son style exerce une influence considérable sur Victor Hugo et Balzac. Parmi ses œuvres majeures, on lui doit *Ivanhoé* (1819), *Rob Roy* (1817), et une série de poèmes, dont le plus connu demeure *La Dame du lac.*

– *Robert Louis Stevenson :* né en 1850 à Édimbourg. Issu d'une famille d'ingénieurs, le petit Robert Louis, d'une santé très fragile, laisse tomber une carrière scientifique prometteuse pour se consacrer aux voyages et à la littérature. Routard avant l'heure, il rapporte de France le beau récit *Voyages avec un âne dans les Cévennes. L'Île au trésor,* écrit en 1883 pour distraire son beau-fils, lui procure la célébrité. Mais c'est avec la publication du *Strange Case of Doctor Jekyll and Mister Hyde* (1886) qu'il connaît son plus grand succès. Inspiré de la vie de Deacon Brodie (artisan respecté et homme public le jour, il se transformait en joueur et voleur la nuit), le livre reflète en réalité son propre malaise. C'est, paraît-il, après un cauchemar qu'il eut l'idée d'un homme transformé en monstre ! Sa santé ne pouvant s'accommoder du climat des îles britanniques, Stevenson ne cessa jamais de voyager. Après avoir vécu aux États-Unis, il termina ses jours dans les îles Samoa...

– *Prince Charles Edward Stuart, dit Bonnie Prince Charlie :* symbole de la résistance face à l'envahisseur, son succès est aussi fulgurant que son échec. Prétendant au trône, il tente de reconquérir le pouvoir au nom des Stuarts. En 1745, il lève une armée dans les Highlands et marche sur Édimbourg, qui capitule. Londres commence alors à paniquer sérieusement. Mais les chefs highlanders, loin de leurs foyers laissés sans défense, refusent de continuer plus au sud et le soutien attendu des Français ayant échoué, il se résout à la retraite. En 1746, le duc de Cumberland rattrape l'armée à Culloden, près d'Inverness. Il s'ensuit un véritable carnage. Le prince Charles part pour la France, notamment grâce à l'aide de Flora MacDonald, devenue une véritable héroïne nationale. Il passe le reste de sa vie en France et en Italie, sombrant dans l'alcool.

– *Marie Stuart :* veuve de François II, roi de France au règne éphémère (1559-1560), Marie regagne sa patrie d'origine et monte sur le trône d'Écosse. Son mariage avec lord Darnley se détériore rapidement. À la mort de son mari (on l'y a un peu aidé, mais l'implication de la reine n'est pas prouvée), elle épouse le comte de Bothwell (et de trois !). Mais ses opposants de plus en plus vindicatifs infligent à son armée de sérieuses défaites. Marie abdique en faveur de son fils et s'enfuit en Angleterre. Idée funeste puisque, dès son arrivée sur le sol anglais, elle est jugée pour le meurtre de Darnley et placée en détention. Intrigues, toujours. Pour s'assurer de sa chute, on lui tend un piège en l'impliquant dans un prétendu complot fomenté contre sa cousine la reine Elizabeth. Reconnue coupable de tentative d'assassinat, elle est exécutée en 1587.

– *William Wallace :* connu comme le plus grand patriote écossais, « Bill » combattit les Anglais avec ferveur. Après une écrasante victoire au pont de Stirling en 1297, il devint « Gardien de l'Écosse ». Titre qu'il abandonna l'année suivante, après sa défaite face au roi Édouard Ier d'Angleterre. Il partit en France pour gagner le soutien du roi et du pape. À son retour, en 1303, le nombre de ses compagnons avait sévèrement diminué. Trahi par l'un des siens, il est jugé comme traître, pendu, décapité, éventré puis écartelé (pour être bien sûr !). Ses membres furent ensuite dispersés à Newcastle, Berwick, Stirling et Perth en signe d'avertissement.

– *James Watt :* né à Greenock en 1736, il est le père de la révolution industrielle grâce à ses améliorations déterminantes de la machine à vapeur. Utilisée dans les usines textiles et les manufactures, celle-ci propulsa la Grande-Bretagne, puis l'Europe dans une ère nouvelle. L'unité de puissance, le watt, vient de son nom.

– Sans oublier : *MacAdam,* inventeur du revêtement en goudron ; *Peter Thomson,* inventeur du pneumatique ; le philosophe et historien *David Hume* ; *Alexander Fleming,* qui découvre les vertus de la pénicilline ; l'explorateur *David Livingstone* ; *Charles Mackintosh* qui met au point le vêtement imperméable (les mauvaises langues assureront que ça ne pouvait venir que d'un Écossais !) ; les acteurs *David Niven*, *Ewan McGregor* et *Robert Carlyle* ; le réalisateur *Kevin MacDonald,* l'économiste *Adam Smith* ; *Rod Stewart* ; *Simple Minds* ; *Annie Lennox,* ex du groupe *The Eurythmics,* les groupes *Texas, Travis, Belle and Sebastian* et *Franz Ferdinand,* etc.

POPULATION

S'il y a bien une chose que les Écossais chérissent avant tout autre, c'est leurs différences. Ils se singularisent par leur culture gaélique et leur propre Église (voir la rubrique « Religions et croyances », plus loin).

Aujourd'hui, l'Écosse compte un peu plus de cinq millions d'habitants, regroupés aux deux tiers entre Glasgow et Édimbourg, ainsi que sur la frange est remontant vers Aberdeen. Les Highlands et les Uplands voient leur densité tomber à environ 5 hab./km². Un vide humain qui s'explique par la rigueur du climat, la médiocrité des terres, mais aussi par le régime des propriétés. La région subit toujours les conséquences des *clearances* du XVIIIe siècle, époque à laquelle les fermiers furent chassés des Highlands, au profit de l'élevage de moutons. Beaucoup d'Écossais émigrèrent, marquant ainsi un déclin sans précédent de la population.

Les immigrés, principalement d'Inde, du Pakistan, d'Irlande et d'Italie s'installent en majorité dans les villes. Leur culture se retrouve souvent dans l'art culinaire avec des restos qui fleurissent à tous les coins de rues. Dans l'ensemble, la cohabitation est plutôt bonne.

PUBS

Tradition typiquement britannique, le pub est le lieu de rencontre. On y vient entre copains, beaucoup, entre copines aussi, entre collègues le vendredi soir ou tout simplement en famille pour y passer un joyeux moment de détente et de discussion. Pas question dans un pub de rester isolé. Les clients vous intègrent facilement à leur conversation, doucement, avec chaleur. On parle de tout et de rien. Vous ressentirez cette extraordinaire atmosphère de fusion des classes ; là, on laisse son origine sociale au vestiaire. Le pub, en général, offre plusieurs salons dont les différences sont de moins en moins sensibles : *public bar, lounge bar, saloon bar, private bar* (ce dernier est réservé à un club). Rappelons que depuis mars 2006 il est interdit de fumer dans tous les lieux publics, pubs y compris.

Un peu d'histoire

Cercles paroissiaux durant le Moyen Âge, plus opportunément situés sur les routes des pèlerinages, enfin lieux de réunion des ouvriers qui, au XIXe siècle, commencent à se syndiquer, les pubs ont souvent conservé leur vitrine en verre dépoli, de vieilles boiseries noircies et patinées, des lumières faiblardes comme au temps de la bougie et des beaux cuivres. Les amateurs perspicaces remarqueront que certains noms de pubs reviennent souvent. Parmi ceux-ci, *King's Head,* en souvenir de Charles Ier que Cromwell fit décapiter, *Red Lion* qui rappelle les guerres coloniales, *Royal Oak* qui commémore la victoire de Cromwell sur Charles II qui se réfugia sur un chêne (!). Fin de l'intermède culturel.

Jusqu'à la Première Guerre mondiale, les pubs étaient ouverts l'après-midi. Les ouvriers, qui n'avaient jusque-là connu que la pauvreté la plus abjecte, pour la première fois de leur vie gagnèrent un peu d'argent, grâce à la fabrication en masse d'armes. Recevant de bons salaires, ils allèrent au seul endroit procurant du plaisir à cette époque : le pub. Ils prirent l'habitude d'y rester la plus grande partie du week-end et d'être complètement « raides » le lundi matin. Le gouvernement alors légiféra, achetant tous les pubs (les nationalisant) et les frappant d'heures réglementaires. Résultat : les Britanniques devinrent les gens les plus rapides du monde pour ingurgiter des quantités impressionnantes de bière en un temps record ! Le contrôle des pubs par l'État dura jusqu'aux années 1970, où ils furent revendus à des particuliers. Voilà une des rares dénationalisations que nul n'a regrettée !

Pubs et coutumes

Les Britanniques pratiquent beaucoup le *pub crawling.* Lorsqu'ils sortent à plusieurs, le premier paie une tournée dans un premier pub, le deuxième en paie une autre dans un pub différent, et ainsi de suite. Le but est de se rapprocher de chez soi pour être sûr de pouvoir rentrer, surtout si l'on est quinze !

Règle n° 1 : on va chercher sa consommation au comptoir, on s'assoit et on hume l'air si particulier du lieu. Et puis si le gosier à sec se manifeste, alors on commande et on paie de suite. Pas de contestation de fin de beuverie sur le nombre de tournées à payer : sitôt reçu, sitôt payé !

Par tradition, et sûrement par goût, les hommes commandent toujours une *pint* (environ un demi-litre) et les femmes *half a pint,* parce que « *it's more socially acceptable* », mais on ne les empêche pas d'en commander deux fois plus, c'est ça aussi l'égalité des sexes !

Entre 16 et 18 ans, admission à la discrétion du patron (ils arrivent à faire la différence), mais interdiction de consommer des boissons alcoolisées. En dessous, *sorry*, pas d'admission, même en compagnie des parents.

Les fléchettes

Personne ne crache plus dans la sciure comme autrefois, ni dans les crachoirs géants. En revanche, on joue toujours aux fléchettes dans les pubs.

Voici les grandes lignes :

– On peut jouer individuellement ou par équipes.

– Le but du jeu est de partir d'un chiffre donné (301 à deux joueurs, 501 à deux équipes) et d'arriver le premier à zéro, en déduisant à chaque fois les points obtenus.

– Au 301, il faut toujours débuter par un double pour avoir le droit de continuer (la partie est dite *double-in*).

– Chaque joueur dispose de trois fléchettes et tente de les placer dans une cible posée à 1,73 m du sol et située à 2,74 m d'une ligne appelée *hockey line*. Cette cible

> **EN PLEIN DANS LE MILLE !**
>
> *Le jeu de fléchettes remonterait à la guerre de Cent Ans. La légende veut qu'un jour où il faisait un temps de chien, des archers anglais, abrités sous une grange, s'amusèrent à lancer des flèches sur la tranche d'un billot de bois. Ils raccourcirent vite leurs projectiles jusqu'à obtenir des darts (le mot est d'ailleurs français). Les divisions en secteurs de la cible moderne s'inspireraient des veines du bois. Ainsi naquit ce jeu célèbre aux règles compliquées qui occupent les clients de tout pub respectable.*

ressemble à une grosse tarte coupée en vingt secteurs. Elle était autrefois en bois d'orme, et, pour la conserver, on la plongeait chaque soir dans un tonneau de bière. On utilise aujourd'hui le sisal, une fibre végétale compressée et cerclée de fer.

– Chaque fléchette marque les points correspondant au point d'impact. Le cercle extérieur double les points. Celui du milieu le triple, le centre (*bull eye*, de couleur rouge ou noire) vaut cinquante points et le petit cercle autour 25 points. Les fléchettes qui se plantent mais finissent par tomber ne comptent pas.

– La fin de la partie est souvent héroïque ! Il ne faut pas dépasser le zéro et recommencer tant qu'on ne l'a pas atteint précisément. Encore faut-il finir par un double ! Même les plus grands champions ont parfois du mal à finir.

Et, si vous ne vous y retrouvez pas parmi les nombreuses variantes propres à chaque pub, ne soyez pas mauvais joueur : de toute façon, cela se termine toujours par une pinte de bière.

Les « Quiz »

Sorte de *Scottish Trivial Pursuit* : un crieur pose une quarantaine de questions de culture générale. On y répond par écrit en équipe autour d'une table. Les vainqueurs ont droit à des consommations gratuites.

RELIGIONS ET CROYANCES

En Écosse, la religion la plus répandue est le christianisme. L'Église presbytérienne *The Church of Scotland*, protestante de doctrine calviniste, est l'Église officielle du pays. Fondée par John Knox au XVIᵉ siècle, son originalité réside dans le fait que les pasteurs sont élus par les membres de l'Église. Un vrai système démocratique ! La population est dans l'ensemble croyante et par endroits très pratiquante. Ainsi, vers le nord-ouest de l'Écosse et les îles, la conviction religieuse est tellement forte que tous les services sont suspendus le dimanche !

Les catholiques se regroupent plus vers le sud-ouest du pays, du fait de la proximité de l'Irlande. D'ailleurs, Glasgow possède deux équipes de football rivales, l'une protestante, les *Rangers,* et l'autre catholique, les *Celtic.* Avec tous les problèmes qui s'ensuivent...

SAVOIR-VIVRE ET COUTUMES

Ce qu'il ne faut pas faire

– Dire qu'un Écossais est anglais. Misère ! Britannique, passe encore...
– Serrer la main d'un Écossais, sauf quand on le voit pour la première fois, et on lui fait encore moins la bise, surtout si on ne le connaît pas, *shocking !*
– Jeter une vieille boîte de conserve par terre entraîne immédiatement une amende si un agent se trouve à proximité. À payer sur-le-champ.
– Resquiller dans une file d'attente. Faire la queue est une institution sacrée. Il faut la respecter, bien qu'il soit parfois difficile de savoir où il convient de la faire. On fait la queue pour prendre le bus ou le train, aux guichets des cinémas et des théâtres, mais pas au bar à l'entracte.
– Fumer dans un lieu public, c'est désormais interdit.
– Dans un pub, faire part de ses idées sur le football, surtout après quelques pintes. À chaque équipe sont associées des convictions religieuses. Cela engendre parfois des tensions qu'il est préférable d'éviter. Voir « Religions et croyances ».
– Manquer de diplomatie sur la question du nationalisme. Attendre de mieux connaître son interlocuteur, pour ne pas heurter les sensibilités. Même topo pour l'Europe, bien que l'Écosse soit plutôt favorable (tant qu'il ne s'agit pas d'agriculture ou de pêche !), la notion est encore lointaine pour certains.

W-C publics

C'est une institution qui provoque la jalousie du reste du monde civilisé. On en trouve dans tous les lieux publics, à proximité des gares, des marchés, des hôpitaux, des rues commerçantes, etc. Ils sont gratuits, plutôt bien entretenus et souvent parfumés. Ils datent de l'époque victorienne, où les principes de l'hygiène étaient érigés au rang des vertus civiques. Alors, vous n'avez aucune excuse pour uriner au bord de la route, d'autant que cette attitude choquera les Écossais.

SITES INSCRITS AU PATRIMOINE MONDIAL DE L'UNESCO

Organisation
des Nations Unies
pour l'éducation,
la science et la culture

En coopération avec
le centre du patrimoine mondial de l'UNESCO

Pour figurer sur la Liste du patrimoine mondial, les sites doivent avoir une valeur universelle exceptionnelle et satisfaire à au moins un des dix critères de sélection. La protection, la gestion, l'authenticité et l'intégrité des biens sont également des considérations importantes.
Le patrimoine est l'héritage du passé dont nous profitons aujourd'hui et que nous transmettons aux générations à venir. Nos patrimoines culturel et naturel sont deux sources irremplaçables de vie et d'inspiration. Ces sites appartiennent à tous les peuples du monde, sans tenir compte du territoire sur lequel ils sont situés. Pour plus d'informations ● http://whc.unesco.org ●
En Écosse, sont inscrits la vieille ville et la nouvelle ville d'Édimbourg (1995), le cœur néolitithique des Orcades (1999) et New Lanark (2001).

SPORTS ET LOISIRS

Le sport en Grande-Bretagne est invariablement associé aux paris. Les Écossais sont prêts à parier n'importe quoi et sur tout ; en effet, les *bookmakers* – une institution privée britannique – prennent des paris sur le pays qui accueillera les prochains Jeux olympiques, ou tout simplement sur le temps qu'il fera demain (là, les optimistes sont désavantagés !).

En août, la chasse à la *grouse* est prétexte à réunir tout le gratin huppé international, ce qui permet à la vieille aristocratie locale de survivre. Quant aux amateurs de pêche, ils aimeront tout particulièrement taquiner le saumon ou la truite.

Golf

On dit du golf qu'il fut inventé par des bergers qui s'ennuyaient au milieu de leurs moutons et qui, un jour, imaginèrent un passe-temps pas bien malin : à l'aide de leur crosse de berger, ils expédiaient des cailloux ou des crottes de mouton séchées dans les terriers de lapins. Marie Stuart était une fana de golf et scandalisa les Écossais puritains en s'adonnant à son jeu favori peu de temps après la mort de son mari. Un édit de la même époque l'interdit momentanément parce qu'il distrayait les Écossais de l'entraînement militaire. Les prestigieux *golf clubs* d'Édimbourg et de Saint Andrews ont été fondés dès le milieu du XVIIIe siècle par des gentlemen qui se côtoyaient assidûment dans les loges maçonniques. Et dès 1868, les dames furent autorisées à arpenter les greens.

L'Écosse compte plus de 450 terrains de golf et, contrairement à la perception que l'on en a sur le continent, ce n'est nullement un sport élitiste. Les droits d'entrée sont vraiment modiques et vous verrez souvent des gamins, sac de clubs sur l'épaule, aller faire quelques trous à la sortie des cours. Les greens les plus anciens et les plus sélects entretiennent une tradition rigoureuse et exigent un parrainage, mais vous trouverez des terrains municipaux où un parcours ne vous coûtera que quelques livres. Jetez donc vos préjugés aux orties (ou plutôt aux chardons), et si l'on vous invite pour un parcours sur un des *links* côtiers, n'hésitez pas ! Le « 19e trou » (au *clubhouse*) n'en sera que plus chaleureux. C'est cela aussi, l'âme écossaise.

Rugby

L'origine de ce sport remonte au XIXe siècle, lorsqu'un lycéen (futur pasteur) prit la balle dans ses bras au cours d'un match de balle au pied dans la ville anglaise de... Rugby ! L'Écosse participe au tournoi des Six Nations. Les matchs à domicile de l'équipe du Chardon se jouent au stade de Murrayfield, à Édimbourg.

Randonnées

Des promenades familiales aux longues marches de chevronnés, les Highlands font le bonheur de tous les randonneurs. D'où les *Munros,* très populaires, qui correspondent à une liste de 284 montagnes d'une altitude supérieure à 3 000 pieds, soit 914 m. Un vrai challenge pour tout montagnard écossais. Les chemins sont praticables d'avril à octobre, avec parfois encore de la neige en début de saison. Celui qui s'attaque à ces montagnes pratique donc le *munro bagging* !

Signalons quelques itinéraires bien balisés (comme les GR chez nous) :

➤ **West Highland Way,** 95 miles (153 km) **:** accessible d'avril à octobre. Prévoir une semaine. Balisé par le chardon, de Glasgow à Fort William à l'ombre du Ben Nevis, le plus haut sommet de Grande-Bretagne (1 344 m). Facile à suivre à ses débuts, sur la rive du Loch Lomond, l'itinéraire monte progressivement à l'approche de Crianlarich, puis suit une route militaire avec des tronçons plus corsés, comme de Glencoe à Kinlochleven en passant par le Devil's Staircase. Nombreu-

ses possibilités d'hébergement sur le parcours (campings, *B & B*) ; penser à réserver en haute saison. ● *west-highland-way.co.uk* ●
– *Convoyage de sac d'une étape à l'autre : Travel-Lite,* une petite compagnie basée à Milngavie. Certains penseront que c'est de la triche, mais à chacun son plaisir ! *Infos :* ☎ *(0141) 956-78-90.* ● *travel-lite-uk.com* ● *Prévoir £ 33 (49,50 €) pour ce service sur tte la balade.*

➢ ***Great Glen Way,*** 73 miles (117 km) **:** suit le canal Calédonien, de Fort William à Inverness. Prévoir de 4 à 6 jours. Les plus costauds peuvent donc prolonger l'itinéraire précédent. Certains tronçons empruntent des anciens chemins de halage, d'autres sinuent en pleine forêt. Nombreuses écluses en route. Parcours doublé d'une piste cyclable sur presque toute sa longueur. ● *greatglenway.com* ●

➢ ***Southern Upland Way,*** 212 miles (341 km) **:** c'est le plus long d'Écosse. D'ouest en est, il va de Portpatrick, près de Stranraer, à Cockburnspath dans les Borders. Vallées, forêts et collines sans trop de difficultés jalonnent l'itinéraire qui nécessite pourtant une préparation soignée dans les tronçons où l'hébergement n'est pas assuré. ● *southernuplandway.com* ●

➢ ***Speyside Way,*** 65 miles (105 km) **:** au cœur des Grampians, part de Buckie sur la côte et remonte le cours de la Spey jusqu'à Aviemore. Variantes vers Tomintoul et Dufftown. Pas de difficulté particulière. Sentiers campagnards en bordure des monts Cairngorm avec des possibilités d'arrêt pour visiter les distilleries avant de repartir d'un pas allègre. ● *speysideway.org* ●

➢ ***Kintyre Way,*** 89 miles (143 km) **:** dans le comté d'Argyll, de Tarbert à Southend, tout le long de la péninsule de Kintyre. Prévoir 4 à 7 jours. ● *kintyreway.com* ●

Quelques conseils

– Depuis le printemps 2005, le parlement écossais a fait entrer en vigueur une nouvelle législation, le *Scottish Outdoor Access Code.* Il permet à chacun de fréquenter la quasi-totalité du territoire écossais, dans la mesure où ce droit d'accès s'exerce de façon responsable, dans le respect d'autrui, des activités agricoles, forestières ou de pêche et chasse, et sans endommager le milieu naturel. Grosso modo, les seules zones d'exclusion sont la proximité immédiate des maisons, jardins et les territoires du ministère de la Défense (M.O.D.), les carrières et les réservoirs d'eau potable. Plus d'infos sur ● *outdooraccess-scotland.com* ●

– Attention à la période de chasse, du 1er juillet au 21 octobre pour les cerfs, et du 21 octobre au 15 février pour les biches. Le mieux consiste à appeler l'*estate* (le proprio) qui pourra vous suggérer des alternatives pour contourner les zones de chasse. Les *estates* se montrent de plus en plus coopératifs et des panneaux indiquent souvent le numéro de téléphone à contacter. Certaines régions mettent à disposition un répondeur avec messages réactualisés sur les zones à éviter ; vous trouverez leurs coordonnées sur ● *snh.org.uk/hillphones* ● Dans le doute, se cantonner aux sentiers et chemins, aux crêtes et arêtes, particulièrement à la descente, et suivre les cours d'eau les plus importants en descendant les versants découverts.

– Les randonnées dans les Highlands nécessitent des aptitudes sportives. Si les montagnes écossaises ont l'air de simples collines, gardez à l'esprit que la latitude n'est pas la même qu'en France et que les changements de temps y sont très brusques : une journée commencée sous un soleil radieux peut s'achever sous une pluie torrentielle ! Consultez les bulletins météo avant de partir. En multipliant les altitudes écossaises par deux ou même 2,5 (1 000 m en Écosse = 2 500 m en France), vous aurez une idée de la sévérité du terrain et des conditions météo que vous trouveriez en France à une altitude équivalente. Évidemment, boussole, bonnes chaussures et vêtements de pluie sont indispensables. Côté cartographie, il existe un bon découpage au 1/50 000 dans la série *Landranger* (couverture rose) de la compagnie nationale *Ordnance Survey* (● *ordnancesurvey.co.uk* ●). Du même éditeur, les cartes de la série *Explorer* au 1/25000 sont plus détaillées, mais moins lisibles. Signalons également les cartes *Harveys* (● *harveymaps.co.uk* ●), un éditeur spécialisé sur le plein air qui couvre les itinéraires de grandes randonnées. Quant aux topos, difficile de faire un choix, les ouvrages étant nombreux (en vente dans tous les offices de tourisme). Enfin, les curieux trouveront quelques itinéraires et des agences locales sur le site ● walking.visitscotland.com ●

Cyclotourisme, VTT

Les possibilités de circuits en Écosse ne font que s'améliorer. Les petites routes sinueuses des Highlands invitent les amateurs de cyclotourisme à découvrir les quatre coins de l'Écosse.
– Les routes se divisent en différentes catégories : les A sont les principales et les B les secondaires (M pour les autoroutes, à proscrire). Ensuite, le nombre indique leur degré d'importance. Les moins importantes sont les B suivies d'un maximum de chiffres. Quant aux autres (non classées), elles restent des valeurs sûres.
– Il existe un bon réseau de pistes cyclables à l'échelle nationale. Idéales pour basculer d'une région à une autre. *Infos sur* ● *sustrans.org.uk* ● *Pour les questions pratiques, consulter* ● *visitscotland.com* ●

Quelques itinéraires, parmi les classiques :

➤ *Great Glen Cycle Route,* 81 miles (130 km) *:* entre Fort William et Inverness, dans le Great Glen. C'est la balade rêvée, avec pistes forestières et chemins de halage le long du canal. Mais il faut partager l'itinéraire avec les randonneurs.
➤ *Barra à Butt of Lewis :* dans les Hébrides Extérieures. Bien choisir sa saison car le vent est redoutable ! C'est un classique, sur près de 124 miles (200 km). Il existe des *passes* pour se rendre d'une île à l'autre (voir la *Caledonian MacBrayne* dans « Transports intérieurs »). ● *cyclehebrides.com* ●
➤ *North Sea Cycle Route :* en Écosse, il emprunte la piste n° 1 du *National Cycle Network,* d'Aberdeen à John O'Groats. Sinon, pour les plus entraînés, l'itinéraire se poursuit en boucle, sur près de 3 800 miles (plus de 6 000 km), joignant les sept pays de la mer du Nord. ● *northsea-cycle.com* ●

Ski

Les Écossais font de leur mieux pour faire croire qu'il est possible de skier dans leur montagne. Et c'est vrai, pour les plus courageux de nos lecteurs visitant l'Écosse en hiver, qu'il est possible de skier dans cinq centres de sports d'hiver. Activité assez onéreuse. *Infos (dont enneigement) :* ● *ski.visitscotland.com* ●
En revue :

➤ *Cairngorm* (près d'Aviemore) *:* très fréquenté, avec un funiculaire !
➤ *Glencoe :* station pionnière d'Écosse, avec les pistes les plus raides.
➤ *Glenshee :* la plus grande station ; centre de ski de fond à proximité.
➤ *The Lecht :* petite station idéale pour les débutants, dans le Nord-Est.
➤ *Nevis Range :* face au Ben Nevis, équipement ultramoderne.

La folie du bingo !

Les femmes sont dingues du *bingo,* surtout les vieilles dames. Ce jeu qui ressemble au loto est typique de la Grande-Bretagne. Chaque ville a le sien. Il faut absolument y faire un tour en fin de journée. Chaque joueur dispose d'une carte et, dans un grand silence, le *speaker* annonce des numéros. Le gagnant est celui qui a tous ses numéros annoncés.

UNITAID

« L'aide publique au développement est aujourd'hui insuffisante » selon les Nations unies. Les objectifs principaux sont de diviser par deux l'extrême pauvreté dans le

HOMMES, CULTURE ET ENVIRONNEMENT

monde (1 milliard d'êtres humains vivent avec moins de 1 dollar par jour), de soigner tous les êtres humains du sida, du paludisme et de la tuberculose, et de mettre à l'école primaire tous les enfants du monde d'ici à 2020. Les États ne fourniront que la moitié des besoins nécessaires (80 milliards de dollars).

C'est dans cette perspective qu'a été créée, en 2006, UNITAID, qui permet l'achat de médicaments contre le sida, la tuberculose et le paludisme.

Aujourd'hui, plus de 30 pays se sont engagés à mettre en œuvre une contribution de solidarité sur les billets d'avion, essentiellement consacrée au financement d'UNITAID. Ils ont ainsi ouvert une démarche citoyenne mondiale, une première mondiale, une fiscalité internationale pour réguler la « mondialisation » : en prenant son billet, chacun contribue à réduire les déséquilibres engendrés par la mondialisation.

Le fonctionnement d'UNITAID est simple et transparent : aucune bureaucratie n'a été créée puisque UNITAID est hébergée par l'OMS et sa gestion contrôlée par les pays bénéficiaires et les ONG partenaires.

Grâce aux 300 millions de dollars récoltés en 2007, UNITAID a déjà engagé des actions en faveur de 100 000 enfants séropositifs en Afrique et en Asie, de 65 000 malades du sida, de 150 000 enfants touchés par la tuberculose, et fournira 12 millions de traitements contre le paludisme.

Le *Guide du routard* soutient, bien entendu, la réalisation des objectifs du millénaire et tous les outils qui permettront de les atteindre ! Pour en savoir plus :
● unitaid.eu ●

ÉDIMBOURG ET LES LOTHIANS

ÉDIMBOURG   450 000 hab.   IND. TÉL. : 0131

> Pour les plans d'Édimbourg, se reporter au cahier couleur.

Édimbourg (Edinburgh en v.o., prononcez « Edinborau »), capitale de l'Écosse, est la deuxième destination touristique de Grande-Bretagne après Londres. Certains Écossais aiment l'appeler l'« Athènes du Nord », faisant référence à la version de l'Acropole dominant la ville et aux nombreux bâtiments civils du XIXᵉ siècle flanqués de colonnes corinthiennes. C'est une ville attachante, très contrastée sur le plan social mais dotée d'une jeunesse bigarrée pleine de vie, de remarquables musées et d'une vie culturelle riche qui connaît son apogée chaque année en août, au moment du festival.

UN PEU D'HISTOIRE

Édimbourg prit vraiment de l'importance quand elle ravit à Perth, au XVᵉ siècle, le titre de capitale de l'Écosse et que s'y développèrent les arts et les lettres. C'est ici d'ailleurs que se monta la première presse à imprimer. Édimbourg fut pillée à plusieurs reprises par les Anglais. Sous le règne de Marie Stuart, la ville devint le théâtre de nombreuses péripéties politiques et de drames. En 1707, elle perdit son parlement, et la mainmise de l'Angleterre se fit plus précise. Un court intermède en 1745, lorsque Charles-Édouard, dit « Bonnie Prince Charlie », en fit sa capitale provisoire. Une fois la domination britannique achevée, Édimbourg ne sombra néanmoins pas dans la morosité et la passivité. Les XVIIIᵉ et XIXᵉ siècles furent riches en créations littéraires et artistiques : Robert Burns, Stevenson, Dickens, Walter Scott, pour ne citer qu'eux, laissèrent leur empreinte. N'oublions pas de citer également Graham Bell, l'inventeur du téléphone, qui vit le jour dans une maison de Charlotte Square. Sans lui, que serions-nous... Sur le plan architectural, New Town symbolise la ville idéale et fait figure de chef-d'œuvre d'urbanisme, tandis que la ville médiévale, contrairement à Glasgow, possède un maillage étroit de ruelles pittoresques et de nombreux vestiges émouvants. Au cœur du vieil Édimbourg, le nouveau parlement écossais se distingue par son parti pris résolument moderne. Inauguré en octobre 2004, cinq ans après que Tony Blair a mis en place la *devolution,* la décentralisation britannique, il redonne à la ville un souffle nouveau, sur le plan architectural, mais surtout politique...

Arriver – Quitter

En avion

✈ *L'aéroport* d'Édimbourg se situe à env 11 km à l'ouest du centre. ☎ *0870-040-00-07.* ● *baa.com* ● Comptoir d'infos touristiques *(tlj 6h30-22h30),* bureaux de change, bornes Internet (accès payant), distributeurs de billets et agences de location de voitures.

ÉDIMBOURG

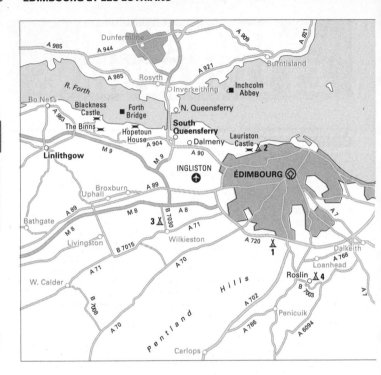

■ **Air France :** ☎ 0870-142-43-43. • airfrance.fr •
■ **British Airways :** ☎ 0870-850-98-50 (numéro national ; 6h-20h). • britishairways. com •
➤ Pour rejoindre le centre-ville : bus ts les 10 mn (ttes les 20 mn 4h50-6h50). Également un départ par heure la nuit (N 22). Coût : £ 3,50 (5,30 €) l'aller simple, £ 5 (7,50 €) l'aller-retour. Trajet rapide : 25 mn max. Arrivée à Waverly Bridge.
➤ Pour se rendre à l'aéroport : le bus part de Waverley Bridge (zoom couleur I, F7, 3) tlj et 24h/24 ; départ ts les 10 mn 8h30-23h45 ; 1 bus/h dans la nuit jusqu'à 4h20. Plus fréquents ensuite. Rens : ☎ 555-63-63. • flybybus.com •
➤ En taxi : prévoir env £ 17 (25,50 €). Airport Taxis : ☎ 344-33-44.

En train

🚆 **Waverley Station** (zoom couleur I, G6) : rens au Scotrail, ☎ 08457-48-49-50. • firstgroup.com/scotrail • Cette gare relie Édimbourg à Londres et quasi toute l'Écosse. Consignes payantes, distributeurs de billets, bureau de change et accès à Internet.
🚆 **Haymarket Station** (plan couleur général D8) : à West End. La plupart des trains en direction (et provenance) de Glasgow, Aberdeen, Stirling et Inverness s'y arrêtent.

En bus

🚌 **Edinburgh Bus Station** (zoom couleur I, F6) : entrée à l'angle nord-ouest de Saint Andrew Sq, en sous-sol. Autre accès par Elder St. Infos générales sur le site

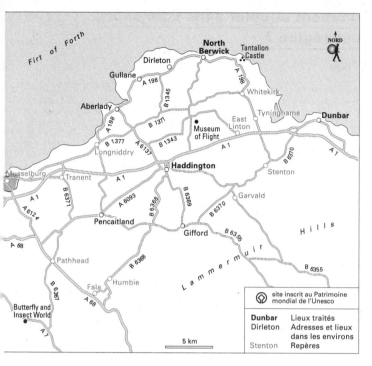

ÉDIMBOURG ET LES LOTHIANS

⚹ **Où dormir ?**	**2** Edinburgh Caravan Club Site
	3 Linwater Caravan Park
1 Mortonhall Caravan Park	**4** Slatebarns Caravan Park

● *traveline.org.uk* ● *ou au* ☎ *0870-608-2608. Consignes payantes.* Bus de et vers toutes les villes du pays. C'est le moyen de transport le moins cher ; réduc pour les moins de 26 ans et les étudiants sur certaines compagnies : le préciser au moment de la réservation. Principales compagnies :

■ ***Scottish Citylink :*** *infos et résa au* ☎ *08705-50-50-50.* ● *citylink.co.uk* ●
■ ***First Edinburgh :*** *rens au* ☎ *0870-608-26-08.* ● *firstgroup.com* ●

■ ***National Express :*** *infos et résa au* ☎ *08705-80-80-80.* ● *nationalexpress. com* ●

Liaisons avec :
➢ ***Les Borders*** au sud et les localités de l'ouest telles que ***South Queensferry, Linlightgow*** et ***Stirling*** sont assurées par *First Edinburgh,* l'opérateur local.
➢ ***Glasgow :*** 1h de trajet avec *National Express* ou *Citylink.*
➢ ***Londres*** (9h de trajet), ou ailleurs en Angleterre, cars *Silverchoice, Megabus* ● *megabus.com* ● ou de la *National Express.*

Comment circuler dans Édimbourg et sa région ?

En bus

Réseau dense et efficace. Les **Lothian Buses** (☎ 555-63-63. ● *lothianbuses. com* ●) desservent Édimbourg et les faubourgs. Trajet simple à £ 1 (1,50 €) quelle que soit la distance, ou *Daysaver,* ticket au nombre de trajets illimité valable un jour : £ 2,50 (3,80 €). Prévoir l'appoint, le chauffeur ne rend pas la monnaie (sinon possibilité d'acheter des jetons – *travel tokens* – dans les différents *travelshops* aux adresses ci-dessous). Pour les séjours longue durée, préférer le *Ridacard* à £ 13 (19,50 €) la semaine ; réduc étudiants. Pour les *night buses,* prévoir £ 1,50 (2,30 €) en supplément pour les détenteurs d'un *pass,* £ 2,50 (3,80 €) pour les autres.
Pass *disponible dans les* **travelshops** *: 31, Waverley Bridge (zoom couleur I, F6-7), Shandwick Pl (zoom couleur I, E7) ou 27, Hanover St (zoom couleur I, F6). Lun-sam 8h15-18h. Sur Warveley Bridge, également ouv dim jusqu'à 17h.*
– Les bus verts desservent villes et villages des alentours.
– Il existe également une autre compagnie, la *First,* mais ses bus sont moins fréquents et les tarifs différents.

À vélo

La ville se découvre facilement à pied, mais, cela dit, des pistes cyclables sillonnent la ville. On peut aussi s'éclater à VTT dans les Pentlands, juste au sud d'Édimbourg.

■ **Bike Trax Cycle Hire** *(zoom couleur I, E8,* **1***) : 7-11, Lochrin Pl (Tollcross).* ☎ *228-66-33.* ● *biketrax.co.uk* ● *Lun-ven 9h30-18h ; sam 9h30-17h30 ; dim 12h-17h. Compter env £ 16/j. (24 €).*

Tarifs dégressifs.
■ **Rent a Bike** *(zoom couleur I, G7,* **2***) : 29, Blackfriars St.* ☎ *556-55-60. Tlj 10h-18h. Compter £ 20/j. (30 €).*

Location de voitures

La plupart des stationnements en centre-ville sont payants. Essayez, entre autres, du côté des *Royal Botanic Gardens* et d'*Inverleith Park (plan couleur général D-E4).*

■ **Condor Self Drive** *(zoom couleur I, E8,* **5***) : 45, Lochrin Pl (Tollcross).* ☎ *229-63-33.* ● *condorselfdrive.co.uk* ● *Tlj 8h-18h (13h w-e). Âge minimum : 21 ans et 2 ans de permis.*
■ **Enterprise rent a car :** *à l'aéroport (*☎ *348-40-00) ou en ville, notamment au 67, Salamender St, à Leith.* ☎ *555-05-55.* ● *enterprise.co.uk* ●
■ **Avis :** *5, West Park Pl.* ☎ *0870-153-*

9103. Et à l'aéroport : ☎ *0870-608-63-35.* ● *avis.co.uk* ●
■ **Hertz :** *10, Picardy Pl.* ☎ *0870-846-00-13. Et à l'aéroport :* ☎ *0870-846-00-09.* ● *hertz.co.uk* ●
■ **Budget :** *à l'aéroport.* ☎ *333-19-26.* ● *budget.co.uk* ● *Âge minimum requis : 23 ans. Supplément pour les moins de 25 ans.*

Taxis

Comme à Londres, ils prennent cinq personnes, profitez-en !

■ **City Cabs :** ☎ *228-12-11.*

■ **Central Taxis :** ☎ *229-24-68.*

Adresses et infos utiles

Infos touristiques

ⓘ Tourist Information Centre *(zoom couleur I, G6)* : *3, Princes St.* ☎ *(0845)-225-51-21.* • *edinburgh.org* • *Sur une esplanade entre la gare et Princes St. Juil-août, lun-sam 9h-20h ; dim 10h-20h, jusqu'à 19h en mai, juin et sept, 18h en avr et oct, 17h nov-mars (18h jeu et dim).* Bureau de change, librairie, accès Internet (cher), réservation de chambres, etc. S'y procurer le *What's On* (• *whatson-scotland.co.uk* •), magazine d'actualité culturelle pour la ville d'Édimbourg (publication mensuelle) ou pour toute l'Écosse (2 publications par an). Très bien fait et pratique pour se concocter un séjour aux petits oignons.
ⓘ Visitscotland *(Central Information Department)* : ☎ *1506-832-121* ou *0845-22-55-121.* • *visitscotland.com/fr* • *Demande de rens par téléphone ou par courrier slt, lun-ven 8h-20h ; sam 9h-17h30 ; dim 10h-16h.*
– *Beaucoup d'infos à glaner aussi sur* • *edinburghguide.com* •

Services

✉ **Postes** : *dans le Saint James Centre (zoom couleur I, G6) que longe Leith St. Tlj sf dim 9h-17h30. Dans New Town, au 40, Frederick St (zoom couleur I, E-F6). Lun-ven 9h (9h30 mar)-17h30 ; sam 9h-12h30. Dans Old Town, au 46, Saint Mary's St (zoom couleur I, G7) : 9h-12h30, 13h30-17h30. Fermé mer ap-m, sam ap-m et dim. Enfin, à Leith, au 9, Bernard St (zoom couleur II, I2).*

Accès Internet

Parmi les nombreux cybercafés d'Édimbourg, nous avons sélectionné les deux adresses suivantes, pour leurs tarifs intéressants et leur situation stratégique. Dans les hôtels et chambres d'hôtes, il y a souvent l'accès wi-fi.

@ **Internet Café** *(zoom couleur I, F7, 6)* : *98-100, Victoria St. Au début de Grassmarket. Tlj 10h-23h.*
@ **Easy Internet Café** *(zoom couleur I, E-F6, 7)* : *58, Rose St. Tlj 7h30-22h (9h dim).* Une véritable usine Internet, mais confortable (il y a même la clim'), avec plus de 350 PC dernière génération. Forfaits intéressants. On peut aussi y boire un coup.

Argent, change

– Pour changer de l'argent, on vous conseille le bureau de change de l'office de tourisme, plus intéressant que les banques. Sinon, bon réseau de distributeurs automatiques. Ici comme ailleurs, il est plus intéressant de retirer une somme importante plutôt que faire plusieurs petits retraits.

Représentations diplomatiques

■ **Consulat de France** *(plan couleur général D6, 9)* : *11, Randolph Crescent.* ☎ *225-79-54.* • *consulfrance-edimbourg.* *org* • *Lun-ven 9h30-13h ; l'ap-m sur rdv.*
■ **Consulat de Suisse** : *66, Hanover Pl.* ☎ *226-56-60.*

Culture

■ **Institut français d'Écosse** *(plan couleur général D6, 11)* : *13, Randolph Crescent.* ☎ *225-53-66.* • *ifecosse.org.uk* • *À côté du consulat. Lun-ven 9h30-18h30 ; sam 9h30-13h30. Médiathèque ouv lun-mer 9h30-13h, 14h-18h30 ; jeu*

9h30-18h30 ; ven 14h-18h30, sam 9h30-13h30. Médiathèque : expos, livres, vidéos, musique, etc.

■ **Librairie Waterstone's** (zoom couleur I, E6, **12**) : 83, George St. ☎ 225-34-36. Lun-sam 9h-21h ; dim 11h-18h. Succursales au 13-14, Princes St et 128, Princes St. Le poids lourd anglais du livre : plans de villes, guides (in French !), livres d'histoire locale, etc.

■ **Journaux français** (zoom couleur I, G7, **13**) : International Newsagents, 351, High St, Old Town.
– Si vous séjournez un bout de temps à Édimbourg, procurez-vous le Eating and drinking Guide et The List, qui recensent les restos, bars et pubs de la ville par thèmes, ainsi que les événements culturels.

Agences de voyages

Voir également à la rubrique « Transports intérieurs » dans « Écosse utile ».

■ **Walkabout Scotland :** ☎ 0845-686-13-44. ● walkaboutscotland.com ● Résa sur Internet slt ou par téléphone. Excursions d'un week-end, d'une semaine dans les montagnes des Highlands, parmi les plus prestigieuses d'Écosse (Ben Lomond, Buachaille Etive Mhor...), et ce, encadré par des guides qualifiés. Niveau variable selon les balades.
■ **Rabbies :** 207, High St. ☎ 226-31-33. ● rabbies.com ● Tlj 8h30-18h. Excursions d'une journée à partir de £ 36 (54 €). Cette agence offre un programme quotidien orienté culture et patrimoine. Destinations : les Tros-

sachs, Stirling, Pitlochry, Saint Andrews et Fife... Extensions à Iona et Skye. Trajet en bus de petite capacité (16 personnes maximum). Balade d'un ou plusieurs jours. Idéal si le temps vous est compté. Bureau de change au rez-de-chaussée.
■ **Timberbush Tours :** 555, Castelhill (juste avt le château, sur la droite). ☎ 226-60-66. ● timberbush-tours. com ● Réduc étudiant. Excursions en bus notamment dans les Highlands à la journée ou sur plusieurs jours, ainsi que des sorties à thème (rois, reines, héros ou meurtres, mythes et mystères... tout un programme !).

Divers

■ **Pharmacie Boots** (zoom couleur I, E7, **14**) : 48, Shandwick Pl. La pharmacie se trouve au fond du magasin, à droite. Lun-ven 7h30-20h ; sam 8h-18h ; dim 10h30-16h30.

■ **Objets perdus**
– À l'aéroport : ☎ 344-34-86.
– Dans la rue : ☎ 311-31-41 (police).
– Dans les transports : ☎ 558-88-58 (Lothian Buses). Lun-ven 10h-13h30.

Où dormir ?

Édimbourg est une destination courue, alors ne vous faites pas d'illusion... Inflation touristique oblige, les prix dans le centre-ville ont grimpé en flèche sans amélioration notable du confort. En haute saison (août principalement), certains hôtels considérés comme bon marché en temps normal basculent en prix moyens, voire carrément en chic, notamment pendant le festival. Voilà pourquoi les fourchettes de prix indiquées dans le texte sont parfois très larges. Il est très difficile de se loger à cette période, d'autant que les backpackers hostels ne prennent pas de réservation téléphonique. On peut, en dernier recours, consulter les petites annonces du Festival Fringe au 180, High Street (voir plus loin « Manifestations »). L'office de tourisme peut aussi vous réserver une chambre, mais il prend une commission.

Campings

⚠ **Mortonhall Caravan Park** (plan Édimbourg et les Lothians, **1**) : 38, Mor-

tonhall Gate, Frogstone Rd East. ☎ 664-15-33. ● meadowhead.co.uk ●

Au sud de la ville. Suivre l'A 701 en arrivant du centre et tourner à droite au panneau « Fairmilehead Mortonhall » ; c'est à 750 m. Bus n° 31 du centre et n° 11 de Princes St (15 mn de trajet). En prenant ce bus depuis le camping, préciser « Hyvots Bank ». Tte l'année. Résa conseillée en août. Emplacement standard pour deux £ 12-18 (18-27 €) selon saison. Avec le *Edinburgh Caravan Club Site*, ce sont les plus proches du centre. Isolé au bout d'un petit chemin, un vaste camping bien équipé et bien organisé. Beau site arboré, ce qui ne gâche rien. Paisible, il a aussi la plus grande capacité d'accueil pour les campeurs (avec tente). Sanitaires nickel. Laverie. Le pub-resto, installé dans d'anciennes écuries, a son petit caractère. Jeux pour enfants et accès Internet.

𐤀 **Edinburgh Caravan Club Site** *(plan Édimbourg et les Lothians, 2) : Marine Dr, à 5 km au nord-ouest du centre.* ☎ 312-68-74. ● *caravanclub.co.uk* ● *Bus n° 42, depuis Hanover St. Un filon : pour rejoindre le centre-ville, aller jusqu'à l'AJ Globetrotter, à une centaine de mètres slt, où un service de bus gratuits relie Édimbourg ttes les heures. Tte l'année. Compter env £ 19 (28,50 €) pour 2 pers avec une tente en hte saison.* Situation très agréable pour un camping de ville, coincé entre un golf, la colline où veille le Lauriston Castle et les rives du Firth of Forth. Terrain bien équipé, de taille moyenne, aux emplacements tirés au cordeau pour les caravanes et camping-cars. On plante sa tente sur une belle pelouse entourée d'arbres... Pas de resto. Dommage que l'aéroport soit si proche, mais les avions ne circulent que pendant la journée. Le gros plus : la mer à deux pas.

𐤀 **Linwater Caravan Park** *(plan Édimbourg et les Lothians, 3) : à West Clifton, à 12 miles (19 km) à l'ouest d'Édimbourg.* ☎ 333-33-26. ● *linwater.co.uk* ● *D'Édimbourg, bus n° 27 de Waterloo Pl (30 mn de trajet). L'arrêt est ensuite à 1,5 km env du camping. En voiture, suivre l'A 71 jusqu'à Wilkieston, puis prendre la B 7030 en direction du nord et de la M 8 ; c'est indiqué. Fermé de nov à mi-mars. Prévoir £ 12 (18 €) pour deux avec une tente.* Camping de taille moyenne, avec laverie, et aire de jeux pour enfants. Les tentes sont plantées sur un terrain à l'herbe bien grasse. Sanitaires nickel. Excellent accueil. Prévoir un ravitaillement car hormis les fraises (en saison *of course*) et le *bacon*, vendus par les adorables propriétaires, rien à se mettre sous la dent. Attention, là aussi, aéroport à proximité.

𐤀 **Slatebarns Caravan Park** *(plan Édimbourg et les Lothians, 4) : à Roslin.* ☎ 440-21-92. ● *slatebarns.co.uk* ● *À 7,5 miles (11 km) au sud de la ville, par l'A 701. Une fois à Roslin, passer la chapelle, c'est tout au bout du chemin. Bus n° 15a depuis Princes St. Pâques-fin oct. Résa conseillée en été. Compter £ 11 (16 €) pour deux avec une tente.* Tout petit camping familial en pleine campagne. Calme, mais équipements simples et théoriquement réservé aux caravanes et camping-cars (négociable pour les tentes). Surtout fréquenté par les habitués. Deux restos dans le village.

Dans Old Town

Bon marché

🛏 **Castle Rock Hostel** *(zoom couleur I, F7, 20) : 15, Johnston Terrace.* ☎ 225-96-66. ● *scotlandstophostels.com* ● *Nuit £ 15 (22,50 €) en dortoir 4-16 lits en hte saison ; également doubles avec lavabo (£ 40-55, soit 60-82,50 €), triples et quadruples.* Jeter son dévolu sur une bâtisse au pied du château laisse des traces : la réception prend des allures de châtelet et des fresques médiévales kitsch tapissent les murs ! En tout cas, avec les 250 lits, peu de risques de rester sur la paille ! Atmosphère gentiment brouillonne et résolument fraternelle. Vastes dortoirs, cuisine, billard, salon agréable avec cheminée, gros fauteuils et belle vue dégagée... et pas de couvre-feu ! En contrebas, patio (en fait une terrasse au vert) avec possibilité de barbecue. Ah, la vie de château !

🛏 **Brodie's Hostel** *(zoom couleur I, G7, 21) : 12, High St.* ☎ *et fax : 556-67-70.* ● *brodieshostels.co.uk* ● *Très central. Nuit £ 12-14 (18-21 €) par pers selon* *saison*. Avec seulement 5 dortoirs (4-16 lits), on fait vite le tour du propriétaire ! Également des chambres doubles. Beaux dortoirs avec pierres et poutres apparentes mais l'ensemble est assez négligé. Accès Internet (gratuit, mais ça mouline !). Thé et café offerts. Une annexe à quelques enjambées *(93, High St. ☎ 556-22-23)*. Les chambres et dortoirs y sont vraiment spartiates et le rapport qualité-prix moins bien.

🏠 *Royal Mile Backpackers (zoom couleur I, G7, 22)* : 105, High St. ☎ 557-61-20. • *scotlandstophostels.com* • Compter env £ 15 (22,50 €) en hte saison. Dortoirs 8-10 pers non mixtes. Petite AJ (à peine 40 lits en dortoirs) cachée à l'étage d'un immeuble, à deux pas de la maison de John Knox. Peu de services, mais la maison est en cheville avec les grosses *High Street Hostel* (voisine) et *Castle Rock,* bien équipées. Atmosphère décontractée, à l'image du salon commun et de la cuisine, propres et avenants. Plein d'infos sur les sorties en ville.

🏠 *Edinburgh Backpackers Hostel (zoom couleur I, G7, 23)* : 65, Cockburn St. ☎ 220-22-00 (résa). • hoppo.com • À 5 mn de la gare. Réception ouv en permanence. Nuit en dortoir £ 14-20 (21-30 €) selon saison. Doubles £ 50-65 (72,50-94,20 €) avec ou sans sdb, pour deux selon saison. Petit supplément le w-e. AJ spacieuse et bien tenue, où l'accueil reste simple et convivial. Un grand escalier mène aux dortoirs de 14 personnes maximum. Salon TV et salle commune confortables. Bien équipée : bar-restaurant, billard, en plus des services habituels. Belle vue sur la ville, mais nuits parfois agitées en raison de sa proximité avec de nombreux bars. Les chambres doubles se trouvent dans un autre immeuble. Pour prendre un petit déj écossais, allez au *Southern Cross Café* attenant (ristourne pour ceux qui logent à l'hôtel). Propose aussi des tours dans tout le pays.

🏠 *High Street Hostel (zoom couleur I, G7, 24)* : 8, Blackfriars St. ☎ 557-39-84. • *scotlandstophostels.com* • Env £ 15 (22,50 €) la nuit en dortoir. Également quelques doubles et quadruples

avec sdb extérieur, un peu plus chères. Grosse AJ très vivante dans une maison de caractère du XVIe siècle. Atmosphère chaleureuse, à l'image des salons confortables avec gros sofas, armures dans les recoins et piano. Dortoirs classiques, simples et salles de bains assez rudimentaires. Salon, billard, grande cuisine au sous-sol avec des peintures bariolées. Ambiance routarde garantie.

🏠 *Cowgate Tourist Hostel (zoom couleur I, G7, 48)* : 96-112, Cowgate. ☎ 226-21-53. • cowgatehostel.com • Compter £ 20 (29 €) par pers en chambres 4-6 lits. Également des doubles, à peine plus chères. Internet (gratuit). Des appartements fraîchement repeints et colorés, tous équipés d'une cuisine. Équipe sympa. Cerné par les pubs !

🏠 *St Christopher's Inn (zoom couleur I, G7, 25)* : 9-13, Market St. ☎ 226-14-46 ou (207) 407-18-56 (résa). • st-christophers.co.uk • Nuit £ 16-18 (24-27 €). Également des doubles, plus chères le w-e. Derrière la façade bleue du *Belushi's* (le bar de l'hôtel). L'avantage avec les chaînes hôtelières, c'est qu'il n'y a théoriquement pas de surprise. Les *St Christopher's Inn,* bien connues à Londres, ont bâti leur réputation sur la qualité correcte des prestations. Ici, les dortoirs de 4 à 14 lits disposent pour la plupart de w-c et de douches privés, et le bar de la maison facilite les rencontres. La preuve, ils ont même installé un distributeur de gadgets érotiques dans les w-c ! Bref, tout à fait fréquentable, même s'il vaut mieux avoir le sommeil lourd !

🏠 *Smart City Hostel (zoom couleur I, G7, 27)* : 50, Blackfriars St. ☎ 0870-892-30-00. • smartcityhostels.com • Compter £ 15-25 (22,50-37,50 €) la nuit par pers selon type de chambre et saison. Internet gratuit. Pas moins de 600 lits dans cette AJ installée dans un building moderne. Tous types de chambres, de la double au dortoir pour 12 personnes, avec salle de bains et w-c séparés dans chaque chambre. Une cafét', un bar et aux beaux jours, deux terrasses ombragées. Accueil à la fois pro et cordial.

Bon à savoir, l'association des AJ officielles ouvre un établissement supplémentaire en juillet-août : *Edinburgh Metro (plan couleur général G6-7) : Robertson's*

Close, sur Cowgate, stratégiquement situé dans le centre (pas de couvre-feu). ☎ 0870-155-32-55 (résa). • *syha.org.uk* • *Prévoir autour de £ 19-24 (28,50-36 €) par pers.* Que des chambres individuelles équipées de cuisine. Couples s'abstenir !

Dans New Town et West End

Bon marché

🏠 **City Centre Tourist Hostel** *(zoom couleur I, G6, 28) : 5, West Register St, juste un étage en dessous du* Princes St Backpackers. ☎ 556-80-70. *Compter £ 15 (22,50 €) par pers en dortoir de 4, 8 ou 10 lits. Quelques pounds de moins en sem.* Hyper-central ; gares routière et ferroviaire à proximité. Ne vous fiez pas à l'entrée, commune à 2 AJ. L'aspect *grunge* correspond davantage au *Princes St Backpackers*. Dortoirs bleu et blanc très propres et confortables, cuisine nickel équipée d'une poignée de tables de bistrot, atmosphère calme, due à la petite taille de l'auberge.

🏠 **Princes St Backpackers** *(zoom couleur I, G6, 28) : 5, West Register St.* ☎ 556-68-94. • *edinburghbackpackers. com* • *Prévoir £ 11 (16,50 €) par pers en dortoir ; plus cher pdt le festival ; également des chambres de 2, 3 ou 4 lits pour quelques pounds de plus.* Cage d'escalier ornée de graffitis psychédéliques, à l'image de cette AJ un peu brouillonne. Dortoirs un poil défraîchis, salle de bains et w-c assez limite, mais bonne ambiance.

🏠 **Belford Hostel** *(plan général couleur D7, 29) : 6-8, Douglas Gardens.* ☎ 220-22-00. • *hoppo.com* • *À l'angle de Belford Rd (env 25 mn de marche depuis Princes St). Pas de couvre-feu le w-e (3h en sem). Compter £ 15-19 (22,50-28,50 €) par pers en dortoir selon saison. Ou £ 24-33 (36-49,50 €) par pers en double, avec ou sans sdb. Bonne réduc en réservant sur Internet.* Difficile de la rater, cette AJ occupe une ancienne église rouge vif ! Dortoirs dans la nef, dans le style box minuscule en contreplaqué. Plutôt bruyant et pas très intime. Une chambre double qui contraste avec l'aspect monastique des dortoirs. Grande salle commune très sympa, décorée de vinyles, fanions et banderoles. Sinon, cuisine, bar, *snooker,* ping-pong et salle TV.

🏠 ⅄ **Edinburgh Central** *(plan couleur général H5, 33) : 9, Haddington Pl. À 10 mn à pied de Warverley Bridge.* ☎ 524-20-90 • *syha.org.uk* • *Fermé de début janv à mi-mars. Env £ 19-25 (28,50-37,50 €) par pers selon saison. Petit déj en sus. Loc de serviette possible.* Cet établissement fringant et moderne aligne environ 300 lits.

De prix moyens à plus chic

🏠 **Saint Valery Guesthouse** *(plan général couleur C-D7, 31) : 36, Coates Gardens.* ☎ 337-18-93. • *stvalery. com* • *Doubles £ 30-54 (45-81 €) par pers, petit déj inclus.* Un bon compromis : une maison de ville classique dans une rue résidentielle proche du centre. Chambres coquettes bien tenues, agrémentées comme il se doit de fausses cheminées et de doubles rideaux à ramages. Douche dans chaque chambre. L'une d'elles a les w-c sur le palier. Jolie salle de petit déj et bon accueil.

🏠 **Caravel Guesthouse** *(plan couleur général F5, 30) : 30, London St.* ☎ 556-44-44. • *caravelhouse.co.uk* • *Compter £ 27-35 (40,50-52,50 €) par pers* *selon saison, petit déj inclus.* Une dizaine de chambres d'un bon rapport qualité-prix pour le coin. Petites salles de bains mais l'ensemble reste tout à fait correct. Également une chambre familiale pouvant accueillir jusqu'à 6 personnes. En souvenir du Maroc d'où ils sont originaires, les propriétaires ont accroché aux murs quelques affiches et photos ; point commun avec les Anglo-Saxons, ils ont conservé le rituel du thé, mais à la menthe, bien entendu !

🏠 **Ardenlee Guesthouse** *(plan couleur général F5, 32) : 9, Eyre Pl.* ☎ 556-28-38. • *ardenlee.co.uk* • *Au nord de New Town. Résa impérative. Compter £ 30-45 (45-67,50 €) par pers, petit déj* *inclus, selon saison et confort. Parking privé. Un petit empire ! Fort de son succès, ce B & B a absorbé la maison voisine et aligne désormais plus de 20 chambres. Sans compter un appartement entièrement équipé pour 4 personnes ! Malgré tout, l'accueil reste affable et les chambres à la décoration soignée sont de bon confort.*

▣ **Terrace Hotel** *(zoom couleur I, H6, 34) :* 37, Royal Terrace. ☎ 556-34-23. ● *terracehotel.co.uk* ● *Sur les hauteurs de Regent's Garden, à 15 mn à pied du centre. Doubles £ 60-100 (90-150 €)*

pour deux selon saison et confort. Dans une avenue aux superbes alignements architecturaux. Haute maison de style géorgien (XVIIIe siècle), au salon élégant (piano à disposition pour les musiciens). Une quinzaine de chambres spacieuses, certaines plus charmantes que d'autres. En revanche, les salles de bains sont riquiqui. En haut, en façade, la vue porte sur le Firth of Forth. Joli jardin derrière (accessible, mais compliqué). Le proprio est un gentleman un peu excentrique mais rigolo. On se sent accueilli dans son honorable demeure...

À South Side et Tollcross

Bon marché

▣ **Argyle Backpackers Hotel** *(plan couleur général F-G9, 37) :* 14, Argyle Pl. ☎ 667-99-91. ● *argyle-backpackers.co. uk* ● *À côté du parc du Meadow, dans un quartier résidentiel. Bus nº 41 depuis The Mound (angle Princes St). Prévoir £ 12-19 (18-28,50 €) par pers en dortoir selon saison ; doubles £ 40-49 (60-73,50 €). Sa localisation dans 2 mai-*

sons de ville mitoyennes lui donne une petite touch *bien agréable : organisation de l'espace pas toujours rationnelle, mais dortoirs avec quelques souvenirs de moulures, et surtout une véranda donnant sur une courette impeccable pour les barbecues et l'apéro. Très convivial.*

Prix moyens

▣ **Aonach Mor** *(hors plan couleur général par I9, 40) :* 14, Kilmaurs Terrace. ☎ 667-86-94. ● *aonachmor. com* ● *Bus nos 14, 30, 33 et 86. Dans une ruelle perpendiculaire à Dalkeith Rd. Prévoir £ 30-70 (45-105 €) par pers selon saison et durée du séjour, petit déj*

et taxe inclus. Dans un secteur hyper-tranquille et résidentiel, une jolie maison tenue par un jeune couple dynamique. Accueil souriant, à l'image des chambres à la déco raffinée. Salle de petit déj sobre et avenante. Internet à disposition dans la salle commune.

– Dans cette catégorie, vous trouverez aussi de nombreux B & B sur Minto Street, Mayfield Gardens, Mayfield Road, Dalkeith Road, au sud-est de la ville. Bus fréquents. Lignes nos 3, 7, 8, 29, 31 ou 49. Arrêts à Minto Street ou Mayfield Gardens.

De chic à plus chic

▣ **Barony House** *(hors plan couleur général par H9, 41) :* 23, Mayfield Gardens. ☎ 667-58-06. ● *baronyhouse.co. uk* ● *Dans le prolongement de Minto St. Parking privé. À partir de £ 65 (97,50 €) la chambre pour deux, jusqu'à £ 95 (142,50 €) pdt le festival. Maison cossue tenue à la perfection par Susie Berkenkoff. Elle propose une dizaine de chambres très confortables, parfois*

avec des lits à baldaquin, toutes avec salle de bains privée. Bon petit déj (Susie adore cuisiner !).

▣ **Dorstan Hotel** *(hors plan couleur général par I9, 42) :* 7, Priestfield Rd. ☎ 667-67-21. ● *dorstan-hotel.demon. co.uk* ● *Au sud-est du centre-ville, dans une rue perpendiculaire à Dalkeith Rd. Parking privé. Compter env £ 60-110 (90-165 €) la chambre, petit déj inclus.*

Non-fumeur. Grosse maison cossue dans un quartier vraiment calme. Accueil familial et chambres confortables mais kitsch. Petit déj typique (*haggis*, haddock...). La salle à manger manque indéniablement de gaieté, mais est-ce essentiel ?

🏠 **Pollock Halls of Residence** (plan général couleur H8-9, **38**) : 18, Holyrood Park Rd. ☎ 651-20-07. ● edinburghfirst.com ● Au sud-est de la ville. Bus n° 14 sur South Bridge ou n° 33.

Ouv aux touristes slt à Pâques et de juil à mi-sept. Compter de £ 29 (43,50 €) pour une chambre individuelle (sdb à partager) à £ 52 (78 €) par pers en chambre double (avec sdb privée) en été, petit déj inclus. Chambres en cité universitaire, sobres mais impeccables et bien équipées. Pas donné et assez à l'écart mais les prestations sont bonnes. Piscine à 100 m, et le superbe parc d'Holyrood au bout de la rue. Internet.

À Leith et Portobello

De prix moyens à plus chic

Sur Pilrig St, une rue résidentielle typique au nord-est du centre, en direction de Leith, toutes les maisons ou presque font *B & B*. Pas loin du centre (20 mn à pied du Saint James Centre) et bien desservi par le bus n° 11 depuis Princes St.

🏠 **The Conifers** (zoom couleur II, H4, **43**) : 56, Pilrig St. ☎ 554-51-62. ● conifersguesthouse.com ● Compter £ 30-40 (45-60 €) par pers selon saison, petit déj inclus. Maison de ville britannique classique, avec jardinet, moquette épaisse et chambres confortables bien tenues. Bon accueil de Liz et Dave Fulton.

🏠 **Ardmor House** (zoom couleur II, H4, **45**) : 74, Pilrig St. ☎ 554-49-44. ● ardmorhouse.com ● Compter £ 30-55 (45-82,50 €) par pers selon saison, petit déj inclus. Tout est dans l'atmosphère.

Colin et Robin accueillent leurs hôtes dans leur jolie maison où ils ont su associer aux cheminées et moulures d'époque un ameublement contemporain choisi avec goût. Les chambres, dans les tons beiges, sont équipées de TV à écran plat. Si Colin doit s'absenter pour son travail, Robin soigne ses hôtes aux petits oignons, préparant de bons *breakfasts* et glissant toujours un bon conseil pour les sorties en ville. Très design et chaleureux.

– Portobello est un quartier très agréable, en bord de mer, à environ quatre miles (6 km) à l'est du centre-ville. Idéal pour les motorisés, qui pourront profiter de l'air du large.

🏠 **Abercorn Guesthouse** (hors plan couleur général par K6, **46**) : 1, Abercorn Terrace. ☎ 669-61-39. ● smoothhound.co.uk/hotels/abercorn.html ● Du centre-ville, bus n°s 15, 26 et 85 vers Abercorn Terrace ; arrêt à Saint Phillips Church (compter 20 mn de trajet depuis le centre-ville). Prévoir £ 25-60 (37,50-90 €) par pers selon saison et confort.

Petit déj inclus. Prix dégressifs pour séjour prolongé. Dans sa belle demeure victorienne flanquée d'un jardin à l'anglaise impeccable (pléonasme !), la dynamique Angela propose une poignée de belles chambres toutes différentes et fort confortables, dotées d'une petite salle de bains. Tout est décoré avec beaucoup goût.

À 5 km au nord-ouest

🏠 **The Globetrotter Inn** : 46, Marine Drive. ☎ 336-10-30. ● globetrotterinns.com ● Ttes les heures, un service de bus gratuit relie l'AJ au centre-ville. Compter £ 15-18 (22,50-27 €) la nuit en

dortoir, petit déj continental et taxe inclus ; ajouter £ 5 (7,50 €) pdt le festival. Également doubles £ 23 (34 €). Malgré l'imposante structure de l'AJ, qui empile près de 400 lits (!), c'est déjà la campagne, avec la mer en plus ! On est loin du traditionnel *B & B,* mais les avantages de ce genre d'industrie sont assez bluffants : immense cuisine à disposition (on ne fait pas la vaisselle, le *staff* s'en charge !), salle de cinéma avec une large sélection de films, ordinateurs avec accès Internet, épicerie au sous-sol... La grande artillerie, quoi ! Côté plumards, les dortoirs sont ultra bien conçus avec une veilleuse et une étagère pour chaque lit, ainsi que des rideaux individuels qui en font le tour. Du bar, la baie vitrée permet de profiter de la vue imprenable sur le parc et le Firth of Forth. C'est de ce côté qu'il faut tenter d'avoir une chambre. Pour se promener, empruntez le chemin qui longe l'eau.

Où manger ?

Dans Old Town

Bon marché

|●| *Baked Potato Shop* (*zoom couleur I, G7, 50*) *:* 56, Cockburn St, presque à l'angle de High St. ☎ 225-75-72. Tlj 9h-21h. Env £ 3 (4,50 €). Exclusivement à emporter. Ah ! ce n'est pas l'élégante ratte de Cabourg ! Grosse et rustique, cette patate-ci s'éventre par le milieu, se charge jusqu'à la gueule de farce délicieuse (végétarienne) et se savoure benoîtement dans le Princes St Garden. Comme les étudiants ! Également de bonnes soupes assez épicées et des salades.

Prix moyens

|●| *Bo's* (*zoom couleur I, G7, 54*) *:* 57-61, Blackfriars St. ☎ 557-61-36. Fermé le midi et lun. Plats env £ 14 (21 €). Un charmant bistrot arlequin : murs bleus, carreaux colorés au sol, mobilier en bois disparate, bougies intimistes. En un mot, une douce atmosphère pour goûter une cuisine végétarienne originale, mariant facilement sucré et salé. Service rapidement débordé. À côté, bar dans le même esprit, ouvert tous les jours jusqu'à 1h.

|●| *Doric Tavern* (*zoom couleur I, G7, 56*) *:* 15-16, Market St. ☎ 225-10-84. Au 1er étage. Pub et bar à vin jusqu'à minuit env. Plats autour de £ 11 (16,50 €) le soir, moins cher à midi. Un vaste resto surplombant le Warverley Bridge et le Princes St Garden pour boire un dernier verre, manger un vrai *haggis* ou un bon plat de poisson, ou encore grignoter salades, *pies*, gâteaux. Service rapide et bonne nourriture. Baby-foot au pub.

|●| *Ecco Vino* (*zoom couleur I, G7, 83*) *:* 19, Cockburn St. ☎ 225-14-41. Tlj 12h-minuit env. Lunch-*menu* £ 6 (9 €) ou plat £ 10 (15 €). À la carte, compter £ 18 (27 €) pour un repas complet. Un sympathique resto italien où les *antipasti,* pâtes et risottos ne sont qu'un prétexte pour tremper ses lèvres dans un verre de chianti. Le bataillon de bouteilles alignées sur le mur donne un aperçu des vins de diverses nationalités. C'est donc en bonne compagnie que l'on s'assoit sur la longue banquette et que l'on accompagne son godet d'un plat bien tourné, élégamment présenté. L'été, quelques tables débordent en terrasse.

|●| *David Bann* (*zoom couleur I, G7, 84*) *:* 56-58, Saint Mary's St. ☎ 556-58-88. Tlj 11h-22h. Plats autour de £ 10 (15 €). Ambiance zen et décontractée pour ce resto végétarien aux murs rouge et blanc dont l'inspiration oscille entre des saveurs asiatiques et méditerranéennes. Petits plats aussi bons pour les papilles que pour la ligne. En tout cas, après le *haggis,* les galettes d'aduki donnent le *haggis.*

|●| *Le Sept* (*zoom couleur I, G7, 55*) *:* 5, Hunter Square. ☎ 225-54-28. Tlj 12h-14h15, 18h-22h. Service continu vendim à partir de 12h. Formule 2 plats à £ 9 (13,50 €) pour le déj, £ 16 (24 €) le

soir. Plus cher à la carte. Une poignée de tables et chaises de bistrot essaimées sur le parquet, quelques vieilles pubs françaises aux murs, de belles photos noir et blanc et le tour est joué ! Le cadre souriant force la main aux indécis, rassurés par une cuisine hexagonale de bon aloi. Bonnes crêpes salées. Également une petite salle en sous-sol pour les jours d'affluence. Staff jeune et accueillant. Quelques tables en terrasse l'été.

|●| *Petit Paris* (zoom couleur I, F7, **58**) : 38-40, Grassmarket. ☎ 226-24-42. Tlj sf lun oct-mars, 12h-15h, 17h30 jusqu'à tard. Réservez. Plat du jour et café £ 7

(10,50 €) ; autour de £ 15 (22,50 €) le plat à la carte. Spécial nostalgiques : ici, vous êtes en territoire français, comme l'attestent le décor façon bistrot, les toiles cirées à carreaux, les affiches publicitaires, une musique et une cuisine 100 % tricolores ! Sans détailler la carte, sachez juste que le contenu de l'assiette est bon et bien présenté, comme en témoignent d'ailleurs les mines réjouies d'une clientèle... toujours fort nombreuse. On vous allèche quand même avec une fameuse crème brûlée, à faire rougir de plaisir. C'est tout petit, malgré la salle supplémentaire au sous-sol.

Chic

|●| *Dubh Prais* (zoom couleur I, G7, **59**) : 123B, High St. ☎ 557-57-32. Tlj sf dim et lun 17h-22h30. Fermé le midi sf pour déjeuner privé. Résa conseillée. Menu à partir de £ 27,50 (41,25 €) ; à la carte, plats autour de £ 16 (24 €). Un resto aussi grand qu'un mouchoir de poche. Décor charmant de petite cave chaulée, et cuisine écossaise raffinée. On vous recommande surtout le saumon et le fameux *haggis* en entrée. Nappes blanches et service impeccable. Clientèle un peu guindée.

|●| *Creelers* (zoom couleur I, G7, **60**) : 3, Hunter Sq. À côté de Tron Church. ☎ 220-44-47. Tlj 12h-14h30, 17h30-

22h30. Compter au moins £ 27 (40,50 €) pour un dîner. Le seul restaurant de poisson digne de ce nom dans le secteur. Forcément, l'addition est un peu salée... et pour cause ! Les produits d'une fraîcheur irréprochable proviennent tous de l'établissement principal, sur l'île d'Arran, un resto doublé d'une boutique. Bistrot en terrasse et restaurant aux lignes sobres un peu tristounes. Grâce à ses peintures aux murs, la salle du fond reprend quelques couleurs. Parmi les spécialités, le saumon maison et les langoustines se distinguent. Selon l'arrivage, *of course*.

Plus chic

|●| *The Witchery by the Castle* (zoom couleur I, F7, **61**) : 352, Castlehill, Royal Mile. ☎ 225-56-13. Tlj 12h-23h30. Le midi et avt 18h30, formule autour de £ 13 (19,50 €) ; sinon, compter env £ 22 (33 €) pour un plat à la carte. Un lieu réputé pour la magie du cadre, où l'on trouve même un donjon dans un coin de

salle. Atmosphère gothique pour la salle haute aux boiseries éclairées à la bougie, romantique pour le « Secret Garden », un jardin d'hiver aéré et verdoyant. Service impeccable, mais cuisine parfois inégale. Pour l'heure, c'est encore le resto le plus réputé d'Édimbourg.

Dans New Town et West End

Quartiers situés au nord et à l'ouest de Princes St.

Bon marché

|●| *Urbanangel* (zoom couleur I, F6, **82**) : 121, Hanover St. Lun-jeu 10h-

22h ; ven-sam 10h-23h ; dim 10h-18h. Une petite échoppe en *basement* où

ÉDIMBOURG

l'on salive sur les quelques produits (bio) à emporter (à toute heure). On se régale d'une tarte à la provençale, d'une tarte au citron avec une pâte à l'inimitable goût de spéculoos, et au cas où on ne repasserait pas dans le coin, on prévoit quelques *scones* pour le goûter !

|●| *L'Alba d'Oro* (plan couleur général E-F5, 63) : 5-9, Henderson Row ; quasiment à l'angle de Dundas St. Ts les soirs jusqu'à 23h (minuit jeu-sam). Prévoir £ 6 (9 €) le fish supper. Un fish and chips de compétition ! Mais Filippo ne s'est pas contenté de rafler plusieurs prix. En bon Italien, il a doublé sa boutique d'une mignonne *panineria,* où les amateurs dégustent pizzas, pâtes fraîches et sandwichs au comptoir, sous l'œil vigilant des rangées de bouteilles transalpines alignées comme à la parade.

|●| ♟ *Basement* (zoom couleur I, G6, 53) : 10-12A, Broughton St. Tlj 12h-1h pour le bar. Formule env £ 6 (9 €) le midi,

en sem plats autour de £ 8 (12 €). Un bistrot en vogue déjà considéré comme un classique dans un secteur en plein développement. En sous-sol, ses 2 salles un peu sombres envahies de décibels font la joie d'étudiants assoiffés et de routards en quête de convivialité. Nombreuses bières et cidre à la pression. Apprécié pour ses plats solides et corrects mais sans génie, à tendance mexicaine. *Caramba !*

|●| *Nine Cellars* (zoom couleur I, F6, 65) : 1-3, York Place St. Tlj 12h-14h30, 17h30-23h30. Fermé dim midi. Plats autour de £ 9 (13,50 €). Toutes les saveurs de l'Inde réunies dans ce micro-restaurant situé en sous-sol. La salle est sobre, mais le voyage est dans l'assiette, avec des curries et des *masala* convaincants. Viande, poissons et plats végétariens sont délicatement épicés. À accompagner d'un *chapati,* le pain local.

Prix moyens

|●| *Henderson's* (zoom couleur I, F6, 62) : 94, Hanover St. ☎ 225-21-31. Lun-sam 8h-22h45. Boutique au rez-de-chaussée (lun-ven 8h-19h, sam 8h-18h). Formules £ 11-14 (16,50-21 €). Le resto-café' est en sous-sol, dans une cave aux murs blancs où sont dispersées quelques tables en bois clair. Ce pionnier de la vague végétarienne, devenu une institution, rallie encore de nouveaux adeptes. En self-service, salades fraîches, soupes maison, produits locaux et petits plats savoureux, bio pour la plupart. Et pour faire passer le tout, petits concerts à tendance jazz chaque soir ou presque.

|●| *Indigo Yard* (zoom couleur I, E7, 64) : 7, Charlotte Lane. ☎ 220-56-03. Tlj 8h30-1h. Le midi, plats env £ 10 (15 €) ; plus cher le soir. DJ le sam soir. Dans la lignée des néo-bistrots, l'*Indigo Yard* tient le bon bout : de beaux volumes, une agréable véranda, une déco aux lignes sobres alliant métal et bois, des canapés en cuir, une mezzanine soutenue par des murs en pierre. Bref, du moderne bon teint, à l'image de la fréquentation. Également hautement recommandable pour sa grande terrasse. Cuisine internationale honnête à

consonance thaïe. Service jeune et décontracté, pas pressé.

|●| *The Bad Ass* (zoom couleur I, E6, 81) : 167, Rose St. ☎ 225-15-46. Tlj 11h-minuit. Au déj en sem, formule soupe maison + demi-baguette avec thon-mayo ou fromage ou jambon £ 4 (6 €). Le soir, plats copieux autour de £ 10 (15 €). Derrière une devanture encadrée par 2 tonneaux débordant de lierre, voilà une belle adresse (pour un vilain nom !) très fréquentée par les locaux et les touristes. Cadre chaleureux tout de boiseries, photos de ciné et objets chinés. On y trouve une large sélection de plats de viande copieusement garnis. Le tout accompagné d'un vin servi au verre. Service souriant et dynamique. Beaucoup de monde en fin de semaine.

|●| *Songkran* (plan couleur général D7, 72) : 24A, Stafford St. Dans une rue perpendiculaire à Shandwick Pl. ☎ 225-78-89. Lun-sam (dim en hte saison). Formules midi £ 9 env (13,50 €) ; plats autour de £ 10 (15 €) le soir. Pourtant bien caché en sous-sol, ce minuscule thaïlandais à la déco sobrement asiatique fait déjà partie du circuit gastronomique de tous les amateurs éclairés. On

y plébiscite une cuisine traditionnelle irréprochable.

|●| A Room in the Town (*zoom couleur I, E6, 66*) : *18, Howe St.* ☎ *225-82-04. Tlj 12h-15h, 17h30 jusqu'à tard. Résa conseillée. Formules £ 12-14 (18-21 €) le midi. On dépasse vite £ 20 (30 €) le soir.* Les bouchons de bouteille entas- sés derrière les fenêtres ont de quoi rassurer les indécis : on sait vivre dans ce bistrot *Scottish style* ! Déco coquette et vivante, à l'image de la fresque un tantinet paillarde. Musique écossaise et cuisine goûteuse bien du pays, préparée avec de bons produits locaux.

Chic

|●| Fishers in the City (*zoom couleur I, F6, 77*) : *58, Thistle St.* ☎ *225-51-09. Tlj 12h-22h30. Plats £ 10-20 (15-30 €). De 16h30 à 18h30, intéressante formule « beat the clock » (course contre la montre) sur les moules, les fish cakes et le champagne (!) : on paie le plat au prix de l'heure à laquelle on passe la commande, soit £ 4,50 à 16h30. Understood ?* Le benjamin du *Fishers bistro,* dans le quartier de Leith (voir plus loin), garde le cap et continue d'attirer dans ses filets une clientèle d'habitués et de touristes. Les 2 superbes salles, sur différents niveaux, sont souvent combles. Il faut dire que la fraîcheur des poissons est irréprochable, ce qui leur évite de s'encombrer d'une sauce indigeste. Grillé, il est parfait. On peut aussi se contenter d'un copieux plat de moules dont la maison s'est fait une spécialité (avec les *fish cakes,* bien croustillants), ou de 2 entrées. Bien entendu, la carte change à chaque marée.

|●| Duck's at Le Marché Noir (*plan couleur général F5, 68*) : *2-4, Eyre Pl.* ☎ *558-16-08. Tlj 19h-22h env ; mar-jeu 12h-14h30. Au déjeuner, formules £ 12-16 (18-24 €). Plats à la carte £ 14-47 (21-70,50 €).* Petit resto au cadre coquet, à la façade vert et blanc surmontée d'une enseigne de... canard. Une bonne entrée en matière pour une cuisine de bonne tenue, mariant avec talent les gastronomies française et écossaise. Une version culinaire de l'*Auld Alliance* ? Beaucoup de gibier (en saison) et de poisson, accompagnés d'un verre de vin, à choisir parmi les références aussi nombreuses que recommandables.

|●| The Dome (*zoom couleur I, F6, 67*) : *14, George St.* ☎ *624-86-24. Tlj de 12h jusque tard le soir. Le midi, compter £ 20 (30 €) pour une entrée et un plat ; un peu plus cher le soir.* Une brasserie de luxe dans un cadre exceptionnel : une ancienne banque dont le salon principal est coiffé d'une magnifique coupole de plus de 15 m de haut ! Cuisine sans défaut et service très soigné. On peut aussi se contenter d'y boire un verre. Atmosphère chic et ambiance tamisée garanties ! Jazz (*dim ap-m 13h-17h*). Également un merveilleux *Garden Café* (*ouv en été, tlj sf dim 10h-18h*), dont l'immense terrasse à l'écart de la circulation donne sur Rose Street. Idéal pour une petite collation à l'ombre des parasols, dès que le soleil point.

À South Side et Tollcross

Ces quartiers, plutôt résidentiels, sont situés au sud du centre-ville.

Bon marché

|●| Susie's (*zoom couleur I, G8, 69*) : *51, West Nicolson St. Lun-sam 9h-21h ; dim 13h-20h. Compter £ 6 (9 €) le plat chaud, copieux, accompagné de belles salades composées.* Petit troquet à dominante étudiante, décontracté et bon enfant. Petits plats végétariens bons et frais à choisir au comptoir (lasagnes, salades, *cashew nut flan...*), façon cafétéria. Cela permet de voir ce qu'on va se mettre sous la dent. Concerts à l'occasion.

|●| *Ndebele* (*zoom couleur I, E8, 74*) : 57, Home St. Lun-sam 9h-18h ; dim 12h-17h. Compter £ 4 (6 €) pour un sandwich et un jus de fruit. Petite épicerie adorablement agencée, avec ses sacs de café au plafond, ses murs colorés et son recoin de table. On y dégote un amoncellement de graines, épices, vins et comestibles en provenance directe de l'Afrique du Sud. Pour ne rien gâcher de la bonne humeur qui se dégage du lieu, les prix sont très raisonnables. Dommage que sandwichs et gâteaux ne soient qu'à emporter, on prolongerait bien le plaisir !

|●| *Favorit* (*zoom couleur I, G8, 70*) : 19-20, Teviot Pl. Tlj 8h-3h ! Sandwichs, salades et paninis à moins de £ 4 (6 €). Une bénédiction dans une contrée où le dernier service correspond à l'heure de l'apéro pour les continentaux ! Derrière ses baies vitrées éclairées au néon rouge dès la tombée de la nuit, ce troquet branché un brin rétro avec ses banquettes en skaï fait le bonheur des noctambules, proposant à toutes heures paninis, tapas et petits plats corrects. Ses *breakfasts* se défendent bien, également, appréciés par le personnel de bureau et les étudiants voisins.

Prix moyens

|●| *Kalpna* (*zoom couleur I, G8, 71*) : 2-3, Saint Patrick Sq. ☎ 667-98-90. Tlj sf dim hors saison. Le midi, formule à volonté env £ 6 (9 €) ; sinon, plats autour de £ 9 (13,50 €). Resto indien aux spécialités végétariennes soignées. Maintes fois récompensé pour la créativité de ses recettes, il est même populaire chez les « mangeurs de viande ». Cadre agréable.

|●| *Annabelle's* (*plan couleur général G9, 73*) : 27, Sciennes Rd, dans le quartier de Newington, au sud de la ville. ☎ 667-07-00. Lun-ven 8h30-17h ; sam 10h-15h. Plats principaux £ 11-16 (16,50-24 €), snacks moins chers. Deux Écossaises ont décidé de se lancer dans la restauration, et bien leur en a pris. Mais elles n'ont pas mis tous leurs œufs dans le même panier, hésitant entre le salon de thé classique et le petit restaurant intimiste. Elles proposent, selon les heures, des plats simples ou raffinés (curries, végétariens), ou des gâteaux et de délicieux *scones* (hmm !) à savourer avec un thé fumant. C'est bon et très frais, comme la déco. Arriver tôt. Excellent accueil.

|●| *The Apartment* (*plan couleur général E9, 51*) : 7-13, Barclay Pl (entrée par Bruntsfield Pl). ☎ 228-64-56. Lun-ven 8h30-15h, 17h-23h ; sam-dim en

continu. Menu £ 17 env (25,50 €). À l'*Apartment*, ce n'est décidément pas comme à la maison ! Déco minimaliste et tables épaisses en bois blond d'inspiration nordique aèrent un espace déjà lumineux grâce à ses baies vitrées. Enfoncé dans des fauteuils en cuir ou dos droit sur un tabouret, le Tout-Édimbourg défile pour goûter des spécialités inspirées de toutes les cuisines du monde. Pas de jaloux, et résultat original fort convaincant ! Bons plats de poisson notamment.

|●| *Namaste – North Frontier Cuisine* (*zoom couleur I, G8, 85*) : 15, Bristol Pl. ☎ 225-20-00. Tlj 17h30-23h. Ouv pour le déjeuner en été. Résa conseillée. Plats £ 8-11 (12-16,50 €). Tout petit resto à la déco chaleureuse, plutôt épurée dans le genre. Elle se limite à quelques objets traditionnels soigneusement choisis. Idem pour le menu qui tient en une seule feuille, mais les plats proposés sortent des traditionnels curries ou tandooris. Peut-être les portions sont-elles moins copieuses que d'ordinaire, mais la cuisine est subtile et savoureuse. Dernière note qui détonne dans ce lieu : la musique techno ou électro qui s'échappe des baffles !

– Voir aussi *Peckham's* dans « Boutiques, souvenirs du pays ».

À Leith

Au nord-est du centre, le quartier du vieux port d'Édimbourg s'est refait une santé et attire curieux et nomades de la nuit dans ses anciens entrepôts réhabilités. Bus nos 16, 22 et 49.

Prix moyens

|●| **Fishers** (*zoom couleur II, I2, **80**) : 1, Shore.* ☎ 554-56-66. *À l'angle de Tower St (d'ailleurs, c'est sous la tour !). Service continu : tlj 12h-22h30. Résa très conseillée. Plats £ 10-27 (15-40,50 €) ; possibilité de restauration rapide au déjeuner.* Derrière sa façade bleu et banc, les filets de pêche suspendus au plafond annoncent la couleur : le *Fishers* travaille principalement le poisson, et il s'est forgé une belle réputation avec des produits d'une fraîcheur irréprochable et d'excellentes spécialités comme le *fish cake*. On se dispute âprement les tabourets du comptoir et les quelques tables recouvertes de toile cirée dans cet agréable bistrot. Une autre petite salle et une 2e adresse en ville, **Fishers in the City** (voir plus haut).

|●| **Daniel's Bistro** (*zoom couleur II, H2, **75**) : 88, Commercial St.* ☎ 553-59-33. *Service tte la journée. La carte est longue et pour ttes les bourses. Formules env £ 8 (12 €) le midi lun-sam ; plats à la carte : £ 8-15 (12-22,50 €).* Bistrot souriant, coincé dans les anciens entrepôts du port de Leith. Intérieur moderne, chaises en alu et véranda lumineuse donnant sur le *Scottish Executive*. Service rapide, agité et bien français avec la radio qui braille en fond sonore. Nombreuses spécialités régionales (magret, bœuf bourguignon...), mais aussi salades, *Flammenküeche* (le patron est alsacien) et plusieurs plats écossais réalisés avec talent. Excellent rapport qualité-prix.

|●| **Britannia Spice** (*zoom couleur II, H2, **76**) : 150, Commercial St.* ☎ 555-22-55. *Tlj (sf dim midi) 12h-14h, 17h-23h45. Plats à partir de £ 8 (12 €).* Grande salle agréable à thème nautique, tout en bois ciré, laiton et chaises bleues, faisant référence au *Royal Yacht Britannia* voisin. Des voiles de bateau séparent même les tables, tandis que les serveurs arborent un costume de marin, pour un embarquement immédiat vers le Bangladesh, le Népal, la Thaïlande et l'Inde ! Service irréprochable et cuisine de très bonne tenue.

|●| **Starbank Inn :** voir plus bas « Où boire un verre ? Où sortir ? » dans le quartier de Newhaven.

Chic

|●| **Skippers Bistro** (*zoom couleur II, H2, **79**) : 1A, Dock Pl.* ☎ 554-10-18. *Résa très conseillée. Formules déj £ 8-10 (12-15 €) ; slt à la carte le soir : £ 16-27 (24-40,50 €).* Petit et intime, ce bistrot marin aux tables bien épaisses distille une atmosphère conviviale, à l'image de l'accueil souriant de son équipe. Une belle et bonne adresse, où les spécialités de poisson évoluent au gré des marées. Jolie terrasse aux beaux jours.

|●| **Waterfront Wine Bar** (*zoom couleur II, I2, **78**) : 1C, Dock Pl.* ☎ 554-74-27. *Tlj 12h-23h (jusqu'à minuit ven-sam). Résa conseillée en saison. Plats £ 12-20 (18-30 €). Mai-sept : for-* mule *early dinner 17h30-18h30 £ 15 (22,50 €), comprenant 2 plats et un verre de vin.* Même direction que le *Skippers Bistro*, et juste en face. Cette ancienne maison d'éclusier abrite dorénavant deux petites salles intimes à la dégaine de taverne à matelots. Et, quitte à bien faire, la bâtisse est flanquée d'une véranda lumineuse donnant sur le canal. L'été, c'est carrément sur le ponton qu'on déguste des spécialités de poisson. C'est dans ce registre qu'il faut choisir, en s'attardant sur l'intéressante carte des vins, sous peine d'être déçu par des digressions hasardeuses.

Où boire un verre ? Où sortir ?

Dans Old Town

🍷 🎵 **Bannermans** (*zoom couleur I, G7, **90**) : 212, Cowgate St, à l'angle de Nid-* dry. *Tlj 12h-1h. Karaoké mar.* Salles voûtées, piliers massifs et recoins sombres

ÉDIMBOURG

ménagent une atmosphère de taverne enfumée plébiscitée par les étudiants et les habitués. Ses entrailles dissimulent même une bonne salle de concert (payant), utilisée tous les soirs à 21h. Une de nos adresses préférées. Il y a même un *happy hour* en semaine jusqu'à 18h (sur les bières), à faire coïncider avec une partie de billard.

☐ |●| Deacon Brodie's Tavern *(zoom couleur I, F7, 91)* : *435, Lawnmarket, à l'angle de Bank St. Tlj à partir de 10h.* Derrière ce nom se cache William Brodie, *deacon* de la ville (genre de conseiller municipal de l'époque) au XVIIIᵉ siècle. Menant une double vie, fonctionnaire le jour et brigand la nuit, il termina la corde au cou en 1788 ! Sa vie inspira Robert Louis Stevenson avec le célèbre *Docteur Jekyll et Mister Hyde*. Aujourd'hui, c'est un pub classique et confortable où l'on se retrouve à la sortie des bureaux. *Bar meals* servis à l'étage.

☐ ♪ The Malt Shovel Inn *(zoom couleur I, G7, 92)* : *11-15, Cockburn St (prononcer « Coburn »). Rue qui monte de Waverley Bridge au Royal Mile. Tlj à partir de 11h (12h30 dim).* Réputé pour ses concerts, mardi et jeudi à 21h. Le *malt shovel*, cette pelle en bois qui servait à tourner l'orge en fermentation, traduit bien le goût de l'établissement pour les bonnes *ales* et les vrais *malt whiskies* (près de 100 références à la carte !). Clientèle sympa, relax, et fabuleuse atmosphère (c'est souvent bondé !). Les plus de 18 ans peuvent y grignoter des plats simples et se prélasser dans les canapés Chesterfield.

☐ ♪ Finnegan's Wake *(zoom couleur I, F7, 93)* : *9B, Victoria St. Tlj 12h-1h.* En bon irlandais, ce pub coincé dans une ancienne église a choisi une nouvelle de James Joyce comme patronyme ; en bon irlandais, il donne des concerts folk ou *new Irish* tous les soirs ; en bon irlandais, on y boit la *Guinness* et la *Kilkenny* au goulot !

☐ Greyfriars Bobby's Bar *(zoom couleur I, F7, 94)* : *34, Candlemaker Row. Lun-sam 11h-minuit (1h sam) ; dim 12h30-23h).* L'un des plus anciens pubs de la ville, dans une maison datant de 1722. Devanture rouge et blanc, pimpante et brillante... il reste tout de même les photos du vieil Édimbourg. Musique

folk le lundi à 21h. Sympa.

☐ ♪ Sandy Bells *(zoom couleur I, F7-8, 110)* : *25, Forrest Rd. Tlj 12h-1h (jusqu'à 23h dim).* Petit pub authentique spécialisé dans les concerts folk bon enfant semi-improvisés *(ts les soirs à 21h30).* Atmosphère fraternelle sans façon.

☐ ♪ Beluga Bar *(zoom couleur I, G7, 102)* : *30A, Chambers St. Tlj 17h-1h.* Au sous-sol, une vaste salle aux allures de club drapé dans une déco épurée métal et bois sombre, éclairée par quelques lampions rouges. DJ différent chaque soir et musique laissant peu de place aux conversations intimes. Consommations plus chères que dans les pubs.

☐ ♪ Espionnage *(zoom couleur I, F7, 95)* : *entrée au niveau 1 par Victoria St. Tlj 19h-3h.* C'est par ici que l'expérience commence avec le *Lizard Lounge*. Accès au *night-club Mata Hari* au niveau 5 directement par Cowgate, dans des caves voûtées. À chaque étage, un bar à thème. On aime bien la *Kasbah* du niveau 3 (ouverture à 23h), au style marocain. C'est géant et bondé pendant l'année universitaire, mais plus aéré l'été !

☐ The Elephant House *(zoom couleur I, F7, 118)* : *21, George IV Bridge. Lun-ven 8h-22h ; w-e 9h-22h. Happy hour 17h-18h.* Derrière une 1ʳᵉ salle, où l'on fait la queue pour choisir son plat, se cache une belle pièce en arrondi, profitant d'une vue dégagée sur les jardins en contrebas et le château. Quelques plantes vertes, une poignée de toiles contemporaines, des ordinateurs pour se connecter et une bibliothèque ajoutent à l'atmosphère décontractée de ce café. Mieux vaut se contenter d'un verre et oublier leurs snacks, pas terribles.

☐ ♪ Sur Grassmarket *(zoom couleur I, F7)*, faites votre choix de pubs. Les vendredi et samedi soir, les étudiants y assurent une ambiance du « fût » de Dieu ! On aime bien le *Biddy Mulligans* *(zoom couleur I, F7, 96)* au cuir bien tanné, voire craquelé, le plus jeune et le plus bruyant des pubs irlandais installés à Édimbourg. Plein à craquer le soir ; musique *live* tous les jours sauf samedi (DJ) ; pendant la journée, quand c'est plus calme, et en début de soirée, propose des plats de pub bien faits. À côté, *The Last Drop* rappelle les anciennes potences d'où les condamnés s'élançaient pour un ultime saut... même s'il fait partie aujourd'hui des meilleurs points de chute ! Vins au verre moins chers que chez les voisins. Bonne ambiance. Ne pas hésiter à repasser dans la journée, les trottoirs de Grassmarket se couvrent alors de terrasses bien agréables.

♟ **The City Café** (zoom couleur I, G7, **97**) : 19, Blair St. Happy hours 17h-20h. Les années passent, mais ce bar reste l'un des cafés les plus *trendy* et les plus fréquentés du centre le soir venu. Déco moderne, bar chromé, billards, petite terrasse et bonne ambiance.

♟ **The Three Sisters** (zoom couleur I, G7, **98**) : 139, Cowgate. Tlj 9h-1h. Un des plus grands débits de boisson d'Édimbourg. Pas moins de 3 bars différents, pleins à craquer le week-end. Écran géant pour suivre les événements sportifs, bière en main (ah, les sportifs !). Concerts à l'étage le vendredi soir et piste de danse le week-end. Immense *beer garden* l'été.

– Encore soif ? Il reste tous les pubs qui s'alignent sur *High Street* et *Cowgate*. Là aussi, pour tous les goûts, tous les fantasmes.

Dans New Town

♟ **Rose Street** (zoom couleur I, E-F6) : cette rue piétonne aligne une bonne quinzaine de pubs. Profitez-en pour effectuer un *pub crawl*, ce sport britannique consistant à tester tous les pubs du secteur. Si vous doutez de vos capacités, commencez avec des *half pints*.

♟ Au n° 3 de Rose St, l'**Abbotsford** (zoom couleur I, F6, **109**). Au resto, à l'étage, des plats autour de £ 10 (15 €). Cet endroit a conservé sa déco victorienne avec un beau comptoir sculpté en acajou et des moulures au kilomètre. Pas mal d'habitués assurent une ambiance des plus animée, accoudés sur de longues tablées en bois (selon une belle légende, on risque d'y assommer 2 poètes en levant trop le coude !).

♟ **Milne's Bar** (zoom couleur I, F6, **99**) : 21-25, Rose St. Également des plats autour de £ 7 (10,50 €). L'endroit inspirait jadis les poètes, qui en avaient fait leur club. Aujourd'hui, ils sont en photo dans le *basement*, et on vient seulement siroter des vers (pardon, des verres) dans une atmosphère cosy. Plusieurs salles au sous-sol et une petite terrasse, donnant sur Hanover St, à l'angle de Rose St.

♟ Et puis, un peu plus loin, aux n°s 152-154, on aime bien le **Kenilworth,** pour son haut plafond, son lustre et ses belles céramiques aux murs. Ambiance conviviale autour du bar.

♟ |●| **Dirty Dick's** (zoom couleur I, E6-7, **100**) : tt au bout, au 159, Rose St. Tlj 11h-minuit. Plats à partir de £ 7 (10,50 €). Pub sombre à souhait, encombré d'objets hétéroclites, en référence à l'histoire terrible de Nathaniel Bentley. Ce riche quincaillier, dont la promise décéda la veille de leurs noces, s'enferma dans le désespoir, s'enlisant un peu plus chaque jour dans une saleté repoussante, jusqu'à écoper du sobriquet de *Dirty Dick*. Mais que ce bric-à-brac ne vous rebute pas, on y trouve quelques spécialités copieuses et bien préparées, à commander au bar.

♟ **Jekyll and Hyde Pub** (zoom couleur I, F6, **101**) : 112, Hanover St. Tlj à partir de 12h. Un pub de parc d'attractions, qu'on repère de loin avec ses deux flambeaux pour se plonger dans l'atmosphère ténébreuse du fameux roman de Stevenson. Déco bien sûr très kitsch, avec du vieux matériel de chimie sous vitrines, de fausses bibliothèques, quelques squelettes et plein de petits compartiments où s'asseoir... et siroter tranquille un petit *test tube*, ou un cocktail au nom à faire frémir.

♟ **The Dome** (zoom couleur I, F6, **67**) : 14, George St. Voir « Où manger ? Dans New Town et West End. Chic ».

♟ |●| **Oyster Bar, Circle Bar et Café Royal** (zoom couleur I, G6, **103**) : 17, West Register St. Au rez-de-chaussée, l'*Oyster Bar* est renommé et chic mais cher : crustacés, fruits de mer et vin blanc au verre. Vous risquez parfois de tomber sur une soirée privée en kilts et robes du soir. En revanche, les tarifs du *Circle Bar* (tlj 11h-23h) sont nettement plus raisonnables, et sa déco formidable, tout en boiseries, plafonds à caissons et vitres gravées, mérite au moins un coup d'œil. Nombreuses pintes à siroter sur le long bar patiné. Même direction que l'*Oyster Bar.* Pour terminer la trilogie, le *Café Royal* est dans le même immeuble, à l'étage. *Tlj 14h-1h.* Escalier un peu planqué, donnant sur la rue. Clientèle étudiante, pas mécontente d'économiser quelques pounds à l'*happy hour (jusqu'à 20h).* Musique assez envahissante. Billard (anglais !).

T *The Oxford Bar (zoom couleur I, E6, 104) : à l'angle de Young St et South Lane.* Un tout petit pub populaire qui se remplit vite d'habitués, et non une de ces grosses cylindrées clinquantes des grands boulevards. Ici, rien à voir, tout est dans l'ambiance tranquille qu'affectionnait l'auteur Ian Rankin. Un coin de comptoir où chacun se parle, et une petite salle attenante, conviviale comme tout. Un accueil quasiment familial !

T Sur George St, on assiste à l'éclosion de bars *so trendy,* souvent installés dans d'anciens établissements financiers, et qui se disputent une clientèle essentiellement trentenaire, propre sur elle. Intéressant d'en faire le tour pour une étude ethnologique !

T I●I *Centotre (zoom couleur I, E6, 112) : 103, George St. Tlj 8h-minuit*

(11h-20h dim). Installé dans une ancienne banque au cadre pompeux, *Centotre* surfe sur la vague de la *slow food,* ce mouvement né en Italie (comme son nom ne l'indique pas) s'opposant à l'uniformisation des goûts. Cuisine transalpine faisant prévaloir la fraîcheur de ses produits (vu le prix, vaut mieux !). Est-ce pour nous le prouver qu'ils ont installé les fourneaux au milieu de la salle ? Agréable pour un verre, à prendre à l'intérieur ou en terrasse.

T ♫ *Le Monde (zoom couleur I, F6, 113) : 16, George St. Tlj 9h-3h.* Dance floor *au sous-sol, gratuit avant 11h.* Un melting-pot des villes les plus tendance du globe, le ton est donné. À tel point que le lustre d'ampoules annonce le *dress code :* branché ! Pas moins de 6 bars : Vienne, Paris, Milan, Tokyo, à chacun sa déco et son univers. Beaucoup d'esbroufe et de sophistication dans le cadre, mais c'est là que se lâche le beau monde d'Édimbourg, bien mis dans ses petits souliers. Enfin, si vous voulez poser vos godillots à « Sydney » ou au « Caire » dans la vingtaine de chambres bien léchées de ce *boutique hotel,* il faudra vous délester de plus de £ 200 (300 €). Un monde pas très démocratique...

À South Side, Tollcross et dans le sud de la ville

T *Pear Tree House (zoom couleur I, G8, 105) : 38, West Nicolson St. Au sudest du centre-ville, dans une rue perpendiculaire à Nicolson St. Tlj 11h-23h30 (jeu-sam jusqu'à 0h30).* Cette vieille bâtisse du XVIIIe siècle abrite l'un des rares *beer gardens* de la ville, dans une grande cour pavée. À l'intérieur, gros sofas confortables et boiseries chaleureuses pour s'abriter des averses intempestives. Événements sportifs projetés sur grand écran. Beaucoup de monde et très sympa en général, mais surtout pendant le *Fringe Festival* quand il y a des concerts de jazz. Ambiance garantie.

T *The Brass Monkey (zoom couleur I, G7, 111) : 14, Drummond St. Tlj 11h-1h.* La particularité de ce pub, c'est sa salle de ciné où les étudiants s'affalent sur des tapis, à la marocaine ! Séance quotidienne à 15h, et on ne paie que les

consos. Manque quand même un soupirail pour aérer, mais on peut préférer une autre pièce pour disputer une partie d'échecs ou de *badgammon.*

T I●I *The Canny Man's (hors plan couleur général par D9, 106) : 237, Morningside Rd (quartier très vivant au sud d'Édimbourg, avec plein de restos exotiques). Tlj sf ven et dim au dîner. Au resto, plats autour de £ 8 (12 €).* Excentré, mais le jeu en vaut la chandelle ! Aux murs sont accrochées toutes les choses qui peuvent tenir avec un clou et une ficelle : des partitions de musique, des machines à écrire, des gravures et de vieilles enseignes, des trophées de chasse, de vieilles chaussures... Il est dit que tout ce que le client laisse au patron sera exposé aux yeux de tous. Mais attention, la déco invraisemblable ne signifie pas un laisser-aller dans les bonnes manières. On pénètre dans une sorte de club à l'atmosphère presque chic, où les habitués investissent les différentes salles patinées par l'âge avec

la régularité d'un métronome. Aux beaux jours, terrasse bien agréable dans une cour intérieure.

À Leith

🍷 🎵 |●| **The Shore** (zoom couleur II, I2, **107**) : 3, The Shore. ☎ 553-50-80. Face au bassin. De vastes miroirs, un piano et de chaudes boiseries confèrent à ce bar à vin typique une atmosphère chaleureuse. Beaucoup de monde le soir, à

l'apéro ou après dîner. Belle ambiance où tout le monde « socialise ». Terrasse sur le trottoir. *Live music* certains soirs. Également une partie restaurant très prisée laissant la part belle aux poissons.

À Newhaven *(à 2 km à l'ouest de Leith)*

🍷 |●| **Starbank Inn** : 64, Laverockbank Rd, à l'angle de Starbank Rd. ☎ 552-41-41. De Princes St, bus nos 10, 11 et 16. Plats autour de £ 7 (10,50 €). Pas touristique pour un sou, ce vieux pub de quartier en pierre épaisse domine le front de mer et les arabesques des mouettes. Les habitués viennent en voi-

sins lire le journal, échanger les potins et goûter une excellente cuisine écossaise maison, comme le haddock ou le classique *steak and ale pie*. Au fond, belle salle en arrondi frangée de rideaux à ramages. Excellentes bières tirées avec la manière, et dégustées avec autant de savoir-faire !

Où prendre le thé ? Où boire un chocolat ?

🍵 **Clarinda's Tearoom** (zoom couleur I, H6, **114**) : 69, Canongate St. En bas de la rue. Lun-sam 9h-16h45 ; dim 10h-16h45. L'indémodable salon de thé britannique, fréquenté par des dames bien mises au savoir-vivre héréditaire. On se croirait chez une vieille tante un peu bourgeoise : assiettes et vieux portraits aux murs, napperons, vaisselle chic et musique classique. Idéal pour un *full breakfast* : œufs, toasts, bacon, saucisses... et de bons gâteaux. On peut aussi y casser la croûte au déjeuner.
🍵 **The Tea Room** (zoom couleur I, H7, **115**) : 158, Canongate. Tlj 10h-16h. Formule scone + thé autour de £ 4 (6 €). Deux salles dans les tons jaunes, à pleine plus grandes que des mouchoirs de poche, et que l'on aperçoit derrière les rideaux. Dans une atmosphère bonhomme où il fait bon s'asseoir à l'heure du thé, après la visite du musée d'Édim-

bourg, on engloutit sans déplaisir une petite pâtisserie avant de repartir arpenter le Royal Mile.
🍵 **The Fudge House** (zoom couleur I, G7, **116**) : 197, Canongate. Tlj 11h-17h. Un demi-siècle que la même famille garde la main. Mais nous aussi, on est fous de *fudge*, ce caramel mou qui reste si agréablement coincé dans le dentier ! À choisir avec les yeux, et à déguster assis avec un café ou un thé.
🍵 **Plaisir du Chocolat** (zoom couleur I, G7, **117**) : 251-253, Canongate. Tlj 11h-18h. Accueillante terrasse (abritée !) avec ses tables en fer forgé, d'où nous parviennent les effluves corsés d'un délicieux chocolat, à boire ou à croquer. Également un large choix de thés, à accompagner de douceurs chocolatées. La libération des endorphines, on n'en parle pas assez !

Où écouter de la bonne musique ?

🎵 **Henry's Cellar** (zoom couleur I, E7, **120**) : 8, Morrison St (au sous-sol). ☎ 228-93-93 ou 516-63-72. ●henrysve

nue.com ● Concerts presque ts les soirs, lun-ven 20h-minuit ; w-e 20h-3h. Entrée payante. Un petit club qui alterne

118 **ÉDIMBOURG ET LES LOTHIANS**

régulièrement tous les styles de musique. Dans la moiteur d'un *basement*, une salle un peu sombre au sol collant où l'on profite d'une programmation éclectique de groupes plus ou moins connus. Quand la musique est bonne...

♪ **The Lot** (zoom couleur I, F7, **123**) : 4-6, *Grassmarket*. ☎ 467-52-00. *Concerts mer-sam à 20h30 ou 19h30 et 22h30. Se renseigner.* Au 1er étage, au-dessus du café, *The Lot* a trouvé un nouveau lieu pour rassembler les amateurs de jazz classique et contemporain. Des concerts dont se délecte une clientèle d'avertis. Également de la salsa de temps à autre.

♪ **Bannermans** (zoom couleur I, G7, **90**) : 212, *Cowgate St, à l'angle de Niddry.* ☎ 556-32-54. ● bannermansgigs.co.uk ● Bons concerts à tendance pop. Très étudiant.

♪ **Liquid Room** (zoom couleur I, F7, **93**) : 9C, *Victoria St.* Une ancienne crypte devenue le sanctuaire des oiseaux de nuit. Grosse ambiance pour ses soirées house, hip-hop ou indie.

♪ ♫ **Le Cabaret Voltaire** (zoom couleur I, G7, **121**) : 36-38, *Blair St*, face au *City Café, fait également le plein de fêtards étudiants* les mar et mer. *Concerts live 19h-22h.* **El Barrio** (zoom couleur I, E8, **122**), 104, *West Port, reçoit les adeptes du déhanchement « Latin style ». Tlj sf mar 23h-3h (21h w-e). Gratuit en sem et le w-e avt 23h.* Cours de salsa gratuits les vendredi et samedi soir à 21h. Pour terminer, le **Bongo Club** (37, *Holyrood Rd*) accueille tout le monde, adeptes du reggae et de l'électro confondus !

Où assister à une pièce de théâtre ?

∞ **Traverse Theatre** (zoom couleur I, E7, **130**) : 10, *Cambridge St.* ☎ 228-14-04. ● traverse.co.uk ● L'une des meilleures troupes théâtrales d'Écosse. Places bon marché, en plus. Abrite le resto tendance l'*Atrium*.

∞ **The King's Theatre** (zoom couleur I, E8) : 2, *Leven St.* ☎ 0870-060-66-50. ● eft.co.uk ● Répertoire dramatique, comédies musicales, et représentations de troupes amateurs.

∞ **Playhouse Theatre** : 18-22, *Greenside Pl.* ☎ 0870-606-34-24. ● edinburgh-playhouse.co.uk ● Opéras, ballets et comédies.

Boutiques, souvenirs du pays

Autant résister à la tentation en se promenant sur le *Royal Mile* : tartans, kilts et autres babioles touristiques sont hors de prix. Vous trouverez plus authentique et meilleur marché en province.

❀ **Jenners** (zoom couleur I, F6, **140**) : 48, *Princes St.* ☎ 225-24-42. ● houseoffraser.co.uk ● *Lun-sam 9h-18h (mar 9h30 ; jeu jusqu'à 20h) ; dim 11h-18h.* Le *Harrod's* d'Édimbourg, fondé en 1838. On y trouve aussi bien les vêtements de mode que l'artisanat local.

❀ **Iain Mellis Cheesemonger** (zoom couleur I, F7, **141**) : 30A, *Victoria St.* ☎ 226-62-15. *Lun-ven 10h-18h30 ; sam 9h30-18h30 ; dim 11h30-17h30.* Des merveilles de fromages écossais, irlandais et français, parfaitement affinés, qu'on vous fait souvent tester. Des accents de terroir qui en feront saliver plus d'un.

❀ ▮●▮ **Peckham's** (plan couleur général E9, **144**) : 155-159, *Bruntsfield Pl.* ☎ 229-70-54. ● peckhams.co.uk ● Au sud de la ville. *Tlj 8h-minuit.* Épicerie qui ne vend que des produits de qualité et une petite restauration à emporter. Génial pour rapporter quelques souvenirs gastronomiques tels que le fameux *haggis.* Au sous-sol, restaurant dans une jolie cave en pierre. Tables en métal et banquettes rouges ; plats à prix moyens.

❀ **Coda Music** (zoom couleur I, F7, **142**) : 12, *Bank St, dans Old Town.* ☎ 622-72-46. ● codamusic.co.uk ● *Lun-sam 9h30-17h30 (9h sam) ; dim 11h-16h.* Une bonne boutique pour se procurer tous les enregistrements de

musique écossaise. Casques d'écoute.
🦉 *Royal Mile Whiskies (zoom couleur I, F7, **143**) :* 379, High St, à l'angle avec Saint Giles St. ☎ 225-33-83. • *royalmilewhiskies.com* • *Tlj 10h (12h30 dim)-18h.* Certes, le whisky est cher en Écosse, mais certaines marques rares s'avèrent pratiquement introuvables sur le continent. À l'inverse de cette boutique célèbre qui aligne plus de 700 références !

À voir

Chic ! Édimbourg est une ville à parcourir à pied. Très clairement divisée en deux – Old Town et New Town – avec au milieu Princes Street et les West Princes Gardens qui occupent le lit d'un lac asséché au XVIIIᵉ siècle. Un bon plan pour les fanas de musées qui voudraient ménager leurs petons : de 11h à 17h, un service de bus gratuit fait la navette entre la National Gallery of Scotland, la Portrait Gallery of Scotland, la Gallery of Modern Art et la Dean Gallery. Passage une fois par heure devant chaque musée. À noter, en plus des deux organismes, *Historic Scotland* et *National Trust for Scotland,* qui proposent des *passes* valables sur l'ensemble de l'Écosse (voir la rubrique « Musées et monuments » dans « Écosse utile »), l'*Edinburgh pass* permet l'accès à une trentaine de monuments et musées d'Édimbourg (et environs), et comprend les transports en bus. *Compter £ 24 (36 €) pour 1 j., £ 36 (54 €) pour 2 j. et £ 48 (72 €) pour 3 j.* • *edinburghpass.org* • *S'achète au* Tourist Information Center *(3, Princes St) ou à l'aéroport.* Avant de vous décider, regardez sur le site pour savoir si les visites correspondent à celles que vous prévoyez.

Dans Old Town

◎ Classé au Patrimoine mondial de l'Unesco, le cœur historique d'Édimbourg fait l'objet d'une politique énergique de restauration. Les plus anciennes demeures se situent sur l'axe Canongate-High St, baptisé *Royal Mile,* puisqu'il relie le château à Holyrood Palace. Pour profiter pleinement de cette richesse architecturale, nous conseillons vivement d'acheter la très intéressante brochure *A guide to the Royal Mile* de Gordon Wright, car l'énumération de tout ce qui est à voir est vraiment longue. Au bout du Royal Mile, le château, bien sûr... Surtout, allez fureter dans les *closes* et les *courts.* Parfois des détails architecturaux insolites et toujours beaucoup de poésie !

🎭🎭🎭 ⚑ *Le château d'Édimbourg (The Castle ; HS ; zoom couleur I, E-F7) :* accessible par Lawnmarket et Castlehill ou, mieux, par l'un des nombreux closes ou courts qui grimpent sur la colline. ☎ 225-98-46. Tlj 9h30-18h (nov-mars jusqu'à 17h). Entrée : £ 11 (16,50 €). Audioguide £ 3 (4,50 €) ou livret explicatif £ 5 (7,50 €). Sinon, quelques panneaux délivrent le minimum syndical d'infos historiques. Pour ceux qui sont hermétiques aux vieilles pierres, le principal atout du château reste sa vue imprenable sur la ville.

Voici une citadelle de carte postale posée sur un volcan éteint, comme une couronne sur une tête royale. Sa silhouette altière s'impose à tous aux quatre points cardinaux de la ville. Plus qu'un symbole, cette ancienne résidence royale, tour à tour bastion, caserne ou prison, a donné son nom à la cité, né de la contraction de *Din Eidyn,* « forteresse d'Edwin » en gaélique et de *Burg.* Véritable baromètre historique, le château est l'héritier d'une chronologie mouvementée qui se confond avec celle de l'Écosse. Érigé à partir du XIᵉ siècle sous la houlette de souverains comme Malcolm ou David Iᵉʳ, il ne tarda pas à devenir l'un des principaux enjeux lors des conflits anglo-écossais. En 1314, Robert the Bruce préféra même démanteler les fortifications plutôt que de les voir tomber entre les mains des Anglais ! La suite est une succession de batailles rangées et de coups de mains romanesques, comme l'attaque surprise des hommes de Douglas en 1341. Déguisés en marchands, ils s'introduisirent dans la place et réduisirent la garnison anglaise (de retour depuis 1335, vous suivez ?) au silence. Le régent Crichton y exécuta les encombrants frères Douglas en 1440 à l'issue du fameux *Black Dinner* (et ce, malgré le haut fait de l'aïeul), Marie Stuart y donna naissance au futur Jacques VI en 1566, puis Cromwell trouva le site bien aimable pour ses hommes en 1650. Le dernier épisode mémorable fut le refus de la garnison anglaise d'ouvrir à « Bonnie Prince Charlie » en 1745. Tous ces conflits n'ont guère laissé d'espoir aux premières fortifications ; la plupart des ouvrages visibles datent du XVIᵉ siècle, maintes fois remaniés par la suite. Les bâtiments les plus significatifs sont :

– *La chapelle Sainte-Marguerite :* le dernier vestige du château du XIIᵉ siècle. Construite dans le style normand, elle figure parmi les plus anciennes églises d'Écosse. On y célèbre toujours certains mariages. Sur la terrasse précédant le sanctuaire, sommeille Mons Meg, une bombarde colossale offerte par le duc de Bourgogne à Jacques II en 1457. En contrebas, remarquez le cimetière pour les chiens des soldats !

– *Le Mémorial :* bâtiment imposant du XVIIIᵉ siècle consacré aux soldats écossais morts pendant les deux guerres mondiales.

– *The National War Museum of Scotland :* les exploits guerriers, le service militaire et le prestige de l'armée écossaise depuis quatre siècles.

– *The Great Hall :* construit au début du XVIᵉ siècle. Charpente chevillée assez impressionnante. Siège de plusieurs parlements écossais.

– *Les appartements royaux :* portraits de famille et cheminées ouvragées jalonnent quelques belles salles en enfilade. Petite pièce au fond, avec plafond peint, où naquit le fils de Marie Stuart.

– *The Honors of the Kingdom :* présentation ludique de l'histoire des joyaux de la Couronne, avec mannequins, montages audio et tout le tralala, avant d'accéder à la salle aux allures de coffre-fort où reposent la couronne, l'épée et le sceptre, ainsi que la célèbre « Stone of Destiny » (lire le paragraphe qui lui est consacré dans le texte présentant le Scone Palace à Perth). Photos interdites.

– *Les prisons :* reconstitution fidèle de l'univers carcéral au XIXᵉ siècle. Les grognards de Napoléon y laissèrent quelques graffitis en souvenir.

🎫 🚶 *Camera Obscura :* Castlehill, juste à côté du château. ☎ 226-37-09. ●camera-obscura.co.uk ● Avr-oct : tlj 9h30-18h (19h30 juil-août) ; nov-mars : tlj 10h-17h. Entrée : £ 7,50 (11,30 €) ; réduc. Démonstration toutes les 15 ou 20 mn, selon l'affluence. Derrière cette appellation mystérieuse se cache un ingénieux système de miroirs réfléchissants. Assemblé en 1853 au plus haut d'une tour, cet ancêtre du périscope braqué sur la ville n'a pas pris une ride et fait la joie de générations d'espions amateurs. C'est d'ailleurs la plus ancienne attraction d'Édimbourg. Il sert d'introduction à différentes salles abordant l'optique, entre réalité et illusions (hologrammes, 3D, miroirs déformants...). Un peu gadget, mais rigolo en famille. Du toit, une des plus belles vues sur la ville.

– Voici, en redescendant vers le palais de Holyrood, les bâtiments les plus intéressants du Royal Mile :

🎫 *Milne's Court :* pittoresque passage menant vers Princes St. Au début de Lawnmarket, l'ancienne place médiévale où se tenait le marché aux légumes et produits laitiers.

🎫 *Gladstone's Land* (NTS ; zoom couleur I, F7) : 477B, Lawnmarket. Avr-oct : tlj 10h-17h (19h juil-août). Entrée : £ 5 (7,50 €). Photos interdites. Édifice du XVIIᵉ siècle. Au rez-de-chaussée, reconstitution d'une échoppe, et au 1ᵉʳ étage, celle de l'appartement d'un négociant de l'époque. Intéressants plafonds peints d'origine.

🎫 *The Writer's Museum* (zoom couleur I, F7, **150**) : dans Lady Stair's House (en référence à l'une de ses propriétaires), qui donne sur Lawnmarket. Accessible également par North Bank. ● cac.org.uk ● Lun-sam 10h-17h ; dim (slt août) 12h-17h. Entrée gratuite. De là partent des tours littéraires le w-e à 10h30 et 13h30. Compter £ 10 (15 €) par pers ; réduc. Prévoir 2h de balade sur les traces de Doyle, Stevenson, Scott... pas de résa. Maison du XVIIᵉ siècle tout en recoins et escaliers en colimaçon, abritant souvenirs et manuscrits de Robert Burns, Walter Scott (sa pipe, des lettres manuscrites) et Robert Louis Stevenson (son journal illustré de croquis). Petite reconstitution d'une imprimerie et de la salle à manger de Walter Scott. Photos interdites. En sortant, remarquez dans la cour les citations gravées dans les dalles, commémorant les célèbres écrivains écossais.

🎭🎭 *La cathédrale Saint-Giles* (*zoom couleur I, G7,* **151**) *:* High St. ☎ 225-94-42. ● *stgilescathedral.org.uk* ● *Oct-avr : lun-sam 9h-17h ; dim 13h-17h ; mai-sept : lun-ven 9h-19h ; sam 9h-17h ; dim 13h-17h. Donation de £ 3 (4,50 €) appréciée.* Très ancienne église, puisque les quatre massifs piliers centraux appartiennent à la période normande (1120). Brûlée au XIIIᵉ siècle. L'essentiel de la construction date du XVᵉ siècle, telle l'élégante tour qui couronne l'église. À l'intérieur, splendides voûtes en pierre de taille. Au fond, étonnante chapelle de l'ordre du Chardon où se réunissent chaque année les chevaliers de l'Ordre, nommés par la reine. Repérer les adorables angelots jouant de la cornemuse et l'amusant plafond en forme de chou-fleur ! *Tearoom* dans la crypte. Derrière la cathédrale, la place n° 45 du parking recouvrirait la tombe de John Knox.

🎭 *The Real Mary King's Close* (*zoom couleur I, G7,* **152**) *:* 2, *Warriston's Close. Sur High St, presque en face de la cathédrale Saint-Giles.* ☎ 08702-43-01-60. ● *realmarykingsclose.com* ● *Avr-oct : tlj 10h-21h (août, tlj 9h-21h) ; nov-mars : tlj 10h-16h (sf sam 21h). Départ ttes les 20 mn. Durée : 1h. Prix : £ 9,50 (14,30 €) ; réduc. Audioguide en français compris dans le prix.* Dans les soubassements de la *City Chambers* (*Royal Exchange au XVIIIᵉ siècle*) ont été découverts des passages étroits (les *closes*), restés enfouis pendant plus de deux siècles. Visite guidée ponctuée d'anecdotes à moitié inquiétantes et de superstitions.

🎭🎭 *John Knox House* (*zoom couleur I, G7,* **153**) *:* 43-45, *High St.* ☎ 556-95-79. *Sept-juin : lun-sam 10h-17h ; juil-août : lun-sam 10h-17h (18h en août) ; dim 12h-16h. Entrée : £ 3 (4,50 €) ; réduc.* Une pittoresque demeure du XVIᵉ siècle abritant une collection de souvenirs liés à la vie de John Knox, le célèbre réformateur. Attenant à la maison de John Knox, l'*History Telling Center* contraste avec la demeure voisine. On y perpétue la tradition orale en racontant des histoires, sans relation obligatoire avec l'histoire de l'Écosse (*gratuit et apprécié des enfants*). Également des pièces de théâtre (*résa par téléphone*).

🎭 👫 *Museum of Childhood* (*zoom couleur I, G7,* **154**) *:* 42, *High St.* ☎ 529-41-42. ● *cac.org.uk* ● *Lun-sam 10h-17h. Entrée gratuite.* Six salles pour petits et grands : poupées de nombreux pays, trains et voitures, reconstitution de saynètes, ateliers, etc.

🎭 *Moray House* (*zoom couleur I, G-H7,* **155**) *:* 174, *Canongate.* Superbe maison de 1628, ancien quartier général de Cromwell. Juste en face, au 185, Canongate, noter le beau blason de la corporation des cordonniers.

🎭🎭 *Museum of Edinburgh* (*Huntly House ; zoom couleur I, H7,* **156**) *:* 142, *Canongate.* ☎ 529-41-43. ● *cac.org.uk* ● *Lun-sam 10h-17h ; dim (slt en août) 12h-17h. Entrée gratuite.* Ces trois hôtels particuliers des XVIᵉ et XVIIᵉ siècles, admirablement restaurés, abritent désormais le musée d'Histoire de la région, de la préhistoire à nos jours. Collections d'une grande richesse : porcelaines, objets se rapportant à la vie domestique, argenterie (magnifiques pièces du XVIIIᵉ siècle), poterie, reconstitutions d'intérieurs, maquettes. Quelques cloches de la cathédrale Saint-Giles, deux superbes horloges ouvragées du XVIIIᵉ siècle, galeries sur les campagnes militaires avec uniformes et armes, etc. Visite très intéressante d'un musée intimiste. Alentour, de pittoresques *closes* : *Sugar House, Bake House* et surtout *Acheson House.*

🎭🎭 👫 *The People's Story* (*zoom couleur I, H6-7,* **157**) *:* Canongate Tolbooth, 163, Canongate, en face de Huntly House. ☎ 529-40-57. ● *cac.org.uk* ● *Lun-sam 10h-17h ; dim (pdt le festival) 12h-17h. Entrée gratuite.* Musée un brin fourre-tout mais conçu de manière ludique, qui raconte l'histoire des habitants d'Édimbourg (vidéo très intéressante au dernier étage), de la fin du XVIIIᵉ siècle à nos jours. Il occupe une remarquable demeure, l'ancienne mairie-tribunal-prison édifiée en 1591. Elle est surmontée d'une curieuse horloge. Collection de tartans, expos temporaires, etc. Plusieurs représentations du quotidien, la vie au pub, les différents corps de métiers... Bien fait et vivant, mais uniquement en version anglaise.

🍴 *White Horse Close* (zoom couleur I, H6) : 27, Canongate. Sur le trottoir de gauche, vers le Palace of Holyroodhouse, peu avt Abbeyhill. Ancienne auberge et relais de poste du XVIIᵉ siècle. On y prenait la diligence pour Londres. On arrivait alors à Scotland Yard. Merveilleusement restaurée. La plus belle *close* du Royal Mile.

🏛 *Scottish Parliament House* (zoom couleur I, H6) : derrière le Palace of Holy-roodhouse. ☎ 348-52-00. • scottish.parliament.uk • Visites guidées payantes (£ 5, soit 7,50 € ; réduc), certaines en français, lun, ven-dim et pdt les vac : 10h-16h (avr-oct : jusqu'à 18h lun et ven). Durée : 45 mn env. Résa conseillée. Pour assister aux séances (accès gratuit) : mar-jeu 9h-19h et w-e 10h-16h. Fermé 25, 26 déc et 1ᵉʳ janv. Dernière admission : 45 mn avt la fermeture. Dans un nouveau bâtiment inauguré en 2004, à côté du parc de Holyrood et du palais de Holyroodhouse. Une première depuis 1707, date du Traité d'union qui ramène l'Écosse dans le giron de l'Angleterre. Presque trois siècles plus tard, lors du référendum de 1997, 74 % des votants se sont exprimés en faveur d'un parlement écossais. Conçue par l'architecte catalan Enric Miralles, la bâtisse, très controversée, s'est finalement imposée comme un chef-d'œuvre et une référence architecturale. Ainsi, sont passées à l'arrière-plan les glaces acides sur le budget faramineux englouti par cet ambitieux chantier, que le maître n'aura même pas vu achevé. Les visites guidées, très instructives, permettent de pénétrer dans les entrailles de cette structure en forme de paquebot (plus flagrant de l'intérieur), où différents matériaux s'entrecroisent, avec une prédominance de verre et de bois de sycomore. D'où une silhouette légère, presque aérienne. Parmi ses nombreuses sources d'inspiration, Miralles a délibérément puisé dans l'architecture écossaise. À l'extérieur, notez par exemple les arcs-boutants, réminiscences des abbayes moyenâgeuses. Un édifice esthétiquement époustouflant et un vrai monument symbolique ! Belle revanche sur l'histoire, les Écossais peuvent aujourd'hui se targuer d'avoir le parlement le plus moderne d'Europe, voire du monde ! Visite intéressante pour mieux comprendre les subtilités du transfert de pouvoirs, la devolution.

🏛 *Palace of Holyroodhouse* (zoom couleur I, H6) : en bas du Royal Mile. ☎ 556-51-00. • royalcollection.org.uk • Avr-oct : tlj 9h30-18h (dernière entrée à 17h) ; nov-mars : tlj 9h30-16h30 (dernière entrée à 15h30). Entrée : £ 9,50 (14,30 €), audioguide en français compris ; réduc.
C'est la résidence officielle de la reine lorsqu'elle vient à Édimbourg, généralement début juillet (le palais est alors fermé au public). La construction du palais s'est effectuée en plusieurs étapes. Et comme tout ici commence par une légende, on raconte que lors d'une chasse, le roi David Iᵉʳ aperçut un cerf dont les bois enserraient une croix. Signe du ciel ? Il fit aussitôt ériger une abbaye à l'endroit même de sa vision. D'où le nom d'Holyrood, la sainte croix. Nous sommes alors au XIIᵉ siècle, mais les premiers travaux du palais ne débuteront qu'à la fin du XVᵉ siècle, sous le règne de Jacques IV. Après maintes vicissitudes, le palais évolua au XVIIᵉ siècle vers une architecture de style palladien sous la houlette de William Bruce. Les façades de la cour intérieure s'orientent vers un style Renaissance, somme toute très classique mais non dénué d'élégance.
Visite pas du tout poussiéreuse, rapide et vivante. Parmi les salons, pièces d'apparat et autres appartements d'état décorés d'une profusion de moulures et de boiseries, on notera les remarquables stucs des plafonds du grand escalier et de la salle du trône (il fallut dix ans aux artistes pour les réaliser). Vue splendide sur les jardins. Dans la grande galerie, les 110 portraits des rois d'Écosse font sourire. Puis

visite de l'appartement tragique où Rizzio, le beau secrétaire de Marie Stuart (l'amant ?), fut assassiné, probablement sur l'instigation de Darnley, son jaloux de mari. Chambre, avec plafond peint à caissons, où eut lieu le forfait (56 coups de couteau). Dans la chambre de la reine, à droite des escaliers, se trouve un passage secret datant du XVIᵉ siècle et découvert seulement dans les années 1970. Il communique avec la chambre de lord Darnley et avec l'abbaye. On suppose que les assassins de Rizzio sont passés par là pour perpétrer leur crime.

La visite se termine par les ruines majestueuses de l'abbaye, romantiques à souhait avec les belles collines en toile de fond. En sortant, noter les superbes portes en fer forgé de la cour.

Enfin, les amateurs de trésors ne rateront pas les expositions temporaires de la **Queen's Gallery** *(mêmes horaires ; entrée £ 5, soit 7,50 €)*, où sont présentées des œuvres d'art sélectionnées parmi les collections royales.

🎬🎬 🚶 *Dynamic Earth (zoom couleur I, H7, **158**) : Holyrood Rd.* ☎ 550-78-00. ● dynamicearth.co.uk ● *Juil-août : tlj 10h-18h (dernière entrée à 16h50) ; le reste de l'année, ouv jusqu'à 17h (dernière entrée 15h50) ; nov-mars : fermé lun-mar. Entrée : £ 9 (13,50 €) ; réduc. Audioguide en français.* Sous un grand chapiteau blanc qui contraste avec la montagne toute verte derrière, tout sur l'univers, la Terre, sa genèse, ses continents, ses différents milieux naturels, sa faune, sa flore. Quelques bons passages, comme la petite présentation sur la formation des planètes après le big bang, qui secoue jusque sous nos pieds... Revenu sur terre, différentes salles interactives abordent l'évolution des continents, la structure de la croûte terrestre, les glaciers, la formation des montagnes, des vallées, des lacs... On en vient ensuite à l'apparition de la faune et de la flore, illustrée par des animaux préhistoriques grandeur nature, des bruitages et des écrans tactiles. Puis on fait un vaste tour d'horizon des différents milieux naturels : du monde arctique et antarctique à la forêt tropicale, en passant par la toundra, on gagne quelques degrés en l'espace d'une salle ! Un décor plus vrai que nature, une chaleur moite et des cris d'animaux recréent une jungle très réussie. L'approche est clairement écolo, et vise à mettre en garde le visiteur contre les méfaits de la pollution et de la surexploitation de certains écosystèmes. En dernière partie, assis sous un grand dôme, le public intervient en s'exprimant sur des sujets relatifs à l'évolution de la Terre et de ses ressources naturelles, et mesure ainsi les conséquences futures de son comportement.

🎬🎬 *Le quartier de Grassmarket* *(zoom couleur I, F7) :* Victoria St, avec ses boutiques en courbe harmonieuse, mène à Grassmarket, marché hebdomadaire de la ville de 1477 à 1911. La place vit de nombreuses exécutions, dont celle de cent *Covenanters* morts pour leur foi. De Grassmarket partent plusieurs rues très anciennes. Le soir, dans la faible lueur des réverbères, elles prennent des teintes expressionnistes, notamment Candlemaker.

DES CRAPULES SANS SCRUPULE

Au début du XIXᵉ siècle, Mr Burke et Mr Hare, deux vauriens, avaient trouvé un moyen efficace de se faire de l'argent : ils assassinaient les gens à l'aide d'un masque de toile empli de poix pour revendre à la science les corps ainsi conservés. Il fallut attendre le 18ᵉ cadavre pour que la police ait finalement la puce à l'oreille et arrête les assassins.

🎬 *L'église de Greyfriars (zoom couleur I, F7) : Candlemaker Row.* Ce fut la première église construite en 1620 après la Réforme. On y signa le célèbre *National Covenant,* pour lequel moururent tant de fidèles. Et il s'agit probablement de la dernière église d'Édimbourg où les services sont encore officiés en gaélique. Cimetière pittoresque, avec des tombes sculptées très anciennes. Le quartier fut le théâtre d'une adorable histoire de bête. Bobby, chien d'un berger qui mourut et fut enterré au cimetière de Greyfriars, resta quatorze ans près de la tombe de son maître. Aujourd'hui, il possède sa statue en haut de Candlemaker Row.

🎭🎭🎭 *Museum of Scotland* (*zoom couleur I, G7, 159*) : *Chambers St. Infos :* ☎ 247-44-22. ● *nms.ac.uk* ● *Ce musée jouxte le Royal Museum. Tlj 10h-17h. Entrée et audioguides gratuits. Compter au moins 2h30, mais le mieux est encore d'y revenir plusieurs fois.*
Installé dans un édifice moderne, dû aux architectes Gordon Benson et Alan Forsyth, inauguré en novembre 1998. Très beau bâtiment minéral, qui mêle harmonieusement lignes courbes et droites. Une galerie relie depuis peu le *Museum of Scotland* et le *Royal Museum* (voir ci-dessous). Fascinant, le *Museum of Scotland* illustre de façon riche et didactique l'histoire de l'Écosse, de son étude géologique et de l'apparition des premiers hommes à l'évocation de la société contemporaine. Il s'intéresse à tous les peuples ayant habité la région, détaillant par le menu leur art, leur mode de vie, leurs croyances. Extraordinaire ! Plus de 10 000 objets y sont exposés, relayés par des scènes reconstituées, le tout réparti dans cinq départements. On y trouve notamment des pierres Oghams, le *Lewis chessmen,* jeu d'échecs nordique découvert sur l'île de Lewis, des vestiges de la présence des Romains en Écosse (trésor de Taprain), le reliquaire de Monymusk supposé avoir contenu les restes de saint Colomba, évangélisateur de l'Écosse, la crosse de saint Fillan exhibée pendant la bataille de Bannockburn (1314), *The Maiden* (l'ancêtre de la guillotine en 1565), des objets d'art de l'époque médiévale, une remarquable section sur la révolution industrielle (plusieurs locomotives, engins atmosphériques...), la civilisation actuelle (apparition de la radio, du cinéma...), les nouvelles techniques...
Enfin, une nouvelle galerie consacrée au sport rend hommage aux Écossais qui se sont illustrés dans diverses disciplines, au golf notamment. Un formidable labyrinthe aéré et lumineux, dans lequel on se perd avec délectation ! Au sommet de l'édifice, grande terrasse qui offre un panorama exceptionnel sur la ville. Visite à ne rater sous aucun prétexte.

🎭🎭🎭 👣 *Royal Museum* (*zoom couleur I, G7, 160*) : *Chambers St.* ☎ 247-44-22. ● *nms.ac.uk* ● *Tlj 10h-17h. Entrée libre. Visites guidées gratuites régulières en anglais la plupart du temps, et parfois en français. Rens par téléphone. Brève visite pour les enfants le dim à 14h30.* Initialement conçu pour abriter un musée de l'Industrie, ce magnifique bâtiment victorien, dessiné par Fowke et inauguré en 1888, accueille le musée des Sciences naturelles et de la Technologie. Grand hall avec bassins (et poissons !), structures de fonte et verrière. Importantes sections de géologie et fossiles. Également des collections de porcelaines, argenterie, céramiques orientales, costumes des quatre coins du monde, section sur l'art et la culture en Égypte, en Chine, au Japon et en Corée. Bornes interactives sur la préservation de la planète. Très pédagogique. Par ailleurs, maintes vieilles machines de la révolution industrielle. Dans la récente section *Connect* du rez-de-chaussée, consacrée aux technologies, nos jeunes lecteurs apprécieront particulièrement les bornes interactives. Ils pourront, entre autres, simuler une course de F1, enfiler un scaphandre, étudier le fonctionnement d'un missile ou d'une fusée. Explications illustrées de la création de l'énergie à partir du mouvement. Très pédagogique. Nombreuses expositions temporaires intéressantes. Et activités adaptées pour petits et grands. Pour souffler, agréable cafétéria sous la verrière du grand hall.

🎭 *National Library* (*zoom couleur I, F7, 161*) : *George IV Bridge.* ☎ 623-37-00. ● *nls.uk* ● *Lun-ven 9h30 (10h mer)-20h30 ; sam 9h30-13h. Entrée gratuite.* Petites expos à l'entrée.

🎭🎭 *City Art Centre* (*zoom couleur I, G7, 162*) : *2, Market St.* ☎ 529-39-93. ● *cac.org.uk* ● *Lun-sam 10h-17h. Entrée gratuite.* Dans un bâtiment à l'architecture moderne et aérée, expositions temporaires (payantes).

🎭 *The Edinburgh Dungeon* (*zoom couleur I, G7, 167*) : *31, Market St.* ☎ 240-10-00. ● *thedungeons.com* ● *À côté de Warverley Bridge. De début nov à mi-mars : lun-ven 11h-16h ; w-e 10h30-16h30 ; de mi-mars à fin juin : tlj 10h-17h ; juil-août :*

tlj 10h-19h ; sept-oct : tlj 10h-17h (ou 18h). Les horaires de fermeture correspondent à la dernière admission. Durée de la visite funèbre : 1h env, par petits groupes. Prix : £ 12 (18 €) ! Dernière-née d'une série de geôles factices, qui, malgré le prix, n'a pas refroidi ses adeptes à New York, Londres, Amsterdam et Hambourg. Dans le registre hémoglobine à tout prix, on est bien servi... Descente aux enfers ponctuée de macchabées de cire atrocement torturés. Les jeunes vampires assoiffés de sang seront peut-être satisfaits, les lecteurs aux pensées moins morbides risquent de ne décrocher qu'un rictus sceptique devant une artillerie si lourdingue.

🎥🎥 **Scotch Whisky Heritage Centre** *(zoom couleur I, F7, 163)* : 354, Castlehill, à côté du château. ☎ 220-04-41. • whisky-heritage.co.uk • *Sept-mai : tlj 10h-18h (dernière visite 17h) ; juin-août : tlj 9h30-18h30 (dernière visite 17h30). Entrée : £ 9,50 (14,30 €) ; réduc. Audioguide en français compris.* Bien sûr, ce musée ne prétend pas rivaliser avec le charme d'une balade dans une vraie distillerie, mais sa présentation livre tous les secrets du whisky aux néophytes. D'entrée de jeu, l'assemblée est invitée à déguster un scotch pour se mettre dans l'ambiance. Les papilles gustatives en alerte, tous écoutent religieusement différentes vidéos claires sur les méthodes de fabrication et l'art de l'assemblage, avant de passer à l'étape délicate des tests olfactifs. Après l'effort, le réconfort : les nouveaux amateurs embarquent à bord de tonneaux, prétexte à une amusante présentation historique du scotch, avec mannequins, bruitages et odeurs. Et chacun de repartir satisfait, son verre à dégustation dans la poche !

Dans New Town

◎ Symbole de l'architecture géorgienne. Comme pour la ville de Richelieu en France et celle de Noto en Sicile, on confia au même architecte la réalisation d'un ample programme de construction visant à désengorger la vieille ville. Un jeune inconnu de 23 ans, James Craig, remporta, à la surprise générale, en 1767, le concours pour édifier New Town. Il assuma la première tranche correspondant au quadrilatère formé par Princes St et Queen St, avec, sur l'arête de la colline, George St. Les places Charlotte Square et Saint Andrew Square furent l'œuvre d'autres architectes, mais tous respectèrent les plans et l'esprit de James Craig, à savoir unité architecturale et volonté de géométrie. Résultat : un ensemble original harmonieux, d'une distinction sans pareille. Grandes places élégantes auxquelles succèdent des rues en demi-lune, joliment proportionnées et agrémentées de belles ferronneries et autres enluminures.

🎥🎥 *Charlotte Square* *(zoom couleur I, E6-7)* est un chef-d'œuvre d'urbanisme, considéré comme la partie la plus réussie de New Town. On y trouve la *Bute House,* résidence officielle du Premier ministre écossais (pas fou !), ainsi qu'au n° 7, une maison meublée dans le style de l'époque : *Georgian House* *(NTS).* ☎ 226-33-18. *Avr-oct : tlj 10h-17h ; nov-mars : tlj 11h-15h. Fermé déc-fév. Entrée : £ 5 (7,50 €) ; réduc.* Ses différentes pièces, de la cuisine aux salons, en passant par les chambres, apportent un intéressant témoignage sur le mode de vie de la bourgeoisie au XVIIIᵉ siècle. Textes en français ou commentaires *live* dispensés par de charmantes dames. Voir aussi *Moray Place, Ainslie Place* et *Drummond Place.* En outre, parallèlement aux rues, un réseau dense de *lanes* apporte un surcroît de poésie à la balade (surtout la nuit, dans l'aura orangée des réverbères).

🎥🎥 *Scottish National Portrait Gallery* *(zoom couleur I, F6, 164)* : 1, Queen St, à l'angle de North Saint Andrew St. ☎ 624-62-00. • nationalgalleries.org • *Tlj 10h-17h (19h jeu). Entrée gratuite (sf pour certaines expos temporaires).* Dans un superbe édifice gothico-victorien à l'italienne (c'est possible !), l'Écosse présente un gigantesque trombinoscope de tous ceux qui ont compté dans l'histoire du pays. Si certaines œuvres sont de qualité moyenne, la plupart des toiles et bustes ont été réalisés par le gratin des portraitistes. À vous de découvrir les chefs-d'œuvre réalisés par Gainsborough *(John Campbell)*, Allan Ramsay, Reynolds, Raeburn, Kokoschka *(Duke of Hamilton)*, etc. Magnifiques miniatures. Expos temporaires de bonne tenue.

🏃🏃🏃 *National Gallery of Scotland (zoom couleur I, F7, 165)* : Princes St et The Mound. ☎ 624-62-00. ● nationalgalleries.org ● Tlj 10h-17h (19h jeu). Entrée gratuite *(sf pour certaines expos temporaires)*. L'un des grands musées de peinture européens. Ses nombreux chefs-d'œuvre sont présentés chronologiquement à la faveur d'une belle muséographie. Au rez-de-chaussée, on attaque la visite avec quelques œuvres de Titien (salle 1) dont *Les Trois Âges de l'homme*, œuvre de jeunesse. On s'intéressera en particulier à une *Déposition du Christ* du Tintoret (salle 2), à la grâce des tableaux de Murillo *(Jeune homme avec un panier de fruits* et une *Vierge à l'Enfant)*, au *Christ dans la maison de Marie et Marthe* de Vermeer (salle 6), probablement l'unique œuvre biblique de l'artiste, au vivant *Feast of Herod* de Rubens ainsi qu'à son petit portrait *(Étude de tête*, salle 9), ou encore aux toiles du Greco, de Zurbarán, Vélasquez *(Vieille Femme cuisant des œufs*, une œuvre de jeunesse), Raphaël *(Madonna del Passagio), Folkestone* (salle 11). On découvre aussi un *Autoportrait* de Rembrandt (salle 8) où se devine la maîtrise de la technique du clair-obscur, et *Jeune Femme aux fleurs* réalisé par son atelier. Parmi les artistes britanniques, Constable se distingue avec ses magnifiques paysages comme celui de *Vale of Dedham* ; Gainsborough reste fidèle à ses portraits aristocratiques avec *Mrs Graham* (salle 10) ; également des œuvres de Turner salle 11. Poussin est à l'honneur dans la galerie 5, où la salle entière est dévolue à ses *Sept Sacrements*. Et pour finir, le haut du panier est réuni à l'étage pour l'apothéose : Greuze et tous les impressionnistes ! En vrac, Gauguin *(Trois Tahitiens)*, Degas *(La Grande Arabesque)*, plusieurs Monnet, Morisot, Delacroix, Pissarro... Également des peintures des XIVᵉ et XVᵉ siècles (dont Raphaël et Botticelli) et peintres écossais au sous-sol. Une visite passionnante et variée.

🏃 *Le mémorial Walter Scott (zoom couleur I, F6, 166)* : impossible d'échapper, sur Princes St, à ce monument d'un gothique lourd et pompeux, élevé en 1846. Oct-avr : lun-sam 9h-15h ; dim 10h-15h ; mai-sept : lun-sam 9h-18h ; dim 10h-18h. Entrée : £ 3 (4,50 €) ; réduc. Sûr que Walter Scott n'aurait pas été d'accord. On peut y grimper : près de 300 marches pour les courageux. On est quand même récompensé par la perspective sur la ville.

🏃 *Calton Hill (zoom couleur I, G6)* : la colline, dans les Regent Gardens, qui se prend pour l'Acropole.

Dans Dean Village

🏃🏃🏃 *Scottish National Gallery of Modern Art (plan couleur général C7, 170)* : 75, Belford Rd, à l'ouest de la ville. ☎ 624-62-00. ● nationalgalleries.org ● Bus nº 13 de Princes St ou le Gallery Bus, gratuit depuis la National Gallery. Tlj 10h-17h (août jusqu'à 18h). Entrée gratuite *(sf pour certaines expos)*. Nichées dans un imposant bâtiment néoclassique au milieu d'un parc paysager moderne, les importantes collections s'efforcent de présenter un panorama complet de l'art à partir de la fin du XIXᵉ siècle. Pêle-mêle : nabis, fauvisme, cubisme, primitivisme, expressionnisme, ou encore art abstrait russe. Très riche, le musée aligne une belle brochette d'artistes : Picasso *(Mère et Enfant)*, Lichtenstein, Braque, Miró, Bacon, Ernst, Dalí, Mondrian, Kirchner... Également Derain, Vuillard, Bonnard... et bien entendu la palette complète des Écossais contemporains ! Continuant d'acquérir des œuvres à un bon rythme, le musée fait régulièrement tourner ses collections (sauf les écossais, pardi !).

🏃🏃 *The Dean Gallery (plan couleur général C6-7, 168)* : 73, Belford Rd, en face de la précédente. ☎ 624-62-00. ● nationalgalleries.org ● Tlj 10h-17h. Bus nº 13. Entrée gratuite *(sf pour certaines expos temporaires)*. Inauguré en 1999, ce musée d'Art contemporain occupe un ancien orphelinat du XIXᵉ siècle de style néoclassique. Il abrite principalement la collection Eduardo Paolozzi, un sculpteur écossais dont on a reconstitué la bibliothèque dans l'une des salles. Parmi les œuvres, on note quelques intéressantes gravures, de curieux bustes aux visages fragmentés et un incontournable (difficile de faire autrement !) Vulcain de plusieurs mètres de haut. Le musée s'est également enrichi de petites collections dadaïstes et surréalistes. Quelques œuvres de Magritte, Max Ernst, Miró (notamment la très belle *Peinture* aux superbes jeux de couleurs), Dalí, ou encore *L'Objet désagréable* de Giacometti.

À Leith

🎕🎕 **The Royal Britannia** *(zoom couleur II, H1) :* amarré dans le port de Leith, face au complexe Ocean Terminal. *Rens et résa :* ☎ 555-55-66. ● *royalyachtbritannia. co.uk* ● *Pour s'y rendre en voiture, suivre les panneaux « Leith », puis « Britannia ». Bus nᵒˢ 22, 34 et 35 du centre-ville. Avr-oct : tlj 9h30-16h30 (dernière admission) ; nov-mars : tlj 10h-15h30. Prévoir 1h à 2h de visite, avec audioguide en français. Tickets en vente au Visitor Centre, au 2ᵉ étage du centre commercial Ocean Terminal. Entrée : £ 9,50 (13,90 €) ; réduc.* Pour les inconditionnels de la famille royale, un des yachts les plus connus au monde, « le palais flottant de la reine », mis à la mer en 1953 ; il a parcouru plus d'un million de miles, recevant la visite d'hôtes prestigieux tels que Mandela, Eltsine, Clinton, etc. La reine Elizabeth a réalisé quelque 700 voyages à travers le monde sur ce bateau immense, manœuvré par plus de 220 marins. Avant de monter sur le navire, expo avec ses plans, le *Who's who* de l'équipage, des vidéos de ses voyages, des instruments de navigation, et la barge royale toute propre dans un bassin sur mesure. Une fois embarqué, à voir : les appartements royaux mais aussi la salle des machines, les quartiers de l'équipage, la chambre de l'Amiral (car le capitaine était toujours choisi parmi les amiraux de la *Royal Navy*)... le tout agrémenté de commentaires et anecdotes historiques ! Allez, une petite pour le plaisir : la reine ne se déplaçait jamais sans ses cinq tonnes de bagages !

Balades pittoresques ou bucoliques

➤ **Dean Village** *(plan couleur général C6) :* il est loin le temps où les malles-poste traversaient le village... Depuis, tout le monde l'a oublié, ou presque. Pépite déposée comme par mégarde au creux d'une incroyable coulée verte, cet ancien village de meunier déroule ses belles demeures le long d'une rivière bruissante. À pied, emprunter Queensferry St jusqu'à la Leith River ; juste avant le pont, descendre *Bell's Brae* ; en longeant la berge en aval, on parvient à un joli point de vue sur des petits rapides noyés sous les frondaisons. Le sentier poursuit sa route à fleur d'eau, glisse sous le pont considéré en 1838 comme l'un des plus hauts du monde, et file vers Stockbridge. En amont, le chemin conduit à une passerelle d'où l'on aperçoit sur l'autre rive l'architecture originale d'une cité ouvrière de la fin du XIXᵉ siècle. Grès rouge et façade à la flamande, hérissée de pignons crantés. En suivant la berge 5 mn encore en amont, on découvre un escalier au niveau d'un pont conduisant à la *Dean Gallery* et à la *Scottish Gallery of Modern Art*. Une promenade irréelle d'une rare quiétude, à 15 mn à peine de la très affairée Princes St.

➤ **Arthur's Seat** *(plan couleur général I8) :* à Holyrood Park culmine un ancien volcan éteint de 251 m de haut. À côté du palais, l'occasion d'effectuer une super balade vivifiante. Sortie populaire des familles. Un petit coin des Highlands avec sa lande, sa bruyère, ses lapins et ses roches abruptes, étonnant ! D'agréables sentiers permettent une ascension facile au départ de l'unique route, Queen's Drive, qui serpente à travers le parc. Balade d'1h30 à 2h. Magnifique panorama sur la région.

🦌🦌 *Royal Botanic Gardens* (plan couleur général D-E4) : *Inverleith Row.* ☎ 552-71-71. ● *rbge.org.uk* ● *Bus n° 8 de North Bridge et n° 17 de Princes St. De George IV Bridge, bus nᵒˢ 23 et 27. Avr-sept : tlj (sf par grand vent !) 10h-19h ; mars et oct : 10h-18h ; nov-fév : 10h-16h. Entrée gratuite. Visite des serres : £ 3,50 (5,30 €) ; réduc.* Un royaume végétal de 28 ha. La plus grande exposition de rhododendrons du monde. C'est sûrement vrai et c'est très beau ! Magnifiques serres, un jardin chinois, un arboretum, etc. Plein d'écureuils gris adorables.

➤ *Walking tours :* de nombreuses agences proposent des visites guidées originales de la vieille ville (en anglais). Prospectus à l'office de tourisme.

Manifestations

– *Festival international d'Édimbourg :* résa à l'avance (à partir de mi-avril) en écrivant à *Edinburgh International Festival,* The Hub, Castlehill, Edinburgh, EH1 2NE. ☎ 473-20-00. ● *eif.co.uk* ●. *Ou par téléphone au* Hub : *lun-sam 10h-17h ; pdt le festival : lun-sam 9h-19h30 ; dim 10h-19h30.* Petit café sympa, juste devant leurs bureaux. C'est l'un des événements culturels les plus importants du monde a lieu chaque année depuis 1947 ! Il se déroule sur les 3 dernières semaines d'août. Créé pour fêter la fin de la guerre, le festival rassemble chaque été toutes sortes de manifestations musicales, théâtrales, chorégraphiques ou lyriques. Des spectacles de qualité et une folle animation dans toute la ville pendant 3 semaines (d'ailleurs, pubs et magasins ferment bien plus tard pour l'occasion)...

– Enfin, n'hésitez pas à fureter dans les journaux : on y trouve des entrées gratuites pour de nombreux spectacles ! Et puis, parallèlement au festival, se déroulent un *festival international du Film* (● edfilmfest.org.uk ●), un *festival Fringe* (troupes de théâtre d'avant-garde ou amateurs), un *festival de Jazz & Blues* (● edinburgh jazzfestival.co.uk ●), un *festival politique* (● festivalofpolitics.co.uk ●) avec débats mêlant politique, médias et art.

– *Fringe Festival :* Fringe Ticket Office, 180, High St, Edinburgh, EH1 1QS. ☎ 226-00-26. ● edfringe.com ● Le programme de ce festival off, qui a lieu également 3 semaines au mois d'août, est indispensable pour s'y retrouver.

– *Edinburgh Military Tattoo :* en août, pdt 3 sem. Pour réserver ses places, contacter à partir de début janv : Tattoo Office, 32, Market St, Edinburgh EH1 1QB. ☎ 08707-555-118. ● edintattoo.co.uk ● Grande parade militaire sur l'esplanade du château. Kilts, cornemuses et tambours, pour la grande joie des touristes ! Pour la petite histoire, le terme *tattoo* signifie « fermer les robinets »... des tonneaux. Le show s'achève traditionnellement par le chant plaintif d'un cornemuseur illuminé, debout sur le donjon, alors que les projecteurs plongent lentement la forteresse dans la pénombre. Ambiance assurée.

– *Edinburgh International Book Festival :* une quinzaine de j. en août. À Charlotte Square Gardens. ☎ 0845-373-58-88. ● edbookfest.co.uk ● Édimbourg, importante cité littéraire, rassemble chaque année plusieurs centaines d'écrivains du monde entier. Un bel hommage à la littérature. Nombreux débats et conférences.

– *Hogmanay :* du 29 déc au 1ᵉʳ ou 2 janv. Résa : Edinburgh's Hogmanay Box Office, The Hub, Castlehill, Royal Mile, Edinburgh, EH1 2NE. ☎ 473-20-00 ou 529-39-14. ● edinburghshogmanay.org ● Festival de fin d'année, dont l'apogée est bien sûr la Saint-Sylvestre, la nuit du 31 décembre au 1ᵉʳ janvier. Celui d'Édimbourg est considéré comme le plus grand *Hogmanay Festival* du monde. Plusieurs centaines de milliers de personnes participent aux concerts de rue et festivités en tout genre. Ambiance indescriptible. L'accès est gratuit mais réservé aux porteurs de tickets (toute la ville est cernée !). Attention, pas question d'attendre la dernière minute, car le nombre de places est limité ; il faut donc réserver à l'avance...

– *Beltrane Festival :* sur Calton Hill, la nuit du 30 avr au 1ᵉʳ mai. Fête celtique « monstrueuse » (déguisements, feu et musique) pour célébrer l'arrivée de l'été. Au petit matin, la foule se retrouve au sommet de Holyrood pour se laver le visage dans la rosée.

– *Edinburgh International Science Festival :* en avr. ☎ 558-76-66. ● *sciencefes tival.co.uk* ● Destiné à rendre la science passionnante pour tous, grâce à une série d'événements.

➤ *DANS LES ENVIRONS D'ÉDIMBOURG*

🍴🎭 *Craigmillar Castle* (HS ; *hors plan couleur général par I9,* **169**) *: à 3 miles (5 km) au sud-est du centre.* ☎ 661-44-45. *Prendre Dalkeith Rd puis, au petit panneau indiquant « Craigmillar Castle », une route à gauche ; au feu suivant, tourner à droite, c'est tt en haut. Sinon, bus n°s 2, 14, 30 et 32 de North Bridge. Arrêt à l'hôpital, puis 10 mn de marche. Avr-sept : tlj 9h30-17h30 ; oct-mars : 9h30-16h30 (oct-déc, fermé jeu-ven). Entrée :* £ 4 (6 €) *; réduc.* Aux portes de la ville, ce petit coin de campagne est dominé par les imposants vestiges du *Craigmillar Castle,* bel exemple de château médiéval écossais érigé au début du XVe siècle. Si les charpentes et toitures ont aujourd'hui disparu, les remparts, la courtine intérieure crénelée et les tours d'angle sont pratiquement intacts. Le donjon massif ne dépare pas, à l'image de la grande salle encore ornée d'une belle cheminée. Celliers, caves, poterne ou cuisines livrent les derniers secrets de ce château historique, où Marie Stuart vint séjourner après l'assassinat de son secrétaire Rizzio et la naissance de son fils James. C'est également ici que fut ourdi le meurtre de lord Darnley, son tendre époux... Très belle vue sur les collines de Holyrood et Édimbourg depuis les chemins de ronde.

🎭 *Blackford Hill :* bus n°s 41 et 42 depuis The Mound. Arrêt : Blackford Ave, puis 10 mn de grimpette. Parking. Une balade vivifiante sur les hauteurs d'Édimbourg. Plusieurs sentiers partent du parking et s'égarent à travers la colline. Beaux points de vue sur Édimbourg.

🎭 *Lauriston Castle :* Cramond Rd South, à 5 km au nord-ouest d'Édimbourg. ☎ 336-20-60. Bus n° 24 de Hanover St jusqu'à Davidson's Mains High St. Avr-oct : visite guidée tlj sf ven à 11h20, 12h20, 14h20, 15h20 et 16h20 ; nov-mars : slt le w-e 14h20 et 15h20. Entrée : £ 5 (7,50 €) ; réduc. Avec ses échauguettes et ses faisceaux de cheminée, cette ancienne maison forte modestement appelée « villa » a fière allure. Les parties les plus anciennes datent du XVIe siècle, mais la plupart des bâtiments ont été copieusement remaniés au XIXe siècle. Léguée à l'État en 1926 par son dernier propriétaire, la demeure a traversé les décennies sans avoir connu la moindre modification. Les appartements figés offrent par conséquent un bon aperçu de la vie bourgeoise à l'époque édouardienne. Coquet ! Accès libre dans les jardins paisibles surplombant le Forth tout autour de la demeure.

🍴🎭 🚶 *Butterfly and Insect World* (plan Édimbourg et les Lothians) : à 5,5 miles (9 km) au sud-est du centre-ville, sur l'A 7 (c'est fléché). ☎ 663-49-32. ● edinburgh-butterfly-world.co.uk ● Bus n°s 3 (Lothian Buses) et 28 (First Bus). En été : tlj 9h30-17h30 ; en hiver : tlj 10h-17h. Entrée : £ 5 (7,50 €) ; réduc. Dans une serre tropicale à la touffeur plus vraie que nature, des dizaines d'espèces de papillons s'ébattent en liberté sous les yeux émerveillés des visiteurs. Certains se posant même sur les bras, jambes ou appareil photo, c'est l'occasion rêvée d'observer les dessins caractéristiques de leurs ailes magnifiques... À voir encore (mais en vivarium) : serpents, varans et autres reptiles, araignées, gigantesques sauterelles, énormes mille-pattes et toutes sortes d'insectes étonnants. Tout aussi fascinante, l'observation de l'intérieur d'une ruche et d'une fourmilière en plein travail dévoile la complexité de leur organisation. Enfin, ceux qui veulent se dépasser peuvent prendre en main python et tarentules à 12h et à 15h !

🎭 *Pentland Hills :* à 8 km au sud du centre-ville, juste après le by-pass. En bordure de l'A 702, peu après la sortie du by-pass direction Penicuik et Biggar. Bus n°s 4, 10, 15 et 44. Ski (sur poils !) à 450 m d'altitude. Le point de repère est le Midlothian Ski Centre, une des plus longues pistes artificielles d'Europe. ☎ 445-44-33. Tlj sf 2 sem *fin juin, 9h30-21h (19h dim). Pour avoir des infos sur les randonnées :* ● *pentlandhills. org* ● *Forfaits incluant la loc du matériel et les remontées mécaniques.*

C'est le point de départ de nombreuses balades à pied, à cheval ou à vélo dans le Parc régional des collines de Pentland. Un vrai paradis pour ceux qui veulent s'évader un instant de la ville. Dès que l'on monte un peu, belle vue sur Édimbourg. Possibilité d'y pratiquer le parapente.

De là, on n'est pas loin de Swanston, hameau perdu entre deux golfs. L'une de ces maisonnettes avec toit de chaume servit de résidence de vacances à Robert Louis Stevenson. Néanmoins pas facile à trouver et, si vous êtes en voiture, vous êtes obligé de retourner de l'autre côté du *by-pass* pour le franchir à nouveau.

🐾🐾🐾 *Rosslyn Chapel : à Roslin (plan d'Édimbourg et les Lothians).* ☎ *440-21-59.* ● *rosslynchapel.org. uk* ● *À 11 km au sud d'Édimbourg par l'A 701. Bus n° 15A. Avr-sept : lun-sam 9h30-18h ; dim 12h-16h45 ; oct-mars : lun-sam 9h30-17h ; dim 12h-16h45 (dernière admission à 16h30). Entrée : £ 7 (10,50 €). Audioguide payant.* Un petit bijou du XVe siècle déposé dans un bel écrin de verdure. Construit à la demande du seigneur de Rosslyn William Saint

CODE... GÉNÉTIQUE

Le village de Roslin est « famous » à deux titres. C'est ici, en 1996, qu'a vu le jour, Dolly, la brebis clonée. Le chercheur écossais était fan de la chanteuse... Dolly Parton ! La génétique aurait-elle inspiré Dan Brown ? Non seulement c'est un des sujets abordés dans son célèbre Da Vinci Code, *mais l'histoire de son roman prend fin dans la chapelle de... Rosslyn ! Coïncidence ?*

Clair qui, pour laisser à la postérité une œuvre unique, fit venir des maîtres artisans de l'Europe entière. De leurs talents conjugués naîtra un chef-d'œuvre architectural, une église à la décoration d'une rare complexité, digne d'un travail d'orfèvre. Les scènes bibliques sculptées et les voûtes à clés pendantes, nervurées et ornées de rosaces, d'étoiles et de patères habillent l'édifice d'une dentelle de pierre, courant le long des piliers et de la voûte comme autant de vigne vierge. La plus belle pièce, le « pilier de l'apprenti » (derrière l'autel, à droite), provoqua une telle scène de jalousie du maître maçon qu'il trucida le jeune artisan qui l'avait réalisée. Pas moins de huit fantômes y demeurent ! Aujourd'hui, une structure métallique préserve la vieille dame des intempéries mais ne diminue en aucun cas le choc esthétique que l'on ressent en poussant les portes du chœur. À noter que l'échafaudage qui protège l'extérieur de la chapelle est accessible au public. Non que la façade présente un grand intérêt, mais l'ascension permet d'appréhender de plus près gargouilles et toiture – pas courant... – et le joli panorama sur la campagne. Possibilité de camper à proximité (voir « Où dormir ? » plus haut) et de faire des balades sympas en contrebas dans la vallée.

L'EAST LOTHIAN

De la banlieue est de la capitale de l'Écosse aux plages de la mer du Nord et jusqu'aux contreforts nord des Lammermuir Hills, on trouve une contrée plutôt agréable, des petites stations balnéaires populaires, une profusion de terrains de golf et une campagne plane et riante.

DUNBAR   6 200 hab.   IND. TÉL. : 01368

On dit d'elle que c'est la ville la plus ensoleillée d'Écosse (en fait, la moins pluvieuse !). C'est aussi un petit port bien protégé, dont l'entrée est dominée par les ruines d'une forteresse démantelée en 1567.

Arriver – Quitter

➢ Avec la compagnie *First,* bus ttes les 30 mn, nᵒˢ X6 ou X8 de et vers *Édimbourg* et *Haddington.* Dim, bus ttes les heures avec le nº 44D. Env 1h30 de trajet pour Édimbourg.

Adresse utile

🛈 *Tourist Information Centre :* 143, High St. ☎ 863-353. Avr-oct : lun-sam | 9h-17h (18h ou parfois 19h en été) ; dim juin-sept slt : 11h-18h (16h en sept).

Où dormir ? Où manger ?

⚓ *Belhaven Bay Camping :* Edinburgh Rd. ☎ 865-956. À l'entrée de Dunbar en venant de l'ouest. Mars-oct. Compter £ 12-14 (17,40-20,30 €) pour deux. Entre la route et des marais, vaste pelouse où planter sa tente.

🏠 *Woodside B & B :* 13, North St. ☎ 862-384. • *dunbarwoodside.co.uk* • Avr-sept. Prévoir £ 27-33 (40,50-49 €) par pers. Un bien joli *B & B*. Très agréable salon avec grande baie vitrée donnant sur le Bass Rock (le rocher au large

de la côte). Chambres coquettes et très bien tenues, avec ou sans salle de bains. Une bien bonne adresse, qu'on vous dit !

🍴 *The Food Hamper :* 124, High St. ☎ 865-152. Ouv en journée jusqu'à 17h. Prévoir £ 2-5 (3-7,50 €), sur place ou à emporter. Une sorte d'épicerie fine où l'on peut manger sur le pouce, et qui propose salades, soupes et sandwichs... C'est simple et très correct. Beaucoup de locaux y passent le midi.

À voir. À faire

🏛 *Town House Museum :* High St. • *eastlothian.gov.uk/museums/dth* • Avr-oct : tlj 12h30-16h30 ; nov-mars : slt w-e 14h-16h30. Entrée gratuite. Une ancienne prison qui accueille aujourd'hui une petite expo sur l'histoire locale et une modeste section sur l'archéologie.

🏛 *John Muir Birthplace :* 126, High St. ☎ 865-899. • *jmbt.org.uk* • Lun-sam 10h-17h ; dim 13h-17h. Fermé lun et mar en hiver. Entrée gratuite. Maison natale d'un Écossais peu connu dans son pays : émigré aux États-Unis en 1849, il a beaucoup œuvré à la création des grands parcs nationaux américains. On lui doit donc Yosemite, Yellowstone, etc. Présentation de ses réalisations, aventures, mais aussi de ses dessins et extraits d'écrits.

➢ Pas étonnant, donc, de trouver au nord de Dunbar et au bord de Belhaven Bay, le *John Muir Country Park,* une réserve naturelle incluant l'estuaire de la Tyne. Accessible à pied des ruines du château de Dunbar (2 km), c'est une promenade des plus agréable qui mène à travers des bois d'essences rares jusqu'aux falaises et aux plages habitées par de nombreuses espèces d'oiseaux marins.

NORTH BERWICK   6 500 hab.   IND. TÉL. : 01620

La « Biarritz du Nord » est un centre de villégiature qui a connu un boom à la fin du XIXᵉ siècle grâce à l'arrivée du chemin de fer amenant les habitants d'Édim-

L'EAST LOTHIAN

bourg goûter aux nouveaux plaisirs balnéaires. La station en a gardé un petit parfum victorien. Deux belles plages de chaque côté d'un port tout mignon à la pointe du village.
– Highland Games : 1er sam d'août.

Arriver – Quitter

En bus

➤ Avec la compagnie First. Pour **Édimbourg,** bus ttes les heures, nos 124 ou X5 (express) ; et pour **North Berwick,** prendre le bus n° 121, passages assez fréquents.

En train

➤ Liaisons fréquentes avec **Édimbourg.**

Adresse utile

🛈 **Tourist Information Centre :** Quality St. ☎ 892-197. Tte l'année : avr-juin et sept, lun-sam 9h-18h (19h en juil-août) ; oct-mars, 9h-17h ; juin-sept : ouv également dim 11h-16h (18h en juil-août).

Où dormir ? Où manger ?

⚲ **Tantallon Caravan and Camping Park :** à un peu plus de 2 km du centre, sur l'A 198 direction Dunbar. Prendre le bus n° 120. ☎ 893-348. ● meadowhead.co.uk ● Mars-oct. Compter £ 10-12 (15-18 €) pour deux avec une tente. Dans un très beau site surplombant la mer. Petit magasin, ping-pong, billard, laverie et accès Internet.
🛏 **The Wing :** 13, Marine Parade. ☎ 893-162. ● thewing.co.uk ● À 200 m du Tantallon. Compter £ 25-35 (37,50-

52,50 €) par pers, petit déj inclus. Chambres assez classiques avec salle de bains, dans une maison qui fait face à la mer. Vaut surtout pour son chaleureux salon, possédant un piano et une lunette d'approche.
🍽 **The Grange :** 35, High St. ☎ 893-344. Déjeuner complet £ 8 (12 €) ; le double le soir. La meilleure option en ville, avec une cuisine travaillée et des plats soignés. Service amical dans une salle tout en bois. Bonne carte des vins.

À voir. À faire

➤ **North Berwick Law :** au sud de la ville, promenade d'env 40 mn. Elle mène jusqu'au sommet du cône volcanique (187 m). Chouette panorama, table d'orientation et curieux monument en forme d'arche constitué de deux os de baleine.

➤ **The Scottish Seabird Centre :** près du port. ● seabird.org ● Avr-sept : tlj 10h-18h ; nov-janv : lun-ven 10h-16h (17h30 w-e) ; fév-mars et oct : tlj 10h-17h (17h30 w-e). Entrée : £ 7 (10,50 €) ; réduc. Les îles du Firth of Forth et leur faune vues sous tous les angles et, même, en direct, grâce à des caméras et des télescopes. Modèle réduit du Bass Rock, projection sur grand écran de films sur les phoques et les colonies de fous (oiseaux) qui vivent dans l'estuaire. Autant pour les familles que les amateurs d'ornithologie.

➤ **Excursion à Bass Rock :** le spectaculaire rocher en face de North Berwick est d'origine volcanique. Outre un phare, il abrite, au pied de grottes marines, une population de phoques et surtout des colonies d'oiseaux dont le fou de Bassan (gannet

en anglais). Le petit fou est abandonné par ses parents à l'âge de deux mois et apprend tout seul à se débrouiller sans savoir encore voler. S'il survit, il devient alors un grand fou capable de plonger à 15 m de profondeur et de vivre plus de trente ans. Les amateurs de statistiques apprendront que les 100 000 fous de l'île consomment chaque jour 60 t de poisson et rejettent des montagnes de déchets qui donnent une coloration blanc-gris à certaines falaises.

Pour aller les observer, s'adresser à *Fred Marr (☎ 892-838 ; env 1h15 et £ 7 (10,20 €) pour la traversée et le tour de l'île en bateau découvert).* Les sorties dépendent évidemment de l'état de la mer. D'autres excursions sont organisées par le *Seabird Centre* (voir plus haut) par petits groupes avec un spécialiste, mais c'est bien plus cher.

➤ *DANS LES ENVIRONS DE NORTH BERWICK*

🕯️ *Tantallon Castle* (HS) : *à 5 km à l'est de North Berwick.* ☎ *892-727. Avr-sept : tlj 9h30-17h30 ; oct-mars : 9h30-16h30 ; fermé jeu et ven ; dernière admission 30 mn avt la fermeture. Entrée : £ 4,50 (6,80 €) ; réduc.* Formidable forteresse de grès rouge dominant un éperon rocheux et le déferlement de la houle mugissante. Un vrai château de roman d'aventures. Construit par les Douglas dès la fin du XIVᵉ siècle et modifié au XVIᵉ siècle pour en faire un solide ouvrage défensif aux murailles de plus de 15 m de haut, il fut pourtant investi en 1651 par les troupes du général Monck, après douze jours de bombardement. Les excellents panneaux explicatifs permettent de se faire une bonne idée de l'usage des différentes salles et systèmes défensifs. Au large, Bass Rock semble se trouver là comme un avant-poste de Tantallon Castle dans l'océan.

🕯️ *Dirleton Castle* (HS) : *à 5 km à l'ouest de North Berwick.* ☎ *850-330. Avr-sept : tlj 9h30-17h30 ; oct-mars : 9h30-16h30. Entrée : £ 4,50 (6,80 €) ; réduc.* Au milieu de la délicieuse bourgade du même nom, parsemée de coquets cottages et de jardins fleuris, les ruines de Dirleton méritent une petite halte. Le château est dans un parc agrémenté d'un impeccable terrain de boules taillé au millimètre. Les ruines, en partie du XIIIᵉ siècle, évoquent encore sans trop de difficultés la vie de ses habitants. De plus, grâce aux explications des panneaux illustrés, on peut identifier la fonction des différentes pièces. Au fond du jardin, un mignon pigeonnier en forme de ruche.

🕯️ *Gullane :* station de villégiature agréable et attirant les golfeurs (c'est là que se trouve le célèbre terrain de Muirfield), autour d'une longue plage courbe de sable fin.

🕯️ *Le musée du Golf :* dans le Professional Golf Shop, *à la sortie de Gullane en direction d'Édimbourg. Visite sur résa.* ☎ *(01875) 870-277.*

🕯️ *Aberlady :* un petit village sur la côte, *à l'ouest de North Berwick.* Encore un paradis pour golfeurs. À marée basse, la mer s'échappe à perte de vue.

🕯️ *Myreton Motor Museum :* du centre d'Aberlady, prendre la route côtière vers l'est ; c'est indiqué à droite. ☎ *(01875) 870-288. Avr-oct : 11h-16h. Entrée : £ 4 (5,80 €) ; réduc.* Collection privée un peu hétéroclite de tout ce qui roule en faisant de la fumée depuis 1897.

HADDINGTON   9 000 hab.   IND. TÉL. : 01620

Chef-lieu de l'East Lothian et jadis ville de marché aux traces historiques encore bien présentes, malgré les nombreux saccages qui émaillèrent son passé. Il faut s'y promener au hasard pour en apprécier les richesses. C'est la ville natale de John Knox, le réformateur religieux.

L'EAST LOTHIAN

Arriver – Quitter

La compagnie *First* relie Haddington à :
➤ *Édimbourg* : bus ttes les 30 mn, n°s X6 ou X8 ; dim, bus ttes les heures avec le 44D. Compter 1h de trajet.
➤ *Dunbar :* bus X8 ou le 44D dim.
➤ *North Berwick :* bus n° 121, assez fréquents.

Où dormir ? Où manger ?

🛏️ |●| **The Plough Tavern Hotel :** *11, Court St.* ☎ 823-326. *Doubles avec sdb £ 70 (105 €) ; une familiale. Côté resto, plats traditionnels £ 6-9 (9-13,50 €). Accueil souriant.*

|●| *Jacques & Lawrence :* 37, Court St. ☎ 829-829. *Une échoppe en face de la poste. Ouv en journée. Prévoir £ 3 (4,50 €). Pour manger un p'tit déjeuner (sandwichs, crudités, salades...) préparé avec des ingrédients très frais. On commande au comptoir, avant de s'attabler juché sur un haut tabouret (on*

peut aussi emporter). Choix de gâteaux délicieux et café serré. Quelques tables en terrasse pour les beaux jours.

|●| *Waterside Bistro :* 1-5, Waterside Nungate. ☎ 825-674. *En face de l'église Saint Mary, de l'autre côté du fleuve. On y accède par un joli pont en pierre. Plats autour de £ 9 (13,50 €). Pub à l'ambiance feutrée. Cuisine excellente et généreuse, que l'on peut savourer face au fleuve. Resto plus chic à l'étage.*

Où dormir dans les environs ?

🛏️ *Carfrae Farm House :* chez Mrs Gibson, à Garvald. À 13 km au sud-est de Haddington. Prendre la direction de Carfrae sur 1,5 km. ☎ 830-242. ● *carfrae farmhouse.com* ● Avr-oct. *Compter*

£ 30-35 (45-52,50 €) *par pers selon confort. Maison isolée avec 3 chambres claires, spacieuses et aux moquettes épaisses. Beau jardin fleuri.*

Où boire un verre ?

🍸 *The Pheasant :* sur Market Sq, proche du Plough Tavern Hotel. *Animations jeu-sam. Les meilleures* ales *de la*

région. Voir, au-dessus du bar, toutes les étiquettes de bières qui ont déjà été servies à la pompe.

À voir

🏛️🏛️ *Saint Mary Parish Church :* ☎ 823-109. ● stmaryskirk.com ● Mai-sept : lun-sam 11h-16h ; dim 14h-16h30. Entrée gratuite, mais donations appréciées. Avec sa grosse tour carrée, jadis surmontée d'une flèche, l'église fait la fierté de la ville. Élevée au XIVe siècle, elle a été restaurée au XIXe siècle. Plusieurs gisants, dont le *Lauderdale Monument,* ainsi que des vitraux attireront l'attention des curieux. En été, concert de temps à autre le mercredi (payant) ; le violoniste Yehudi Menuhin est venu y jouer.

🏛️ *La ville :* nombreuses curiosités à découvrir en flânant à partir du *Town House,* dont le fronton est dû à William Adams. La *Market Place* triangulaire et *Mitchell's Close,* ensemble bien restauré avec des escaliers extérieurs. *High Street* et ses façades de styles et couleurs variés. *Carlyle House,* une construction italianisante à côté d'une maison à la fenêtre vénitienne dans Lodge Street. Vers le fleuve Tyne,

dans Hardgate, *Kinloch House,* avec un pignon à gradins. Par Sidegate, on aboutit à *Haddington House* et ses jardins. Au bout de la rue, *Poldrate Mill,* petit moulin à grains avec sa petite roue. Retour ensuite vers les berges près de Nungate Bridge, où la vue sur le jardin clos de *Lady Kitty* (plantes médicinales) englobe un colombier cylindrique.

➤ *DANS LES ENVIRONS DE HADDINGTON*

🏌 **Lennoxlove House :** *à env 1 mile (moins de 2 km) au sud, sur la B 6369.* ☎ 823-720. ● lennoxlove.com ● *Ouv Pâques-oct : mer, jeu et dim 13h30-15h30. Entrée :* £ 4,50 (6,80 €) ; réduc. Visites guidées ttes les heures, ou ttes les 30 mn en été. Résidence du duc d'Hamilton, entourée d'un grand parc et dont la partie la plus ancienne date du XIVe siècle. Collection artistique rassemblant les portraits des propriétaires successifs et de leur prolifique parentèle. Porcelaines, mobilier et, dans la tour, un masque mortuaire de Marie Stuart (encore un !), accompagné d'un coffret de fiançailles offert par son premier mari : François II, roi de France.

🏌 **Preston Mill** *(NTS) : près d'East Linton, entre Haddington et Dunbar, sur l'A 1.* ☎ 860-426. Tlj juin-sept : 13h-17h. Entrée : £ 5 (7,50 €) ; réduc. Pittoresque moulin à eau du XVIe siècle, en parfait état de marche, dans un environnement bucolique. Toit conique et tuiles rouges. Une gentille meunière se fera un plaisir de vous expliquer tous les secrets du grain. Si votre anglais est incertain, demandez le carton explicatif en français. À 300 m au-delà d'un petit pont, le **Phantassie Doocot,** pigeonnier circulaire du XVIe siècle. Fréquents à cette époque, les colombiers servaient à pourvoir aux besoins en viande fraîche en hiver, où l'on ne disposait que de viande salée et séchée. Capacité : 500 volatiles !

🏌🏌 **Museum of Flight :** *à East Fortune Airfield.* ☎ 897-240. ● *nms.ac.uk/flight* ● *À proximité de la B 1347, au nord d'Haddington. Avr-oct : tlj 10h-17h (18h juil-août). En hiver : slt w-e 10h-16h. Résa obligatoire (en ligne ou au* ☎ 0870-421-42-99). *Entrée :* £ 5,50 (8,30 €) ; réduc. Supplément de £ 3 (4,50 €) pour la visite du Concorde (le nombre d'entrée est limité). Sur une base désaffectée de la R.A.F., un rassemblement impressionnant de machines volantes de toutes tailles. Du bombardier atomique géant *Vulcan* au supersonique *Concorde* grandeur nature, en passant par l'incontournable *Spitfire* et le très rare *Messerschmidt Komet* (avion-fusée de 1944, mis au point par Hannah Reisch, femme-pilote préférée d'Hitler). Quatre hangars se partagent ces merveilles amoureusement entretenues par des fanas aux moustaches en guidon de vélo. Attention, si vous êtes un passionné, la visite vous prendra pas mal de temps.

🏌 **Glenkinchie Distillery :** *près de Pencaitland par l'A 6093, au sud-ouest de Haddington.* ☎ (01875) 342-004. ● *malts.com* ● *Avr-oct : lun-sam 10h-17h ; dim 12h-17h. Nov-mars : lun-ven 12h-16h. Entrée :* £ 5 (7,50 €). Le label Glenkinchie fait partie des plus grands *single malt* écossais et c'est le seul à se situer dans le Sud. Lors de la visite des installations, toutes les techniques de fabrication sont expliquées : du maltage à la maturation en passant par les alambics de cuivre et la mise en fûts. On reçoit, bien sûr, un *dram* en dégustation.

🏌 **Gifford :** *mignon village à 6 km au sud de Haddington par la B 6369.* C'est de là qu'on part explorer les **Lammermuir Hills,** recouvertes d'un manteau de bruyères et parsemées de lacs étincelants et de rivières. De nombreux sentiers de randonnée les sillonnent.

LE WEST LOTHIAN

La région à l'ouest d'Édimbourg, sur les bords du Firth of Forth, jusqu'aux abords de Stirling, joua un rôle essentiel dans l'histoire de l'Écosse. Il en reste de nombreuses traces.

SOUTH QUEENSFERRY   9 400 hab.   IND. TÉL. : 0131

Située sur un emplacement stratégique, puisque c'est à cet endroit que les deux ponts spectaculaires franchissent le Firth of Forth. Auparavant bourg royal, vivant du droit de péage dont s'acquittaient les voyageurs, la ville vit la mise en service du premier ferry-boat au monde. La construction du Tay Bridge, puis du Forth Rail Bridge en 1890 et surtout du Forth Road Bridge mirent l'activité des ferries en veilleuse. Aujourd'hui, la rue principale (High Street) garde tout son charme, tapissée de pavés et bordée de jolies maisons anciennes façon cottage avec vue sur le fleuve.

Arriver – Quitter

En bus

➤ *De et vers Édimbourg :* bus n° 43. Rens : First Edinburgh, ☎ 0870-608-26-08. ● firstgroup.com ●

En train

🚊 *Gare à Dalmeny*, à 2 km du village. Rens : Scotrail, ☎ 08457-48-49-50. ● firstgroup.com/scotrail ● Sur la ligne *Édimbourg-Aberdeen.* Compter 20 mn de trajet.

Où dormir ? Où manger ?

🏠 I●I *Hawes Inn :* 7, Newhalls Rd, au pied du Forth Rail Bridge. ☎ 331-19-90 (central de résa : ☎ 08451-12-60-01). Parking. Doubles £ 65 (97,50 €). Plats £ 5-8 (7,50-12 €). Ancienne auberge du XVIIe siècle qui inspira Robert Louis Stevenson dans Kidnapped lors d'un séjour en 1886. Walter Scott y fait également référence dans Antiquary. Mais ces honneurs ne lui sont pas montés à la tête, et le Hawes Inn assure toujours un service efficace. Nichée dans un ensemble de maisonnettes toutes blanches face à la berge, elle aligne une enfilade de salles rustiques et chaleureuses, où les tapis recouvrent un vénérable plancher. Plusieurs chambres confortables donnant sur le Hawes Pier. Bonne cuisine de pub.

I●I *Orocco Pier :* 17, High St. ☎ 0870-118-16-64. Tlj 7h-1h. Bar meals, compter £ 712 (10,50-18 €) le plat au déjeuner. Plus cher le soir. Cette bâtisse de 1664 a troqué sa vieille patine pour une tenue chic et sobre résolument branchée. Sa terrasse pieds dans l'eau et sa vue plongeante sur le panorama des ponts valent leur pesant de cacahuètes ! Du coup, on s'y installe volontiers pour l'apéro, voire pour goûter l'un de ses petits plats tout à fait recommandables !

À voir. À faire

🎎 *Forth Rail Bridge :* fait partie des cartes postales de l'Écosse. Comme la tour Eiffel, une des grandes réalisations de l'âge du fer industriel. Construit en sept ans, il coûta la vie à de nombreux ouvriers. Long de 2 413 m. Ses arches mettent les trains qui le parcourent à 48 m au-dessus des flots. Il faut près de 31 t de peinture pour lui refaire une beauté.

🎎 *Forth Road Bridge :* pont suspendu achevé en 1964. Élégance de la travée principale qui mesure plus de 1 km entre les deux piliers. Droit de péage pour les voitures (dans le sens South Queensferry-North Queensferry) ; si vous êtes à pied ou à vélo, c'est gratuit.

🏃 **South Queensferry Museum** : *dans la rue principale, dans une maison blanche au bord de l'eau. Lun, jeu, ven et sam 10h-13h, 14h15-17h ; dim 12h-17h. Fermé mar et mer. Entrée gratuite.* Histoire de la ville et de la construction du pont. Plein de photos des grands de ce monde venus admirer l'ouvrage.

➤ **Croisières sur le Firth of Forth** : escapades jusqu'à Inchcolm Island à bord du *Maid of the Forth*. Visite de la charmante **abbaye d'Inchcolm** *(HS)*, souvent appelée l'« Iona de l'Est », incluse dans le ticket. Sa situation exceptionnelle en fait un endroit très convoité pour les mariages. Nombreux oiseaux de mer et vue sans égale sur les ponts du Firth of Forth. *Départs et rens sur le Hawes Pier, sous le Forth Rail Bridge, à l'agence* Maid of the Forth. *Tlj 10h-17h.* ☎ 331-50-00. ● maidoftheforth.co.uk ● *Compter £ 13,50 (20,30 €) pour 3h de balade avec escale, £ 9 (13,50 €) pour l'option sans arrêt.* Quatre départs/j. juil-sept. Slt le w-e en avr, mai et oct. Aucun départ en hiver. Durée de l'excursion : 3h (dont 1h30 à terre sur Inchcolm Island).

➤ *DANS LES ENVIRONS DE SOUTH QUEENSFERRY*

🏃 **Dalmeny House** : *à 2 km à l'est, château signalé depuis l'A 90.* ☎ 331-18-88. ● dalmeny.co.uk ● *Juil-août : lun, mar et dim 14h-17h30 ; les caisses ferment 1h plus tôt. Entrée : £ 5 (7,50 €) ; réduc.* Demeure familiale des comtes de Rosebery depuis plus de trois siècles. Collections de meubles, tapisseries, porcelaine et souvenirs napoléoniens. Beau parc. Promenade sur le rivage du Firth of Forth. Goûters maison dans le salon de thé.

🏃🏃 **Hopetoun House** : *à une dizaine de km à l'ouest par l'A 904 direction Linlithgow.* ☎ 331-24-51. ● hopetounhouse.com ● *Des navettes y mènent à partir de South Queensferry, à prendre tt près de la* police station *dans le village. Avr-sept : 10h30-17h (dernière admission). Entrée : £ 8 (12 €) ; £ 3,70 (5,60 €) pour les jardins slt ; réduc.* Considéré comme le Versailles écossais, cet impressionnant château géorgien du XVIIIe siècle est toujours habité par le quatrième marquis de Linlithgow. Du moins, une aile lui suffit amplement... Les visiteurs s'approprient les autres, profitant de la superbe décoration intérieure (les pièces sont encore meublées), rythmée de tapisseries d'Aubusson et de peintures de maîtres classiques (atelier de Rubens, école de Bologne, Gainsborough, etc.). La rumeur prétend que le tableau de Rembrandt serait une copie... Amusant : la salle du coffre-fort, où sont gardées les archives du château. Vue assez chouette du haut des toits. Profitez-en d'ailleurs pour noter les différences de style entre les architectes qui se succédèrent lors de la construction du colosse. Le premier, William Bruce, se distingua sur le chantier du Palace of Holyroodhouse d'Édimbourg, tandis que les Adam père et fils qui reprirent le flambeau sont admirés pour le fantastique Charlotte Square dans la New Town d'Édimbourg, signé Robert Adam. Du beau monde ! À l'extérieur, trois sentiers sillonnent le parc et les agréables jardins d'où l'on peut admirer le célèbre pont suspendu. Un *tearoom* s'est installé dans les anciennes écuries (prix moyens).

🏃🏃 **Deep Sea World** : *à* **North Queensferry**. ☎ (01383) 411-880. ● deepsea world.com ● *Traverser Forth Road Bridge ; prendre la première sortie après le pont (panneaux indicateurs). Par le train, arrêt à North Queensferry. Sous le Forth Rail Bridge. Lun-ven 10h-17h (dernière admission) ; w-e 10h-16h (dernière admission). Entrée : £ 10 (15 €) ; réduc.* À la découverte du monde sous-marin. En guise de mise en bouche, différents aquariums répartis en fonction de leurs origines présentent plusieurs espèces attachantes, comme les poissons clown, ou peu sympathiques comme les poissons pierre et les piranhas. Un long couloir débouche sur un gigantesque aquarium. On traverse alors les quatre millions de litres d'eau dans un tube de verre, taquinant raies, pieuvres et autres requins qui dansent au-dessus de nos têtes. Depuis peu, d'adorables phoques ont été introduits, mais on était apitoyé par leur pataugeoire. Pourvu que ça ne soit qu'un « *long chemin vers la liberté* » ! Visite sympathique, surtout pour les enfants, mais on a déjà vu des aquariums bien plus spectaculaires. Possibilité de plonger et nourrir les poissons après les heures d'ouverture. Aucune compétence particulière n'est requise, mais mieux vaut passer à la banque avant !

LINLITHGOW

15 000 hab.   IND. TÉL. : 01506

Ancien bourg royal aux belles demeures des XVIᵉ et XVIIᵉ siècles disposées le long de High Street, Linlithgow entretient soigneusement ce qui reste du palais où naquirent Jacques V et sa fille Marie Stuart. Mérite le détour pour ce château impressionnant et la charmante place du marché dominée par un hôtel de ville du XVIIᵉ siècle.

Arriver – Quitter

En bus

➤ *De et vers Édimbourg :* bus n° 38. Rens : First Edinburgh, ☎ 0870-608-26-08. ● *firstgroup.com* ● Compter une petite heure de trajet.

En train

🚆 *Gare sur High St. Rens :* Scotrail, ☎ 08457-48-49-50. ● *firstgroup.com/sco-trail* ● Compter 20 mn de trajet depuis Édimbourg (Warverley ou Haymarket). Départs ttes les 15 à 20 mn.

Adresse utile

🛈 *Tourist Information Centre :* Burgh Hall, The Cross. ☎ 844-600. Avr-oct : lun-sam 9h-17h ; dim 10h-17h. Petite exposition sur l'histoire de la ville et de la région.

Où dormir ? Où manger ?

⚔ *Beecraigs Caravan Park :* à 3 km au sud de Linlithgow. ☎ 844-518. ● *bee craigs.com* ● Suivre la Preston Rd depuis le centre-ville. Parking 100 m à gauche après le restaurant. Tte l'année. Compter £ 12-16 (18-24 €) pour deux avec une tente, selon saison. Perdu en pleine campagne, un vaste camping vallonné et arboré. Au fond, un enclos est prévu pour les tentes. Nombreuses activités : randonnée, pêche, escalade, tir à l'arc (avoir son propre matériel). Également un restaurant, d'où la vue est superbement dégagée.

🏠 *Belsyde House B & B :* à 3 km au sud-ouest par l'A 706. ☎ 842-098. ● *bel syde.com* ● Compter £ 30-33 (45-49,50 €) en moyenne par pers, avec ou sans sdb. Un vrai B & B. Cette maison en hauteur, entourée de prairies à moutons, a conservé son âme à l'heure où tant de *guesthouses* succombent à la standardisation. Ici, les chambres impeccables, simples et bien arrangées arborent encore une déco à l'ancienne mode. Un vrai havre de paix où vous accueille un gentil couple de retraités, qui se fera un plaisir de vous livrer ses bonnes adresses de restos.

🏠 *Arden Country House :* à côté du Belsyde House. ☎ 670-172. ● *arden* countryhouse.com ● *Prévoir £ 35-40 (52,50-60 €) par pers.* Tenu par la fille du couple voisin. N'ayez crainte, la propriétaire et sa mère ne se font pas la guerre ; au contraire, elles se disent complémentaires… Cette maison moderne et cossue marie la carte de l'élégance et de l'adresse de charme. Salle commune claire et aérée, chambres vastes joliment décorées, beau parquet et vue reposante sur la campagne. Un poil chic.

|●| *Four Mary's :* 65-67, *High St.* ☎ *842-171. Presque en face du Palais. Tlj jusqu'à 21h, plus tard pour le pub. Plats £ 6-15 (9-22,50 €).* Un vieux pub écossais cosy en diable, truffé de recoins douillets où les habitués savourent les plats classiques solides et bien préparés. Pour les amateurs, beau choix de *real ales.* Beaucoup de passage.

À voir

🎥🎥🎥 **Linlithgow Palace** *(HS) : derrière l'office de tourisme.* ☎ *842-896. Avr-sept : tlj 9h30-17h30 ; oct-mars : tlj 9h30-16h30. Dernière admission : 45 mn avt la fermeture. Entrée : £ 5 (7,50 €) ; réduc.* Dominant le charmant loch où s'ébattent des colonies de cygnes, le palais royal occupe le site d'un ancien manoir édifié vers 1302 par Édouard Ier. Marie Stuart y vint au monde en 1542 et y résida fréquemment.
La visite débute par le *portail* monumental où l'on observe différents blasons caractéristiques. À droite, l'*église Saint-Michel,* de style gothique flamboyant, fut la plus grande église bâtie en Écosse avant la Réforme. Elle est malheureusement surmontée d'une flèche moderne tout à fait incongrue. Quant au toit d'origine, il a été pulvérisé par un incendie. Dans la cour intérieure du palais, aux façades nettement inspirées de la Renaissance, une splendide fontaine octogonale du XVIe siècle attire le regard. Il faut se laisser envahir doucement par la magie de ces lieux, explorer les celliers et les cuisines, visiter les corps de garde, monter aux étages et déambuler dans ce qui reste des appartements pour, sans trop d'efforts (et grâce aux bons panneaux explicatifs en français), revivre en imagination les fastes de la vie de cour du royaume d'Écosse. Une escapade sur la terrasse d'une tour pour profiter de la vue, et un tour des fortifications extérieures achèvera une visite où les murs bruissent encore sous le poids de l'Histoire.

➤ *DANS LES ENVIRONS DE LINLITHGOW*

🎥 *The House of the Binns* (NTS) : à env 7 km à l'est de Linlithgow, par l'A 904. ☎ 834-255. Bus n° 180 de Linlithgow. Juin-sept : tlj sf jeu et ven 14h-17h (dernière visite à 16h20). Entrée : £ 8 (12 €) ; réduc. Demeure historique du XVIIe siècle, mélange de manoir féodal et de résidence de prestige, posée sur une colline au cœur d'un vaste parc. La visite présente les appartements d'un aménagement confortable des Dalyell, dont l'ancêtre fit fortune comme négociant à Édimbourg. Portraits de famille et plafonds en stuc. On dit que le fantôme du général Tam, rival de Cromwell, y ferait de temps à autre une apparition.

🎥🎥 **Blackness Castle** (HS) : non loin de la House of the Binns, par la B 903. ☎ 834-807. Avr-sept : 9h30-17h30 ; oct-mars : tlj sf jeu et ven 9h30-16h30. Fermeture des caisses 30 mn avt. Entrée : £ 4 (6 €). Une forteresse de roman de cape et d'épée ! Fermement agrippée à la roche, elle semble défier les éléments en enfonçant un angle de ses remparts dans les flots du Firth of Forth. Un ensemble défensif qui a pour forme la coque d'un bateau. Le donjon massif du XIVe siècle et les courtines construites en gros appareillage présentent un aspect austère, dont l'allure sévère est renforcée par les rochers bruts affleurant dans la cour intérieure. Consolidée au XVIe siècle, elle fut tour à tour résidence royale, prison et dépôt d'armes. Sa conversion fut cinématographique, puisqu'elle accueillit le tournage du *Hamlet* de Franco Zeffirelli avec Mel Gibson.

LE WEST LOTHIAN

GLASGOW ET LA VALLÉE DE LA CLYDE

GLASGOW   630 000 hab.   IND. TÉL. : 0141

> **Pour les plans de Glasgow, se reporter au cahier couleur.**

Glasgow s'éloigne de plus en plus de l'image que certains peuvent encore avoir d'elle : industrielle, grise, morne et sale... et puis, il n'y a rien à voir ! Quelle erreur ! Si Glasgow n'est effectivement pas Rome ou Prague, elle est cependant la vraie métropole d'Écosse (à laquelle une architecture débridée confère presque un look américain). Après en avoir fini avec l'industrie lourde, Glasgow s'est refait une santé (et une beauté) en misant sur sa formidable énergie créatrice. Architectes, designers et artistes réhabilitent, construisent et habillent quartiers et rues de cette cité autrefois prospère, tandis que des musées passionnants continuent d'émerger. Peu à peu, la ville se transforme et décroche en 1990 le titre de capitale européenne de la Culture. Neuf ans plus tard, elle est élue capitale britannique de l'architecture et du design. Pas de quoi s'ennuyer, donc.
Vous y rencontrerez l'Écosse, la vraie. À l'université d'Édimbourg, 50 % des étudiants sont anglais. Ici, on les compte sur les doigts d'une main, l'université de Glasgow étant 100 % écossaise. De plus, vous serez frappé par la gentillesse, la disponibilité des habitants ; le poids de la classe ouvrière, majoritaire dans la région, solidaire dans les luttes passées, y est sûrement pour quelque chose. Ce sont les gens qui comptent ici avant tout. Et puis, est-ce un hasard ? la communauté d'Erin est importante à Glasgow. Bien rares les gens qui ne trimbalent pas aussi un peu de sang irlandais dans leurs veines... Bien, venez vous faire embarquer par une bande d'étudiants en goguette, venez goûter la chaleureuse convivialité des vieux pubs, venez donc assister aux spectacles des théâtres d'avant-garde et pas seulement améliorer votre anglais... Vous l'avez deviné, Glasgow nous a touchés droit au cœur !

UN PEU D'HISTOIRE

Longtemps dans l'ombre des ports anglais, Glasgow ne connut un véritable développement qu'au XVIIIe siècle, lorsque l'Écosse passa définitivement sous domination britannique. La ville s'enrichit grâce au commerce avec les colonies, en particulier celui du tabac.
Puis on découvrit du charbon et du fer dans la région. Cette double conjonction de grand port et de producteur de minerais fut naturellement à l'origine du considérable essor de la ville et de la vallée de la Clyde au XIXe siècle, lors de la « révolution industrielle ». James Watt, qui sut adapter la machine à vapeur à l'industrie, est natif du coin. La ville se couvrit de monuments, belles demeures et jardins, avec leur contrepoint inévitable, les quartiers ouvriers misérables où s'entassaient immigrés irlandais et petits paysans des Highlands chassés par les *clearances.* L'industrialisation forcenée, la course aux profits juteux ignorèrent, bien sûr, les problèmes d'équilibre écologique, et Glasgow correspondit vite à l'image que l'on a long-

temps eu d'elle : sale, terne, grise des fumées d'usines. Pour finir, la tuberculose et l'alcoolisme, qui ravageaient les ghettos ouvriers, contribuèrent évidemment à noircir le tableau et à consolider les lugubres descriptions à la Dickens.

Ce qui fut vrai ne l'est plus. *The Gorbals,* le quartier de l'autre côté de la Clyde, symbole de la misère ouvrière, fut rasé dans les années 1960. Avec la crise économique, beaucoup d'usines, dont les fameux chantiers navals de la Clyde qui produisirent le *Queen Mary* et le *Queen Elizabeth,* ont fermé. Glasgow se trouve désormais dans une situation transitoire. Sa vieille image de forteresse ouvrière considérablement écornée, la ville s'efforce aujourd'hui de conserver sa position de capitale économique en diversifiant ses activités : industries de transformation et entreprises de services. Certains quais se sont désormais transformés en bucoliques promenades et le saumon revient même dans la Clyde...

LES FRÈRES ENNEMIS DU FOOT !

Il y a à Glasgow un cas d'intolérance qui coexiste de façon surprenante avec la réputation de convivialité et d'hospitalité de la cité. Glasgow possède deux clubs de foot. Cela n'est pas en soi très original, des tas de villes connaissent cette situation. Non, ce qui fait la spécificité des clubs de Glasgow, c'est qu'ils sont plus que concurrents, véritablement ennemis, victimes tous deux d'un virus dont l'origine se trouve... en Irlande.

En effet, l'ordre d'Orange, genre de franc-maçonnerie protestante rassemblant ses membres sur des bases violemment anticatholiques et antirépublicaines, toutpuissant en Irlande du Nord, possède également de nombreuses loges à Glasgow. Les Irlandais venus chercher du travail en Écosse au XIXe siècle furent d'emblée dénigrés comme concurrents sur le marché de l'emploi par la classe ouvrière locale. Un violent racisme anti-irlandais s'y développa donc. Cette division touche aussi le foot.

Le *Glasgow Rangers,* c'est le club des « orangistes », protestants fidèles à la Couronne et partisans du maintien de l'Irlande du Nord dans le Royaume-Uni. Son recrutement est essentiellement protestant. Bien sûr, ce n'est pas écrit dans la charte du club, mais il ne recrutera jamais de catholiques. Du moins jusqu'en 1989, lorsque le joueur écossais Mo Johnston intégra les Rangers, au détriment de son ancien club, le *Celtic...* non sans avoir dû combattre, au sens propre comme au figuré, quelques réticences et désirs de vengeance.

L'autre club, le *Celtic,* est donc identifié aux catholiques et aux Irlandais. Les couleurs des clubs démontrent d'ailleurs bien les antagonismes. Pour les *Rangers,* ce sont le bleu, le rouge et le blanc de l'Union Jack, copieusement agité pour la circonstance ; pour le *Celtic,* il s'agit du vert et du blanc, et nombre de ses supporters brandissent le drapeau irlandais dans les matchs. Le *Celtic* ne développe pas le même sectarisme que les *Rangers* et inclut des protestants, sans problème de cohabitation.

Et puis, il existe maintenant deux autres clubs de foot, les *Queens Park* et *Partick Thistle,* qui ne font, eux, aucun cas de la religion.

Arriver – Quitter

En avion

✈ **L'aéroport** le plus proche est à 13 km du centre-ville. Rens : ☎ 0870-040-00-08. • glasgowairport.com •

■ **Air France :** ☎ 0870-142-43-43 (central de résa à Londres).

■ **British Airways :** ☎ 0870-850-98-50 (numéro national).

➤ Pour rejoindre le centre-ville ou se rendre à l'aéroport : service de bus n° 905 de la *Citylink* ttes les 10 ou 15 mn de 6h (7h dim) à 20h, puis ttes les 30 mn jusqu'à minuit. Arrêts à Queen Street Station, à Waterloo St, puis terminus à la gare routière

Buchanan Bus Station. Trajet : 25 mn. Faire l'appoint pour l'achat du ticket. Prix : £ 3,50 (5,30 €) l'aller simple ou £ 5 (7,50 €) l'aller-retour en open. En taxi, compter facilement £ 18 (27 €) la course.

ℹ Tourist Information Desk : à côté des arrivées internationales. ☎ 848-44-40. Tlj 7h30-17h.
✉ Bureau de poste : lun-ven 9h-17h30 ; sam 9h-13h.

■ Bureau de change : ouv en fonction des arrivées.
■ Plusieurs **distributeurs** automatiques dans l'enceinte de l'aéroport.

✈ Aéroport de Prestwick : à 30 miles (48 km) vers le sud-ouest. Rens : ☎ 0871-223-07-00. ● gpia.co.uk ● Glasgow Prestwick International Airport accueille principalement les passagers des compagnies low-cost (comme Ryanair) provenant de Londres Stanstead, Dublin, Paris-Beauvais et Grenoble notamment. Plusieurs loueurs de voiture disposent d'un comptoir sur place.
➤ Pour rejoindre le centre-ville : trains pour Glasgow ttes les 30 mn, 6h-23h env, arrivée à Glasgow Central. Durée : 45 mn (trajet vers le centre-ville à moitié prix sur présentation du billet d'avion Ryanair). Également deux bus, le X77 et le n° 4, rejoignent Glasgow en respectivement 1h et 1h30.
– Bon à savoir : pour les vols très matinaux, le bus n° X99 assure 1 trajet/j. depuis la gare routière de Glasgow à 4h45 pour arriver à 5h30 à l'aéroport de Prestwick (bien vérifier les horaires). En dernier recours, on peut dormir dans le terminal de l'aéroport sans problème ou à Ayr, qui n'est qu'à 6 km de l'aéroport.

En bus

Buchanan Bus Station (plan couleur I, C1) : Killermont St. ☎ 0871-200-22-33. Le hall est ouv tlj 6h-23h (les guichets jusqu'à 22h). On y trouve une consigne à bagages pour £ 4/j. (6 €), ainsi que des distributeurs automatiques dans l'enceinte de la gare. Infos générales sur le site ● traveline.org.uk ●
➤ Le bus n° 398 assure les correspondances vers les gares ferroviaires de Queen Street et Central.
➤ Pour l'Écosse, rens auprès de Scottish Citylink. ☎ 08705-50-50-50. ● citylink.co.uk ● Destinations : **Édimbourg** (n° 900), **Fort William** (via **Glencoe**) et **Skye** (n° 916), **Oban** (n° 976), **Inveraray** et **Campbeltown** (n° 926), **Perth, Stirling** et **les Trossachs,** ainsi que toutes les villes du sud et de l'ouest de l'Écosse.
➤ Vers d'autres villes **en Grande-Bretagne,** utiliser National Express. Infos et résas : ☎ 0208-890-02-09. ● nationalexpress.com ● ; ou encore Megabus : ☎ 0900-160-09-00.

En train

Rens : Scotrail, ☎ 08457-48-49-50. ● firstscotrail.com ●
Il existe deux grandes gares ferroviaires, à 10 mn à pied l'une de l'autre. Le bus n° 398, gratuit pour les voyageurs munis d'un titre de transport, assure la navette entre la gare routière Buchanan Bus Station et Queen Street Station ou Central Station.

Queen Street Station (plan couleur I, C2) : juste au nord de George Sq. La gare dessert les régions des Highlands, du Centre et du Nord-Est.
➤ C'est le départ de la pittoresque ligne des West Highlands pour **Oban, Fort William** et **Mallaig.** Également des trains pour **Édimbourg, Inverness, Stirling, Perth** et **Aberdeen.**
– **Consigne à bagages :** à côté de Costa Cafe. Prévoir £ 5-7 (7,50-10,50 €) par bagage selon taille, par 24h. Les bagages sont fouillés manuellement par sécurité. Préférer celle de Central Station, moins cher et plus commode.

🚆 **Central Station** *(plan couleur I, B2) :* pour les destinations en Angleterre (Londres et les villes de la côte ouest), l'ouest et le sud de l'Écosse (**Strathclyde, Ayr, Dumfries, Stranraer,** etc.).
– **Consigne à bagages :** *à côté du* Burger King. *Prévoir £ 5,50 (8,30 €) par tranche de 24h. Très pratique, les bagages sont scannés.*

Comment circuler dans Glasgow et sa région ?

Une formule intéressante

– La compagnie *SPT* propose une formule hebdomadaire (du dimanche au samedi), la *Zone Card,* qui permet d'utiliser le train, le métro, la plupart des bus et quelques ferries dans le région de *Strathclyde* (comprenant Glasgow, Ayr, Lanark...). Ce *pass* fonctionne par zone géographique, à définir lors de l'achat. Prix en conséquence. Très pratique pour ceux qui veulent sortir de Glasgow et se balader dans les environs. En vente dans les gares routières, ferroviaires et les *Travel Centres.* Prévoir une photo d'identité. Également le *Roundabout Glasgow Ticket,* un forfait à la journée pour le métro et les trains locaux dans un rayon de 15 km. *Valable à partir de 9h. Prix : £ 4,50 (6,80 €) ; réduc.*

■ **Travel Centres :** bureaux d'informations du *Strathclyde Partnership for Transport.* ☎ 333-37-08. ● *spt.co.uk* ● *En ville, on en trouve un sur Saint Enoch Sq (plan couleur I, B-C3). Tlj sf dim 8h30-17h30. Un autre sur Byres Rd* *(plan couleur II, E5) dans la station de métro Hillhead. Même horaires. Également un bureau dans la gare routière Buchanan Bus Station ainsi qu'à l'aéroport de Glasgow.* Renseignements sur le métro, le bus, le train et le bateau.

Le bus

Le réseau de bus est dense et complexe. Pour simplifier un peu, la plupart des bus passent par Renfield Street au centre. Attention aux numéros et aux couleurs. Pensez à vous munir de monnaie, le chauffeur demande la somme exacte.
Le service de nuit est limité. Pour rejoindre le centre-ville (Union Street et Hope Street autour de *Central Station*) et West End, prendre les bus n°s 9 ou 62 à Kelvin Hall *(plan couleur II, E5)* ou le n° 66 sur Great Western Road au niveau du *Botanic Garden (plan couleur II, F4).* Bus ttes les heures en sem et ttes les 15 mn les w-e. *Ticket £ 2,40 (3,60 €).*
Rens : First Glasgow, ☎ 423-66-00. ● *firstgroup.com* ●

Le métro

– Le métro, surnommé *Clockwork Orange* (orange mécanique), en référence à sa couleur, *of course,* et à sa ligne unique qui forme un cercle. Intéressant : le *Discovery Ticket (£ 1,90, soit 2,80 €)* offre la libre circulation sur le réseau du métro à partir de 9h30. *Également un forfait à la sem. Sinon, un seul trajet coûte £ 1 (1,50 €). Circule lun-sam 6h30-23h30 ; dim 10h-18h. Infos :* Strathclyde Partnership for Transport. ☎ 333-37-08. ● *spt.co.uk* ●

Location de voitures

■ **Arnold Clark** *(plan couleur II, F4, 1) :* 10-24, Vinicombe St. ☎ 334-95-01. *Lun-ven 8h-17h30 ; sam jusqu'à 16h. Fermé dim. À partir de £ 20 (30 €) la journée. Âge min : 21 ans avec un an de per-* *mis.* Compagnie très compétente, possédant de nombreuses succursales en Écosse.
– **Fourrière :** London Rd, à côté de la police. Bus n° 64. Ferme à 20h.

GLASGOW

Parkings

À moins d'avoir l'intention de renflouer les caisses du royaume, évitez d'entrer la fleur au fusil dans Glasgow sans avoir étudié la question du parking. Inabordable en centre-ville ! Si vous avez choisi un logement hors du centre, pas de problème, les emplacements sont généralement gratuits, à vous de vous rendre ensuite dans le centre par les transports en commun.

Enfin, il reste la solution du *Park and Ride*. Situés dans les faubourgs à proximité d'une station de métro, les parkings sont surveillés et réservés aux utilisateurs de transports en commun. Tickets combinés. Les plus commodes sont Bridge Street *(plan couleur I, B3)* et Kelvinbridge *(plan couleur II, F5)*. Une bonne option.

Taxis

On trouve jour et nuit une file de taxis devant *Central Station.* Autrement, appeler :

- **Glasgow Wide TOA Ltd :** ☎ 429-70-70.

Adresses et infos utiles

Infos touristiques

ⓘ Tourist Information Centre *(plan couleur I, C2)* : 11, George Sq. ☎ 204-44-00. • seeglasgow.com • Tte l'année 9h-18h (20h en juil-août), le dim slt

Pâques-fin sept 10h-18h. Résa d'hébergements avec une commission de £ 3 (4,50 €) pour les environs. Personnel très serviable et efficace.

Services

✉ **Poste** *(plan couleur I, C2)* : 47, Saint Vincent St. Tlj sf dim 9h-17h30.

Cybercafés

Ces deux cybercafés proposent des formules intéressantes :

▣ **Hub Internet Cafe** *(plan couleur I, B2, 2)* : 8, Renfield St. Ouv 7h30 (10h dim)-22h. Pratique, car décompte à la minute. Sinon, prévoir env £ 1 (1,50 €) l'heure.

▣ **Easy Internet Café** *(plan couleur I, B2, 3)* : 61, Saint Vincent St. Accès par le Caffe Nero. Lun-sam 7h-22h ; dim 9h-21h. Forfaits intéressants.

Argent, change

- **American Express** *(plan couleur I, B2, 4)* : 115, Hope St. ☎ 0870-600-10-60.
- **Change :** dans les bureaux de poste

et également à l'office de tourisme. Mieux vaut toutefois changer dans les banques. Éviter les agences de voyages.

Culture

- **Alliance française de Glasgow** *(plan couleur II, G6, 5)* : 3, Park Circus. ☎ 331-40-80. • afglasgow.org.uk • Lun-jeu 9h30-18h30 ; ven 9h30-13h30, 15h-18h ; sam 9h30-13h30. Fermé dim. Bibliothèque, expos (à l'occasion), infos et manifs culturelles.

- **Borders** *(plan couleur I, C2, 6)* : 98, Buchanan St. Lun-sam 8h-22h ; dim 10h-21h. Une immense librairie où l'on vend aussi des CD. Grand choix de presse étrangère.
- **Librairie Waterstone's** *(plan couleur I, B1, 7)* : 153-157, Sauchiehall St.

Lun-sam 8h30-19h (20h jeu) ; dim 9h-18h. L'une des plus grandes librairies de Glasgow ; on y trouve tout.
– Acheter le magazine culturel **The List**

(● *list.co.uk* ●) : concerts, expos, bonnes petites adresses, etc. Traite aussi Édimbourg.

Objets perdus

■ *National Inquiries :* ☎ *0870-606-20-31* (Scotrail).

Où dormir ?

Le logement n'est pas bon marché à Glasgow et les hôtels les plus abordables du centre-ville ne valent pas les pounds investis. Préférer les autres quartiers.

Camping

⚖ *Strathclyde Park Caravan & Camping Site : 366, Hamilton Rd, à Motherwell.* ☎ *(01688) 266-155. À 12,5 miles (20 km) au sud-est de Glasgow, sur la M 74, au niveau de la sortie 5 en venant du nord (ou 6 si vous venez du sud). D'avr à mi-oct ; réception jusqu'à 20h ou 21h. Env £ 9 (13,50 €) l'emplacement.* Les sportifs seront ravis : ce camping de taille moyenne, nickel et bien surveillé, jouxte un vaste loch où tous les joggers du coin se partagent les berges avec les cyclistes. Également canoës et toutes sortes d'esquifs sont à louer par l'intermédiaire du camping. Et si cela ne suffisait pas, il reste les montagnes russes du parc d'attractions voisin ! Et les musées de Glasgow, alors ?

Dans le centre

De bon marché à prix moyens

🏠 *Euro Hostel (plan couleur I, B3, 10) : 318, Clyde St.* ☎ *222-28-28.* ● *euro-hostels.com* ● *Par pers et selon saison, prévoir £ 13-15 (19,50-22,50 €) en dortoir de 14 lits et £ 20-25 (30-37,50 €) pour une double, petit déj (léger) inclus. Tarifs intermédiaires dans les dortoirs de 4 et 8 lits.* C'est la seule auberge du centre, alors n'espérez pas choisir votre programme préféré à la TV du salon commun ! Ici, l'atmosphère est plutôt à la joyeuse cohue, façon sonnerie de fin de cours à la fac (pour ceux qui attendaient la sonnerie !). Et puis, avec 115 chambres, ça tourne même parfois à l'usine. La bonne nouvelle, c'est que la maison ne profite pas de son monopole : chambres et dortoirs tous équipés de douches et w-c, le tout pas trop mal entretenu en fonction de l'affluence. Accès Internet.
🏠 *McLays Guest House (plan couleur I, B1, 11) : 264-276, Renfrew St.* ☎ *332-47-96.* ● *mclays.com* ● *Prévoir £ 22 ou £ 26 (33 ou 39 €) par pers, avec ou sans sanitaires.* Pension impersonnelle, dans une rue calme, possédant une centaine de chambres dont une douzaine familiales. Les tarifs sont raisonnables pour le centre-ville, à quelques minutes de Sauchiehall St. Un bon compromis.
🏠 *Travelodge Glasgow Central (plan couleur I, B1, 12) :* 5-11, Hill St. ☎ *984-61-41.* ● *travelodge.co.uk* ● *Doubles env £ 55 (82,50 €) en saison ; petit déj en sus. Voir aussi leurs tarifs promotionnels en réservant directement sur Internet.* De l'avantage et des inconvénients des chaînes hôtelières... À la différence de l'affreuse façade, version soviétique du building écossais, les chambres passe-partout se révèlent plutôt accueillantes, dans les tons bleus. Mais c'est surtout leur bon niveau de confort, leur entretien parfait et la situation en centre-ville du bâtiment qui justifient le séjour.

GLASGOW

Dans West End, le quartier de l'université

Bon marché

🛏 **Youth Hostel** (plan couleur II, F6, **13**) : 7-8, Park Terrace. ☎ 0870-004-11-19. ● syha.org.uk ● Bus n° 11 de Bath St, ou n° 44 de Hope St. Compter £ 14-16 (21-24 €) par pers selon saison, petit déj non compris. Dortoirs de 4, 6 ou 8 lits, ainsi que des doubles. La superbe cheminée du salon, le lustre de la salle commune cosy et l'escalier sculpté s'accordent bien au quartier, cossu et résidentiel. Tandis que les dortoirs et les chambres, équipés l'un comme l'autre de salle de bains, l'accès Internet (payant) et les cartes magnétiques à l'entrée la hissent au rang des AJ modernes. Un vrai phénix !

🛏 **Bunkum Backpackers** (plan couleur II, F5, **15**) : 26, Hillhead St. ☎ 581-44-81. ● bunkumglasgow.co.uk ● Ⓜ Hillhead. Bus n° 20 ou 66 depuis le

centre. Prévoir env £ 12 (18 €) par pers en dortoir et £ 16 (24 €) en double. Dans un quartier résidentiel et calme, une petite auberge très (trop) décontractée. Petit salon commun agréable rempli de bouquins… proximité de l'université oblige ! Cuisine équipée, mais l'ensemble pourrait être mieux tenu.

🛏 **Blue Sky Independent Hostel** (plan couleur II, G6, **17**) : 65, Berkeley St. ☎ 221-17-10. ● blueskyhostel.com ● Prévoir £ 10-12 (15-18 €) par pers selon taille des dortoirs. Hostel brouillon, pour ne pas dire souillon, mais si petit qu'on s'y fait vite des amis ! Si l'on n'est pas trop regardant, le salon de poche avec Internet et chaîne hi-fi est fréquentable, et les dortoirs acceptables faute de mieux. Cuisine à disposition.

Prix moyens

🛏 **Aldara Guesthouse** (plan couleur II, F6, **18**) : 5, Bentinck St. ☎ 339-09-28. Bus n°s 9, 16, 18 et 62. Prévoir env £ 17 (25,50 €) par pers ; tarifs dégressifs. Inutile d'aller au musée pour découvrir le Glasgow d'antan. Dans sa maisonnette caractéristique de centre-ville, Margueritt, petite mamie gentille comme tout, propose aux visiteurs ses chambres simples à l'ancienne mode. Évidemment, le confort n'est pas à la page. Mais s'il faut partager sanitaires et douches, les tarifs modiques contrebalan-

cent ce petit inconvénient.

🛏 **Alamo Guesthouse** (plan couleur II, F6, **19**) : 46, Gray St, à l'angle de Bentinck St. ☎ 339-23-95. ● alamoguesthouse.com ● Bus n°s 9, 16, 18 et 62. Compter £ 48-54 (72-81 €) pour deux, avec ou sans sdb. Alamo n'a rien d'un fort inexpugnable : c'est une jolie maison dans un quartier calme, avec pour seul vis-à-vis le Kelvingrove Park. Petites chambres classiques tout à fait convenables, salon pour les hôtes spacieux et cossu.

Au sud de la ville

Prix moyens

🛏 **Reidholme Guesthouse** : 36, Regent Park Sq. ☎ 423-18-55. Station de train : « Pollokshields West ». Compter £ 25 (37,50 €) par pers avec sdb à partager. Dans une ruelle paisible donnant sur Pollokshaws Rd, une maisonnette charmante tenue de manière exemplaire par Morag. Elle a pensé à tout ! Bien entendu, elle tient un salon cosy à la disposition de ses hôtes. Chambres confortables, reflétant le

même soin attentif. Une adresse de choix.

🛏 **Glasgow Guesthouse** : 56, Dumbreck Rd, tt près du Pollock Country Park (de l'autre côté du pont au-dessus de l'autoroute). ☎ 427-01-29. Station de train : « Dumbreck », puis 5 mn à pied par Fleurs Ave. Sur la M 77, sortie (junction) 1. Prévoir env £ 25 (37,50 €) par pers. Jolie maison en grès rouge de style victorien, cachée dans un jardinet fleuri. Pas d'enseigne de surcroît, donc facile à rater ! Intérieur soigné, meublé avec goût et décoré de quelques gravures. Grandes chambres avec salle de bains. Préférer celles sur l'arrière, moins bruyantes. Patio lumineux pour le petit déj. Accueil très amical.

À l'est du centre-ville, dans le quartier de Dennistoun

Plusieurs *B & B* et *guesthouses* dans ce petit quartier populaire tranquille, situé à 15 mn à pied du centre. Bus n°s 40 et 41.

Prix moyens

⌂ **Craigielea House :** *35, Wester-craigs.* ☎ *554-34-46.* ● *smoothhound. co.uk/hotels/craigiel.html* ● *Compter env £ 20 (30 €) par pers ; moins cher sans le petit déj. Non-fumeur.* À voir la déco un peu fourre-tout et l'accueil sans façon d'Elizabeth, on prend vite ses aises dans cette petite maison toute simple. Ses chambres avec lavabo se révèlent plutôt confortables, de taille raisonnable et fort calmes. Salle de bains et w-c communs. Un *B & B* sans artifices.

⌂ **Seton Guesthouse :** *6, Seton Terrace.* ☎ *556-76-54.* ● *setonguesthouse. co.uk* ● *Prévoir £ 20 (30 €) par pers.* Chambres sans fioritures mais agréables. Salles de bains communes propres. Bon marché, certes, mais accueil limite.

⌂ **Alison Guesthouse :** *26, Circus Dr.* ☎ *556-14-31.* ● *alisonguesthouse.co. uk* ● *La nuit £ 20-25 (30-37,50 €) par pers.* Perdue dans une ruelle mignonne, une maisonnette classique tenue par une hôtesse bavarde et souriante, pour qui l'accueil est une seconde nature. Plusieurs chambres tout à fait fréquentables, dont certaines familiales (une avec salle de bains). Les autres chambres se partagent la salle de bains.

Où manger ?

Les meilleurs quartiers pour se restaurer sont Sauchiehall Street *(plan couleur I, A-B1)* pour ses quelques adresses bon marché fréquentées par les étudiants ; l'agréable West End *(plan couleur II, E5)* au cœur de la ville universitaire, autour de Byres Road et Asthon Lane, où fleurissent les restos à la mode ; Merchant City *(plan couleur I, C2)* dans le centre des affaires avec ses bars design et adresses chic.

Pour compléter cette rubrique, sachez qu'à Glasgow, nombre de pubs cités dans votre rubrique favorite (« Où boire un verre ? Où sortir ? ») servent de copieux plats du jour, souvent bon marché. Comme ça, on fait d'une bière deux coups !

Dans le centre

Bon marché

|●| **Café Gandolfi** *(plan couleur I, C2, 30)* **:** *64, Albion St.* ☎ *552-68-13.* Ⓜ *Saint Enoch, puis suivre Trongate. Lun-sam 9h-23h30 ; dim à partir de 12h. Résa conseillée. Plats à partir de £ 6 (9 €) et snacks moins chers.* Loin des néo-bars design, son décor en bois au par-quet brut et tables épaisses fait toujours mouche et ne lasse pas les habitués. En-cas sympathiques genre salades, soupes, quiches, pâtes et gâteaux, mais aussi vraie cuisine à tendance méditer-ranéenne et écossaise. « *Modern Scottish food* », *dixit* le patron !

GLASGOW

|●| *Where the Monkey Sleeps* (plan couleur I, B1, **31**) : 182, West Regent St, logé dans un soubassement du quartier des affaires. ☎ 226-34-06. Ouv en journée jusqu'à 17h. Choix démesuré de sandwichs, type bagel ou paninis, à partir de £ 3 (4,50 €). Tenu par des étudiants diplômés en art, l'endroit fait plutôt bohémien. À emporter ou à consommer sur place, avachi sur des canapés devant des tables de salon ! Excellents gâteaux et vrai café. Une adresse résolument jeune, à recommander vivement.

|●| *Restos universitaires :* à la Glasgow School of Arts (plan couleur I, B1, **98**), Newberry Building, Renfrew St. Moins de £ 4 (6 €). On y demande rarement la carte d'étudiant. Nourriture correcte pour un prix peut-être plus élevé que chez leurs équivalents français, mais ce sont de vrais restos, eux ! Resto U également à l'*University,* Hillhead St (plan couleur II, F5 ; en face de la bibliothèque universitaire). Ne fonctionnent pas pendant les vacances universitaires.

|●| *Mono* (plan couleur I, C3, **32**) : 12, King's Court. ☎ 553-24-00. Au fond d'une placette donnant sur le parking. Plats autour de £ 7 (10,50 €). Le « mono » version trio réunit dans un même espace aéré une boutique, un disquaire et un resto végétarien. D'une pierre 3 coups (c'est l'effet ricochet !). Rien que du bon, à l'image des soupes carotte et cidre (pas mal), des tofus ou de la *ginger beer* brassée sur place. Décontracté et convivial.

|●| *Grassroots Café* (plan couleur II, G6, **33**) : 97-99, Saint George Rd. ☎ 333-05-34. Tlj 10h-22h. En marge du centre, tt proche de Charing Cross. Plats £ 6-7 (9-10,50 €). Resto végétarien se vantant de servir le meilleur petit déj *veggie* de la ville. Les recettes sont jeunes et créatives. On peut apporter sa bouteille. L'endroit est surtout fréquenté par les étudiants.

Prix moyens

|●| *The Wee Curry Shop* (plan couleur I, B1, **34**) : 7, Buccleuch St. ☎ 353-07-77. Fermé dim. Résa obligatoire. Prévoir £ 7 (10,50 €) pour un plat. Autre adresse plus branchée sur Ashton Lane, au-dessus du *Jinty M'Guinty's House.* Une petite pépite perdue en lisière de centre-ville mais découverte par tous les bons chercheurs d'or ! Ce tout petit resto indien, chaleureux et très convivial, fait l'unanimité parmi les amateurs. Son curry est même considéré comme le meilleur de Glasgow !

|●| *Fratelli Sarti* (plan couleur I, B1, **35**) : 133, Wellington St. ☎ 248-22-28. Également 121, Bath St, 42, Renfield St et 404, Sauchiehall St. Menus env £ 7 (10,50 €) en journée. Quel Glaswegian n'a pas encore dîné au *Fratelli Sarti,* mélange bien dosé entre le café italien, l'épicerie fine et la trattoria ? Du coup, entre les crus toscans et les jambons du Piémont tapissant les murs, le cœur balance, mais la concurrence est rude avec les pâtes merveilleusement *al dente.*

|●| *Mao Cafe* (plan couleur I, C2, **36**) : 84, Brunswick St (Merchant City). ☎ 564-51-61. Plats £ 8-12 (12-18 €). Cuisine asiatique, surtout thaïe dans un cadre plutôt stylé, entre parquet et baies vitrées à l'effigie de Mao. L'établissement affiche toujours complet et le service ne traîne pas. Les plats sont tous succulents, difficile de se tromper...

Chic

|●| *City Merchant* (plan couleur I, C2, **37**) : 97-99, Candleriggs. ☎ 553-15-77. Fermé dim. Réserver. Plats £ 8 (12 €) le midi et menus £ 25 (37,50 €) le soir. Souvent copié mais rarement égalé, le *City Merchant* ne déçoit pas ses fidèles avec ses produits de 1ʳᵉ qualité bien travaillés. À l'image de la déco étudiée, hésitant entre le rendez-vous de chasse et le bistrot marin, la carte fait la part belle au gibier en saison et aux poissons régionaux.

Dans West End, le quartier de l'université

Pour être sûr de trouver à manger, rendez-vous sur Byres Road, une ruelle animée, pleine de restos et de bars, en plus d'un ciné. Un endroit vraiment sympa.

Bon marché

|●| **Chow** (plan couleur II, E5, **39**) : 98, Byres Rd. ☎ 334-98-18. Plats £ 5-7 (7,50-10,50 €). Un p'tit resto chinois, plutôt intime, et pas usine pour un sou. Cuisine bien tournée et service rapide. Au dire de certains, l'établissement serait l'un des meilleurs chinois de la ville. Plats à emporter.

|●| **University Café** (plan couleur II, E5, **40**) : 87, Byres Rd. ☎ 339-52-17. Tlj sf mar. Compter env £ 5 (7,50 €) le fish supper. Le repaire des étudiants. Ambiance café' pour une cuisine sans chichis. Toutes sortes de snacks au menu. Également des plats à emporter.

|●| **Antipasti** (plan couleur II, E4, **38**) : 337, Byres Rd, à l'angle d'Observatory Rd. ☎ 337-27-37. Formules £ 7-9 (10,50-13,50 €) le midi lun-jeu, plats £ 5-8 (7,50-12 €). Un café charmant dans les tons ocre orangé apaisants, à l'atmosphère relax l'après-midi, bourdonnante en soirée. Tous les classiques italiens sont à la carte et le Sunday brunch apprécié des anciens et nouveaux étudiants. Service moyen.

Prix moyens

|●| **Mother India** (plan couleur II, F6, **41**) : 28, Westminster Terrace (donne sur Sauchiehall St). ☎ 221-16-63. Plats £ 8-12 (12-18 €) env. Sa petite salle mignonne comme tout, façon bistrot chic, et son atmosphère décontractée font de Mother India l'un des plus agréables rendez-vous pour les dîneurs. D'ailleurs, il vous faudra lutter pied à pied avec les habitués pour goûter sa cuisine fine aux épices savamment dosées. Également quelques spécialités végétariennes.

|●| **The Bothy** (plan couleur II, E5, **42**) : 11, Ruthven Lane. ☎ 334-40-40. Prudent de réserver. Le midi et le soir avt 19h, menu £ 13 (19,50 €) ; à partir de £ 10-12 (15-18 €) à la carte. Une excellente adresse pour s'initier à la cuisine écossaise. Un bothy désigne une cabane sommaire des Highlands. L'ambiance est rustique : tables et chaises en bois, parquet, lustres d'époque... sans pour autant délaisser la cuisine. Toutes les recettes traditionnelles sont à l'honneur et les plats remarquables, si bien que l'adresse est déjà pas mal connue.

|●| **Cul-de-Sac** (plan couleur II, E5, **43**) : 44-46, Ashton Lane. ☎ 334-66-88. Tlj 12h-22h30 ; ven-sam jusqu'à 23h. Plats £ 8-14 (12-21 €). Happy hours pour les plats et formules £ 10 (15 €) 16h-18h30 ; sinon, assez cher. Chacun y trouve son compte ! Au rez-de-chaussée, resto façon bistrot avec carrelage à damier et tables en marbre pour une ambiance plaisante. À l'étage, pub envahi par les étudiants. On peut y manger quelques plats simples, pâtes, crêpes, burgers, plats végétariens, grillades, etc. Et encore plus haut, le bar The Attic (le grenier), au décor design et cosy.

|●| **Stravaignin** (plan couleur II, F5, **44**) : 28, Gibson St. ☎ 334-26-65. Compter £ 12-22 (18-33 €) le plat au bistrot. Doit sa réputation à sa cuisine écossaise bien vue : haggis, moules, Aberdeen Angus steaks, agneau... mais également à son atmosphère conviviale de bistrot marin cossu. Déco assez chouette, ancres, filets de pêche... Également un resto au sous-sol, mais très chic. Service sympa.

Chic

|●| **Ubiquitous Chip** (plan couleur II, E5, **45**) : 12, Ashton Lane. ☎ 334-50-07. Près de Byres Rd. Résa impérative les ven et sam soir. Au pub, plats autour

de £ 5 (7,50 €), ou 2 cartes différentes pour le resto : la raisonnable, aux plats £ 7-15 (10,50-22,50 €), et la déraisonnable, compter alors facilement £ 35 (52,50 €). Niché dans un jardin d'hiver au cadre frais et élégant : grand volume, bois blanc et plantes grasses. Bonne réputation justifiée pour ses bons plats de gibier et ses spécialités de poisson joliment tournées. Histoire d'alléger la note, on peut profiter de cette déco luxuriante en s'installant aux balcons du pub, au 1er étage. On y sert une cuisine plus simple mais très correcte et à prix abordables.

Où boire un verre ? Où sortir ?

Comme Édimbourg, et même beaucoup plus, Glasgow garantit une vie nocturne et artistique vraiment riche. Dans les pubs, gens ouverts engageant facilement la conversation et étudiants chaleureux, ça vous promet de bonnes soirées. À la fermeture des pubs, vous avez le choix entre boîtes et salles de concerts où ça déménage pas mal !

Dans le centre

🍷 |●| *Horse Shoe Bar* (plan couleur I, B2, **50**) : 17-21, Drury St. Un pub déjà centenaire qui n'a pas pris une ride. Il détient même le record du plus long comptoir d'Écosse, en forme de fer à cheval (comme son nom l'indique en v.o.). Cela donne une petite idée du débit des boissons : torrentiel le week-end ! Régulièrement plein à craquer, et atmosphère fraternelle garantie. Dernière attention digne d'éloges : ses tarifs dérisoires pour le *lunch* !

🍷 ♪ *Victoria Bar* (plan couleur I, C3, **51**) : 157-159, Bridgegate. Petit caboulot de quartier à la patine si épaisse qu'on ne distingue plus la couleur d'origine. Les habitués forment le gros des troupes, au coude à coude autour du bar, acclamant les performances des musiciens chaque mardi et du vendredi au dimanche. Un pub hors d'âge, comme le whisky !

🍷 |●| ♪ *Blackfriars* (plan couleur I, C2, **52**) : 36, Bell St. À l'angle d'Albion St. La vague bobo qui déferle depuis quelques années sur le secteur de Merchant City semble ignorer ce pub tout simple. Convivial et sans façon, il plaît pour sa bonne humeur et ses bonnes bières. Salle en arrondi pour observer l'animation du quartier. Musique *live* les samedi soir (blues, rock) et dimanche soir (jazz).

🍷 |●| *Babbity Bowster* (plan couleur I, D2, **54**) : 16-18, Blackfriars St, dans la Merchant City. Resto à l'étage ; fermé dim et lun. Glasgow n'étant pas bien riche en terrasses ou *sidewalk cafés,* le *Babbity Bowster* fait l'unanimité pour son *beer garden* paisible donnant sur une rue piétonne. Mais c'est aussi un charmant pub traditionnel à l'atmosphère chaleureuse, réputé pour sa bonne cuisine voyageant entre Écosse et France.

🍷 |●| ♪ *13th Note* (plan couleur I, C3, **55**) : 50-60, King St. Tapas dim-jeu 17h-20h. La 13e note ne signifie pas qu'elle sonne faux ! Au contraire. En cuisine, les marmitons jouent à fond les partitions du moment : tapas, salades et sandwichs frais, petites choses végétariennes pas mal réussies. Pour le déluge de décibels en acoustique, c'est au sous-sol (concerts payants presque tous les soirs en été) ; pour les performances de DJ, c'est au bar (gratuit). Tout cela dans une déco colorée inspirée des *seventies,* aux chaises hautes en forme de guitare.

🍷 ♪ *The Scotia* (plan couleur I, C3, **56**) : 112, Stockwell St. Jeu-dim : musique live (folk, jazz, blues). Ce pub vieille école prétend être le plus ancien de Glasgow encore debout, fondé en 1792. Ses plafonds bas et ses recoins sombres plaident en sa faveur. Fréquenté d'abord par les ouvriers, lorsque Bridge of Stockwell était le terminus des bateaux circulant sur la Clyde. Devenu ensuite un asile pour écrivains, poètes et musiciens, il porte aujourd'hui toute une histoire qui ne manque pas d'imprégner l'atmosphère.

🍷 🎵 **Bar Ten** (plan couleur I, B2, **57**) : 10, Mitchell Lane. Bien caché dans une ruelle du centre, mais sur le carnet d'adresses de tous les vrais écumeurs de bars et noctambules invétérés. En journée, on vient y chercher une atmosphère conviviale gentiment branchée. Le soir, c'est nettement moins évident d'atteindre le bar entre les haies de buveurs déchaînés par les prouesses des DJs.

🍷 🎵 **Nice'n'Sleazy** (plan couleur I, A1, **58**) : 421, Sauchiehall St. Ici, on fait dans le trash. Quelques têtes bien lookées, festival de piercings et tatouages, billard au fond, tapisserie seventies, banquettes en skaï et musique forte genre rock pur et dur. Plein le week-end. Bien vivant et brut de décoffrage. Bonne scène alternative au sous-sol, connue pour ses vigoureux concerts de rock indépendant.

🍷 🎵 **B. Lo** (plan couleur I, C2, **59**) : 25, Royal Exchange. Ouv mer-dim ; fermeture à 3h. Entrée payante après 22h. Tenue correcte exigée. Immense bar en carré derrière lequel s'active une batterie de serveurs devant les clients assoiffés. Il faut dire qu'il fait chaud dans cet antre à mi-chemin entre le bar branché et la boîte de nuit. Ambiance assez survoltée.

🍷 🍽 **Drum & Monkey** (plan couleur I, B2, **60**) : 93-95, Saint Vincent St. ☎ 221-66-36. À l'angle de Renfield St. Résa conseillée le w-e pour le resto. Une ancienne banque reconvertie en débit... de boissons. Aux magnifiques boiseries, moulures, ou colonnes de marbre encadrant une cheminée de château, le proprio ajoute des objets anciens insolites qu'il achète dans les ventes aux enchères. Le tout fait assez classe mais pas guindé pour un sou. Pour dîner en tête-à-tête, s'esquiver vers la salle du fond. Cuisine bien tournée, continentale et écossaise. Bar food également très correcte.

Dans West End, le quartier de l'université

🍷 **Uisge Beatha** (plan couleur II, G5, **62**) : 232, Woodlands Rd. Au niveau de Woodlands Dr. Happy hours 16h-19h. Au Uisge Beatha, traduction gaélique d'eau-de-vie, on ne fait pas les choses à moitié... à commencer par la centaine de single malt et blended sélectionnés avec amour ! Le reste est à l'avenant : piano, trophées de chasse, collection de portraits, dont une amusante caricature de Thatcher, et livres anciens. Fauteuils récupérés vraisemblablement d'une église. Serveurs en kilt pour clientèle hétéroclite.

🍷 🎵 **Halt Bar** (plan couleur II, G6, **63**) : 160, Woodlands Rd. ☎ 352-99-96. Vieux pub indémodable, avec son lot d'habitués renforcé par de nombreux étudiants en goguette. Musique live le mercredi, la soirée est alors réservée à tous les musiciens de passage, et le samedi soir (souvent jazz). Téléphoner pour connaître les programmes.

🍷 🍽 **The Loft** (plan couleur II, E5, **64**) : Ashton Lane. Pub logé dans une ancienne salle de cinéma : beaux volumes, plafonds d'époque, affiches de ciné, projecteurs... La déco est très carrée, à l'image du bar au centre de la salle. C'est très mode pour une clientèle étudiante. En mezzanine se trouve un resto plutôt recommandé.

🍷 🍽 🎵 **Cottiers** (plan couleur II, E5, **65**) : 93-95, Hyndland Rd. ☎ 357-58-25 (resto). Rens sur le programme : ☎ 357-38-68. Au croisement avec Highburgh Rd. Une ancienne église où l'on dit de bien étranges messes. À l'étage, les fidèles communient autour de bonnes spécialités latino-américaines, la nef vibre des ovations du public pour les performances des comédiens et musiciens... et tout ce petit monde joue les prolongations dans la sacristie devenue un joli bar à la déco fraîche. Terrasse irrésistible sous le soleil.

🍷 🍽 **Tennents Bar** (plan couleur II, E5, **66**) : 191, Byres Rd, à l'angle de Highburgh Rd. Sélection de real ale démentielle, pour amateurs. Décoré de vieilles gravures et de boiseries, et furieusement animé, un vrai pub populaire où la plupart des clients préfèrent rester debout pour ne rien rater du spectacle ! Bonne cuisine de pub à prix défiant toute concurrence.

GLASCOW

GLASGOW

Où écouter de la bonne musique ?
Où danser ?

Avant de sortir en boîte, vérifier dans *The List* ou sur les *flyers* disponibles dans les pubs les thèmes des soirées et les groupes qui passent en concert dans les clubs à la mode.

♫ *King Tut's Wah Wah Hut* (plan couleur I, B1-2, *70*) : 272A, Saint Vincent St. ☎ 221-52-79. Entrée : à partir de £ 5 (7,50 €). Concerts ts les soirs à partir de 21h. Toujours pleine, toujours de bonne humeur, cette incontournable salle de concerts tient la dragée haute à ses concurrents avec l'une des meilleures programmations musicales de Glasgow. Pub sympa au sous-sol pour se mettre en jambes ou se remettre de ses émotions.

♫ *The Arches* (plan couleur I, B2, *71*) : 3, Midland St ou 253, Argyle St. ☎ 0870-240-75-28. Ouv le w-e pour la boîte. Entrée : £ 10-15 (15-22,50 €) selon les DJs invités. « LA » boîte de Glasgow. Espace incroyable avec bar sur 2 niveaux et vaste piste de danse sous d'immenses arches en brique, le

tout bien caché sous les voies de chemin de fer. Super-branché. À ne pas rater, même si c'est un peu cher et qu'il faut faire la queue.

♫ *The Tunnel* (plan couleur I, B2, *72*) : 84, Mitchell St. Rue parallèle à Union St. Rien n'indique l'entrée. Mer-sam. Entrée : £ 3-10 (5-15 €). On n'en voit toujours pas le bout ! Les années passent, et les meilleurs DJs drainent toujours autant de monde. Amateurs de *house* bienvenus, mais gare au *dress code* !

♫ *The Garage* (plan couleur I, A1, *73*) : 490, Sauchiehall St. ☎ 332-11-20. Boîte très populaire parmi les étudiants, peut-être pour les tarifs avantageux des boissons ! Accueille aussi pas mal de concerts. Tentez le coup !

Où assister à un spectacle ?

∞ *Citizens Theatre* : 119, Gorbals St, après Victoria Bridge. ☎ 429-00-22. ● citz.co.uk ● Ⓜ Bridge St. Bus n°s 5, 7, 12, 20, 31, 37, 66, 74 ou 75, arrêt sur Gorbals St. Loc 10h-18h (ou 21h les j. de spectacle). Fermé dim. Un des meilleurs théâtres de Grande-Bretagne. Datant du XIXᵉ siècle il s'appelait alors *Princess' Theatre*. Toujours d'excellents programmes. Pratique une politique de prix permettant à tous d'accéder à la culture.

∞ *Theatre Royal* (plan couleur I, B1, *80*) : Hope St et Cowcaddens Rd (à l'angle). Résa : ☎ 240-11-33. ● theatre royalglasgow.com ● Le temple de style victorien du grand opéra écossais et

lieu de passage obligé des troupes de danse prestigieuses.

∞ *Tron Theatre* (plan couleur I, C3, *81*) : 63, Trongate, à l'angle de Chisholm St. ☎ 552-42-67. ● tron.co.uk ● Accueil 10h-18h ; dim, 1h avt les spectacles. Il occupe une ancienne église du XVIIᵉ siècle mais produit les spectacles les plus imaginatifs et avancés d'Écosse. Travaille en liaison avec le *Traverse* d'Édimbourg. Sur le côté, un café design très aéré, à mi-chemin entre la cafétéria et l'aquarium, propose quelques petites choses à grignoter avant les représentations. Quelques tables en terrasse.

À voir

Glasgow n'est pas une ville encourageant au premier abord la découverte à pied. Mais ce n'est qu'un leurre ! À y regarder de près, on trouve dans le centre une très belle palette d'immeubles de la fin des XVIIIᵉ et XIXᵉ siècles. Nos lecteurs poètes urbains y découvriront cent détails pittoresques. Les autres profiteront de l'animation de ses belles artères piétonnes, avant de se plonger avec délectation dans les 1 001 trésors de ses merveilleux musées... Pour les découvrir, rendez-vous sur ● *glasgowmuseums.com* ●

À l'est de George Square

🍴🍴🍴 **George Square** *(plan couleur I, C2) :* bordé d'imposants immeubles du XIXe siècle, dont la *City Chambers* de style Renaissance italienne *(visite guidée lun-ven à 10h30 et 14h30).* L'envers vaut vraiment l'endroit pour les halls et escaliers de marbre. Au milieu de la place, *statue de Walter Scott* au sommet d'une colonne.

🍴 **Provand's Lordship** *(plan couleur I, D2) :* 3, Castle St. ☎ 552-88-19. *Ouv 10h (11h ven et dim)-17h. Entrée gratuite. Infos en français.* Probablement construite en 1471, *Provand's Lordship* est l'unique exemplaire rescapé du Glasgow médiéval et par conséquent la plus ancienne maison de la ville. Caractéristique de son époque, elle renferme une série de pièces aux plafonds bas, en pierre apparente pour les salles à usage domestique, où l'on a recréé l'ameublement et l'atmosphère d'antan. Voir le jardin attenant, un véritable patio avec une fontaine entourée de haies. Il s'en dégage un sentiment de sérénité, coupé du monde...

🍴🍴 **La cathédrale Saint Mungo** *(HS ; plan couleur I, D1-2) :* Castle St. *Avr-sept : lun-sam 9h30-18h ; dim 13h-17h. Oct-mars : lun-sam 9h30-16h ; dim 13h-16h. Fermeture des portes 30 mn avt. Entrée gratuite.*
La cathédrale fut construite au XIIIe siècle sur le site de la première église élevée par saint Mungo, patron de la ville, au VIe siècle. C'est la seule cathédrale ayant survécu à la Réforme en Écosse (avec celle d'Orkney), protégée par les habitants dès les premières heures des émeutes. À l'intérieur, où l'impression d'unité architecturale domine malgré les différentes phases de construction, l'œil est attiré principalement par le très beau jubé en pierre et le chœur de style gothique primitif. Dans la vaste crypte, les pèlerins reconnaîtront la tombe de saint Mungo, noyée dans une forêt de piliers et d'arcs brisés. Les amateurs de cimetières ne louperont évidemment pas celui de la cathédrale, saisissant. Le traverser jusqu'à la colline, juste derrière, d'où l'on profite d'une très belle vue sur la cathédrale et la ville.
Il existe plus de documents sur la vie spirituelle de l'ancienne Égypte à Glasgow que de témoignages de la vie religieuse au Moyen Âge. Lors de la Réforme, tout a été détruit ou brûlé. Le seul portrait subsistant de saint Mungo se trouve dans la cathédrale de Cologne.

🍴🍴 **Saint Mungo Museum of Religious Life and Art** *(plan couleur I, D2, 90) :* 2, Castle St. ☎ 553-25-57. *Ouv 10h (11h ven et dim)-17h. Entrée gratuite.* Inauguré en avril 1993 et élu meilleur musée de Grande-Bretagne en 1994, c'est le premier à rassembler sous un même toit les religions majeures du globe (bouddhique, chrétienne, hindoue, juive, musulmane, sikh). Une première salle s'intéresse sans aucun prosélytisme aux différentes formes d'expression de la foi et aux approches propres à chaque religion de la vie, la mort, la politique ou encore la persécution. Une petite galerie expose quelques trésors d'art religieux, dont un masque de momie égyptienne datant de 500 av. J.-C. et une spectaculaire statue de Çiva Nataraja du XIXe siècle. Enfin, une dernière salle est consacrée à la place de la religion en Écosse et à l'histoire de la cathédrale Saint Mungo. Dans l'enceinte du musée, le premier jardin zen permanent (dessiné par un expert japonais) de Grande-Bretagne.

🍴 **Glasgow Cross** *(plan couleur I, C3) :* à l'intersection de High St et Trongate. Ancien centre du Glasgow médiéval. Tour carrée, vestige du Tolbooth (mairie-prison) datant de 1626. La *Mercat Cross,* en face, est une réplique récente de celle du XVIIe siècle.

🎭🎭 *Sharmanka Kinetic Gallery* (plan couleur I, C3, **91**) : 64, Osborn St (Trongate). Au 1ᵉʳ étage. ☎ 552-70-80. ● sharmanka.com ● *Représentation jeu et dim 19h ; 15h dim pour les familles. Possibilité d'obtenir des représentations pour un groupe de plus de 5 pers en réservant au préalable. Entrée : £ 4 (6 €) ; réduc. Durée : 1h.* Galerie consacrée aux incroyables sculptures mécaniques d'Eduard Bersudsky, façonnées avec des vieux morceaux de bois et de métal, qui s'animent à l'unisson avec musique et effets de lumière, un peu comme dans les spectacles de *wayang* indonésien. Étrange et fascinant.

🎭🎭 *Barras Market* (plan couleur I, D3) **:** entre Gallowgate et London Rd. Chaque w-e 9h30-16h30. Il s'agit de l'un des plus pittoresques marchés aux puces d'Europe. De vieux bâtiments victoriens regorgent de trésors, et des centaines de boutiques vendent vraiment de tout : de la collection de *Dinky Toys* aux bibelots les plus divers, en passant par les frusques les plus folles. Nombreux bars, petits restos, salons de thé pour récupérer.

🎭🎭🎭 *Glasgow Green* (plan couleur I, C-D3) : le long de la Clyde, au sud de Barras. Plus qu'un simple parc, c'est tout un symbole. Très cher au cœur des Glasgewians, car il concentre toute l'histoire de la ville et fourmille d'anecdotes. Pour tous, il est *property of the people.* Beaucoup d'historiens pensent que c'est même l'un des sites historiques les plus importants d'Écosse. Jugez-en ! D'abord, il existe depuis 800 ans. On ne sait pas exactement quand le Green devint propriété du peuple, mais, déjà en 1450, l'évêque de Glasgow accorda droit de pacage dessus. Des vaches y pâturèrent jusqu'en 1870, puis des moutons.
Il vit la naissance de la révolution industrielle, ce qui n'est pas rien puisqu'elle bouleversa aussi notre propre existence. En effet, James Watt y médita un dimanche après-midi de 1765, quand il découvrit tout à coup les applications possibles de la compressivité de la vapeur (un monument rappelle l'événement à côté de la statue de Nelson).
Sur le plan historique, nombre de séquences s'y jouèrent : ainsi, en 1746, Bonnie Prince Charlie y passa ses troupes en revue avant la célèbre bataille de Culloden. À l'ouest du parc, devant le palais de justice, il y eut 71 exécutions publiques (dont quatre femmes) de 1814 à 1865. Toutes les grandes batailles sociales, toutes les manifestations ouvrières s'y déroulèrent : le *one man, one vote,* puis le droit de vote pour les femmes, les manifs sur les chantiers de la Clyde en 1971, la grande grève des mineurs en 1984. Comme le *Speakers' Corner* de Londres, le Green fut longtemps une tribune permanente où les *orange men* pourfendaient le pape, les athées, Dieu et les évêques, les syndicalistes, les patrons, les ligues de tempérance, l'alcool, etc. Cela dura jusqu'à la Seconde Guerre mondiale, la radio se substituant au Green par la suite comme lieu de débat. Nombre de leaders syndicalistes, de politiciens, de membres du Parlement firent cependant leur éducation politique ici. On disait d'eux qu'ils étaient diplômés de la « Glasgow Green University ».
Et puis, il faudrait encore parler des grandes batailles écologiques. Toute la population se mobilisa en 1847 pour empêcher le train de passer au milieu, puis, à plusieurs reprises tout au long du XIXᵉ siècle, contre l'ouverture de mines de charbon ! La dernière bataille eut lieu en 1981, quand les autorités projetèrent d'y faire passer une autoroute urbaine. Des chansons furent créées et fredonnées par tous pour soutenir la campagne du GRIM *(Glasgow Resistance to Incoming Motorways).* La décision fut reportée. Nos lecteurs sportifs doivent aussi savoir que les *Glasgow Rangers* (en 1873) et le *Celtic* (en 1888) virent le jour sur le Green. Si on avait pu deviner tout ce que pouvaient cacher quelques simples touffes d'herbe bien grasses !...

🎭🎭 👫 *People's Palace* (hors plan couleur I par D3) : Glasgow Green. ☎ 271-29-51. Bus n° 16 ou 18. Ouv 10h (11h ven et dim)-17h. Entrée gratuite. Le palais du Peuple, bâtiment imposant de style Renaissance française, fut construit en 1898 pour offrir aux habitants des quartiers défavorisés de l'East End un centre culturel, mais aussi un lieu de mémoire. Il est devenu naturellement le musée de l'histoire de Glasgow et de ses habitants. On trouve de par le monde peu de musées reflétant autant l'attachement d'une population pour son histoire, et de façon aussi didactique.

Les petites sections, claires et bien documentées, passent en revue la vie sociale, les relations commerciales, les métiers et corporations à travers les siècles. Toutes sortes de souvenirs rappellent les bons et les mauvais moments : les maillots de bain des premières vacances à « *doon the watter* », un abri antiaérien de 1940, les affiches des suffragettes, les bannières des syndicats à l'heure des grandes luttes de la classe ouvrière, pendant de la galerie consacrée à l'essor de

> ### AMENDES À MÈRES
>
> *Vers 1900, pour empêcher les problèmes de surpopulation chronique, les propriétaires apposèrent des plaques en fer (« tickets ») sur les appartements indiquant le volume en mètres cubes et le nombre de personnes autorisées à y vivre ! Des inspecteurs passaient, la nuit, pour vérifier (au-delà de 30 % de surpeuplement, le proprio récoltait une amende). En 1914, 22 000 immeubles étaient ainsi « ticketed ».*

la Glasgow industrielle... Le syndicalisme écossais fut d'ailleurs l'un des plus combatifs d'Europe. Bureau de *John MacLean,* le plus grand leader socialiste du début du XXe siècle, abonné aux maisons d'arrêt et mort prématurément, à 44 ans, des suites de mauvaises conditions d'emprisonnement. L'ouest de l'Écosse avait bien mérité son surnom de *Red Clydeside.*

Une section intéressante sur les conditions de logement au XIXe siècle.

Pour finir, témoignages divers sur la vie artistique, sportive et religieuse de la ville. Expos temporaires.

– Ne manquez pas de déguster une bonne tasse de thé dans l'élégant jardin d'hiver, superbe serre tropicale.

🎥 Parmi les autres curiosités du Green figure l'**usine de tapis Templeton,** cet extraordinaire édifice en brique polychrome qui ressemble à un palais vénitien à côté du People's Palace. Il fut donc construit en bordure du Green en 1892. La municipalité exigea que, du fait de cette proximité, l'architecture de l'usine fût esthétique. James Templeton, le patron, demanda à l'architecte quel était, à son avis, le plus beau monument du monde. Il répondit « le palais des Doges » à Venise. Templeton lui suggéra donc de le prendre comme modèle pour réaliser son usine. Et si l'architecte avait répondu le Taj Mahal ?

Une pure anecdote pour montrer certains aspects féroces du capitalisme triomphant à cette époque. Alors qu'on élevait les murs de l'usine, on avait déjà installé dedans des baraques-ateliers provisoires pour commencer à produire : les murs s'effondrèrent pendant les travaux, tuant 29 jeunes ouvrières...

La production des tapis cessa en 1979. Aujourd'hui, le bâtiment est en cours de réhabilitation pour en faire des appartements de luxe. Une nouvelle vie...

Autour de Central Station

🎥🎥 **Le Glasgow victorien et commerçant :** quelques bâtiments et lieux significatifs, comme le *Royal Exchange Square (plan couleur I, C2),* de style néoclassique, entre Queen Street et Buchanan Street, l'une des principales artères commerçantes de Glasgow.

Voir le *Stock Exchange (entre Saint Vincent St et Saint George Pl ; plan couleur I, C2),* à l'architecture gothico-vénitienne, construit en 1875, témoin de la florissante époque du commerce colonial.

GLASGOW

🎭🎭 *The Gallery of Modern Art* (plan couleur I, C2, **92**) : Queen St. Dans le bâtiment du Royal Exchange. ☎ 229-19-96. Ouv 10h-17h (20h jeu), à partir de 11h ven et dim. Entrée gratuite. La galerie s'étend sur quatre étages, consacrés principalement aux artistes contemporains britanniques. Expositions interactives où chacun peut enfin exprimer sa créativité débordante, sculptures mises en scène en son et lumière, vidéos, mobiles, collages... La collection permanente comprend également une sélection d'artistes d'autres horizons, renforcée à l'occasion de fréquentes expositions temporaires.

🎭 *Princes Square* (plan couleur I, C2, **93**) : 48, Buchanan St. Là, on a hésité entre les rubriques « À voir » et « Achats ». En fait, c'est selon l'état de vos finances. Jugez plutôt : une magnifique bâtisse du XIXᵉ siècle, superbement transformée en centre commercial de luxe, style Art déco. Boutiques très chic, très mode et très chères.

🎭🎭 *The Lighthouse* (plan couleur I, B2, **94**) : 11, Mitchell Lane. ☎ 221-63-62. ● www.thelighthouse.co.uk ● Ouv 10h30 (11h mar, 12h dim)-17h. Entrée : £ 3 (4,50 €) ; réduc. Ce n'est que justice, le centre du design et d'architecture de Glasgow occupe un bâtiment dessiné par Mackintosh. L'ajout d'une belle façade de verre n'a pas défiguré l'ancien siège du journal The Herald mais engendre une association très réussie de l'ancien et du moderne. La petite rétrospective Mackintosh est la seule expo permanente : sa vie, ses réalisations, au travers d'une muséographie moderne (bornes interactives, vidéos, bandes-son...). Les autres étages abritent des expos temporaires de bon niveau. Tout en haut de la tour, accessible à partir du 3ᵉ étage, superbe vue sur la ville, qui récompense l'effort d'une ascension un peu raide. Autre point de vue depuis la partie moderne (accessible en ascenseur) mais nettement moins palpitant (au sens propre comme au figuré !).

🎭 *Museum of Piping* (plan couleur I, B1, **95**) : 30-34, McPhater St. ☎ 353-02-20. ● thepipingcentre.co.uk ● Lun-ven 9h30-16h30 ; sam 9h-13h ; dim 10-16h. Fermé dim oct-avr. Entrée de l'expo : £ 3 (4,50 €). Il en fallait un ! Ce petit centre culturel niché dans une église a pour vocation de promouvoir la cornemuse. Petite exposition évoquant l'histoire de l'instrument national écossais. Collection empruntée au Museum of Scotland, parmi laquelle on remarque quelques cousins bretons et irlandais. Visite très rapide et commentaires disponibles en français. Organise des cours et Piping Recitals (Piper en solo) en été, parfois même des ceilidhs dans le pub attenant. Boutique avec cornemuses, CD...

Autour de Charing Cross Station

Rejoindre ensuite *Sauchiehall Street* (plan couleur I, B1), de loin la rue la plus animée de Glasgow. Quantité de magasins, restos, pubs et cafés, plus quelques beaux exemples d'Art nouveau.

🎭🎭 *Willow Tearoom* (plan couleur I, B1, **96**) : 217, Sauchiehall St. ☎ 332-05-21. ● willowtearooms.co.uk ● Lun-sam 9h-17h (dernière admission à 16h30) ; dim 11h-16h15 (dernière admission à 15h45). Dessiné par Charles Rennie Mackintosh, ce salon de thé célèbre est un authentique petit chef-d'œuvre d'architecture intérieure et de design. Entièrement restauré, il accueille à nouveau des clients dans l'univers étonnant de Mackintosh. À noter : les meubles sont les copies des modèles conçus par l'architecte. Le rez-de-chaussée abrite une bijouterie. Un autre Willow Tearoom a été recréé au 97, Buchanan Street (plan couleur I, B-C2). On y découvre la salle à manger blanche et la pièce chinoise conçues par Mackintosh.

🎭 *Centre for Contemporary Arts* (plan couleur I, B1, **97**) : 350, Sauchiehall St. ☎ 352-49-00. ● cca-glasgow.com ● Horaires variables en fonction des activités. Fermé dim-lun. Entrée gratuite. Un vaste complexe offrant à la fois des espaces pour des expos éclectiques d'artistes internationaux, des projections, des concerts, mais aussi un bar où se produisent des DJs et un resto.

🎭 *Glasgow School of Art* (plan couleur I, B1, **98**) : 167, Renfrew St. ☎ 353-45-26. ● gsa.ac.uk ● Ⓜ Cowcaddens. Avr-oct : visites guidées tlj (env 1h) ttes les heures 10h-16h. Oct-mars : visites tlj à 10h, 13h et 15h. Visites supplémentaires en fonction de l'affluence. Résa conseillée. Entrée : £ 6,50 (9,80 €) ; réduc. Citée comme l'une des principales réalisations Art nouveau de Mackintosh, voire comme son chef-d'œuvre. Édifiée en 1896 pour l'une des façades, dix ans plus tard pour l'autre, en raison des difficultés budgétaires rencontrées pendant le chantier. Noter la différence de styles. Les étudiants qui assurent les visites parlent avec feu de leur école et présentent en fonction des cours le maximum de salles, dont la fameuse bibliothèque connue pour son aménagement de l'espace si novateur à l'époque. À ne pas rater en juin : le *Degree show*. Pendant une semaine, toutes les salles de l'école sont accessibles au public, avec les œuvres des jeunes diplômés exposées et leurs auteurs prêts à répondre à vos questions, voire en quête d'un acheteur.

🎭 *Tenement House Museum* (NTS ; plan couleur I, A1, **99**) : 145, Buccleuch St, Garnethill. ☎ 0844-493-21-97. Mars-oct : tlj 13h-17h (dernière admission à 16h30). Entrée : £ 5 (7,50 €) ; réduc. Pour faire face à la terrible crise du logement qui frappait Glasgow au XIXᵉ siècle, corollaire du formidable essor industriel de la région, les autorités encouragèrent la construction d'appartements souvent modestes, les *Tenement Houses*. Avec ses deux pièces et sa cuisine séparée, celui de Buccleuch St fait figure de privilégié en comparaison des *single-ends* où les familles s'entassaient. Le *National Trust* a choisi de conserver en l'état cet appartement témoin habité par Miss Toward de 1911 à 1965. Rien n'a bougé, des ustensiles de cuisine aux boîtes de médicaments, en passant par le lit remisé dans une armoire. Petite expo au rez-de-chaussée.

🎭 *The Waverley* (hors plan couleur I par A2) : Situé au Glasgow Science Centre. Rens : ☎ 0845-130-46-47. ● waverleyexcursions.co.uk ● Prix selon la balade choisie (à partir de £ 20, soit 30 €) ; réduc. Navigue en saison du vendredi au lundi ; à l'occasion le reste de la semaine. Propose différentes croisières sur la Clyde. Le dernier bateau à aubes à voguer.

Dans West End, le quartier de l'université

Tout à fait accessible à pied en continuant sur Sauchiehall Street, après Charing Cross. Au passage, noter le bel alignement en courbe des demeures victoriennes sur Royal Crescent (plan couleur II, F6).

🎭 *Kelvingrove Park* (plan couleur II, F5-6) : bus n° 44. Parc très agréable, avec des arbres et des fontaines partout. Lieu de pique-nique favori des familles le week-end.

🎭 *Museum of Transport* (plan couleur II, E6, **100**) : Kelvin Hall, entrée au n° 1 de la Bunhouse Rd. ☎ 287-27-20. Ⓜ Kelvin-Hall. Bus nᵒˢ 9, 16, 18 et 62 du centre-ville. Tlj 10h (11h ven et dim)-17h. Entrée gratuite. Inutile d'être abonné à La Vie du Rail pour tomber sous le charme ! Cet immense musée célèbre le glorieux passé de Glasgow dans la construction navale et retrace toute l'histoire des transports... un bon prétexte pour aligner des machines toutes plus formidables les unes que les autres. Les rêves de gamin deviennent réalité devant les vieilles locomotives rutilantes qu'on escalade, les wagons de luxe qu'on touche du doigt comme celui du roi George VI, les tramways pittoresques qu'on avait oubliés, ou les calèches et omnibus rappelant à l'homme moderne la place prépondérante du cheval autrefois. Une pensée émue pour les vieux tacots précédant l'automobile moderne, avant de contempler des voitures de rêve (Rolls Royce, Bentley, Vanguard...). Motos, vélos et une ébouriffante collection de maquettes de navires (certaines mesurent plusieurs mètres) complètent le tableau. La dernière surprise n'est pas la moins bonne : une rue entièrement reconstituée plonge le visiteur dans le Glasgow de 1935.

🐾🐾 *L'université (plan couleur II, E5) :* University Ave, Gilmorehill. ☎ 330-20-00. ● www.gla.ac.uk ● **Ⓜ** Hillhead. Bus n° 44. Lun-sam 9h30-17h ; dim (slt mai-sept) 14h-17h. Entrée gratuite. Visites guidées occasionnelles : se renseigner. L'édifice, de style gothique écossais, date de 1870, mais l'université fut fondée en 1451 par l'évêque William Turnbull. Elle compta parmi ses éminents professeurs l'économiste Adam Smith et James Watt, le père de la révolution industrielle.

🐾 *Hunterian Museum (plan couleur II, F5) :* dans le bâtiment principal de l'université. ☎ 330-42-21 ● www.hunterian.gla.ac.uk ● Tlj sf dim 9h30-17h. Fermé j. fériés et entre Noël et le Jour de l'an. Entrée gratuite. Le plus vieux musée de Glasgow abrite une magnifique collection de pièces de monnaie pour numismates avertis, quelques documents historiques sur l'occupation romaine, ainsi qu'une rapide évocation de l'histoire de l'homme (pêche, agriculture, poterie...) et une section minéralogique. Petit mais bien fait.

🐾 *Hunterian Art Gallery (plan couleur II, F5, 101) :* entrée au 82, Hillhead St, rue qui part de University Ave. ☎ 330-54-31. ● www.hunterian.gla.ac.uk ● **Ⓜ** Hillhead. Bus n° 44 du centre-ville. Mêmes horaires que le Hunterian Museum. Entrée gratuite. On pénètre dans la galerie par la surprenante porte en aluminium d'Eduardo Paolozzi, sculpteur écossais d'origine italienne, dont l'œuvre complète est exposée à la Dean Gallery d'Édimbourg. Importante collection d'estampes et belles gravures des XVIe et XVIIe siècles. Dans la cour, sculptures contemporaines. Dans la galerie principale, nombreuses peintures dont La Mise au tombeau de Rembrandt, trois grands Chardin et une très importante sélection d'œuvres de James Abbott McNeill Whistler, un intéressant peintre américano-écossais du XIXe siècle.
Les fervents d'Art nouveau et d'Art déco aimeront la Mackintosh House, superbe reconstitution de l'appartement du célèbre architecte-décorateur (mort en 1928). On y retrouve également la plupart des meubles qu'il a créés. Entrée : £ 2,50 (4 €).

🐾 *Botanic Gardens (plan couleur II, E-F4) :* Great Western Rd. ☎ 334-24-22. **Ⓜ** Hillhead. Bus nos 20 et 66. Jardins ouv tlj du lever au coucher du soleil. Superbes serres accessibles 10h-16h45. Pour les amoureux d'orchidées et de fougères arborescentes.

🐾🐾🐾 *Kelvingrove Art Gallery and Museum (plan couleur II, F6, 102) :* dans le parc de Kelvingrove, sur Argyle St. ☎ 276-95-99. Bus nos 9, 16, 18 et 62. Ouv 10h (11h ven et dim)-17h. Entrée gratuite. C'est sans conteste l'édifice préféré des Glasgewians ! Ses œuvres, toutes remarquables, révèlent la peinture des primitifs, impressionnistes, pointillistes et grands fauvistes. On découvre le célèbre Christ de saint Jean de la Croix de Dalí, chef-d'œuvre de perspective, ou encore L'Homme en armure de Rembrandt. Également des sections sur l'archéologie, la géologie et l'ethnologie, mais aussi une incroyable collection d'armes et d'armures.

Au sud de la ville

🐾🐾🐾 *The Burrell Collection :* 2060, Pollokshaws Rd. ☎ 287-25-50. Situé dans le plus grand parc de Glasgow, Pollock Country Park. En train, arrêt à Pollokshaws West. Bus nos 45 et 57. Tlj 10h (11h ven et dim)-17h. Entrée gratuite. Dans le cadre idéal d'une bâtisse légère, tout en bois, verre et grès rouge, conçue spécialement pour l'occasion, on peut admirer la prestigieuse collection de peinture, meubles et objets d'art de sir William et lady Burrell, dans une présentation claire et aérée. Patron d'une compagnie maritime prospère, sir William passa sa vie à collectionner avec discernement les plus beaux objets (près de 8 000) dans tous les domaines artistiques, puis les légua à la ville. À ne pas manquer, il y en a vraiment pour tous les goûts ! Antiquités égyptiennes et grecques, meubles médiévaux, collection de vitraux religieux et profanes, éléments d'architecture romane et gothique souvent incorporés au bâtiment (portail d'église, fenêtres...), tapisseries et tapis très anciens, objets rares d'Extrême-Orient, peintures superbes : primitifs religieux, Lucas Cranach l'Ancien, Géricault, Daumier, Boudin, Rembrandt, Franz Hals, Chardin, Cézanne, Courbet, Manet et une importante série de Degas. Des sculptures de Rodin, dont une copie en bronze du *Penseur.* Plus inattendu, le vestibule, la salle de réception et la salle à manger d'*Hutton Castle,* la demeure de sir Burrell, ont été reconstitués à sa demande... Peut-être pour ne pas défaire le lien quasi charnel qui l'unissait à sa collection ?

🅺🅺 *Pollok House* (NTS) *:* à 10 mn à pied de la Burrell Collection. ☎ 616-64-10. Tlj 10h-17h. Entrée : £ 8 (12 €). Gratuit nov-mars. Très beau manoir du XVIIIe siècle de style palladien, légué à la ville, avec son immense parc de 145 ha, par lady Maxwell. Une aubaine pour Glasgow. Grâce à ce don, la ville récupérait la riche collection de sir Maxwell et trouvait enfin un site adéquat pour construire le musée Burell. Sur deux étages, la Pollok House regroupe un bel ameublement des XVIIIe et XIXe siècles, de superbes collections de porcelaines, cristaux et argenterie, ainsi qu'une remarquable sélection d'œuvres majeures du Greco (la *Femme à la fourrure*), de Goya, Murillo, William Blake, etc.
– Salon de thé dans une cuisine de style edwardien.
– Également de beaux jardins où coule une rivière enjambée par un superbe pont.

🅺 ⫯ *The Scottish Football Museum :* Hampden Park. ☎ 616-61-39. ● www.scottishfootballmuseum.org.uk ● Du centre, accessible par le bus n° 75. Tlj 10h (11h dim)-17h ; dernière admission à 16h15. Visites guidées du stade 11h-15h30 (résa conseillée). Fermé les j. de match. Entrée : £ 5,50 (8,30 €) ; réduc. Visite guidée : £ 3 (4,50 €) en plus du musée. Le célèbre stade de Hampden Park abrite dans ses entrailles un vaste musée très bien conçu, rappelant, si besoin est, la passion des Écossais pour le football, l'histoire du jeu depuis ses origines et la grande épopée des clubs du royaume. Pour les fans du ballon rond, exposition d'objets ayant appartenu à de célèbres joueurs écossais (dont les grolles de Jimmy McGrory !), reconstitution des vestiaires et des tribunes de presse. Également des écrans interactifs, des films, des jeux vidéo, etc.

🅺🅺 *The Gorbals :* juste de l'autre côté du Green. Pour s'y rendre, à pied par Albert Bridge (ou Ⓜ Bridge St) ; de là, rejoindre Gorbals St. Balade strictement pour poètes urbains.
Il y a encore une cinquantaine d'années, c'était le quartier populaire et ouvrier par excellence, symbole de la dure condition de prolétaire à Glasgow. Il tirait son nom de Gorbals Street qui le traversait. Logements insalubres, surpopulation, délinquance. Au seul mot de « Gorbals », les bourgeois tremblaient. Pourtant le quartier produisit Benny Lynch, un grand boxeur qui devint champion du monde, et plus de prestigieux footballeurs que n'importe quelle ville britannique, et même un Premier ministre. Les maisons n'étaient pas moches en soi, bien des rues comportaient de solides demeures de granit ou de grès rouge, que les classes supérieures avaient abandonnées sous la pression des pauvres. Le photographe Oscar Marzaroli, dans son album « Glasgow's People 1956-1988 » (Mainstream Publishing, 1993), a réuni de remarquables photos des rues des Gorbals et de leurs habitants à cette époque. Dans les années 1960, les autorités rayèrent le quartier de la carte, pressées de débarrasser la ville de l'une de ses verrues les plus voyantes, sans chercher à sauver ce qui aurait pu l'être. Dans la foulée, on liquida même des églises bien saines, comme Saint John's qui avait été dessinée par Pugin, l'architecte du Parlement de Londres. On a jeté l'eau du bain, le bébé et la baignoire aussi ! Comme témoins de cette époque, il ne reste que le *Citizen Theatre* sur Gorbals Street et un *tenement* en sursis, au n° 162, en face, avec un beau portail ouvragé (peu après le carrefour avec Ballater Street). Ironie de l'histoire, des HLM construites il y a quelques dizaines d'années sont déjà en ruines et abandonnées. Nos lecteurs poètes nécrophiles pourront toujours aller faire une promenade dans le vieux cimetière *(Southern Necropolis),* en bordure de Caledonia Road. Beaucoup de tombes sculptées pittoresques dans un joyeux et romantique désordre. On y trouve celle de Thomas Lipton, l'inventeur du *teabag* (c'est une colonne carrée avec une statue décapitée dessus ; emplacement 3971).

The Tall Ship : *Glasgow Harbour, 100, Stobcross Rd.* ☎ *222-25-13.* ● *thetall ship.com* ● *Pour s'y rendre, prendre le train de Central Station et descendre à Exhibition Centre, puis 10 mn à pied par Stobcross Rd. Mars-oct : tlj 10h-17h (dernière admission à 16h) ; nov-fév : 11h-16h (dernière entrée à 15h). Tarif : £ 5 (7,50 €) ; réduc.* Pour les nostalgiques des grands voiliers, le *Glenlee* est l'un des seuls trois-mâts construits par les chantiers de la Clyde à avoir survécu. Aujourd'hui soigneusement restauré, ce navire lancé en 1896 se visite du pont à la cale, en passant par les cuisines, les cambuses et les quartiers de l'équipage et du capitaine. Dans les cales, panneaux explicatifs sur l'histoire et la construction de ces grands trois-mâts, sur leurs propriétaires, la vie des marins à bord. Très intéressant, mais il reste encore à meubler quelques espaces pour donner plus d'épaisseur à la visite.

Glasgow Science Centre : *50, Pacific Quay.* ☎ *420-50-00.* ● *www.gsc.org. uk* ● *Bus n°s 89 et 90 de Byres Rd (West End) ou la navette Arriva n° 24 de Renfield St au centre-ville. En train de Central Station, descendre à Exhibition Centre, puis traverser soit le Millenium Bridge, soit le Bell's Bridge (env 15 mn de marche). Tlj 10h-18h. Entrée seule : £ 7 (10,50 €) ; combinée (dont IMAX) : £ 10 (15 €) ; réduc.* Difficile de rater cet immense coquillage de métal, dont l'antenne darde sa tour de contrôle à 127 m de hauteur. Avec ce musée, Glasgow se donne les moyens de son ambition, prétendre au titre de ville de la culture et de l'éducation. Pari gagné, le *Glasgow Science Centre,* ou comment appréhender les sciences de façon ludique et interactive, a conquis petits et grands de tous les horizons. Sur trois niveaux, ou plutôt trois ponts, les visiteurs s'adonnent à des centaines d'expériences pour répondre aux grandes questions sur l'électricité, le magnétisme, la matière, le corps humain... Certaines sont très drôles, comme ce tandem dont le passager n'est autre qu'un squelette réagissant à vos propres coups de pédales. Des expositions et différentes projections vidéo complètent la démonstration. Sans oublier l'*IMAX,* le seul d'Écosse, qui projette des films en 2 et 3D. De quoi vous en mettre plein les mirettes !

Manifestations

– **Celtic Connections Festival :** *en janv. Rens :* ☎ *353-80-00.* ● *celticconnections. com* ● Pendant 2 semaines, des musiciens célèbrent la culture celte au Glasgow Royal Concert Hall.

– **West End Festival :** *en juin.* ☎ *341-08-44.* ● *westendfestival.co.uk* ● Propose 15 jours de concerts en plein air, du théâtre et d'autres animations telle la parade de l'été. Ambiance garantie.

– **Glasgow International Jazz Festival :** *pdt la 1re sem de juil (parfois à cheval sur fin juin).* ☎ *552-35-52.* ● *jazzfest.co.uk* ● Étape obligée du circuit des grands festivals européens de jazz.

– **Glasgow International Piping Festival et World Pipe Band Championships :** ☎ *353-02-20.* ● *pipingfestival.co.uk* ● Toutes sortes de manifestations à la gloire de la cornemuse ; concerts payants en salle ou gratuits en ville, expositions, lectures... Il a lieu la semaine précédant le *World Pipe Band Championships,* qui lui se déroule toujours le 2e samedi du mois d'août. Cette compétition rassemble sur une journée plus de 200 *pipe bands* venus du monde entier. Le concert continue au Glasgow Green...

LA VALLÉE DE LA CLYDE

Au sud-est, en amont de Glasgow, la vallée de la Clyde par l'A 724 (qui devient ensuite l'A 72) vous fera découvrir les berges souvent riantes d'un fleuve qui joua son rôle dans le développement économique de la région.

🍴 🧗 ***Bothwell Castle*** *(HS) :* à **Uddingston.** ☎ *(01698) 816-894. Quitter Glasgow par l'A 74, prolongée par l'A 724, puis entrer dans Uddingston. Fléché depuis Main St. Avr-sept : tlj 9h30-17h30 ; oct-mars : tlj sf jeu et ven 9h30-16h30. Fermeture des caisses 30 mn avt. Entrée :* £ *3,50 (5,30* €). Construite à partir de 1242 avec l'aide de maçons français, la forteresse de Bothwell a intégré certaines techniques propres au continent. Ce formidable ouvrage défensif dominant la vallée fut par la suite plusieurs fois pris et repris, démantelé et reconstruit au cours des guerres d'indépendance. Malgré tout, les imposants vestiges de ses remparts et de son donjon circulaire en grès rouge ne manquent pas de prestance. Autour, de jolies prairies où pique-niquer en famille.

➤ Possibilité de rejoindre le *David Livingstone Centre* à pied en 25 mn en longeant la Clyde (itinéraire fléché).

🍴 ***David Livingstone Centre*** *(NTS) :* 165, Station Rd à **Blantyre,** *accessible par l'A 724.* ☎ *0844-493-206. Tlj 10h (12h30 le dim)-17h. Fermé de Noël à Pâques. Entrée :* £ *5 (7,50* €) *; réduc.* Un musée intéressant à la gloire du fameux explorateur David Livingstone, installé dans le bâtiment où le grand homme naquit en 1813. Jadis, ces lotissements étaient divisés en appartements d'une pièce, réservés aux familles des ouvriers de la filature de coton voisine. C'est d'ailleurs dans cette manufacture que le jeune David travailla en tant que fileur, comme tous ses camarades, avant de suivre les cours du soir et d'obtenir son billet d'entrée pour la faculté de médecine. La ténacité du jeune homme annonce déjà celle de l'explorateur. L'exposition relate, avec beaucoup de détails, l'enfance ouvrière, puis la vie passionnante du médecin-missionnaire-explorateur qui réalisa la première traversée de l'Afrique équatoriale d'ouest en est. Sa rencontre avec le journaliste Stanley en 1871 est restée célèbre comme monument du savoir-vivre *british.* À sa mort en 1873, cet infatigable marcheur aurait parcouru plus de 29 000 miles en trente ans de randonnées à travers l'Afrique. Son corps est enterré à l'abbaye de Westminster.

➤ Possibilité de rejoindre Bothwell Castle à pied en 25 mn en longeant la Clyde (itinéraire fléché).

LANARK

8 300 hab.   IND. TÉL. : 01555

Ville de marché spécialisée dans les bovins. C'est en s'emparant de la place fortifiée anglaise de Lanark, en 1297, que William Wallace déclencha la première guerre d'indépendance écossaise. Ne présente d'intérêt que pour sa proximité avec l'étonnante aventure de New Lanark.

Arriver – Quitter

En train

🚆 De Glasgow Central, trains réguliers dans la journée, quasiment ttes les 30 mn. *Rens :* Scotrail, ☎ *08457-48-49-50.* • *firstscotrail.com* ●

➤ Pour **New Lanark,** prendre ensuite le bus n° 335. Bonnes correspondances.

En bus

➤ Avec *Law Bus and Coach,* bus n° 240X depuis ou vers ***Glasgow*** ; ttes les heures au moins.

Adresse utile

🛈 ***Tourist Information Centre :*** *Horsemarket, Ladyacre Rd.* ☎ *661-661. À deux pas du centre-ville, en direction de* New Lanark. *Tlj 10h-17h. Fermé dim oct-Pâques.*

LA VALLÉE DE LA CLYDE

Où dormir ?

Camping

🏕 *Clyde Valley Caravan & Camping Park* : à 1 km de Lanark sur l'A 72 direction Glasgow. ☎ 663-951. Compter £ 8 (12 €) pour une tente et 2 pers. Un camping très accueillant avec de nombreux mobile homes et leur jardinet entretenu à la perfection. Non loin de la rivière, l'endroit est vraiment reposant.

De bon marché à prix moyens

🏠 *New Lanark Youth Hostel :* Wee Row, Rosedale St. ☎ 0870-004-11-43. • syha.org.uk • Bus de Lanark. Marsoct. Nuit £ 14 (21 €) par pers en hte saison. AJ installée dans l'ensemble restauré de New Lanark. Équipement ultramoderne : cuisine rutilante, laverie, douches et w-c dans toutes les chambres. Ces dernières sont d'ailleurs impeccables et confortables, tout comme le salon TV aux sofas bleu électrique. De certaines chambres, vue sur la rivière (mais les fenêtres sont parfois étroites, défaut à mettre au compte de l'ancienneté du bâtiment !).

🏠 *Bankhead Farmhouse B & B :* Braxfield Rd, à Lanark. ☎ 666-560. • newlanark.co.uk • Peu avt le site de New Lanark, la maison est dans le prolongement de Braxfield Rd après le virage serré (ne pas tourner). Compter env £ 20 (30 €) par pers. Également des studios indépendants. À voir le mur d'enceinte surplombant la vallée, le site devait abriter une ferme fortifiée quelques générations auparavant. Aujourd'hui, la vaste cour intérieure dessert une maison en pierre rénovée, propre et moderne à l'intérieur. Elle propose quelques chambres agréables, avec ou sans salle de bains privée. Accueil simple, très sympathique.

Où manger ?

|●| *Crown Tavern :* 17, Hope St, une rue perpendiculaire à Bloomgate qui prolonge High St. ☎ 664-639. Fermé dim midi. Env £ 6 (9 €) le midi, £ 10-12 (15-18 €) le soir. La jolie auberge traditionnelle de province, entre bois foncé et banquettes rouges, murs blancs et poutres apparentes. Plein de recoins bien sombres pour avaler le midi des salades, sandwichs, fritures, hamburgers... Le soir, toujours snack au bar, mais aussi carte plus élaborée dans la partie resto.

➤ DANS LES ENVIRONS DE LANARK

🏫 🕿 ⊛ *New Lanark :* à 2,5 km du village de Lanark.
🛈 *New Lanark Visitor Centre :* ☎ 661-345. • newlanark.org • Tlj 11h-17h (à partir de 10h30 juin-août). Entrée : £ 6 (9 €) pour tt le site ; réduc.
Le village est classé par l'Unesco au Patrimoine mondial de l'humanité, autant pour sa valeur symbolique que pour son harmonie architecturale. Lovés au creux de la vallée encaissée, les bâtiments d'habitation et les blocs des manufactures s'intègrent parfaitement au paysage. Il faut dire que New Lanark fut fondé au Siècle des lumières sur un concept de vie sociale idéale. Une utopie, quoi, mais qui, dans ce cas, connut une réalisation concrète et durable.
En 1785, à la suite de l'effondrement de l'industrie du tabac (guerre d'Indépendance américaine), l'industriel David Dale profita de l'énergie hydroélectrique produite par les chutes de la Clyde pour implanter dans la vallée des filatures qui, dès 1799, faisaient vivre plus de 2 000 personnes. Son gendre, Robert Owen, reprit l'affaire en 1800 et mit en application des théories de réformes sociales novatrices. Elles seront reprises plus tard par le parti travailliste et le chartisme, un mouvement britannique d'émancipation ouvrière actif entre 1837 et 1848. Le succès commer-

cial lui permit de développer ses idées, en créant un atelier d'apprentissage, une crèche, une cantine publique, une coopérative d'achat et une école obligatoire pour tous les enfants jusqu'à 10 ans. Son objectif avoué était de combattre le paupérisme et de rendre les conditions d'existence des ouvriers un peu plus décentes. Et ce, dès le début du XIXᵉ siècle (Dickens n'avait pas encore écrit *Oliver Twist*) ! Sa doctrine sociale, l'« owenisme », lui valut un engouement populaire, mais aussi l'aversion de ses pairs patrons et la réticence très nette des gouvernants. Les filatures fonctionnèrent jusqu'en 1968. Un programme de restauration ambitieux a permis de sauver le site, et présente le projet et les réalisations d'Owen à travers différents espaces d'exposition.

Dans les bâtiments principaux, *The New Millenium Experience* est une attraction un peu trop « Disney », qui rappelle par un parcours en nacelle l'univers d'une petite fille au temps de la révolution industrielle. Il propose en conclusion une version idéaliste de la société future. Cela paraît un peu trop beau pour être vrai.

Plus captivante, la seconde partie de l'exposition s'intéresse au coton, au fonctionnement d'une filature et à l'organisation propre à New Lanark. On y trouve même une *machine à filer* en activité (elle fonctionne tous les jours, en dehors des heures légales de repos des ouvriers, mais on ne peut même pas dire qu'elle file un mauvais coton, puisqu'elle ne file rien du tout !).

On peut aussi, au fil de la balade dans le village, visiter la *Millworker's House,* reconstitution fidèle d'un habitat ouvrier des années 1820 et 1930, le *Village Store,* avec tous les produits en plastique vendus dans la coopérative en 1920, et la *Robert Owen's House,* meublée et décorée comme du temps de l'industriel.

Des boutiques occupent à présent certains bâtiments. Un hôtel chic, *The Mill Hotel,* s'est même installé dans les anciens locaux de la première usine « Mill One ».

🏃 *Craignethan Castle (HS) : à 9 km de Lanark (par l'A 72), indiqué à gauche.* ☎ *860-364. Avr-sept : 9h30-17h30 ; oct : tlj sf jeu et ven 9h30-16h30 ; nov-mars : slt w-e 9h30-16h30. Dernière admission 30 mn avt la fermeture. Entrée : £ 3,50 (5,25 €) ; réduc.* Achevée vers 1530, la dernière forteresse médiévale privée construite en Écosse aligne la panoplie complète des techniques de défense. Mais parmi toutes les finesses dernier cri, c'est la canonnière qui suscite l'intérêt des spécialistes d'architecture militaire. Cette petite casemate tapie au fond des douves, d'où les artilleurs bien à l'abri pouvaient surtirer les assaillants comme à la foire, est un exemplaire unique en Grande-Bretagne ! Sinon, la maison forte a encore fière allure, déroulant ses fortifications en partie ruinées dans un très bel environnement. Une curiosité : pour accéder à la cuisine, pourtant située au rez-de-chaussée, il faut passer par les caves.

➢ *Falls of Clyde :* sentier fléché au départ de New Lanark. Un des paysages les plus peints par les artistes du passé ; aujourd'hui, ça manque parfois un peu d'eau. Il faut que le barrage en amont en libère pour que les chutes deviennent vraiment spectaculaires.

LA VALLÉE DE LA CLYDE

LE SUD

LES BORDERS

Doux vallonnements et campagne verdoyante (très verdoyante !), rivières sinueuses où frétillent saumons et truites, falaises et plages de sable face au soleil levant, abbayes pluriséculaires, bourgs chargés d'une histoire souvent tourmentée, richesse des petites cités que le boom du textile rendit prospères, les Borders, chantées par Walter Scott, sont sans doute ce que l'Écosse a de plus bucolique à offrir. Tous les ans, au début de l'été, les *Common Ridings* rassemblent des milliers de cavaliers qui commémorent à leur manière l'époque troublée des pillages et des razzias, où un bon cheval était une garantie de sécurité.

Notre itinéraire descend le long de la côte est pour ensuite remonter la vallée de la Tweed jusqu'à Peebles.

N'hésitez pas à prendre la petite brochure gratuite *Good times, great deals* dans n'importe quel office de tourisme de la région : elle contient des coupons de réduction pour un tas de musées, de sites et même parfois pour des restaurants

Pour tt rens sur cette région : ☎ 0870-608-04-04 ou ● visitscottishborders.com ●
Également ● discovertheborders.co.uk ●

Comment se déplacer dans les Borders ?

En bus

Avec les compagnies *Munro's* et *First* :
➢ *First Edinburgh, rens au* ☎ 0870-872-72-71. ● firstgroup.com ●
➢ *Munro's of Jedburgh :* ☎ (01835) 862-253.
Tous les horaires auprès de *Traveline,* ☎ 0871-200-22-33. ● traveline.org.uk ●

À pied

L'itinéraire le plus connu reste le *Southern Upland Way* partant de Cockburnspath sur la côte pour rejoindre Portpatrick dans Dumfries & Galloway, via Melrose, soit près de 340 km. Plus modeste, mais tout aussi intéressant, la *Saint Cuthbert's Way* (100 km), de Melrose à Lindisfarne (près de Holy Island), permet de découvrir les Cheviot Hills, barrière naturelle entre l'Angleterre et l'Écosse.

À vélo

Chaque localité propose des boucles locales comme Eyemouth, Kelso, Melrose ou Peebles. Renseignez-vous sur des itinéraires comme la *Tweed Cycleway* (145 km) parcourant la rivière Tweed, ou encore la *4 Abbeys Cycleway* (88 km) ou la *Border-loop* (environ 400 km).

Eyemouth	Lieux traités
Burnmouth	Adresses et lieux dans les environs
Elishaw	Repères

LES BORDERS

EYEMOUTH

3 400 hab.

IND. TÉL. : 018907

Petit port encore en activité, qui a toujours vécu de la mer. La ville paya un lourd tribut à celle-ci en perdant, au cours d'une nuit d'octobre 1881, 129 de ses marins dans une effroyable tempête. Les habitants s'en sont souvenus cent ans plus tard en confectionnant une tapisserie commémorative que l'on peut voir au Eyemouth Museum, consacré au monde de la pêche. Si Eyemouth peut laisser sur sa faim, Coldingham Bay et le port minuscule de Saint Abbs, repaire de tous les plongeurs britanniques, ne manquent en revanche pas de charme.

Arriver – Quitter

En bus

À Eyemouth, les bus s'arrêtent sur Albert Street ou High Street.
➤ Le bus n° 253, ttes les 2h, de *Perryman's,* dessert la côte Est en passant par *Coldingham, Dunbar, Haddington* et *Édimbourg.* Le n° 235 fait la navette entre *Berwick* (à la « frontière » anglaise) et *Coldingham,* via *Eyemouth.*

➢ Pour *Duns,* prendre le n° 34 ; puis correspondance pour *Galashiels et Melrose* avec le bus n° 60. Env 6 fois/j.
➢ Pour *Kelso* ou *Jedburgh,* il faut passer par *Berwick.*

Adresse utile

🏛 *Tourist Information Centre :* Auld Kirk, Market Pl. ☎ 0870-608-04-04. | Avr-oct : lun-sam 10h-17h (16h en oct) ; dim (sf oct) 12h-15h (16h juil-août).

Où dormir à Coldingham Bay et Saint Abbs ?

Bon marché

🛏 *Coldingham Sands Youth Hostel :* ☎ 0870-004-11-11. À 6 km au nord d'Eyemouth, surplombant, côté sud, la petite baie de Coldingham (5 bus/j. au départ d'Eyemouth, sf dim). Ouv avr-sept. Env £ 13 (19,50 €) la nuit. Vaste maison blanche un peu vieillotte mais bien située, en haut des falaises. Certains dortoirs sont même face à la mer. Salle TV avec livres et jeux, une autre avec billard. Dans la baie, jolie plage et centre de plongée.

De prix moyens à plus chic

🛏 *Springbank Cottage (B & B) :* au bout du petit port de Saint Abbs. ☎ 714-77. ● springbankcottage.co. uk ● Compter £ 22-27 (33-40,50 €) par pers. Une maisonnette toute mignonne qui fait café sur sa jolie terrasse. À l'intérieur, 3 petites chambres très chaleureuses, dont 2 mansardées avec vue sur le port et la mer. Vraiment charmant. Petit déj très varié et très copieux. La dynamique et souriante Mrs MacIntosh peut même vous préparer, pour la journée, des sandwichs au crabe frais.
🛏 *Dunlaverock Guesthouse :* Coldingham Bay. ☎ 714-50. ● dunlaverock. com ● Compter £ 35-45 (52,50-67,50 €) par pers selon chambre et vue. Dîner 3 services £ 20 (30 €). Grosse villa cossue, superbement située au-dessus de la baie de Coldingham. Un chemin privé part du jardin et descend jusqu'à la plage. Chambres spacieuses, agréablement rustiques et décorées avec goût. Le matin (ou le soir), on mange dans une salle à la grande baie donnant sur la mer.
🛏 *Cairncross Farm :* à Reston, un hameau à 5 km de Coldingham par la B 6438. ☎ 617-23. Env £ 20 (30 €) par pers. B & B à la ferme, loin de tout. Ce couple de personnes âgées propose quelques chambres, dont une familiale, avec salles de bains privées. L'accueil est simple et fort chaleureux.

Où manger ? Où déguster une glace à Eyemouth et Saint Abbs ?

🍴 *The Contended Sole :* Harbour Rd, à Eyemouth. Plats (midi et soir) £ 5-8 (7,50-12 €). Au bout du port où se balancent les petits bateaux de pêche multicolores. Cuisine de la mer, bien entendu, mais on y trouve aussi de la viande. Accueil chaleureux et prix doux.
🍴 *The Ship Hotel :* Harbour Rd, à Eyemouth. Bar meals réguliers pour £ 7 (10,50 €). Une bonne adresse pour s'offrir une assiette avec les gens du coin ou, mieux encore, venir aux beaux jours et profiter de la terrasse à deux pas du port. Service amical.
🍴 *Goacopazzis :* 18, Harbour Rd, à Eyemouth. ☎ 503-17. Boutique à la devanture verte. C'est l'adresse idéale pour déguster une glace maison. L'établissement propose aussi un fish and chips de bonne réputation.

|●| *The Old Smiddy Coffee-shop :* à l'entrée de Saint Abbs. Avr-oct : 10h-17h30. C'est le long bâtiment bas (jadis une remise à charrues) posé au bord de la route qui mène au village. Déjeuners légers (sandwichs et petits plats) à savourer à l'intérieur ou, pourquoi pas, sur la belle pelouse qui s'étend devant l'établissement. Galerie de tableaux et atelier de poterie.

Manifestation

– *Eyemouth Herring Queen Festival :* un w-e en juil. La foire de village par excellence, avec au programme : cornemuse, danses écossaises, concerts, artisanats et stands de produits de la mer...

➤ *DANS LES ENVIRONS D'EYEMOUTH*

🏋 **Heritage Museum :** à l'entrée du village de **Saint Abbs.** Petit musée sur l'histoire de la pêche.

🏋🏋 *Saint Abbs Head Nature Reserve :* un peu au nord du mignon village de pêcheurs de Saint Abbs, emprunter la route signalée sur la gauche, sur la B 6438, juste avt le village. Parking près du phare. Ouv tte l'année. Sanctuaire des oiseaux migrateurs du printemps à l'automne, la réserve comporte à la fois des falaises vertigineuses, des plages de sable et de galets et des prairies côtières très vertes, constellées de moutons. Par beau temps, la vue porte jusqu'à Bass Rock (voir plus haut, dans le chapitre « East Lothian », « À voir. À faire » à North Berwick) et l'estuaire du Firth of Forth.

🏋🏋 *Manderston House :* à env 15 miles (24 km) à l'ouest de Eyemouth et à env 2 miles (3 km) de Duns par l'A 6105. ☎ 883-450. ● manderston.co.uk ● De mi-mai à fin sept : slt jeu et dim 13h30-17h (dernière admission à 16h15). Les jardins sont accessibles de 11h30 à la tombée de la nuit. Entrée : £ 8 (12 €) ; réduc. Splendide manoir de style édouardien avec juste ce qu'il faut d'extravagant dans la déco pour rendre la visite attrayante. Lorsqu'il fut commandé par un nouveau riche, sir James Miller, l'architecte eut pour consigne de ne pas regarder à la dépense. Cela se voit... D'ailleurs, c'est le seul endroit au monde avec un escalier en argent ! Les pièces sont spacieuses et, un peu partout, les matériaux luxueux : soies, velours, damas, marbres et boiseries précieuses. Le domaine des domestiques est à l'avenant : immense cuisine et garde-manger. Les étables sont décorées de teck et de cuivre, la laiterie est en marbre et jouxte un *tearoom* lambrissé de chêne. L'heureux proprio actuel s'appelle lord Palmer.

LES BORDERS

COLDSTREAM 1 800 hab. IND. TÉL. : 01890

La première ville écossaise lorsqu'on vient du sud par l'A 697. Un pont sur la Tweed qui vit défiler un gros paquet d'armées : les Coldstream Guards, le plus vieux régiment britannique encore existant. Il fut formé en 1650 par le général Monck qui, dix ans plus tard, marcha avec eux sur Londres pour rétablir la monarchie après l'intermède de Cromwell. Bon, à part le petit musée qui leur est consacré, rien d'excitant.

Arriver – Quitter

En bus

➤ Le bus n° 67 de la compagnie *Munro's* relie Coldstream à **Melrose, Kelso** et **Berwick** en Angleterre. Ttes les 2h env.

Adresse utile

🄸 Vous trouverez un présentoir avec toutes sortes de prospectus et infos touristiques au **Candy's Kitchen,** sur High Street.

Où dormir ? Où manger ? Où boire un verre ?

🛏 **Haymont House :** Duns Rd. ☎ 883-619. ● bordersbandb.co.uk ● Tte l'année. À partir de £ 35 (52,50 €) par pers, petit déj compris. Non-fumeur. Dans une maison cossue, style victorien, noyée dans la verdure. Les chambres sont spacieuses et lumineuses, meublées en pin, avec un beau parquet. Toutes possèdent une salle de bains privée. Irene porte une attention particulière au petit déj : pain, porridge et confitures maison, en utilisant des produits bio autant que possible.

|●| 🍷 **The Besom Inn :** 75-77, High St. ☎ 882-391. Plats autour de £ 10 (15 €). Derrière la belle façade fleurie, on trouve un pub grand comme un mouchoir de poche, rempli d'habitués après les heures de travail. L'endroit est chaleureux comme tout pour déguster une bonne cuisine traditionnelle ou descendre une pinte au coude à coude avec les locaux. La cheminée réchauffe l'atmosphère. Une excellente adresse pour le visiteur de passage.

À voir

🍴 **Coldstream Museum :** 12, Market Sq. ☎ 882-630. Avr-sept : tlj 10h (14h dim)-16h ; oct : lun-sam 13h-16h. Entrée gratuite. Dans la maison où séjourna Monck, le fondateur du célèbre régiment, toute la saga guerrière des Coldstream Guards, depuis les mousquetaires du XVIIe siècle jusqu'à leur engagement en Bosnie. À admirer : leur costume rouge de parade avec le haut bonnet noir à poils, toujours, paraît-il, en peau d'ours... Également une section sur l'histoire locale.

KELSO   5 100 hab.   IND. TÉL. : 01573

Ville de marché au centre d'une riche région agricole, Kelso se présente comme un gros bourg tout pimpant au confluent de la Tweed et de la Teviot, sur l'A 699. Ses maisons géorgiennes forment un ensemble plaisant, notamment sur l'élégante place centrale.

Arriver – Quitter

En bus

➢ Avec la compagnie Munro's, le bus n° 67 assure la liaison avec **Melrose, Coldstream** et **Berwick** en Angleterre. Pour **Jedburgh** et **Hawick,** prendre le n° 20 ; service fréquent. Enfin, les n°s 30 et 52 font le trajet vers **Édimbourg** ; une dizaine de bus par jour au total.

Adresses utiles

🄸 **Tourist Information Centre :** Town House, The Square. ☎ 0870-608-04-04. Avr-sept : lun-sam 10h (9h30 juin- sept)-17h ; dim 10h-14h. Oct-mars : tlj sf dim 10h-14h.

■ **Location de vélos :** Simon Porteous, *30, Bridge St.* De Kelso, on rattrape facilement le *Tweed Cycle Way,* un itinéraire permettant de rejoindre Coldstream, Melrose...

Où dormir à Kelso et dans les environs ?

➤ Pour nos adresses à Kirk Yetholm, prendre le bus n° 81 de Kelso, env. 8 bus/j.

Camping

⅄ *Kirkfield Caravan Park :* à *Kirk Yetholm, un hameau à 10 km au sud-est de Kelso, par la B 6352.* ☎ *420-346. Avr-oct. Compter £ 9 (13,50 €) pour deux.* Au pied des collines dans un cadre bucolique avec une chapelle abandonnée près de la réception. Le terrain est, par endroits, en pente. Bloc sanitaire correct.

Bon marché

🏠 *Youth Hostel de Kirk Yetholm :* ☎ *0870-004-11-32.* ● *syha.org.uk* ● *À 10 km au sud-est de Kelso, par la B 6352. Avr-sept. Env £ 13 (19,50 €) la nuit.* Cette petite AJ (à peine 20 lits), située dans un environnement champêtre à souhait, se trouve au point de départ (ou d'arrivée) du Pennine Way (le sentier de grande randonnée qui parcourt le nord de l'Angleterre) et juste sur le Saint Cuthbert's Way (autre sentier).

De prix moyens à plus chic

🏠 *Black Swan Hotel :* 7, Horse Market, *non loin de l'office de tourisme.* ☎ *472-407.* ● *blackswanhotel.com* ● *Compter £ 25 (37,50 €) par pers en double avec sdb.* Petite auberge à l'atmosphère amicale. À peine 3 chambres, au mobilier très simple. Pas de charme particulier mais gentil. Sert également des repas au bar.
🏠 *Ednam House Hotel :* Bridge St, tout *près de la place centrale.* ☎ *224-168.* ● *ednamhouse.com* ● *Doubles £ 100-200 (150-300 €) selon confort. Possibilité de ½ pens.* Superbe manoir du XVIIIe siècle, agrémenté d'un beau jardin qui descend jusqu'au bord de la rivière Tweed. Intérieur d'époque évidemment assez classe, dédié à la pêche au saumon. Certains trouveront sans doute les chambres un peu chères, mais, que voulez-vous, il s'agit d'un établissement de caractère...

Où manger ?

|●| *Caroline's Coffee shop – Tea- room :* 45, Horsemarket, *un peu après l'hôtel* Black Swan *en venant de l'office de tourisme. Lun-sam 8h-18h ; parfois dim en été. Petite restauration autour de £ 5 (7,50 €). Italian style sandwiches,* toasted baguettes, omelettes maison et suggestions au tableau noir. Bien aussi pour un café et une pâtisserie sur le coup de 16h. Excellent accueil.
|●| *Cobbles Inn Restaurant :* 7, Bowmont St. ☎ *223-548. À deux pas de la* place centrale. Mar-sam midi et soir ; dim *slt le midi. Fermé lun. Résa conseillée le soir. Plats £ 10-13 (15-19,50 €). Moins cher le midi.* Restaurant simple et populaire, proposant une cuisine variée et toujours bien préparée. L'endroit est chaleureux, entre cheminée et poutres apparentes, et le service amical. Une adresse d'un bon rapport qualité-prix.
|●| *Queens Bistro :* 24, Bridge St, en *face de l'hôtel* Ednam. ☎ *228-899. Pensez à réserver le w-e, car l'endroit*

est assez prisé. À partir de £ 11 (16,50 €) le plat ; un peu moins cher le midi. Au rez-de-chaussée du *Queens Head*

Hotel, 2 salles soignées où l'on sert une bonne cuisine écossaise à prix vraiment raisonnables. Dîners aux chandelles.

À voir

🎥🎥 **Kelso Abbey** *(HS)* : *de l'élégante place centrale (The Square), prendre direction Bridge St vers les ruines de l'abbaye. Entrée gratuite.* Une des plus puissantes des Borders après sa fondation en 1128 par des moines picards. Prospère, influente, convoitée, détruite et pillée, il ne reste plus de l'église que le transept ouest flanqué d'une tour en partie ruinée, qui sert de résidence aux corneilles croassantes. Tout autour, cimetière aux tombes émouvantes où, pour l'éternité, se côtoient officiers et maîtres d'école, magistrats et artisans.

🎥 Derrière le cimetière de l'abbaye, voir l'**église octogonale** pour son genre unique en Écosse.

🎥 Un peu plus loin, le **Kelso Bridge,** dont les cinq arches enjambent gracieusement la Tweed. Jolie perspective en amont dans la direction de Floors Castle.

➤ *DANS LES ENVIRONS DE KELSO*

🎥🎥 **Floors Castle** : *à 3 km au nord-ouest de Kelso, par l'A 6089.* ☎ *223-333.* ● *floorscastle.com* ● *Pâques-oct : 11h-17h (dernière admission à 16h30). Entrée : £ 6,50 (9,80 €) ; réduc.* Résidence des ducs de Roxburgh, construite en 1721 selon des plans de William Adam. De dimensions respectables (c'est le plus grand château habité d'Écosse !) et auréolée de tourelles, de dômes, de créneaux et de cheminées, sa silhouette a quelque chose de la forteresse pour soldats de plomb. La visite des appartements permet d'admirer de somptueuses tapisseries de Bruxelles et des Gobelins, un mobilier Louis XV et Louis XVI, et une solide collection de porcelaines chinoises. Des toiles de Bonnard, Redon, Gainsborough et Reynolds, ainsi qu'une *Corbeille de fleurs* de Matisse sont les pièces maîtresses de la galerie de peintures. Des fenêtres du salon, on vous montrera un massif de houx planté à l'endroit où Jacques II fut tué par l'explosion d'un canon en 1460, alors qu'il assiégeait le château de Roxburgh sur la colline en face. Les fans de Christophe Lambert reconnaîtront à Floors les décors du film *Greystoke*.
Si vous arrivez de Gordon, au nord, l'entrée donne sur un parc superbement fleuri au printemps. Belle balade à pied pour rejoindre le château. *Garden Centre* avec serres et jardins *(ouv tte l'année)*.

🎥🎥 **Smailholm Tower** *(HS)* : *à 9 km à l'ouest de Kelso, par la B 6397.* ☎ *460-365. Près du village du même nom et bien indiqué. Avr-sept : 9h30-17h30 ; nov-mars : w-e slt 9h30 (14h dim)-16h30 ; oct : tlj sf jeu-ven 9h30-16h30. Entrée : £ 3,50 (5,30 €) ; réduc.* Tour de défense du XVIᵉ siècle, un peu lugubre. Elle aurait appartenu à un ancêtre de Walter Scott. Restaurée, elle abrite une collection de poupées parfaitement inintéressante ; en revanche, la vue panoramique du dernier étage vaut vraiment le coup.

🎥🎥 **Mellerstain House** : *près de Gordon (13 km au nord-ouest de Kelso), par l'A 6089 (suivre le fléchage).* ☎ *410-225.* ● *mellerstain.com* ● *Ouv w-e de Pâques, mai-juin et sept : mer et dim ; juil-août : lun, mer, jeu et dim ; oct : dim slt. Horaires : 12h30-17h (dernière admission à 16h15). Fermeture nov-Pâques. Entrée : £ 6 (9 €) ; réduc.* Encore une réalisation de la famille Adam : William se chargea du début en 1725 et son fils Robert, dit « le roi des stucs », paracheva le boulot en 1773. Résultat : une demeure classique qui a fière allure, avec une enfilade de pièces à la décoration soignée, surtout les plafonds et les cheminées. Bibliothèque aux frises hellénisantes et toiles de Van Dyck, Gainsborough et Véronèse. Terrasses à l'italienne surplombant un parc à la française, et *tearoom* pour jouer aux ladies et gentlemen.

JEDBURGH   4 100 hab.   IND. TÉL. : 01835

Sur l'A 68, au sud de Kelso, un ancien bourg royal un peu assoupi.
On vient surtout à Jedburgh pour les ruines de sa superbe abbaye et la maison où logea Marie Stuart. Passages voûtés *(closes)* aux noms pittoresques.

DE « BA » EN HAUT

Chaque année, à la mi-février, les habitants de Jedburgh s'animent autour du Ba Game (prononcez bô, de ball). Ceux qui sont nés en haut de la Market Cross, les Uppies, affrontent les Downies (ceux du bas) dans une espèce de rugby géant avec ballons de cuir. À l'origine, c'étaient des têtes de prisonniers anglais fraîchement coupées qui faisaient office de balle. Les mœurs ont heureusement changé, mais ce sont toujours les pelouses de la prison qui servent à la fois de buts et de refuges.

Arriver – Quitter

➢ Liaisons avec **Kelso** et **Hawick** : bus *Munro's* n° 20, ttes les heures. Le n° 68 fait la liaison avec **Melrose**, ttes les heures.
Enfin, prendre le n° 51 pour **Édimbourg** (près de 2h de trajet) ; env 6 bus/j.

Adresse utile

🖼 *Tourist Information Centre :* Murray's Green *(entre le parking et l'abbaye).* ☎ 0870-608-04-04. *Avroct : lun-sam 9h-17h (18h juin-sept) ;* dim 10h-17h. Nov-mars : tlj sf dim 9h30-16h30. Le plus important de la région. Documentation très abondante et pas mal de brochures gratuites en français.

Où dormir à Jedburgh et dans les environs ?

Campings

⚊ *Camping Liliardsedge Park :* à 5 miles (8 km) au nord de Jedburgh sur l'A 68. ☎ 830-271. Mars-oct. Autour de £ 12 (18 €) pour une tente et 2 pers. Un des meilleurs de la région. Calme et super-équipé.
⚊ *Jedwater Caravan Park :* à 6 km au sud de Jedburgh par l'A 68. ☎ 840- 219. ● jedwater.co.uk ● Avr-oct. Compter £ 11-13 (16,50-19,50 €) pour deux selon saison et type de tente. Petit camping très sympa dans un joli vallon au bord d'une rivière. Magasin, billard, ping-pong et trampoline. Possibilité de pêcher. Très relax.

Prix moyens

🏠 *Mrs Ferguson, Fernlea :* Allerton Pl. ☎ 862-318. Non loin du centre, à gauche de l'A 68 en venant du nord. Prévoir £ 22-24 (33-36 €) par pers. Pavillon fleuri et 3 chambres doubles avec salle de bains. Dessus-de-lit brodés, moquettes épaisses, c'est joli et vraiment nickel. Salon et petite cour à disposition. Accueil dynamique. Une excellente adresse.

🏠 *Hundalee House* : à 2 km au sud de Jedburgh, par l'A 68 (accès fléché). ☎ 863-011. Compter £ 24-32 (36-48 €) par pers selon saison et type de chambre. En pleine nature, une vaste demeure vieille de 3 siècles. Déco ancienne bien sûr, avec scènes de chasse aux murs, 2 chiens sympas et des paons qui braillent. Les chambres, équipées de salle de bains, sont à l'image du reste, avec moquette et papier peint, bibelots et, pour certaines, un lit à baldaquin. Salle à manger Belle Époque. Bon accueil ; bref, un bon *B & B*.

Où manger ? Où boire un verre ?

🍴 *Simply Scottish* : 6-8, High St. ☎ 864-696. En plein centre, à côté de Market Sq. Restauration env £ 6 (9 €) le midi, plats £ 8-15 (12-22,50 €) le soir. L'un des plus recommandables de la ville, tous les gens d'ici vous le diront. Vaste salle claire avec grande baie vitrée, murs pâles, parquet et mobilier en bois. Cuisine sans prétention mais soignée, avec parfois une touche d'originalité.

🍴 🍷 *Carters Rest* : Abbey Pl, juste en face de l'abbaye. ☎ 863-414. Carte bien variée proposant des spécialités régionales autour de £ 8 (12 €) ; high-tea dim 16h30-18h. Le pub traditionnel avec sa devanture noire, fleurie et ses quelques tables en terrasse. Les repas sont servis dans le vaste *lounge* aux boiseries foncées affichant quelques vieilles photos noir et blanc. L'ambiance est plaisante et la cuisine plutôt réussie. Le soir, l'endroit est animé pour boire un pot. Une belle adresse.

À voir

🚶🚶 *L'abbaye* (HS) : ☎ 863-925. Avr-sept : tlj 9h30-17h30 (dernière admission) ; oct-mars : tlj 9h30-16h30. Entrée : £ 5 (7,50 €) ; réduc. En 1138, David Ier fit venir des moines augustiniens de Beauvais pour fonder ici un monastère. Après 75 ans de travaux, l'église abbatiale servit de cadre à plusieurs événements royaux et l'abbaye connut quatre siècles de prospérité malgré les razzias et les coups de main des conflits anglo-écossais. Point final en 1545, après un saccage sévère et le départ des moines, suite aux conflits entre Rome et l'Église d'Écosse. Toutefois, bien que sérieusement endommagée, l'église servit encore au culte paroissial pendant trois siècles. Les explications données par un petit film vidéo restituent bien ce que fut la vie monastique en ces temps précaires. Question architecture, on ne peut s'empêcher d'être sensible aux belles proportions de la nef et à la rythmique très maîtrisée des travées, reliées par des arcs romans que surplombe un triforium couronné d'arcatures délicates. Bon, en clair : c'est pas mal !

🚶🚶 *Castle Jail & Museum* : ☎ 864-750. Avr-oct : lun-sam 10h-16h30 ; dim 13h-16h. Dernière admission 30 mn avt la fermeture. Entrée : £ 2 (3 €) ; réduc. Prison construite en 1823 à l'endroit où s'élevait le château médiéval de Jedburgh. Petit musée d'histoire locale sur deux étages (dans la maison du geôlier), avant de passer aux blocs carcéraux, la partie la plus intéressante. Grâce à des panneaux explicatifs bien faits disposés dans chaque cellule, on découvre à quoi ressemblait la vie « privilégiée » de ces détenus qui bénéficiaient des réformes d'un certain John Howard. Un modèle d'humanité... pour l'époque. Malheureusement la prison, devenue trop petite, dut fermer ses portes en 1886, peut-être au grand regret de ses pensionnaires qui, du coup, durent aller purger leur peine ailleurs.

🚶 *Mary, Queen of Scots House* : Queen St. ☎ 863-254. De mars à mi-nov : tlj 10h (11h dim)-17h. Entrée : £ 3 (4,50 €) ; réduc. Dans une tour en L, évocation de la vie tragique de Marie Stuart, reine légendaire qui échoua un beau jour de 1566 dans cette maison (propriété de la famille Ker), après une folle chevauchée de 80 km pour rejoindre Bothwell, son mari ayant été blessé à Hermitage Castle. Tombée gravement malade (on la crut morte), elle y passa plusieurs semaines de convalescence. Vous y verrez des objets qui lui ont appartenu (et notamment une mèche de cheveux), ainsi qu'un masque mortuaire.

HAWICK   14 500 hab.   IND. TÉL. : 01450

À 20 km de Jedburgh, sur la rivière Teviot, ce gros bourg, à la fois agricole et industriel, est réputé pour sa fabrication de tricots faits main. Un *Common Riding* (cavalcade) est organisé chaque année début juin en souvenir de tous les soldats de la ville morts à la bataille de Flodden Fields.

Arriver – Quitter

En bus

➢ Le bus n° 95 de la compagnie *First* assure une liaison régulière avec **Selkirk** et **Édimbourg** (2h de trajet) ; ttes les 30 mn. Le n° 72 fait le trajet avec **Melrose** et **Selkirk,** quasiment ttes les heures.
➢ Le bus n° 20 de *Munro's* fait la liaison avec les villages de **Kelso** et **Jedburgh,** ttes les heures.

Adresses utiles

🛈 **Tourist Information Centre :** *Drumlanrig's Tower, Tower Knowe.* ☎ 0870-608-04-04. *Avr-oct : lun-sam 10h-17h (17h30 juil-août) ; dim (sf oct) 13h-16h.*
■ *Location de vélos :* Teviot Cycles, 11, *Oliver Pl. Tlj sf dim.* Le proprio vous conseillera volontiers sur des itinéraires pour découvrir les campagnes des Borders.

Où dormir ? Où manger ?

Camping

⛺ **Riverside Caravan Park :** *Horns Hole Bridge, sur l'A 698 en direction de Jedburgh.* ☎ 373-785. ● *riversidehawick.co.uk* ● *Avr-oct. Compter £ 15-17 (22,50-25,50 €) pour deux selon saison.* Camping situé au bord de la route mais aussi d'une belle rivière, à moins de 5 mn en voiture de Hawick. Possibilité de pêcher.

Prix moyens

🛏 **Hopehill House :** *Mayfield (sur les hauteurs de la ville).* ☎ 375-042. ● *www.btinternet.com/~hopehill* ● *Compter £ 20-25 (30-37,50 €) par pers.* Dans une grande et belle maison dominant la ville, une demi-douzaine de chambres de taille, confort et prix variables. Notre préférence va aux 4 petites du haut, sans salle de bains, mais mignonnes et peu chères. Les autres sont plus vastes et mieux équipées mais aussi plus bourgeoises au niveau du décor. Deux d'entre elles offrent néanmoins une belle vue. Chouette jardin et bon accueil.
🛏 **Bridgehouse :** ☎ 370-701. *Au bord de la rivière, à 100 m de l'office de tourisme. Compter £ 25 (37,50 €) par pers.* Petite *guesthouse* toute neuve et toute pimpante, installée dans d'anciennes écuries. Six chambres (5 doubles et une familiale) avec sanitaires, plutôt sim-

ples mais réalisées dans de jolis coloris. Correct pour le prix.

|●| *Sergio's :* ☎ 370-094. *Juste à côté de* Bridgehouse. *Fermé dim midi. Plats env £ 7 (10,50 €) le midi et £ 8-16 (12-* 24 €) *le soir.* Tenu par la même famille que *Bridgehouse.* L'intérieur est quelconque, mais l'endroit a bonne réputation à Hawick. Cuisine italienne, avec son cortège de grands classiques.

Où dormir ? Où manger dans les environs ?

🏠 |●| *The Horse and Hound Country Inn :* *à* Bonchester Bridge, *à env 10 km, à l'est de Hawick.* ☎ 860-645. ● *about scotland.com/south/horseandhound. html* ● *Compter £ 35 (52,50 €) par pers. Prix dégressifs. Au resto, plats env £ 8 (12 €) ; un peu moins cher le midi.* Auberge de campagne au cadre rustique (poutres en chêne, rangées de chopes au-dessus du comptoir...), proposant une dizaine de chambres très soignées et équipées de douche-sauna ! Vraiment idéal pour se détendre après une journée de randonnée. De plus, charmant accueil, et bonne petite cuisine au resto. Sans oublier le joli choix de bières !

À voir. À faire

🎋 *Drumlanrig's Tower :* au-dessus de l'office de tourisme. ☎ 377-615. *Avr-mai et oct : lun-sam 10h-17h ; dim 12h-17h ; jusqu'à 18h en juil-août et 17h30 en juin et sept. Entrée :* £ 2,50 (3,80 €) ; *réduc.* Sur trois étages, sympathique évocation de la ville et de la région depuis le Moyen Âge jusqu'aux années 1930, notamment à travers l'histoire de la tour et une expo sur les « Reivers », ces brigands qui sévirent dans les Borders jusqu'au XVIIᵉ siècle. Également une section consacrée à la fabrique de tricots *Pringle.*

🎋 *Wilton Lodge Park :* Wilton Park Rd. *Ouv du lever au coucher du soleil. Entrée gratuite.* Grand parc faisant office à la fois de jardin botanique et d'espace de loisirs (bowling, ping-pong, *patting* version élémentaire du golf). On y trouve également le *Hawick Museum* (galerie d'art proposant aussi une expo permanente sur Jimmie Guthrie, coureur moto des années 1930).

🎋 *Hawick Cashmere Visitor Centre :* Arthur St. ☎ 371-221. *Lun-sam 9h30-17h ; dim (slt mai-oct) 11h-16h. Entrée gratuite.* Fabrique (et bien sûr... boutique) de tricots, où l'on peut assister au processus de fabrication des vêtements *Hawick Cashmere.* Petite expo montrant le parcours complet de la matière première, de la chèvre au produit fini.

➤ DANS LES ENVIRONS DE HAWICK

🎋🎋 *Hermitage Castle* (HS) *:* à 16 miles (26 km) au sud de Hawick, par la B 6399. ☎ (01387) 376-222. *Avr-sept : tlj 9h30-17h30 (dernière admission à 18h). Entrée :* £ 3,50 (5,30 €) ; *réduc.* Austère silhouette de place forte médiévale isolée dans un décor de landes, Hermitage Castle est un lieu à la mémoire chargée de tragédies. C'est ici que Marie Stuart vint rendre visite à son mari blessé. On s'étonne qu'aucun fantôme officiel ne le hante.

🎋 Au sud du joli village de *Newcastleton,* on peut infléchir sa route vers l'ouest et Langholm, et aborder la région de Dumfries et Galloway.

SELKIRK   5 700 hab.   IND. TÉL. : 01750

Au nord de Hawick, par l'A 7, le bourg royal de Selkirk est connu pour ses cordonniers qui confectionnèrent les godillots de l'armée de Bonnie Prince

Charlie. Dans ses murs est né l'explorateur du fleuve Niger, Mungo Park. Walter Scott, qui fut shérif du comté pendant 32 ans, a sa statue face au tribunal. *Common Riding* très couru (c'est le cas de le dire) le deuxième vendredi de juin, pour commémorer un certain Fletcher, seul rescapé de la bataille de Flodden Fields (1513) et qui, de désespoir, jeta sur la place du marché l'étendard pris aux Anglais.

Arriver – Quitter

En bus

➤ Le bus n° 95 de la compagnie *First* assure une liaison régulière avec **Hawick** et **Édimbourg** (2h de trajet) ; ttes les 30 mn. Le n° 72 fait la liaison avec **Melrose** et **Hawick,** quasiment ttes les heures.

Adresse utile

🛈 **Tourist Information Centre :** *Halliwell's House.* ☎ *0870-608-04-04. Avr-* oct : lun-sam 10h-17h (17h30 juil-août) ; dim 10h-12h (13h en été).

Où dormir ?

⚓ **Camping Victoria Park :** *Buccleuch Rd.* ☎ *208-97. Ouv avr-oct. Env £ 9 (13,50 €) pour deux.* À proximité de la rivière Ettrick, un camping bien équipé, avec piscine couverte, sauna et même une salle de muscu.
🏠 **B & B Hillholm, Mrs Hannah :** *36,* Hillside Terrace. ☎ 212-93. Dans une petite maison en pierre à l'entrée du village en venant de Hawick. Compter £ 24-26 (36-39 €) par pers selon saison. Trois chambres correctes avec salle de bains. Accueil prévenant.

Où dormir dans les environs ?

🏠 **Broadmeadows Youth Hostel :** *Old Broadmeadows, Yarrowford.* ☎ *0870-004-11-07. À 5 miles (8 km) à l'ouest de Selkirk. Ouv mai-sept. Nuit £ 14 (21 €). Pour y dormir, il faut le mériter : à Yarrowford, prendre un sentier à côté du* pont (c'est indiqué) et grimper 500 m vers une petite maison blanche, qui se révèle être la plus ancienne AJ d'Écosse (1932 !). Confort simple, mais très bien tenu. Jeux de société pour les soirées.

Où manger ?

🍴 **The Selkirk Deli :** *High St. Ouv en journée. Bien pour un déj léger pour moins de £ 4 (6 €).* Une épicerie fine proposant toutes sortes de sandwichs. Voir les suggestions du jour au tableau. On emporte ou on mange sur place sur des nappes à carreaux.
🍴 **Taste of Spice :** *3, Market Pl. Compter £ 10 (15 €).* Le resto indien classique avec son lot d'habitués. La salle, pourtant ordinaire, ne désemplit pas. Les assiettes sont toujours copieuses et le service convenable.
🍴 **Philipburn House Hotel :** *de l'autre côté de la rivière en venant de Hawick, à env 800 m du centre, sur la route de Peebles.* ☎ *207-47.* Au rez-de-chaussée d'un hôtel de charme, bistrot d'un côté et resto (le soir slt) de l'autre. Compter de £ 10 (15 €) pour un plat au bistrot à env £ 18 (27 €) au resto. Bonne cuisine dans un très joli cadre, qui plus est, chic mais pas trop.

À voir

🔏 *Halliwell's House Museum :* dans le même bâtiment que l'office de tourisme. ☎ 200-96. Avr-oct : lun-sam 10h-17h (16h oct) ; dim 10h-12h (13h juil-août). Entrée gratuite. Ancienne quincaillerie avec objets usuels et expo retraçant l'histoire du bourg.

🔏🔏 *Sir Walter Scott's Courtroom :* Market Pl. ☎ 207-61. Tt près de l'office de tourisme. Avr-sept : lun-ven 10h-16h ; sam 10h-14h ; dim (mai-août slt) 10h-14h. Oct : lun-sam 13h-16h. Entrée gratuite. Reconstitution grandeur nature de la Town House, à l'endroit même où elle fut construite en 1803, et où sir Walter Scott a rendu justice pendant 29 ans. Le lieu explore sa vie de « shérif » (c'est-à-dire de juge) mais aussi celle de l'écrivain qu'il fut.

🔏 *Selkirk Glass :* verrerie dans un vaste hangar, située dans la petite zone industrielle à la sortie de la ville sur la route de Galashiels. ☎ 209-54. Lun-sam 9h (11h dim)-17h. Entrée gratuite. On peut y voir travailler les fileurs et souffleurs de verre, lun-ven 9h-16h30 ; sam (avr-oct) 11h-15h. Évidemment, grande boutique où l'on vend la production, et petite cafét'.

⚜ Pour ceux qui auraient manqué celles de Hawick, on trouve aussi, à Selkirk, quelques boutiques de lainage et de tweed.

➤ DANS LES ENVIRONS DE SELKIRK

🔏🔏 *Bowhill House and Countrypark :* à 5 km à l'ouest de Selkirk. ☎ 222-04. Résidence ouv slt en juil, 13h-16h30. Le parc est accessible les w-e mai-juin et tlj juil-août. Visite guidée : £ 7 (10,50 €) ou £ 3 (4,50 €) pour le parc ; réduc. Résidence des Borders de la famille Montagu-Douglas-Scott, ducs de Buccleuch et de Queensberry (et que le dernier entré ferme la porte !). Aménagée au début du XIXe siècle par le quatrième duc, dit « Old Q. ». De silhouette un peu sévère, la propriété est magnifiquement située sur une hauteur au confluent de la Yarrow et de l'Ettrick. Elle comblera d'aise les amateurs de beaux meubles et de décoration raffinée. Marqueterie hollandaise, porcelaine de Sèvres, brocarts, meubles recouverts d'Aubusson, cabinet Boulle. À remarquer : dans la galerie supérieure, des tapisseries de Mortlake et des toiles de très grande valeur : Léonard de Vinci (La Dame au dévidoir), Holbein, Canaletto, Guardi, Claude Lorrain, Gainsborough et Reynolds. Les portraits proviennent de l'atelier de Van Dyck, très en vogue à la cour des Stuarts. Une pièce est consacrée à sir Walter Scott, un pote du quatrième duc. C'est grâce à Walter Scott, qui avait convaincu le roi George IV de porter la tenue des Highlands lors de sa visite en Écosse, que la mode du kilt fut lancée. Dans le parc, jeux pour enfants.
➤ Le long de la rivière Yarrow, la route A 708, qui conduit vers Saint Mary Loch, prend déjà des airs de Highlands en moins haut. Par la B 709, on rejoint la vallée de la Tweed au milieu des landes et des moutons.

MELROSE   1 600 hab.   IND. TÉL. : 01896

S'étalant au pied de la triple couronne des Eildon Hills, Melrose est l'une des bourgades les plus mignonnes des Borders grâce, notamment, aux ruines de son abbaye en pierre... quasi rose. Elle a aussi l'avantage de se trouver sur deux sentiers de grande randonnée : le *Southern Upland Way* (long de 340 km) et le *Saint Cuthberts Way,* qui commence ici et s'achève 100 km plus loin, à Lindisfarne. Très touristique en été.

Arriver – Quitter

En bus

➤ Le bus n° 67 de la compagnie *Munro's* assure la liaison avec les villages de **Kelso, Coldstream** et jusqu'à **Berwick** en Angleterre. Enfin, le n° 68 fait le trajet avec **Jedburgh** (ttes les heures).

➤ Avec *First*, prendre le n° 62 ou le n° 95 pour **Peebles** et **Édimbourg,** ttes les heures. Le n° 72 fait la liaison avec **Selkirk** et **Hawick,** quasiment ttes les heures.

➤ À signaler aussi, au départ de Melrose, un service de bus (le *Harrier Scenic Bus Service*) mis en place pour faire découvrir les beaux coins des Borders. Chaque année, de juillet à septembre, deux itinéraires différents sont proposés, à raison d'une fois par semaine chacun.

Adresses utiles

🄸 *Tourist Information Centre :* Abbey St ; en face de l'abbaye. ☎ 0870-608-04-04. ● *melrose.bordernet.co.uk* ● Avr-oct : lun-sam 10h (9h30 juin-sept)- 17h ; dim 10h-14h. Nov-mars : tlj sf dim 10h-14h.

■ *Location de vélos :* Active Sports, Chain Bridge Cottage, Annay Rd.

Où dormir ?

Camping

⚊ *Gibson Park :* High St. ☎ 822-969. À Melrose même, non loin du centre. Tte l'année. Env £ 14,50 (21,80 €) pour une tente et 2 pers. Pratique mais pas très champêtre.

De bon marché à prix moyens

🛏 *Youth Hostel :* Priorwood. ☎ 0870-004-11-41. ● *syha.org.uk* ● De Market Sq, remonter East Port et prendre la 1re à gauche ; c'est à 200 m. Mars-oct. Compter £ 13,50 (20,30 €) par pers. Une grosse bâtisse géorgienne qui ne manque pas d'allure. Intérieur toutefois un peu vieillot et espaces communs un rien austères. Plus de 80 lits en dortoirs, de 2 à 12 lits. Accès Internet.

🛏 *B & B Braidwood :* Buccleuch St. ☎ 822-488. ● *braidwoodmelrose.co.uk* ● Compter £ 25-28 (37,50-42 €) par pers. À deux pas de l'abbaye, un *B & B* très chouette et très accueillant. Propose 4 chambres doubles, dont une mansardée, mignonnes comme tout et possédant chacune leur propre salle de bains (attenante ou non). Sur demande, vous aurez même droit à du saumon fumé pour le petit déj !

Où dormir dans les environs ?

Camping

⚊ *Thirlestane Caravan Park :* derrière le château de Thirlestane, à une petite vingtaine de km au nord de Melrose et à moins d'1 km au sud de Lauder, par l'A 68. ☎ (01578) 718-884 ou 📱 0976-231-032. Avr-oct. Prévoir £ 11 (16,50 €) pour 2 pers. Pas très bien équipé, mais mignon et prix correct.

De chic à plus chic

🛏 **Binniemyre Guesthouse :** Abbotsford Rd. ☎ 757-137. Juste un peu avt Galashiels (côté gauche de la route) en venant de Melrose. Chambres avec ou sans sanitaires £ 30-40 (45-60 €) par pers ; retirer £ 5 (7,50 €) sans breakfast. La grosse maison victorienne cossue par excellence ! Située dans un vaste jardin. Neuf chambres soignées et bien arrangées, dans le style champêtre. Il y en a même une pour 6 personnes avec billard, dans l'ancienne chapelle. Très jolie salle à manger aussi, et agréable salon.

🛏 **Clint Lodge :** Abbey St. ☎ 822-027. ● clintlodge.co.uk ● De Saint Boswells (village à 6 km au sud-est de Melrose), prendre la B 6404 puis, au bout de 2,5 km env, la B 6356 sur la gauche ; le Clint Lodge se situe 1,5 km plus loin. Doubles £ 50-55 (75-82,50 €) par pers selon confort. Table d'hôtes le soir sur résa. Élégante demeure posée au bord d'une petite route qui domine toute la région. Parfait, vraiment, pour les routards plutôt à l'aise dans leur budget et qui cherchent un lieu de charme. Les chambres, au nombre de cinq, sont toutes personnalisées, un peu dans le style Belle Époque, et dotées de superbes salles de bains. Vraiment la classe ! Certaines ont vue sur la campagne environnante. Jardin et salon-véranda pour se relaxer.

Où manger ?

|●| **Russell's Restaurant :** 28, Market Sq. Fermé lun. Service : 9h30 (12h dim)-17h. Sandwichs, baked potatoes et plats simples £ 4-8 (6-12 €). Cheminée, moquette et murs jaune pâle chargés de cadres et d'assiettes... comme dans un salon privé. Bonne petite restauration le midi, mais aussi pour un thé et un petit gâteau sur le coup de 16h.

|●| **Marmions Brasserie :** Buccleuch St, en face de l'office de tourisme. ☎ 822-245. Fermé dim. Env £ 10 (15 €) le midi et autour de £ 18 (27 €) le soir. Fort bonne cuisine, imaginative et variée, dans un cadre plaisant (boiseries claires, miroirs et grosses tentures blanches) ; voilà un bien chouette établissement. N'hésitez donc pas à en pousser la porte, d'autant que, cerise sur le gâteau, vous y serez accueilli à bras ouverts !

|●| **Hoebridge Inn Restaurant :** à Gattonside, en face de Melrose, sur l'autre rive de la Tweed. ☎ 823-082. Mar-sam 18h30-21h30. Menu 2 plats £ 20 (30 €) le soir ; £ 10 (15 €) le midi. Adresse réputée dans le coin. Une vaste maison récente et un cadre très soigné. Cuisine inventive et savoureuse, à base de produits locaux. Un tantinet chic.

Où boire un verre ?

🍸 **Ship Inn :** le pub le plus animé de la ville, surtout le samedi soir, lorsque l'équipe de rugby locale a joué at home. Ambiance garantie !

À voir

🏛🏛🏛 **Melrose Abbey** (HS) : ☎ 822-562. Tlj 9h30-17h30 (16h30 oct-mars). Entrée : £ 5 (7,50 €) ; réduc. En 1136, à l'instigation de David Ier, les moines cisterciens de Rievaulx y bâtirent une première église. Ravagée par les Anglais en 1385, elle fut reconstruite au XVe siècle et devint la plus riche abbaye d'Écosse. On dit que le cœur de Robert the Bruce y est enterré... Quoi qu'il en soit, les fanas d'architecture se régaleront à détailler les sculptures décoratives et admireront le

transept sud et sa remarquable fenêtre finement ciselée en gothique perpendiculaire. Les autres tomberont tout bêtement sous le charme de ces ruines à la
curieuse couleur ocre rose et s'amuseront à repérer les gargouilles humoristiques
et le petit cochon joueur de cornemuse sur le toit du côté sud de la nef.

¶ *The Three Hills Roman Heritage Centre :* *Market Sq.* ☎ *822-651.* ● *trimontium.
net* ● *Avr-oct : tlj 10h30-16h30. Entrée : £ 1,50 (2,30 €) ; réduc.* Au temps des
Romains, un camp était établi à côté de Melrose. Cette expo de maquettes et de
dioramas essaie de restituer l'occupation de la région par les légions impériales.
Pas de quoi s'extasier.

¶ *Priorwood Flower Garden* (NTS) : *à côté de l'abbaye.* ☎ *822-493. Avr-Noël : tlj
10h (13h dim)-17h. Entrée : £ 3 (4,50 €) ; réduc.* Petit jardin qui privilégie les fleurs à
sécher et les différentes variétés de pommes. Également un petit coin pique-nique.

¶ *Harmony Garden* (NTS) : *à côté du Priorwood Flower Garden.* ☎ *822-493. Avr-
sept : lun-sam 10h (13h dim)-17h. Entrée : £ 3 (4,50 €).* Encore un jardin. Celui-ci
présente un agréable mélange de plantes herbacées, de fruits et de légumes.

À faire

➢ Du centre, il ne faut marcher que 5 km pour atteindre l'un des sommets des
Eildon Hills. Solide grimpette, parcours fléché et panorama sur la région à 400 m
d'altitude. Pour l'itinéraire, demander la brochure à l'office de tourisme. De nombreuses anecdotes se rattachent à ces « pics » d'origine volcanique, liés à la
légende du roi Arthur et au mystérieux alchimiste Michael Scott (le Scotto de *L'Enfer*
de Dante).

Manifestation

– *Melrose Rugby Sevens :* *2ᵉ sam d'avr.* Le rugby à 7, au contraire de sa version
classique à 15, fut inventé à Melrose en 1883. Au programme, tournois de rugby,
évidemment. C'est l'événement de l'année...

➢ *DANS LES ENVIRONS DE MELROSE*

🏃🏃🏃 *Abbotsford House :* *sur la B 6360, entre Galashiels et Melrose.* ☎ *752-043.*
● *scottsabbotsford.co.uk* ● *De mi-mars à fin oct : tlj 9h30 (14h les dim d'avr, mai,
oct)-17h. Entrée : £ 6 (9 €) ; réduc.* Sir Walter Scott s'est fait construire cette résidence de fantaisie de style « baronial », au bord de la Tweed. Il y vécut de 1812 à
1832 et y écrivit la majorité de ses quarante romans. Depuis, rien n'a bougé : le
cabinet de travail, la bibliothèque avec ses 9 000 livres, la collection d'objets insolites, l'armurerie... Superbe parc.

🏃🏃 *Dryburgh Abbey* (HS) : *à env 5 miles (8 km) à l'est de Melrose (près de Saint
Boswells), par la B 6404.* ☎ *(01835) 822-381. Avr-sept : tlj 9h30-17h30 ; oct-mars :
tlj 9h30-16h30. Dernière admission 30 mn avt. Entrée : £ 4,50 (6,80 €) ; réduc.*
Superbe cadre bucolique pour ces majestueuses ruines au creux d'un méandre de
la Tweed. Fondée par les prémontrés au XIIᵉ siècle, l'abbaye fut tour à tour la proie
des flammes et des guerres, dont la dernière, en 1544, la laissa en piteux état. Sir
Walter Scott est inhumé dans les terres de l'abbaye, qui appartenaient à sa famille.
On le comprend : une pelouse où broutent des moutons, égayée par les gazouillis
des oiseaux, c'est le pied pour reposer éternellement. Il y est d'ailleurs accompagné de la dépouille du maréchal Haig, grande figure militaire du conflit 1914-1918.

🏃🏃 *Scott's View :* *à env 6 km à l'est de Melrose.* Un petit détour par la B 6356 pour
aller se repaître du paysage préféré du romancier. Le panorama des méandres de la

Tweed embrasse aussi les Eildon Hills et les paysages typiques des Borders. Superbe le soir, quand la lumière commence à décliner. Un vrai tableau !

🎬 **Thirlestane Castle** : *dans les environs de Lauder, sur l'A 68, vers Édimbourg.* ☎ *(01578) 722-430. De Pâques à mi-sept : lun, mer, jeu et dim (également mar juil-août) 10h-15h (dernière admission). Entrée : £ 7 (10,50 €) pour le château et le parc ; £ 3 (4,50 €) pour le parc seul ; réduc.* Vaut surtout pour son aspect extérieur : un agglomérat de tours rondes et carrées autour d'un donjon central, le tout surmonté de toits pointus. On se croirait presque devant un château de conte de fées. Malheureusement, on déchante à l'intérieur, le mobilier étant banalement victorien. Promenez-vous donc le nez en l'air pour regarder les plafonds tarabiscotés. Une collection de jouets et une expo sur la vie rurale de la région viennent compléter la visite du château, mais, à notre avis, on peut se contenter de rester dehors.

PEEBLES
8 000 hab.   IND. TÉL. : 01721

Autrefois cité ecclésiastique, puis centre de l'industrie textile, Peebles est désormais la dernière ville d'importance en remontant la vallée de la Tweed. C'est aussi le point de départ de nombreuses balades à faire dans la magnifique nature qui l'environne, notamment dans les forêts de Cardrona et Glentress (demandez le petit *Guide to the walks in Glentress forest* de la *Forestry Commission* à l'office de tourisme). On s'y arrêtera donc surtout pour se restaurer, se ravitailler, louer des vélos ou tout simplement se renseigner.

Arriver – Quitter

En bus

➢ Avec la compagnie *First,* le bus n° 62 assure la liaison avec **Melrose** (ttes les heures) et **Édimbourg** (ttes les 30 mn).

Adresses utiles

🛈 **Tourist Information Centre** : *High St.* ☎ *0870-608-04-04. Lun-sam 9h-17h (18h en saison) ; dim 11h (10h juin-sept)-16h. Fermé dim janv-mars.*
■ **Location de vélos :** The Hub, *au parking du* Mountain Biking Centre *de* Glentrees Forest (à 3 km de Peebles en direction de Melrose). C'est un des spots les plus réputés du pays pour le VTT, totalisant plus de 60 km de pistes aménagées.

Où dormir ?

Campings

⚑ **Rosetta Caravan & Camping Park :** *Rosetta Rd.* ☎ *720-770. À env 1 km au nord du centre. Ouv avr-oct. Compter £ 10 (15 €) en sem et £ 15 (22,50 €) le w-e pour une tente et 2 pers.* Calme et bien situé, dans un joli cadre face aux collines, avec des lapins et des écureuils qui s'ébattent sur la pelouse. Épicerie, bar, salle de jeux, ping-pong et billard.

⚑ **Crossburn Caravan Park :** *sur la route d'Édimbourg, là encore au nord de la ville.* ☎ *720-501.* ● *crossburncaravans.co.uk* ● *Avr-oct. Compter £ 13 (19,50 €) pour 2 pers et une tente.* Au bord d'un bras de la rivière Tweed. Boutique avec du nécessaire de camping, ping-pong, jeux d'arcades et *patting* (version élémentaire du golf).

Prix moyens

⌂ **Rowanbrae B & B, Mrs O'Hara :** 103, Northgate. ☎ 721-630. • john@rowanbrae.freeserve.co.uk • Dans une petite rue en cul-de-sac à 5 mn à pied au nord de la rue principale. Compter £ 24 (36 €) par pers. Dans une maison en pierre toute mignonne, avec une rivière juste derrière. Jolies petites chambres très bien tenues, toutes avec salle de bains. Bon petit déj varié. Bref, un bon choix.

Où manger ? Où boire un verre ?

De bon marché à prix moyens

|●| **The Olive Tree :** 7, High St. Lunsam 9h-17h30. Une bonne épicerie fine qui propose aussi de succulents sandwichs pour pas cher.

|●| ⌐ **Green Tree Hotel :** 41, Eastgate. ☎ 720-582. Compter £ 5 (7,50 €) le midi et plutôt £ 7-10 (10,50-15 €) le plat en soirée. Établissement qui ne paie pas de mine, tant de l'extérieur que pour la déco. En revanche, le pub est très animé. Mais ce qui importe ici, c'est la cuisine traditionnelle agrémentée de quelques recettes plus exotiques, de quoi surprendre vos papilles. Les assiettes sont belles et copieuses et la clientèle familiale. On se sent plutôt à l'aise. Personnel souriant.

|●| **The Prince of India :** 86, High St. ☎ 724-455. Déjeuner 3 plats en sem £ 7 (10,50 €) ; le soir, compter £ 7-9 (10,50-13,50 €) pour un plat. On ne vous apprendra rien en vous révélant la nationalité du lieu. On y mange bien et, comme tous les restos indiens, ça ferme tard.

⌐ **Crown Hotel :** pub indémodable où le parquet, la boiserie et la bonne humeur en font un lieu incontournable. Les amateurs de bonnes bières se trouveront vite des copains.

Chic

|●| **Sunflower Restaurant :** 4, Bridgegate. ☎ 722-420. Juste derrière High St, presque au coin de Northgate. Lunsam 12h-15h ; jeu-sam 18h-21h. Plats env £ 9 (13,50 €) le midi et £ 11-16 (16,50-24 €) le soir. Quelques tables seulement pour un resto minuscule qui s'est déjà taillé une belle réputation. Et c'est vrai que c'est bon. De plus, on savoure tout ça dans un cadre agréable, entre déco moderne et bois clair.

Où dormir dans les environs ?

⌂ **Drochil Castle Farmhouse :** à 11 km à l'ouest de Peebles. ☎ 752-249. • drochilcastle.co.uk • Prendre l'A 72 direction Glasgow, puis, au bout de 11 km, la petite route à droite vers West Linton ; la ferme est à 500 m sur la gauche. Compter £ 22-29 (33-43,50 €) par pers selon saison et confort. Une grande maison blanche perchée sur une butte à côté d'un château en ruine. Petite rivière en contrebas et, tout autour, des collines pleines de moutons. Tranquillité assurée ! À l'intérieur, 4 jolies chambres, impeccablement tenues, dont une avec salle de bains et une familiale. Excellent accueil du jeune couple de propriétaires. Petit déj varié. Une très bonne adresse.

⌂ **Lyne Farm :** à 6 km de Peebles par l'A 72 en direction de Glasgow. ☎ 740-255. • lynefarm.co.uk • Compter £ 24 (36 €) par pers. Cette demeure de style géorgien est une vraie ferme. Les quelques chambres, bien tenues, se partagent 2 salles de bains. Arran est très accueillante et peut vous cuisiner le dîner sur réservation. Une belle adresse.

⌂ **The Schoolhouse :** à 11 km de Peebles, juste au sud de Innerleithen, dans le hameau de Traquair sur la B 709. ☎ (01896) 830-425. Compter £ 20 (30 €) par pers. Cette bâtisse blanche, jadis logement de l'instituteur du vil-

lage, dispose de 3 chambres avec 2 salles de bains à partager. Le salon pour les hôtes. On vient surtout pour la qualité de l'accueil de Jennifer et le calme absolu de la vallée de la Tweed.

➤ DANS LES ENVIRONS DE PEEBLES

🏃🏃 **Neidpath Castle :** ☎ (01721) 720-333. À moins de 2 km à l'ouest, sur l'A 72. Ouv en principe le w-e de Pâques, puis mai-sept : tlj 10h30 (12h30 dim)-17h. Entrée : £ 3 (4,50 €) ; réduc. Château-tour du XIVe siècle, en L, sur un escarpement rocheux dominant la Tweed. Décor superbe ! Grâce à ses murs de 3,5 m d'épaisseur, il resta invaincu jusqu'au bombardement de Cromwell. À l'intérieur en revanche, à part la prison, pas de quoi tomber en pâmoison !

🏃🏃 **Dawyck Botanic Garden :** à 13 km au sud-ouest de Peebles, sur la B 712. ☎ 760-254. ● rbge.org.uk ● Avr-sept : tlj 10h-18h ; mars et oct : 10h-17h ; fév et nov : 10h-16h. Dernière entrée 1h avt. Entrée : £ 3,50 (5,30 €) ; réduc. L'un des quatre jardins botaniques royaux d'Écosse. Et on ne s'en lasse pas. Superbe variété d'arbres et d'arbustes, notamment des conifères vieux de plus de 300 ans. Compter une bonne heure pour en parcourir les différents sentiers.

🏃🏃 **Robert Smail's Printing Works** (NTS) : High St, à **Innerleithen.** ☎ (01896) 830-206. À 6 miles (env 10 km) à l'est de Peebles sur la Tweed. Ouv le w-e de Pâques, puis juin-sept : tlj 12h (13h dim)-17h. Fermé mar et mer. Entrée : £ 5 (7,50 €) ; réduc. Pour les passionnés d'histoire des techniques, intéressant atelier d'imprimerie du XIXe siècle. Avec des machines en parfait état de marche, démonstration de fabrication d'un journal.

🏃🏃 **Traquair House :** à proximité d'Innerleithen, en bordure de la B 709, à env 7 miles (11 km) de Peebles. ☎ (01896) 830-323. ● traquair.co.uk ● Avr, mai et sept, tlj 12h-17h ; juin-août, tlj 10h30-17h ; oct, tlj 11h-16h ; nov, slt w-e 11h-15h. Fermé déc-mars. Entrée : £ 6,50 (9,80 €) ; réduc. Un programme varié de festivités se déroule sur place tout au long de la saison. Renseignez-vous. La plus ancienne demeure seigneuriale d'Écosse encore habitée. Vingt-sept monarques anglais et écossais y sont venus. Le dernier en date fut Bonnie Prince Charlie ; après quoi, le proprio de l'époque fit sceller les grilles de l'entrée d'honneur (la porte aux Ours). On ne les rouvrira que lorsqu'un Stuart remontera sur le trône de Grande-Bretagne ! Comme cela ne risque pas d'arriver de sitôt, on passe par la porte de service. Le manoir a un look vraiment féodal avec ses bâtiments un peu sévères flanqués de tours d'angle, édifiés autour du donjon d'origine. Résidence du baron Darnley qui y accueillit Marie Stuart, et bastion du catholicisme et du parti jacobite, on peut y voir des correspondances et des documents historiques de première importance. Parmi les curiosités, un lit à baldaquin où dormit Marie et le berceau de son fils, le futur roi Jacques VI. Passages et placards secrets, bibliothèque, salle à manger, chapelle privée, dépendances et une brasserie traditionnelle jalonnent aussi la visite.

DUMFRIES ET GALLOWAY

Moins fréquentée que les Borders, car moins dans l'axe d'Édimbourg, cette région du sud-ouest de l'Écosse a pourtant, elle aussi, quelques bonnes raisons de détourner le voyageur de sa course effrénée vers les Highlands. Vous y trouverez autant de châteaux et de richesses historiques que chez sa voisine « orientale », avec en plus un rivage très découpé de multiples baies aux

fortes marées et un arrière-pays encore sauvage, composé de landes et de bruyères. La forêt de Galloway ravira les marcheurs, et certains coins feront irrésistiblement penser au bocage normand et aux côtes bretonnes. N'hésitez pas à consacrer un peu de temps à cette contrée qui le mérite. Elle vous le rendra.
– *Rens sur* ● *www.visitdumfriesandgalloway.co.uk* ●

Comment se déplacer dans Dumfries et Galloway ?

En bus

Deux compagnies assurent la plupart des services de bus :
➢ *Stagecoach West Scotland :* ☎ *0870-608-26-08.* ● *stagecoachbus.co.uk/western* ●
➢ *MacEwan's Coach Service :* ☎ *(01387) 256-533.*
Infos sur tous les horaires avec Traveline, ☎ *0870-608-26-08.* ● *traveline.org.uk* ●

En train

Le sud-ouest de l'Écosse possède un réseau ferroviaire plutôt performant, notamment grâce à l'agglomération de Glasgow, jamais très loin. La région est traversée par deux lignes principales : une vers Ayr et Stranraer avec correspondance en ferry pour l'Irlande ; une autre vers Dumfries et l'Angleterre. Les trains partent de la gare de Glasgow Central.
Rens sur les horaires Scotrail, ☎ *08457-48-49-50.* ● *firstgroup.com/scotrail* ●

WANLOCKHEAD 140 hab. IND. TÉL. : 01659

À 500 m d'altitude, c'est le village le plus haut perché d'Écosse. C'est aussi un étonnant petit bout du monde, où le calme est seulement rompu par les bêlements des moutons. Il n'a, en fait, pas grand charme, mais la nature alentour est superbe et propice à de belles balades. On peut aussi visiter une partie des anciennes mines de plomb.

Arriver – Quitter

➢ *Wanlockhead-Sanquhar :* 6 bus/j. (n° 30), dans les 2 sens (sf dim). Compter 25 mn de trajet. La route est magnifique et traverse une nature véritablement sauvage.

Où dormir ?

🛏 *Lotus Lodge Hostel :* dans le haut du village, c'est fléché. ☎ *745-44.* ● *lotuslodge.co.uk* ● *Avr-sept.* Env £ 15-18 (22,50-27 €) par pers en dortoir ou en chambre familiale. Une jolie maison blanche, à l'intérieur bien tenu. Salle commune pour taper le carton. Chambres de 2 à 12 lits.

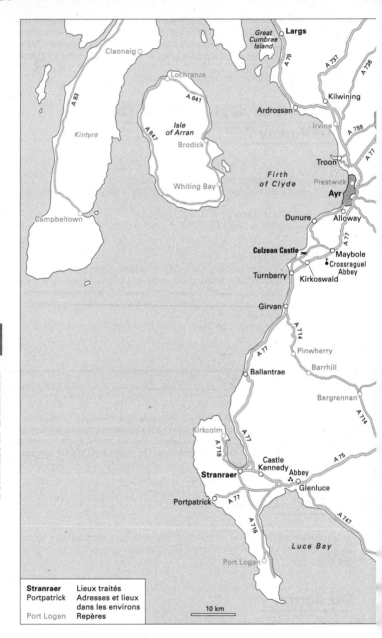

Stranraer — Lieux traités
Portpatrick — Adresses et lieux dans les environs
Port Logan — Repères

10 km

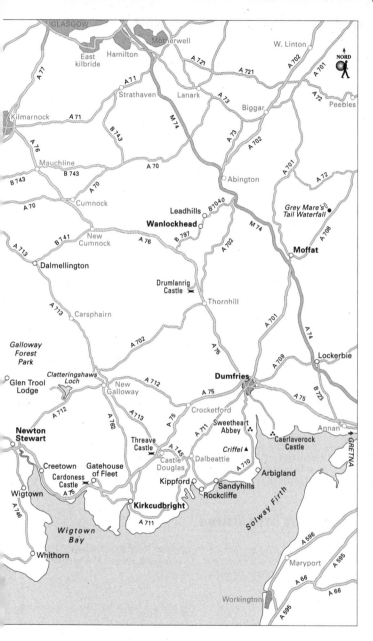

LA RÉGION DE DUMFRIES ET GALLOWAY

Où dormir dans les environs ?

🏠 **B & B chez Mrs Clark :** 4, Baron's Court, à Sanquhar, sur l'A 76 entre Dumfries et Kilmarnock. Dans la rue principale, c'est une allée menant dans une courette, sur la gauche en venant de Dumfries, peu après la public library. ☎ 503-61. Compter au moins £ 20 (30 €) par pers. Josephine Clark propose 2 chambres, équipées de salles de bains, aux touristes faisant étape dans ce coin perdu. La simplicité et la chaleur de l'accueil changent des autres B & B souvent très professionnalisés.

À voir

🎥 **The Museum of Lead Mining :** ☎ 743-87. ● leadminingmuseum.co.uk ● Avr-oct : tlj 11h-16h30 (10h-17h juil et août). Entrée : £ 5,50 (8,30 €) ; réduc. Musée très instructif sur l'histoire minière de Wanlockhead et, surtout, visite guidée passionnante qui vous conduira aux quatre coins du village : tour dans les anciennes mines, découverte d'engins miniers exposés en plein air, d'un cottage où l'on apprend comment vivaient les familles en 1740 et 1890, et, enfin, de la Miner's Library. On s'essaie même à la recherche de pépites d'or dans une rivière... Vraiment intéressant dans ce coin perdu.

🍴 Tearoom où l'on peut manger, juste à côté du musée.

MOFFAT
2 100 hab.   IND. TÉL. : 01683

Centre agricole, foire aux moutons et ville-étape plutôt agréable non loin de la M 74. Les paysages environnants sont magnifiques. Possibilité de bifurquer vers les Borders. Au cimetière est enterré l'ingénieur John Loudon McAdam, l'inventeur du revêtement routier qui porte son nom.

Arriver – Quitter

Seul le bus permet de se rendre à Moffat car, malgré la ligne de train toute proche, la première gare se trouve à Lockerbie !

➤ Le bus Stagecoach n° 114 assure 6 trajets/j. avec **Dumfries.** Le n° 974 assure 3 fois/j. la ligne **Dumfries-Glasgow,** via Moffat.

➤ Prendre le bus n° 100 ou X100 avec MacEwan's Coach pour **Édimbourg :** 6 bus/j.

Adresse et info utiles

ℹ️ **Tourist Information Centre :** Churchgate. ☎ 220-620. ● moffattic@visitscotland.com ● Avr-oct : lun-sam 10h-17h ; dim 11h-16h (17h juil et août).
– Infos sur le village : ● www.visitmoffat.co.uk ●

Où dormir ?

Camping

⛺ **Moffat Camping & Caravan Site :** à 5 mn du centre à pied. Compter £ 13-19 (19,50-28,50 €) l'emplacement pour deux selon saison. Parfait pour faire étape à Moffat. Le terrain est bien ouvert sur les collines environnantes et possède toutes les commodités possibles.

Prix toutefois exagérés, mais c'est le seul camping du village.

Prix moyens

🏠 *Queensberry House :* 12, Beechgrove, à 200 m du centre. ☎ 220-538. ● queensberryhouse.com ● Compter env £ 30 (45 €) par pers. CB refusées. Vous cherchez un endroit sympa ? Simple, venez ici ! Vous y trouverez de jolies chambres avec salle de bains, une ravissante petite salle pour le petit déj varié et un salon pour les hôtes.

🏠 *Summerlea House :* Eastgate. ☎ 220-476. Mars-oct. Compter £ 24-28 (36-42 €) par pers. Mignonne petite façade rose et fleurie située derrière High Street, dans une rue très au calme. À l'intérieur, 3 chambres coquettes, colorées, très bien tenues et bon mar-

ché, avec sanitaires. Agréable coin-petit déj, donnant sur une arrière-cour. Bon rapport qualité-prix.

🏠 *Limetree House :* Eastgate. ☎ 220-001. ● limetreehouse.co.uk ● Dans une ruelle calme de Moffat, proche du centre. Prévoir £ 30-35 (45-52,50 €)/pers selon confort. Parking privé. L'établissement dispose d'une demi-douzaine de chambres, dont une familiale, bien tenues et toutes équipées de sanitaires. Katherine se met en quatre pour servir ses pensionnaires et mise sur le petit déj, original et très complet. Un *B & B* où il fait bon vivre...

Où manger ?

De bon marché à prix moyens

|●| *Cafe Ariete :* 10, High St. ☎ 220-313. Tlj 9h-17h. En-cas sympathiques genre salades, sandwichs, toasts... pour env £ 4 (6 €). Tables en marbre blanc et vieilles affiches publicitaires placardées aux murs... en français ! Avec cette agitation à l'heure du repas, on se croirait dans une brasserie parisienne. La cuisine est délicieuse et servie dans

une ambiance familiale. Propose aussi de bons gâteaux, des glaces et du vrai café.

|●| *Black Bull Hotel :* 1, Churchgate. En face de l'église. Plats midi et soir £ 7-10 (10,50-15 €). Très beau pub du XVIe siècle. Cuisine typiquement écossaise, copieuse et pas chère. Succulent *haggis*. Service aux petits soins.

Chic

|●| *The Limetree Restaurant :* High St. ☎ 221-654. Ouv mar-sam le soir slt, ainsi que dim midi. L'adresse est très prisée et mieux vaut réserver. Menus midi £ 15 (22,50 €) et £ 19-24 (28,50-36 €) le

soir. La table gastronomique du village, un rien bourgeois. Recettes créatives utilisant des produits de 1re qualité, façon nouvelle cuisine.

➤ *DANS LES ENVIRONS DE MOFFAT*

🍴🍴 *The Grey Mare's Tail Waterfall :* à 15 km de Moffat par l'A 708 direction Selkirk. Spectaculaire chute d'eau de plus de 60 m. À l'origine, une vallée glaciaire. Les plus courageux suivront le chemin qui permet de découvrir l'amont et d'autres chutes jusqu'au superbe petit *Loch Skeen* (compter 1h). Vous pouvez aussi apporter vos cannes à pêche, c'est libre et gratuit. Merci au lecteur qui nous a filé le tuyau !

DUMFRIES
31 000 hab.   IND. TÉL. : 01387

Ville la plus importante du Sud-Ouest, arrosée par la Nith et ses cascades. Centre piéton commerçant animé la semaine jusqu'à 17h. Le soir, pas un chat dans les rues, un peu tristoune ! Le souvenir de Robert Burns, le barde écossais qui y passa ses dernières années, y est fiévreusement entretenu.

Arriver – Quitter

En bus

➤ Avec *Stagecoach,* le bus n° 114 assure 6 trajets/j. avec *Moffat.* Pour *Newton Stewart* et *Stranraer,* prendre le n° 500 ou le n° X75 (direct). Une dizaine de bus/j. ; moins fréquents le dim. Le n° 974 assure la liaison avec *Glasgow* (2h de trajet) avec un arrêt à *Moffat.* Pour *Carlisle* (1h30 de route) en Angleterre, prendre le bus n° 79 ; ttes les 30 mn.
➤ Enfin, *MacEwan's Coach* opère 6 fois/j. un service, bus n° 100 ou X100 direct, pour *Édimbourg.* Compter près de 3h de voyage. Pour *Kirkcudbright,* prendre le n° 502 : env 6 bus/j.

En train

➤ Une dizaine de trains/j. avec *Glasgow Central.* Compter 2h30 de trajet. Moins fréquent le dim. Davantage de trains pour *Carlisle* (à 40 mn) en Angleterre.

Adresses utiles

🛈 *Tourist Information Centre* (plan A2) : 64, Whitesands. À côté du pont aux 6 arches. ☎ 253-862. ● dumfries tic@visitscotland.com ● Lun-sam 9h30-17h (18h été) ; dim (sf déc-mars) 10h30-16h.
🚆 *Gare ferroviaire* (plan B1) : à 5 mn à pied à l'est du centre.

🚌 *Gare routière* (plan A2) : les bus partent de Whitesands, en face de l'office de tourisme.
✉ *Poste* (plan A2) : Whitesands, dans le supermarché SPAR. Tlj sf dim 9h-17h30. Fait bureau de change.

Où dormir ?

Camping

⛺ *Barnsoul Farm :* non loin de Shawhead (fléché), à une dizaine de km à l'ouest de Dumfries par l'A 75. ☎ 730-249. Compter £ 9-11 (13,50-16,50 €) pour une tente et 2 pers. Petit camping en pleine campagne, entre vaches et moutons. Confort limité, mais grand calme garanti. Idéal pour pêcheurs et randonneurs.

Prix moyens

🏠 *Inverallochy Guesthouse* (plan B1, 10) : 15, Lockerbie Rd. ☎ 267-298. Compter à partir de £ 20 (30 €) par pers. Non-fumeur. Non loin du centre et de la gare, une poignée de chambres très soignées, équipées de sanitaires et réalisées dans de jolis tons.
🏠 *Hazeldean Guesthouse* (plan B1, 11) : 4, Moffat Rd. ☎ 266-178. ● hazel deanhouse.com ● Près de Inverallochy Guesthouse. Autour de £ 25-27 (37,50-40,50 €) par pers. Élégante maison vic-

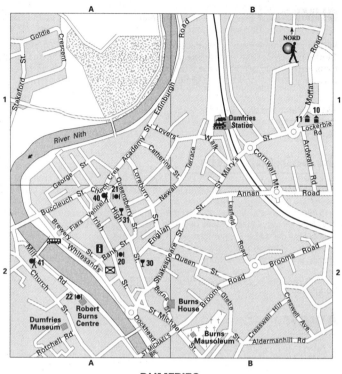

DUMFRIES

■ **Adresses utiles**

🛈 Tourist Information Centre
🚂 Gare ferroviaire
🚌 Gare routière
✉ Poste

⌂ **Où dormir ?**

10 Inverallochy Guesthouse
11 Hazeldean Guesthouse

|●| **Où manger ?**

20 Old Bank Restaurant

21 Fabrizio's
22 Hullabaloo

🍸 **Où boire un verre ?**

30 Globe Inn
31 Hole in the Wa'

🏃 **À voir**

40 Burns Statue
41 Old Bridge House

torienne. Chambres avec salle de bains, un peu chargées mais bien tenues et, finalement, pas si chères. Certaines possèdent un lit à baldaquin. On a un gros faible pour la *cabin room,* la cham-bre du sous-sol décorée sur le thème de la marine. Billy est adorable et c'est sur-tout un collectionneur d'instruments de musique et d'antiquités qui sera ravi de vous faire partager sa passion.

Où manger ?

|●| **Old Bank Restaurant** *(plan A2,* **20***) :* 94, Irish St. Ouv en journée 9h-17h. Pré-

voir £ 5 (7,50 €) env. Un *tearoom* bien britannique offrant une restauration légère le midi. On vient surtout pour les *scones*, desserts et gâteaux qui font la réputation du lieu. Une adresse pour les gourmands !

|●| **Fabrizio's** *(plan A2, 21)* : *95, Queensberry St, à l'étage.* ☎ *255-752. Résa conseillée. Plats £ 7-12 (10,50-18 €).* Au-dessus d'une boutique de sports de plein air. Spécialités italiennes délicieuses, servies dans une salle à la déco moderne, entre mobilier et parquet très clairs. Quelques peintures contempo-

raines aussi. Le lieu se remplit vite.

|●| **Hullabaloo** *(plan A2, 22)* : *à l'étage du* Robert Burns Centre. ☎ *259-679. Fermé dim soir et lun soir. Plats £ 8-15 (12-22,50 €) ; moins cher le midi.* On s'installe dans un couloir en brique, percé de petites fenêtres donnant sur la rivière. Agréable. La cuisine, plutôt éclectique, aux accents méditerranéens, est copieuse et bien réalisée. L'un des meilleurs endroits où se restaurer à Dumfries !

Où boire un verre ?

♉ **Globe Inn** *(plan A2, 30)* : *56, High St (accès par un passage).* Allergiques à la Burnsmania, s'abstenir ! C'est ici que le poète-paysan avait ses aises. Une pièce de 1780 rassemble ses souvenirs. On peut même voir, à l'étage, la chambre où il eut une aventure avec la barmaid du *Globe*. Plats copieux au resto et spécialité de *mealed herring*.

♉ **Hole in the Wa'** *(plan A2, 31)* : *156, High St.* Un autre repaire de Robert Burns. Pub centenaire et plein de charme : papiers peints défraîchis, poutres apparentes, séries de porcelaines sur les étagères, panoplie d'instruments de musique au-dessus du bar, jeu de fléchettes dans un recoin... Chouette atmosphère le week-end lors des concerts.

À voir

♉ Tous les **lieux liés à Robert Burns,** si le cœur vous en dit. Attention, cela peut vous mener droit à l'indigestion. Au programme : le *Burns Mausoleum (plan B2)* où lui, sa femme et cinq de ses proches sont enterrés ; la **Burns Statue** *(plan A2, 40)*, le *Robert Burns Centre (plan A2)*, dans un moulin à eau restauré de l'autre côté de la rivière... Bon, on arrête ici le déluge !

♉ **The Old Bridge House** *(plan A2, 41)* : *avr-sept, tlj 10h-17h ; dim 14h-17h. Entrée gratuite.* La plus vieille maison de la ville (1660). Auberge au XVIIe siècle, on y voyait traîner... devinez qui ? Robert Burns ! À présent, on peut y voir du matériel de chirurgien dentaire du XIXe siècle (brrr...), ainsi qu'une cuisine et deux autres pièces meublées de la même époque.

♉ **Dumfries Museum** *(plan A2)* : *à deux pas du* Robert Burns Centre. ☎ *253-374. Avr-sept : lun-sam 10h-17h ; dim 14h-17h. Oct-mars : fermé dim-lun. Entrée : £ 2 (3 €).* Moulin à vent aménagé pour abriter des collections relatives à l'histoire (et préhistoire) de la région. Au dernier étage, la *Camera obscura* : un jeu de miroirs qui permet, surtout par beau temps, de produire des vues panoramiques spectaculaires des environs.

➤ DANS LES ENVIRONS DE DUMFRIES

♉ **Les Douze Apôtres** : *à 1 mile (1,6 km) au nord par la B 729. Bus n° 202.* Le plus important cercle de menhirs d'Écosse. Pas très facile à trouver.

♉♉♉ **Drumlanrig Castle** : *à 18 miles (29 km) au nord de Dumfries par l'A 76.* ☎ *(01848) 330-248. ● buccleuch.com ● Mai-août : tlj 11h (12h mai-juin)-16h pour* *le château. Avr-sept : tlj 11h-17h pour le parc. Visite guidée : £ 7 (10,50 €) ; ou £ 4 (6 €) pour le parc ; réduc.*

C'est au centre d'un immense domaine de bois et de prairies que trône ce château, ou plutôt cette petite folie de palais en pierre rose, édifiée vers 1680 par le premier duc de Queensberry. Écœuré par le coût de la construction, celui-ci, dit-on, n'y passa qu'une seule nuit ! Mais qu'importe, vous avez devant vous un compromis habile entre l'architecture régionale traditionnelle (les tours d'angle) et le style Renaissance (façade principale précédée de terrasses et d'un escalier en fer à cheval). Passant par succession aux Scott et Montagu, il s'enrichit au fil du temps de mobilier précieux et de remarquables toiles. En particulier dans le hall de l'escalier, où sont présentés quelques chefs-d'œuvre comme la *Vieille Femme lisant* de Rembrandt, et un *Portrait de sir Nicholas Carew* de Hans Holbein. Malheureusement, la *Madone* de Léonard de Vinci a été volée en août 2003. Au registre des curiosités, notons, un peu au gré des pièces, un baromètre avec calendrier perpétuel, une étonnante tête de bélier empaillée, des tapisseries de Bruxelles et un cabinet offert par Louis XIV à son oncle par alliance, Charles II.

– Petit *musée du Cycle* dans les écuries, démonstration spectaculaire de fauconnerie, et plaines de jeux dans le parc pour les enfants.

🚶 *Gretna Green :* à 25 miles (env 40 km) à l'ouest de Dumfries par l'A 75. Bus n° 79. Un lieu bien connu de tous les romantiques... La légende débute en 1754 lorsqu'une nouvelle loi fut votée par le Parlement anglais interdisant le mariage en dehors de l'Église et fixant l'âge légal à 21 ans. La législation écossaise, plus favorable, se contentait de deux témoins pour conclure le mariage pour un âge légal à 16 ans. Une aubaine ! Les jeunes couples ne tardèrent pas à fuir l'Angleterre pour se marier dans le premier village au-delà de la frontière, en l'occurrence Gretna. Par hasard, l'une des premières habitations après la frontière était une forge... le forgeron a rapidement endossé le rôle du curé et l'enclume est devenue l'emblème de la célébration. Un coup de marteau concluait la cérémonie ! Cette pratique a pris fin en 1940 avec l'introduction des officiers d'État pour rendre le mariage légitime. Toutefois, la loi, assouplie en 1977 puis en 2002, a non seulement rendu les mariages à nouveau possibles, mais on vient aujourd'hui de loin pour bénéficier des facilités administratives accordées aux futurs candidats. Pas moins de 5 000 mariages sont célébrés chaque année à Gretna ! L'histoire est évoquée dans le *Blacksmith's Cottage.* ☎ *(01461) 338-441.* ● *gretnagreen.com* ● *Tlj 9h-17h ou 19h selon saison. Prix : £ 3 (4,50 €).* L'exposition audiovisuelle, traduite en français, retrace la curieuse destinée de Gretna Green. Le musée propose également des salles à la location pour les cérémonies. Avis aux amateurs ! En revanche, on peut regretter que des malins aient exploité le filon à outrance en ouvrant des boutiques attrapetouristes en pagaille... de quoi en faire une indigestion !

🚶🚶 *Caerlaverock Castle* (HS) : à 14 km au sud de Dumfries par la B 725. ☎ 770-244. *Tlj 9h30-17h30 (16h30 oct-mars) ; fermeture des caisses 30 mn avt. Entrée : £ 5 (7,50 €) ; réduc.* Avec ses hautes tours et ses douves, c'est le prototype de la forteresse médiévale : porte au corps de garde flanqué de deux grosses tours, créneaux et mâchicoulis se reflétant dans l'eau. À l'intérieur, une cour avec un corps de logis Renaissance décoré de motifs héraldiques. Reproduction d'un engin de siège. N.B. : *Caerlaverock* signifie « nid d'alouette ».

🚶 *Caerlaverock Nature Reserve :* marécages et prés-salés recouverts par la marée. L'habitat de milliers de canards et une espèce d'oie bernache.

LA ROUTE CÔTIÈRE DE DUMFRIES À KIRKCUDBRIGHT

La route côtière A 710/A 711 de Dumfries à Kirkcudbright offre de magnifiques perspectives sur le *Solway Firth* et ses immenses étendues de sable découvertes à marée basse (un peu comme au Mont-Saint-Michel). De petits

ports adorables, des criques rocheuses et une campagne pleine de charme donnent envie de s'y attarder.

➤ Le bus n° 372 de *Stagecoach* assure la desserte le long de la côte par l'A 710 jusqu'à Dalbeattie. Ensuite, c'est le n° 505 qui continue jusqu'à Kirkcudbright par l'A 711.

🎏 *Sweetheart Abbey* (HS) : à **New Abbey**. ☎ (01387) 850-397. *Avr-sept : tlj 9h30-17h30 ; oct-mars : tlj sf jeu et ven 9h30-16h30. Dernière admission 30 mn avt. Entrée : £ 3 (4,50 €) ; réduc. Ticket couplé avec le moulin à grains de New Abbey.*

La beauté du site provient du contraste entre la pierre rose des ruines de l'église abbatiale et le vert tendre des pelouses qui l'entourent.

🎏 *Shambellie House Museum of Costume :* juste avt New Abbey en venant de Dumfries. ☎ (01387) 850-375. ● nms.ac.uk/costume ● Avr-oct : tlj 10h-17h (dernière admission à 16h30). Entrée : £ 3 (4,50 €) ; réduc. Dans un beau manoir « baronial », un panorama des costumes et une reconstitution des intérieurs victoriens et édouardiens.

> ### DE BATTRE MON CŒUR...
>
> *Lady Devorgilla, femme de John Balliol (le prétendant au trône d'Écosse), fonda l'abbaye en 1273, avec l'aide des cisterciens. Le monument a pris le nom de Sweetheart Abbey (« cœur-chéri »), car elle y est enterrée avec le cœur embaumé de son cher époux qu'elle trimbala avec elle tout au long de ses seize années de veuvage. Si c'est pas de l'amour ça !*

🎏 *John Paul Jones Cottage :* à **Arbigland,** accessible par une route à gauche à partir de Kirkbean. ☎ (01387) 880-613. ● jpj.demon.co.uk ● Avr-sept : tlj sf lun 10h-17h ; juil-août tlj. Entrée : £ 2,50 (3,80 €) ; réduc. C'est ici, face à la mer, que John Paul Jones, le fondateur de l'US Navy, est né en 1747. Histoire de sa vie, reconstitution d'une cabine de son bateau et description de la vie au XVIIIᵉ siècle dans le *cottage.*

🎏 Passé la masse granitique du Criffel (569 m) et la grande plage de Sandyhills, *Rockcliffe* est un coquet petit village de vacances au bord d'une crique rocheuse et en face d'une île où les oiseaux sont protégés par le *National Trust of Scotland.* Petit look breton. Ça souffle !

🎏 *Kippford,* que l'on peut rejoindre par un sentier au départ de Rockcliffe, est un centre de plaisanciers très fréquenté, dans l'estuaire de l'Urr. Très chouette : rochers, petites criques et collines verdoyantes dominant l'estuaire. Comme le coin nous a paru vraiment sympa et le cadre idéal, on vous a dégoté quelques adresses (voir plus loin « Où dormir ? Où manger dans le coin ? »).

🎏 *Threave Garden and Estate* (NTS) : en venant de Dumfries, sur l'A 75, suivre la direction Newton-Stewart ; prendre la sortie fléchée ; passer Castle Douglas et au 2ᵉ rond-point, garer sa voiture ; à 800 m sur la piste cyclable se trouve (enfin) Threave Garden. ☎ (01556) 502-575. Avr-oct : tlj 9h30-17h30 ; nov-mars : tlj 10h-16h. Fermeture des caisses 30 mn avt. Entrée : £ 6 (9 €) pour le parc ; réduc. Superbes jardins au milieu de 48 ha de forêts. La meilleure époque pour les visiter est le début du printemps, au moment de la floraison des narcisses et des jonquilles.

🎏 *Threave Castle* (HS) : non loin des jardins, sur une île de la rivière Dee. ☎ (07711) 223-101. Le château est accessible par un bac. Avr-sept : tlj 9h30-16h30. Entrée : £ 4 (6 €) ; réduc. Grosse tour construite fin XIVᵉ siècle par Archibald le Sinistre, et qui, par la suite, servit de bastion aux « Black Douglas ».

🎏 *Orchardton Tower* (HS) : à 5 miles (8 km) de Dalbeattie par l'A 711. C'est fléché sur la gauche. Gratuit, accès libre. Une bien curieuse tour en pierre, posée dans la campagne. Datant du milieu du XIVᵉ siècle, il s'agit d'un habitat fortifié unique en son genre. Son plan est circulaire et non en forme de L, Z ou T habituellement observée en Écosse. L'un de ses occupants fut un certain sir Robert Maxwell, un jacobite militant capturé à la bataille de Culloden. Plus tard, ce personnage aurait inspiré le romancier Walter Scott dans *Guy Mannering*. Aujourd'hui, l'ensemble est bien restauré et l'on peut même grimper dans la tour par un escalier.

⚓ Dundrennan Abbey *(HS) : à un peu plus de 10 km avt Kirkcudbright, sur l'A 711. ☎ (01557) 500-262. Avr-sept : tlj 9h30-17h30 ; oct : tlj sf jeu et ven 9h30-16h30 ; nov-mars : slt w-e 9h30-16h30. Fermeture des caisses 30 mn avt. Entrée : £ 3 (4,50 €) ; réduc.* Merveilleuse simplicité empreinte de paix et de majesté pour ces ruines cisterciennes qui virent Marie Stuart y faire halte lors de sa fuite vers l'Angleterre.

Où dormir ? Où manger dans le coin ?

Campings

⛺ Sandyhills Campsite : *en bord de mer, juste à côté de la plage de Sandyhills. ☎ (01557) 870-267. Avr-oct. Env £ 11-15 (16,50-22,50 €) pour une tente et 2 pers selon saison.* Petit et très agréable. Vous y trouverez un magasin et un snack.

⛺ Kippford Holiday Park : *sur une col-* line à 0,6 mile (moins de 1 km) de la plage, juste avt la petite route pour Kippford (en venant de Sandyhills). *☎ (01556) 620-636. Tabler sur £ 13-20 (19,50-30 €) l'emplacement.* Très chouette, vallonné et verdoyant, avec plein de recoins tranquilles. Boutique. Possibilité de pêcher.

Prix moyens

🛏 Rosemount Guesthouse : *à Kippford, sur le front de mer. ☎ (01556) 620-214. ● rosemountguesthouse. com ● Mars-oct. Compter £ 28-30 (42-45 €) par pers.* Dans une maison dotée d'une agréable véranda, 5 chambres de style champêtre, très réussies, dont une familiale (en fait, un petit chalet en bois derrière la maison). Deux ont une vue sur la mer et le port.

🍽 Clonyard House Hotel : *sur l'A 710, entre Kippford et Rockcliffe.` ☎ (01556) 630-372. ● clonyardhotel.co.uk ● Plats £ 8-11 (12-16,50 €).* Restaurant d'un hôtel de campagne. On s'y repaît très dignement d'une cuisine nettement moins bourgeoise que le lieu pourrait le laisser penser.

Un peu plus chic

🛏 Braemar B & B : *à Portling, un peu avt Sandyhills en venant de Kippford. ☎ (01556) 630-414. Compter de £ 24-30 (36-45 €) par pers selon type de chambre.* En quête d'un endroit où vous retirer du monde, un jour ou deux ? Ne cherchez plus : c'est ici, à Portling, que ça se passe. Dans une maison centenaire posée sur les hauteurs du village face à l'immense plage du Solway Firth, magnifiques chambres, certaines avec salle de bains ou vue sur mer, toutes vraiment réussies. Superbe salon cossu, là même où se prend, sur une table en chêne, un petit déj très varié. Enfin, joli jardin où prendre le soleil, et bon accueil. Un vrai coup de cœur !

DUMFRIES ET GALLOWAY

KIRKCUDBRIGHT   3 500 hab.   IND. TÉL. : 01557

Nichée au fond d'un estuaire, une séduisante petite ville (prononcer « cœur-cul-brie »), ancien bourg royal, pleine de bonnes surprises. Elle vit de la pêche, des revenus de l'agriculture et du tourisme. À la fin du XIXe siècle, elle attira un groupe d'artistes prolifiques et essaie aujourd'hui de renouer avec cette tradition.

Demander la brochure *The Kirkcudbright Collection,* qui recense et présente toutes les galeries d'art de la ville.

Arriver – Quitter

➤ Liaison régulière avec **Dumfries,** prendre le bus n° 502 de la compagnie *MacEwan's Coach* ; env 6 bus/j. Pour **Newton Stewart,** prendre le n° 431 et changer à Gatehouse of Fleet pour continuer avec le n° 500.

Adresses utiles

🛈 **Tourist Information Centre :** Harbour Sq. ☎ 330-494. Mars-nov : lun-sam 10h-16h ; dim 11h-16h (de mi-juin à fin août, lun-sam 9h30-18h ; dim 10h-17h). Fermé déc-fév. Demander, outre la brochure The Kirkcudbright Collection, le *Visitor's Guide.*
– Infos sur ● kirkcudbrightartiststown. co.uk ●
■ **Location de vélos :** William Law, 19, Saint Cuthbert St. Tlj sf dim.

Où dormir ?

Campings

⚊ **Silvercraigs Caravan & Camping Site :** juste au-dessus du village. ☎ 330-123. Avr-oct. Compter £ 12-14 (18-21 €) pour une tente et 2 pers. Très simple mais agréable, avec une belle vue sur la ville et la campagne vallonnée.
⚊ **Brighouse Bay Holiday Park :** à env 6 miles (9 km) au sud de Kirkcudbright (prendre la direction de Borgue). ☎ 870-267. ● gillespie-leisure.co.uk/brighouse ● Ouv tte l'année. Compter £ 13-18 (19,50-27 €) pour deux avec une tente et une voiture, selon saison. Un véritable centre de vacances à deux pas de la plage. La nature alentour est superbe. Équipement et palette d'activités archicomplets : bar, resto, magasin, salle de muscu, piscine, golf, équitation, pêche, bowling et animation musicale durant l'été.

De prix moyens à chic

🛏 **The Royal Hotel :** Saint Cuthbert St. ☎ 331-213. ● theroyalhotel.net ● Env £ 60 (90 €) la double ou £ 75 (112,50 €) la familiale. Un hôtel aux chambres spacieuses. Fait aussi resto. Très animé lors du festival de jazz. Bon accueil.
🛏 **Florida House :** 31, Castle St. ☎ 330-351. Pâques-sept. Nuit £ 25 (37,50 €) par pers. Jolie façade bleu turquoise. Juste une chambre, correcte, avec salle de bains. Bon accueil et confitures maison pour le petit déj.
🛏 **Number 3 B & B :** 3, High St. ☎ 330-881. Env £ 30 (45 €) par pers. Non-fumeur. En face de la *Broughton House* (voir plus bas), dans une maison géorgienne. Trois chambres dont 2 mansardées, les plus sympas en fait, quoique la 3e soit très convenable aussi. Très chouette coin pour le petit déj, dans une salle basse et rustique, et magnifique petit salon (du XVIIe siècle !) avec piano et jeux d'échecs. Une belle adresse.

Où manger ?

Prix moyens

I●I **Auld Alliance Restaurant** · 5, Castle St. ☎ 330-569. Slt le soir. Résa conseillée. Compter £ 11-18 (16,50-27 €) pour un plat. Derrière une mignonne petite façade noir, blanc et rouge, un petit resto de très bonne tenue cuisinant les produits écossais « à la française ». Fruits de mer de 1ʳᵉ fraîcheur. Déco marine.

I●I **Selkirk Arms Hotel :** High St. ☎ 330-402. Plats £ 10-16 (15-24 €). Sans doute la meilleure adresse pour manger au pub. Cuisine écossaise réputée, à l'image du haggis servi dans sa version végétarienne. Les plats sont remarquables, il faut bien le dire. Un bon choix.

Chic

I●I **Kirkpatrick's Restaurant :** 29, Saint Cuthbert St. ☎ 330-888. Tlj sf lun. Slt le soir. Résa conseillée. Plats £ 15-18 (22,50-27 €). Salle quelcon-

que à l'étage d'un café, mais ne vous y fiez pas : l'endroit jouit d'une excellente réputation !

À voir

🎺 **MacLellan's Castle** (HS) : ☎ 331-856. En face de Harbour Sq. Avr-sept : 9h30-17h30. Entrée : £ 3,50 (5,30 €) ; réduc. Ruines d'un château du XVIᵉ siècle. De mi-juillet à fin août, concert de cornemuses tous les jeudis soir.

🎺 **High Street** et ses maisons à l'architecture variée mais pleines de charme. Jetez un coup d'œil aux passages (closes) pittoresques et, au bout, à la Market Cross et au Tolbooth (mairie-prison), preuve que la ville avait droit à sa propre juridiction. Celle-ci est à présent un Art Centre intéressant, avec une expo relatant les rapports entre la ville et ses peintres. Spectacle audiovisuel.

🎺🎺 **Broughton House and Garden** (NTS) : 12, High St. ☎ 330-437. Pâques-oct : 12h-17h sf mar mer sept-oct ; les jardins également fév-Pâques : 11h-16h. Fermé en hiver. Entrée : £ 8 (12 €). Musée de peinture dans une maison de style géorgien. Elle a appartenu au peintre Edward Hornel, membre de l'école de Glasgow. Influences impressionnistes très marquées dans certaines toiles. Tapis lumineux et frises antiques dans la galerie. Également de superbes jardins japonisants à l'arrière, aménagés par l'artiste lui-même.

🎺 **The Stewartry Museum :** Saint Mary St. ☎ 331-643. Mai-sept : lun-sam 10h-17h ; dim 14h-17h. Oct : lun-sam 11h-16h ; dim 14h-17h. Nov-avr : tlj sf dim 11h-16h. Entrée gratuite. Petit musée attachant, plein d'objets divers retraçant l'histoire naturelle et humaine de la région. Également quelques œuvres d'artistes locaux.

Manifestation

– **Kirkcudbright Jazz Festival :** en juin. Rens : ☎ 330-467. C'est sans doute l'époque la plus animée.

➤ DANS LES ENVIRONS DE KIRKCUDBRIGHT

🎺 🚶 **Gatehouse of Fleet :** à 8 miles (13 km) à l'ouest de Kirkcudbright par l'A 755. Ville autrefois prospère, vivant de constructions navales, de tanneries et de filatures. Tout son intérêt vient de sa cohérence architecturale, fruit du souci de planification urbaine dans lequel elle fut conçue à la fin du XVIIIᵉ siècle. Une attraction, *The Mill on the Fleet,* y draine les foules. *Avr-oct : tlj 10h30-17h.* Autour du thème de l'eau, dans une ancienne filature de coton, une sorte de reconstitution à la Disney de l'activité de la ville il y a 200 ans.

🎯 *Cardoness Castle* (HS) *: juste après Gatehouse of Fleet.* ☎ *814-427. Avr-sept : tlj 9h30-17h30 ; oct : fermé jeu-ven ; nov-mars : slt w-e 9h30-16h30. Fermeture des caisses 30 mn avt. Entrée : £ 3,50 (5,30 €) ; réduc.* Château-tour des MacCullough du XVᵉ siècle, situé sur un rocher à l'embouchure de la Fleet. Belle vue depuis la baie du parapet, où l'on peut observer le mouvement des marées.

NEWTON STEWART   3 600 hab.   IND. TÉL. : 01671

Sur la poissonneuse rivière Cree, petite cité bucolique qui commande l'entrée de la péninsule des Machars, et constitue la porte d'accès à l'immense forêt de Galloway, sillonnée de nombreux sentiers pédestres et cyclistes. Rien à voir de particulier en ville. En revanche, vous y trouverez de nombreuses possibilités d'hébergement pour explorer le Galloway Forest Park.

Arriver – Quitter

➤ Avec *Stagecoach,* prendre le bus n° 500 ou X75 pour *Dumfries* ou *Stranraer.* Le bus n° 430 assure la liaison avec *Stranraer* ; env 8 bus/j. Enfin, pour *Ayr,* prendre le bus n° 359 pour Girvan, puis le n° 60.

Adresses utiles

🛈 *Tourist Information Centre :* Dashwood Sq. ☎ *402-431. Avr-oct : lun-sam 10h-16h30 ; dim (sf oct) 12h-16h.*
◼ *Location de vélos :* au magasin HDI, 6, Victoria St, la rue principale. Newton Stewart offre de belles perspectives de balades comme Kirroughtree Forest à 5 km du village. La péninsule des Machars est tout aussi intéressante à découvrir en deux roues.

Où dormir ?

Bon marché

⚎ *Creebridge Caravan Park :* de l'autre côté de la rivière, à 300 m du centre. ☎ *402-324.* ● *creebridgecaravanpark.com* ● *Compter £ 10-16 (15-24 €) pour deux.* Gazon pas très bucolique mais parfait pour votre petite tente.
⚎ *Minnigaff Youth Hostel :* traverser le pont, puis prendre à gauche. ☎ *0870-155-32-55.* ● *syha.org.uk* ● *Ouv avr-sept. Nuit £ 13 (19,50 €).* Petite AJ dans une ancienne école. Près d'une quarantaine de couchages en dortoirs de 8 lits. Très fréquentée par les randonneurs en été.

Prix moyens

⚎ *B & B Kirwarlin :* 4, Corvisel Rd. ☎ *403-047. Avr-oct. Compter £ 22 (33 €) par pers.* Trois chambres (une simple et 2 doubles) qui se partagent une salle de bains. Impeccable, et bon accueil.

🛏 *Stables Guesthouse :* Corsbie Rd. ☎ 402-157. • stablesguesthouse. com • Compter £ 30 (45 €) par pers. Tout près du centre, un bien chouette B & B proposant une demi-douzaine de chambres, jolies et équipées de sanitaires. Petit salon pour les hôtes, avec jeux et livres ; véranda claire et agréable pour le petit déj. Un bon rapport qualité-prix.

🛏 *Flowerbank Guesthouse :* à Minnigaff. ☎ 402-629. • flowerbankgh. com • De l'autre côté de la rivière, un peu avt l'AJ. Compter autour de £ 27 (55,50 €) par pers. Dîner sur commande. Cinq chambres (dont 2 familiales) avec salle de bains. Si elles n'ont pas un charme fou, le couple de propriétaires s'investit dans son affaire... Excellente cuisine de Linda, concoctée à partir des légumes du potager ou encore des œufs du poulailler... Feu de cheminée dans le *lounge* et joli jardin donnant sur la rivière Cree.

Où manger ?

De bon marché à prix moyens

|●| *The Chatterbox :* Main St. Tlj sf dim 9h30-16h30. Gros sandwichs, soupes et baked potatoes env £ 4 (6 €). Pratique pour le midi. Bien aussi pour un café accompagné d'un *scone*.

|●| *Galloway Arms Hotel :* 50-53, Victoria St. ☎ 402-653. Compter £ 8-14 (12-21 €) pour un plat ; moins cher le midi. Dans cet ancien relais de poste, on sert une cuisine écossaise classique et revigorante. Vous pouvez aussi choisir la partie restaurant, un rien plus cher mais plus soigné.

Chic

|●| *Creebridge House Hotel :* de l'autre côté de la rivière, près du pont. ☎ 402-121. Plats £ 9-14 (13,50-21 €) au bar ; plus coûteux au resto. Adresse chère mais réputée. Pour ceux qui veulent faire un repas gastronomique.

➤ *DANS LES ENVIRONS DE NEWTON STEWART*

GALLOWAY FOREST PARK

L'attraction naturelle n° 1 du sud-ouest de l'Écosse, à découvrir à pied, à cheval, en voiture ou à vélo... par n'importe quel temps. Au programme : quelque 750 km^2 de landes, bruyères, lochs et conifères jalonnés de curiosités... naturelles mais aussi, par endroits, historiques.

🅸 *On trouve trois **Visitor Centres** aux abords du parc, ts ouv avr-sept, 10h-17h ; oct 10h-16h :*
– Kirroughtree : à moins de 5 km à l'est de Newton Stewart par l'A 75.
– Clatteringshaws : sur l'A 712, à une vingtaine de kilomètres au nord-est de Newton Stewart.
– Glen Trool : à une vingtaine de kilomètres au nord de Newton Stewart, par l'A 714.

➤ Chacun d'entre eux constitue le point de départ de diverses randonnées fléchées, de couleur, longueur et difficulté variables.

LA PÉNINSULE DES MACHARS

🎬 *Wigtown :* à 6 miles (env 10 km) au sud de Newton Stewart par l'A 714. Ce village littéraire s'est proclamé « National Book Town ». On ne trouve pas moins d'une vingtaine de boutiques vendant près de 250 000 livres, neufs et d'occasion.

DUMFRIES ET GALLOWAY

Le village organise même ses *Festivals du Livre,* le « Wigtown Spring Festival » en mai et le « Scottish Book Town Festival » en septembre.

🎭 *Whithorn :* à 22 miles (35 km) de Newton Stewart par l'A 714. C'est ici que la christianisation de l'Écosse a commencé, sous la direction de saint Ninian, venu d'Irlande aux alentours de l'an 400. Dans le village, près du prieuré, un musée *(HS)* abrite une incomparable collection de croix paléochrétiennes. À proximité, à l'ouest, une grotte naturelle aurait servi de refuge à saint Ninian.

STRANRAER   11 000 hab.   IND. TÉL. : 01776

Station balnéaire peu intéressante, mais c'est le port de départ pour l'Ulster (Irlande du Nord). C'est aussi la ville principale de la presqu'île du Rhins qui, elle, ne manque pas de centres d'intérêt.

Arriver – Quitter

En bus

➤ Avec *Stagecoach,* liaison avec **Ayr** en prenant le n° 360 puis le n° 58 en correspondance à Girvan. Autrement, le bus n° 430 assure la liaison avec **Newton Stewart** ; env 8 bus/j.

➤ Avec la compagnie *McCulloch,* prendre le n° 367 pour **Portpatrick** ; env 6 bus/j.

En train

➤ Environ 8 liaisons/j. avec **Ayr** et **Glasgow.**

Adresses et infos utiles

🏠 *Tourist Information Centre :* Harbour St. ☎ 702-595. Lun-sam 10h-16h (17h en hte saison) ; dim 12h-16h. Fermé dim sept-mars. Vous pouvez y acheter, sans commission, vos billets de ferry pour l'Irlande du Nord.

🚂 *Gare :* Ross Pier, à côté du terminal de la Stena Line.

🚌 *Les bus* partent de Port Rodie, devant le terminal de la Stena Line.

Liaisons en ferry avec l'Irlande du Nord

■ *Stena Line :* rens au ☎ 08705-70-70-70 ou ● stenaline.co.uk ● Env 8 liaisons/j. (incluant des départs la nuit) avec Belfast en bateau rapide (traversée : 1h45) ou en ferry ordinaire (3h15). Billets aller-retour valables un jour. Propose aussi des excursions tout compris à Belfast ou dans l'arrière-pays pour pas cher.

■ *P & O Irish Sea :* rens au ☎ 0870-24-24-777 ou ● poirishsea.com ● Jusqu'à 8 traversées/j. en hte saison, mais au départ de Cairnryan (à 9 km au nord de Stranraer) et à destination de Larne (à 30 km au nord de Belfast). Durée du voyage : 1h en *SuperStar Express,* 1h45 en ferry. Possibilité de tickets combinés avec d'autres lignes de la même compagnie, notamment Rosslare-Cherbourg.

Où dormir ?

Camping

🏕 *Aird Donald Caravan Park :* à l'entrée de la ville, sur la gauche en venant de Newton Stewart par l'A 75.

☎ 702-025. Avr-sept. Env £ 10 (15 €) pour deux. Sur une vaste et belle pelouse où s'ébattent des lapins.

Prix moyens

🛏 **Fernlea Guesthouse :** Lewis St. ☎ 703-037. ● fernleaguesthouse.co. uk ● Doubles £ 25 (37,50 €) par pers. Dans une solide bâtisse située non loin du centre, quelques chambres confortables à la décoration plutôt gaie. Accès Internet.

🛏 **Glenotter :** Leswalt Rd, à la sortie de la ville en prenant l'A 718 vers l'ouest. ☎ 703-199. ● glenotter.co.uk ● Chambres £ 23-28 (34,50-42 €) par pers. Le B & B se trouve à 1 km du centre, non loin du front de mer. Belles chambres très soignées, tout comme le jardin abondamment fleuri. Salon pour les hôtes.

Où manger ?

🍽 **L'Aperitif :** London Rd. ☎ 702-991. Fermé dim. Compter £ 11-16 (16,50-24 €) pour un plat ; moins cher le midi. Envie de côtoyer le Tout-Stranraer ? Bon, on exagère un peu, mais c'est vrai que cette grande maison blanche est assez populaire (mieux vaut réserver le w-e), et pour cause : on y mange plutôt bien. Pour le cadre en revanche, on repassera...

Où dormir ? Où manger dans les environs ?

🛏 **Melvin Lodge B & B :** South Crescent, Portpatrick (voir plus loin « Dans les environs de Stranraer »). ☎ 810-238. Compter £ 25 (37,50 €) par pers. Une dizaine de chambres, dont quelques familiales, certaines avec vue sur la mer et la plupart avec sanitaires privés. Très bien tenu. Salon à disposition et bon accueil.

🛏 **Carlton Guest House :** 21, South Crescent, Portpatrick. ☎ 810-253. Compter £ 25-28 (37,50-42 €) par pers selon chambre. Ambiance familiale dans cette maison au-dessus du port. Certaines chambres possèdent une superbe vue sur la mer d'Irlande. Toutes sont confortables et bien arrangées. La maison fait tearoom en journée et propose un petit déj végétarien sur demande.

🍽 **The Crown :** 9, North Crescent, à Portpatrick. ☎ 810-261. ● info@crown portpatrick.com ● Sur le front de mer. Plats £ 5-12 (7,50-18 €). Pub réputé pour servir les meilleurs bar meals du monde... euh, du coin. Cadre très chaleureux où l'on mange au coin de la cheminée, sur des tables fabriquées à partir d'anciennes machine à coudre. Poisson super-frais et belle viande. La terrasse sur le port est tout aussi agréable en été.

À voir

🎭 **Stranraer Museum :** George St (dans Old Town Hall). Lun-sam 10h-17h. Entrée gratuite. Pour se remettre les idées en place sur l'histoire de la région, avant de partir à sa découverte.

➤ DANS LES ENVIRONS DE STRANRAER

🎭🎭 **Glenluce Abbey** (HS) : près du village de Glenluce, à 15 km à l'est de Stranraer par l'A 75. ☎ (01581) 300-541. Avr-sept : tlj 9h30-17h30 ; oct : tlj sf jeu-ven 9h30-16h30 ; nov-mars : w-e slt. Fermeture des caisses 30 mn avt. Entrée : £ 3 (4,50 €) ; réduc. Ruines poétiques de l'abbaye cistercienne fondée au XIIe siècle, dont il ne subsiste que les fondations de l'église abbatiale, la maison du chapitre et les murs du cloître. L'alchimiste Michael Scott aurait réussi à y enfermer, sous une voûte, la peste qui ravageait la région.

DUMFRIES ET GALLOWAY

¶ *Castle Kennedy Gardens :* ● castlekennedygardens.co.uk ● *À 4 miles (env 7 km) de Stranraer, sur l'A 75. Avr-sept : tlj 10h-17h. Entrée : £ 4 (6 €) ; réduc.* Entre deux petits lochs, on découvre un château-tour en ruine entouré de magnifiques massifs de rhododendrons, d'azalées et de magnolias, dans un parc à la française. L'ensemble fut complété en 1864 par Lochinch Castle, résidence du comte de Stair.

¶¶ *Mull of Galloway :* les rivages sud de la presqu'île du Rhins of Galloway présentent des paysages de toute beauté, alternant entre plages de sable et falaises déchiquetées par les vagues de la mer d'Irlande. Grâce au Gulf Stream, le climat est d'une douceur permanente, ce qui permet aux plantes exotiques et subtropicales de pousser dans le fameux *Logan Botanic Garden,* près de Port Logan *(avr-sept : 10h-18h ; jusqu'à 17h mars et oct ; entrée : £ 3,50, soit 5,30 € ; réduc).* À la pointe Sud, les falaises du Mull of Galloway sont gérées par la *Royal Society for the Protection of Birds,* qui veille à la préservation des nombreuses espèces d'oiseaux qui y nichent. Du cap le plus au sud de l'Écosse, vue sur l'île de Man et l'Irlande du Nord.

¶¶ *Portpatrick : à 13 km à l'ouest par l'A 716 puis l'A 77. Bus n° 367 depuis Stranraer.* Coup de cœur pour ce petit port de pêche aux maisons colorées qui surplombent un sympathique front de mer. Churchill et Eisenhower avaient pris pour habitude de s'y retrouver pour des entrevues discrètes pendant la guerre.

L'AYRSHIRE

Si on ne vient pas dans la patrie de Robert Burns pour les paysages, moins spectaculaires que dans les autres régions d'Écosse, on y séjourne volontiers pour ses habitants, particulièrement accueillants. Et puis, rien ne vous empêche de faire comme les Glasgewians qui descendent ici le week-end, dans l'une des nombreuses stations balnéaires victoriennes de la côte. D'ailleurs, des lignes de bus régulières relient les principales villes.
Pour tt rens sur l'Ayrshire : ☎ *(01292) 678-100 ou* ● ayrshire-arran.com ●
Notre itinéraire remonte par l'A 77, le long de la mer d'Irlande et du Firth of Clyde.

Comment se déplacer dans l'Ayrshire ?

En bus

Pour les horaires, se renseigner auprès des compagnies suivantes :
➤ *Stagecoach West Scotland :* ☎ *0870-608-26-08.* ● *stagecoachbus.co.uk/ western* ●
➤ *Citylink* opère aussi quelques lignes dans la région. ☎ *08705-50-50-50.* ● citylink.co.uk ●
➤ *Infos sur tous les horaires avec* Traveline, ☎ *0870-608-26-08.* ● *traveline.org. uk* ●

En train

Trains réguliers sur la ligne *Glasgow-Stranraer,* longeant la côte. *Rens :* Scotrail, ☎ *08457-48-49-50 ou* ● firstgroup.com/scotrail ●

LA ROUTE CÔTIÈRE DE STRANRAER À AYR

🍴 *Ballantrae :* petite station balnéaire où l'on débouche sur la mer après avoir franchi le Glen App, étonnante préfiguration en miniature des paysages des Highlands.

🍴 *Girvan :* port animé d'où il est possible de rejoindre le sanctuaire des oiseaux qu'est *Ailsa Craig,* l'île en forme de meule de foin flottant sur l'eau que l'on aperçoit en permanence tout au long du voyage. Les fous de Bassan y pullulent. On peut y aller d'avril à septembre, mais la meilleure période va de fin mai à fin juin, lorsque les petits fous essaient d'apprendre à voler. *L'aller et retour prend 4-6h et coûte £ 14 env (21 €) par pers.* Achat des billets chez :
■ *Mark MacCrindle :* 7, Harbour St. ☎ (01465) 713-219. *Résa conseillée.*

➤ Girvan est aussi le point de départ pour l'exploration de la ***Carrick Forest,*** la partie nord du *Galloway Forest Park* (voir « Dans les environs de Newton Stewart », dans la partie « Dumfries et Galloway »). Randos à pied et à vélo.

🍴🍴🍴 *Culzean Castle* (NTS) : prononcer « Couléine ». *Dans la baie de Culzean, à une vingtaine de kilomètres au sud de Ayr par l'A 719.* ☎ 0844-493-21-49. *Bus n° 60 depuis Ayr ou Girvan. Pâques-oct : tlj 10h30-17h (dernière admission à 16h). Le parc est toujours accessible, de 9h30 au coucher du soleil. Entrée : £ 12 (18 €) pour le château et les jardins ; £ 8 (12 €) pour les jardins seuls ; réduc.* Dans chaque pièce du château, fiches descriptives en français très bien faites.
Une des plus belles réalisations de la famille Adam, dans un environnement de rêve, perché sur une falaise. Propriété traditionnelle du clan Kennedy et des comtes de Cassilis, le manoir, d'origine féodale, fut profondément remanié par Robert Adam qui pimenta la trace médiévale de condiments néoclassiques. Le résultat de cette mixture, à priori indigeste, est une réussite géniale. L'aspect extérieur de forteresse un peu moyenâgeuse est contrebalancé par un intérieur raffiné où le credo classique des *Adam brothers* (Robert et James) éclate en particulier dans l'*escalier ovale,* chef-d'œuvre d'élégance et de sobriété.
La visite débute par un hall d'entrée aux délirantes panoplies de pistolets, sabres, baïonnettes, couleuvrines et bombardes. Puis, dans la très smart salle à manger, on découvre les portraits d'une poignée de Kennedy (qui s'appellent tous Archibald), avant de pénétrer dans le salon en rotonde, contrastant par ses tons pastel et ses stucs délicats avec la nature sauvage que l'on aperçoit par les fenêtres. Les pièces suivantes, décorées, entre autres, de peintures marines, rivalisent d'élégance et d'harmonie par leurs tons subtils et leur mobilier choisi. Enfin, on arrive dans la grande cuisine, où l'on voit une broche tourner grâce au système (recréé) de l'époque. Après 1945, une partie des appartements fut réservée à vie au général Eisenhower, en hommage aux services rendus à la cause alliée. Il en profita largement.
Nombreuses manifestations dans le château et son parc, notamment des concerts classiques.

⛺ *Camping du château de Culzean :* ☎ (01655) 760-627. *Avr-oct. Résa impérative en été. Prévoir £ 20 (30 €)* | *pour 2 pers et une tente.* En bordure de mer, avec une vue superbe.

🍴 *Electric Brae :* curiosité naturelle entre Croy et Dunure. On croyait auparavant qu'il s'agissait d'un phénomène électrique, ce n'est en fait qu'une illusion d'optique qui vous fait croire que la déclivité de la route est dans un sens, alors qu'en fait elle est dans l'autre ! Stoppez, mettez au point mort et vous verrez, c'est surprenant !

🍴🍴 *Crossraguel Abbey* (HS) : entre Maybole et Kirkoswald sur l'A77. *Avr-sept : 9h30-17h30. Entrée : £ 3,50 (5,30 €) ; réduc.* Ruines de l'abbaye bénédictine

L'AYRSHIRE

de 1244 qui prospéra jusqu'au XVI⁰ siècle grâce au savoir-faire des bons moines qui, vous le verrez, élevaient des pigeons tant pour leur chair que pour leurs œufs.

🍴 **Dunure :** petite localité qui a aussi ses ruines au bord de la mer. Très sympa et tranquille. Port croquignolet. On y trouve une sympathique auberge.

|●| **Anchorage Inn :** sur le minuscule port de Dunure. ☎ (01292) 500-295. Venez tôt ou réservez. Déj £ 12 (18 €) ; le soir, compter £ 8-14 (12-21 €) pour un plat à la carte. Agréable auberge où il fait bon manger, après une promenade vivifiante sur la plage aux environs du sinistre château. Cuisine très correcte. Très fréquenté le week-end.

AYR

46 000 hab.   IND. TÉL. : 01292

Ancien port de commerce avec la France et les Antilles, Ayr est devenu une opulente station balnéaire en vogue à l'époque victorienne. Des wagons entiers de citadins tout étonnés de découvrir la mer débarquaient. On y retrouve tous les attributs des villégiatures du genre : longue plage de sable, hippodrome, parc d'attractions, golf, esplanade en front de mer et faubourgs chicos. Robert Burns y a sa statue en plein centre, et son souvenir est évoqué à tous les coins de rue.

Arriver – Quitter

En bus

Avec *Stagecoach* :
➢ Pour **Glasgow** (1h30 de trajet) et l'aéroport de Prestwick (à 15 mn), le bus express n° X77 est le plus rapide. Ttes les 30 mn en sem ; moins fréquent le dim. Le n° 4 assure aussi cette liaison.
➢ Pour **Stranraer,** prendre le n° 58 puis le n° 360 en correspondance à Girvan.
➢ Le bus n° 585 permet de remonter la côte ouest jusqu'à **Greenock** en passant par **Largs.** Service assez fréquent : ttes les 30 mn, sf dim.
➢ Pour **Newton Stewart,** prendre le bus n° 60 pour Girvan, puis le n° 359.

En train

➢ Liaisons régulières avec **Glasgow Central** (à 1h env). Également 6 trains/j. pour **Stranraer** (1h20 de trajet) avec un arrêt à **Girvan.** Quelques trains slt le dim.

En avion

L'aéroport de **Prestwick** se trouve à 6 km au nord de Ayr. Rens au ☎ 0871-223-07-00. ● www.gpia.co.uk ●
Il accueille surtout les compagnies *low-cost* telles que *Ryanair* (voir « Comment y aller ? » en début de guide).
– Bon à savoir : à la descente de l'avion, pour se rendre à leur destination finale en Écosse, ou pour revenir à l'aéroport, les voyageurs munis d'un billet *Ryanair* (ou d'une réservation sur Internet) bénéficient d'un trajet en train à moitié prix dans tout le pays ! Le préciser au guichet de la gare et présenter son billet au contrôleur du train.

Adresses utiles

🛈 **Tourist Information Centre** (plan B1) : 22, Sandgate. ☎ 0845-225-51- | 21. Lun-sam 9h-17h ; juil-août : tlj 9h-18h. Compétent pour toute la région

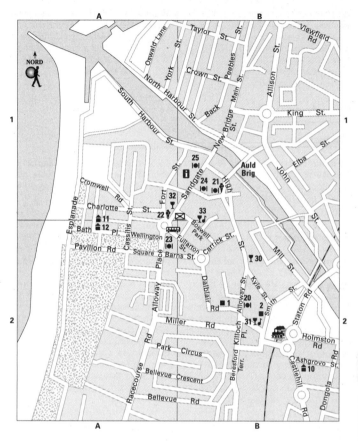

AYR

■ **Adresses utiles**

🚩 Tourist Information Centre
🚂 Gare ferroviaire
🚌 Gare routière
✉ Poste
1 Location de vélos
2 Laverie

🏠 **Où dormir ?**

10 Heston Guesthouse
11 Daviot Guesthouse
12 Craggallan Guesthouse

🍽 🍦 **Où manger ? Où déguster une glace ?**

20 Dino's
21 Pumpernickel
22 Renaldo's
23 The Rupee Room
24 Le Caprice
25 Fouters

🍷 ♪ **Où boire un verre ? Où sortir ?**

30 Tam O'Shanter Inn
31 O'Brien's
32 The J.D. Wetherspoon
33 The 4 Cats

d'Ayrshire et l'île d'Arran.

🚂 **Gare ferroviaire** *(plan B2) :* à moins de 10 mn à pied au sud-est du centre.

🚌 **Gare routière** *(plan A-B2) :* sur Sandgate, en plein centre.

■ **Location de vélos** *(plan B2, 1) :* AMG Cycles, 55, Dalblair Rd. Tlj sf dim.

■ **Laverie** *(plan B2, 2) :* Wash + Dry Laundry, 28, Smith St. Fermé dim.

✉ **Poste** *(plan A-B1) :* sur Sandgate. Tlj sf dim 9h-17h. Fait bureau de change.

■ **Taxi :** file d'attente sur Smith St (plan B2), en face de la gare.

Où dormir ?

Camping

⛺ **Heads of Ayr :** à 5 miles (8 km) au sud d'Ayr, sur l'A 719. ☎ 442-269. ● headsofayr.com ● Entre la route côtière et le bord de mer. Bus n° 361. Mars-oct. Compter £ 10-17 (15- 25,50 €) pour deux selon saison. Un chouette camping offrant juste quelques emplacements pour les tentes. Boutique, bar et resto.

Prix moyens

🏠 **Heston Guesthouse** *(plan B2, 10) :* 19, Castlehill Rd. ☎ 288-188. ● heston guesthouse.co.uk ● Tt près de la gare. Env £ 22 (33 €) par pers. Deux chambres correctes, sans plus, qui se partagent une jolie petite salle de bains en bois. Bien tenu cela dit, et pas trop cher. Accueil agréable.

🏠 **Daviot Guesthouse** *(plan A1-2, 11) :* 12, Queens Terrace. ☎ 269-678. ● daviothouse.com ● Compter £ 27-33 (40,50-49,50 €) par pers ; également une chambre familiale. Dîner sur demande. Situation centrale, à quelques pas du front de mer. Accueil chaleureux et chambres bien aménagées, chacune avec salle de bains. Une très bonne adresse.

🏠 **Craggallan Guesthouse** *(plan A2, 12) :* 8, Queens Terrace. ☎ 264-998. ● craggallan.com ● À 10 m de la Daviot Guesthouse. Compter £ 28 (42 €) par pers. Un bon choix là aussi. Les chambres, avec salle de bains, sont très soignées et convenablement arrangées. Accès Internet.

Où manger ? Où déguster une glace ?

Bon marché

|●| **Dino's** *(plan B2, 20) :* sur Robert Burns Sq. L'un des meilleurs fish and chips de la ville.

|●| 🍴 **Pumpernickel** *(plan B1, 21) :* 32, Newmarket. Tlj 9h-17h. Une épicerie fine proposant de délicieux sandwichs et desserts £ 3-5 (4,50-7,50 €). L'établissement installe quelques tables dans la rue piétonne et prépare des glaces artisanales ainsi que du vrai café.

🍴 **Renaldo's** *(plan A1, 22) :* 98, Sandgate. Le glacier offrant le meilleur choix de la ville. C'est devenu une véritable institution et la boutique vend même toutes sortes de souvenirs si l'attente se fait longue.

Prix moyens

|●| **The Rupee Room** *(plan A2, 23) :* 26A, Wellington Sq. ☎ 283-002. Autour de £ 8 (12 €) le plat. La cuisine est tout simplement excellente et préparez-vous à faire un festin. Rien que du bon, les plats sont épicés à merveille. On voit même les cuisines, rare...

|●| **Le Caprice** *(plan B1, 24) :* 48, Newmarket St. Pâtes et pizzas autour de £ 7 (10,50 €) ; à la carte, compter £ 7-13

(10,50-19,50 €) pour un plat. Dans une rue piétonne qui part de Sandgate, bistrot sympa façon brasserie à l'anglaise. Cuisine continentale assez variée et plutôt correcte. Pas mal de monde les soirs de week-end. *Également une adresse à Prestwick (112-114, Main St).*

Chic

|●| *Fouters (plan B1, 25) :* 2A, Academy St. ☎ 261-391. Non loin du Caprice. Fermé dim et lun. Résa conseillée. Plats £ 15-20 (22,50-30 €) ; moins cher le midi (chef's specials à partir de £ 6, soit 9 € !). Également des formules avantageuses 17h-19h. La meilleure adresse d'Ayr, plutôt chic. Décor raffiné, produits locaux : viande, gibier et poisson préparés avec inspiration et originalité, et des vins à vous faire oublier la nostalgie du terroir.

Où boire un verre ? Où sortir ?

🍺 *Tam O'Shanter Inn (plan B2, 30) :* 230, High St. En plein centre. Encore Burns, puisque c'est d'ici que Tam, le personnage du poème épique le plus connu du barde écossais, partit pour vivre sa nuit de folie. Chouette atmosphère de pub.

🍺 ♩ *O'Brien's (plan B2, 31) :* pub irlandais sur Smith St (près de la gare), en face de la statue de... *Robert Burns.* Le plancher a dû se ramasser des hectolitres de *Guinness.* Clientèle nombreuse et éclectique, en particulier les soirs de *live music,* le vendredi et le samedi.

🍺 *The J.D. Wetherspoon (plan A1, 32) :* Sandgate St. À ceux qui ne connaissent pas la chaîne *J.D. Wetherspoon,* on signale qu'il s'agit d'établissements servant de l'alcool à des prix imbattables, toujours dans de vastes endroits réaménagés. Celui-ci s'est installé dans une ancienne église. Original.

🍺 ♩ *The 4 Cats (plan B1-2, 33) :* à l'angle d'Arthur St et Boswell Park. Un gros pub où la clientèle, en surnombre le week-end, se déhanche comme elle peut face à un écran géant...

À voir

⚜ *Auld Brig (plan B1) :* pont du XIIIe siècle encore pavé et chanté par l'ineffable Burns.

Manifestation

– *Burns an' a' that Festival :* rens ☎ 290-300. ● burnsfestival.com ● Pdt 1 sem, vers fin mai. Un festival mettant en scène des interprétations de Robert Burns par des artistes contemporains.

➤ DANS LES ENVIRONS D'AYR

⚜ *Robert Burns' Cottage and Museum (NTS) :* à **Alloway,** une banlieue chic à 3 miles (env 5 km) au sud d'Ayr. ☎ 443-700. ● burnsheritagepark.com ● Compter 10 mn avec le bus n° 57. Tlj 10h-17h30 (17h en hiver). Entrée : £ 4 (6 €). Petite chaumière ravissante où naquit Robert Burns, le 25 janvier 1759... Si le cœur vous en dit, vous pouvez effectuer le *Burns Heritage Trail* qui mène au *Burns Monument* (où il est enterré ; curieux, ne l'était-il pas déjà à Dumfries ?), en passant par *Tam O'Shanter Experience* (inspiré de son poème le plus connu) et *Brig O'Doon,* le pont où Tam échappa aux sorcières. Si vous voulez à tout prix épuiser le sujet, on vous signale charitablement qu'il vous faudra encore passer par le *Bachelors Club* à

Talborton, le *Burns Club and Museum* à Irvine, le *Burns House Museum* à Auchline, etc. N'en demandez pas plus, la coupe est pleine. En cas de contagion grave, contactez l'office de tourisme le plus proche, ils vous trouveront bien encore quelques Burns à grignoter.

🍴 *Troon :* sur la côte au nord d'Ayr. Il s'agit d'un centre de villégiature attirant golfeurs et estivants. Il rappellera certaines stations balnéaires normandes.

⚓ D'Ardrossan, après Irvine, partent les ferries pour l'*île d'Arran.*

LARGS

11 000 hab.

IND. TÉL. : 01475

Largs, où l'on vient pratiquer la voile. Les Vikings quittèrent définitivement les côtes d'Écosse en 1263. Un monument en forme de minaret commémore la bataille au cours de laquelle les Écossais les chassèrent, mais un festival viking se tient toujours tous les ans en août et septembre pour se souvenir, sans doute, des frayeurs que leurs raids provoquaient. À part ça, ville touristique sans grand intérêt où flottent, l'été, quelques odeurs de barbe à papa. Juste bien comme point de chute d'une nuit sur la côte, ou comme point de départ pour l'île de Cumbrae. En revanche, belle balade en voiture jusqu'à Glasgow par la côte, avec l'île de Bute en toile de fond.

Arriver – Quitter

En bus

➤ Pour *Glasgow,* prendre le n° 906 avec *Citylink* ; 3 bus/j. en sem.
➤ Avec *Stagecoach,* le bus n° 585 longe la côte ouest jusqu'à *Ayr* et à *Greenock* dans l'autre direction. Service assez fréquent : ttes les 30 mn, sf dim.

En train

Largs est le terminus de la ligne depuis Glasgow. Liaisons régulières (ttes les heures) avec *Glasgow.* Prévoir 1h de trajet.

Adresse utile

🛈 *Tourist Information Centre :* The Promenade. ☎ 0845-225-51-21. Avr-oct : tlj sf dim 9h-17h.

Où dormir ? Où manger ? Où sortir ?

🏠 *Carlton Guesthouse :* 10, Aubery Crescent. ☎ 672-313. ●carltonguesthouse.co.uk ● Compter £ 28-39 (42-58,50 €) par pers. Agréablement situé, juste en face de l'île de Cumbrae. Quatre chambres bien tenues et plutôt agréables, avec ou sans salle de bains. Trois d'entre elles ont vue sur la mer. Bon accueil.

🍴🍷♪ *The Lounge :* à l'étage au 33-43, Main St, au-dessus de la Royal Bank of Scotland, tout près du terminal de ferries. ☎ 689-968. Belle carte affichant des plats £ 8-12 (12-18 €). L'adresse jeune et branchée de la ville. Déco tout en bois dans une vaste salle plutôt classieuse, avec lustres et cheminée. Le soir, dîner aux chandelles, parfois sur fond de jazz. En été, possibilité de manger sur la terrasse du toit. Enfin, le week-end côté bar, l'établissement ouvre 2 salles supplémentaires et se transforme en boîte de nuit. Une ambiance résolument différente !

➤ *DANS LES ENVIRONS DE LARGS*

🎥🎥 ***L'île de Cumbrae :*** *on l'atteint en une dizaine de minutes par ferry (départ ttes les 30 mn).* Pas loin de Glasgow et pourtant sauvage. Il faut s'y promener à vélo pour profiter de ses charmes aux dimensions modestes (possibilité de louer un vélo – et de camper – à Millport). Cumbrae s'enorgueillit de posséder la plus petite cathédrale d'Europe. Et puis, encore au programme : voile, pêche, plongée et observation d'oiseaux. Il n'est pas rare non plus de croiser des phoques, voire un dauphin, dans le Firth of Clyde.

🎥 ***Greenok :*** *à env 13 miles (20 km) au nord de Largs. En venant de Gourock, montez jusqu'à Lyle Hill.* Là, petit monument érigé en l'honneur des marins français postés à Greenok et morts pendant la Seconde Guerre mondiale. Somptueux couchers de soleil sur la péninsule de Bute.

L'AYRSHIRE

LE CENTRE

Juste au nord d'Édimbourg et de Glasgow, et jusqu'à la limite des Highlands, le centre de l'Écosse présente deux visages : mi-industriel dans le triangle Édimbourg-Glasgow-Stirling, agricole vers la péninsule de Fife et l'Angus. Sans avoir la notoriété des Highlands, il offre un éventail de villes, villages, sites historiques et de paysages uniques. On pense notamment à Stirling, Saint Andrews et la côte sud de Fife, mais aussi aux Trossachs et aux *glens* de l'Angus. L'idéal, grâce à sa proximité avec Édimbourg et Glasgow, serait de pouvoir faire une balade à la fraîche dans les collines des Trossachs, visiter la capitale historique de Stirling, puis terminer dans un bon resto de poisson dans l'un des charmants villages de Fife. Le tout en deux journées bien remplies !

STIRLING ET LES TROSSACHS

– Infos touristiques sur • visitscottishheartlands.com • Valable aussi pour l'Argyll et le Loch Lomond.

STIRLING   46 000 hab.   IND. TÉL. : 01786

Agréable ville située à 46 km au nord-est de Glasgow, Stirling mérite un détour pour son beau château dominant la campagne et pour son histoire, une des plus chargées d'Écosse. Pittoresque vieux quartier autour du château. Pour le reste, on ne s'y éternise pas, la partie moderne de la ville manquant d'animation.

UN PEU D'HISTOIRE

Entre Glasgow et Édimbourg, Stirling occupa de tout temps une position stratégique très importante, âprement disputée par les troupes écossaises et anglaises. Parmi les plus fameuses batailles, celle du pont de Stirling, livrée en 1297 par William Wallace, est célébrée dans toute l'Écosse comme le symbole de la lutte pour la liberté. C'est également à Bannockburn, au sud de la ville, que Robert the Bruce infligea, en 1314, une sévère défaite aux Anglais. Jacques VI, le fils de Marie Stuart fut couronné alors qu'il était enfant dans l'église paroissiale. En 1746, lors de la dernière guerre pour l'indépendance de l'Écosse, Bonnie Prince Charlie échoua dans sa tentative de s'emparer de la citadelle.

Arriver – Quitter

En bus

▰▰▰ **Gare routière** *(plan B2)* **:** Goosecroft Rd ; en dessous du centre commercial Thistles Marches. *Infos générales sur le site • traveline.org.uk • ou* ☎ *0870-608-26-08.*

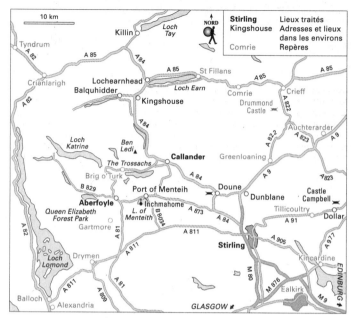

STIRLING ET LES TROSSACHS

➢ *Scottish Citylink :* ☎ *08705-50-50-50.* ● *citylink.co.uk* ● Elle relie Stirling à *Glasgow, Édimbourg, Perth, Dundee* et *Aberdeen* ttes les heures. La compagnie assure également des liaisons avec *Callander, Tyndrum, Glencoe* et *Fort William* (3 bus/j.).

➢ *First Edinburgh : à la gare routière.* ☎ *0870-608-26-08* (Traveline). ● *firstgroup. com* ● Elle est en charge des lignes vers le *Loch Lomond, Dunfermline, Perth, Saint Andrews, Callander, Aberfoyle, Killin.*

➢ *Pour les Trossachs :* voir plus loin le *Trossachs Trundler* dans la partie consacrée aux Trossachs, rubrique « Transports ».

En train

🚉 *Gare ferroviaire* (plan B2) : Goosecroft Rd, non loin de la gare routière.
➢ Stirling est vraiment au centre du réseau ferroviaire. Trains de et vers *Glasgow, Édimbourg, Perth, Dundee* et *Aberdeen. Rens :* Scotrail, ☎ *08457-48-49-50.* ● *firstgroup.com/scotrail* ●

Adresses utiles

ℹ *Tourist Information Centre* (plan B2) : 41, Dumbarton Rd. ☎ 475-019. ● vi sitscotland.com ● Avr-mai : tlj sf dim 9h-17h ; juin : lun-sam 9h-18h (dim 10h-16h) ; juil-août : lun-sam 9h-19h (dim 9h30-18h) ; de début sept à mi-oct : lun-sam 9h-16h ; de mi-oct à fin mars : tlj sf dim 10h-17h. Très bien documenté :

livres, cartes routières et pédestres, etc. – Autre bureau au château (plan A1), avec boutique et commentaire didactique. Au fond, rampe en hélice avec images et décor sonore pour revivre Stirling dans le passé. Film d'une dizaine de minutes.

@ *Internet* (plan B2) : à la Public Library,

Corn Exchange Rd. Tlj sf dim 9h30-17h30 (19h mar et jeu ; 17h sam). Gratuit. Présenter une pièce d'identité.
☒ **Poste** *(plan B2) : Maxwell Pl. Tlj sf sam ap-m et dim, 9h30-17h30.*
■ *Quelques* **Bus Tours** *sont organisés de mai à oct pour découvrir la ville. Rens :* ☎ *446-611.* ●*citysightseeingstir*

ling.co.uk ● *Assez cher.*
■ *Scottish Youth Hostels Association (plan A2, 1) : 7, Glebe Crescent.* ☎ *891-400 ou 08701-55-32-55.* ●*syha. org.uk* ●*Lun-ven 9h-17h.* C'est le siège national des AJ. Pour toute correspondance, renseignements sur place et réservations.

Où dormir ?

Camping

⚐ **Witches Craig Caravan & Camping Park :** *sur l'A 91, en direction de Saint Andrews, à 2 miles (3 km) de Menstrie.* ☎ *474-947.* ●*witchescraig.co.uk* ●*Bus depuis le centre-ville. Emplacements £ 13-15 (19,50-22,50 €) selon saison. Caution de £ 5 (7,50 €) pour la clé des*

sanitaires. Terrain arboré au pied des Ochils Hills, propices à de bien belles balades. Emplacements agréables, blocs sanitaires propres, aire de jeux pour les enfants et vue sur le Wallace Monument pour couronner le tout.

Bon marché

🛏 **Youth Hostel** *(plan A2, 10) : Saint John St.* ☎ *0870-004-11-49.* ●*syha.org. uk* ● *Dans la montée, vers le château. Tte l'année. Env £ 16 (24 €) la nuit en hte saison.* Plus qu'une reconversion, c'est une vraie métamorphose ! Seule la façade de style palladien rappelle l'ancienne église du XVIIᵉ siècle. Pour le reste, cette AJ située en plein centre historique joue à fond la carte de la modernité : chambres de 2, 4, 5 ou 6 lits impeccables, toutes équipées de salle de bains. Confortable, mais un brin de

fantaisie dans la déco ne serait pas superflu. Internet, laverie, billard.
🛏 **The Willy Wallace Backpackers Hostel** *(plan B2, 11) : 77, Murray Pl.* ☎ *446-773.* ●*willywallacehostel.com* ● *Compter £ 14 (22,50 €) la nuit en dortoir 6-16 lits. Sinon, 2 doubles £ 35 (52,50 €). Également des chambres familiales et un appartement avec trois chambres.* Salle commune chaleureuse, ornée de toiles amusantes, avec TV et Internet. Pas de petit déj, mais thé ou café offert. Accueil très limité.

Prix moyens

🛏 **Munro Guesthouse** *(plan B1, 12) : 14, Princes St.* ☎ *472-685.* ●*munrogues thouse.co.uk* ● *Double £ 27 (40,50 €) par pers avec ou sans sdb ; également une chambre familiale.* Tous les avantages du centre-ville sans les inconvénients. Ce B & B sympathique occupe un secteur stratégique mais profite du calme d'une impasse épargnée de fait par la circulation. Chambres pas bien grandes mais gaies et confortables. Salon agréable pour les hôtes, décoré dans une tonalité zen. Accueil simple et souriant.
🛏 **Castlecroft** *(plan A1, 13) : Ballengeich Rd.* ☎ *474-933.* ● *castlecroft.uk.*

com ● ♿ *Compter £ 28-30 (42-45 €) par pers selon saison ; une chambre familiale ; réduc selon durée du séjour.* Cette maison moderne lumineuse occupe le site des anciennes écuries du château, une colline boisée presque à la verticale des falaises où s'agrippent ses fortifications. Vue formidable sur la campagne environnante depuis le salon. Si les chambres ne profitent pas toutes de cette vue (préférez les nᵒˢ 1, 2 et 3), elles s'avèrent très confortables. Agréable jardin et bon accueil.
🛏 **Argyll House** *(hors plan par B1, 14) : 26, Causewayhead Rd.* ☎ *478-864.* ●*ar gyllhouse.com* ● *Dans une rue qui*

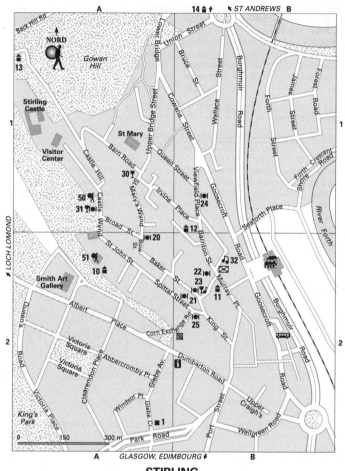

STIRLING

■ **Adresses utiles**	21 Old Town Coffee House
🚩 Tourist Information Centre	22 Barnton Bar & Bistro
🚂 Gare ferroviaire	23 No. 2 Baker Street
🚌 Gare routière	24 East India Company
✉ Poste	25 Varsity
📷 Public Library	
1 Scottish Youth Hostels Association	🍸♪♫ **Où boire un verre ?**
	Où sortir ? Où danser ?
🏠 **Où dormir ?**	
10 Youth Hostel	23 No. 2 Baker Street
11 The Willy Wallace Backpackers	30 Settle Inn
Hostel	31 Portcullis Hotel
12 Munro Guesthouse	32 Fubar Disco
13 Castlecroft	
14 Argyll House	🏃 **À voir**
|●| **Où manger ?**	50 Argyll's Lodging
20 Darnley Coffee House	51 Stirling Old Town Jail

regorge de B & B à deux pas du Wallace Monument. Bus n° 62 (orange) depuis le centre-ville. Fermé déc-janv. Compter £ 28 (42 €) par pers. Maisonnette classique de faubourg, tenue par un couple de retraités gentils comme tout. Chambres coquettes de maison de poupée, donnant sur un jardin ou sur la rue principale, très passante, et la station-service... mais la vue sur le Wallace Monument rattrape ce petit désagrément ! Petit déjeuner ultra-copieux, avec *haggis.*

Où dormir dans les environs ?

🏠 *B & B Inverardoch Mains Farm :* à Doune, près de Dunblane, au nord de Stirling. ☎ 841-268. En sortant de Doune vers Dunblane, prendre à droite vers Bridge of Allan. Mars-oct. Compter env £ 23 (34,50 €) par pers. Perdue en pleine campagne, une ferme où l'on élève des vaches et des chevaux, qui se distingue par sa vieille tour fortifiée. Trois chambres sans prétention, lumineuses et spacieuses. Notre préférée est la n° 1, avec une vue superbe sur la rivière Teith et le château de Doune. Accueil adorable et attentif.

Où manger ?

|●| *Darnley Coffee House (plan A2, 20) :* 18, Bow St. Lun-sam 10h30-16h ; dim 16h-16h. Petits plats £ 3-5 (4,50-7,50 €). Cette maison du XVI° siècle fut la résidence de Lord Darnley, époux de Marie Stuart. Son enfilade de petites salles voûtées en pierre apparente n'accueille pas un caviste, mais un charmant café aux allures de salon de thé. Bons gâteaux, et une sélection de délicieux sandwichs et de bons petits plats, chauds ou froids.

|●| *Old Town Coffee House (plan B2, 21) :* 40, Spittal St. Service tlj jusqu'à 17h. Plats £ 3-6 (4,50-9 €). Un tearoom simple et impeccable, où l'accueil est fort souriant, les fleurs fraîches égayent les tables et les *scones* sont ultrafrais. Petite restauration faite de soupes, *baked potatoes* et paninis. Une pause agréable à la fin du tour de la vieille ville.

|●| *Barnton Bar & Bistro (plan B2, 22) :* 3, Barnton St. Plats £ 4-6 (6-9 €). Service jusqu'à 21h30. Un vrai bistrot avec carrelage, tables marbrées et miroirs à l'effigie de différents spiritueux. Cuisine simple dans le même esprit brasserie, genre croque-monsieur, soupe, *baked potatoes*, renforcée tout de même par une sélection de plats classiques régionaux. Jeux de fléchettes, flipper et baby-foot (rare en Écosse) dans la salle du fond. Beaucoup d'étudiants le midi et quelques soirées à thème.

|●| *No. 2 Baker Street (plan B2, 23) :* au 2, Baker St, pardi ! Service jusqu'à 20h30. Plats £ 6-9 (9-13,50 €). Concert folk mer ; rock dim. N'y cherchez pas Sherlock Holmes, l'Écossais Conan Doyle a situé sa *Baker Street* en plein Londres. En revanche, touristes et locaux fidèles apprécient ce petit pub sans prétention pour ses concerts folk et ses soirées animées, même si la rénovation a condamné la patine qui faisait beaucoup de son charme. Cuisine simple de pub, du *fish and chips* au *steak pie.*

|●| *East India Company (plan B1, 24) :* 7, Viewfield Pl. ☎ 447-770 ou 471-330. Tlj le soir slt jusqu'à env 23h. Plats £ 9-13 (13,50-19,50 €). Formule buffet intéressante (3 plats copieux). En sous-sol, un charmant restaurant indien, façon vieux pub chic : portraits des dirigeants de la Compagnie des Indes, boiseries, lumières tamisées. Excellente cuisine très copieuse, parfumée et épicée selon les goûts. Service lent.

|●| *Varsity (plan B2, 25) :* 1, Corn Exchange St (à l'angle de King St). ☎ 461-041. Tlj jusqu'à 21h pour le resto, plus tard pour le bar. Plats £ 4-6 (6-9 €). Un vaste *open space* design et branché, réunissant un coin salon confortable, une partie bar et une mezzanine pour avaler un morceau. *Bar meals* empreints de saveurs internationales.

Où boire un verre ? Où sortir ? Où danser ?

♟ *Settle Inn* (plan A1, *30*) : 91, Saint Mary's Wynd, dans une rue parallèle et en contrebas de celle du château. Tlj 12h30-minuit (1h w-e). Le plus vieux pub de la ville (1733) séduit les amateurs de vieilles enseignes (rien d'ancien dans le décor, toutefois). Les habitués y sont pour beaucoup accoudés sans façons au bar ou profitant du confort de ses banquettes.

♟ |●| *Portcullis Hotel* (plan A1, *31*) : Castle Wynd. Tlj 11h30-minuit. À côté du château. Petit pub de caractère, bardé de boiseries et de banquettes où l'on s'enfonce avec délectation. Atmosphère conviviale, parfois très animée en soirée, lorsque touristes et habitués font connaissance. Quelques tables en terrasse et une cuisine de pub soignée complètent un tableau déjà flatteur.

♟ ♪ *No. 2 Baker Street* (plan B2, *23*) : voir « Où manger ? ».

♫ *Fubar Disco* (plan B2, *32*) : 6, Maxwell Pl. Le repaire des étudiants de Stirling, même si certains trouvent la boîte un tantinet ringarde et préfèrent descendre sur Édimbourg et Glasgow. Musique disco.

À voir

⚒⚒⚒ *Le château* (HS ; plan A1) : ☎ 450-000. Avr-sept : tlj 9h30-18h ; oct-mars : tlj 9h30-17h. Dernière admission 45 mn avt la fermeture. Entrée : £ 8,50 (12,80 €) ; réduc. Audioguide en sus £ 2 (3 €). Le ticket d'entrée donne droit à la visite de Argyll's Lodging (voir ci-après). Parking payant. Attention, le château est en cours de restauration (vraisemblablement jusqu'en 2013) ; du coup, les pièces ferment à tour de rôle. Dans les anciennes casemates, situées aussitôt à gauche après la porte intérieure, une expo-animation (traductions en français) présente clairement les grandes lignes de l'histoire du château et toutes les étapes de sa restauration en cours.

Depuis le XIIᵉ siècle, un château occupe l'éperon rocheux dominant Stirling, mais la forteresse dans sa version Renaissance actuelle date principalement des XVᵉ et XVIᵉ siècles. Tout un coin de campagne autour du château n'ayant pas été urbanisé, le panorama porte loin sur les plaines et permet de mieux comprendre la valeur stratégique du site... que les nombreuses batailles livrées dans les parages se chargent de rappeler !

Le principal point d'intérêt est le palais Renaissance de Jacques V, édifié en 1538. Étonnante décoration de la façade, richesse des ornements, des gargouilles et sculptures qui rappellent le style manuélin faisant fureur à l'époque au Portugal. Dans la cour principale, le *Great Hall* a retrouvé sa splendeur d'antan après 35 ans de travaux. Ce beau bâtiment de style gothique tardif, construit en 1500, avait beaucoup souffert après avoir servi de baraquement à soldats. C'est le plus grand *Great Hall* jamais construit en Écosse ! Il ne reste plus qu'à laisser au temps le soin de lui apporter un peu de patine... Dans le *King's Own Building* (appartements royaux de Queen Mary et de son époux), une des salles présente les admirables médaillons en bois sculpté qui composaient le plafond Renaissance de l'appartement du roi. Après son effondrement en 1777 (l'ensemble rendait le plafond trop lourd), les médaillons ont été dispersés aux quatre vents. Certains ont été miraculeusement retrouvés (38 sur 56). Noter la finesse des détails et des expressions. À l'issue du programme de restauration, les appartements seront décorés avec les copies des tapisseries murales de l'époque. Ces dernières ont fait l'objet de minutieuses recherches et sont tissées dans l'enceinte du château. Démonstrations dans les anciennes poudrières. Autres édifices intéressants : la chapelle royale pour ses fresques, et les grandes cuisines dont la reconstitution vivante et très ludique séduira petits et grands.

– Dans un des bâtiments, musée des *Argyll and Sutherland Highlanders*. Nombreux souvenirs des expéditions et guerres coloniales auxquelles a participé ce régiment patronné par la reine Elizabeth II.

Une curiosité à noter : le *King's Knott,* que l'on aperçoit d'un des remparts, près des anciennes casemates. C'est un genre de terrasse, talus à figures géométriques couvert de gazon, vestige des anciens jardins qui entouraient le château.

🍴 *Argyll's Lodging (HS ; plan A1, 50) : Castle Wynd ; en face de l'esplanade du château.* ☎ *431-319. Mêmes horaires que le château. Entrée gratuite sur présentation du ticket de ce dernier ; sinon £ 4,50 (6,80 €) ; réduc. Infos en français dans chaque salle.* Cette maison date du XVIIᵉ siècle. Elle fut commandée par Archibald Campbell, 9ᵉ duc d'Argyll, une des grandes familles d'Écosse, pour qui cette maison devint la demeure familiale. Si la majestueuse cour d'entrée et les belles façades ornées de portes et de fenêtres sculptées de style Renaissance forcent l'admiration, la visite des appartements se révèle un peu moins palpitante. Une introduction sur la famille et l'historique de la construction précède une série de pièces, où l'ameublement a été scrupuleusement reconstitué d'après un inventaire de 1680. Même si cela sent le neuf et manque de vie, on peut se faire une petite idée du quotidien de l'aristocratie à l'époque.

🍴🍴 *La vieille ville :* de nombreuses belles et nobles demeures. En l'absence d'architecture victorienne, Stirling est l'une des rares villes d'Écosse à conserver son apparence médiévale.

En commençant la balade, en sortant du château, on découvre successivement *Mar's Wark,* ruines d'un manoir du XVIᵉ siècle dont la somptueuse façade comporte encore armoiries, niches, masques, gargouilles, etc. Ce fut l'hôtel particulier de John, comte de Mar, tuteur de Jacques VI peu avant l'abdication de sa mère. À côté, *église du Holy Rude* du début du XVᵉ siècle et sa tour-clocher. John Knox y prêcha. Noter la belle charpente d'origine. C'est ici que Jacques VI fut couronné en 1567. Dans le cimetière, des tombes très anciennes, dont certaines révèlent à l'aide de symboles la profession des défunts. À deux pas, l'*hôpital Cowane* de 1634. On raconte qu'à la nouvelle année, le personnage figé au-dessus de l'entrée descend danser dans la cour...

Sur *Broad, Saint John* et *Bow Streets,* vieilles demeures du XVIIᵉ siècle. Broad Street, c'est l'ancienne place du marché avec sa *Mercat Cross,* le *Tolbooth* (l'ancienne mairie-prison) qui fonctionna de 1472 jusqu'à l'ouverture de la nouvelle prison au début du XVIIIᵉ siècle. La dernière exécution publique eut lieu devant cet édifice en 1843 : un homme de 84 ans qui avait tué sa femme de 85 ans lors d'une scène de ménage (mesquin, non ?).

Enfin, si vous souhaitez approfondir l'histoire de la ville, faites un tour à la *Smith Art Gallery (plan A2),* où vous découvrirez, entre autres, le plus vieux ballon de foot au monde, retrouvé dans la chambre de la reine au château de Stirling.

➤ Pour nos lecteurs qui comprennent bien l'anglais, amusant de faire le circuit **Heritage Tour,** qui part tous les jours de l'office de tourisme de début mai à début septembre. Environ 1h de balade en compagnie d'un guide en kilt. Le soir, même genre de formule mais accommodée à la sauce vampires et fantômes.

🍴 *Wallace Monument : Hillfoot Rd.* ☎ *472-140. Bus n° 62 depuis le centre-ville, n° 63 pour le retour. Mars-mai et oct : tlj 10h-17h ; juin : tlj 10h-18h ; juil-août : tlj 9h-18h ; sept : tlj 9h30-17h30 ; nov-fév : tlj 10h30-16h. Entrée : £ 6 (9 €) ; réduc. Audioguide en français compris. Navette gratuite du parking au sommet de la colline.* Impossible de manquer ce monument néogothique à la gloire de William Wallace et du nationalisme écossais, une tour de 67 m de haut plantée au faîte d'une colline dominant la région. Elle fut achevée en 1867. En haut des 246 marches, le panorama splendide récompense l'effort consenti pendant l'ascension. Mais chaque étage ménage une petite pause au moyen de courtes expositions sur l'historique de la construction (querelles de clochers et divergences d'opinions architecturales), ou sur les grandes figures écossaises. La plus fameuse évoque la victoire de William Wallace contre les Anglais, en 1297, puis sa capture en 1304, grâce à l'une de ces mises en scène audiovisuelles dont les Britanniques sont friands. Un peu usine à touristes tout de même...

🏃 **Old Bridge** (hors plan par B1) : sur la route du Wallace Monument. Bus depuis l'université (à côté du Wallace Monument) ttes les 10 mn. Pendant plus de quatre siècles, tout le trafic entre le nord et le sud de l'Écosse se fit ici. C'est l'un des plus beaux du pays par ses lignes harmonieuses.

🏃🏃 🏃 **Stirling Old Town Jail** (plan A2, **51**) : Saint John St. ☎ 450-050. ● oldtown jail.com ● Avr-sept : tlj 9h-18h (dernière admission 1h avt la fermeture) ; oct et mars : tlj 9h30-17h ; nov-fév : tlj 10h30-16h30. Entrée : £ 6 (9 €) ; réduc. Audioguide gratuit en français, mais si vous comprenez assez l'anglais, suivez les savoureuses visites guidées animées par des comédiens ttes les 30 mn en été. Séquence frissons à la découverte de la prison du XIXᵉ siècle, remplie à l'époque de dangereux criminels. Pensez donc ! Voler une pomme en 1851 allait chercher dans les deux mois de prison ferme. Et gare aux fortes têtes : les sanctions disciplinaires leur faisaient passer l'envie de la moindre incartade, à l'image de la manivelle qu'il fallait tourner jusqu'à 14 400 fois par jour. Bref, une balade sinistre dans les cellules, doublée de quelques expos sur la vie des détenus de nos jours. Ne ratez pas la belle vue des toits de la prison. De l'autre côté de la rue, l'ancienne prison, *Tolbooth,* la plus horrible de toute la Grande-Bretagne, brrr... Ne se visite pas... tant mieux !

🏃 **Bannockburn Heritage Centre** (NTS) : à 3 miles (5 km) au sud de la ville. ☎ 812-664. Bus nº 39 ou 51 (direction Glasgow) au départ de la gare routière. Avr-oct : tlj 10h-17h30 ; nov-mars : tlj 10h30-16h. Fermé janv. Entrée : £ 5 (7,50 €). Parc et monument à la gloire du héros national Robert the Bruce. Tout sur la victoire emblématique de 1314, remportée sur les Anglais à Bannockburn, en la présence d'Edward II. Intérêt historique pour les passionnés : personnages de cire, fresque du champ de bataille et film intéressant dans une salle tapissée de bannières, où l'on découvre le déroulement de la bataille sous un autre angle, ainsi que la détermination des Scots.

Manifestations

– **Highland Dancing and Pipe Band :** sur l'esplanade du château. Gratuit. De début juil à mi-août, ts les mar 19h15-20h15. Spectacle de danse traditionnelle et cornemuse.
– **Highland Games :** le 2ᵉ w-e de juil, sur Bridgehaugh Park, Causewayhead Rd. Lancer de poids, de troncs, défilés...

➤ *DANS LES ENVIRONS DE STIRLING*

🏃🏃 **Castle Campbell** (HS) : à côté de *Dollar,* à 11 miles (env 18 km) au nord-est de Stirling. ☎ (01259) 742-408. Avr-sept : tlj 9h30-17h30 ; oct-mars : tlj 9h30-16h30. Dernière admission : 30 mn avt la fermeture. Fermé jeu et ven oct-mars. Entrée : £ 4,50 (6,80 €) ; réduc. Accessible par l'A 91, ou bus nº 23 depuis Stirling jusqu'à Dollar, puis bonne grimpette de 1,5 km parmi les cascades et les arbres et 5 mn de marche. Le chemin d'accès déjà enchanteur n'est rien en comparaison de la beauté du site. Ce château du XVᵉ siècle a été construit sur un promontoire, le domaine de *Gloom,* où l'on estime qu'une forteresse anglo-normande existait déjà. S'il ne reste plus que d'imposants vestiges de la grande salle et des bâtiments annexes, la maison forte est intacte, dominant la cour pavée de gros galets, une petite loggia et la salle de garde. L'aile est, du XVIIIᵉ siècle, a brûlé en 1654 suite à l'attaque des troupes de Charles II, les Campbell s'étant ralliés à Cromwell. Au second étage du donjon, un plafond voûté en pierres arbore deux masques moulés assez grotesques qui devaient tenir des lustres. Tout en haut, très belle vue sur la plaine. Peut-être aurez-vous, comme nous, l'occasion d'y voir célébrer un mariage en kilt et cornemuses ?

🐾🐾 ***Dunblane Cathedral :*** *au nord de Stirling. Bus n° 58 depuis la gare routière. Lun-ven 9h30-12h30, 13h30-17h ; dim 14h-17h (dernière entrée 30 mn avt).* Dans un quartier paisible aux allures de village se dresse une imposante cathédrale gothique du XIIIᵉ siècle, en partie remaniée au XVᵉ siècle. Architecture extérieure sobre, hormis la façade ouest avec portail et arcatures ouvragées. À l'intérieur, longue nef élancée en raison de l'absence de transept, où l'on remarque de belles stalles délicatement sculptées. Au plafond sont sculptés les écussons des patrons féodaux de la cathédrale. Beau vitrail sur la grande fenêtre ouest, représentant l'Arbre de Jessé. Observez la maçonnerie surprenante de cette fenêtre en double remplage.

🐾🐾 🚶 ***Doune Castle*** (HS) ***:*** *entre Dunblane et Callander.* ☎ *(01786) 841-742. Bus n° 59 depuis Stirling. Avr-sept : tlj 9h30-17h30 ; oct-mars : tlj (sf jeu et ven, nov-mars) 9h30-16h30 ; dernière admission 30 mn avt la fermeture. Entrée : £ 4 (6 €) ; réduc.* Avis aux cinéphiles : on y a tourné certaines scènes inénarrables du *Sacré Graal* des Monty Python en 1974, notamment dans le Great Hall. Il faut reconnaître que cette forteresse du XIVᵉ siècle, construit par Robert Stuart en impose. L'énorme donjon de 30 m de haut abritait les premiers appartements du duc. Après une longue campagne de restauration, cette ancienne place forte des Stuarts a recouvré toute sa puissance d'antan, livrant aux visiteurs une idée des techniques de défense et de la vie seigneuriale de l'époque. À noter, la chambre du seigneur est équipée d'une trappe pour permettre de s'échapper en cas de danger. Différentes salles, chemins de ronde et courtines complètent la visite de ce vaste ouvrage militaire, prévu à l'origine pour être encore plus grand. Les pierres en saillie sur la tour des cuisines sont en réalité des raccords pour prolonger l'aile et les fenêtres prévues sur le mur sud confirment bien cette hypothèse : un problème de finances ?

LES TROSSACHS

« Si merveilleusement sauvage, l'ensemble paraîtrait un paysage de rêve » (Walter Scott). On allait le dire ! Les Trossachs, pays des poètes et de Rob Roy (voir la rubrique « Personnages » dans « Écosse utile »), sont, depuis le XIXᵉ siècle, l'une des régions les plus visitées d'Écosse. Parcouru de chemins forestiers et baigné de lochs, ce sanctuaire écologico-touristique, refuge des randonneurs et des pêcheurs, abrite notamment le Queen Elizabeth Forest Park, un parc naturel de 25 000 ha. Il est bordé par les petites villes d'Aberfoyle, de Stronachlachar et de Callander.

Transports

➤ ***Trossachs Trundler :*** *rens au* ☎ *(01786) 475-019. Prévoir près de £ 5 (7,50 €) pour le* Day Rover Ticket*, et £ 8 (12 €) au départ de Stirling (correspondance à Callander), à acheter directement au chauffeur. De début juil à mi-oct : 4 bus/j. (sf mer).* Ce service de bus estival, valable la journée, relie Aberfoyle, le Loch Katrine et Callander. Il a l'avantage de traverser les plus beaux coins de la région et emprunte notamment le Duke's Pass (belle route forestière entre Aberfoyle et le Loch Katrine). Il permet aussi de faire des activités en route (bateau sur le Loch Katrine, rando...) et de prendre la navette suivante.

➤ ***Postbus :*** *lun-ven.* Il dessert la plupart des villages des Trossachs.

ABERFOYLE

660 hab.   IND. TÉL. : 01877

À la porte des Trossachs, un petit village très prisé en période estivale. Bon point de départ pour les randonnées.

Arriver – Quitter

En bus

➢ **Aberfoyle-Stirling :** env 4 bus/j. sur la ligne n° 11 (sf dim). *Rens :* First Edinburgh, ☎ 0870-608-26-08. • *firstgroup.com* •

Adresses utiles

🛈 **Tourist Information Centre :** Main St. ☎ 382-352. •*visitscottishheartlands. com* • *Avr-oct : tlj 10h-17h (9h30-18h juil-sept) ; nov-mars : slt le w-e 10h-16h.* Cartes de la région et conseils de randonnées. Accès Internet. Petite expo réunissant panneaux et vidéos pour présenter l'histoire, la géologie ainsi que la faune et la flore de la région.

Bureau de change.
■ *Location de vélos et de VTT :* Trossachs Cycles (☎ 382-614) dans le Trossachs Holiday Park, *à 3 miles (5 km) au sud d'Arberfoyle par l'A 81. Ou au Loch Katrine (☎ 376-284).*
■ *Scottish Wool Centre :* à deux pas de l'office de tourisme. Un show de chiens de berger 3 fois par jour.

Où dormir ?

Campings

⚴ *Cobleland Caravan & Camping Site :* à 2 miles (3 km) au sud d'Aberfoyle, en direction de Glasgow, puis Gartmore, en retrait de l'A 81. ☎ 0845-130-82-24. • *forestholidays.co.uk* • *Avr-sept. Prévoir £ 9-13 (13,50-19,50 €) pour 2 pers et une tente selon saison.* Un camping charmant au bord de la rivière Forth, aux emplacements bien verts, ombragés parfois par de beaux

chênes. Aire de jeux pour enfants et quelques vélos à louer.
– Si c'est complet, vous pouvez toujours vous rabattre sur le *Trossachs Holiday Park (1,5 miles, soit 2 km plus loin sur l'A 81),* qui accepte parfois les tentes : ☎ 0800-197-11-92. *Mars-oct. Emplacement £ 12-18 (18-27 €) selon saison.* Des *lodges* à louer.

Prix moyens

🛏 *Stoney Park B & B :* Lochard Rd, à la sortie ouest du village par la B 829 (en direction d'Inversnaid). ☎ 382-208. • *glynis@stoneyparkb-b.co.uk* • *stoney parkb-b.co.uk* • *Ouv mars-oct. Prévoir £ 25-30 (37,50-45 €) par pers avec ou sans sbd. Non-fumeur.* Belle maison

victorienne datant de 1895, noyée dans un ravissant jardin fleuri. Les chambres sont spacieuses, claires et raffinées. Salon à l'étage pour les hôtes, tout aussi élégant... Vue magnifique sur la campagne environnante. Une adresse chic. Accueil attentif et souriant.

Où manger ? Où boire un verre ?

🍽 🍷 *The Forth Inn :* dans la rue principale. ☎ 382-372. *Tlj 9h-minuit (1h ven-sam). Plats £ 5-7 (7,50-10,50 €). Sert des petit déj.* Immense pub traditionnel, ralliant sous sa bannière touristes et locaux. Murs brunis, poutres

apparentes, cheminées et tonneaux confèrent un cachet rustique à cette maison, tandis que sa cuisine solide confirme sa bonne réputation. Tables en terrasse aux beaux jours. Service chaleureux.

➤ *DANS LES ENVIRONS D'ABERFOYLE*

🐾🐾 *Inchmahome Priory* (HS) : *à 6 km env d'Aberfoyle, par l'A 81.* Ruines encore vaillantes d'un prieuré, construit en 1238 sur l'une des trois îles du lac de Menteith. Fuyant l'envahisseur anglais, la jeune Marie Stuart, alors âgée de 5 ans, y fut recueillie par les moines pendant deux semaines au cours de son périple avant de s'embarquer clandestinement pour la France. La petite salle capitulaire renfermant deux gisants et la poignée d'arcades et de colonnes rescapées devraient récompenser les amoureux de vieilles pierres, mais c'est surtout la balade en elle-même, si atypique et romantique, qui justifie le détour. De ces vestiges oubliés émane une impression de grande sérénité.

➤ Une petite barque à moteur fait la navette entre l'île et le point d'embarquement, situé sur la B 8034 près de **Port of Menteith.** *Départ avr-oct : tlj 9h30-17h30 (7 mn de trajet ; retour de la dernière traversée à 17h45).* ☎ *385-294. Prix (billet à prendre sur l'île) : £ 4,50 (6,80 €).* La navette fonctionne à la demande. Si elle se trouve déjà sur l'île à votre arrivée sur le ponton, il suffit de tourner le tableau, côté blanc vers l'île. Le bateau viendra aussitôt vous chercher !

🐾🐾 *Les chutes d'Inversnaid : au nord-ouest d'Aberfoyle (30 mn de route), suivre la B 829 par les lochs Ard, Chon et Arklet.* Postbus *réguliers depuis Aberfoyle.* La route à une seule voie joue d'abord aux montagnes russes en pleine forêt, avant de se fondre au pied des montagnes à la végétation clairsemée. À Inversnaid, rejoindre derrière l'hôtel un escalier prolongé par un sentier. Il file parmi les arbres jusqu'à de belles chutes, puis escalade la montagne jusqu'au *Rob Roy View.* Banc providentiel et vue magnifique sur le Loch Lomond et les Arrochar Alps. Au retour, petite bifurcation vers Stronachlachar. Magnifique perspective sur le loch et calme olympien en l'absence du *SS Sir Walter Scott* (voir ci-dessous le Loch Katrine).

🐾🐾 *Three Lochs Forest Drive : d'Aberfoyle, prendre le Duke's Pass. Ouv Pâques-oct : tlj 10h-18h. Péage £ 2/voiture (3 €). Praticable à 20 km/h slt. Compter 45 mn.* Une dizaine de kilomètres d'une piste forestière qui serpente dans le **Queen Elizabeth Forest Park.** On longe tout d'abord le *loch Drunkie,* avant de découvrir en toile de fond les *Ben Venue* et *Ben A'an* en abordant le *loch Achray.* Balade entre silence, immensité et nature. Des circuits à vélo ou à pied partent de plusieurs endroits de la piste.

🐾🐾🐾 🚶 *Loch Katrine :* au-delà du **Duke's Pass,** on arrive au séduisant Loch Katrine, dont la beauté inspira à Walter Scott sa célèbre *Lady of the Lake.* Lorsque les dernières heures du jour habillent le loch d'un drapé cardinalice, il faut contempler les nuances de couleur de ses eaux pourpres pour saisir pleinement les vers du poète... *Ah ! Lovely !* Le lac, à la pureté très contrôlée, alimente Glasgow en eau potable depuis 1859. Fermé à la circulation, la moitié du périmètre, soit 22 km, n'est accessible qu'à pied ou à vélo (certaines côtes se révélant ardues). Avis aux sportifs ! Location de vélos sur place (☎ *376-284).*
Le bon plan consiste à s'embarquer au Trossachs Pier (pointe sud-est du loch) avec son vélo sur le *SS Sir Walter Scott,* un bateau à vapeur de 1900, et à s'attaquer au tour du lac à partir de Stronachlachar.
– Lun-mar et jeu-ven, départ à 10h30 (le bateau s'arrête 5 mn slt à Stronachlachar) ; mer, sam et dim, départs à 10h30 et 14h30 (bien vérifier, car variable). Ce bateau propose aussi une croisière sur le lac (2 à 4 départs/j. l'ap-m). Beaucoup de monde en été.
Rens : ☎ *376-316.* ● *incallander.co.uk/steam.htm* ● *Ticket : £ 7 (10,50 €) pour la croisière (durée : 1h) ; £ 6 (9 €) l'aller simple pour Stronachlachar et £ 8 (12 €) l'aller-retour ; réduc. Parking du Loch Katrine payant.*

➤ Pour les randonnées à pied ou à vélo, se renseigner auprès du *David Marshall Lodge Queen Elizabeth Forest Park. À 1,5 miles (env 2 km) d'Aberfoyle vers le Loch Katrine.* ☎ *382-258. Mars-nov : tlj 10h-17h (18h juil-sept) ; déc : tlj 10h-16h ; janv-*

fév : jeu-dim 10h-16h. Point de départ de promenades fléchées, et fiches très bien faites pour courses d'orientation *(compter env 20 mn par km parcouru).* Audiovisuel décrivant la forêt et enregistrements des oiseaux. De là, on peut notamment suivre le **Waterfall Trail,** une chouette balade de 30 mn, qui mène à une cascade. À la hauteur du Hilltop Viewpoint, il faut laisser sa voiture (ou son vélo) pour endurer une petite ascension de 5 mn et profiter d'un splendide panorama sur les Trossachs. On prévient tout de même que ce point de vue est difficile à trouver et qu'il n'y a que 3 places de parking. Néanmoins, si vous y parvenez, le Loch Drunkie miroitera à vos pieds.

CALLANDER

2 930 hab.   IND. TÉL. : 01877

Trait d'union entre les Highlands et les Lowlands, Callander gagna ses galons de notoriété avec Walter Scott et la reine Victoria (grande routarde devant l'Éternel, c'est bien connu !), qui choisit d'y séjourner. Depuis, la patrie du clan MacGregor et de son illustre représentant, Rob Roy, reste la ville la plus touristique des Trossachs.

Arriver – Quitter

En bus

➢ Sur la ligne **Édimbourg-Fort William** (via **Stirling** et **Glencoe**) avec *Scottish Citylink,* arrêts occasionnels. *Rens :* ☎ 08705-50-50-50. • *citylink.co.uk* •
➢ Vers (ou depuis) **Stirling** avec *First Edinburgh,* ligne n° 59, env 12 bus/j. (sf dim) jusqu'à 20h. *Rens :* ☎ 0870-608-26-08. • *firstgroup.com* •

Adresses utiles

ℹ️ **Trossachs Visitor Centre :** *Ancaster Square.* ☎ 330-342. • *visitscottishheartlands.com* • Mars-oct : tlj 10h-17h (18h juin-sept) ; nov-fév : tlj 11h-16h.* L'église Saint-Kessog abrite à la fois l'office de tourisme et un petit théâtre où sont projetés deux films en anglais, l'un sur Rob Roy et l'autre sur une balade dans les Trossachs. Accès Internet.
@ **Internet :** *à la* Library, *South Church St. Tlj sf mer mat, sam ap-m et dim, 10h-13h, 14h-17h (19h mar et jeu) ; sam 10h-12h. Gratuit.* Passer réserver avant.

■ **Location de vélos :** Wheels, *à la* Trossachs Tryst Backpackers *(voir « Où dormir ? »).* Cycle Hire (Mounter Bikes), *Lancaster Sq, au fond d'un passage donnant sur l'office de tourisme.* ☎ 331-052. *Tlj 9h-18h.* Tarifs avantageux.

Où dormir ?

Camping

⚐ **Keltie Bridge Caravan Park :** *à 2 miles (3 km) en direction de Stirling.* ☎ 330-606. *Compter £ 9-11 (13,50-16,50 €) pour 2 pers avec une tente. À* l'écart de la route, un terrain familial sans trop de mobile homes et avec les collines en toile de fond. Calme et bien aménagé.

Bon marché

🛏 **Trossachs Tryst Backpackers :** *Invertrossachs Rd.* ☎ 331-200. • *tros* | *sachtryst.com* • *Du centre, passer le pont sur l'A 81 et prendre à droite vers*

STIRLING ET LES TROSSACHS

Invertrossachs Rd ; suivre le chemin sur env 1 miles (1,6 km). Sinon, on peut venir vous chercher à l'office de tourisme. Prévoir £ 16 (24 €) par pers en dortoir de 8 lits avec sdb et £ 50-60 (75-90 €) pour 4 pers en chambre familiale avec kitchenette, petit déj continental inclus. Immense bâtisse moderne perdue dans les champs. Tout confort, à l'image des dortoirs et chambres nickel et des salles aérées. Salon au rez-de-chaussée et un autre à l'étage bien aménagé, TV... et pas moins de 3 pianos pour improviser des soirées hautes en couleur ! Également cuisine, laverie et location de vélos et VTT. Conseille sur toutes les balades à faire dans le coin, fournit des cartes... Ah oui, on oubliait, accueil exemplaire.

De prix moyens à chic

🛏 **Highland House Hotel :** South Church St. ☎ 330-269. ● highlandhou seincallander.co.uk ● Compter £ 24-28 (36-42 €) par pers selon saison avec ou sans sdb ; moins cher sans le petit déj. Réduc à partir de 3 nuits. Une jolie maison, dans le centre, pleine de bonnes surprises : salon coquet agrémenté d'un piano et petit bar réservé aux hôtes, chambres agréables, un peu petites mais bien tenues, et quelques efforts louables de décoration comme les tapis écossais dans l'escalier et les portes rouges qui portent les noms des îles de Skye, Mull, etc.

🛏 **Annfield B & B :** 16, North Church St. ☎ 330-204. ● annfieldguesthouse. co.uk ● Ouv tte l'année. Prévoir £ 30 (45 €) par pers. Une grande et élégante maison bourgeoise en plein centre-ville mais retirée au fond d'une rue transversale calme. Chambres raffinées et confortables, toutes différentes, dont une avec salle de bains à l'étage. Jolie salle de petit déj bleue, des murs aux assiettes. Excellent accueil de Mac et Ania, très attentionnés.

Où manger ? Où écouter de la musique ?

🍽 **The Lade Inn :** à Kilmahog. À 0,5 mile (près d'1 km) de Callander en suivant l'A 84 vers les Falls of Leny, au carrefour avec l'A 821 vers le Loch Katrine. Service jusqu'à 20h30. Bar meals ou carte élaborée £ 8-15 (12-22,50 €). Isolé... mais toujours bondé ! Il faut reconnaître que pour ce pub cosy, la cuisine est une affaire sérieuse. Les plats sont simples, goûteux, et parfois créatifs. Et pour couronner le tout, la maison brasse sa propre bière. Qui dit mieux ?

🍽 **Meadows :** 24, Main St. ☎ 330-181. Fermé mar-mer. Résa conseillée. Plats £ 11-16 (16,50-24 €) ; formule déj £ 8 (12 €). Coquet resto arborant des menus de grands établissements aux murs. Cuisine tout aussi élégante et fine. Excellents desserts.

🍽 🎵 **Myrtle Inn :** sur la route principale, à la sortie de Callander vers Stirling. ☎ 330-919. Service jusqu'à 21h. Plats £ 8-16 (12-24 €). Petite auberge traditionnelle réchauffée par un bon feu dans la cheminée les jours de frimas. Bonne cuisine de pub un tantinet améliorée. Outre l'habituel haggis, la grande spécialité des lieux est le gigot d'agneau à l'os, sauce à la menthe. Plats végétariens également. Carte traduite en français ! Le week-end en été, musique live traditionnelle.

Où manger dans les environs ?

🍽 **The Byre Inn :** à Brig O'Turk. ☎ 376-292. À 2,5 miles (4 km) à l'ouest de Callander, sur la route A 821 en direction du Loch Katrine. Tlj, service 12h-21h15. Bar meals £ 7-9 (10,50-13,50 €) ; plus cher au resto. Petite auberge traditionnelle de plain-pied, nichée au milieu des bois. Intérieur rustique avec sa charpente visible, où moellons et vieilles poutres encadrent une cheminée qui accueille un bon feu tout au long de l'année, ou presque, climat oblige. Bons plats locaux simples dans la partie pub, un peu plus élaborés côté resto. Terrasse. Accueil convivial.

Où boire un verre ?

Y ♪ *The Waverley Hotel : dans la rue principale.* Pub de l'hôtel, bondé de locaux. Concerts les vendredi et samedi soir.

➤ *DANS LES ENVIRONS DE CALLANDER*

🏃 *Bracklinn Falls : à 1,2 mile (env 2 km) à l'est de Callander.* Belles chutes. De l'autre côté de Callander (sur l'A 84) : *Falls of Leny.* Parking de l'autre côté de la route (gare à la traversée), puis courte balade jusqu'aux petites chutes.

➤ En continuant vers le nord, entre Callander et Strathyre, une *piste cyclable* d'environ 6 miles (une dizaine de kilomètres) longe le Loch Lubnaig. Elle suit une ancienne voie ferrée (fermée depuis 1965) menant à Oban.

🏃 *La tombe de Rob Roy : à Balquhidder, à 9,3 miles (15 km) au nord de Callander par l'A 84 (direction Lochearnhead, puis tourner à gauche à Kingshouse).* Une petite balade bucolique sur les traces du hors-la-loi et héros populaire Rob Roy. On aboutit à Balquhidder, un hameau perdu en pleine campagne. S'y dévoile un très vieux cimetière où sont enterrés Rob Roy, sa femme et deux de leurs quatre fils. Tombe originale avec son carré en fer forgé et ses emblèmes : une épée et une croix que l'on distingue à peine sur les deux pierres tombales d'une époque plus ancienne que les défunts (elles ont en effet été réutilisées !). Derrière l'église, un sentier longe la rivière et conduit à de petites chutes. Également un départ de sentier pour *Kirkton Glen* (3 km).

🍴 Et si votre estomac vous rappelle à l'ordre, n'hésitez pas à rejoindre *The Library* dans le village, un mignon petit salon de thé dans une maisonnette en bois, à la charpente semblable à celle d'une chapelle. *Tlj sf lun-mer jusqu'à 17h.*

➤ *Ben Ledi :* une belle randonnée pour ceux qui ont un minimum d'expérience. Départ depuis la piste cyclable reliant Callander à Strathyre. Compter 4h de marche aller-retour. Depuis le sommet, vue imprenable sur les lochs de la région (si le ciel est dégagé, ça va de soi...).

DE LA PÉNINSULE DE FIFE À PERTH

Séparé d'Édimbourg par le Firth of Forth, l'ancien royaume de Fife épouse la forme d'une langue dans cette grande bouche de terre ouverte sur la mer du Nord qu'est la côte est. On n'hésitera pas à en faire le tour jusqu'à la ravissante ville historique de Saint Andrews pour profiter des adorables ports de pêche nichés sur la route côtière. Et revenir enfin par l'intérieur des terres pour remonter jusqu'à Perth.
Plein d'infos sur ● standrews.com/fife ●

DE LA PÉNINSULE DE FIFE À PERTH

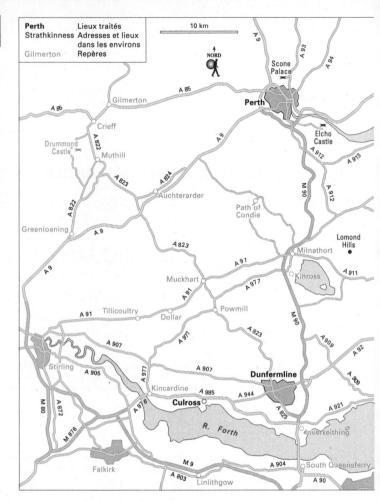

Perth	Lieux traités
Strathkinness	Adresses et lieux dans les environs
Gilmerton	Repères

10 km

NORD

CULROSS   4 300 hab.   IND. TÉL. : 01383

Culross est un des plus vieux ports d'Écosse. Le temps semble s'être arrêté dans ce tout petit village. En 1217, est fondée l'abbaye de Culross. Mais c'est le commerce florissant du charbon, dont regorge son sous-sol, qui ouvrira les portes de ce bourg à la Scandinavie et aux Pays-Bas au XVIe siècle. Jacques VI le consacre donc bourg royal. Au XVIIIe, le déclin s'installe jusqu'aux années 1930, lorsque de vastes travaux sont entrepris par le *National Trust* pour restaurer les habitations des XVIe et XVIIe siècles. Chaque maison a conservé son charme d'antan, de celle du tanneur à celles des riches négociants.

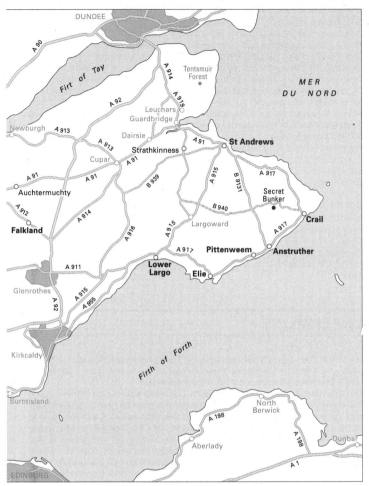

DE LA PÉNINSULE DE FIFE À PERTH

Arriver – Quitter

En bus

➢ Culross est sur la ligne de bus reliant **Dunfermline** à **Stirling** ; bus ttes les heures. *Rens :* Stagecoach Fife, ☎ *511-911.* ● *stagecoachbus.com* ● *Ou* First Edinburgh, ☎ *0870-608-26-08* (Traveline). ● *firstgroup.com* ●

À voir

♥♥ ***The Palace*** (NTS) **:** *au bout du village. Pâques-fin sept : tlj sf mar et mer (tlj juil-août) 12h-17h (dernière entrée à 16h). Fermé en hiver. Entrée : £ 8 (12 €) ; ticket*

DE LA PÉNINSULE DE FIFE À PERTH

valable également pour la Town House *et le* Study *(accessibles sur visite guidée slt).* Ttes les heures, départ de la visite guidée inclue dans le prix.

Ne vous attendez pas à un palais Renaissance aux moulures extravagantes ! Il s'agit en réalité d'une opulente demeure bourgeoise, l'exemple typique d'une maison de riche négociant de la fin du XVIᵉ siècle. Les pièces sont très cossues, à l'image des magnifiques plafonds peints d'époque, ornés de maximes, telle « la femme qui dort profondément au milieu de l'incendie furieux représente la sécurité »... Noter encore la curieuse pièce forte où le propriétaire, George Bruce, conservait les taxes perçues sur les bateaux de commerce au mouillage. Il faut tout de même préciser qu'à son apogée, le port de Culross accueillait jusqu'à 200 unités, faisant de ce village, si paisible aujourd'hui, l'une des cités les plus prospères du royaume !

Après avoir visionné une intéressante vidéo de présentation (version française), il faut compléter la visite du bourg en allant découvrir les salles du conseil de la *Town House,* bâtiment du XVIIᵉ siècle dominant *Mercat Cross,* et le *Study,* dont le plafond de style norvégien ne manque pas d'intérêt.

🚶 *Mercat Cross :* sur le chemin de l'abbaye, pavée de gros galets, la place principale où trône une licorne est bordée de jolies maisons blanches avec pignons à redents et tuiles rouges, typiques de l'architecture écossaise de l'époque.

🚶 Plus haut : les ruines d'une *abbaye* du XIIIᵉ siècle, la belle *tour* crénelée d'une église du XIVᵉ siècle et, autour, de vieilles pierres tombales racontant le passé de Culross.

DUNFERMLINE

39 320 hab.   IND. TÉL. : 01383

Cette petite ville aujourd'hui assoupie fut l'une des anciennes capitales de l'Écosse, et servit de résidence royale jusqu'à l'union des deux couronnes en 1603. Elle est visitée pour son abbaye médiévale.
C'est à Dunfermline que le roi Malcolm Canmore épousa en 1070 la princesse saxonne Margaret, canonisée par la suite pour sa grande piété et ses efforts pour imposer le catholicisme face aux rites celtes. La jeune reine y fonda le premier prieuré bénédictin d'Écosse. Leur fils David Iᵉʳ en fit ensuite une abbaye, puis le mausolée de la famille royale (22 tombeaux !). Au XIIIᵉ siècle, des bâtiments domestiques y furent ajoutés (il reste les ruines d'un immense réfectoire) ; puis Anne de Danemark installa son palais dans les lieux et y donna naissance au roi Charles Iᵉʳ en 1600. Dunfermline est aussi la ville natale du grand industriel américain Andrew Carnegie.

Arriver – Quitter

En bus

Quasiment tous les bus qui circulent dans la région de Fife passent par Dunfermline. *Infos complètes en contactant* Traveline *au* ☎ *0870-608-26-08.* ● *traveline. org.uk* ●

➢ Entre autres, *Stagecoach Fife* assure les correspondances depuis ou vers *Glasgow, Stirling* et les villages de la côte sud de Fife : *Culross, Pittenweem, Saint Monans, Elie* et *Anstruther.* Rens : ☎ *511-911.* ● *stagecoachbus.com* ●

➢ *Scottish Citylink* propose des liaisons avec *Édimbourg, Dundee* et *Perth.* Rens : ☎ *08705-50-50-50.* ● *citylink.co.uk* ●

En train

➢ Liaisons avec *Édimbourg, Perth, Dundee* et *Aberdeen.* Scotrail, ☎ *08457-48-49-50.* ● *firstgroup.com/scotrail* ●

Adresse utile

🅱 *Tourist Information Centre : 1, High St.* ☎ *0845-22-55-121.* ● *visit scotland.com* ● *Juil-sept : lun-sam* | *9h30-17h30 ; dim 11h-16h. Oct-juin : tlj sf dim 9h30-17h.*

À voir

🏃🏛 *Dunfermline Abbey and Palace* (HS) : ☎ *739-026. Avr-sept : tlj 9h30-18h (dernière admission) ; oct-mars : 9h30-16h30 (dernière entrée à 16h), fermé jeu ap-m, ven et dim mat. Entrée : £ 3,50 (5,30 €) ; réduc. Se procurer un ticket à l'entrée des ruines du palais.* Environnée par un cimetière romantique aux pierres tombales des XVIIe et XVIIIe siècles (l'ancien terrain où Charles Ier s'exerçait à la pétanque !), l'abbaye est surtout réputée pour sa merveilleuse nef normande du XIIe siècle. De style roman, elle présente de nombreuses similitudes avec la célèbre cathédrale de Durham, construite à la même époque. On y distingue quatre piliers étonnamment ciselés, qui étaient à l'origine colorés. Le chœur du XIXe siècle est devenu une partie autonome, servant aujourd'hui d'église paroissiale. Il abrite toutefois la tombe du roi Robert the Bruce, vainqueur à Bannockburn en 1314. On découvre sa pierre tombale en bronze posée en 1889 sous la chaire. Car ce n'est qu'en 1818 qu'on retrouva ici la dépouille du roi, enveloppé dans un linceul d'or et inhumé en 1329. Sur le flanc de la colline se dressent les derniers vestiges de l'abbaye et du palais royal, composés principalement des ruines du réfectoire, de la cuisine et de quelques pans de murs de l'ancienne maison pour les invités.

🏃 *Abbot House :* près de l'abbaye ; immanquable, elle est toute rose. ☎ *733-266. Tlj 10h-17h (dernière entrée à 16h15). Entrée modique.* C'est la plus vieille maison de Dunfermline (1460). Elle cache une exposition sur l'histoire de la ville à travers des peintures murales et quelques objets. De l'évocation des Pictes à Robert the Bruce en passant par la reine Margaret, canonisée à la fin du XIe siècle.

🏃 *The Pittencrieff Park :* surnommé *The Glen* par les habitants, un magnifique parc financé par Andrew Carnegie, célèbre millionnaire américain originaire de la ville. La maison natale du grand industriel se visite sur Moodie Street. *Avr-oct : lun-sam 11h-17h ; dim 14h-17h. Entrée gratuite.* Petite rivière et jardin à la française. Agréable comme tout.

FALKLAND

1 110 hab.   IND. TÉL. : 01337

Bourg paisible au beau milieu de Fife. Jadis, il fut le fief des comtes de Fife, les Macduff's, avant d'être proclamé bourg royal en 1458 par Jacques II et considéré par les Stuarts comme leur lieu de chasse favori. Le château témoigne encore majestueusement de cette époque. Puis, la révolution industrielle transforma le filage du lin en une activité florissante. Une des trois usines de l'époque est encore visible au-dessus de Back Wynd. De nombreux tisserands construisirent leur cottage dans le village, sur lequel on distingue souvent un linteau sculpté d'une date : construction, date de mariage...

DE LA PÉNINSULE DE FIFE À PERTH

Arriver – Quitter

En bus

➢ Bus ttes les 2h (6/j. dim) sur les lignes *Glenrothes-Perth* et *Glenrothes-Cupar.* Rens auprès de Stagecoach Fife : ☎ *(01383) 511-911.* ● *stagecoachbus.com* ●

Où manger ?

|●| *The Hunting Lodge :* High St. ☎ 857-226. ● *timless@huntinglodge. fsbusiness.co.uk* ● *Tlj à partir de 12h. Plats £ 6-10 (9-15 €).* Depuis 1607, cette vieille auberge traditionnelle face au château a choyé des générations d'habitués, venus en voisins avaler leurs pintes quotidiennes et goûter des plats de pub de bonne tenue. Et si d'aventure le soleil venait à pointer le bout de son nez, tout ce joyeux petit monde est invité à profiter du mignon *beer garden* à l'arrière.

À voir. À faire

🏃🏃 *Falkland Palace* (NTS) : ☎ *0844-493-21-86. Mars-oct. Lun-sam 10h-17h ; dim 13h-17h. Entrée : £ 10 (15 €) ; réduc.* Au cœur du village médiéval de Falkland, cette ancienne résidence de chasse fut édifiée au début du XVIe siècle par Jacques IV sur le site d'une première maison forte des comtes de Fife, dont les ruines sont visibles dans les jardins. Ses successeurs n'eurent de cesse d'agrandir et d'embellir la demeure, comme en témoigne la façade Renaissance de l'aile sud due à Jacques V, mort ici en 1542 et dont on a restauré la chambre. Dans la chambre du gardien, un lit en chêne magnifiquement sculpté. Le gardien était propriétaire des terres entourant le château, et se devait de veiller sur le château de la reine. Magnifique chapelle royale tout en chêne, datant des XVIe et XVIIe siècles. On y dit encore la messe chaque dimanche matin. Étonnante bibliothèque édouardienne aux murs et plafonds entièrement peints. On peut noter au passage dans la galerie les impressionnantes tapisseries françaises et hollandaises. Une aile du château abritant les appartements royaux, détruits en 1654, a été en partie restaurée et remeublée. On y a reconstitué les chambres de Marie Stuart et de son fils, Jacques VI. Au fond du parc, le *Royal Tennis Court* (jeu de paume) serait le plus vieux du monde encore en activité : 1539, pensez-vous...

➢ *Lomond Hills :* points de repère dans la région. Une balade facile qui permet d'embrasser l'un des plus beaux paysages de la région. Compter 2h aller-retour depuis le village. Crépuscule saisissant.

Manifestation

– *Auchtermuchty Festival :* *début août, suivi d'un w-e de musique traditionnelle.* Une vraie kermesse ; génial pour rencontrer des gens de la région. Courses de poussettes, de canards en plastique dans le ruisseau, concours de déguisements, concerts, *ceilidhs,* quizz... il y en a pour tous les goûts !

LOWER LARGO   3 000 hab.   IND. TÉL. : 01333

À une cinquantaine de kilomètres de Dunfermline, en longeant la côte après Kirkcaldy (ville industrielle), apparaît un paisible village de pêcheurs. Tout visiteur se doit évidemment d'aller se recueillir devant le 99, Main Street, où se trouve la statue du célèbre marin Alexander Selkirk, le fameux *Robinson Crusoé* de Daniel Defoe.

Arriver – Quitter

En bus

➤ Sur les lignes de bus *Glasgow-Saint Andrews* (via *Dunfermline*) et *Édimbourg-Saint Andrews.* Liaisons ttes les heures avec Glasgow, 6 bus/j. avec Édimbourg (sf dim). Stagecoach Fife : ☎ *(01383) 511-911.* ● *stagecoachbus.com* ●

Où dormir ? Où manger ?

🏠 |●| *Crusoe Hotel :* sur le port. ☎ *320-759.* ● *crusoehotel.co.uk* ● *Doubles £ 40-45 (60-67,50 €) par pers selon vue (port ou mer). Préférer le pub au resto : plats £ 6-8 (9-12 €).* Pub classique lové sur le petit port, dont les chambres sobres et modernes occupent une aile chatouillée par les vagues à marée haute. *Crusoe Cavern* ou *Beach Paradise,* à vous de choisir... Déco chaleureuse dans les salles communes : poutres, vieilles pierres, tonneaux transformés en tabourets... Salades, haddock, saumon et délicieux crabe frais (selon arrivage).

ELIE
1 730 hab.   IND. TÉL. : 01333

À 8 km de Largo, petite station balnéaire coquette un tantinet touristique et bourgeoise. Près du port de plaisance s'étend une belle plage de sable en forme d'anse.

Arriver – Quitter

En bus

➤ Sur les lignes de bus *Glasgow-Saint Andrews* (via *Dunfermline*), ttes les 30 mn. Stagecoach Fife : ☎ *(01334) 511-911.* ● *stagecoachbus.com* ●

Où dormir ? Où manger ?

⛺ *Shell Bay Caravan Park :* à 2 miles (3 km) à l'ouest d'Elie. Bien indiqué depuis l'A 917. ☎ *330-283.* Ouv marsoct. ● *abbeyfordscotland.com* ● *Compter £ 14 (21 €) pour une tente et 2 pers.* Depuis la route principale, l'allée sinueuse à une seule voie file à travers la campagne avant de déboucher sur un site qui ne manque pas de charme, entre collines, forêt et plage. En revanche, le vaste camping ne fait pas de gros efforts d'aménagement : emplacements serrés, sans haie ni murets pour les délimiter. Aire de jeux pour enfants, resto, bar. Un peu l'usine.

|●| *Ship Inn :* The Toft, à gauche de la plage. ☎ *330-246.* ● *info@ship-elie. com* ● *Compter £ 8-17 (12-25,50 €) le plat.* Le resto bénéficie d'un emplacement de choix sur la grève. Excellente cuisine, où dominent les spécialités de poisson et les classiques écossais

(haggis...). On mange dans le bar ou dans le resto, à l'étage, avec une vue imprenable sur le large. Terrasse en bord de mer. Organise des barbecues l'été. Vivifiant !

PITTENWEEM   1 900 hab.   IND. TÉL. : 01333

En continuant à longer la mer sur l'A 917, on parvient à un petit port de pêche encore en activité. Beaucoup de charme grâce aux jolies maisons du XVIe siècle restaurées par le *National Trust.* **Port animé pendant la criée.**

➢ Même accès que pour Elie. Liaisons ttes les heures avec les autres villages de Fife.

Où dormir ?

🛏 *Harbour Guesthouse : 14, Mid Shore.* ☎ *311-273 ou 200 ou encore, si ça ne répond pas en basse saison, se présenter au pub voisin* Larachmhor. ● *guesthouse@pittenweem.com* ● *Doubles £ 60 (90 €) ; £ 46 (69 €) à partir de* *deux nuits.* Dans une petite maison sur le port, face aux bateaux de pêche. Quatre chambres avenantes et tout confort, dont 3 donnent sur les quais. Clair et agréable.

À voir

🍴 *La grotte de Saint Fillan :* selon la légende, le vieux rocher aux profonds méandres servait de refuge au premier missionnaire chrétien. Lieu saint depuis des siècles, on y célèbre encore des messes. *Pour les visites, demander la clef à la* Little Gallery, *20, High St (en retrait de la rue), en échange d'£ 1, soit 1,50 €.*

➢ DANS LES ENVIRONS DE PITTENWEEM

🍴🍴 *Saint Monans :* le plus petit village de la péninsule mérite une halte pour ses ruelles pittoresques, frangées de maisonnettes de pêcheurs typiques avec leurs toitures rouges, leurs pignons à redents et leur escalier extérieur. Elles enserrent un port charmant où l'on découvre un musée minuscule rappelant son passé marin *(ouv 11h-13h, 14h-16h ; fermé lun et mer, mais fort variable).* Tout aussi attachante, l'église construite en partie au XIIIe siècle. Mais on doit le bâtiment actuel à David II au XIVe siècle. L'église se pelotonne au creux d'un cimetière au bout du village, giflé par les embruns les jours de forte tempête.

ANSTRUTHER   3 600 hab.   IND. TÉL. : 01333

Encore un très joli port, à 2 km du précédent. Autrefois prospère grâce à la pêche au hareng (qui se fait rare par ces temps de pollution), le village se reconvertit peu à peu dans le tourisme, se faisant le témoin d'une époque où ses habitants vivaient en harmonie avec la mer.

➢ Même accès que pour Elie et Pittenweem.

Adresse utile

🛈 *Tourist Information Centre :* sur le port, à côté du musée de la Pêche. ☎ *311-073.* ● *anstruther@visitscotland.* com ● *Avr-sept : lun-sam 10h-17h ; dim 11h-16h. Fermé en hiver.* Bien documenté sur la région.

Où manger ?

I●I **Anstruther Fish** : 44, Shore St (sur le port). ☎ 310-518. Compter £ 6-10 (9-15 €) en salle. Le fish and chips le plus fameux du coin, comme en témoignent les longues files d'attente de clients satisfaits. Déco de café'. Poisson super-frais : haddock, mais aussi sole, crabe et poisson du jour. À déguster sur place ou à emporter. En repartant, passage éventuel au glacier maison...

I●I **Dreel Tavern** : 16, High St (rue qui traverse le bourg). ☎ 310-727. Service jusqu'à 21h ; dim, brunch 12h30-14h30. Réserver n'est pas superflu ! Plats £ 6-9 (9-13,50 €). Un pub de brochure touristique avec son chapelet de salles douillettes sombres comme on les aime et coiffées d'un plafond bas, une véranda lumineuse sur l'arrière, un beer garden à la vue dégagée et une cuisine classique bien tournée (steak pie, lasagnes...).

À voir

🎣🎣 **Scottish Fisheries Museum** : sur le port. ☎ 310-628. ● scotfishmuseum.org ● Avr-sept : lun-sam 10h-17h30, dim 11h-17h ; oct-mars : lun-sam 10h-16h30, dim 12h-16h30 ; dernière admission 1h avt la fermeture. Entrée : £ 5 (7,50 €) ; réduc ; gratuit pour les enfants. Un musée de grande qualité, tant par la présentation soignée et l'intérêt des pièces exposées que par l'analyse sociologique et historique qu'il fournit. La nostalgie affleure partout. Les galeries occupent intelligemment plusieurs bâtiments d'époque, où de beaux souvenirs de marins retracent l'histoire de la pêche au temps de la voile puis de la vapeur : cabine d'un bateau de pêche grandeur nature, appareils de navigation et de détection du poisson, cordages, lampes tempête en cuivre, bouées décorées, etc. Également un mémorial en l'honneur des pêcheurs disparus en mer. Plus ludiques, des mannequins miment des scènes de la vie courante : préparation des harengs, étal de poissonnier, etc. Mais la vraie surprise vient de cet immense hangar où sont alignés plusieurs bateaux provenant de toute l'Écosse. Pour clore la visite, petit détour par une maison de marins du XVIᵉ siècle, à l'intérieur reconstitué.

🎣 **L'île de May** : réserve d'oiseaux. Également beaucoup de phoques. Sur place, petit sentier parcourant l'île de long en large, qui passe au pied de l'ancien et du nouveau phare. Départ quotidien mai-sept. Prévoir la journée. Rens : Anstruther Pleasure Trips, ☎ 310-103. ● isleofmayferry.com ●

🎣 Belle **église** à l'entrée du village. À côté, maison recouverte de coquillages.

CRAIL

2 020 hab.   IND. TÉL. : 01333

L'étape la plus séduisante de la côte sud de la péninsule de Fife, mais du coup la plus touristique... Ancienne cité royale sous Robert the Bruce en 1310, ville commerçante jusqu'au XVIIIᵉ siècle, aujourd'hui Crail s'enorgueillit de son port croquignolet, vieux de 400 ans et l'un des plus photographiés d'Écosse. Depuis la ville haute, les ruelles descendent vers la mer en pente douce, se frayant un passage parmi les maisons de pêcheurs blotties les unes contre les autres. À gauche du port, des jardins en terrasses ornent le rivage d'une guirlande colorée. Beaucoup de charme.

➤ Liaisons en bus ttes les heures avec Anstruther, Pittenweem, Saint Andrews et Dundee.

Adresse utile

🖫 *Tourist Information Centre : dans le centre.* ☎ *450-869.* ● *crailtic@visitscot land.com* ● *Avr-sept : lun-sam 10h-13h, 14h-17h ; dim 12h-17h.*

Où dormir ?

Plusieurs *B & B* dans le village.

🏠 *Selcraig House :* 47, *Nethergate.* ☎ *450-697.* ● *selcraighouse.co.uk* ● *Dos à l'office de tourisme, descendre la rue tt de suite à gauche, puis prendre à droite. Ouv tte l'année. Compter £ 25-30 (37,50-45 €) par pers selon saison.* Beaucoup de cachet pour cette petite maison du XVIIe siècle, à l'image du salon au mobilier choisi et de la véranda où trône un authentique gramophone. On peut même y passer des 78 tours ! Chambres confortables avec salle de bains, équipée pour l'une d'entre elles d'un lit à baldaquin. Évitez la mini-chambre double du dernier étage, vraiment mini (mais moins chère).

À voir. À faire

🍴 *Crail Museum & Heritage Centre :* à l'office de tourisme. Entrée gratuite ; donations bienvenues ! On y a reconstitué l'histoire de cette cité royale devenue village de pêcheurs.

🍴 *L'église Saint Mary :* mar-jeu 14h-16h. Au bout de la rue principale, sur la gauche. Elle fut construite au XIIIe siècle et John Knox y prononça l'un de ses célèbres sermons. Notez la pierre sur la gauche du portail contre le pignon d'une jolie demeure de Market Gate. On raconte que le diable, entré dans une rage folle (Diable sait pourquoi !), lança une énorme pierre depuis l'île de May pour détruire l'église. Il la manqua et le rocher atterrit devant le portail. Légende, direz-vous ? Mais, fait inexplicable, cette *blue stone* (plutôt verdâtre d'ailleurs, mais il paraît qu'elle change de couleur avec le temps) ne se rencontre que sur l'île de May. Alors !

⛱ Petite plage de sable près du port, à 200 m de l'église en direction du camping. Chouette balade à faire le long des côtes et des remparts de la Castle Walk, vue imprenable sur le Firth of Forth.

➤ *DANS LES ENVIRONS DE CRAIL*

🍴 *The Secret Bunker :* à 3,5 miles (env 6 km) au nord de Crail sur la B 940. Bien indiqué. ☎ (01333) 310-301. ● *secretbunker.co.uk* ● Pâques-fin oct : tlj 10h-17h (dernière admission). Entrée : £ 8 (12 €) ; réduc. Audioguide en français payant. Sous cette petite maison qui a su rester discrète (on se demande comment, avec les barbelés, les réservoirs, les antennes radars et les véhicules militaires !) se cache un bunker qui aurait abrité les plus hautes autorités écossaises en cas de conflit nucléaire. Construit entre 1951 et 1953, le site abritait à l'origine un radar, devenu obsolète en 1958. Démilitarisé à la fin de la guerre froide, il se visite depuis 1994. La visite vaut surtout pour les bonnes explications thématiques qui recadrent bien la géopolitique de l'époque, et les expositions sur l'intérêt et le devenir du nucléaire. Sinon, on se balade dans un impressionnant complexe sur deux niveaux, où 300 spécialistes vivaient à tour de rôle dans l'attente du jour J. Salles de contrôle, dortoirs, cinémas donnent une idée de la vie de ces hommes de l'ombre... Pour l'anecdote, le fermier voisin de l'époque supposait qu'on avait construit ici un réservoir d'eau. Imaginez sa surprise lorsqu'il le visita !

SAINT ANDREWS

13 370 hab.   IND. TÉL. : 01334

Aussi vieille qu'Édimbourg, la ville fut longtemps la capitale religieuse de l'Écosse. C'est également sur ses terres que fut créée la première université du pays et que se développa un sport qui continue à faire parler de lui : le golf. Que l'on aime ou non regarder les play-boys à casquette *putter* sur un green, il ne faut pas manquer de rendre visite à cette capitale en miniature, dont les ruines, peut-être habitées de fantômes, se tournent vers la mer.

DES TROUS PARTOUT

Véritable sport national depuis des temps immémoriaux, le golf fut mis au ban au XVe siècle par Jacques II pour que la population s'adonne plus sérieusement au maniement des armes. Durant son règne, Marie Stuart, passionnée par les petites balles blanches, brava l'interdit juste après la mort de son époux... ce qui ne manqua pas de contrarier la bonne société de l'époque.

DES PÂTURAGES AU GREEN...
Les Écossais affirment que le golf fut inventé par les bergers du pays. Sérieux ! Au lieu de compter ses moutons, l'un d'eux tuait le temps en envoyant des cailloux et des crottes de mouton séchées dans les terriers de lapin avec son bâton !

Désormais, le pays regorge de terrains (plus de 400), mais les passionnés s'accordent difficilement lorsqu'il est question de nommer le plus vieux green du monde : serait-ce celui de Saint Andrews ou celui d'Édimbourg ? Même si le second semble devoir emporter le titre (1744), l'*Old Course* de Saint Andrews reste le plus couru, le must. Une précision importante : ici, comme dans tout le pays, le golf n'est pas le privilège d'une élite fortunée. Le golf écossais reste démocratique : peu ou pas de cercles, et des tarifs imbattables ! Il y a des trous pour tous, et l'entretien d'un green ne coûte rien, le gazon étant naturellement arrosé...

Arriver – Quitter

En bus

🚌 *Gare routière (plan A1) :* City Rd. ☎ 474-238.
➢ Bus en provenance d'**Édimbourg, Dundee** et **Stirling.**
Localement, bus de **Saint Monans, Elie, Lower Largo, Pittenween, Anstruther** et **Crail.** Stagecoach Fife, ☎ *(01334) 511-911.* ● *stagecoachbus.com* ●

En train

➢ *Scotrail* propose un billet combiné permettant de se rendre jusqu'à Leuchars (la gare la plus proche de Saint Andrews) à partir d'**Édimbourg** ou **Dundee,** puis correspondance en bus pour Saint Andrews. *Demandez un* Saint Andrews Railbus Ticket *au guichet. Rens :* ☎ *08457-48-49-50.* ● *firstgroup.com/scotrail* ●

Adresses utiles

🄸 *Tourist Information Centre (plan B2) :* 70, Market St. ☎ 472-021. ● *visitstandrews.co.uk* ● *Avr-juin : lun-sam 9h15-17h, dim 11h-16h ; juil-août : lun-* sam 9h15-19h, dim 10h-17h ; sept : tlj 9h30-18h (16h dim) ; oct-mars : tlj sf dim 9h30-17h. Bureau de change. Nombreuses documentations. On peut

DE LA PÉNINSULE DE FIFE À PERTH

s'y rendre pendant la fermeture : plan de la ville affiché en vitrine, ainsi que liste des hôtels et *B & B* (avec prix).
✉ **Poste** *(plan A2) : sur South St.*

■ **Spokes** *(plan B2, 1) : 37, South St.* ☎ 477-835. *Lun-sam sf dim 9h-17h30.* Location de vélos (retour à 17h).

Où dormir ?

Autant le dire tout de suite, c'est pas donné !

Campings

⚠ **Cairnsmill Caravan Park :** *Largo Rd.* ☎ *et fax : 473-604.* ● *ukparks.co.uk/ cairnsmill* ● *À 0,5 mile (env 1 km) de la sortie sud de la ville, en suivant l'A 915. Avr-oct. Autour de £ 15 (22,50 €) l'emplacement.* Vaste camping bien tenu et bien équipé, voisin d'un petit étang. Sanitaires propres. Piscine chauffée, épicerie, bar.

⚠ **Craigtoun Meadows :** *Mount Melville.* ☎ *475-959.* ● *craigtounmeadows. co.uk* ● *À 500 m de la sortie de la ville, au sud-ouest. Ouv de mi-mars à mi-oct. Attention, ils envisageaient de ne plus accepter les tentes : renseignez-vous*

avt. En attendant, pas de résa à l'avance. Slt le matin du j. de l'arrivée. Loc de mobile homes. À partir de £ 18 (27 €) pour 2 pers et une tente. Au calme dans un parc bien entretenu, une vraie petite ville avec resto, bar, épicerie, laverie, tennis, jeux pour enfants et ses quartiers de mobile homes. Emplacements nickel tirés au cordeau, équipés pour les plus luxueux d'un abri de jardin avec terrasse en dur, chaises et table. Bref, tout le confort, mais assez cher. Il faut dire qu'il a remporté 3 fois le prix du meilleur camping d'Écosse.

Bon marché

🛏 **St Andrews Tourist Hostel** *(plan A2, 10) : Inchcape House, Saint Mary's Pl.* ☎ *479-911.* ● *hostelsaccommodation. com* ● *Résa conseillée car slt une quarantaine de lits. Compter env £ 17 (25,50 €) par pers en dortoir 5-8 lits.* C'est peut-être la seule AJ de la ville, mais elle l'emporterait haut la main en

cas de concurrence ! Emplacement idéal en centre-ville (attention : à l'étage d'une maison dont l'entrée est dissimulée dans une ruelle), salon cosy, avec TV et Internet, cuisine nickel, dortoirs bien tenus… le tout en jaune, bleu et saumon pour ajouter encore à la bonne humeur de la maison !

De prix moyens à plus chic

🛏 **Abbey Cottage** *(plan B2, 11) : Abbey Walk ; proche du port.* ☎ *473-727.* ● *abbeycottage.co.uk* ● *Résa conseillée. Prévoir £ 26-28 (39-42 €) par pers selon saison. Parking privé gratuit.* À 5 mn à pied du centre, cette maison adossée aux remparts et protégée par une enceinte présente un aspect des plus singuliers. Du coup, son jardinet désordonné ne manque pas de charme. Seulement 3 chambres, à la déco simple mais de bon confort, dont une complètement indépendante à l'étage. Accueil adorable de Margaret.

🛏 **Glenderran Guesthouse** *(plan A1, 12) : 9, Murray Park.* ☎ *477-951.* ● *glen derran.com* ● *Fermé janv et 2 sem mars. Compter £ 35-60 (52,50-90 €) par pers selon saison.* Adresse de quasi-luxe à l'atmosphère reposante. Chambres très confortables et décorées avec goût, toutes dotées d'une chaîne hi-fi. Accueil très courtois des propriétaires. Ces passionnés de golf, comme en témoignent les clubs et affiches dans le salon, sauront conseiller les amateurs à la recherche d'un parcours dans la région.

🛏 **Burness House** *(plan A1, 13) : 1, Murray Park.* ☎ *et fax : 474-314.* ● *bur*

DE LA PÉNINSULE DE FIFE À PERTH

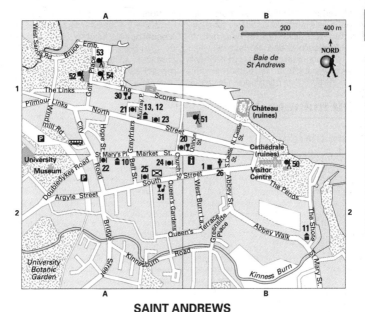

SAINT ANDREWS

■ **Adresses utiles**

🛈 Tourist Information Centre
🚌 Gare routière
✉ Poste
1 Spokes

🛏 **Où dormir ?**

10 St Andrews Tourist Hostel
11 Abbey Cottage
12 Glenderran Guesthouse
13 Burness House

🍴 **Où manger ?**

20 Central
21 Ziggy's
22 Balaka
23 Howies
24 The Doll's House

25 The Vine Leaf

🍦 **Où manger une glace ?**

26 B Jannetta

🍸 🎵 **Où boire un verre ?**
Où écouter de la musique ?

20 Central
30 Ma Bell's
31 Gin House

🏃 **À voir. À faire**

50 Saint Rule's Tower
51 College Saint Salvator
52 Royal and Ancient Golf
   Club & Old Course
53 British Golf Museum
54 St Andrews Aquarium

nesshouse.com ● *Prévoir £ 28-45 (42-67,50 €) par pers selon saison.* Dans une maison victorienne coquette, chambres très gaies, arborant des couleurs framboise, bleu, vert ou jaune, rehaussées de cadres et de petites estampes en déco. Très propre. Petit déj copieux et accueil agréable.

Où dormir très chic dans les environs ?

🛏 ***Bramley House :*** *10, Bonfield Rd, à Strathkinness (à 3 miles, soit 5 km, à l'ouest de Saint Andrews).* ☎ *et fax :* 850-362. ● *bramleyguesthouse.com* ● *Au centre du village, dans une ruelle perpendiculaire à Main St. Compter*

£ 60-80 (90-120 €) par pers selon saison. Également une chambre familiale £ 100-150 (150-225 €). Une bonne alternative à l'hébergement en ville. À 10 mn en voiture du centre de Saint Andrews, cette belle maison profite des attraits de la campagne : le calme et un jardin riant où prendre le soleil en buvant le thé. Chambres confortables à la décoration soignée, agrémentées de gravures et de petits coussins moelleux. Et le petit déj de la charmante Heather donne de l'énergie pour la journée !

Où manger ?

Bon marché

I●I Central (plan A-B1, **20**) : Market St, à l'angle de College St. Service jusqu'à 22h, sf dim soir. Plats autour de £ 6 (9 €). Tout le monde connaît le *Central*. La réputation de ses excellentes bières trappistes a déjà fait plusieurs fois le tour de la ville, et les gens du coin s'accordent pour chanter les louanges de son authentique cuisine de pub. On confirme, le *pie* s'apprécie bien, servi de surcroît en version XL. Beaucoup d'habitués.

Prix moyens

I●I Ziggy's (plan A1, **21**) : 6, Murray Pl. ☎ 473-686. Service jusqu'à 22h en sem ; 23h le w-e. Résa conseillée en hte saison. Plats £ 6-12 (9-18 €). En appelant son petit resto *Ziggy*, nom d'un personnage inventé par David Bowie, le patron annonce la couleur : ennemis du rock s'abstenir, la maison hésite encore entre le musée et le bistrot ! Les convives s'attablent sous les photos d'artistes et toutes sortes de souvenirs, comme le costume de scène de Wet Wet Wet (au-dessus de la porte d'entrée à l'extérieur), ou un album dédicacé de George Harrison. Plats très copieux pour tous les goûts : poisson, poulet, steaks, kebabs et spécialités tex-mex. Excellente ambiance avec évidemment de la bonne musique !

I●I Balaka (plan A2, **22**) : 3, Alexandra Pl, en sous-sol. ☎ 474-825. Formule £ 7 (10,50 €) le midi (sf dim), plats £ 11-18 (16,50-27 €). Le nom de l'établissement signifie « cygne » en bengali. À ne pas confondre avec le vilain petit canard, puisqu'il fut élu meilleur resto indien de Grande-Bretagne en 1999 ! On fait pousser des épinards, de la coriandre et de la menthe dans un jardin attenant, et même des roses pour orner les tables. Cuisine soignée, surtout réputée pour son curry parfaitement maîtrisé. Un bémol sur la kyrielle de serveurs tourbillonnants.

I●I Howies (plan A1, **23**) : 117, North St, à l'étage. ☎ 478-479. Plats £ 7-16 (10,50-24 €). Un bistrot contemporain à l'atmosphère tamisée, où les ventilos brassent l'air aussi bien que les conversations. Étudiants en vacances ou quadras décontractés s'y mêlent sans façons, occupant au gré des humeurs la terrasse sur rue, la partie bar aux tables épaisses ou le restaurant au cadre soigné. Cuisine britannique, un soupçon créative.

I●I The Doll's House (plan A2, **24**) : 3, Church Sq. ☎ 477-422. Derrière l'église de la Sainte-Trinité. Résa conseillée. Formule déj £ 7 (10,50 €) ; plats £ 9-16 (13,50-24 €) ; menu £ 13 (19,50 €) avt 19h. Bistrot chic agrémenté de bougeoirs, de tables en bois massif et de quelques objets insolites. Terrasse l'été sur une placette au pied de Holy Trinity Church. La cuisine évolue au gré des saisons et du marché mais aligne quelques classiques écossais comme le *black pudding* accompagné de médaillons de porc, le saumon national ou l'*Angus steak*. Service agréable. Toujours bondé. Jazz et violons de temps à autre.

Chic

I●I The Vine Leaf (plan A2, **25**) : 131, South St. ☎ 477-497. Au fond d'un passage. Ouv slt le soir, mar-sam à partir de 19h. Formules £ 22-25 (33-37,50 €).

Mieux défendu que Fort Knox ! Pas moins de 3 portes et un long passage précèdent le saint des saints, le resto préféré de Sean Connery quand il est de passage à Saint Andrews. Poisson, viande, gibier et plats végétariens à savourer dans une salle coquette, où les lampions égaient tableaux et charpente apparente. Service diligent.

Où manger une glace ?

♦ *B Jannetta* (plan B2, *26*) : 31, South St, non loin de la cathédrale. ☎ 473-285. Tlj sf dim 9h-21h. Un des grands glaciers de la région, récompensé par des dizaines de diplômes. Même par temps de pluie, les gourmands hésitent entre les 52 parfums, vraiment excellents (on ne les a pas tous testés !).

Où boire un verre ?
Où écouter de la musique ?

♟ ♪ *Ma Bell's* (plan A1, *30*) : 40, The Scores. En bord de mer, au sous-sol du Golf Hotel. *DJ le sam et concerts en sem.* Le week-end, on plonge dans l'atmosphère électrique de ce vaste pub, où les écrans vidéo noient les conversations des étudiants sous un déluge de décibels.
♟ ♪ *Gin House* (plan A2, *31*) : 116, South St. DJs jeu-sam et concert mer. Immense bar sur 2 étages, où se donne rendez-vous la jeunesse locale. Déco métal et verre, écrans géants avec clips, et la foule des grands jours autour du comptoir, pourtant d'une longueur à faire pâlir nos petits troquets.
♟ *Central* (plan A-B1, *20*) : voir « Où manger ? ».

À voir. À faire

🏃🏃🏃 *La cathédrale* (plan B2) : au début de South St, au bord de Saint Andrews Bay. ☎ 472-563. Avr-sept : tlj 9h30-17h30 ; oct-mars : tlj 9h30-16h30. Les caisses ferment 30 mn plus tôt. Billet comprenant l'entrée à Saint Rule's Tower : £ 4 (6 €) ; ou £ 7 (10,50 €) avec le château en plus. Commencée en 1160, la cathédrale devint le plus vaste édifice religieux du pays. Il fut clos ensuite par un mur d'enceinte, considéré comme le plus impressionnant d'Écosse. Les ruines, encore superbes, entretiennent la nostalgie de sa gloire passée. La guerre civile la détruisit en partie, et les habitants s'en servirent par la suite comme carrière pour reconstruire leurs maisons et le port. Reste une aile du colossal bâtiment, aux fenêtres trouées par le ciel, une tour d'entrée en équilibre, de magnifiques pierres tombales sur un gazon verdoyant et, adossée à la mer, une haute façade en arche du XIIᵉ siècle, flanquée de deux tourelles.

🏃 *Saint Rule's Tower* (HS ; plan B2, *50*) : à droite de la cathédrale. Mêmes horaires que celle-ci. Bâtie au XIIᵉ siècle, elle a perdu sa nef. Accès à la tour carrée d'où l'on bénéficie d'une très belle vue sur la région. Également un *musée* dans le Visitor Centre (entrée comprise dans le ticket). La pièce maîtresse est un magnifique sarcophage sculpté du IXᵉ siècle, qui aurait contenu les reliques de saint Andrews. Quelques belles pierres tombales de la post-Réforme, avec crânes, os et squelettes. En face de la tour, la stèle de Tom Morris, « roi » des golfeurs à la fin du XIXᵉ siècle. Il est représenté sur sa tombe, prêt à frapper la balle.

🏃🏃 *Le château* (HS ; plan B1) : non loin de la cathédrale, au bord d'une falaise surplombant la baie. Mêmes horaires que la cathédrale. ☎ 477-196. Entrée : £ 5 (7,50 €) ; £ 7 (10,50 €) avec Saint Rule's Tower et la cathédrale ; réduc. Petite expo à l'entrée, résumant clairement l'histoire du château et de la cathédrale.

Encore de romantiques ruines, sans doute grâce au bruit des vagues... Mais les péripéties de ce château construit à l'aube du XIIIe siècle pour les évêques de la ville n'ont rien d'un roman à l'eau de rose ! Au XVIe siècle, le cardinal Beaton réprima sévèrement la Réforme en faisant notamment brûler George Wishart devant les remparts du palais. En représailles, les réformateurs (dont Knox) s'introduisirent dans la place en 1546, déguisés en maçon, tuèrent Beaton et soutinrent le siège lancé sur ordre du comte d'Arran, pendant plus d'un an. Pour les en déloger, leurs assaillants creusèrent un tunnel. Ayant eu vent de l'affaire, les défenseurs creusèrent sous le château un « contre-tunnel » pour les intercepter ! Les deux se visitent : à voir absolument, mais claustrophobes s'abstenir et mieux vaut laisser les talons aiguilles au vestiaire. Amusant également (enfin, pas pour tout le monde), le cachot en forme de bouteille creusé à même la roche (*bottle dungeon*) où l'on jetait les prisonniers. D'ailleurs, le corps de Beaton est resté là, dans du sel, pendant tout le siège... Maintenant, les touristes y jettent des pièces de monnaie, en signe de porte-bonheur...

🏃🏃 ***College Saint Salvator*** (*plan B1, 51*) : *un peu plus loin, en allant vers le golf.* Une succession de bâtiments construits dans une belle pierre grise. Fondée en 1410, la plus vieille université du pays fut en partie reconstruite trois siècles plus tard. La tour et la chapelle sont d'origine. Pour la petite histoire, c'est l'un des recteurs de l'université de Saint Andrews, sir David Brewster, qui inventa le kaléidoscope au XIXe siècle !

🏃🏃 ***Royal and Ancient Golf Club & Old Course*** (*plan A1, 52*) : *il faut être inscrit pour y avoir accès.* ● *theroyalandancientgolfclub.org* ● Sinon, depuis la rue, on voit bien ce temple en plein air de plus de 250 ans, majestueusement bordé d'une rangée de nobles demeures. Une petite guérite verte ouvre sur cinq parcours de 18 trous chacun (plus un de neuf trous). Les amateurs viennent aussi bien de Tokyo que de Dallas pour embrasser le célèbre gazon ; encore faut-il qu'ils soient membres du club !

🏃 ***British Golf Museum*** (*plan A1, 53*) : *en face de l'Old Course.* ☎ 460-046. ● *britishgolfmuseum.co.uk* ● *Avr-oct : lun-sam 9h30-17h30, dim 10h-17h ; nov-mars : tlj 10h-16h. Entrée : £ 5,50 (8,30 €) ; réduc.* Toute l'histoire du golf détaillée au moyen d'une muséographie claire et moderne (en anglais). Écrans tactiles, vidéos et bandes sonores livrent les clés de ce jeu obscur pour les néophytes, et abordent différents sujets comme l'évolution de l'équipement, des compétitions, l'apparition du professionnalisme ou l'ouverture des clubs aux femmes. Le golf professionnel a ainsi débuté à Saint Andrews en 1819. Nombreux souvenirs et trophées de joueurs célèbres. À réserver aux enthousiastes.

🏃 ***Botanic Garden*** (*plan A2*) : *à Canongate, au sud-ouest du centre-ville.* ☎ 476-452. *Mai-sept : tlj 10h-19h ; oct-avr : tlj 10h-16h. Entrée : £ 2 (3 €) ; réduc.* Fondé à la fin du XIXe siècle, le jardin s'étend aujourd'hui sur une dizaine d'hectares. Plantes et arbres originaires d'Asie, de Nouvelle-Zélande, des Alpes et bien sûr d'Écosse. Certaines espèces datent de 1906. Beaux jardins avec cascades (en miniature), serres...

🏃 🏃 ***St Andrews Aquarium*** (*plan A1, 54*) : *à deux pas du British Golf Museum, en bordure de mer.* ☎ 474-786. ● *standrewsaquarium.co.uk* ● *Pâques-oct : tlj 10h-17h30, horaires restreints en hiver. Entrée : £ 6,50 (9,80 €) ; réduc.* Sur deux niveaux, une succession d'aquariums où évoluent raies, pieuvres, petits requins, poissons de coraux et du littoral écossais. Quelques beaux moments, comme les circonvolutions des phoques dans les bassins extérieurs ou le ballet des graciles hippocampes ; mais globalement, cet aquarium manque un peu de matière. La magie opère surtout sur les enfants.

⌓ ***La plage des West Sands*** (*plan A1*) : l'une des plus belles d'Écosse. C'est là que furent tournées des scènes du film *Les Chariots de feu*, immortalisé par la musique de Vangelis.

Manifestations

– **Saint Andrews Highland Games** : *dernier dim de juil. Les jeux se déroulent sur North Haugh (à la sortie de Saint Andrews en direction de Dundee).*
– **Saint Andrews Week** : *pdt la sem du 30 nov, jour de la Saint-Andrews.* Quatre jours de fêtes, concerts, *ceilidhs*, etc.

PERTH   44 520 hab.   IND. TÉL. : 01738

Capitale de l'Écosse pendant trois siècles, Perth n'a pas gardé grand-chose de son prestigieux passé. Enjeu permanent des guerres jacobites, la ville souffrit évidemment beaucoup. Toutefois, le centre est plutôt agréable avec ses quartiers piétons, animés en journée.
Petite anecdote : c'est à Perth que, en 1559, John Knox, le célèbre réformateur, prononça le premier de ses discours antipapistes incendiaires. Résultat : ses fidèles se répandirent sur-le-champ en ville et détruisirent toutes les églises et monastères catholiques, sauf, bien sûr... l'église où ils entendirent le sermon et que, du coup, ils oublièrent !
– *Infos sur Perth et sa région :* ● *perthshire.co.uk* ●

Arriver – Quitter

En bus

🚌 **Gare routière** *(plan A2) : Leonard St. Lun-sam 8h-18h ; dim 9h30-17h. Rens* Citylink : ☎ 08705-50-50-50. ● *citylink.co.uk* ●
➤ Avec *Scottish Citylink*, liaisons fréquentes avec **Aberdeen, Édimbourg, Glasgow, Dundee.** Le M91 relie Perth à **Inverness** en 3h. Attention, service plus réduit le dim.
➤ Avec *Stagecoach*, prendre le n° 15 pour **Crieff.** Bus ttes les heures (moins fréquents le dim).

En train

🚆 **Gare ferroviaire** *(plan A3) : Leonard St. Rens :* ☎ 08457-48-49-50. ● *firstsco trail.com* ●
➤ Liaisons pratiquement ttes les heures avec **Dundee, Aberdeen, Glasgow, Stirling** et **Édimbourg.** Également une dizaine de trains/j. de **Pitlochry, Aviemore** et **Inverness.** Compter 2h20 pour Perth-Inverness.

Adresses utiles

🛈 **Tourist Information Centre** *(plan A2) : Lower City Mills, West Hill St.* ☎ 450-600. *En hte saison : lun-sam 9h30-18h ; dim 10h30-15h30 ; horaires plus restreints le reste de l'année, et fermé dim en hiver.*
✉ **Poste** *(plan A2) : 109, South St. Lun-ven 9h-17h30 ; sam 9h-12h30.*

▣ **Internet** : *à la bibliothèque (plan A2). Lun, mer, ven 9h30-17h ; mar et jeu 9h30-20h ; sam 9h30-16h. Gratuit sur inscription.*
■ **Laverie** *(plan A2, 1) : Fair City Laundry, 44, North Methven St. Lun-ven 8h30-17h30 ; sam 9h-17h.*

Où dormir ?

Camping

⚔ **Scone Camping & Caravaning Club** *(hors plan par B1,* **10***) : à 2 miles (env 3,5 km) au nord par l'A 93, à côté du* Perth Racecourse *(champ de courses).* ☎ 0845-130-76-31. ● *campingandcara* vanningclub.co.uk ● *Bus n° 58, arrêt sur l'A93 puis marcher env 2 km. Avr.-oct. Compter £ 19 (28,50 €) pour deux avec une tente ou caravane.* Terrain bien plat dans un cadre arboré.

Prix moyens

Les *B & B* se concentrent sur Pitcullen Crescent et Dunkeld Road. Il y en a pour tous les goûts.

🛏 **Westview** *(hors plan par A1,* **11***) : 49, Dunkeld Rd.* ☎ 627-787. ● *angiewest view@aol.com* ● *Env £ 26 (39 €) par pers.* Sans doute le *B & B* le plus amusant de Perth ! Intérieur de maison de poupée, avec des animaux en peluche, plein de bibelots et objets décoratifs dans toutes les pièces, y compris dans les six chambres. Sympa.

🛏 **Clunie Guesthouse** *(plan B1,* **12***) : 12, Pitcullen Crescent.* ☎ 623-625. ● *clunieguesthouse.co.uk* ● *Compter* £ 28-30 (42-45 €) *par pers. Non-fumeur.* Ann propose quelques chambres coquettes, toutes avec salle de bains. Parking devant la maison.

🛏 **Beeches** *(plan B1,* **13***) : 2, Comely Bank.* ☎ 624-486. ● *beeches-guest-hou se.co.uk* ● *Compter env £ 23 (34,50 €) par pers.* Un *B & B*, là encore, très accueillant, bien tenu, qui propose d'agréables chambres équipées de salle de bains.

Plus chic

🛏 **Salutation Hotel** *(plan B2,* **14***) : 34, South St.* ☎ 630-066. ● *strathmoreho tels.com* ● *Env £ 150 (225 €) la chambre double. En appelant bien à l'avance, grande chance d'obtenir une bonne remise.* La façade laisse supposer que l'hôtel ne date pas d'hier, et, en effet, c'est l'un des plus anciens d'Écosse (1699). Il accueillit en 1745 Bonnie Prince Charlie en personne ! À part ça, chambres toutes un peu différentes, en taille et en couleur, certaines avec une salle de bains plus récente que d'autres.

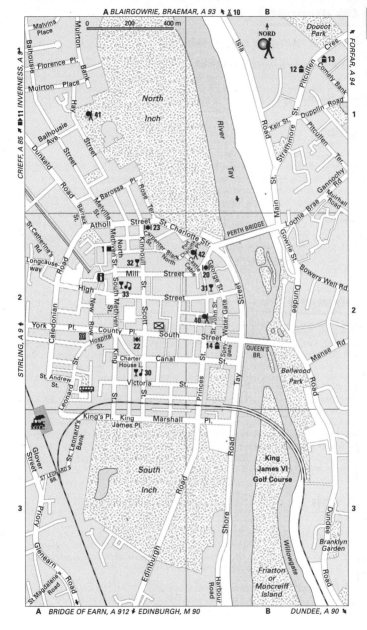

CRIEFF, A 85 ✈ ➤ 11 INVERNESS, A 9 ↗

DE LA PÉNINSULE DE FIFE À PERTH

FORFAR, A 94 ↗

Doocot Park

NORD

Malvina Place
Balhousie
Florence Pl.
Muirton Place
Muirton
Bank
Hay
Street

North Inch

🧗 41

Balhousie Ave.
Dunkeld Road
Barrack St.
St Catherine's Road
Longcause-way
York Pl.
Caledonian Road

Barossa Pl.
Melville St.
Atholl Street
North Methven St.
Kinnoull St.
Mill Street
High Street
South Methven St.
New Row
County Pl.
St. Andrew St.
King St.
Leonard St.
St. Leonard's Bank

Rose Ter.
St Charlotte Str.
Carpenter St.
Black Watch
North Port
🏛 23
Castle Gable
32 🍷
🎵 33
Scott Street
🖂 South Street
22 🍴
Charter House L.
🍴 30
Victoria St.
Princes St.
King's Pl.
King James Pl.
Marshall Pl.

George St.
42 🏛
20 🍷
31 🍷
John St.
40 🍴
14 🍴
Water Gate
Sheegate

PERTH BRIDGE
Main St.
Gowrie St.
Lochie Brae
Bowers Well Rd
Dundee Road
Manse Rd.

Keir St.
Strathmore St.
Pitcullen
12 🏛
13 🏛
Comely Bank
Pitcullen Cres.
Dupplin Road
Pitcullen Ter.
Gannochy Rd
Muirhall Road

1

QUEEN'S BR.
Tay St.
Bellwood Park
Dundee Road

2

STIRLING, A 9 ↓

St Leonard's BR.
🚂
Glover Street
Priory Pl.
Glenearn Road
St Magdalene's Road

South Inch

Edinburgh Road
Shore Road
Harbour Road

King James VI Golf Course

Willowgate
Friarton or Moncreiff Island

Branklyn Garden
Dundee Road

3

A BRIDGE OF EARN, A 912 ↓ EDINBURGH, M 90   B DUNDEE, A 90 ↘

PERTH

0   200   400 m

River Tay

Isla

Où manger ?

De bon marché à prix moyens

|●| **Caffé Canto** (plan B2, **20**) : 62-64, George St. Jeu-sam en journée et jusqu'à 20h. Petits plats, salades, soupes et sandwichs £ 2-6 (3-9 €). La cuisine est plutôt sophistiquée pour l'endroit. Parfait pour grignoter un morceau le midi. Vrai café. Trés bon accueil.

Chic

|●| **Kerachers** (plan A2, **22**) : 168, South St. ☎ 449-777. Tlj sf dim-lun, le soir slt 18h-21h. Menu 2 plats env £ 15 (22,50 €) ; plus cher à la carte. Pour les amateurs de poisson : bar, flétan, lotte, haddock, homard... bref, un beau choix. Faut dire que les proprios tiennent la poissonnerie du rez-de-chaussée depuis belle lurette. C'est bon, soigné, et ça se déguste dans une jolie salle un peu design, aux tables en verre translucide.

|●| **Let's Eat** (plan A2, **23**) : façade verte à l'angle de Kinnoull St et d'Atholl St. ☎ 643-377. Fermé dim et lun, ainsi que 2 sem en été. Plats £ 12-20 (18-30 €) ; moins cher le midi. Cuisine écossaise moderne avec des influences étrangères. Intérieur coquet, aux tons vert et rouge, et atmosphère relax. L'un des meilleurs restos de Perth.

Où sortir ?

♩ **Twa Tams** (plan A2, **30**) : 79-81, Scott St. Concerts payants ven et sam soir. Sans doute le meilleur endroit pour écouter de la musique live. Beer garden aux beaux jours. Petite restauration.

♩ **Ship Inn** (plan B2, **31**) : 31, High St. Dans une petite ruelle perpendiculaire à High St. Concerts le w-e. Pub traditionnel, paisible et fréquenté par les anciens. Atmosphère enfumée, avec de vieux cadres suspendus aux murs. L'établissement date de 1665...

♩ **Foundry** (plan A2, **32**) : 1, Murray St. Situé dans une ancienne fonderie remise à neuf, c'est l'endroit le plus couru de Perth pour boire un verre dans un décor insolite. Plus d'une trentaine de bières (et même du cidre) à la pression.

♩ **Sportsters** (plan A2, **33**) : 6-8, South Methven St. Boîte à l'étage, le **City Club,** ven-dim 23h-2h30. Vaste bar tout en bois et aluminium, avec des écrans TV partout diffusant du sport à gogo ! Pas romantique pour un sou, mais ça bouge.

À voir

♜ **Saint John's Kirk** (plan B2, **40**) : Saint John's St. Mai-sept, tlj sf dim 10h-16h ; horaires variables, vérifier au ☎ 450-600. À l'occasion donc, rendre visite au dernier monument historique de la ville et lieu du fameux sermon de John Knox en 1559. La majeure partie de l'église date du XVe siècle.

♜♜ **The Black Watch Regimental Museum** (plan A1, **41**) : Balhousie Castle, Hay St. ☎ (0131) 310-85-30. ● theblackwatch.co.uk ● Mai-sept : lun-sam 10h-16h30 ; oct-avr : lun-ven 10h-15h30. Entrée gratuite ; visite guidée sur demande. Quelque deux siècles et demi d'histoire sur les 42e et 73e régiments des Highlands, les plus vastes de l'armée britannique. Et savez-vous pourquoi ce sont les plus vastes régiments ? Parce qu'il y avait moins de travail en Écosse que dans le reste du royaume et que, du coup, on y recrutait plus facilement. Contrairement aux Coldstream

Guards, leurs gros bonnets noirs sont en plumes d'autruche. Quand on pense qu'ils combattirent en kilt jusqu'en 1940 ! Voir l'amusante maquette d'une bataille les opposant en même temps aux Français et aux Indiens dans l'État de New York, en 1758. Et puis, ce portrait du général Lachlan Macquarie, véritable sosie de Rod Steward ! Un musée récréatif, somme toute.

🏛🏛 *Perth Museum and Art Gallery (plan B2, 42) :* 78, George St. Tlj sf dim 10h-17h. Entrée gratuite. Intéressant musée retraçant l'histoire géologique et humaine du Perthshire, depuis la formation de la Terre jusqu'au XXᵉ siècle. Section sur la faune, la flore et le milieu naturel de la région (voir un spécimen du plus gros saumon jamais pêché !). On y trouve aussi trois galeries d'art avec les travaux, anciens ou plus récents, d'artistes écossais, ainsi qu'une section sur l'artisanat et les produits locaux. Également des expos temporaires.

🏛 *Caithness Glass :* situé sur l'A 9, au nord de la ville. ☎ 492-320. • caithness glass.co.uk • Bus nº 4 (slt en sem). Par Dunkeld Rd, direction Inverness et zone industrielle d'Inveralmond. Lun-ven, 9h-16h30 ; sam 9h-16h ; dim 10h-16h. Entrée gratuite. Fabrique d'objets en verre soufflé décorés. À visiter de préférence quand les ateliers fonctionnent (lun-ven 9h-16h30, w-e en juil-août). Possibilité d'acheter.

🏛 *Branklyn Garden (NTS) :* en bordure de la ville, sur la route de Dundee. ☎ 625-535. Accès bien fléché. Avr-oct : tlj 10h-17h. Entrée : £ 5 (7,50 €) ; réduc. Parking gratuit au-dessus des jardins. Pour les amateurs de plantes chinoises, argentines, tibétaines, himalayennes et du Bhoutan, une visite très plaisante, servie par d'agréables senteurs. À l'entrée, la maison des créateurs du jardin, Dorothy et John Renton qui l'aménagèrent en 1922, grâce à leurs liens avec des « chasseurs de plantes rares ».

Manifestations

– *Perth Festival of the Arts :* la 2ᵈᵉ quinzaine de mai. Programme détaillé sur • perthfestival.co.uk • Accueille une multitude d'artistes de jazz, folk, art dramatique, opéra, classique...
– *Highland Games :* se tient vers mi-août sur le South Inch (plan A3).

➤ *DANS LES ENVIRONS DE PERTH*

🏛🏛🏛 *Scone Palace (hors plan par B1) :* prononcer « Scoun ». Juste à l'extérieur de Perth, sur la route de Braemar (l'A 93). ☎ 552-300. • scone-palace.net • Avr-oct : tlj 9h30-17h (dernière admission). Entrée : £ 7,50 (11,30 €) pour le château et les jardins ; £ 4 (6 €) pour les jardins slt ; réduc. Billet combiné (Scotland's Treasure ticket) avec les châteaux de Glamis, Blair Castle (à Pitlochry) et les distilleries de Dewar's World of Whisky (à Aberfeldy) et Bell's (à Pitlochry) £ 15 (22,50 €) ; réduc.
Scone Palace comblera les amateurs de châteaux. Près de quarante rois s'y firent couronner. Propriété des comtes de Mansfield. Parmi les fabuleuses œuvres d'art, 70 pièces ayant appartenu aux rois de France. L'autre moitié de la collection, propriété des tsars de Russie, a complètement disparu en 1917. Scone possède aussi une non moins fabuleuse collection de meubles et d'objets des XVIIᵉ, XVIIIᵉ et XIXᵉ siècles, notamment une table d'écriture dessinée par Riesener, ayant appartenu à Marie-Antoinette et du mobilier signé Boulle, Levasseur, Bara, Topino et Nicolas Petit. Dans la bibliothèque, un portrait du premier comte avec son bien le plus précieux, un buste d'Homère par le Bernin.
À l'extérieur du château, près de la chapelle, se trouve la réplique de la Pierre de Scone (ou Pierre du Destin), pierre symbolique sur laquelle les rois d'Écosse et de Grande-Bretagne se font couronner depuis plus d'un millénaire. Apportée au

DUNDEE ET L'ANGUS

IXᵉ siècle à Scone, elle fut transférée à l'abbaye de Westminster à la fin du XIIIᵉ siècle par Édouard Iᵉʳ. On raconte que la pierre donnée au roi anglais n'était qu'une copie taillée à la va-vite par les moines et que la vraie pierre fut cachée dans une chambre secrète. Mystère ! Toujours est-il que, en l'absence du précieux symbole, l'importance du palais déclina peu à peu. Il fallut attendre sept siècles (1296-1996) pour que les Anglais restituent la fameuse pierre à l'Écosse, lors d'une céré-

> **CURLING ROYAL !**
>
> *La Grande Galerie royale fut le théâtre des exploits sportifs de la reine Victoria et du prince Albert. C'est dans cette pièce qu'on initia le couple royal au curling (créé en Écosse en 1510... et présenté aux J.O. de 1992). Le jeu consistait à faire glisser une pierre plate le long du parquet ciré en visant un cercle dessiné sur le sol. Habituellement, on y joue sur la glace, mais hors saison, il fallut s'adapter et la grande galerie était tout indiquée !*

monie très solennelle à Édimbourg. On peut l'admirer aujourd'hui au château d'Édimbourg.

Par beau temps, agréable promenade dans le grand parc abondamment fleuri (arboretum assez impressionnant, où se dandine une cinquantaine de paons, ainsi qu'un labyrinthe que l'on peut admirer du haut d'une passerelle). Pinède de conifères exotiques plantés à partir de la seconde moitié du XIXᵉ siècle.

🚶🚶 *Elcho Castle (HS)* : à 3,5 miles (5,5 km) au sud-est de Perth, sur l'A 912. ☎ 639-998. Avr-sept : tlj 9h30-18h30 (variables). Entrée : £ 3 (4,50 €) ; réduc. En bordure du fleuve Tay, une grande et élégante demeure assortie d'un donjon du XVIᵉ siècle construit par la famille Wemyss. Presque toutes les pièces disposent d'une cheminée et w-c (on en a dénombré quinze !).

DUNDEE ET L'ANGUS

Voici l'occasion de pénétrer dans une région souvent oubliée des circuits touristiques, qui, pour peu qu'on s'y intéresse, recèle de nombreux attraits : ses vallées *(glens)* d'abord, magnifiques, qui font la réputation de l'Angus ; une campagne riante tournée vers la production de fruits rouges. Dundee, ville contemporaine et culturelle, qui abrite d'intéressants musées. Bien sûr, les amateurs ne manqueront pas le château de Glamis, sans doute l'un des plus courus d'Écosse. Tandis que les plus curieux se rendront sur la côte, à Arbroath, un port de pêche qui vaut le détour pour son abbaye médiévale. Enfin, la région est truffée de pierres levées que l'on doit aux Pictes. D'ailleurs, le *Pictish Trail* propose tout un itinéraire pour en apprécier l'héritage.
Ttes les infos de la région sur ●*angusanddundee.co.uk* ●

Comment circuler dans la région ?

– La compagnie *Strathtay Scottish* assure un service de bus dans la région. Le *Day Rover* permet de se déplacer autant que l'on veut. *La journée : £ 6 (9 €). Fiches horaires sur* ●*angus.gov.uk/transport* ●

DUNDEE
155 000 hab.
IND. TÉL. : 01382

Dundee, quatrième agglomération écossaise, est avant tout une ville portuaire. Son histoire est très turbulente, si bien qu'on trouve peu de monu-

DUNDEE ET L'ANGUS

ments anciens. En revanche, on peut s'attarder dans ses musées. L'activité s'est développée autour de la chasse à la baleine, la confection de la toile de jute et la fabrication de la célèbre *marmelade.*

Arriver – Quitter

En bus

🚌 *Gare routière (plan C2) :* Seagate.
➢ Avec *Scottish Citylink,* liaisons régulières avec *Glasgow, Édimbourg, Perth, Aberdeen, Arbroath* et *Stonehaven.*
– Avec *Strathtay Scottish :*
➢ Pour *Kirriemuir,* bus n° 20 (direct) ttes les heures (3 slt le dim). Autrement, le n° 22 (5 bus/j., sf le dim) passe par *Glamis.*
➢ Pour *Blairgowrie,* bus n° 59 ttes les 2h (sf dim).

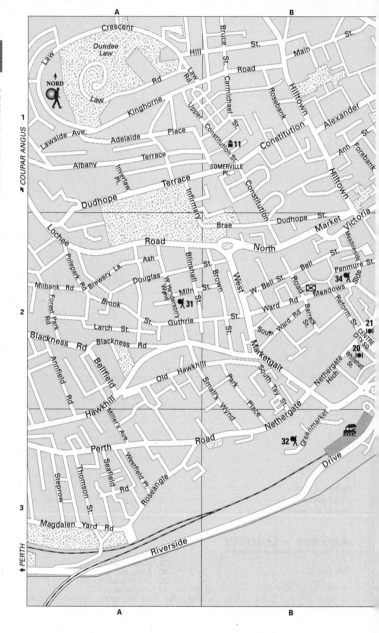

244

DUNDEE ET L'ANGUS

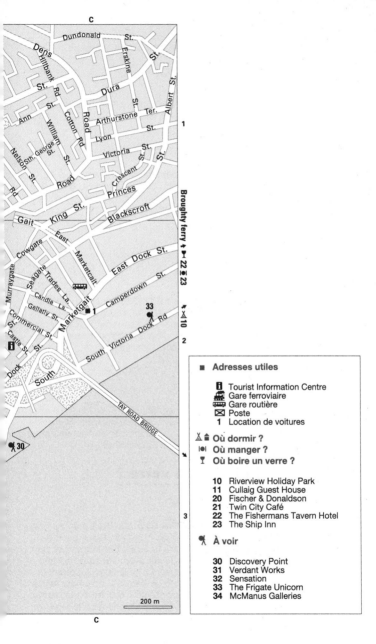

■ **Adresses utiles**

ⓘ	Tourist Information Centre
🚂	Gare ferroviaire
🚌	Gare routière
✉	Poste
1	Location de voitures

⚐🏠 **Où dormir ?**

🍴 **Où manger ?**

🍸 **Où boire un verre ?**

10	Riverview Holiday Park
11	Cullaig Guest House
20	Fischer & Donaldson
21	Twin City Café
22	The Fishermans Tavern Hotel
23	The Ship Inn

🚶 **À voir**

30	Discovery Point
31	Verdant Works
32	Sensation
33	The Frigate Unicorn
34	McManus Galleries

200 m

DUNDEE

En train

🚉 **Gare ferroviaire** (plan B3) : en face du Discovery Point.
➤ Liaisons fréquentes avec **Édimbourg, Perth, Glasgow** et **Aberdeen.**

DUNDEE ET L'ANGUS

Orientation

– Pour se rendre dans le quartier résidentiel de Broughty Ferry, prendre le bus n° 73 ou n° 76 depuis High Street. Compter 15 mn de trajet.

Adresses utiles

🛈 **Tourist Information Centre** (plan C2) : 21, Castle St (en plein centre). ☎ 527-527. Juin-sept : lun-sam 9h-18h ; dim 12h-16h. Oct-mai : tlj sf dim 9h-17h. Accès Internet.

■ **Location de voitures** (plan C2, **1**) : Arnold Clark, East Dock St. ☎ 225-382. ● arnoldclarkrental.com ● Très compétitifs sur les prix.

Où dormir ?

Camping

🏕 **Riverview Holiday Park** (hors plan par C2, **10**) : à Monifieth, au-delà de Broughty Ferry par l'A 92 en direction d'Arbroath. ☎ 535-471. ● riverview.co.uk ● C'est à 5 miles (8 km) de Dundee, mais c'est le plus proche. Prévoir un forfait de £ 15 (22,50 €) pour 2 pers, une tente et une voiture. Au bord de l'estuaire du fleuve Tay. Toutes commodités : laverie et même un sauna. Supermarché à proximité.

Prix moyens

🏠 **Cullaig Guest House** (plan B1, **11**) : 1, Rosemount Terrace, Upper Constitution St. ☎ 322-154. Bus nᵒˢ 3 ou 4 depuis McManus Galleries. Ouv tte l'année. Compter £ 23-28 (34,50-42 €) par pers, avec ou sans sdb. Maison de style victorien, sur les hauteurs mais non loin du centre-ville.

Où manger ? Où boire un verre ?

De bon marché à prix moyens

🍴 **Fischer & Donaldson** (plan B2, **20**) : 12, Whitehall St. Tlj 8h-17h. Boulangerie de bonne réputation, proposant soupes et sandwichs pour moins de £ 3 (4,50 €). Idéal au breakfast ou pour manger sur le pouce.

🍴 **Twin City Café** (plan B2, **21**) : 4, City Sq. En pleine zone piétonne. Lun-sam 7h30 (10h30 dim)-18h. Petits déj £ 4 (6 €) et plats légers £ 5-8 (7,50-12 €). Café assez animé, avec une terrasse franchement agréable lorsque le soleil pointe son nez. Service amical et vrai café.

🍴 **The Ship Inn** (hors plan par C2, **23**) : ☎ 779-176. Plats de £ 9-13 (13,50-19,50 €). Sur le front de mer, pub feutré avec une salle de resto à l'étage, tout en lambris, rappelant une cabine de bateau. La vue sur la mer est reposante le soir. Au menu, surtout du poisson. Cuisine sans faille et service à la hauteur. Une excellente adresse.

🍴 **The Fishermans Tavern Hotel** (hors plan par C2, **22**) : 10-16, Fort St, à Broughty Ferry. L'un des meilleurs pubs d'Écosse, maintes fois primé pour sa sélection de *real ales* à la pression.

L'endroit est toujours vivant. Quizz certains soirs.

À voir

⁅⁅ Discovery Point (plan C3, **30**) : Discovery Quay ; en face de la gare. ☎ 201-245. ● rrsdiscovery.com ● Avr-oct : lun-sam 10h-18h ; dim 11h-18h. Nov-mars : lun-sam 10h-17h ; dim 11h-17h. Entrée : £ 7 (10,50 €) ; réduc. Billet combiné avec le Verdant Works (voir ci-dessous) £ 11,30 (17 €) ; réduc. Musée très pédagogique, avec son et effets spéciaux, qui retrace la construction du Discovery et l'expédition en Antarctique menée par le capitaine Scott. Le parcours s'achève par la découverte du navire lui-même, en partie reconstitué pour les besoins de la visite. L'attraction à voir en priorité.

⁅⁅ Verdant Works (plan A2, **31**) : West Hendersons Wynd. ☎ 225-282. ● rrsdisco very.com ● Avr-oct : lun-sam 10h-18h ; dim 11h-18h. Nov-mars : mer-sam 10h30-16h30 ; dim 11h-16h30. Entrée : £ 7 (10,50 €) ; réduc. Billet combiné avec le Discovery Point £ 11,30 (17 €). Dans une ancienne usine, évocation intéressante de l'histoire sociale de Dundee à travers l'industrie de la toile de jute (qui, il y a un peu plus d'un siècle, employait 50 000 habitants de la ville). Tout a été réuni pour donner vie à la visite, du matériel multimédia aux vieilles machines remises en état de marche.

⁅ ⁆ Sensation (plan B3, **32**) : Greenmarket. ☎ 228-800. ● sensation.org.uk ● Tlj 10h-17h (dernière admission à 16h). Entrée : £ 7 (10,50 €) ; réduc. Attraction consacrée, comme son nom l'indique, aux sens. Plus de soixante montages interactifs qui vous informeront, entre autres, sur la façon dont les hommes, les animaux et les plantes perçoivent le monde.

⁅ The Frigate Unicorn (plan C2, **33**) : Victoria Dock. ☎ 200-900. ● frigateunicorn.org ● Avr-oct : tlj 10h-17h. Nov-mars : mer-ven 12h-16h ; w-e 10h-16h. Entrée : £ 4 (6 €) ; réduc. Le dernier navire de guerre à voile du monde !

⁅ McManus Galleries (plan B2, **34**) : Albert Sq. ☎ 432-350. ● mcmanus.co.uk ● Attention, le musée était en rénovation et devait rouvrir au printemps 2008. Avt fer-

DES ORANGES EN DÉCONFITURE

À l'époque des colonies, les bateaux écossais ne revenaient jamais à vide. Un jour, l'un d'eux chargea des oranges en Espagne, mais les fruits arrivèrent en état de décomposition avancée. Un petit malin eut alors l'idée d'en faire de la confiture… qui devint la célèbre marmelade.

meture, les horaires étaient : lun-sam 10h30-17h ; dim 12h30-16h. Entrée gratuite. Le bâtiment, d'architecture gothique, date de 1867. À l'intérieur, l'histoire de Dundee, des tableaux de maîtres écossais et une galerie de costumes. Également une collection d'objets égyptiens.

⁅⁅ Broughty Castle Museum (hors plan par C2) : à Broughty Ferry, banlieue située à 3,5 miles (6 km) à l'est du centre. ☎ 436-916. ● www.dundeecity.gov.uk/brough tycastle ● Avr-sept : lun-sam 10h-16h ; dim 12h30-16h. Oct-mars : mêmes horaires ; fermé lun. Entrée gratuite. Château du XVe siècle, gardien de l'estuaire. Superbe panorama du haut de la tour. Musée de la Chasse à la baleine.

⁅ Camperdown Country Park (hors plan par A1) : à 3 miles (env 5 km) au nord-ouest par la route de Coupar Angus. Bus n° 3 ou 4. Le plus beau et le plus grand parc de la ville. Promenades en barque sur l'étang, et intéressant parc animalier.

⁅ Law Hill (plan A1) : site d'un ancien fort et point le plus haut de la ville (174 m). La balade vaut pour le panorama et la vue sur les deux ponts du fleuve Tay, l'un ferroviaire datant de 1887 et l'autre routier inauguré en 1966.

BLAIRGOWRIE
8 400 hab.   IND. TÉL. : 01250

Petite bourgade animée au cœur du Strathmore, une région productrice de fruits rouges. Édifiée en bordure de la rivière Ericht, elle gouverne l'accès au Glenshee et constitue un camp de base idéal pour arpenter la campagne environnante.

Arriver – Quitter

➢ Avec *Strathtay*, le bus n° 57 (ttes les heures ; moins fréquent dim) assure le trajet avec **Perth** ou **Dundee.** Compter 1h de trajet pour les deux.
➢ Prendre le *postbus* à 7h30 (sf dim) pour se rendre dans le **Glenshee.**

Adresse utile

🖪 **Tourist Information** : 26, Wellmeadow. ☎ 872-960. Dans le centre. En hte saison : lun-sam 9h30-18h30 ; dim 10h-16h. Horaires restreints le reste de l'année, et fermé le dim en hiver.

Où dormir dans les environs ?

Camping

🏕 **Five Roads Caravan Park :** à Alyth, 5 miles (8 km) à l'est de Blairgowrie par l'A 926. ☎ (01828) 632-255. Ouv tte l'année. Prévoir £ 9 (13,50 €) pour deux. Camping tout simple, avec une pelouse moelleuse pour planter sa tente. Sanitaires et équipements raisonnables.

Prix moyens

🛏 **Gulabin Lodge :** à Spittal of Glenshee, sur la route de Braemar (à env 20 miles, soit 30 km, au nord de Blairgowrie). ☎ 885-255. Tte l'année. Compter £ 20 (30 €) par pers avec le petit déj. Dans un cottage blanc, petits dortoirs simples, certains avec mezzanine. Le proprio est moniteur de ski l'hiver (à la station de Glenshee) et instructeur de parapente l'été. Ambiance relax. Prix un peu élevé tout de même. Location de vélos (et de skis en hiver).

🛏 **Dalhenzean Lodge :** sur l'A 93, à mi-chemin entre Blairgowrie et Braemar (un peu avt le Gulabin Lodge). ☎ 885-217. ● mikepurdie@onetel.com ● Compter £ 25-28 (37,50-42 €) la nuit par pers. Perdu dans le superbe Glenshee. Que ceux qui cherchent un endroit plein de charme, à l'écart de tout, n'hésitent pas à faire la route ! Ravissante maison avec véranda abritant de très jolies chambres dotées de salle de bains reluisante de propreté. Une adresse en or !

Où manger ?

🍴 **The Dome :** 20, Leslie St. Dans une rue derrière l'office de tourisme. Tlj sf dim 9h-18h. Plats £ 3-6 (4,50-9 €). Près de l'entrée, petites tables et bancs en bois, mignons comme tout. Derrière, salle aux tons estivaux avec colonnes et plafond en forme de dôme. Au menu : *baked potatoes,* hamburgers, *home-made* quiches, *fried haddock* et bonnes petites suggestions du jour.
🍴 **Cargill's :** Lower Mill St ; proche de la rivière. ☎ 876-735. Résa conseillée.

La meilleure table de la ville. On se sent vite à l'aise lorsque la salle est pleine à craquer. Les recettes sont créatives et les assiettes belles et copieuses. L'été, on mange volontiers en terrasse. Adresse prisée.

➤ *DANS LES ENVIRONS DE BLAIRGOWRIE*

🍴 *Meigle (HS) :* à 8 miles (13 km) à l'est de Blairgowrie. ☎ (01828) 640-612. Prendre le bus n° 57 depuis Blairgowrie. Pâques-sept : tlj 9h30-18h30. Entrée : £ 3 (4,50 €) ; réduc. Pour les amateurs de vieilles pierres, collection unique de croix et pierres tombales finement sculptées de l'époque des Pictes.

🍴🍴 *Glenshee :* vallée que parcourt l'A 93 pour rejoindre Braemar, située à 56 km au nord de Blairgowrie. *Postbus* (départ à 7h30 de Blairgowrie) jusqu'à *Spittal of Glenshee.* La route franchit le Cairnwell, le plus haut col routier de Grande-Bretagne (665 m). Au-delà de Spittal of Glenshee, le paysage change du tout au tout, les montagnes s'élèvent, la vallée se dépouille de ses cultures, de ses arbres, de ses maisons. Un peu angoissant si le réservoir d'essence fait semblant d'être proche du zéro (première pompe à Braemar). À mi-chemin, possibilité de rejoindre Kirkton of Glenisla en prenant la B 951.

🍴 *P.Y.O. : Pick Your Own,* pancarte très répandue le long des routes de campagne. La cueillette de framboises, fraises et groseilles est une activité très populaire en Écosse. Amusant et vraiment pas cher. Ça commence dès le mois de juillet pour se prolonger jusqu'à mi-août. Pour nos lecteurs les plus fauchés, il est aussi possible de se faire embaucher au jour le jour. Ambiance vendange.

GLAMIS

80 hab.

IND. TÉL. : 01307

Prononcez « Glams », un village endormi et très pittoresque. On y passe, le temps de visiter son château et son musée du Folklore.

Arriver – Quitter

➤ Le bus n° 22 assure la liaison avec *Kirriemuir* ou *Dundee* (3 bus/j. sf dim). Le dim, pour Dundee slt, prendre le n° 20C.

À voir

🏰🏰🏰 *Le château de Glamis :* ☎ 840-393. ● glamis-castle.co.uk ● Pâques-fin déc : tlj 10h-18h (dernière visite), jusqu'à 17h en nov-déc. Entrée : près de £ 7,50 (10,50 €) pour le château et les jardins ; £ 3,70 (5,60 €) pour les jardins seuls ; réduc. Billet combiné (Scotland's Treasure Ticket) avec Scone Palace (à Perth), Blair Castle (à Pitlochry), les distilleries de Dewar's World of Whisky (à Aberfeldy) et Bell's (à Pitlochry) pour £ 16 (24 €) ; réduc. Un autre ticket, le Royal Discovery Pass, permet la visite du château et du Discovery Point à Dundee pour £ 10 (15 €) ; réduc. Le château se visite avec un guide... évidemment anglophone, mais vous pouvez demander des feuilles d'explication en français. Prévoir 1h de visite.

Résidence royale depuis 1372 et propriété des comtes de Strathmore et Kinghorne. Shakespeare y fait référence dans *Macbeth* ; la mère de la reine Elizabeth II y passa son enfance et la princesse Margaret y naquit. Il faut dire qu'il s'agit d'un beau et majestueux château à tourelles, que l'on découvre de loin sur l'allée rectiligne qui y mène depuis l'entrée du parc. C'est l'un des plus visités d'Écosse. De la construction du XIe siècle, il subsiste le donjon où Macbeth aurait tué Duncan. Le reste fut restauré au XVIIe siècle. Avec ses murs épais, mystérieux et parfois sévères, le château contraste singulièrement avec des jardins qui semblent dessinés pour une villa palladienne. Dans la crypte se trouverait une chambre secrète où l'un des lords de Glamis avait l'habitude de jouer aux cartes avec le diable. Mais son entrée fut ensuite murée pour permettre aux occupants de dormir tranquilles, à l'abri de tout tintamarre nocturne et... satanique. Le château possède, en particulier, un très beau *Marché aux fruits* de Frans Snyders, un disciple de Rubens. De même, la chapelle est entièrement décorée de panneaux du peintre hollandais Jacob de Wet, du XVIIe siècle. On l'a dit hanté par le fantôme de lady Janet, accusée à tort à la suite de sombres histoires familiales et brûlée vive pour sorcellerie par Jacques V en 1537.

🍴 *Angus Folk Museum* (NTS) : dans le village, derrière le château. ☎ 840-288. *Pâques-juin et sept : le w-e slt 12h-17h. Juil-août : tlj 11h (13h dim)-17h. Entrée : £ 5 (7,50 €) ; réduc.* À l'accueil, demandez les feuilles d'explication en français pour accompagner votre visite. L'un des plus intéressants musées d'art populaire d'Écosse. Installé dans une chaumière typique du début du XIXe siècle. Tout en longueur, il en reste peu de ce genre dans le pays. À l'intérieur, tous les arts et traditions populaires de la région. Également deux annexes en face, avec des outils et des véhicules d'époque, dont un corbillard hippomobile.
– Le *cimetière* de l'église possède de bien jolies tombes sculptées, certaines datant du XVIIIe siècle.

KIRRIEMUIR

6 000 hab.   IND. TÉL. : 01575

Petit village à l'entrée du Glen Clova, qui vit naître le papa de Peter Pan, sir James Matthew Barrie (et non Walt Disney). Curieusement, toutes les maisons et tous les bâtiments civils sont en grès rouge, d'où son surnom de « *little red town* »... Cela donne un charme certain au centre du village, avec la statue de Peter Pan sur le Square.

Arriver – Quitter

Strathtay Scottish assure des liaisons avec :
➤ *Dundee :* bus n° 20 ttes les heures (3 slt dim).
➤ *Glamis :* bus n° 22 (5/j., sf dim).
➤ *Blairgowrie :* 4 bus/j. Prendre le n° 128 et changer à Alyth avec le n° 57.

Adresse utile

🏛 *Tourist Information Centre :* Cumberland Close. ☎ 574-097. Au centre du village. Avr-sept : tlj sf dim 10h-17h ; juil-août, tlj sf dim 9h30-17h30.

Où dormir ? Où manger ?

⚔ *Drumshademuir Caravan & Camping Park :* à mi-chemin entre Kirriemuir et Glamis. ☎ 573-284. • drumshademuir.com • Ouv mars-oct. Pour 2 pers et une tente, compter £ 10-12 (15-18 €) selon saison. Toutes commodités et restaurant sur place. Terrain plat avec une belle pelouse. La clientèle est plutôt familiale.
|●| *Airlie Arms Hotel :* Saint Malcom's Wynd, en plein centre. ☎ 572-847. • airliearms-hotel.co.uk • Le restaurant, The Wynd, se trouve à l'étage de l'hôtel (chambres correctes mais pas

données). Plats £ 7-13 (10,50-19,50 €). Le lieu paraît ordinaire, mais la cuisine est plutôt réussie et le personnel serviable.

À voir

DUNDEE ET L'ANGUS

🍴 *Barrie's Birthplace* (NTS) : 9, Brechin Rd. ☎ 572-646. Pâques-oct : tlj sf jeuven 12h (13h dim)-17h ; juil-août : tlj 11h (13h dim)-17h. Entrée : £ 5 (7,50 €) ; réduc. Le billet donne aussi accès à la Camera Obscura. Cette maison blanche (et non rouge) est le lieu de naissance de sir James Matthew Barrie, romancier très populaire en Grande-Bretagne (mais curieusement inconnu en France) et auteur de *Peter Pan*. La pièce de théâtre connut aussitôt un succès foudroyant et lui rapporta en deux ans la modique somme de 500 000 livres. Selon la petite histoire, Barrie, après un mariage raté, s'était mis à ressembler à Peter Pan vers la fin de ses jours... On peut visiter, à l'étage, les deux petites pièces où il vécut. Un peu cher tout de même...

🍴 *Camera Obscura* (NTS) : sur Kirrie Hill, la colline au-dessus du village. ☎ 0844-493-21-43. Pâques-sept : tlj 12h (13h dim)-17h. Entrée : £ 5 (7,50 €) ; réduc. Prévoir 30 mn de visite, commentée par un guide. Le billet donne aussi accès à la Barrie's Birthplace. Logé dans le pavillon de cricket, il s'agit d'un système ingénieux précurseur de l'appareil photo, permettant d'observer le paysage. Cet exemplaire fut offert par J. M. Barrie à la ville en 1929. Il n'en reste que trois en Écosse de ce type. Le procédé était très utilisé aux XVIIIe et XIXe siècles. Pourtant, cet outil est peu connu aujourd'hui en dehors des historiens et collectionneurs. Prévoir une visite par beau temps pour y voir quelque chose...

🍴 *Gateway to the Glens Museum* : sur le Square. ☎ 574-479. Tlj sf dim 10h (13h jeu)-17h. Entrée gratuite. Petit musée local consacré à Kirriemuir et aux *glens* de l'Angus. Installé dans le *Town House* construit en 1604, il abritait jadis le tribunal et la prison. À voir, entre autres, une belle maquette qui montre comment s'organisait à l'époque la vie à Kirriemuir un jour de marché.

🍴 *Le musée de l'Aviation* : Bellie's Brae Rd. ☎ 573-233. Avr-sept : 10h (11h ven et dim)-17h. Entrée gratuite, mais donations bienvenues ! Bric-à-brac amassé depuis plus d'un demi-siècle par Mr Richard Moss : uniformes de la R.A.F., parachutes, sièges éjectables, instruments de navigation et de transmission, photos... Chaque objet a une histoire, que vous raconte de manière délicieuse son propriétaire. Souvent drôle et très instructif.

Fête

– *Festival of Traditional Music & Song* : le 1er w-e de sept. Le petit festival du coin où l'on se raconte des histoires en musique, concerts dans les pubs, compétition de cornemuse... Camping pas cher pour l'occasion.

LA VALLÉE DE GLEN CLOVA IND. TÉL. : 01575

Après avoir traversé Kirriemuir, on aborde la vallée de Glen Clova, l'une des plus délicieuses de la région. Route indiquée au départ de Kirriemuir. Une bonne vingtaine de kilomètres sur une étroite route, ludique à souhait, dans un paysage paisible et harmonieux. Campagne de rêve : bruyère, vertes prairies, collines peuplées de moutons, de grives et de faisans, des lapins partout (malheureusement souvent écrasés sur la route)... À Clova, fin de la B 955 et

DUNDEE ET L'ANGUS

début d'une petite route encore plus étroite qui s'achève à Glen Doll, 6 km plus loin. Ne la négligez pas, c'est la partie la plus sauvage et la plus spectaculaire de la vallée !

– *Des infos sur les glens sur* • *angusglens.co.uk* •

Arriver – Quitter

➤ Bus postal de **Kirriemuir** (pour Clova). En principe, 1 départ le mat et 1 l'ap-m lun-ven, ainsi qu'un départ sam mat, mais mieux vaut s'assurer de l'horaire à l'office de tourisme ☎ 574-097. Également, de Kirriemuir toujours, 2 *postbus*/j. pour la vallée voisine, Glen Prosen.

Où dormir ? Où manger ?

⚥ 🏠 |●| *The Clova Hotel :* à Clova. ☎ 550-350. • *clova.com* • *Par pers,* £ 11 (16,50 €) en dortoir au bunkhouse et £ 41 (61,50 €) en chambre double à l'hôtel. Possibilité aussi de planter sa tente à côté de l'établissement (et d'en utiliser les sanitaires) pour £ 5 (7,50 €) pour deux. Au resto, plat à partir de £ 8 (12 €). Le seul endroit où loger (et manger) du Glen Clova. Belles chambres, agréablement rustiques, avec salle de bains très soignée. Côté dortoirs, dans une annexe de l'hôtel, c'est bien aussi, avec des chambres de 4 et une de 10 lits, ainsi qu'une cuisine équipée. Enfin, bonne cuisine locale au resto et chouette bar avec grosses tables en bois pour les randonneurs (et les autres). Une bien bonne adresse à vrai dire, juste à l'entrée d'un segment de la vallée qui ressemble comme deux gouttes d'eau aux Highlands.

Randonnées

➤ Sur le parking payant du Glen Doll, un bureau d'information ouvert l'été indique toutes les possibilités de randonnées, pour tous les goûts et tous les âges. Magnifiques cascades à 5 km environ, qu'on aperçoit au fond de la vallée. On peut rejoindre Braemar, à 22 km, par un chemin de randonnée *(Jock's Road)*. Itinéraire facile en été (sauf météo défavorable), dans un paysage de montagne évidemment fantastique, doux et sauvage à la fois. Beaucoup plus dangereux en hiver. Se munir de la carte *Explorer* 388 ou *Landranger* 44 avant de partir.

LA VALLÉE DE GLEN ISLA   IND. TÉL. : 01575

Prononcez « Aïla ». Là encore, une vallée charmante et rieuse, qui se consomme à chaque virage. D'elle, on dit : « Ou quelqu'un vous en a déjà parlé, ou vous vous êtes perdu »... Bon, pour ne rien vous cacher, on préfère quand même un petit peu celle de Clova...

Arriver – Quitter

➤ Postbus de **Blairgowrie**, jusqu'à Auchavan (au fond de la vallée). Rens à l'office de tourisme. En principe, 2 départs le mat et 1 en début d'ap-m, lun-ven, ainsi qu'1 départ sam mat.

Où dormir ? Où manger ?

⛺ |●| *The Glenisla Hotel :* à Kirkton of Glenisla. ☎ 582-223. ● glenisla-hotel. com ● Compter env £ 35 (52,50 €) la nuit par pers. Au resto, plats midi et soir £ 6-15 (9-22,50 €). Beaucoup de cachet pour cette auberge du XVIIᵉ siècle. Chambres claires et mignonnes, toutes avec salle de bains. Bar très cosy, avec poutres et cheminée, et agréable salle pour le petit déj, pourvue de tables en bois massif. Aux beaux jours, on mange dans le jardin.

ARBROATH

24 300 hab.   IND. TÉL. : 01241

DUNDEE ET L'ANGUS

Célèbre pour son abbaye médiévale et la signature de la déclaration d'Arbroath en 1320, garantissant une Écosse libre et indépendante. Malgré une reconversion difficile, Arbroath abrite un port de pêche toujours animé, produisant les fameux *smokies* (haddocks fumés).

Arriver – Quitter

En bus

➢ Avec *Scottish Citylink,* liaisons régulières avec *Dundee, Stonehaven* et *Aberdeen.*

En train

➢ Départs fréquents de *Dundee, Aberdeen* et *Stonehaven.*

Adresse utile

🛈 *Tourist Information Centre :* 3-4, Fishmarket Quay. ☎ 872-609. En été : lun-sam 9h30-17h30 ; dim 10h-15h. Le reste de l'année : lun-ven 9h-17h ; sam 10h-15h. Fermé dim.

Où manger ?

|●| *The But'n'Ben :* à Auchmithie, à 2 miles (env 3 km) au nord d'Arbroath. ☎ 877-223. Tlj sf mar. Résa conseillée. Compter £ 8-12 (12-18 €) le plat. Établissement dans un *cottage* cosy prisé des anciens. Il faut dire que Margaret y sert une cuisine traditionnelle depuis un sacré bout de temps, notamment réputée pour ses produits de la mer. L'adresse est connue dans le coin ! *Tearoom* en journée et *high tea* le dimanche après-midi.
|●| *The Old Brewhouse :* Danger Point, en bas de High St, à l'extrémité nord du port. ☎ 879-945. Plats £ 8-15 (12-22,50 €). Un pub plein de charme, toujours plein à craquer. La clientèle est touristique et familiale. On se sent vite à l'aise. Voir les poutres au plafond, toutes couvertes de billets. Une bonne adresse pour goûter aux *Arbroath smokies.*

À voir

🏃🏃 *L'abbaye d'Arbroath* (HS) : dans le centre-ville. ☎ 878-756. Avr-sept : tlj 9h30-17h30 ; oct-mars : tlj sf jeu-ven, 9h30-16h30. Entrée : £ 4,50 (6,80 €). Fondée en 1178, l'abbaye est célèbre pour la déclaration d'Arbroath de 1320. Aujourd'hui, il ne reste que des ruines en grès rouge, usées par le temps. Le lieu a des airs de Saint Andrews.

¶ *The Signal Tower :* musée logé dans un phare très élégant du XIXe siècle. ☎ 875-598. Lun-sam 10h-17h ; dim 14h-17h slt en juil-août. Gratuit. Exposition pour en savoir plus sur l'histoire de la ville, ses habitants et les *Arbroath smokies...*

> ## DANS LES ENVIRONS D'ARBROATH

¶ **Pictavia :** à **Brechin,** au Castle Centre, *proche de l'A 90.* ☎ *(01356) 626-241.* ● *pictavia.org.uk* ● *Avr-oct : lun-sam 9h30-17h30 ; dim 10h30-17h30. Nov-mars : slt le w-e 9h (10h dim)-17h. Entrée : £ 3,30 (5 €) ; réduc.* Compter 30 mn de visite. Centre d'interprétation dédié au Pictes, peuplant jadis cette région du nord-est de l'Écosse. On y relate notamment la bataille de Dunnichen, en 685, contre les Northumbrians. Malgré cette victoire fulgurante contre l'envahisseur venu du sud, la disparition des Pictes reste mystérieuse... La visite est intéressante, mais l'endroit manque d'âme. L'héritage picte s'apprécie mieux en pleine campagne, à la recherche des pierres levées aux symboles énigmatiques...

¶ **Les pierres levées d'Aberlemno :** *sur le bord de la route B 9134, à une dizaine de kilomètres de Forfar. Accès libre entre mai et sept (les pierres sont protégées en hiver).* Pierres sculptées entre les VIIe et IXe siècles par les Pictes. La plus impressionnante se trouve dans l'enclos de l'église, avec une scène de la bataille de Dunnichen. Les cavaliers et guerriers sont remarquablement mis en valeur. Même la croix celtique sur l'autre face est splendide. D'autres pierres similaires se situent 500 m plus loin, en bordure de route. Voir celle avec la scène de chasse.

Balade

¶ **Les falaises de Seaton :** *départ au nord du port, au bout de Victoria Park.* Le chemin de 5 km mène à la communauté de pêcheurs d'Auchmithie (compter 2h30), le long d'une falaise en grès rouge. Possibilité de revenir à Arbroath avec les bus n°s 35 ou 140.

LES GRAMPIANS

La région des Grampians correspond au nord-est de l'Écosse, un vaste triangle dont Aberdeen est la capitale. Avec près de 70 châteaux et plus de la moitié des stocks de whisky, c'est la région des distilleries et des nobles demeures par excellence. Elle offre une diversité de paysages allant des inquiétantes montagnes du Cairngorm aux villages de pêcheurs typiques, en passant par de longues vallées où coulent la Dee et la Spey.
– Rens : ☎ (01224) 288-800. ● aberdeen-grampian.com ●

ABERDEEN ET SA RÉGION

ABERDEEN   200 000 hab.   IND. TÉL. : 01224

Aberdeen, la « cité de granit ». On dit que l'architecture grise et austère des bâtiments reflète le caractère des *Aberdonians,* durs et têtus ! Et pourtant, sous ses airs d'austérité, quelque deux millions de roses, trois millions de crocus et… onze millions de jonquilles en font l'une des villes les plus fleuries de Grande-Bretagne. Aberdeen, c'est aussi un centre universitaire où s'est développée une intense vie culturelle, artistique et même… nocturne, sans oublier une activité commerciale florissante, surtout depuis la découverte des gisements pétroliers de la mer du Nord. C'est aujourd'hui la capitale européenne du pétrole et le troisième port de pêche britannique.

Arriver – Quitter

✈ **Aéroport :** *à 7 miles (env 11 km) au nord-ouest du centre-ville. Rens :* ☎ *0870-040-00-06. Service d'autobus n° 10 env ttes les heures.*
⚓ **Gare maritime** *(plan I, D2) : non loin des gares routière et ferroviaire. Rens sur les liaisons avec les îles Orkney et Shetland auprès de* Northlink : ☎ *0845-6000-449.* ● *northlinkferries.co.uk* ●

En bus

🚌 **Gare routière** *(plan I, C2) : à deux pas de la gare ferroviaire. Infos trafic auprès de la compagnie* Stagecoach : ☎ *212-266.* ● *stagecoachbus.com* ●
➤ Avec *Scottish Citylink,* liaisons régulières avec **Stonehaven, Arbroath, Dundee, Perth, Édimbourg** et **Glasgow**.
➤ Avec *Stagecoach,* prendre le bus n° 201 pour la vallée de la Dee et **Braemar** et le n° 10 pour **Inverness** *(ttes les heures env).*

En train

🚆 **Gare ferroviaire** *(plan I, C2-3) : Guild St. Rens voyageurs :* ☎ *08457-55-00-33.* Consigne à bagages dans le hall de la gare.

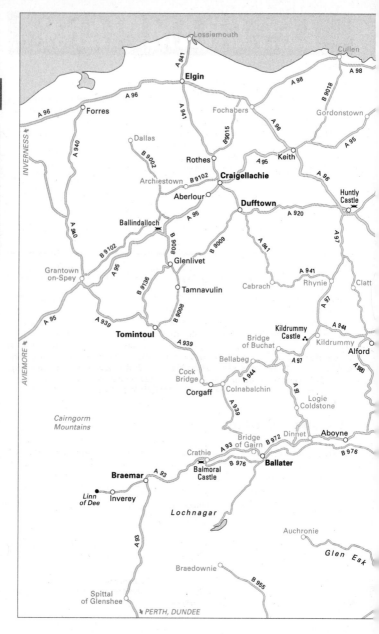

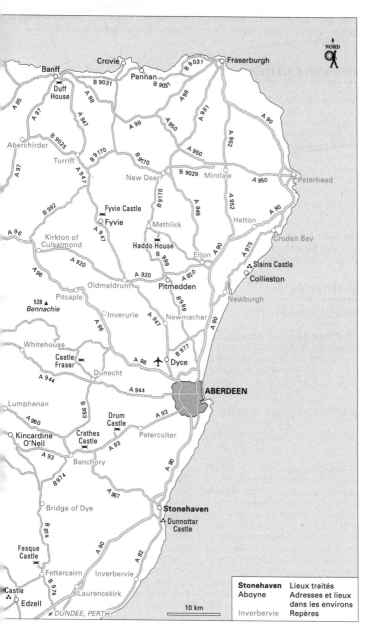

LES GRAMPIANS

➤ Liaisons régulières avec **Stonehaven, Dundee, Perth, Stirling, Édimbourg** et **Glasgow.** Trains presque ttes les heures. Également une dizaine de trains/j. de et pour **Inverness.**

Adresses utiles

🛈 *Aberdeen Visitor Information Centre (plan I, D1)* : 23, Union St. ☎ 288-828. ● *visitaberdeen.com* ● *En hte saison, lun-sam 9h-18h30 ; dim 10h-16h. Horaires plus restreints le reste de l'année, en principe tlj sf dim 9h30-17h. Guide de la ville (Aberdeen on foot) en vente et accès Internet (payant).*

✉ *Poste (plan I, C1)* : *Saint Nicholas Centre, Upper Kirkgate. Lun-sam 9h-17h30. Bureau également au 489, Union St (plan I, A3).*

▣ *Internet* : à l'office de tourisme ou, mieux, à la bibliothèque (gratuit), sur *Rosemount Viaduct (plan I, B1, 1). Tlj sf*

dim 9h-19h (17h ven-sam).
■ *Change (plan I, C1-2, 2)* : *au bureau Thomson, 3-5, Saint Nicholas St ; à l'étage. Lun-sam 9h-17h30 (19h jeu) ; dim 12h-17h30.*
▣ *Location de voitures (hors plan I par D3)* : *Arnold Clark, Girdleness Rd.* ☎ 249-159. ● *arnoldclarkrental.com* ● *Pour vous y rendre, bus n° 5 depuis Guild St. Le moins cher de la ville, avec, en prime, un accueil sympa.*
■ *Laveries (hors plan I par C1)* : *Laundrette, 555, George St. Lun-ven 8h30-18h ; w-e 10h-17h. Une autre au 198, Holburn St.*

Où dormir ?

Bon marché

🛏 *Youth Hostel (hors plan I par A3, 10)* : 8, Queens Rd. ☎ 0870-004-11-00. ● *syha.org.uk* ● *À 1,5 km à l'ouest du centre. Bus nᵒˢ 14 et 15 de Union St. Ouv tte l'année. Couvre-feu à 2h. Compter*

£ 13-15 (19,50-22,50 €) la nuit, selon saison. Grande bâtisse bien entretenue. Vaste cuisine, salles TV et de lecture avec pas mal de jeux, accès Internet et parking. *Warden* vraiment sympa.

De prix moyens à plus chic

Vous trouverez la plupart des *B & B* sur Bon Accord Street ou sur Great Western Road.

🛏 *Millers (hors plan I par A3, 11)* : 5, Cairnvale Crescent. ☎ 874-163. À 2 miles (3 km) au sud du centre. Prendre le bus n° 16 de Union St et descendre à Cairngorm Dr. En voiture, prendre Holburn St, qui devient Great Southern Rd, jusqu'à la rivière ; traverser le rond-point après King George VI Bridge et continuer jusqu'à Cairngorm Dr, tt au bout à droite ; le B & B est à 300 m sur la gauche. Compter env £ 28-30 (42-45 €) par pers. Le vrai B & B convivial, où l'on se réunit dans le salon autour du feu. Trois chambres soignées et croquignolettes, qui se partagent une salle de bains. La charmante propriétaire fait un prix aux plus fauchés, mais n'en abusez pas... d'autant qu'elle peut venir vous

chercher à la gare.
🛏 *Dunrovin Guesthouse (hors plan I par B3, 12)* : 168, Bon Accord St. ☎ 586-081. ● *dunrovinguesthouse.co.uk* ● *Doubles avec sdb : £ 25-30 (37,50-45 €) par pers. Attention, résa impérative et le plus longtemps à l'avance possible. Chambres arrangées avec goût. Petit déj très complet, servi dans un espace agréable. Le propriétaire jure que son black pudding (boudin noir) est le meilleur du monde. Ajoutez à tout cela un sens de l'hospitalité en béton, et vous comprendrez pourquoi Lena et Chris croulent sous les demandes.*
🛏 *Denmore Guesthouse (hors plan I par B3, 13)* : 166, Bon Accord St.

☎ 587-751. *Compter £ 30 (45 €) par pers.* Belle et grande maison au décor chaleureux, tenue par un sympathique couple. Une dizaine de chambres assez simples. Le coin *breakfast,* avec ses banquettes en bois sombre, a un petit côté bistrot vraiment agréable.
🛏 *Brentwood Hotel (plan I, C3, 14) :*

101, Crown St. ☎ 595-440. ● brent wood-hotel.co.uk ● *Doubles £ 96 (144 €) en sem et £ 62 (93 €) le w-e.* En plein centre, petit hôtel moderne, fonctionnel et fort bien tenu. Chambres plaisantes et confortables, avec sanitaires. Mobilier en bois clair et lits roses.

Où manger ?

Bon marché

🍴 *West End Chocolates (plan I, A2, 20) :* 2C Thistle St. Tlj sf dim 9h-15h. Petit snack tout mignon, proposant un beau choix de sandwichs à emporter (et une sélection alléchante de chocolats. Idéal pour manger sur le pouce.
🍴 *Mediteraneo (plan I, C1, 21) :* 40-42,

Saint Andrews St. Ouv en journée. Compter près de £ 5 (7,50 €) pour un déj. Dans un bon resto de quartier qui fait aussi épicerie italienne, produits authentiques et délicieuses spécialités. Salle toute petite, service sans chichis, sans oublier le vrai café.

Prix moyens

🍴 *Café 52 (plan I, C2, 23) :* 52, The Green. ☎ 590-094. *Tlj sf lun midi. Plats env £ 7 (10,50 €) le midi, £ 10-14 (15-*

21 €) le soir. Au centre, dans une petite rue piétonne. Terrasse aux beaux jours. À l'intérieur, déco style entrepôt amé-

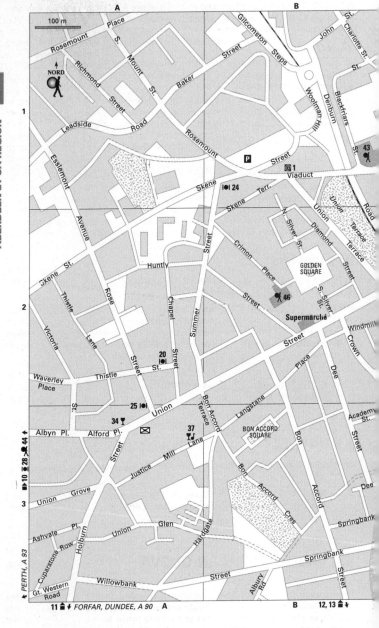

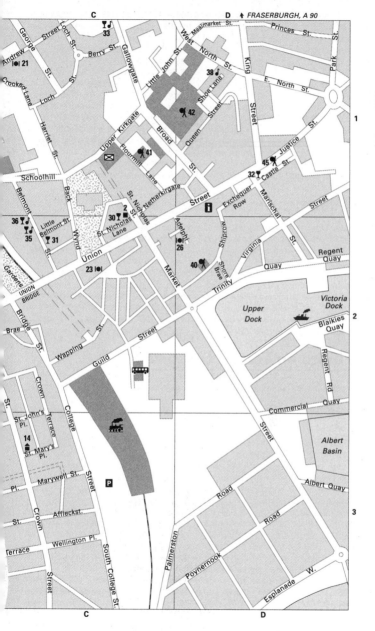

ABERDEEN – CENTRE (PLAN I)

nagé et repeint. Très sympa. Cuisine réussie, pleine de fantaisie et s'inspirant des quatre coins du globe. On peut même y manger des tapas entre 16h et 19h.

|●| *Narguile* (plan I, B1, **24**) : 77-79, *Skene St.* ☎ 636-093. *Ouv le soir slt. Tlj sf dim.* Compter £ 9-12 (13,50-18 €) pour un plat. Restaurant turc très populaire. Cadre sobre pour une cuisine copieuse, fraîche et savoureuse. Mieux vaut aimer l'agneau, les aubergines, les tomates, le riz et les oignons, et si c'est le cas, vous ferez alors un excellent dîner.

|●| *Light of Bengal* (plan I, A2-3, **25**) :

13, *Rose St.* ☎ 648-224. *Prévoir au moins* £ 10 (15 €). Un restaurant indien tout simplement excellent, avec des plats épicés et hauts en couleur. Service à la hauteur.

|●| *Goulash* (plan I, D2, **26**) : 17, Adelphi, c'est une impasse en retrait de *Union St.* ☎ 210-530. *Tlj sf dim. Résa conseillée.* Les plats tournent autour de £ 10 (15 €), menus env £ 15 (22,50 €). Petit resto hongrois à la déco typique, qui sert une cuisine goûteuse. Le proprio est un vrai comique (dommage que la musique soit parfois envahissante). Quelques tables seulement.

Plus chic

|●| *Silver Darling Restaurant* (plan II, F7, **27**) : *Pocra Quay North Pier.* ☎ 576-229. *Dans le coin des docks, au bout de Beach Esplanade, à côté du phare. Tlj sf sam midi et dim. Résa impérative.* Plats env £ 12 (18 €) le midi et £ 20 (30 €) le soir. Le meilleur resto de poisson de la ville, avec une vue imprenable sur le large. Service pro mais décontracté. Bonne carte des

vins et desserts à se damner !

|●| *Olive Tree* (hors plan I par A3, **28**) : 32, Queens Rd. ☎ 208-877. *Fermé dim.* Plats env £ 10 (15 €) le midi ; nettement plus cher le soir. Très agréable salle vitrée. On y mange une cuisine écossaise soignée *with a modern touch* ! Au menu, surtout de la viande, dont le fameux *Aberdeen Angus*.

Où boire un verre ? Où sortir ?

Dans cette ville estudiantine, ce ne sont pas les endroits où prendre un pot et faire la fête qui manquent. Et il y en a vraiment pour tous les goûts ! En gros, les pubs ferment à minuit en semaine et 1h le week-end. Pour les boîtes, c'est généralement 3h.

♟ *Prince of Wales* (plan I, C1-2, **30**) : Saint Nicholas Lane. Le pub pourvu du plus long bar d'Aberdeen, avec une grande variété de bières à la pression. Réputé aussi pour sa restauration de qualité (et bon marché) du midi.

♟ *Slains Castle* (plan I, C2, **31**) : 14-18, Belmont St. Fait partie de la chaîne *Eerie pubs,* c'est-à-dire des pubs de l'étrange... Vaut le coup d'œil pour ceux qui ne connaissent pas le *Jekyll and Hyde Pub* d'Édimbourg. Pour les autres, l'endroit aura évidemment un air de déjà-vu...

♟ *Blackfriars* (plan I, D1, **32**) : 52, Castle St. Vieux pub sombre au parquet qui craque, mobilier en bois et murs en brique. Parfait pour une bière dans une ambiance chaleureuse.

♟ ♪ *The Blue Lamp* (plan I, C1, **33**) :

121, Gallowgate. Dans une petite salle très intime, concerts de musique celtique, folk et blues le lundi soir. Vraiment sympa. Clientèle variée mais, comme dit le patron, *young at heart.*

♟ *Frankenstein* (plan I, A3, **34**) : 504, Union St. Bar-resto entièrement dédié à la créature de Mary Shelley, avec reproduction grandeur nature du monstre ! À chaque pleine lune (vers 23h), le personnel se grime et se lance dans un drôle de petit spectacle...

♟ ♪ *Revolution* (plan I, C2, **35**) : Belmont St. Ici, on sert la vodka à tous les parfums : chocolat, mangue, caramel, *bubble-gum,* etc. Vraiment pour tous les goûts. À part ça, soirée DJ tous les soirs, plutôt house le week-end et *chillout* (relaxante) en semaine.

♟ ♪ *The Priory* (plan I, C2, **36**) : Bel-

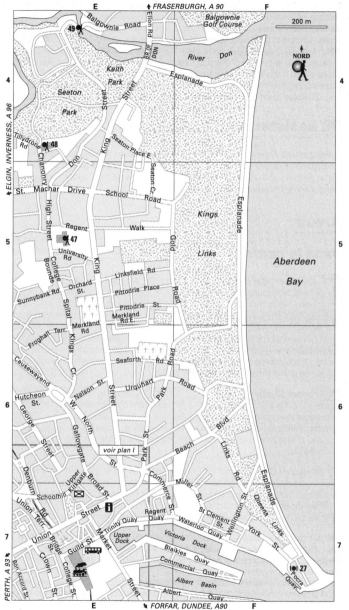

ABERDEEN ET SA RÉGION

ABERDEEN – OLD ABERDEEN (PLAN II)

mont St ; à 20 m du Revolution. Décidément, la reconversion des édifices religieux va bon train dans ce pays : encore un lieu de la nuit dans une église, avec le DJ dans le chœur et des croix blanches en suspension au-dessus des tables et du bar... On y passe de tout, pourvu que ça remue la clientèle !

🍴 🎵 *Chicago* (plan I, A3, **37**) : Justice Mill Lane. Vous ne risquez pas de le louper, c'est l'endroit le plus tape-à-l'œil de la ville. Immense salle au rez-de-chaussée, où l'on dîne et boit, avec des écrans partout et un bar au centre. Si vous voulez danser, allez plutôt à l'étage, au *Jumping Jaks* (tlj sf mar), vous y trouverez une gigantesque salle au décor de western. La folie !

Où assister à un concert ?

🎵 *The Lemon Tree* (plan I, D1, **38**) : 5, West North St. ☎ 642-230. ● lemontree. org ● Entrée : £ 5-10 (7,50-15 €). Le grand centre de rassemblement de la musique rock, folk, jazz et blues de la ville. Groupe pratiquement tous les soirs et pièces de théâtre certains jours.

À voir

Dans le centre

🎭 *Aberdeen Maritime Museum* (plan I, D2, **40**) : Shiprow. ☎ 337-700. À deux pas de l'office de tourisme. Lun-sam 10h-17h ; dim 12h-15h. Entrée gratuite. Excellent musée sur la mer du Nord et son exploitation, judicieusement situé face au port. Les trois étages s'articulent autour d'un modèle réduit de plate-forme pétrolière de 8,5 m de haut, que l'on découvre dans tous ses détails au fil de la visite (ceux qui se sont toujours demandé comment on installe un tel édifice dans la mer auront enfin une réponse à leur question !). À part ça, intéressantes sections sur la pêche, l'écosystème de la mer du Nord, ainsi que la construction navale avec, entre autres, de nombreuses maquettes de bateaux.

🎭 *Provost Skene's House* (plan I, C1, **41**) : Guestrow. Non loin de Union St. Accès sur Broad St. Lun-sam 10h-17h ; dim 13h-16h. Entrée gratuite. L'une des plus anciennes maisons de la ville (elle date de 1545). Bien restaurée. On peut y admirer différents styles d'intérieurs, du géorgien au victorien, de belles peintures murales et une collection de costumes. Également un Musée archéologique et un salon de thé.

🎭 *Marischal College* (plan I, D1, **42**) : Broad St. Tlj sf sam 10h (14h dim)-17h. Entrée gratuite. Grande bâtisse de granit faisant partie de l'université d'Aberdeen. Fondé en 1593, mais la façade gothique a été ajoutée au début du XXe siècle. C'est le deuxième plus grand édifice de granit, après l'Escurial de Philippe II d'Espagne. Petit *Musée anthropologique,* aux objets d'origine et d'époque très diverses.

🎭 *Art Gallery* (plan I, B-C1, **43**) : Schoolhill. Tlj 10h (14h dim)-17h. Entrée gratuite. Sur deux étages, peintures britanniques du XVIIIe au XXe siècle. Quelques impressionnistes français aussi, et intéressante collection d'art appliqué.

🎭 *Gordon Highlanders Museum* (hors plan I par A3, **44**) : Saint Lukes, Viewield Rd. ● gordonhighlanders.com ● À env 3 km à l'ouest du centre. Bus nos 14 et 15 de Union St. Avr-oct : tlj sf lun 10h30 (12h30 dim)-16h30 (dernière admission à 16h). Le reste de l'année sur résa. Entrée : £ 4 (6 €) ; réduc. Tout sur le célèbre régiment créé en 1794 face à la menace d'une France révolutionnaire. À voir : médailles, peintures, objets militaires, reconstitutions en miniature de batailles et mannequins grandeur nature.

🕯 **Mercat Cross** *(plan I, D1, 45) : au bout de Union St.* Il s'agit d'une croix datant du XVIIᵉ siècle et restaurée au XIXᵉ siècle. Sur son piédestal figure une série de médaillons représentant les souverains Stuart, les armoiries de l'Écosse et de la ville. À côté, la *citadelle de l'Armée du Salut.*

🕯 **Saint Mary's Cathedral** *(plan I, B2, 46) : Huntly St. Tte l'année 8h-17h.* Cathédrale catholique de 1860.

Dans Old Aberdeen *(au nord du centre)*

🕯🕯 **King's College** *(plan II, E5, 47) : tlj 10h-17h. Entrée gratuite.* La première université d'Aberdeen, fondée en 1495. La tour de la chapelle est surmontée d'une superbe couronne de pierre. Au *Visitor Centre,* expo multimédia sur l'histoire de la vieille ville et de l'université.

🕯🕯 **St Machar Cathedral** *(plan II, E4, 48) : Chanonry St. Tlj 9h-17h. Entrée gratuite.* La plus ancienne cathédrale en granit au monde. Édification commencée au XIIIᵉ siècle, sur l'emplacement d'une église du VIᵉ siècle.

🕯 **Brig O'Balgownie** *(plan II, E4, 49) : sur le fleuve Don.* Le plus ancien pont médiéval d'Écosse, construit par Robert the Bruce à la fin du XIIIᵉ siècle. Une légende compliquée raconte qu'il s'écroulera lorsqu'il sera traversé par le fils unique d'une mère montant l'unique poulain d'une jument.

À voir encore. À faire

➤ **Les parcs :** *Duthie Park, à 1 mile (1,6 km) au sud du centre. Tlj 9h30-19h. Accès gratuit.* Ces étonnants jardins d'hiver sont les plus vastes d'Europe. Ils recèlent de nombreuses plantes exotiques, et une superbe colline de roses. *Seaton Park (plan II, E4),* au bord du Don, et *Hazlehead Park* (tout à l'ouest de la ville) valent également le déplacement. Nombreuses activités.

🛆 **La plage :** 3 km de sable fin entre les deux rivières, le Don et la Dee. Au sud, *Beach Esplanade* concentre des bars à thème, des restos branchés, un complexe de cinéma et un parc d'attractions. La partie nord est plus propre et plus calme.

🕯 **Fittie (ou Footdee) :** *entre la plage et le port.* Ancien village de pêcheurs pittoresque, dessiné par John Smith en 1808. Les maisons tournent le dos à la mer afin que le diable, qui arrivait par la mer, ne puisse pas entrer.

🕯 **Torry Battery :** *au sud du fleuve Dee, dominant la ville.* Fort de la fin du XIXᵉ siècle d'où l'on a un super panorama sur le port et la ville.

Manifestations

Détails de tous les événements dans les offices de tourisme d'Aberdeen et des Grampians.
– **Highland Games :** *un des w-e de juin. Dans un des parcs de la ville, souvent Hazlehead Park. Entrée payante.*
– **Festival international de la Jeunesse :** *la 1ʳᵉ quinzaine d'août (en principe).* Musique (surtout classique, mais également jazz et musique du monde), danse et théâtre non-stop.

➤ *DANS L'ABERDEENSHIRE*

➤ Cet arrière-pays un peu oublié offre de jolis paysages et, surtout, de quoi rassasier les amateurs de châteaux : vous en trouverez une quinzaine sur la route du **Castle Trail,** qui part d'Aberdeen pour aller jusqu'à Braemar à l'ouest et Fyvie au nord. Toute la région est desservie au départ de la gare routière d'Aberdeen par la compagnie de bus *Stagecoach,* qui propose un ticket, l'*Explorer,* valable une journée dans la vallée de la Dee (entre Aberdeen et Braemar). Pratique pour les non-motorisés mais un peu lent car, bien sûr, les bus s'arrêtent partout. *Rens :* • *stage coachbus.com* •

🎥🎥 **Castle Fraser** (NTS) : à 15 miles (25 km) à l'ouest d'Aberdeen. ☎ (01330) 833-463. *Fléché sur la droite après une vingtaine de kilomètres sur l'A 944, direction Alford. Bus n° 220 jusqu'à Kemnay, situé à 4,5 km du château. Pâques-fin juin : mer-dim 11h-17h ; juil-août : tlj 11h-17h ; sept-oct : mer-dim, 12h-17h (dernière admission 45 mn avt la fermeture). Les jardins sont accessibles de 9h30 au coucher du soleil. Entrée : £ 8 (12 €) ; réduc.* Château en Z de style *baronial,* construit au XVIIᵉ siècle. L'une des résidences les plus spectaculaires de la région. Le *Great Hall,* splendide, occupe tout le premier niveau. Avec ses 3 m de large, la cheminée est à sa (dé)mesure. Assez impressionnant. Beaux jardins et terrains de jeux pour les enfants.

🎥🎥 **Kildrummy Castle** (HS) : à Kildrummy. ☎ (01975) 571-331. • *kildrummy-cast le-gardens.co.uk* • *À env 40 miles (une soixantaine de kilomètres) à l'ouest d'Aberdeen, sur l'A 97. Bus nᵒˢ 215, 335 ou 415 jusqu'à Alford, puis bus nᵒˢ 219 ou 419. Avr-oct : 9h30-17h30. Entrée : £ 3,50 (5,30 €) ; réduc.* Château en ruine du XIIIᵉ siècle, construit sur le modèle du château de Coucy, près de Laon. Ce fut le fief des comtes de Mar, d'où partit la révolte jacobite de 1715. À côté, beau jardin avec une réplique du Brig O'Balgownie, le pont médiéval d'Aberdeen.

🎥🎥 **Huntly Castle** (HS) : à Huntly. ☎ (01466) 793-191. *À 40 miles (env 60 km) au nord-ouest d'Aberdeen, par l'A 96. Bus n° 10. Avr-sept : tlj 9h30-17h30 ; oct-mars : sam-mer 9h30-16h30. Entrée : £ 4,50 (6,80 €) ; réduc.* Sur les bords de la rivière Deveron. Il retrace à lui seul l'évolution du château écossais, de la forteresse normande au palais du XVIIᵉ siècle, avec une nette influence française, puisque les décorations étaient inspirées du château de Blois. Ce château appartenait aux Gordon, l'une des familles les plus puissantes de la région. Plusieurs fois détruit, le bâtiment actuel, en ruine, date de 1602.

🎥🎥 **Fyvie Castle** (NTS) : à Fyvie. ☎ (01651) 891-266. *Sur l'A 947, à 25 miles (40 km) au nord-ouest d'Aberdeen. Bus n° 305 (puis 25 mn de marche). Pâques-fin sept : tlj sf jeu-ven 12h-17h ; juil-août : tlj 11h-17h. Entrée : £ 8 (12 €) ; réduc.* À côté du petit Loch Fyvie, le château aux cinq tours, qui portent les noms des cinq familles qui se sont succédé pour construire l'une des plus belles demeures de style *baronial* de la région. Restauré au début du XXᵉ siècle, il possède toujours le plus bel escalier circulaire d'Écosse. Belles collections de portraits, d'armes anciennes et de tapisseries du XVIᵉ siècle.

🎥🎥 **Pitmedden Garden** (NTS) : à 13 miles (env 20 km) au nord d'Aberdeen et à 1 mile (1,6 km) du village de Pitmedden, sur l'A 920. ☎ 0844-493-21-77. *Bus n° 290 (jusqu'à Pitmedden). Mai-sept : tlj 10h-17h30 (dernière admission à 17h). Entrée : £ 5 (7,50 €) ; réduc.* Magnifiques jardins du XVIIᵉ siècle, dessinés par Alexander Seton, un lord déchu, grand admirateur de Le Nôtre et de Vaux-le-Vicomte. Suite à l'incendie du château en 1818, le jardin fut laissé à l'abandon, enfin pas tout à fait puisque on y cultiva par la suite des légumes. En 1951, le *National Trust for Scotland* décida de raviver son prestige, et plus d'une dizaine de milliers de plantes ornent aujourd'hui les jardins. Belle vue du haut du belvédère. Également un petit *musée de la Vie rurale,* qui rassemble outils et mobilier d'une ancienne ferme.

ᚾᚾ *Haddo House and Garden* (NTS) : *à 7,5 miles (12 km) au nord de Pitmedden.*
☎ *0844-493-21-79. Sur la B 9005 (desservie par le bus nº 290), prendre à droite en venant de Methlick. Juil-août : tlj 11h-17h ; mars-juin et sept-oct : tlj sf mar-jeu 11h-17h. Entrée : £ 8 (12 €) ; réduc. Visite guidée.* Belle demeure du XVIIIᵉ siècle de style palladien, construite par William Adam pour William Gordon, le deuxième comte d'Aberdeen. Le domaine fut prospère jusqu'à ce que l'un de ses héritiers, surnommé « le Polisson », soit ruiné à cause de sa trop grande générosité : il y entretenait trois maîtresses, enfants et domestiques. Trop pour une seule bourse ! Le patrimoine familial périclita. Au milieu du XIXᵉ siècle, un Gordon fut nommé Premier ministre et le domaine retrouva son prestige passé. Même la reine Victoria y séjourna. La famille Gordon occupe toujours une partie de la maison. Outre la visite, on peut également se promener dans le superbe parc (toute l'année de 9h30 au coucher du soleil), voire assister à des représentations théâtrales, concerts, opéras.

ᚾᚾ *Sands of Forvie : juste au sud de Collieston, à 18 miles (30 km) au nord d'Aberdeen. Prendre l'A 90 puis l'A 975 à droite et, enfin, la B 9003 direction Collieston. En bus, ligne nº 263. Accès gratuit, mais secteurs en partie fermés entre avr et août pour préserver la reproduction de certaines espèces.* Paysages côtiers spectaculaires, plages, dunes, falaises et estuaires dans une réserve naturelle internationalement connue pour sa vie sauvage.

ᚾ ᚾ *Bennachie : point de repère dans l'Aberdeenshire, à env 22 miles (35 km) au nord-ouest d'Aberdeen. Prendre l'A 96, puis, après Inverurie, la direction Chapel of Garioch sur la gauche.* Cette petite montagne offre un large choix de randonnées familiales. Carte et guide disponibles au *Bennachie Centre.*

LES GRAMPIANS

STONEHAVEN

9 800 hab.   IND. TÉL. : 01569

Centre de villégiature estival avec son petit port assez mignon. Il a vu naître R. W. Thomson, l'inventeur du pneumatique (qui n'est donc pas Dunlop). Un bon camp de base pour voir toutes les curiosités entre Aberdeen et Montrose.

Arriver – Quitter

➢ Nombreux bus et trains de et vers *Aberdeen, Arbroath, Dundee, Édimbourg* et *Glasgow.*

Adresse utile

🅸 *Tourist Information Centre : Allardice St (la rue principale).* ☎ *762-806.* │ *Pâques-fin oct : 10h-17h (19h juil-août) ; dim 13h-18h en été.*

Où dormir ?

Camping

⚕ *Queen Elizabeth Caravan Park : en bordure de la ville, face à la mer.* ☎ *764-041. Du centre de Stonehaven, suivre la direction d'Aberdeen. Pâques-oct.* │ *Compter £ 7 (10,50 €) pour deux avec une tente. Juste à côté d'une piscine de taille olympique. Bon accueil.*

Prix moyens

🛏 *Dunnottar Mains Farm (B & B) : en face du château de Dunnottar, à 3 km* │ *de Stonehaven.* ☎ *762-621.* ● *dunnottar mains.co.uk* ● *Mars-oct. Résa conseil-*

lée. Compter £ 28 (42 €) par pers. Deux agréables chambres de style campagnard, avec salle de bains. Le château est malheureusement caché par un arbre, mais rien n'empêche d'aller s'y promener...

🏠 *Chez Mrs Hawkes : 24, Shorehead, sur le port.* ☎ 767-750. • *twentyfoursho*

rehead.co.uk • *Compter £ 30 (45 €) par pers.* Anne dispose de 3 chambres, une à l'étage, les autres sous les combles. Petites mais claires et bien rénovées, toutes possèdent une salle de bains et ont vue sur la mer. Un peu cher, mais la vue est remarquable.

Où manger ?

Bon marché

|●| *Sandy's fish & chips : Market Sq ; à deux pas de l'office de tourisme.* Pour les amateurs, snack et *take-away* au

rez-de-chaussée ou restaurant au 1er étage.

Prix moyens

|●| *The Ship Inn : sur la promenade qui court le long du petit port. Plats £ 6-10 (9-15 €).* Pub ordinaire mais qui sert de petits plats honnêtes pour combler un creux. Terrasse sympathique en été.

|●| *Heugh Hotel : Westfield Rd, sur les hauteurs de la ville proche de la gare.*

☎ 762-379. *Plats à partir de £ 5 (7,50 €) le midi et £ 8 (12 €) le soir.* Resto au cadre sobre dans un hôtel de style *baronial*, en granit, aux allures de château. L'établissement a bonne réputation en ville, si bien qu'on y croise beaucoup d'habitués. Un bon rapport qualité-prix.

Chic

|●| *The Tolbooth Restaurant : sur le port.* ☎ 762-287. *Tlj sf dim et lun. Résa très conseillée le soir. La note dépasse vite les £ 20 (30 €), mais qu'est-ce qu'on*

y mange bien ! Du poisson surtout, dans une jolie salle à l'étage du plus ancien bâtiment de Stonehaven, avec vue sur le port et les collines toutes vertes.

À faire

– *Piscine en plein air : à côté du camping.* ☎ 762-134. *Piscine en plein air, de taille olympique, ouv de début juin à mi-sept.* Unique en Écosse, l'eau de mer est chauffée à 28 °C. Les frileux seront ravis ! On nage avec le cri des mouettes. Nocturne *(midnight swim)* tous les mercredis en été, sous la lune et les étoiles.

Manifestations

– *Stonehaven Folk Festival : mi-juil.* Un événement qui prend de la graine au fil des années, suivi des *Highland Games.*

– *Stonehaven Fireball Festival : pour le Nouvel An.* À minuit, défilé dans les rues de la ville. Les participants, vêtus de kilts, font tournoyer des boules de feu pour chasser les mauvais esprits... Spectacle très populaire.

➤ DANS LES ENVIRONS DE STONEHAVEN

🏯 *Dunnottar Castle : à 2 miles (3 km) au sud de Stonehaven par l'A 92.* ☎ 762-173. *Bus n⁰ˢ 101 ou 103 de Stonehaven. Pâques-oct : lun-sam 9h-18h ; dim 14h-*

17h. Nov-Pâques : ven-lun de 10h30 au coucher du soleil. Entrée : £ 5 (7,50 €) ; réduc. Perchée sur un piton rocheux, c'est l'une des ruines les plus fabuleuses de toute l'Écosse, ne serait-ce que pour le site et le panorama. Son histoire relate des événements dramatiques : en 1297, William Wallace y brûla vivante toute une garnison anglaise et, quatre siècles plus tard, 122 hommes et 45 femmes, tous *covenanters* (presbytériens, disciples de John Knox), furent emprisonnés et torturés dans la prison du château, le *Whig's Vault.* C'est sans doute pour cela que Franco Zeffirelli jugea le cadre propice au tournage de son film *Hamlet,* avec Mel Gibson. À voir absolument, même si on n'a pas le temps de faire la visite de l'intérieur.

🐦 🚶 *Fowisheugh Seabird Colony :* à *Crawton.* De Dunnottar, continuer sur l'A 92 en direction de Montrose et prendre la 1ʳᵉ à gauche 1 km plus loin : c'est une voie sans issue mais qui permet d'accéder à la réserve. De mi-mai à fin juil, excursions en bateau les lun, mar, jeu et ven, à 18h et 19h30, depuis le port de Stonehaven (Old Pier). Rens et résa (indispensable) au ☎ (01224) 624-824. Prix : £ 8 (12 €) ; réduc. La réserve suit les falaises vers le nord. C'est le royaume des oiseaux : lors du dernier recensement, ils étaient plus de 500 000 à nicher sur la falaise (goélands, mouettes, guillemots, quelques macareux). Superbe !

➤ *Glen Esk :* de Stonehaven, poursuivre l'A 90 vers Dundee. À Laurencekirk, suivre Fettercairn (joli village avec son arche) avant d'atteindre le *glen,* qui se veut le plus long de l'Angus. Une petite route vous mène sur près de 20 km au cœur des collines et des landes. Au bout, on peut continuer la balade à pied. Il est indispensable de bien se renseigner sur la météo. Du parking, deux possibilités :
– la première consiste à s'engager dans la vallée sur sa droite, large et parsemée de bruyères (magnifique en septembre). Après 3,5 km, on atteint le *Queen's Well* (puits avec une belle architecture en voûte), ainsi nommé suite à une visite de la reine Victoria en septembre 1861, au cours d'un séjour à Balmoral. Ensuite, le chemin commence à grimper pour atteindre le *Mount Keen* (939 m), but de la balade. La vue sur les montagnes du Cairngorm est splendide. Une randonnée de 12 km en tout (compter 4h), vous engage sur un excellent chemin ;
– l'autre option est de partir tout de suite vers la gauche en quittant le parking. En une petite heure, on découvre le Loch Lee. Possibilité de poursuivre sur un bon sentier dans le Glen Lee aux parois très escarpées. Bonne solution de rechange si les nuages vous empêchent de tenter le Mount Keen.

🎬 *Edzell Castle* (HS) : au nord-ouest de Montrose. ☎ (01356) 648-631. De l'A 92 (Dundee-Aberdeen), sortir à Edzell. Avr-sept : tlj 9h30-17h30 ; oct-mars : tlj sf jeu et ven 9h30-16h30. Entrée : £ 4,50 (6,80 €). Ruines d'un château du XIVᵉ siècle. Surtout spectaculaire pour son magnifique petit jardin, construit en 1604 et entouré d'un mur de pierre avec des médaillons sculptés représentant les dieux des planètes, les arts libéraux et les vertus cardinales. Le jardin de lord Edzell devait stimuler à la fois les sens et l'esprit. Vaut le détour.

LE ROYAL DEESIDE

Une vallée riche en paysages... et en histoire depuis le passage de la reine Victoria. Cet itinéraire quitte Aberdeen par l'ouest et suit la route A 93 qui mène à Braemar, au pied du massif des Cairngorms, parc national depuis 2003. Dans sa partie inférieure, on peut visiter les châteaux de *Drum* et *Crathes.* Ensuite, on traverse les villages de *Kincardine O'Neil, Aboyne* et *Ballater.* On termine par le château de *Balmoral* avant d'arriver à Braemar.
– Parcours desservi toute l'année par la ligne de bus n° 201 de *Stagecoach.*
● *stagecoachbus.com* ●

Drum Castle (NTS) : à 10 miles (16 km) à l'ouest d'Aberdeen. ☎ (01330) 811-204. ● drum-castle.org.uk ● Arrêt de bus à proximité. Pâques-juin et sept : tlj sf mar et ven 12h30-17h ; juil-août, tlj 11h-17h. Le domaine est ouv tte l'année de 9h30 au coucher du soleil. Entrée : £ 8 (12 €) ; réduc. Ce château présente bien des aspects particuliers. Il combine un donjon médiéval (de 1290), une résidence jacobite et une extension victorienne. Cadre parfaitement entretenu et abondamment fleuri au début de l'été.

Crathes Castle (NTS) : à 14,5 miles (23 km) d'Aberdeen, sur l'A 93. ☎ 0844-493-21-66. Arrêt de bus à 1 km du château. Avr-oct : 10h30-17h30 (16h30 oct) ; nov-mars : jeu-dim 10h30-15h45. Jardins ouv tte l'année, de 9h au coucher du soleil. Entrée : £ 10 (15 €) ; réduc. Si l'on ne succombe pas au charme extérieur du château, l'intérieur séduit immédiatement. Imbrication de petites pièces décorées avec goût, presque cosy. La demeure appartient à la famille Burnett depuis le XVIᵉ siècle. Une bonne partie de la visite peut s'effectuer le nez en l'air, en raison des extraordinaires plafonds peints que recèle le château. Dans la salle des Neuf Nobles se côtoient Charlemagne, le roi Arthur, Godefroy de Bouillon, Alexandre le Grand et Jules César, agrémentés de morceaux choisis de la Bible, écrits sur les poutres. Admirer également la salle des Neuf Muses ou la salle de la Dame Verte. Il paraît que son fantôme hante toujours les murs. La *Long Gallery* abrite la célèbre *Horn of Leys* (la corne de Leys), datant de 1323 et donnée par Robert the Bruce à Alexander Burnett. Très beaux jardins et agréables balades à faire dans le domaine.

Kincardine O'Neil : le plus ancien village de la vallée (datant du Vᵉ siècle). Son importance passée est étroitement liée à son site, carrefour est-ouest et nord-sud pour les voyageurs, le bétail et les marchandises. Plus de détails au *Old Smiddy Visitor Centre*.

Aboyne : village conçu en 1676 autour d'une esplanade accueillant les *Highland Games*.

BALLATER   1 800 hab.   IND. TÉL. : 013397

Charmante bourgade qui sortit de l'anonymat après le passage de la reine Victoria. Aujourd'hui, les commerçants sont fiers de porter la mention *By Appointment* (« Fournisseur de Sa Majesté »).
– *Highland Games :* vers la mi-août.

Adresses utiles

Tourist Information Centre : dans l'ancienne gare. Juin-sept : tlj 9h-18h ; oct-mai : tlj 10h-17h. ☎ 55-306. La station abrite également un petit musée sur son quai. Mise en scène de l'arrivée de la reine Victoria en 1867 plutôt réussie.

Location de vélos : Cabin Fever, Station Sq. À côté de l'office de tourisme. Beaucoup de pistes cyclables autour du village. On vous recommande celle menant au Loch Muick et celle le long de l'ancien chemin de fer.

Où dormir ? Où manger ?

The Auld Kirk Hotel : à la sortie du village direction Braemar, sur la gauche. ☎ 55-762. ● theauldkirk.com ● Env £ 42 (63 €) par pers. Dans une église du XIXᵉ siècle, une demi-douzaine de chambres avec salle de bains. Original mais tout de même pas donné. En revanche, resto fort agréable, proposant des plats légers le midi et une cuisine plus travaillée (et, bien sûr, plus chère) le soir. Malheureusement peu copieux. **l●l** *La Mangiatoia : Bridge Sq.* ☎ 55-999. *Lun-ven slt le soir et les w-e tte la journée. Fermé de mi-nov à mi-déc. Compter £ 8-12 (12-18 €) le plat. Une* pizzeria qui accueille une clientèle touristique et familiale dans un cadre rustique. La cuisine est sans prétention, mais le resto est populaire et toujours complet le week-end.

➤ DANS LES ENVIRONS DE BALLATER

🍴 Le château de Balmoral : *entre Ballater et Braemar sur l'A 93.* ☎ *(013397) 42-534.* ● *www.balmoralcastle.com* ● *Quand la Cour est absente, jardins et salle de bal ouverts au public de Pâques à juil, tlj 10h-17h (dernière admission à 16h). Entrée : £ 7 (10,50 €) ; réduc.* Construit en 1853, c'est la résidence écossaise de la famille royale. À vrai dire, les jardins ne sont pas terribles et on ne visite qu'une seule salle du château. De plus, celle-ci regorge de toutes les horreurs dont la famille royale ne saurait que faire. Comment dit-on « lèse-majesté » en anglais ?

➤ *Loch Muick-Lochnagar : sortir de Ballater par le pont sur la Dee, tourner à droite et prendre la petite route du Glen Muick.* Une dizaine de kilomètres à travers la forêt, puis les landes, conduisent à une réserve naturelle. Un des lieux favoris de la reine Victoria. Avec un peu de chance, il est possible d'apercevoir des cerfs le long de la route, surtout en automne. Départ de randonnées très populaires. Attention, parking payant. Possibilité d'effectuer le tour du Loch Muick à pied : 11 km. Compter au moins 3h. Pour d'autres randos plus soutenues (Lochnagar), renseignements au point d'information des *Rangers.* Exposition sur la vie sauvage dans le même bâtiment.

➤ La B 976, 1 km plus loin, à droite, permet de rejoindre la *route du Whisky.*

BRAEMAR
600 hab.   IND. TÉL. : 013397

Agréable village situé en pleine nature, à l'écart des grands axes. Pas grand-chose à voir ; c'est avant tout le point de départ (ou d'arrivée) de nombreuses excursions et promenades à faire dans les superbes environs. Stevenson y a écrit *L'Île au trésor.*

Arriver – Quitter

➤ Bus réguliers de et vers *Aberdeen* (ligne n° 201 de la *Stagecoach*).
Pour rejoindre *Linn of Dee,* le *Postbus* (sf dim) part entre 13h30 et 14h30 devant le *newsagent* (marchand de journaux).

Adresses utiles

🛈 Tourism Information Centre : *Mar Rd (la rue principale).* ☎ *41-600. Tlj 10h30-16h30, sf dim 12h-16h30.*

◼ Location de vélos : Braemar Mountain Sports.

Où dormir ?

Camping

– Possibilité de faire du **camping sauvage** à la sortie du village en direction de Perth, par l'A 93. L'endroit est populaire, surtout pendant les *Highland Games.*

⚠ *Invercauld Caravan Club Site :* Glenshee Rd, à la sortie du village en allant vers le sud. ☎ 41-373. Fermé de mi-oct à début déc. Compter £ 13-15 (19,50-22,50 €) pour 2 pers et une tente. Mignon camping bien au calme et bien situé, face aux collines.

Bon marché

🏠 *Youth Hostel :* 21, Glenshee Rd. ☎ 0870-004-11-05. ● syha.org.uk ● Un peu avt le camping. Fermé de début nov à mi-déc. Nuit env £ 14 (21 €). Grosse villa en pierre, posée sur une petite colline au milieu des arbres. Sympa et confortable, c'est le rendez-vous des randonneurs. Salon TV, *snooker*, cartes détaillées de la région et jolie salle à manger décorée de photos d'Écosse.

🏠 *Rucksacks Braemar :* 15, Mar Rd. ☎ 41-517. À deux pas de l'office de tourisme. Nuit £ 15 (22,50 €) ou £ 7 (10,50 €) avec son sac de couchage. Là encore, sympa et très bien tenu. Dans une maison en pierre et 2 petites dépendances, 3 dortoirs, 2 cuisines, Internet et même un sauna (payant). Proprio très accueillante.

Prix moyens

🏠 *Cranford :* 15, Glenshee Rd (l'A 93). ☎ 416-75. ● cranfordbraemar.co.uk ● Compter £ 28 (42 €) par pers. Un B & B bien décoré, proposant 6 chambres impeccables et chaleureuses, toutes avec salle de bains. Bon *breakfast* servi dans une salle claire. Une excellente adresse.

🏠 *Schiehallion B & B :* 10, Glenshee Rd. ☎ 41-679. ● schiehallionhouse. com ● En face de Cranford. Fermé nov et déc. Compter £ 25-30 (37,50-45 €) par pers selon saison. Huit chambres avec ou sans sanitaires, arrangées d'une façon... qu'on aime ou pas. En fait, on viendra plutôt pour l'accueil vraiment cool de Julie et Steven, et l'atmosphère très décontractée qui règne en ces murs.

🏠 *Clunie Lodge :* Clunie Bank Rd. ☎ 41-330. ● clunielodge.com ● Prendre la route en face de l'hôtel Fife Arms ; c'est à 150 m de là. Compter £ 25 (37,50 €) par pers. Superbe maison bien située, en bordure du village et au milieu d'un très grand jardin. Chambres décorées avec beaucoup de goût, salle à manger cosy avec son feu de cheminée artificiel et petit déj varié. Ah oui, bon accueil aussi.

Où dormir dans les environs ?

🏠 *Youth Hostel d'Inverey :* à 8 km à l'ouest de Braemar. ☎ 0870-004-11-26. Pour les non-motorisés, bus postal lun-sam en début d'ap-m de Braemar. Ouv de mi-mai à fin sept. Nuit £ 13 (19,50 €). Tout juste une quinzaine de lits. Pas très confortable (ni douche ni eau chaude), mais l'atmosphère y est chaleureuse. C'est ici que vous trouverez tous les tuyaux pour effectuer le *Lairig Ghru*. Le *warden* est très sympa.

Où manger ?

🍴 *Gordon's Tearoom and Restaurant :* 20, Mar Rd (la rue principale). ☎ 41-247. Tlj 10h-17h sf sam-dim jusqu'à 20h. Traveller's lunch £ 4 (6 €). À la carte, compter £ 7 (10,50 €) par un plat. Petite salle qui ne paie pas de mine, mais excellente cuisine. Fait aussi salon de thé.

🍴 *Taste :* à la sortie du village vers Linn of Dee. ☎ 41-425. Tlj sf mer 10h-17h, ainsi que les ven et sam. Plats £ 3-6 (4,50-9 €) le midi et £ 10 (15 €) le soir. Plats techniques, façon nouvelle cuisine, servis dans un cadre plutôt design. Fait salon de thé en journée, avec de bons gâteaux.

|●| *The Gathering Place Bistro :* Inver-cauld Rd (dans le centre du village), ☎ 41-234. Ouv le midi, le soir slt mar et ven ; fermé dim et lun. Plats £ 10-14 (15-21 €). Dans un cadre agréable et pas du tout formel, on vous sert une cuisine inventive et variée. C'est franchement bon et plutôt copieux. Vin au verre pas mauvais. Une très bonne maison !

À voir

🏛 *Le château de Braemar :* à 1 km sur la route d'Aberdeen (A 93). ☎ 41-219. ● braemarscotland.co.uk ● Attention, le château était fermé pour travaux en 2007 et sa date de réouverture n'était pas encore fixée. Un des volontaires peut éventuellement faire visiter les parties sécurisées du château si dim ap-m. En revanche, les jardins sont ouv au public. Plus de rens concernant l'avancée des travaux sur le site internet. Si la demeure est à nouveau complètement accessible lors de votre passage, voici les horaires habituels. Avr-oct : tlj sf ven 10h-17h (tlj juil-août). Entrée : £ 4 (6 €) ; réduc. Sorte de blockhaus à tourelles, à l'intérieur presque cosy et qui a une drôle d'allure, au bord du fleuve Dee. Incendié au moment des guerres jacobites, reconstruit dans le style *baronial* du XVIIIe siècle.
– Un peu plus loin sur la route (à 5 km), *Invercauld Bridge,* pittoresque vieux pont, d'où il est possible d'effectuer des balades le long de la Dee.

Manifestations

– 🚶 *Braemar Junior Highland Games :* vers fin juil. Unique en Écosse, puisque seuls les enfants peuvent y participer ! Toutes les épreuves sont adaptées à l'âge des juniors. Une bonne initiative pour transmettre cette tradition aux futures générations.
– *Royal Highland Gathering :* 1er sam de sept. Le plus célèbre rassemblement pour les traditionnels jeux écossais. Il attire près de 20 000 personnes. Des membres de la famille royale y assistent chaque année. Réserver le logement longtemps à l'avance.

➤ DANS LES ENVIRONS DE BRAEMAR

🏛🏛 *Linn of Dee :* à 5 miles (8 km) à l'ouest de Braemar, juste après le pont enjambant les gorges. Point de départ d'une super balade dans les sauvages montagnes du Cairngorm, en suivant le *Lairig Ghru,* sentier de grande randonnée qui mène au Loch Morlich, près d'Aviemore. En route, on longe le *Ben Macdhui,* deuxième sommet d'Écosse. Ceux qui veulent aller jusqu'au bout (au moins 9h de marche) trouveront un refuge sommaire *(Corrour Bothy)* à 4h de marche du point de départ.
Sinon, possibilité d'une autre balade, toujours au départ du parking, dans le Glen Lui. Très facile, elle vous mènera en une bonne heure au milieu d'une petite forêt de pins calédoniens où se promènent des troupeaux de cerfs.

LA CÔTE NORD DES GRAMPIANS

Cette côte offre de très beaux paysages et des petits villages de pêcheurs tout à fait typiques.

🏛 *Les ruines de Slains Castle :* à 25 miles (40 km) au nord d'Aberdeen, près du village de Cruden Bay (petit port de pêche). Bus n° 260 de la gare routière d'Aberdeen. *Accès en 15 mn à pied depuis le parking au bord de la route côtière.* Perché au bord de falaises très dangereuses, le château, dont il ne reste plus grand-chose, est abandonné aux corneilles et aux lapins. C'est ici que Bram Stoker conçut l'histoire de *Dracula.*

🎥🎥 **The Museum of Scottish Lighthouses :** *à Fraserburgh.* ☎ *(01346) 511-022. Bus n° 267 d'Aberdeen. Juil-août : lun-sam 10h-18h ; dim 11h-17h (dernière admission). Sept-juin : lun-sam 11h (12h dim)-17h. Entrée : près de £ 5 (7,50 €) ; réduc.* Visite guidée du premier phare officiel d'Écosse, érigé dans le château de *Kinnaird Head* en 1787 et reconstruit en 1824, à la suite d'une vague de tempêtes particulièrement dévastatrices. Intéressant si vous n'avez jamais vu un phare de l'intérieur, et encore plus si vous comprenez bien l'anglais, car la visite fournit plein de détails amusants sur le fonctionnement de l'édifice et tout ce qui se rattache au métier de gardien de phare. Du haut de la tour, superbe vue sur la mer du Nord. On redescend ensuite pour visiter les salles du musée, consacré notamment à la famille Stevenson, celle-là même à qui l'on doit les principaux progrès réalisés en matière de phares.

🎥🎥 **Pennan et Crovie :** *en continuant vers Banff par la B 9031, deux villages de pêcheurs accrochés au flanc de la falaise, constitués de petites maisons pittoresques. On y accède par le bus n° 273 (ligne Fraserburgh-Banff) de la Bluebird.* Autrefois, sites privilégiés pour la contrebande de soie et liqueurs. **Pennan** a servi de lieu de tournage pour le film *Local Hero,* un classique avec Burt Lancaster, qui attire encore aujourd'hui des fans en pèlerinage. D'ailleurs, depuis le tournage, la traditionnelle cabine téléphonique rouge située en face de l'hôtel est devenue un monument historique. Immuable ! Un simple appel de Pennan se transforme en séquence émotion.
Deux miles (environ 3 km) après Pennan, **Crovie,** construit sur le même modèle, accueille beaucoup moins de monde... depuis la terrible tempête de 1953 qui détruisit une bonne partie de ses habitations. Aujourd'hui, il ne reste que des résidences secondaires nichées au pied de la falaise et si près de la mer que seul un petit passage a pu être construit devant les maisons. La vue est magnifique du haut de la route.

🎥🎥 **Duff House** (HS) : *à Banff.* ☎ *(01261) 818-181.* ● *duffhouse.com* ● *À l'entrée de la ville en venant d'Aberdeen. Avr-oct : tlj 11h-17h (16h le reste de l'année, tlj sf dim). Entrée : £ 6 (9 €) ; réduc.* Historic Scotland et National Galleries se sont associés pour réaménager cette ancienne demeure de style baroque des *Earls of Fife,* qui en firent don aux villages de Banff et Macduff en 1899. En 1906, 200 lots comprenant des meubles, des tableaux et des tapisseries furent vendus aux enchères par *Christie's.* C'est dire qu'il ne reste presque plus rien du mobilier original. La maison fut ensuite transformée en hôtel de luxe et en sanatorium, avant d'héberger des prisonniers allemands, puis des troupes norvégiennes et polonaises (on voit encore leur drapeau peint sur les murs). Enfin, *Historic Scotland* s'est alors chargé de la restauration, pendant que *National Galleries* puisait dans ses stocks pour meubler la demeure. Il en résulte quelques beaux tableaux : *Saint Jérôme en pénitence* du Greco, des peintures marines, un Poussin dans le grand escalier et surtout des portraits. Tapisseries des Gobelins. À l'arrière du magasin, petit commentaire audiovisuel gratuit de 15 mn, expliquant l'histoire du lieu.

🏕 **Banff Link Caravan Park :** *à Banff, après la ville, direction Inverness, sur la droite (c'est fléché).* ☎ *(01261) 812-228. Avr-oct. Compter env £ 8 (12 €)* *pour 2 pers et une tente.* Petit camping les pieds dans l'eau et pas très cher pour les tentes. Petit magasin et *fish and chips.*

LA ROUTE DU WHISKY

LA ROUTE DU WHISKY

C'est la région du célèbre *Malt Whisky Trail* (● *maltwhiskytrail.com* ●), grosso modo délimitée par les petites villes de Keith à l'est, Tomintoul au sud et Forres à l'ouest. Pour les plus alcooliques de nos lecteurs. On y recense la moitié des distilleries écossaises, mais seules quelques-unes (et une tonnellerie) sont ouvertes au public. Rassurez-vous, c'est bien suffisant car, à moins d'être expert, vous ne noterez guère de différences entre elles. Notre conseil donc : en faire une ou deux et poursuivre sa route. Elles sont toutes clairement fléchées sur des panneaux marron.

Petites précisions avant de vous lâcher : chaque visite dure 1h et les enfants de moins de 8 ans ne sont pas admis dans les distilleries. Tâchez aussi d'y aller en semaine, car le week-end elles sont à l'arrêt. Enfin, sachez que la plupart des distilleries ferment en juillet (voire jusqu'à mi-août pour certaines), afin d'effectuer un nettoyage complet des installations. On appelle cette période la *Silent Season.* En fait, c'est surtout le manque de commandes qui motive cette fermeture en période estivale.

TOMINTOUL

500 hab.   IND. TÉL. : 01807

Bled sans grand intérêt, à mi-chemin entre le Deeside et le Speyside. Encore un qui se veut le plus haut d'Écosse, à 345 m !

Adresse utile

🏢 *Tourism Information Centre :* ☎ 580-285. Pâques-oct : lun-sam 9h30-13h, 14h-17h. Août : lun-ven │ 9h-17h30 ; sam 9h-13h, 14h-17h30 ; dim 13h-17h.

Où dormir ? Où manger dans le coin ?

Bon marché

🛏 *Youth Hostel :* dans la rue principale. ☎ 0870-004-11-52. Mai-sept. Env £ 13 (19,50 €) la nuit. Juste une vingtaine de lits dans cette maison en pierre grise. Cuisine, salle à manger et quelques fauteuils autour d'une petite table.

🛏 🍴 *Jenny's Bothy Crofthouse :* à env 15 km au sud de Tomintoul, sur l'A 939. ☎ (01975) 651-449. ● upperdonside.org.uk/jenboth ● Ouv tte l'année. Prévoir env £ 9 (13,50 €) par pers avec son propre couchage. AJ privée dans une ancienne grange aménagée, d'un confort rudimentaire, mais sympa.

Poêle à bois, douche et eau courante. Situation exceptionnelle dans les collines sauvages (idéal pour les randonneurs et les ornithologues amateurs). Venir avec ses provisions. Possibilité de planter sa tente.

🍴 *The Old Fire Station :* dans l'ancienne caserne de pompiers. Petite restauration et gâteaux pour moins de £ 3 (4,50 €). Un *tearoom* pratique pour manger en route, dans une salle décorée avec goût. Murs en pierre apparente, plafond, lambris et lustres. C'est simple et sans chichis.

Prix moyens

🛏 *Auchriachan Farmhouse :* Mains of Auchriachan, à 1 mile (1,6 km) de Tomintoul, par la B 9008 vers Dufftown. ☎ 580-416. ● www.auchriachan.btinternet.co.uk ● Autour de £ 20-22 (30-33 €) par pers selon saison. Au cœur de verts pâturages, ferme isolée proposant 3 chambres avec salle de bains. Le soir, thé et petits gâteaux devant un bon feu dans le salon. Idéalement située pour entamer le *Whisky*

Trail d'un côté ou le *Castle Trail* de l'autre.

🛏 *Croughly Farm :* à moins d'1 mile de Tomintoul, direction Dufftown, prendre une petite route à gauche sur 3 km. ☎ 580-476. Prévoir £ 20 (30 €) par pers. Encore un *B & B* à la ferme, dans un endroit paumé. Anne propose 2 chambres immenses, avec sanitaires, et un petit déj bien copieux pour partir du bon pied.

➤ DANS LES ENVIRONS DE TOMINTOUL

🥾 *The Glenlivet Distillery :* à Glenlivet. ☎ (01340) 821-720. ● theglenlivet.com ● À 10 miles (16 km) au nord de Tomintoul. Pâques-fin oct : lun-sam 9h30-16h ; dim 12h-16h (dernière visite). Entrée gratuite. Visite classique avec *dram* de whisky offert à la fin. Avec une production mensuelle de 1,3 million de bouteilles, c'est l'une des plus importantes de la région. Elle recèle aussi un petit musée sur l'histoire de George Smith, le fondateur de la distillerie. Celui-ci, craignant pour sa vie (et sa production !), vivait et dormait, dit-on, en permanence avec deux revolvers.

DUFFTOWN   1 500 hab.   IND. TÉL. : 01340

« Si Rome s'est construit sur sept collines, Dufftown s'est développé autour de sept distilleries. » Dufftown est donc devenue synonyme de *Scotch whisky.* Certains estiment même qu'en un sens, c'est la ville qui rapporte le plus de taxes par habitant en Grande-Bretagne !

Arriver – Quitter

➤ Avec *Stagecoach,* bus n° 336 pour se rendre à *Aberlour, Craigellachie, Rothes* et *Elgin.* Départ ttes les heures (5 slt le dim).

Adresse utile

🄸 *Tourist Information Centre :* dans la tour de l'Horloge. ☎ 820-501. Pâques-fin oct : lun-sam 10h-13h, 14h-17h (18h juil-août) ; également dim en été, 11h-15h. Plein de documents et de livres sur le whisky.

Où dormir ? Où manger ?

Prix moyens

🛏 *Davaar B & B :* Church St, à deux pas de l'office de tourisme. ☎ 820-464. • da vaardufftown.co.uk • Compter £ 23 (34,50 €) par pers. Dans une maison de caractère, à la déco fleurie. Trois chambres, dont une rénovée très sympa. Petit déj copieux et varié. Le charmant couple de propriétaires peut vous conduire au pied du Ben Rinnes (voir plus bas « Randonnée »).

🍴 *A Taste of Speyside :* 10, Balvenie St. ☎ 820-860. Fermé dim, et déc-fév. Menu complet le midi env £ 14 (21 €) ; plus cher le soir à la carte. Vous y trouverez les meilleures spécialités régionales et une excellente sélection de whiskies à déguster. Saumon de la Spey, cerf et autre gibier selon la chasse, agneau, *Aberdeen Angus steak...* Le « Taste of Speyside Platter » vous permet de goûter un peu de tout. Vraiment une bonne adresse.

À voir

🎿 *The Glenfiddich Distillery :* à la sortie de la ville, direction Craigellachie. ☎ 820-373. • glenfiddich.com • Lun-sam 9h30-16h30 ; dim 12h-16h30. Fermé le w-e en basse saison et la 2de quinzaine de déc. Entrée gratuite. Visite guidée en français sur simple demande. Comme d'habitude, dégustation gratuite à la fin. La plus connue et la plus grosse des distilleries : 24 cuves de 50 000 litres ! Dirigée par la même famille depuis cinq générations. La première goutte du précieux nectar y coula le jour de Noël 1887. C'est la seule distillerie des Highlands qui assure son propre embouteillage, ce qui fait que l'on assiste au procédé complet de production.

Randonnée

➤ *Ben Rinnes* (840 m) *:* la plus haute colline du coin, panorama superbe sur le pays du whisky. Le sentier part de la route B 9009, entre Dufftown et Glenlivet. Balade à entreprendre uniquement par beau temps.

LA ROUTE DU WHISKY

Manifestations

– **Whisky Festivals :** *une fois début mai* (Spirit of Speyside Whisky Festival) *et une autre fois fin sept* (Autumn Speyside Whisky Festival). *Célébrations de la boisson nationale à Dufftown et dans sa région. Un bon moyen d'en apprendre plus sur le malt. Journées portes ouvertes dans toutes les distilleries du coin, avec dégustation. Vous y rencontrerez peut-être Michael Jackson (... pas le chanteur !), auteur d'ouvrages sérieux sur le whisky (il les a tous testés !). Également des concerts, spectacles et autres festivités de rue. Info sur* ● spiritofspeyside.com ●
– **Highland Games :** *dernier sam de juil.* Réputé pour son défilé de *pipers* sur High St.

➤ *DANS LES ENVIRONS DE DUFFTOWN*

🚶 **Huntly Castle** (HS) : *à 12,5 miles (20 km) à l'est de Dufftown, par l'A 920.* Voir plus haut après Aberdeen, « Dans l'Aberdeenshire ».

CRAIGELLACHIE   130 hab.   IND. TÉL. : 01340

Village au bord de la rivière Spey, au cœur de la route du Whisky.

Arriver – Quitter

➤ Avec *Stagecoach,* prendre le bus n° 336 pour se rendre à **Dufftown, Aberlour, Rothes** et **Elgin.** Ttes les heures (5 bus slt dim).

Où dormir ?

Camping

🏕 **Aberlour Gardens Caravan & Camping Park :** *sur l'A 95, entre Aberlour et Craigellachie.* ☎ 871-586. ● aberlourgardens.co.uk ● *Mars-déc. Compter £ 9-11 (13,50-16,50 €) pour deux selon saison* avec une petite tente. *Douches payantes. Un des rares campings du Whisky Trail. Terrain plat protégé par une enceinte de brique.*

Prix moyens

🏠 **Bridge View B & B :** *Leslie Terrace.* ☎ 881-376. ● visitcraigellachie.com ● *Dans la partie haute du village. Compter £ 25 (37,50 €) par pers.* Propose une chambre familiale au rez-de-chaussée et 2 agréables chambres doubles à *l'étage. Charmante salle de bains commune, avec baignoire d'époque. Le petit déj (copieux) se prend dans le salon, où se dresse fièrement la collection de malt du chef de famille.*

Où manger ? Où boire un verre dans le coin ?

🍴 **Mash Tun :** *à Aberlour, à 50 m d'une grande place rectangulaire, non loin du fleuve.* ☎ 881-771. *Plats £ 6-13 (9-19,50 €). Pub chaleureux dans un bâtiment à la façade en forme de poupe de navire. C'est l'adresse recommandée par les locaux pour prendre un repas consistant.*

|●| *Restaurant de l'hôtel Craigella-chie :* dans le bas du village. ☎ 881-204. Ouv le soir slt. Menu à partir de £ 30 (45 €). Cher, mais l'endroit est réputé à plusieurs lieues à la ronde. Une adresse pour les plus fortunés.

♟ *Fiddichside Inn :* cottage *blanc au bord de la rivière Fiddich, sur l'A 95 à la sortie de Craigellachie.* Pub minuscule où tous les travailleurs du village se retrouvent en fin de journée. Ambiance assurée.

À voir

🎥 *Telford Bridge :* pont métallique, type Eiffel, conçu par Thomas Telford en 1812. Il enjambe la Spey sur une cinquantaine de mètres tout de même !

🎥🎥 *Speyside Cooperage :* à l'entrée de Craigellachie, en venant de Dufftown. ☎ 871-108. ● speysidecooperage.co.uk ● Visite tte l'année : lun-ven 9h-16h (dernière entrée). Entrée : £ 3,20 (4,80 €) ; réduc. Après le contenu, voici le contenant : les tonneaux. Les distilleries utilisent des tonneaux ayant contenu du bourbon ou du sherry qu'elles achètent en pièces détachées. Ici, on les restaure, on les remonte, ou bien on les fabrique de toutes pièces pour contenir du cidre ou du vin. Visite très intéressante, panneaux explicatifs et audiovisuels en français.

➤ *DANS LES ENVIRONS DE CRAIGELLACHIE*

🎥🎥 *Ballindalloch Castle :* ☎ (01807) 500-205. ● ballindallochcastle.co.uk ● À 10 miles (16 km) au sud-ouest de Craigellachie, sur l'A 95 en direction de Grantown-on-Spey. Pâques-fin sept : tlj sf sam 10h30-17h. Entrée : £ 7 (10,50 €) ; réduc. Jardins slt : £ 3,50 (5,30 €). Le château de Ballindalloch est avant tout la maison familiale des Macpherson-Grant, descendants du baron de Ballindaloch. Les parties les plus anciennes de l'édifice datent du XVIe siècle. Aujourd'hui, l'architecture est plutôt de style victorien, suite aux modifications effectuées en 1850. On peut visiter l'aile destinée à recevoir les invités. Belle collection de peintures espagnoles, œuvres de Ribera. Couloirs toujours hantés par le fantôme du général James Grant, qui se rendrait régulièrement dans la cave à vin ! Jardins tout aussi intéressants. C'est dans la ferme de ce château qu'en 1860, on commença l'élevage de l'*Aberdeen Angus,* bœuf écossais dont la viande est très réputée.

🎥🎥 *Macallan Distillery :* de Craigellachie, suivre la B 9102 en direction d'Archiestown. ☎ 872-280. ● themacallan.com ● Pâques-fin oct : lun-sam 9h30-16h30 ; le reste de l'année, lun-ven 11h-15h. En principe, la dernière visite guidée est à 15h30 (14h en hiver), mais des lecteurs se sont déjà fait poser un lapin ! Entrée gratuite. Outre le procédé habituel de fermentation et de distillation, on vous montre le vieil entrepôt où repose le breuvage et même la grange où sont stockés les fûts en chêne, originaires d'Espagne et utilisés pour le xérès. Dans la qualité des fûts réside un des secrets de fabrication du fameux whisky...

🎥🎥 *Glen Grant Distillery :* à Rothes. ☎ 832-118. Ouv Pâques-fin oct : tlj 10h (12h30 dim)-16h. Visite : £ 3,50 (5,30 €). Créée en 1840 par les frères Grant, c'est la seule distillerie portant le nom de ses fondateurs. La maison produit un whisky doux et pâle, exporté à 75 % vers l'Italie. La visite est intéressante, avec toujours une pointe d'humour. On peut ensuite se balader dans le jardin victorien qui abrite le *dram pavilion,* le repaire du *Major* Grant !

🎥🎥 *Aberlour Distillery :* à Aberlour. ☎ 881-249. ● aberlour.com ● Tours à 10h30 et 14h, tlj en saison, slt en sem l'hiver (nov-mars). Sur rendez-vous. Entrée : £ 7,50 (11,30 €). Attention, la visite dure 3h, avec la dégustation de pas moins de six *single malts,* parmi leurs meilleurs ! Vous l'avez compris, cette distillerie s'adresse aux plus chevronnés. Il s'agit d'un vrai cours particulier, mené par un professionnel. On commence par siroter quelques malts, puis on hume le précieux nectar en tentant de reconnaître le fût de provenance. Dur labeur que celui de ces hommes obligés d'enivrer leur odorat pour obtenir le juste équilibre propre à la marque. On les plaint vraiment !

🍴🥾 **Strathisla Distillery :** à **Keith.** ☎ *(01542) 783-044. Entrée : £ 5 (7,50 €).* C'est la plus ancienne distillerie des Highlands, datant de 1786, et l'une des plus élégantes avec son toit en double pagode. Aujourd'hui, c'est le siège du prestigieux *Chivas Regal,* un 12 ans d'âge. Elle renferme une réserve pour Sa Majesté, et même le tonneau du prince William datant du jour de sa naissance ! Pour le prix de la visite, on vous offre deux dégustations, un 12 ans d'âge et un 18 ans. Chapeau !

🥾 Si vous n'êtes pas rassasié (ou plutôt suffisamment abreuvé !), vous pouvez encore visiter les distilleries de **Cardhu** (après Archiestown), **Benromach** et **Dallas Dhu** (à Forres). Attention, elles sont payantes.

Achats

⊛ **Walkers :** à **Aberlour.** ☎ *871-555. Au sud de Craigellachie, sur l'A 95. Magasin d'usine ouv Pâques-Noël : lun-ven 8h30-17h ; sam 9h-14h.* La fameuse fabrique de *shortbread.* On ne peut pas voir le processus de fabrication de ces biscuits mondialement connus, mais la boutique vend des paquets de rejets (refusés à la commercialisation) bien moins chers que la normale. Bonjour les kilos !

ELGIN
21 000 hab.
IND. TÉL. : 01343

Ville élégante, jadis important centre médiéval, comme en témoignent aujourd'hui les ruines de sa cathédrale. Elle commande l'accès de la route du Whisky par le nord.

Arriver – Quitter

En bus

Avec *Stagecoach* :
➤ Ligne n° 10 (ttes les heures) entre Elgin et **Inverness** (1h30 de trajet) ou **Aberdeen** (2h30 de trajet).
➤ Le bus n° 336 est très pratique pour se rendre à **Rothes, Craigellachie, Aberlour** et **Dufftown** sur la route du Whisky. Ttes les heures (5 bus slt dim). Compter 1h de trajet entre Elgin et Dufftown.

En train

➤ Une dizaine de trains/j. de et vers **Inverness** ou **Aberdeen.**

Adresse utile

🛈 **Tourist Information Centre :** 17, High St. ☎ *542-666. Tte l'année : lun-sam 10h-16h. Juil-août : lun-sam 9h-18h ; dim 11h-15h.*

Où dormir ?

🏠 **Richmond B & B :** 48, Moss St. ☎ *542-561. • milford.co.uk/go/rich mondelgin.html • Compter £ 19-23 (28,50-34,50 €) par pers.* Chambres avec ou sans salle de bains, simples mais agréables. Petit déj végétarien sur demande. Amusant : le téléphone de la maison a 100 ans et fonctionne toujours parfaitement !

Où dormir ? Où manger dans le coin ?

🏠 🍽️ *Invercairn House :* à Brodie (env 20 miles, soit 30 km à l'ouest d'Elgin). ☎ (01309) 641-261. ● invercairnhouse. com ● Au bord de l'A 96. Prévoir £ 22-30 (33-45 €) par pers, avec ou sans sdb, selon saison. Dans l'ancienne gare de Brodie (mais pas de trains la nuit !), transformée en *B & B*. Chambres avec salle de bains très confortables. On se sent chez soi tout de suite. Nick Malim est adorable. Parking privé.

À voir

🎥🎥 *La cathédrale* (HS) : surnommée la « lanterne du Nord ». Avr-sept : tlj 9h30-18h30 ; oct-mars : tlj sf jeu-ven 9h30-16h30. Entrée : £ 4 (6 €) ; réduc. Érigée au XIIIe siècle, elle fut incendiée en 1390. Il en résulte de superbes ruines. Depuis la tour nord, plate-forme panoramique donnant une autre perspective du site.

🎥 À voir également à quelques kilomètres, le *Spynie Palace* (HS) : mêmes horaires en été, mais slt le w-e en hiver : 9h30-16h30. Entrée : £ 3 (4,50 €) ; réduc. Il s'agit de l'ancienne demeure de l'évêque (jusqu'en 1686), entièrement détruite sauf la tour de David, du XVe siècle.

➤ *DANS LES ENVIRONS D'ELGIN*

🎥 *Brodie Castle* (NTS) : à 15,5 miles (env 25 km) à l'ouest d'Elgin, sur l'A 96. ☎ (01309) 641-371. Bus n° 10 depuis Elgin. Pâques-sept : 10h30-17h ; fermé ven et sam en mai, juin et sept. Jardins ouv tte l'année de 9h30 au coucher du soleil. Entrée : £ 8 (12 €) ; réduc. Joli château du XVIe siècle, d'un rose éclatant à la lumière du soleil. Meubles, tableaux et vaisselle.

LES HIGHLANDS

Des paysages sauvages, rudes et beaux, empreints de romantisme, des reliefs hostiles recouverts d'un manteau de tourbe et de lande, des lochs profonds et mystérieux, des rivages déchiquetés, les Hautes Terres n'en finissent pas d'aiguiser notre imaginaire.

De cette région, le pays a adopté le tartan, ce tissu quadrillé aux couleurs du clan, dont les accessoires (kilt et cornemuse) complétaient la panoplie du parfait Highlander pour devenir le costume d'un peuple, le symbole d'une nation. Et pourtant, jusqu'au XIXᵉ siècle, tout semblait séparer les Highlanders des Lowlanders. Les premiers étant considérés comme de vulgaires barbares par les habitants des Basses Terres, plus raffinés, *of course !* Il fallut attendre la reine Victoria pour que les Highlands deviennent à la mode. Aujourd'hui, c'est un véritable engouement (à juste titre) que les visiteurs portent à cette partie de l'Écosse.

Toutefois, on a souvent tendance à associer les Hautes Terres à l'extrême nord du pays. En fait, les Highlands naissent dans les environs de Dunkeld (au nord de Perth), montent jusqu'à Inverness, traditionnellement considéré comme la porte des Highlands du Nord, puis déroulent leurs reliefs acérés jusqu'à la pointe septentrionale pour revenir s'écraser contre les côtes occidentales et, plus au sud, contre celles de l'Argyll. Bref, un vaste territoire qui refuse l'uniformité et dont chaque parcelle mérite une attention particulière.

LE LOCH LOMOND

Cela rappellera des souvenirs aux tintinophiles : c'est la marque de whisky préférée du capitaine Haddock ! À part ça, il s'agit du plus grand loch du pays, en plein milieu du premier parc national écossais, et à seulement 45 mn en voiture de Glasgow ! Voici le poumon de verdure, le réservoir d'oxygène des habitants de la grande ville écossaise, qui viennent entre autres y pratiquer de nombreux sports (nautiques, randonnée...).

Attention, pensez à retirer de l'argent avant d'arriver dans la région, où vous découvrirez le désert monétique.

– Infos touristiques sur ● visitscottishheartlands.com ● lochlomond-trossachs. org ● Valable aussi pour l'Argyll, Stirling et les Trossachs.

Arriver – Quitter

Si la rive ouest du Loch Lomond est plutôt bien desservie, notamment avec la route A 82 et la *West Highland Line,* en revanche, pour l'autre rive, côté Rowardennan, c'est une autre affaire. En effet, la route se termine en cul-de-sac et il faut continuer à pied par le sentier de grande randonnée du *West Highland Way.*

En bus

➤ Avec les bus de la *Scottish Citylink,* on accède facilement aux villages de la rive ouest le long de l'A 82 grâce aux lignes reliant **Glasgow** à **Fort William,** et **Oban** à **Campbeltown.** Rens : ☎ 08705-50-50-50. ● citylink.co.uk ●

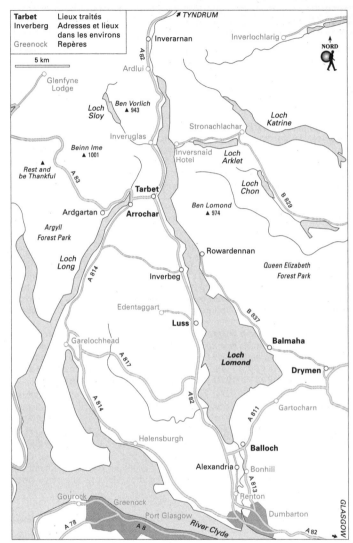

Tarbet	Lieux traités
Inverberg	Adresses et lieux
	dans les environs
Greenock	Repères

5 km

NORD

Glenfyne
Lodge

TYNDRUM

Inverarnan

Inverlochlarig

Ardlui

A 82

Loch
Sloy

Ben Vorlich
▲ 943

Loch
Katrine

Inveruglas

Stronachlachar

Beinn Ime
▲ 1001

Inversnaid
Hotel

Loch
Arklet

Rest and
be Thankful

A 83

Loch
Chon

Tarbet

B 829

Ardgartan

Arrochar

Ben Lomond
▲ 974

Argyll
Forest Park

Loch
Long

A 814

Rowardennan

Queen Elizabeth
Forest Park

Inverbeg

Edentaggart

B 837

Luss

Garelochhead

A 817

**Loch
Lomond**

Balmaha

Drymen

A 814

A 82

A 811

Gartocharn

Helensburgh

Balloch

Alexandria

Bonhill

A 813

Renton

Gourock

Greenock

Port Glasgow

River Clyde

Dumbarton

A 78

A 8

A 82

GLASGOW

LA RÉGION DU LOCH LOMOND

LE LOCH LOMOND

En train

➢ Au départ de Glasgow Queen Street Station, prendre la *West Highland Line* pour se rendre sur la rive ouest du Loch Lomond. Attention, il n'y a que 3 trains/j. dans chaque sens.

Toutefois, un train relie ttes les demi-heures ***Balloch,*** au sud du loch, à ***Glasgow***. *Rens :* Scotrail, ☎ *08457-48-49-50.* ● *firstgroup.com/scotrail* ●

BALMAHA ET DRYMEN   70 et 930 hab.   IND. TÉL. : 01360

Deux petits villages sur la rive est, la plus paisible du loch. En continuant la route, on arrive à Rowardennan, halte sereine parce qu'isolée et presque sauvage...

Adresses utiles

Loch Lomond Park Centre : à Balmaha. ☎ (01389) 722-100. Pâques-oct : tlj 10h-18h. Infos sur les randonnées et les campings.

Location de vélos : à Drymen, sur Main St. Lomond Activities, ☎ 660-066. Lun-sam 9h-17h ; dim 10h-17h.

Où dormir dans le coin ?

Camping

Cashel Caravan & Camping Site : à 5 km au nord de Balmaha, sur le West Highland Way. ☎ 870-234. ● forest holidays.co.uk ● Fermé de début fév à mi-mars. Compter £ 12-16 (18-24 €)

selon saison pour une tente et 2 pers. Terrain géré par la Forestry Commission. Super-équipé, au bord du loch et traversé par un torrent.

Bon marché

Rowardennan Youth Hostel : à Rowardennan, à 12,5 miles (env 20 km) au nord de Balmaha, au bord du Loch Lomond. ☎ 0870-004-11-48. Ouv mars-oct. Compter £ 13-16 (19,50-24 €)

par pers en dortoir. Sur le parcours du West Highland Way, 80 lits, laverie, épicerie, Internet, tous les loisirs nautiques, et la forêt à proximité. Un emplacement superbe dans un écrin de nature.

À faire

➢ **Ben Lomond** (974 m) : géré par le National Trust. Départ de Rowardennan. Probablement le munro (montagne au-dessus de 914 m) le plus fréquenté d'Écosse. Le panorama porte loin. Chemin évident mais pas de sentier balisé. Carte conseillée. Attention toutefois à ne pas vous y aventurer par mauvais temps et consulter l'évolution météo, très variable à cet endroit. Compter une moyenne de 5h aller-retour.

BALLOCH   6 790 hab.   IND. TÉL. : 01389

Le village n'a rien de particulier à offrir, si ce n'est qu'il ressemble déjà à un faubourg résidentiel et vert de Glasgow. Il s'agit donc d'un bourg « étape » au sud du Loch Lomond.

Adresses utiles

Loch Lomond Park Centre : au Gateway Centre (un centre commer-

cial). Le Q.G. du parc réside dans la Drumkinnon Tower, impressionnant ensemble architectural. *Rens sur la gauche de l'entrée de la galerie commerciale.* ☎ *722-600. Tlj en été : 9h30-18h30 ; 10h-17h en hiver.*

⛴ *Bateau sur le Loch Lomond :* embarquement à Balloch. Rens : Swee-

ney's, ☎ 752-376. ● sweeneycruises. com ● Pour s'y rendre, quelques bus en été depuis Glasgow. De Pâques à fin novembre, croisières « circulaires » sur le loch. Durée : 50 mn.

Où dormir ?

Bon marché

🏠 *Loch Lomond Youth Hostel :* ☎ *0870-004-11-36. À 3 km au nord de la ville (et de la gare). Possibilité de récupérer le bus* Citylink *venant de Glasgow ; demandez au chauffeur de vous arrêter au bon endroit. Ouv mars-oct. Compter £ 13-16 (19,50-24 €) le lit. Chambres doubles £ 45 (67,50 €). Un*

château écossais du XIXe siècle aménagé en AJ depuis 1945. Des pièces spacieuses et bien conservées, une jolie verrière à l'ancienne et des dortoirs donnant sur le jardin, l'île d'Inchmurrin et le Loch Lomond. Tout est de bon confort et bien entretenu. *Warden* sympa. La vie de château à petit prix !

Plus chic

🏠 *Farmhouse Sheildaig :* Upper Stoneymollen Rd. ☎ *752-459.* ● *sheildaig@talk21.com* ● *sheildaigfarm.co.uk* ● *En arrivant de Glasgow, au 1er rond-point, prendre la 1re à gauche ; c'est fléché ; au bout d'un chemin très cabossé. Compter £ 30-35 (45-52,50 €) par pers,*

petit déj compris. Grande maison de pierre, une ancienne ferme, dans une très jolie propriété. Belle véranda. Trois chambres de charme bien tenues et très bien équipées (frigo, TV et bouquins). Elégant et moderne, mais accueil frisquet.

LUSS   200 hab.   IND. TÉL. : 01436

Le plus charmant village des bords du Loch Lomond, sur la rive ouest. Quelques petites rues bordées de maisons basses mènent à un ponton et à une plage. Évidemment, plein de touristes de passage en été.
– Ne pas manquer la chapelle au-delà du *Coach House Coffee Shop*.

Adresse utile

🏠 *Loch Lomond Park Centre :* à l'entrée du village. ☎ *(01389) 722-120. Pâques-fin oct : tlj 10h-18h.* Expo sur le

Parc national du Loch Lomond et des Trossachs. Plein d'infos sur la région.

Où dormir ? Où manger ?

⛺ *Caravan and Camping :* tout proche du Loch Lomond Park Centre. ☎ *860-658. Ouv mars-sept. Env £ 21 (31,50 €) pour 2 pers et une tente en hte saison. Laverie. Sur les bords du loch, dans le*

prolongement de la plage de Luss. Possibilité de se baigner. Pelouse parfaite, vue dégagée.
🏠 *The Corries B & B :* à Inverbeg, à 2,5 miles (4 km) au nord de Luss. ☎ *860-*

275. ● the_corries@hotmail.com ● En venant du sud, prendre à gauche juste après l'Inverbeg Inn. *Ouv tte l'année.* Autour de £ 25-30 (37,50-45 €) par pers selon saison. Sur les hauteurs. Trois chambres confortables avec salle de bains. Vue magnifique sur le loch depuis le salon à disposition des clients. Confortable, simple et joli. Très bien tenu. Belle salle de bains. Accueil très convivial et attentionné.

|●| *Coach House Coffee Shop :* emprunter la rue principale en direction du ponton, puis vers la droite avant la plage. ☎ 860-341. *Tlj 10h-18h.* Plats £ 6-11 (9-16,50 €). Bâtisse en pierre, avec une cheminée à l'intérieur. Soupe maison, *haggis* et délicieux *scones.* Accueil en kilt ! Derrière, terrasse pour les beaux jours.

|●| *Inverbeg Inn :* à Inverbeg. ☎ 860-678. Sur la gauche de la route A 82, à 3 miles (5 km) env au nord de Luss. Env £ 8 (12 €) le plat au bar, le double côté resto. Auberge où les bûches grésillent dans l'âtre. Cuisine très *scottish,* avec aussi quelques plats végétariens. Rendez-vous des randonneurs, malgré la route bruyante.

Manifestation

– *Luss Highland Games :* le 3ᵉ dim de juil.

TARBET ET ARROCHAR

1 050 et 000 hab.   IND. TÉL. : 01301

Deux petits villages, l'un sur le Loch Lomond, l'autre sur le Loch Long, qui cristallisent la beauté des environs. De Tarbert, possibilité de croisières.

Adresses utiles

▯ *Tourist Information Centre :* à Tarbet. ☎ et fax : 702-224. ● info@tarbet.vi sitscotland.com ● *Face au Tarbet Hotel. Avr-oct : tlj 10h-18h.* Les mêmes documents qu'à Balloch, avec 10 fois moins de monde.

⚓ *Cruise Loch Lomond :* Tarbet Pier. ☎ 702-356. ● cruiselochlomondltd. com ● Plusieurs départs/j. ; variable selon saison. Pour une jolie croisière sur les traces de Rob Roy ou une traversée vers Rowerdenann, où l'on peut randonner avant de reprendre le bateau.

■ *Retrait d'argent :* mieux vaut retirer de l'argent avant de séjourner dans le coin. *La Royal Bank of Scotland d'Arrochar assure une permanence 2 fois/ sem (en principe, mar et jeu 10h-13h) sur la route de Tarbet.* Ça peut toujours dépanner.

Où dormir ?

Camping

⚊ *Ardgartan Camping Site :* à Ardgartan. ☎ 702-293. ● forestholidays.co. uk ● À 2,5 miles (4 km) d'Arrochar, vers l'ouest. *Fév-oct.* Compter £ 9-14 (13,50-21 €) l'emplacement en hte saison. *Camping géré par la* Forestry Commission. *Arriver de préférence avt 18h.* Situé magnifiquement au bord du Loch Long. Bien entretenu et équipé : épicerie, laverie. Pas de mobile homes. Baignade dans le lac possible ; même la pêche est autorisée. Bien arrimer sa tente, car ça peut souffler fort.

De prix moyens à chic

🛏 *Lochview B & B :* chez Mr et Mrs Fairfield, à Tarbet ; à côté du Tarbet Tearoom, *à gauche dans le virage en venant du nord.* ☎ 702-200. ● fairfield@lineone. net ● *Compter £ 22-24 (33-36 €) par pers en double avec sdb.* Confortable, sans prétention et propre. Route un peu bruyante dans la journée mais très calme la nuit. Bon petit déj.

🛏 *Innischonain House :* juste à la sortie de Tarbet, sur la route d'Arrochar. ☎ 702-726. ● innischonain.freeserve. co.uk ● *Tte l'année. Compter £ 30-35 (45-52,50 €) par pers selon saison.* Dans une grande maison récente. Trois chambres lambrissées, fonctionnelles et confortables, avec salle de bains impeccable. Jardin.

Où manger ? Où boire un verre ?

|●| 🍷 *The Village Inn :* à la sortie d'Arrochar, en direction d'Helensburgh, sur l'A 814. ☎ 702-279. Tlj 10h-23h. Plats traditionnels £ 6-18 (9-27 €). Auberge blanche au bord du Loch Long. Pub bien chaleureux, autour du feu. Intérieur typé, parquet, hache et scie au mur. On peut aussi manger dans la salle du resto. Le rendez-vous des locaux. Quelques tables à l'extérieur l'été.

|●| 🍷 *Drover's Inn :* à *Inverarnan.* ☎ 704-234. Tlj 11h-23h. À une vingtaine de kilomètres au nord du Loch Lomond, par la route A 82 vers Fort William. Bar meals £ 6-8 (9-12 €). Loue aussi des chambres (chères). Un de nos pubs favoris dans les Highlands. À l'entrée, une faune endormie par un taxidermiste, salle charmante avec son feu de cheminée et ses bougies, de vieux tableaux et des serveurs en kilt. Il n'est pas rare qu'après la fermeture des portes, les soirées continuent jusqu'à 3h ! Musique live de temps à autre.

À faire

➤ *The Cobbler* (884 m) *:* ou Ben Arthur. Départ sur la rive ouest du Loch Long, dans un massif connu sous le nom d'Arrochar Alps. Le classique du coin, vous ne serez pas seul. Malgré son apparence rocheuse, un bon sentier grimpe dans les cailloutis jusqu'à la partie sommitale. Compter 3h de grimpette. Seul le dernier bloc, de quelques mètres, présente une difficulté majeure pour atteindre le « vrai » sommet. De là-haut, vue notamment sur Gareloch, Firth of Clyde et l'île d'Arran. Pour les randonneurs expérimentés uniquement.

➤ *Argyll Forest Park :* une multitude d'activités dans le parc naturel : randonnées, vélo, pêche, etc. *Rens auprès du* Tourist Information Centre *d'Ardgartan, juste à l'entrée du parc.* ☎ et fax : 702-432. ● info@ardgartan.visitscotland.com ● *Avroct : 10h-17h (18h juil-août).* Pour le VTT, se procurer la brochure *Cycling in the Forest,* disponible dans les offices de tourisme de l'Argyll.

LES HIGHLANDS DU CENTRE

Pour découvrir toute la diversité des Highlands, le chemin de l'école buissonnière passe par le centre et les charmants villages de Dunkeld et Birnam, ou encore Pitlochry aux environs si riches. Sans oublier les nombreuses randonnées, dont certaines, du côté d'Aviemore, conduisent vers des sommets presque vertigineux... pour l'Écosse !

LES HIGHLANDS DU CENTRE

Arriver – Quitter

Voici de loin la partie des Highlands la mieux desservie. Un réseau linéaire et efficace ; l'axe Perth-Inverness est parcouru par l'A 9, une route au trafic très dense et donc dangereuse. C'est également sur cet axe que passe la quasi-totalité des trains qui vont vers le nord. Noter que le *Drumochter Pass* (462 m) est souvent fermé pour cause de neige en hiver.

En bus

➤ Liaisons quotidiennes, env 7/j. entre **Perth** et **Inverness** avec *Scottish Citylink*, ☎ *08705-50-50-50.* ● *citylink.co.uk* ● Env 6 bus/j. desservent ttes les localités à partir de **Dunkeld.**

➤ *The Munro Bagger,* ☎ *(01479) 811-211,* opère un service saisonnier (juin-sept) entre **Fort William** et **Aviemore** avec arrêts à **Newtonmore** et **Kingussie.**

En train

➤ Sur la *Highland Line.* Service régulier. *Rens :* Scotrail, ☎ *08457-48-49-50.* ● *firs tscotrail.com* ●

Comment circuler ?

Le *Highland Council* édite quatre cartes *(Public Transport Map)* recensant tous les moyens de transport dans les Highlands. Publiées en mai et en septembre, elles s'achètent dans les offices de tourisme des Highlands, à celui d'Édimbourg ou par correspondance à *Road & Transport, Highland Council, Glenurquart Road, Inverness, IV3 5NX.* ☎ *(01463) 702-695.*

KILLIN 790 hab. IND. TÉL. : 01567

Village pittoresque à l'extrémité ouest du Loch Tay. Un point d'ancrage idéal pour se balader dans la région. Banque, poste et alimentation.

Arriver – Quitter

En bus

➤ Liaisons avec **Stirling et Callander :** avec *First Edinburgh. Rens :* ☎ *0870-608-26-08.* ● *firstgroup.com* ●

➤ Bus *Scottish Citylink,* lignes **Édimbourg-Fort William** (via *Stirling* et *Glencoe*). 6 bus/j. dans les deux sens. *Rens :* ☎ *08705-50-50-50.* ● *citylink.co.uk* ●

➤ *Postbus* depuis **Aberfeldy** (sf dim) le mat (dans l'autre sens, départ de **Killin** à la mi-journée).

Adresses utiles

🏠 **Tourist Information Centre :** dans un vieux moulin, juste à côté des chutes d'eau. ☎ *820-254. Fax : 820-764. Pâques-juin et sept-oct : tlj 10h-17h ;* juil-août : tlj 10h-17h30. Fermé nov-fév. Y aller pour les nombreuses idées de balades dans la région, mais aussi pour jeter un œil aux rouages du moulin.

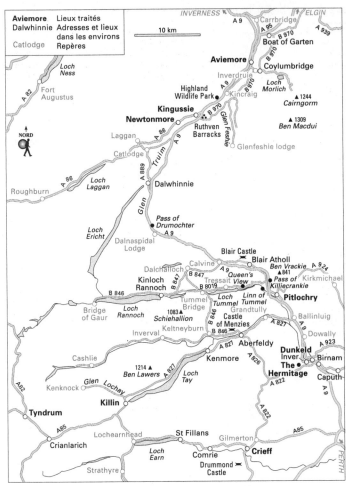

Aviemore	Lieux traités
Dalwhinnie	Adresses et lieux dans les environs
Catlodge	Repères

LES HIGHLANDS DU CENTRE

Héberge le *Breadalbane Folklore Centre (entrée payante ; réduc),* une petite exposition sur la région : histoires des clans locaux, sélection des meilleurs contes et légendes du pays. Dommage que le personnel vous renvoie toujours aux prospectus...

■ *Location de vélos :* Killin Outdoor Centre & Mountain Shop. ☎ *820-652. Le dernier magasin à gauche en quittant le village vers Aberfeldy. Tlj 8h45-17h45.* Loue des VTT, mais aussi des canoës pour pagayer sur le Loch Tay.

Où dormir ? Où manger ?

⚠ *Cruachan Farm Caravan & Camping Park :* à la ferme. ☎ *820-302.*

● cruachanfarm.co.uk ● *À 3 miles (env 5 km) de Killin, sur la route A 827 en* direction d'Aberfeldy. De mi-mars à fin oct. Env £ 10 (15 €) pour 2 pers avec une tente et une voiture en été. Resto à l'entrée, fermé mer. Coincé entre les collines et le Loch Tay, un vaste camping familial accaparé par les habitués. Aire de jeux pour enfants, beau gazon et terrain tendre. Vente de lait et d'œufs de ferme.

🛏 **Youth Hostel :** juste à l'entrée de Killin en venant d'Aberfeldy. ☎ 0870-004-11-31. • syha.org.uk • Tte l'année, slt le w-e en nov-fév. Env £ 13 (19,50 €) par pers en hte saison. Cette grande maison victorienne, perchée au-dessus de la route, ne manque pas de caractère... à l'inverse d'une déco on ne peut plus impersonnelle. En revanche, confort et propreté irréprochables. Clientèle de randonneurs.

🛏 **Drumfinn Guesthouse :** Main St. ☎ 820-900. • drumfinn.co.uk • Dans la rue principale, à gauche après l'office de tourisme en allant vers Aberfeldy. Compter £ 28-30 (42-45 €) par pers avec sdb. Cosy à souhait, le petit salon réservé aux hôtes saura réchauffer les randonneurs transis après une journée d'excursion. Des chambres coquettes et confortables, avec vue sur les collines. Accueil chaleureux.

🍴 **The Falls of Dochart Inn :** Gray St. ☎ 820-270. Face au pont au-dessus des rapides. Plats £ 8-10 (12-15 €). Le pub local où les habitués viennent échanger les potins en se réchauffant autour de la cheminée. Pierres apparentes et plafond bas ajoutent à l'atmosphère chaleureuse, propice à un repas solide composé de plats typiques.

À voir. À faire

🚶‍♂️ **Falls of Dochart :** en plein centre du village. À voir, surtout après de fortes pluies. D'un côté du pont, on distingue bien le moulin. Le bruit des rapides nous accompagne dans presque tout le village.

🚶 **Moirlanich Longhouse** (NTS) : dans le Glen Lochay, accessible depuis l'A 827 par une petite route à gauche peu après l'AJ. ☎ 820-988. Mai-sept : slt mer et dim 14h-17h. Entrée : £ 3 (4,50 €) ; réduc. Visite d'un cottage traditionnel du milieu du XIXe siècle aux murs blanchis, coiffés d'un toit rouge. Beaucoup de meubles originaux, expo de vêtements de travail et du dimanche... Pour y accéder, ne perdez pas courage malgré l'affreux transformateur, car la petite route tournicote assez pour le perdre de vue.

➤ **Ben Lawers** (1214 m) : compter 5h aller-retour. Massif montagneux géré par le National Trust for Scotland, au-dessus du Loch Tay. L'ascension du Ben Lawers se fait assez facilement... par beau temps. Plus corsé, vous pouvez tenter la Tarmachan Ridge, une classique de la région.
– Départs du NTS Visitor Centre, où l'on peut vous conseiller de Pâques à fin sept. ☎ 820-397.

TYNDRUM
140 hab. IND. TÉL. : 01838

Village entre le Loch Lomond et Glencoe. Encore une région extrêmement sauvage. C'est d'ailleurs par ici que passe le fameux *West Highland Way*. Une étape sur la route d'Oban et de Fort William.

Arriver – Quitter

En bus

➤ Bus *Scottish Citylink,* lignes **Édimbourg-Fort William** (via *Stirling* et *Glencoe*) et **Glasgow-Oban** (via le *Loch Lomond*). Rens : ☎ 08705-50-50-50. • citylink.co.uk •
➤ 5 bus/j. au départ de Fort William et Édimbourg, 2 bus/j. depuis Tyndrum.

En train

➢ Avec *Scotrail*, trains depuis **Glasgow,** en direction de **Fort William** ou **Oban,** selon la gare. En effet, Tyndrum possède 2 gares du fait que la *West Highland Line* se divise pour atteindre Fort William d'un côté et Oban de l'autre. Il y a 3 ou 4 trains dans chaque sens/j. *Rens :* ☎ *08457-48-49-50.* ● *firstgroup.com/scotrail* ●

Adresse utile

🛈 *Tourist Information Centre :* ☎ *400-246.* ● *info@tyndrum.visitscot* | *land.com* ● *Avr-oct : tlj 10h-18h.* Accès Internet.

Où manger ?

|●| **The Green Welly Stop Shop Centre :** *au niveau de la station-service, une cafétéria dans un complexe regroupant des magasins de souvenirs et un bureau de change.* ☎ *400-271. Tlj 8h30-17h30 (17h en hiver). Soupes, boissons chaudes et sandwichs pour £ 2 (3 €), petite* | *restauration env £ 5 (7,50 €). Cuisine sans chichis, mais bon marché. Très fréquenté, armez-vous de patience si vous arrivez après un car de touristes.*
|●| *Un peu plus loin,* **The Real Food Café** *pour un fish and chips.*

CRIEFF
6 600 hab.   IND. TÉL. : 01764

Bourgade à 25 km à l'ouest de Perth, par l'A 85. Elle se situe au cœur d'une région charmante, le *Strathearn.* Ville d'eau d'une certaine renommée, Crieff vécut son apogée au XIXᵉ siècle, comme en témoigne encore l'architecture victorienne de nombreuses maisons du centre-ville. C'est ici que Bonnie Prince Charlie séjourna, en route vers Culloden.
– **Crieff Highland Gathering :** *mi-août, généralement un dim. Sur Market Park.*

Arriver – Quitter

➢ **Crieff-Perth :** bus réguliers. *Rens :* Stagecoach Perth, ☎ *(01738) 629-339.* ● *stagecoachbus.com/perth* ●

Adresse utile

🛈 *Tourist Information Centre :* High St. ☎ *652-578.* ● *criefftic@visitscotland. com* ● *Avr-juin et sept-oct : lun-sam 10h-16h ; dim 10h-14h. Juil-août : lun-sam 9h30-17h30 ; dim 10h30-15h30.* | *Nov-mars : lun-sam 10h-15h.*
▣ *Internet :* à *la Library, à l'angle de High St et de Comrie St. Tlj sf jeu ap-m, sam ap-m et dim. Gratuit.*

Où dormir ? Où manger ?

⚏ **Braidhaugh Caravan Park :** *à la sortie de la ville, sur l'A 822.* ☎ *652-951.* ● *braidhaugh.co.uk* ● *Ouv tte l'année. Prévoir £ 16 (24 €) l'emplacement en hte* | *saison.* Camping de taille moyenne, au bord de la rivière Earn. Toutes commodités, mais réservé exclusivement aux camping-cars et caravanes.

West Lodge Caravan park : à 6 miles (9,5 km) de Crieff sur l'A 85 en direction de St Fillans. ☎ 670-354. ● westlodge.bravehost.com ● Ouv avr-oct. Compter env £ 11 (16,50 €) pour 2 pers et une tente. Douches chaudes gratuites. Petit camping en bord de route. Bon accueil.

Comrie Croft : à 4 miles (6 km) sur la route de Comrie. ☎ 670-140. ● comrie croft.com ● Compter £ 13-15 (19,50-22,50 €) par pers avec ou sans sdb ; petit déj en supplément. Chambres £ 30-34 (45-51 €). Les vastes bâtiments organisés autour d'une cour intérieure témoignent de l'ancienne ferme. De fait, les granges sont converties en belle salle commune colorée, avec cuisine au rez-de-chaussée, dortoirs et 2 chambres (une double et une familiale) à l'étage. Tout est fait pour agrémenter le séjour des hôtes : ping-pong, billard ou tir à l'arc à disposition, location de vélos et possibilité de pêcher dans le loch au-dessus de la ferme. Très bon accueil.

Tullybannocher Farm Food Bar : à la sortie de Comrie en direction du Loch Earn, sur l'A 85. ☎ 670-827. Pâques-fin nov. Service jusqu'à 19h. Plats £ 4-8 (6-12 €). Self-service le midi avec des quiches, salades, gâteaux... Une sorte de vaste chalet de plain-pied, posé sur une pelouse bien grasse au milieu de la campagne. Très familial et bon enfant. Concerts de jazz à l'occasion.

Où dormir dans les environs ?

Four Seasons Hotel : à la sortie de St Fillans vers Lochearnhead. ☎ 685-333. ● info@thefourseasonshotel.co.uk ● Ouv mars-sept ; slt w-e oct-déc. Fermé janv-fév. Prévoir £ 48-58 (72-87 €) par pers pour une chambre luxueuse et spacieuse avec ou sans vue sur le loch, petit déj compris. Également des chalets sur la colline derrière l'hôtel à £ 44 (66 €) par pers avec petit déj. Certaines chambres disposent d'un lit à baldaquin. Pour une halte romantique devant un panorama inoubliable.

À voir

Glenturret Distillery & The Famous Grouse Experience : à la sortie de Crieff, en direction de Comrie. ☎ 656-565. ● thefamousgrouse.co.uk ● Tlj 9h-18h (dernière visite à 16h30). Visite classique : £ 5 (7,50 €), avec un petit 12 ans d'âge à déguster à la fin. La plus vieille distillerie du pays (1775) ouvre ses portes aux inconditionnels comme aux néophytes, à l'occasion d'une visite guidée menée tambour battant à travers les installations en activité. Toutes les étapes de la fabrication du Famous Grouse sont passées en revue, des cuves à fermentation en pin Douglas à la distillation en alambics, en passant par le vieillissement en fûts de chêne... histoire d'arriver fin prêt pour la dégustation d'un dram ! Sachez qu'à chaque distillerie son alambic. Celui-ci présente un cou très fin pour donner un whisky très léger... Une pièce interactive amusante pour les enfants en compagnie de Gilberd, la mascotte de la marque.

➤ DANS LES ENVIRONS DE CRIEFF

Drummond Castle Gardens : ☎ 681-433. ● drummondcastlegardens.co.uk ● De Crieff, prendre l'A 822 en direction de Stirling sur env 4 km. Mai-oct : tlj 13h-17h (dernière entrée). Entrée : £ 4 (6 €) ; réduc. Une très longue allée de hêtres conduit à l'imposant château des Drummond (privé), surplombant de magnifiques jardins ciselés dans le style italien. De loin en loin, quelques sculptures veillent sur les parterres de roses, ainsi qu'un cadran solaire du XVIIe siècle planté au centre d'une croix de Saint-André formée par des massifs de buis. On y tourna certaines scènes du film Rob Roy, avec Liam Neeson.

🔭 *Loch Earn :* au-delà de Comrie. Un beau loch cerné de montagnes noyées dans la brume et de forêts épaisses. Très populaire pour ses eaux poissonneuses. Saint Fillans, à l'extrémité est du loch, est un endroit idéal pour les sports nautiques (planche à voile, ski nautique...). La route A 85 longe la rive nord du loch jusqu'à Lochearnhead, d'où il est facile de rejoindre les Trossachs ou Killin.

DUNKELD   1 210 hab.   IND. TÉL. : 01350

À l'écart des grands axes, Dunkeld mérite plus qu'un détour. Si les jacobites et les soldats du régiment de Cameron s'en donnèrent à cœur joie en 1689, incendiant sans discernement maisons et cathédrale, le petit village a retrouvé en partie son aspect originel grâce aux efforts du *National Trust.* Ses maisonnettes s'étalent allègrement le long du fleuve Tay, face au village jumeau plus récent et assez chic de Birnam (où l'on trouve un joli parc et un centre dédié à Béatrix Potter, écrivain pour enfants de l'époque victorienne, et à son protégé, Peter Rabbit !). Belles promenades le long des berges.

Arriver – Quitter

En bus

➢ Bus fréquents avec *Scottish Citylink.* Prendre le bus M91 qui assure la ligne **Perth-Inverness.** Env 6 bus/j. de Perth et 5/j. depuis Dunkeld. *Rens :* ☎ 08705-50-50-50. ● citylink.co.uk ●
➢ Avec *Strathtay Scottish,* prendre le n° 60 (2 bus/j.) pour **Blairgowrie.**

En train

➢ Dunkeld se trouve sur la ligne **Perth-Inverness.** Une dizaine de trains/j. avec arrêts à **Pitlochry, Kingussie** et **Aviemore.**

Adresse utile

🏢 *Tourist Information Centre :* The Cross (la place principale). ☎ 727-688. ● dunkeldtic@visitscotland.com ● visit dunkeld.com ● En été : tlj 9h30-17h. En hiver : tlj sf mar-jeu 10h-16h. Compétent et bien documenté sur la région.
■ *Bank of Scotland :* Hight St.

Où dormir ?

Quelques campings et quantité de *B & B* et *guesthouses* dans le coin, principalement à Birnam, à 1 km au sud de Dunkeld.

Camping

⅄ *Invermill Farm Caravan Park :* à Inver. ☎ 727-477. ● invermill@talk21. com ● Avr-oct. Sur l'A 9 en venant de Perth, prendre à gauche l'A 822, puis tout de suite à droite une route étroite ; après avoir dépassé un vaste terrain réservé aux mobile homes, la petite route franchit un pont et conduit à un camping charmant déroulé au bord du fleuve Tay. Compter env £ 12 (18 €) pour 2 pers et une tente. Laverie. De taille moyenne, ce camping simple et bien tenu préserve une atmosphère conviviale très familiale. Bon accueil.

Un chemin pédestre relie le camping à Dunkeld.

Bon marché

🛏 **Wester Caputh :** *Manse Rd, à Caputh, derrière l'église.* ☎ *(01738) 710-449.* ● *westercaputh.co.uk* ● *À 6 km de Dunkeld sur l'A 894 (direction Coupar Angus) ; panneau indicateur avt d'entrer dans le village. Prévoir £ 15 (22,50 €) par pers en dortoir 4-6 lits ou en chambre double. Également un studio à louer pour £ 305 (457,50 €)/sem.* Katherine accueille chaque nouvel arrivant comme un bon ami. Sa minuscule auberge, nichée dans un long cottage blanc face aux champs de framboises (cueillette fin juillet), reflète bien cet état d'esprit : dortoirs chaleureux, cuisine coquette, et surtout un salon cosy où ronronne le poêle, coincé entre la chaîne hi-fi et toutes sortes d'instruments de musique (à disposition).

Prix moyens

🛏 **B & B Byways :** *Joanne and Gordon Gerrie, Perth Rd, à Birnam.* ☎ *et fax : 727-542.* ● *joanne.gerrie@ukonline.co.uk* ● *Fermé de mi-nov à fin mars. Compter env £ 27 (40,50 €) par pers.* La façade de cette maison moderne ne laisse pas deviner un intérieur chaleureux et confortable, aux vastes pièces aérées. Trois chambres irréprochables, où les peluches des copains de *Peter Rabbit* vous aideront à faire de beaux rêves ! Accueil gentil et attentionné.

🛏 **Waterbury Guesthouse :** *à Birnam, dans la rue principale.* ☎ *727-324.* ● *waterbury-guesthouse.co.uk* ● *Mars-oct. Doubles £ 27-31 (40,50-46,50 €) par pers selon saison.* Cette jolie maison victorienne aligne une série de mignonnes petites chambres claires et confortables, donnant parfois sur l'église. Salon à disposition. Atmosphère conviviale.

Plus chic

🛏 **Atholl Arms Hotel :** *à Dunkeld, à l'entrée du village, après le pont.* ☎ *727-219.* ● *athollarmshotel.com* ● *Tte l'année. Compter £ 36-45 (54-67,50 €) par pers selon vue et saison. Des formules w-e.* Un hôtel de bon standing situé dans un ancien relais de poste du XVIIIe siècle. La reine Victoria y séjourna en 1844. Chambres classiques, un tantinet standardisées mais de bon confort.

Où manger ? Où boire un verre ? Où écouter de la musique ?

🍴 🍸 🎵 **The Taybank :** *Tay Terrace. À côté du pont à Dunkeld.* ☎ *727-340.* Bar meals *et* stovies *(le hachis Parmentier écossais) autour de £ 6 (9 €).* Une taverne à l'ancienne vieillie dans son jus, où tout, des moulures craquelées au comptoir patiné, porte les marques du temps. Mais ici, les piliers de bar sont tous musiciens dans l'âme. Tous les soirs, les guitares et violons sont décrochés, le piano est accordé, et à chacun de pousser la chansonnette à tour de rôle. D'ailleurs, une école de musique se cache à l'étage. Terrasse sur la berge.

🍴 🍸 🎵 **The Tap Inn :** *Perth Rd, à Birnam (en retrait de la route).* ☎ *727-462. Plats £ 7-10 (10,50-15 €). Concerts lun et mer (vérifier car variable).* Tout est dans l'ambiance ! Ce petit pub de quartier, tout simple de prime abord, réunit une équipe d'habitués du tonnerre. Régulièrement, tous se donnent le mot et rappliquent avec leur instrument de prédilection, pour un bœuf semi-improvisé de musique traditionnelle. On y a vu jusqu'à 20 musiciens mêlant leurs accords dans une mélodie sans fausse note ! Feu de cheminée et décor cher à Peter Rabbit dans la grande salle.

À voir. À faire

🎥🎥 **La cathédrale** (HS) : *au bout de la ruelle partant de la place principale. Avr-sept : lun-sam 9h30-18h30 ; dim 14h-18h30. Oct-mars : tlj 9h30-16h.*
Située dans un charmant parc arboré en bord de rivière, elle fut édifiée de 1260 à 1501 et détruite en deux temps : suite aux bons conseils de John Knox, et durant la bataille opposant jacobites et caméroniens en 1689. Seul le chœur a été restauré et transformé en église. Les restes de saint Columba, grand propagandiste de la foi et bâtisseur de monastères au haut Moyen Âge, y seraient enterrés. Noter, à gauche de la chaire, le judas des lépreux, qui leur permettait de suivre la messe sans entrer en contact avec les fidèles.
La petite salle du chapitre présente quelques souvenirs de la

> **LE LOUP DE BADENOCH...**
>
> *On ne badinait pas avec l'adultère au XIVe siècle. Alexander Stewart, fils du roi Robert II en sait quelque chose : pour avoir batifolé et délaissé son épouse, il est tout bonnement excommunié. Sauf que le fiston le prend mal, mais alors très mal. Par vengeance, il brûle les villes de Forres et d'Elgin. Il meurt exécuté sur la place publique... Sa cruauté lui a valu le surnom de « loup de Badenoch » (du nom du district qu'il gouvernait). On peut voir sa tombe représentant une figure en armure couchée dans le sanctuaire de la cathédrale.*

ville : pierre picte sculptée du IXe siècle, vestige du monastère primitif construit par le roi des Scots Kenneth Mac Alpin, livres anciens. Dans le prolongement du chœur, les hauts murs de la nef, percés de fenêtres béantes, et sa tour gothique ne manquent pas de grandeur.

🎥 *Le joli* **parc Stanley Hill :** *accès depuis The Cross (place principale), juste sur la gauche de l'office du tourisme.* Superbe panorama et belles collines.

🎥🎥 **The Hermitage :** *à 1 mile (env 1,5 km) au nord de Dunkeld sur l'A 9.* À 10 mn de marche le long de la rivière Tay, magnifique point de vue sur une cascade. Depuis 200 ans, les visiteurs s'y attardent, les plus célèbres ayant été notamment les peintres Turner et Mendelssohn.

– *La pêche dans la Tay :* en 1922, miss Ballantine rapporta un saumon de 64 livres ! Le record tient toujours... Possibilité de louer du matériel de pêche et d'obtenir un permis de pêche à la journée à Birnam, auprès de la supérette *The SPAR*.

➤ *DANS LES ENVIRONS DE DUNKELD*

🎥 **Castle of Menzies :** *à* **Aberfeldy.** *À 11 miles (env 18 km) au nord-ouest de Dunkeld, par la A 827. Avr-mi-oct, lun-sam 10h30-17h ; dim 14h-17h. Entrée : £ 4 (6 €) ; réduc.* Château du XVIe siècle en forme de Z, représentatif du passage de l'architecture de la forteresse à celle du manoir. Siège des chefs du clan Campbell depuis 400 ans, il est toujours en restauration depuis 1971. Au 1er étage, plafond à moulures représentant l'union des couronnes d'Angleterre et d'Écosse en 1603. On visite la chambre où séjourna Bonnie Prince Charlie, en route pour Culloden. Au second étage, étonnant masque du défunt prince Charles Stuart en 1788.

🍴🥾 *Crannog Centre* : à **Kenmore,** à 15 miles (24 km) au nord-ouest de Dunkeld. ☎ (01887) 830-583. ● crannog.co.uk ● De mi-mars à fin oct : tlj 10h-17h30 (dernière entrée à 16h30) ; en nov : w-e slt. Entrée : £ 5,50 (8,30 €) ; réduc. La visite guidée comprend la salle d'exposition et le *crannog* puis un passage dans les ateliers. *Crannog* ? Il s'agit d'une habitation lacustre en bois remontant au néolithique. Près d'une vingtaine de *crannogs* auraient existé sur le loch Tay, habités jusqu'au XVIIe siècle. Les habitants les construisaient sur pilotis à quelques mètres du rivage, peut-être pour se protéger des bêtes sauvages... On visite ici la reconstitution d'un *crannog* d'il y a 2 500 ans. Une partie pour cuisiner, une autre pour les animaux, des paillasses surélevées. Puis l'on découvre dans les ateliers la façon de tourner le bois ou de moudre le grain. On s'y croirait !

Randonnées pédestres

➤ *Birnam Hill* (404 m) : compter env 7 km et 3h de marche. Un sentier bien balisé part de la gare de Birnam. Cette superbe balade grimpe pas mal, mais une fois là-haut, on est récompensé de ses efforts.

➤ On peut aussi se promener sur les bords de la Tay à la recherche des *Birnam Oaks,* les deux derniers chênes survivants de la forêt royale rendue célèbre par Shakespeare dans *Macbeth.*

Fête

– *Birnam Games :* dernier sam d'août. Célèbre fête folklorique, parmi les plus anciennes du pays.

PITLOCHRY   2 900 hab.   IND. TÉL. : 01796

Important centre de villégiature de style victorien, très populaire chez les Écossais et, bien sûr, touristique. On ne reste pas longtemps dans le bourg, sauf pour rayonner vers les nombreux sites aux alentours, qui valent le déplacement.

Arriver – Quitter

En bus

➤ Bus fréquents avec *Scottish Citylink.* Prendre le bus M91 qui assure la ligne **Perth-Inverness.** Env 6 bus/j. de Perth et 5/j. depuis Pitlochry. *Rens :* ☎ 08705-50-50-50. ● citylink.co.uk ●

En train

🚃 *Gare ferroviaire :* plan A2.
➤ Pitlochry se trouve sur la ligne **Perth-Inverness.** Une dizaine de trains/j. avec arrêts à **Dunkeld, Kingussie** et **Aviemore.**

Adresses utiles

🛈 *Tourist Information Centre* (plan B2) : 22, Atholl Rd. ☎ 472-215. Mai- | sept : lun-sam 9h-18h ; dim 9h30-17h30. Oct-avr : tlj sf dim 9h30-17h (variable).

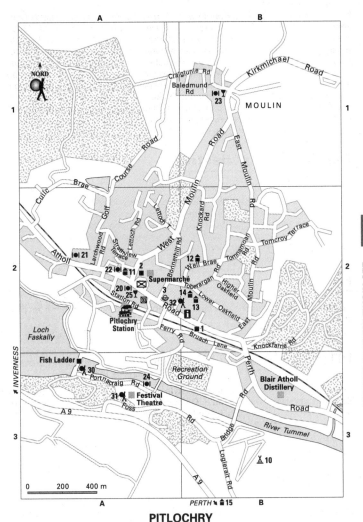

PITLOCHRY

■ Adresses utiles

- **🛈** Tourist Information Centre
- **✉** Poste
- **🚉** Gare ferroviaire
- **▦** Computer Service Centre
- **1** Location de vélos
- **2** Laverie
- **3** Robertsons of Pitlochry

⚐ ▲ 🏠 Où dormir ?

- **10** Milton of Fonab Caravan Site
- **11** Pitlochry Backpackers Hotel
- **12** Youth Hostel
- **13** Ardvane
- **14** Craigroyston House
- **15** Easter Dunfallandy House

|●| ♟ Où manger ? Où boire un verre ?

- **20** Café chocolaté
- **21** Claymore Hotel
- **22** Strath Garry
- **23** Moulin Inn
- **24** The Port-Na-Craig Inn
- **25** Kingfisher Bar

🏹 À voir

- **30** Barrage et son « échelle à saumon »
- **31** Parc botanique
- **32** Fabrique Heathergems

⊠ **Poste** (plan A2) : 84, Atholl Rd. Tlj sf sam ap-m et dim, 9h30-17h30. Fait bureau de change.

■ **Banques** (plan A2) : sur Atholl Rd, près de la poste.

▣ **Computer Service Centre** (plan A2) : Atholl Rd. Lun-ven 9h30-20h30 ; sam 9h30-12h30.

■ **Location de vélos** (plan B2, **1**) : Escape Route, 3, Atholl Rd.☎ 473-859.

Tlj 9h (10h dim)-17h. Résa conseillée. Location et réparation de vélos. Boutique sérieuse.

■ **Laverie** (plan A2, **2**) : Pitlochry Laundrette, 3, West Moulin Rd. Tlj sf dim, 9h-17h.

◈ **Achats** (plan A2, **3**) : Robertsons of Pitlochry, 46, Atholl Rd. Vente de whisky un poil moins cher que la moyenne.

Où dormir ?

Campings

⚼ **Milton of Fonab Caravan Site** (plan B3, **10**) : de l'autre côté de la rivière Tummel. Direction Perth, prendre à droite par Bridge Rd, puis c'est indiqué. ☎ 472-882. ● fonab.co.uk ● Avr-oct. Compter £ 14-16 (21-24 €) pour 2 pers et une tente. Terrain assez plat, en bordure de la ville. Épicerie et location de vélos.

⚼ **Faskally Caravan Park** (hors plan par A2) : à 2 miles (3 km) au nord de Pitlochry, sur la B 8019, direction Killiecrankie et Kinloch. ☎ 472-007. ● faskally.co.uk ● Mars-oct. En hte saison, prévoir £ 17 (25,50 €) pour deux en tente. Des chalets à louer tte l'année, £ 370-500, soit 555-750 €/sem selon

saison. Vaste camping bien situé, avec vue sur les collines. Boutiques, resto, pubs avec concerts, location de vélos et piscine couverte équipée de sauna et jacuzzi.

⚼ **Blair Castle Caravan Park** : à 4,3 miles (7 km) au nord de Pitlochry, dans le parc de Blair Castle. ☎ 481-263. ● blaircastlecaravanpark.co.uk ● Mars-nov. Compter £ 16 (24 €) pour 2 pers et une tente. Ici, on est sur les terres du duc d'Atholl, rien que ça ! De belles infrastructures, très pratiques pour ceux qui veulent visiter le château. Accès Internet à la réception. Randos à poney dans les Highlands.

Bon marché

⌂ **Pitlochry Backpackers Hotel** (plan A2, **11**) : 134, Atholl Rd. ☎ 470-044. ● scotlandstophostels.com ● En plein centre. Mars-oct. Réduc sur des activités en eaux vives. Compter £ 13-14 (19,50-21 €) la nuit en dortoir en été. Chambres doubles £ 33-37 (49,50-55,50 €) selon saison, avec sdb. Bâtiment en pierre flanqué d'une tourelle à l'angle de la rue. Les chambres n'ont pas de charme particulier mais sont bien tenues. Billard et jeux d'échecs dans le salon. Accès Internet et location de vélos. Chouette

ambiance routarde.

⌂ **Youth Hostel** (plan B2, **12**) : Knockard Rd. ☎ 472-302 ou 0870-155-32-55. ● syha.org.uk ● À 15 mn à pied de la gare. Fév-oct ; w-e slt le reste de l'année. Réception fermée jusqu'à 17h. Nuit en dortoir env £ 15 (22,50 €). Très bon confort (c'est un ancien hôtel). Chambres et sanitaires impeccables. À disposition des hôtes : cartes et prospectus sur la région, un coin TV et un agréable salon. Vue sur la ville, et warden sympa. Accès Internet.

De prix moyens à chic

⌂ **Ardvane** (plan B2, **13**) : 8, Lower Oakfield, dans une rue parallèle à la rue principale. ☎ 472-683. ● strachan@ardvane.freeserve.co.uk ● Compter £ 27-30

(40,50-45 €) par pers selon saison. Quatre chambres très confortables, décorées avec goût. Une cuisine à disposition. Les 2 doubles ont leur propre salle de bains. *Breakfast* copieux et délicieux. Jolie vue sur le village depuis la terrasse. Bon accueil.

🛏 *Craigroyston House* (plan B2, **14**) : 2, Lower Oakfield. ☎ 472-053. ● craigroyston.co.uk ● Fév-nov. Compter £ 35 (52,50 €) par pers. Tte l'année sf Noël, un cottage pour 4 pers à louer £ 450 (675 €)/ sem. Villa de style victorien entourée de verdure, à 5 mn de la gare. Une dizaine de chambres à la déco un peu rustique, équipées de sanitaires. Bon accueil.

🛏 *Easter Dunfallandy House* (hors plan par B3, **15**) : à 3 km de Pitlochry. ☎ 474-128. ● dunfallandy.co.uk ● Traverser la rivière Tummel par Bridge Rd. et prendre à gauche au niveau du camping, env 1 km plus loin, le 2e chemin sur la droite (ne pas confondre avec Dunfallandy House). Compter £ 33-40 (49,50-60 €) par pers. Un chouette B & B au milieu des collines (même si on entend un peu l'A 9). Thé ou café de bienvenue, petit déj (varié) pris à une grande table, accueil agréable et trois belles chambres cossues.

Où manger ? Où boire un verre ?

|●| *Café chocolaté* (plan A2, **20**) : Atholl Rd. Lun-mer 8h-18h ; jeu-sam, 8h-21h ; dim 10h-17h. Plats £ 5-7 (7,50-10,50 €) ; formule high tea pour 2 pers env £ 15 (22,50 €). Pour un déjeuner léger ou un *afternoon tea* copieux. Sandwichs, *scones* et sélection de délicieuses pâtisseries. Cadre agréable et cosy, service convivial.

|●| *Claymore Hotel* (plan A2, **21**) : 162, Atholl Rd (rue principale). ☎ 472-888. Le soir slt, 17h-21h. Plats £ 10-15 (15-22,50 €). Établissement familial accueillant. Service sous une véranda très lumineuse décorée en noir et blanc. Dans l'assiette, une cuisine fraîche et imaginative pour un prix correct. Terrasse.

|●| *Strath Garry* (plan A2, **22**) : 113, Atholl Rd. ☎ 472-469. Tlj à partir de 9h. Salades et plats £ 7-17 (10,50-25,50 €). Le restaurant de l'hôtel du même nom fait le plein matin, midi, après-midi et soir parce qu'il sert d'aussi bons petits déj que de copieuses spécialités écossaises ou encore de délicieuses pâtisseries pour accompagner un thé. Salle agréable, mais accueil inégal.

|●| 🍷 *Moulin Inn* (plan B1, **23**) : à Moulin, un patelin à 1 mile (1,6 km) de Pitlochry par West Moulin Rd, sur la route de la distillerie Edradour. ☎ 472-196. Plats £ 7-10 (10,50-15 €). Un pub qui produit sa propre bière, des *ales* dont la *braveheart*, une rousse délicieuse (la brasserie se visite jusqu'à 16h30). Sinon, on peut manger au coin de la cheminée des plats traditionnels. Ambiance chaleureuse et détendue. *Bars meals* authentiques. Arrivez tôt pour le dîner car les tables sont chères...

|●| *The Port-Na-Craig Inn* (plan A3, **24**) : en contrebas du Pitlochry Festival Theatre (de l'autre côté de la rivière). ☎ 472-777. Résa conseillée. Plats £ 10-18 (15-27 €). Petite maison en pierre très pittoresque, au bord de la rivière. On y savoure, dans une atmosphère intime et décontractée, une excellente cuisine de marché, réalisée avec grand soin et bien présentée. La bonne adresse... pour un soir de dépenses (relatives).

🍷 *Kingfisher Bar* (plan A2, **25**) : Atholl Rd. Pub le plus animé de la ville proposant des soirées concerts les vendredi et samedi soir.

Où dormir ? Où manger dans les environs ?

🛏 *Dalgreine Guest House* : à Blair Atholl, à 7 km au nord de Pitlochry par l'A 9. ☎ 481-276. ● dalgreineguesthouse.co.uk ● Prévoir £ 26-30 (39-45 €) par pers avec ou sans sdb. Ce B & B propose une demi-douzaine de chambres, toutes charmantes et confortables, dans une maison lumineuse. Le petit déj est délicieux. Accueil attentionné.

|●| *The Loft* : à Blair Atholl, à gauche depuis la rue principale en venant de Pitlochry ; bien indiqué. ☎ 481-377. Ouv slt l'été, juil-sept : tlj sf lun 10h30-14h15, 18h15-21h15. Plats £ 13-16 (19,50-24 €), moins cher le midi. Joli resto sous les toits proposant une cui-

sine élaborée et fine. Les assiettes sont belles et copieuses, servies dans un cadre tout en bois, épuré. La terrasse est extra dès les beaux jours. Attention à l'attente, interminable, pour certains plats ! Juste à côté, un *spa* (s'adresser au camping attenant).

À voir

🍴 **Le barrage et son « échelle à saumon »** *(Fish Ladder ; plan A3, 30)* : non loin de la gare, sur la rivière Tummel. Avr-oct : lun-ven (ainsi que les w-e en juil-août), 8h-17h. Également une petite expo (payante : £ 3, soit 4,50 €) sur le fonctionnement des barrages *(montage audiovisuel)*. Entre avril et octobre, les saumons quittent l'Atlantique pour rejoindre les rivières où ils sont nés afin de s'y reproduire. Au printemps suivant, leurs œufs écloront. Aussi, pour permettre à plusieurs milliers de saumons de contourner le barrage de Pitlochry et de monter se reproduire en eau claire dans le haut du torrent, un système ingénieux a été mis en place. Il consiste en une série de bassins en escaliers que les saumons franchissent, aidés par la force d'un courant. Une vitre dans un poste d'observation (gratuit) permet d'en apercevoir au passage. Un compteur atteste du nombre de saumons étant parvenu à franchir le barrage pendant la saison. Question de chance, bien sûr !

🍴🍴 **Edradour Distillery** *(hors plan par B1)* : sur les hauteurs, à 4 km à l'est de Pitlochry par l'A 924. ☎ 472-095. ● edradour.co.uk ● Janv-fév : lun-sam 10h-16h ; dim 12h-14h. Mars-oct : lun-sam 9h30-18h ; dim 12h-17h. Nov-déc : lun-sam 9h30-16h ; dim 12h-14h. Fermé 2 sem à Noël. Visite guidée (et dégustation) gratuite. Durée : 40 mn. La plus petite distillerie du pays ! Projection d'un film sous-titré en français. À voir uniquement si vous n'avez pas l'intention de faire la route du Whisky. Ça vous donnera une « petite » idée. Une fabrique d'embouteillage devrait fonctionner juste à côté courant 2008, complétant ainsi la visite de la distillerie. Bon accueil.

🍴 **Fabrique Heathergems** *(plan A-B2, 32)* : 22, Atholl Rd. Derrière l'office de tourisme. Mai-sept : tlj 9h-17h30 ; oct-avr : lun et sam 9h-17h. Fabrique unique qui produit des sortes d'émaux à partir de tiges de bruyère. Ces bijoux sont vendus dans toute l'Écosse. Ici, vous découvrirez le procédé et apercevrez l'atelier. Également une boutique.

🍴 **Le parc botanique** *(plan A3, 31)* : Explorers, *juste à côté du* Pitlochry Festival Theatre. ☎ 484-600. ● pitlochry.org.uk/garden.php ● Avr-sept : tlj 10h-17h (dernière entrée à 16h30). Entrée : £ 3 (4,50 €) ; réduc. Jardin botanique essentiellement consacré aux différentes espèces d'arbres. Au cours de la visite, on découvre des *plant hunters*, tels que David Douglas, forestier et explorateur écossais né en 1798, parti à la conquête de nouvelles essences aux quatre coins du monde. Le jardin, de 2,6 ha, est parsemé de sculptures en bois et de quelques réalisations architecturales (voir le *Douglas Pavilion* en forme de bateau). Le lieu intéressera surtout les amateurs.

Fêtes

– **Pitlochry Festival Theatre** : de mai à mi-oct. Rens : ☎ 484-626. Programmation quotidienne dans le *Festival Theatre,* au bord de la rivière Tummel.
– **Highland Night** : sur le *Recreation Ground.* Soirée écossaise (danses, chants, cornemuse) juin-sept, ts les lun à partir de 19h45. Ticket : £ 5 (7,50 €) ; réduc.
– **Highland Games** : le 2ᵉ sam de sept, sur le *Recreation Ground.*

➤ DANS LES ENVIRONS DE PITLOCHRY

🍴🍴🍴 🚶 **Blair Castle** : à 4,5 miles (env 7 km) au nord de Pitlochry sur la route d'Inverness, à la sortie de Blair Atholl.☎ (01796) 481-207. ● blair-castle.co.uk ● Le

château le plus visité d'Écosse. On le voit de loin grâce à sa blancheur éclatante.
Pâques-fin oct : tlj 9h30-16h30 (dernière admission). Le reste de l'année : mar et
sam 9h30-12h30. Fermé 2 sem à Noël. Entrée : £ 7,50 (11,30 €) ; réduc. Billet com-
biné (Scotland's Treasure Ticket) *avec Scone Palace (à Perth), le château de Glamis*
et les distilleries de Dewar's World of Whisky *(à Aberfeldy) et* Bell's *(à Pitlochry) pour*
£ 15 (22,50 €) ; réduc.

Le château est la demeure des
ducs d'Atholl depuis le XIIIᵉ siècle.
Le charme de son crépi d'un blanc
immaculé, qui tranche dans la verdure, masque une réalité moins
bucolique : le château a été
occupé ou assiégé cinq fois et par-
tiellement détruit par les troupes
ennemies. La tour de Tumming
date du XIIIᵉ siècle, tandis que le
reste fut édifié entre les XVIᵉ et
XIXᵉ siècles. La trentaine de salles
ouvertes au public depuis 1936
sont somptueusement garnies de
meubles pour la plupart immobi-
les... depuis plusieurs siècles.
En 1869, lorsqu'on voulut cons-

**L'UNIQUE ARMÉE PRIVÉE
D'EUROPE !**

*Saviez-vous que le duc d'Atholl dispose
depuis 1778 d'une garde personnelle ?
À son service, les 80 Atholl Highlanders
ont le droit de porter les armes
depuis 1843 grâce au bon vouloir de la
reine Victoria, enchantée de sa convas-
lescence au château. Une survivance
clanique purement cérémonielle
aujourd'hui, car ils n'appartiennent pas
à l'armée britannique et ne peuvent en
aucun cas prendre les armes pour le
duc...*

truire le corps de garde à l'emplacement de l'ancienne prison, on fit de surprenan-
tes découvertes : trois squelettes sous le plancher de la chambre opposée, probablement des hommes tués en 1654, alors que le jeune duc d'Atholl tentait de
reconquérir le château au nom des royalistes. La demeure recèle toutefois d'autres
richesses en bien meilleur état de conservation. Outre de superbes meubles Chip-
pendale et de très belles porcelaines, les connaisseurs pourront aussi admirer une
belle collection d'armes et d'armures, des plafonds aux moulages complexes et
des portraits de la famille royale dans la *chambre bleue,* la sixième duchesse ayant
été dame d'honneur de la reine. Dans la *chambre des tapisseries,* se trouve la valise
diplomatique du premier duc, perdue à sa mort et retrouvée par le septième duc
dans une brocante d'Édimbourg...
La propriété fut tellement vaste qu'au tableau d'une chasse organisée en l'honneur
de Marie Stuart figuraient 350 cerfs, cinq loups et trois *Highlanders* rabatteurs...
Quant au duc actuel, onzième du nom, il vient d'Afrique du Sud. Le dixième duc
n'ayant pas eu de descendance à sa mort en 1996, on est allé chercher ce lointain
héritier peu attaché, on s'en doute, aux traditions écossaises. Il se rend néanmoins
au château une fois par an pour la parade des Highlanders, qui ont malgré tout
conservé toute leur légitimité et leur prestige.

🏃 ***Queen's View :*** à 5,5 miles (env 9 km) de Pitlochry. Il s'agit d'un observatoire
aménagé au bord du Loch Tummel, à l'endroit où la reine Victoria ne put retenir un
cri d'admiration devant la beauté du paysage. Il y avait probablement moins de
monde à l'époque sur le rocher. Mais il faut avouer que la perspective sur le loch est
superbe. Si vous retournez ensuite vers l'A 9, prenez la petite départementale de
l'autre côté du Loch Tummel, qui offre un paysage encore plus sauvage.

🏃 ***Loch Rannoch :*** on en tient un aperçu depuis Kinloch Rannoch. Si vous avez du
temps, poursuivez jusqu'à Rannoch Station par la B 846. En chemin, on découvre
des roches glaciaires, tandis que sur la rive sud, on devine encore l'existence d'une
ancienne forêt de pins, appelée la forêt noire de Rannoch.

🏠 |●| ***Bunrannoch House :*** *de Kinloch
Rannoch, prendre la direction de South
Loch Rannoch, puis suivre le fléchage ;
c'est l'immense maison blanche que* | *vous verrez sur votre droite depuis la
route.* ☎ *(01882) 632-407.* ● *bun.hou
se@tesco.net* ● *bunrannoch.co.uk* ● *Tte
l'année. Compter £ 35 (52,50 €) par pers*

pour la nuit et £ 25 (37,50 €) pour le dîner (facultatif). Un havre de tranquillité, superbement situé dans une nature sauvage. Sept chambres charmantes, en accord parfait avec l'endroit et pratiquement toutes avec vue sur les collines. Préférez la n° 4, une double très spacieuse. Jennifer Skeaping, la maîtresse des lieux, fait à manger tous les soirs (y compris pour les non-résidents) et propose, l'après-midi, un thé accompagné de petits gâteaux faits maison.

Randonnées

Pour ceux qui ne supportent pas la foule, quelques courtes balades assez plaisantes à faire dans les environs de Pitlochry (se procurer le dépliant *Pitlochry Walks* à l'office de tourisme).

➤ *Killiecrankie :* *à 5 km au nord de Pitlochry sur l'A 9.* Visitor Centre *assez intéressant et bien documenté.* Pâques-fin oct : tlj 10h-17h30. Killiecrankie signifie en gaélique « la forêt du pivert ». Cet espace est protégé par *le National Trust.* L'endroit fut aussi le lieu, en 1689, d'une fameuse bataille entre Anglais et Écossais. Dans cet étroit défilé (la seule route à l'époque pour aller au nord), les Écossais infligèrent une sévère défaite à leurs envahisseurs.
Du *Visitor Centre,* un petit chemin mène en 5 mn au *Soldier's Leap,* l'endroit où un soldat anglais en déroute, voulant fuir les *Highlanders,* sauta par-dessus la rivière Garry entre deux rochers distants de 18 pieds et six pouces (5,50 m). L'exploit passa dans l'histoire. De cette défaite, les Anglais tirèrent la leçon qu'il fallait construire des voies de communication plus rapides et moins dangereuses pour leurs troupes, d'où la création des *Military Roads.*
Avant le *Soldier's Leap,* un sentier part sur la gauche vers Garry Bridge, Coronation Bridge et Linn of Tummel. Ceux qui ont le temps pourront pousser jusqu'à Pitlochry et même retourner vers Killiecrankie par l'autre rive (18,5 km en tout). Également un départ de sentier pour Ben Vrackie (voir plus loin).

➤ *Graigower Hill* (450 m) *: entre Pitlochry et Killiecrankie.* Pas très haute, cette colline offre un chouette panorama sur toute la région. Départ de la rue principale de Pitlochry.

➤ *Ben Vrackie* (841 m) *:* on ne pouvait l'oublier, la montagne de Pitlochry par excellence. Départ du hameau de Moulin au nord de la ville. Rando se déroulant sur un excellent sentier. Environ 5 km pour atteindre le sommet, et 700 m de dénivelée. Compter largement 4h l'aller-retour.

➤ *Schiehallion* (1 083 m) *:* un vrai point de repère dû à la silhouette conique, particulièrement impressionnante, du Loch Rannoch. Son sommet est coiffé de quartzite. Randonnée plus sérieuse que les précédentes. L'ascension se fait en 6h en partant du parking forestier situé sur la route à une voie reliant Kinloch Rannoch à Aberfeldy. Impossible de se perdre. Le chemin, clairement tracé, a toutefois subi une importante érosion. Au sommet, vue panoramique sur la région.
Pour la petite histoire, c'est du haut du Schiehallion, qu'en 1774, l'astronome royal Neil Maskelyne effectua ses expériences pour estimer le poids de la Terre ! La science moderne a confirmé ses travaux. Neil Maskelyne a également développé la cartographie des reliefs avec des lignes concentriques, que vous continuez, chers randonneurs, à lire aujourd'hui...

KINGUSSIE ET NEWTONMORE
                    1 400 et 2500 hab.   IND. TÉL. : 01540

Deux bourgades endormies, à 4 km l'une de l'autre, un peu à l'écart des grands axes routiers. Pas beaucoup d'ambiance donc, mais on y trouve deux chouettes musées sur les traditions populaires (en particulier celui de plein air de Newtonmore), et tout l'hébergement qu'il faut pour explorer les environs.

Arriver – Quitter

En bus

➤ Bus fréquents avec *Scottish Citylink.* Prendre les bus nᵒˢ M90 ou M91, qui assurent tous deux la ligne *Perth-Inverness.* Arrêts à *Dunkeld, Pitlochry, Kingussie, Newtonmore* et *Aviemore.*

En train

➤ Entre *Perth* et *Inverness.* Arrêts à *Dunkeld, Pitlochry, Kingussie, Newtonmore* (ts les trains ne s'y arrêtent pas) et *Aviemore.* Lun-sam, env 8 trains/j. ; dim 5 trains.

Adresses utiles

🏛 *Tourist Information Centre :* Duke St, à Kingussie (dans le Highland Folk Museum). ☎ et fax : 661-307. Avr-oct : tlj sf dim 10h-17h ; sept-oct : lun-ven 10h-16h.
🏛 *Un autre **point infos** se trouve à Newtonmore dans le Craft Centre, dans la rue principale.*

Où dormir dans la région ?

Camping

⚕ *Invernahavon Holiday Park :* à 3,2 miles (env 5 km) de Newtonmore sur l'A 9 en direction de Perth. ☎ 673-534. *Avr-sept. Compter £ 11 (16,50 €) pour deux. Beau camping avec un panorama dégagé sur les montagnes.*

Bon marché

🏠 *The Newtonmore Hostel :* à Newtonmore, dans la rue principale. ☎ 673-360. ● highlandhostel.co.uk ● Résa conseillée. Compter £ 11-13 (16,50-19,50 €) par pers (en dortoir ou chambre). Petit *hostel* bien agréable et convivial. Cuisine, et un petit salon avec des livres et des jeux à disposition. Accueil tranquille.
🏠 *The Laird's Bothy :* à Kingussie, dans la rue principale. ☎ 661-334. Fax : 662-063. S'adresser au Tipsy Laird *(voir plus bas dans « Où manger ? »).* Compter env £ 11 (16,50 €) la nuit en dortoir.

Cuisine parfaitement équipée pour faire sa popote. Dortoir correct mais minuscule. Jardinet avec tables à l'arrière.
🏠 *Glen Feshie Hostel :* à 20 mn de route de Kingussie, dans le Glen Feshie, au sud de Feshiebridge (c'est fléché). ☎ 651-323. *C'est une résidence secondaire que les propriétaires ouvrent à leur guise. Généralement pdt les vac scol et les w-e. Compter £ 10 (15 €) par pers. Dans une maison isolée au bout du Glen Feshie, idéal pour repérer des cerfs à la tombée de la nuit. Petits dortoirs dotés de lits superposés. Ambiance familiale.*

Prix moyens

🏠 *Auld Poor House :* à 1 km de Kingussie, sur la B 9152 en direction d'Aviemore. ☎ 661-558. ● auldpoorhouse.co. uk ● *Compter £ 25 (37,50 €) par pers. Le cottage, datant de 1880, tient son nom des itinérants et pauvres de la région*

qu'il abritait jadis. L'aimable propriétaire fait de la peinture. Accueil amical.
Dîner sur demande.

🛏 *Rowan House :* à Kingussie. Newtonmore Rd. ☎ 662-153. • *rowanhou
sescotland.com* • *Sur la droite, à la sortie du village en direction de
Newtonmore. Compter £ 27 (40,50 €)
par pers.* Maison moderne en haut
d'une route bordée de pins. Chambres
spacieuses, certaines offrent de belles
vues sur les environs. Accueil gentil.

Où manger ?

🍽 *Pam's Coffee shop :* à Kingussie,
dans la rue principale. ☎ 661-020. *Tlj
10h-17h. Prévoir £ 4-6 (6-9 €).* Devanture verte. Intérieur tout en bois, nappes en toile cirée. Petits sandwichs bien
préparés comme on les aime. Bon et
vraiment pas cher.

🍽 *The Tipsy Laird :* à Kingussie, dans
la rue principale. ☎ 661-334. *Plats env
£ 8 (12 €).* Partie pub d'un côté, resto de
l'autre. Cuisine honnête et abondante.

🍽 *The Pantry Tearoom :* à Newtonmore dans la rue principale. ☎ 673-
783. *Lun-sam 9h30-18h30. Compter £ 8
(12 €) pour un repas.* Peu de déco.
Sandwichs et soupe du jour.

À voir

🎎 🚶 *Highland Folk Museum de Newtonmore :* ☎ 661-307. • *highlandfolk.
com* • *Avr-août : tlj sf dim 10h30-17h30 ; sept-oct : lun-ven (le w-e également en
sept) 11h-16h30. Entrée : £ 6 (9 €) ; réduc. Cafétéria pour déjeuner.* C'est à un vrai
voyage dans le passé que ce musée de plein air convie ses visiteurs. Compter 3h
pour voir, toucher, et surtout sentir l'atmosphère de l'Écosse (et donc aussi un
peu de l'Europe) d'autrefois. Tout y est authentique ou sobrement reconstitué,
dans un grand souci du détail. Un bus typique des années 1930 permet l'accès
aux différents sites (à moins, bien sûr, que vous ne préfériez marcher). Clou de la
visite : le village de chaumières du début du XVIIIᵉ siècle, où ont lieu, l'été, des
démonstrations de tissage, d'artisanat sur bois, de travail du fer et même de fabrication du beurre. Également une ferme des années 1930, et une école de 1925
avec une vraie leçon d'écriture à la plume. Une scierie de l'époque victorienne, et
on en passe.

🚶 🚶 *Highland Folk Museum de Kingussie :* Duke St. • *highlandfolk.com* •
Mêmes horaires et coordonnées que l'office de tourisme. Entrée : £ 2 (3 €) ; réduc.
Fiche-résumé en français. Un peu le pendant théorique de celui de Newtonmore,
en moins bien, il faut le dire. À faire plutôt s'il pleut (celui-ci est principalement
couvert) ou si vous n'avez pas beaucoup de temps.

➤ DANS LES ENVIRONS DE KINGUSSIE
ET DE NEWTONMORE

🚶 *Ruthven Barracks :* à 2 km au sud de Kingussie par la B 970. Sur un promontoire, ruines d'un baraquement militaire de 1719, détruit par la rébellion des jacobites. *La carte postale du coin...*

🚶 🚶 *Highland Wildlife Park :* entre Kingussie et Kincraig, sur la route B 9152.
☎ 651-270. • *highlandwildlifepark.org* • *Avr-oct : tlj 10h-18h ; nov-mars : 10h-
16h. Dernière admission 2h avt la fermeture. Entrée : £ 10 (15 €) ; réduc.* Dans un
parc naturel de 100 ha, chevaux sauvages, hardes de cerfs et bisons à découvrir
au volant de sa voiture. Les non-motorisés devront se contenter d'un zoo assez
déprimant renfermant, entre autres, loups, chats sauvages et aigles.

🚶 *La distillerie Dalwhinnie :* à Dalwhinnie. ☎ 672-219. *Sur l'A 889, à 10 miles
(16 km) au sud de Newtonmore, par l'A 9. Avr-mai : lun-ven 9h30-17h. Juin-sept :*

lun-sam 9h30-17h ; dim (juil-août) 12h30-16h. Dernière visite 1h avt la fermeture. Entrée : £ 5 (7,50 €). Grande bâtisse blanche au toit noir. Dalwhinnie signifie « lieu de rendez-vous » en gaélique. Une visite pour mieux comprendre la fabrication du whisky.

AVIEMORE
2 600 hab.   IND. TÉL. : 01479

L'une des régions touristiques d'Écosse qui fonctionnent toute l'année (ski de décembre à avril sur le plateau de Cairngorm), loin de l'habituelle image d'une Écosse sauvage (avec cinq habitants au kilomètre carré). Cela dit, d'Aviemore, de super balades, où, très vite, on retrouve l'immensité des grandes solitudes.

Arriver – Quitter

En bus

➤ Bus fréquents avec *Scottish Citylink.* Prendre les bus n°s 957 ou 997, qui assurent tous deux la ligne *Perth-Inverness.* Arrêts à *Kingussie* et *Newtonmore, Pitlochry* et *Dunkeld.* Pour *Glasgow,* prendre le n° 995.
➤ Prendre le bus n° 31 pour faire *Aviemore-Cairngorm.*

En train

➤ Une dizaine de trains/j. entre *Perth* et *Inverness.* Arrêts à *Dunkeld, Pitlochry* et *Kingussie.*

Adresses utiles

🛈 *Tourist Information Centre :* à 100 m de la gare. ☎ 810-363. ● visitavie more.com ● En été : lun-sam 9h-18h ; dim 10h-16h. Horaires un peu plus restreints (et fermeture dim) en hiver.
■ *Location de vélos :* Bothy Bikes, au

Shopping Centre à côté de la gare. Louez-y un VTT pour vous éclater sur les chemins de la forêt de Rothiemurchus (entre Aviemore et le Loch Morlich).
■ *Laverie :* derrière le Post Office. Tlj sf dim.

Où dormir à Aviemore et dans les environs ?

Campings

⚐ *Rothiemurchus Camp :* à Coylumbridge. ☎ 812-800. Sur la route du Loch Morlich, à un peu plus de 2 km d'Aviemore. Ouv tte l'année. Compter £ 10 (15 €) pour deux. On plante sa tente tout au fond du camping, sous les pins. Très bien situé. Boutique.
⚐ *Glenmore Camping Park :* au bord du Loch Morlich, à 9 km à l'est d'Aviemore. ☎ 861-271. Fermé début novmi-déc. Compter £ 11-13 (16,50-19,50 €) pour deux. Entouré de forêts.

Le mieux placé de tous et le plus proche du Cairngorm, mais humide.
⚐ *Dalraddy Holiday Park :* à 5 km au sud d'Aviemore, sur la B 9152 (l'ancienne A 9). ☎ 810-330. Ouv tte l'année. Prévoir £ 5-7 (7,50-10,50 €) pour deux selon saison. Douches payantes. Au milieu des bouleaux, un camping avec une super vue sur les environs. Poneys, pêche et épicerie où il est possible de commander son pain.

Bon marché

🛏 *Youth Hostel :* 25, Grampian Rd, à Aviemore. ☎ 0870-004-11-04. • syha. org.uk • À gauche juste à l'entrée de la ville en venant de Kingussie et à 5 mn de la gare. Résa conseillée en été. Nuit £ 13-15 (19,50-22,50 €). Très confortable, avec une immense cuisine et une salle TV équipée d'un billard. C'est le Q.G. de tous les groupes de randonneurs. *Warden* sympa, connaissant bien la région.

🛏 *Aviemore Bunkhouse :* 23, Dalfaber Rd, à Aviemore. ☎ 811-181. À côté du resto The Old Bridge Inn *(même propriétaire).* • aviemore-bunkhouse.com • Nuit en dortoir à £ 12 (18 €). Dans une maison toute neuve, une quarantaine de lits en chambres de 4 à 8 personnes.

🛏 *Cairngorm Lodge Youth Hostel :* au Loch Morlich (9 km à l'est d'Aviemore), quasiment en face du Glenmore Camping Park. ☎ 0870-004-11-37. *Bus d'Aviemore.* Fermé nov.-fév. Résa préférable. Env £ 15 (22,50 €) par pers, petit déj en sus. *Lunch box et dîner sur demande.* Colossale maison surplombant le lac. Évidemment plus proche de la nature que l'AJ d'Aviemore. Et tout aussi confortable : Internet, salon TV avec jeux, billard, coin lecture et même une véranda. *Coffee shop* (qui sert des petits déj) et location de vélos juste en face.

🛏 *Fraoch Lodge :* à Boat of Garten. ☎ 831-331. • landmark@scotmountain. co.uk • Paisible village à env 10 km au nord d'Aviemore. Compter £ 16-20 (24-30 €) par pers en chambre de 2 ou 3 lits. Dîner sur demande. Ici, vous êtes chez un jeune couple. Andrew est guide accompagnateur dans le massif du Cairngorm. Une adresse bien sympathique.

🍴 🛏 *The Lazy Duck :* à Nethy Bridge (env 20 km au nord-est d'Aviemore). ☎ 821-642. • lazyduck.co.uk • Nuit autour de £ 12 (18 €). Également un beau terrain où l'on peut planter sa tente £ 10 (15 €) pour deux. Bienvenue chez David et Valery, l'adorable couple de propriétaires de ce havre de tranquillité. Dans un jardin où s'ébattent des canards (pas si *lazy* que ça !) au bord d'un ruisseau, un drôle de petit gîte avec une cuisine riquiqui, une table, un poêle norvégien, 4 lits en bas et 4 lits en haut. C'est sommaire bien sûr, mais quel retour à la vie champêtre ! Vous pourrez aussi faire un barbecue si ça vous chante, et même vous prélasser dans un hamac entre deux arbres... Longue vie au *Lazy Duck* !

Prix moyens

🛏 *B & B Waverley (chez Margaret Fraser) :* 35, Strathspey Ave, à Aviemore. ☎ 811-226. • maggie.fraser@ talk21.com • Vers la sortie d'Aviemore (direction Inverness), à gauche après le Health Centre. Propose 2 chambres simples mais bien arrangées £ 21 (31,50 €) par pers. Margaret vous réservera un accueil vraiment chaleureux. D'ailleurs, c'est l'une des dernières personnes natives d'Aviemore à toujours faire B & B.

🛏 *Ravenscraig Guest House :* 14, Grampian Rd, à 500 m du centre d'Aviemore. ☎ 810-278. • aviemoreonline. com • Compter £ 25-38 (37,50-57 €) par pers selon saison. Dans une maison de style victorien, Jill assure un accueil efficace et propose une douzaine de chambres (quelques familiales), toutes avec salle de bains. Pour le même prix, demander celles dans le chalet derrière dans le jardin, modernes et au calme.

Où manger ? Où boire un verre ?

🍴 *Skiing-Doo :* dans la rue principale d'Aviemore ; près de la poste. ☎ 810-392. Tlj sf mer. Plats env £ 6 (9 €) le midi et £ 7-10 (10,50-15 €) le soir (viandes plus chères). Atmosphère chaleureuse, très station de ski : grosses tables en bois, murs et plafond tapissés de bannières, photos, dépliants... À la carte, une cuisine simple (pâtes, salades, hamburgers, *chicken specials*...) mais pas trop chère et très appréciée des gens du coin.

|●| ♟ *Mambo Cafe :* dans la rue principale ; tt proche de la gare. ☎ 812-475. Plats tex-mex, hamburgers... pour des prix chère £ 4-8 (6-12 €). Pub design bien pour avaler un morceau dans une ambiance jeune, branchée et musicale. Plats copieux, mais pas de folies gastronomiques. Animations DJ tous les soirs en saison.

|●| *Cairngorm Hotel :* dans la rue principale. ☎ 810-233. Plats £ 4-8 (6-12 €) le midi et £ 7-14 (10,50-21 €) le soir. Au rez-de-chaussée de l'hôtel, salle un peu kitsch ornée de vieilleries (armes, tableaux, bois de cerfs...). On n'y sert

pas de la grande bouffe, mais les prix sont raisonnables, l'endroit est animé et le service amical. Intéressant néanmoins le jeudi soir, pour son buffet à volonté.

|●| ♟ *The Old Bridge Inn :* sur Dalfaber Rd, rue parallèle à la rue principale, de l'autre côté de la voie ferrée. ☎ 811-137. Résa impérative le w-e. Suggestions (proposées midi et soir) env £ 7 (10,50 €). À la carte, compter £ 11-19 (16,50-28,50 €) pour un plat. Un vrai pub des Highlands, populaire comme il se doit. Chouette salle de resto, avec plafond en pente, lustres à chandelles et pieds de table en fer forgé. Cuisine traditionnelle proposant, entre autres, d'excellentes soupes maison. *Highland evening* tous les mardis.

À faire

➢ **Strathspey Steam Railway :** une balade sympa pour les enfants de « l'ère TGV », à savoir les 8 km de l'ancienne ligne du train à vapeur. Rens : ☎ 810-725. ● strathspeyrailway.co.uk ● Ticket aller-retour : £ 10 (15 €) ; réduc. L'été, jusqu'à 7 voyages/j. De la gare d'Aviemore à Boat of Garten (ou même Broomhill, pour les amateurs), voyez doucement défiler le paysage à bord d'une vieille locomotive qui fait aussi restaurant.

Randonnées

La région offre de nombreuses possibilités de randonnées et excursions diverses. Se munir de la carte *Ordnance Survey, Explorer 403* (couverture orange) au 1/25 000 ou *Landranger 36* (couverture rose). Très bien faites, elles signalent à la fois les refuges et les sentiers.

➢ **Le Loch Morlich et ses environs :** entre Aviemore et le Cairngorm. Plein de balades et d'activités possibles. Profitez-en pour découvrir la nature intacte de la forêt de Rothiemurchus, avec ses pins calédoniens, une espèce endémique. Les lapins sont généralement de la partie, et, parfois même, les daims et les cerfs. Possibilité aussi de pratiquer divers sports nautiques (non motorisés) sur le Loch Morlich et de se balader à pied ou à vélo dans la forêt de Glenmore. Renseignements au *Visitor Centre* d'Inverdruie ou à celui du Loch Morlich, presque à côté de l'AJ.

➢ **Le Loch an Eilein :** à quelques kilomètres d'Aviemore en direction du Cairngorm, puis sur la droite. Un chemin fait le tour du loch, plutôt paisible. Une excellente balade.

➢ **L'ascension du Cairngorm** (1 244 m) : le grand classique du coin. N'y allez que par beau temps, sinon, vous ne pourrez pas profiter de la vue. Bus de la gare d'Aviemore jusqu'au *Cairngorm Ski Centre*. De là, chemins bien balisés jusqu'au sommet. Compter 3h pour l'atteindre (ne pas oublier sa petite laine). En route, peut-être rencontrerez-vous les seuls rennes d'Écosse. Les plus fainéants emprunteront le funiculaire (toujours à partir du *Cairngorm Ski Centre*), bien moins agréable et discret que les anciens télésièges. Départs 10h-16h30. *Prix : £ 9 (13,50 €) ; réduc.* Au sommet, restaurant panoramique *: (tlj le midi, ainsi que le soir du jeu au dim en juil-août).* Pour éviter que de nombreux randonneurs ne piétinent la flore du Cairngorm (typique d'un climat subarctique), il est impossible de sortir du bâtiment et encore moins de redescendre à pied si l'ascension s'est faite par le funiculaire ; le retour doit s'effectuer par le même moyen. Frustrant ! Reste à revenir en hiver et à redescendre à skis ! Une consolation estivale : le panorama. Il ne se décrit pas, il se déguste. Et puisque vous êtes en haut, profitez-en pour aller rendre visite au **Ben Macdui** (1 309 m), le second sommet d'Écosse (à condition de ne pas être monté par le funiculaire). Là non plus, pas de difficultés majeures, à part les conditions météorologiques. Ne pas continuer si le temps se gâte, on insiste. On peut se faire prendre par un brouillard à couper au couteau en quelques instants. Compter environ 2h pour l'atteindre.

➤ **Lairig Ghru** : sentier d'une trentaine de kilomètres reliant Aviemore à Inverey *(près de Braemar)*. Il s'agit d'une randonnée à travers les paysages sauvages du Cairngorm. Mieux vaut l'effectuer sur deux jours (refuge sommaire à *Corrour Bothy*). Nécessité d'être bien équipé : vêtements de pluie adéquats, bonnes chaussures de marche, chandails, nourriture, petite pharmacie. Là encore, le plus gros problème, c'est la météo. Un grand ciel bleu n'implique pas forcément le feu vert pour se mettre en route. Ne partir qu'avec l'avis d'un professionnel. Ce n'est pas tant les difficultés de terrain que les brutaux changements climatiques qui sont à craindre : froid, brouillard, neige (même l'été).

🛏 **AJ** à Inverey et Braemar à la fin du parcours.

INVERNESS ET LE LOCH NESS

INVERNESS   41 000 hab.   IND. TÉL. : 01463

Capitale des Highlands, très touristique, ville-étape obligée pour tous ceux qui montent au nord, elle n'a pourtant pas grand-chose à proposer. Elle n'en demeure pas moins une ville assez agréable et un bon camp de base pour faire dans la journée le tour du Loch Ness.
– *Highland Games :* fin juil, dans le Bught Park, proche du Sports Centre. Un des rassemblements les plus importants des Highlands.

Arriver – Quitter

En avion

✈ **Aéroport :** à env 9 miles (15 km) à l'est d'Inverness. ☎ (01667) 464-000. ● hial. co.uk/inverness-airport.html ● Bus n° 11 depuis Queensgate. En taxi, compter env £ 13 (19,50 €) de jour et pas loin de £ 20 (30 €) de nuit, dim et j. fériés. Tous services. Bureau d'informations ouvert de 5h30 jusqu'au dernier vol.
➤ Inverness est le *hub* des Highlands. La ville est entre autres reliée à **Édimbourg, Glasgow, Stornoway** sur l'île de Lewis, **Kirkwall** aux Orcades, **Sumburgh** aux Shetland, ainsi qu'à **Londres** et à la plupart des villes anglaises, et à **Dublin.**

En train

🚆 **Gare ferroviaire** (plan B2) : Academy St. Infos et résa : Scotrail, ☎ 08457-48-49-50. ● firstgroup.com/scotrail ● Consigne à bagages. Liaisons avec :
➤ **Édimbourg ou Glasgow :** env 10 trains/j. (sf le dim : 5 trains). Durée : 3h30. Arrêts à **Aviemore, Kingussie, Pitlochry** et **Perth.**
➤ **Aberdeen :** env 2 départs/h (un peu moins dim). Durée : 2h15.

➤ *Kyle of Lochalsh (pont vers l'île de Skye) :* 3 à 4 trains/j. (sf dim : 2 trains). Durée : 2h30. Le train traverse des paysages grandioses et sauvages de toute beauté. C'est l'Écosse, avec ses lochs, ses montagnes, ses landes.
➤ La ligne du Nord dessert l'AJ de *Culrain, Lairg, Helmsdale, Thurso* et *Wick :* 3 trains/j.

En bus

🚌 *Gare routière (plan B2) :* Farraline Park (Academy St). ☎ 222-244. Tlj 8h30-17h30 (dim 9h-17h30). Cafét' et consigne à bagages.

Plusieurs compagnies

■ *Scottish Citylink :* ☎ 08705-50-50-50. ● citylink.co.uk ● Liaisons avec :
➤ *Glasgow* et *Édimbourg :* départs fréquents. Durée : 3h40-4h30 pour Glasgow et 3h30-4h30 pour Édimbourg, selon les arrêts : à *Perth,* parfois à *Aviemore* et *Pitlochry.* Bien moins cher que le train.
➤ *Ullapool :* 2 bus/j. sf dim. Durée : 1h30.
➤ *Fort William :* env un départ ttes les 2h. Durée : 2h. Arrêt à *Drumnadrochit* et *Fort Augustus.*
➤ *Portree (île de Skye) :* 3 bus/j. Durée : 3h-3h30.
➤ *Thurso :* 5 bus/j. Durée : 3h30. Arrêt à *Dornoch, Golspie, Helmsdale* et *Wick.*
■ *Stagecoach :* ☎ 239-292. ● stagecoachbus.com ● Le *Stagecoach Express* n° 10 assure 1 liaison/j. avec *Aberdeen.* Durée : 4h. Départ ttes les heures. Arrêt à *Elgin.*
■ *Rapsons :* ☎ (01463) 710-555. ● rapsons.co.uk ● Dessert les Highlands, notamment les environs du Loch Ness.
■ *Tim Dearman :* ☎ (01349) 883-585. ● timdearmancoaches.co.uk ● Permet de rejoindre *Durness,* au nord. Mai-sept : 1 bus/j. le mat (sf dim).
■ *The Orkney Bus :* avec John O'Groats Ferries. ☎ (01955) 611-353. ● jogferry. co.uk ● Liaisons pour *les Orcades.* Mai-août : 2 bus/j. Un le mat (sf mai), l'autre l'ap-m.

En stop

➤ Inverness étant à proximité de plusieurs grandes routes, il faut marcher un peu pour sortir de la ville et trouver un endroit stratégique. Pour aller au nord ou au sud vers le Loch Ness, se placer respectivement sur l'A 9 et l'A 82.

Adresses utiles

🔖 *Tourist Information Centre (plan B2) :* Castle Wynd (donne sur Bridge St). ☎ 234-353. ● inverness@host.co.uk ● Avr-oct : lun-sam 9h-17h (18h juin, 19h juil-août) ; dim 10h-16h. Nov-mars : lun-ven 9h-17h ; sam 10h-16h. Tous les dépliants et cartes possibles. Service de réservation très utile en juillet-août, quand tout est bondé. Accès Internet. Également un bureau Caledonian Mac-Brayne (ferries).
✉ *Poste (plan B2) :* Queensgate. Tlj sf dim 9h-17h30.
@ *Public Library (plan B2, 1) :* dans la bibliothèque municipale, en face de la gare routière. Lun et ven 9h-19h30 ; mar et jeu 9h-18h30 ; mer 10h-17h et sam 9h-17h. Accès gratuit mais formulaire à remplir (prévoir une pièce d'identité). Accès Internet payant au *Tourist Information Centre* et à la laverie *Young Street Launderette (plan A2, 4).*
■ *Bureau de change :* à l'office de tourisme. Mêmes horaires.
■ *Taxis :* on en trouve jour et nuit sur Eastgate *(plan B2),* entre la gare et Marks & Spencer. Autrement Inverness Taxi, 24h/24 au ☎ 222-900 ou 0800-136-890 (gratuit).

■ *Location de vélos :* Highland Cycles *(hors plan par A2), 16A, Telford St.* Vélos de bonne qualité. Très sérieux. Ou *Bar-* ney's *(plan B2, 3)* : 35, Castle St.
■ *Laverie (plan A2, 4) :* Young Street Launderette, *17, Young St.*

Où dormir ?

Réserver impérativement pour juillet et août !

Campings

⚏ *Bunchrew Caravan and Camping Park :* ☎ 237-802. ● *bunchrew-caravan park.co.uk* ● À env 3 miles (5 km) à l'ouest d'Inverness, sur l'A 862 (direction Beauly). Bus n° 19, ttes les heures (jusqu'à 23h). Ouv de mi-mars à fin nov. Env £ 10 (15 €) pour 2 pers et une tente. Possibilité de louer des caravanes. Très belle situation, au bord de la mer. Des sanitaires plus très frais mais corrects. Terrain de jeux, laverie, petite épicerie, location de vélos. C'est avec gentillesse que le gardien vous expliquera tout sur la région.

⚏ *Bught Camping Site :* ☎ 236-920. À 1,2 mile (2 km) au sud-ouest d'Inverness, sur l'A 82 (direction Fort William). À 15 mn à pied du centre en longeant la rivière Ness ; sinon, bus n° 1 ou 2 de Church St. Pâques-fin oct. Env £ 13 (19,50 €) pour 2 pers et une tente. Un peu bruyant. Terrain à la pelouse tendre, mais pas très grand et trop proche de la ville pour être bucolique. Si le cœur vous en dit, vous pourrez jouer au rugby ou piquer une tête dans la piscine au *Sports Centre* voisin. Snack-bar, resto.

Bon marché

🏠 *Inverness Tourist Hostel (plan B1, 10) :* 24, Rose St. ☎ 241-962. ● *inver* nesshostel.com ● *Tt près de la gare routière (accès par un passage). Nuit en*

■ **Adresses utiles**

- ℹ Tourist Information Centre
- ✉ Poste
- 🚌 Gare routière
- 🚂 Gare ferroviaire
- ◎ 1 Public Library
-    3 Location de vélos
- ◎ 4 Young Street Launderette

🏠 **Où dormir ?**

- **10** Inverness Tourist Hostel
- **11** Inverness Student Hotel
- **12** Millburn Youth Hostel
- **13** Bazpackers Hotel
- **14** Eastgate Hostel
- **15** Kindeace B & B
- **16** Glen Fruin Guesthouse
- **17** Flowerdale B & B
- **18** Doric House
- **19** Craigside Lodge
- **20** Dalmore Guesthouse
- **21** Ness Bank Guesthouse
- **22** Brae Ness Hotel

🍽 **Où manger ?**

- **13** The Harlequin

- **30** Girvans
- **31** Leakey's Cafe
- **32** Castle Restaurant
- **34** The Mustard Seed
- **35** The River Café & Restaurant
- **36** Riva et Pazzos
- **37** Café 1

🍷 🎵 **Où boire un verre ? Où écouter de la musique ?**

- **50** Blackfriars
- **51** Old Market Inn
- **52** Gellions

🎵 🎵 **Où sortir ? Où danser ?**

- **53** Hootananny
- **54** Bakoo
- **55** G's Nightclub

🍴 **À voir**

- **60** Inverness Museum and Art Gallery
- **61** Scottish Kiltmaker Visitor Centre

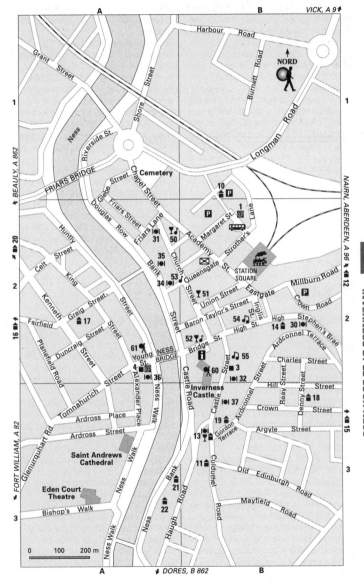

VICK, A 9

Harbour Road

NORD

Burnett Road

Grant Street

Shore Street

Longman Road

Ness

BEAULY, A 862

Riverside St.

FRIARS BRIDGE

Cemetery

Chapel Street

Glebe Street

Friars Street

Friars Lane

Douglas Row

Huntly Street

Celt Street

King Street

Kenneth Street

Greig Street

Fairfield

Bank Street

Academy Street

Church Street

Margaret St.

10

P

1
@

P

31
50

35

53
34

51

Queensgate

Union Street

Strother's

STATION SQUARE

Eastgate

Millburn Road

Crown Road

P

NAIRN, ABERDEEN, A 96

INVERNESS ET LE LOCH NESS

Planefield Road

Duncraig Street

Tomnahurich Street

Ardross Place

Ardross Street

Baron Taylor's Street

Bridge St.

61

NESS BRIDGE

Young St.

4
@

36

52

60

55

3

32

High St.

Inglis St.

54

14

30

Stephen's Brae

Ardconnel Terrace

Charles Street

Reay Street

Denny Street

18

Inverness Castle

Castle Road

37

19

Hill Street

Crown Street

Argyle Street

15

GLENURQUHART Rd

FORT WILLIAM, A 82

Saint Andrews Cathedral

Eden Court Theatre

Bishop's Walk

Ness Walk

Alexander Place

Ness Walk

13

Gordon Terrace

11

Bank Street

Culduthel Road

Haugh Road

21

22

Old Edinburgh Road

Mayfield Road

0   100   200 m

A

DORES, B 862

B

INVERNESS

dortoir (4 à 10 lits) £ 11-14 (16,50-21 €) par pers selon saison. L'environnement gris de cette AJ est largement compensé par sa propreté, son confort et son élégance : parquet, salon avec canapés en cuir, TV écran plat, cuisine impeccable. Le meilleur *hostel* de la ville.

🏠 **Inverness Student Hotel** *(plan B3, 11)* : 8, Culduthel Rd. ☎ 236-556. ● *scotlandstophostels.com* ● Nuit en dortoir (6 lits) env £ 14 (21 €) par pers en hte saison. Copieux petit déj non inclus. Des lieux qui ont vécu mais conviviaux. Ambiance plutôt rock'n roll, tant dans l'accueil (sympathique) que dans la musique !

🏠 **Millburn Youth Hostel** *(hors plan par B2, 12)* : Victoria Dr. ☎ 0870-004-11-27. ● *syha.org.uk* ● ♿ *Rue perpendiculaire à Millburn Rd. Énorme AJ, à 15 mn à pied du centre-ville. Avr-déc. Couvre-feu à 2h. Nuit env £ 16 (24 €) par*

pers en hte saison. Ensemble propre, pratique, bien équipé mais sans grand charme.

🏠 **Bazpackers Hotel** *(plan B3, 13)* : 4, Culduthel Rd. ☎ 717-663. ● *hostel-scotland.co.uk* ● Nuit £ 12-14 (18-21 €) par pers en dortoir et £ 15-18 (22,50-27 €) en chambre double. Adresse croquignolette et cosy avec une jolie vue sur la Ness, le château et les lumières de la ville. Chambres mixtes sommaires avec couettes (il peut y faire assez froid) et un dortoir pour les filles. Barbecue en été.

🏠 **Eastgate Hostel** *(plan B2, 14)* : 38, Eastgate, 2e étage. ☎ 718-756. ● *eastgatebackpackers.com* ● Nuit £ 13 (19,50 €) par pers en dortoir et £ 16 (23,20 €) en chambre double. Ensemble joliment coloré, situation très centrale, jardinet avec barbecue derrière, mais propreté moyenne. Accueil sympa.

De prix moyens à chic

🏠 **Kindeace B & B** *(hors plan par B3, 15)* : chez Enrica Mc Intosh, 9, Lovat Rd. ☎ 241-041. ● *kindeace.co.uk* ● Remonter Crown St et Union Rd puis prendre la 2e rue à gauche. Prévoir £ 24-30 (36-45 €) par pers selon saison et confort. Dans un quartier paisible aux jolies maisonnettes, chambres confortables, avec ou sans sanitaires privés. Déco un peu chargée mais chaleureuse et colorée avec ses patchworks, masques et tentures. Accueil adorable.

🏠 **Glen Fruin Guesthouse** *(hors plan par A2, 16)* : 50, Fairfield Rd ; à l'angle de Ross Ave. ☎ 712-623. Ouv tte l'année. Compter £ 26-31 (39-46,50 €) par pers selon confort. Dans une rue où les B & B poussent comme des champignons. Belle maison bourgeoise qui dépasse maintenant le siècle d'existence. Chambres confortables (la moins chère a les sanitaires dans le couloir).

🏠 **Flowerdale B & B** *(plan A2, 17)* : 34, Greig St. ☎ 224-338. ● *gilljamieson@msn.com* ● Fermé pour les fêtes de fin d'année. Env £ 20 (30 €) par pers. Un petit B & B correct. Déco agréable, pas kitsch pour un sou... ça change ! Accueil des plus souriant.

🏠 **Doric House** *(plan B3, 18)* : 13,

Denny St. ☎ 239-498. ● *dorichouse.com* ● Doubles avec sdb £ 25 (37,50 €) par pers. À 10 mn à pied du centre, dans un quartier typique avec ses maisons clones. Chambres sobres et agréables ; l'une d'entre elles joue la romantique avec son lit à baldaquin.

🏠 **Craigside Lodge** *(plan B3, 19)* : 4, Gordon Terrace. ☎ 231-576. ● *craigsideguesthouse.co.uk* ● Doubles avec sdb £ 28 (42 €) par pers. Belles chambres dans une jolie maison cossue à la façade fleurie. Du salon, vue sur le château.

🏠 **Dalmore Guesthouse** *(hors plan par A2, 20)* : chez Mrs Reid, 101, Kenneth St. ☎ 237-224. ● *dalmoreguesthouse@tesco.net* ● Au bout de la rue. Doubles avec sdb £ 32 (48 €) par pers. Mal située, sur un rond-point très fréquenté, mais la maison est bien confortable. Accueil délicieux et enjoué de Molly, la maîtresse des lieux.

🏠 **Ness Bank Guesthouse** *(plan A3, 21)* : 7, Ness Bank. ☎ 232-939. ● *www.nessbankguesthouse.co.uk* ● Tabler sur £ 28-36 (42-54 €) par pers selon saison et confort. Sympathique B & B au bord de la rivière à la déco classique et soignée.

Plus chic

🏠 **Brae Ness Hotel** (plan A3, **22**) : 17, Ness Bank. ☎ 712-266. ● braenesshotel.co.uk ● Ouv juin-oct. Doubles avec sdb env £ 40 (60 €) par pers. Belle maison géorgienne pleine de charme, très bien située en bord de rivière. Assez cher et souvent complet. Accueil un peu froid.

Où manger ?

De bon marché à prix moyens

|●| **Girvans** (plan B2, **30**) : 2-4, Stephen's Brae. Breakfast, déj léger env £ 7 (10,50 €) et plat env £ 10 (15 €) le soir. Dernière commande à 21h. Une bonne cuisine, fraîche, variée, voire inspirée et exotique pour certains plats. L'endroit devient salon de thé l'après-midi et sert de bonnes pâtisseries ainsi qu'un café goûteux. Service agréable. Intérieur, en revanche, sans charme.

|●| **Leakey's Cafe** (plan A2, **31**) : Church St. Tlj sf dim 10h-16h30. Au menu, salade du jour, soupe, sandwichs et croques env £ 4 (6 €). Dans une église gaélique reconvertie en boutique de livres d'occase. Dément ! Elle servit également d'hôpital pendant la bataille de Culloden. Immense poêle à bois en plein milieu. On mange en mezzanine, au calme. Cuisine sans prétention mais fraîche.

|●| **Castle Restaurant** (plan B2, **32**) : 41-43, Castle St (attention, devanture toute petite !). Tlj sf dim 8h-20h30. Plats £ 5-10 (7,50-15 €). Cadre et plats genre fast-food : steaks, saucisses-frites, fish and chips, pâtes, etc. Rien d'exceptionnel donc, mais copieux.

De prix moyens à chic

|●| **The Mustard Seed** (plan A2, **34**) : 16, Fraser St. ☎ 220-220. Ouv jusqu'à 22h. Résa fortement conseillée en hte saison. Env £ 6 (9 €) le menu le midi et plat env £ 14 (21 €) le soir. Cette adresse originale occupe une ancienne église. Son allure (Picasso, Dubuffet et acolytes pour la déco) et sa cuisine, moderne et goûteuse, en font l'un des restos les plus réputés d'Inverness. En montant, jeter un œil au mur tapissé de bouteilles de vin. De plus, accueil vraiment gentil. A également ouvert The Kitchen, un resto échoué sur l'autre rive. Ambiance marine.

|●| **The River Café & Restaurant** (plan A2, **35**) : 10, Bank St. ☎ 714-884. Près de la passerelle sur la Ness. À la carte, env £ 7 (10,50 €) le midi et £ 10-20 (15-30 €) le soir. High tea servi 17h-19h. Autrement, plats végétariens et, surtout, des pâtisseries alléchantes. Cadre plutôt coquet pour cette adresse très prisée, notamment des familles.

|●| **Riva et Pazzos** (plan A2, **36**) : 4-6, Ness Walk. ☎ 237-377. Tlj sf dim midi (Riva), slt le soir pour Pazzos. Pizzas et pâtes autour de £ 7 (10,50 €) et plats au resto £ 9-16 (13,50-24 €). À l'étage, ambiance détendue et plutôt familiale de la pizzeria Pazzos, dont la déco sobre, plutôt élégante, est égayée par de grands lustres orange. Au rez-de-chaussée, le restaurant Riva, aux salles plus intimes et design, sert une cuisine italienne plus élaborée mais aussi plus onéreuse.

|●| **Café 1** (plan B3, **37**) : 75, Castle St. ☎ 226-200. Tlj sf dim. Plats £ 9-15 (13,50-22,50 €). Resto branché dont l'élégante déco design joue habilement avec les éclairages. Bonne cuisine d'inspiration italienne et belle carte de vins.

|●| ▼ **The Harlequin** (plan B3, **13**) : à l'angle de Castle St et Culduthel Rd. ☎ 718-178. Plats £ 12-15 (10,50-22,50 €). Un pub-restaurant à la déco colorée et joliment rétro, avec bar au rez-de-chaussée et, à l'étage, un resto pour déguster viandes, saumon ou bons plats végétariens. Petite terrasse pour boire un verre à l'extérieur.

INVERNESS ET LE LOCH NESS

Où boire un verre ? Où écouter de la musique ?

🍷 🎵 **Blackfriars** (plan A2, 50) : Academy St. Parquet, cheminée, banquettes patinées, grande variété de bières et bon accueil. En été, concerts *live* tous les soirs. Le plus sympa de tous les pubs.

🍷 **Old Market Inn** (plan B2, 51) : Market Lane (une impasse dans Church St). Ouv jusqu'à 23h en sem, plus tard le w-e. En haut de l'escalier, dans un petit local. Un pub populaire fréquenté par la clientèle locale. Atmosphère animée, sur fond de musique pop ou concerts. Bonne ambiance.

🍷 🎵 **Gellions** (plan B2, 52) : 12, Bridge St. Ouv jusqu'à 1h. Régulièrement bondé et surchauffé, mais ambiance sympa. Musique *live* régulièrement.

Où sortir ? Où danser ?

🎵 **Hootananny** (plan A-B2, 53) : 67, Church St. Entrée libre. Un endroit unique, à ne pas manquer : dans 3 salles, 3 décos pour 3 ambiances. En bas, resto thaï et musique celtique tous les soirs ; au 1ᵉʳ : rock, jazz et blues du mercredi au samedi ; enfin, au 2ᵉ étage, comédiens le dernier jeudi du mois.

🎵 **Bakoo** (plan B2, 54) : 39, High St. Ouv ven et sam. La plus grande boîte (payante) de la ville et la plus chaude : elle communique avec le *Cactus Jack* au sous-sol (ouv mer-sam), un bar où, sur fond de musique country, on danse sur le comptoir, court-vêtu, avec bottes et chapeau de cow-boy, vous imaginez le tableau ! Espace fumeurs dans l'arrière-cour.

🎵 **G's Nightclub** (plan B2, 55) : Castle St. Tlj sf mar et mer ; gratuit. Boîte branchée, musique bien variée.

Où apprendre le *bagpipe*, le *low whistle...* ?

À force d'entendre les musiciens traditionnels dans la rue, on peut avoir envie de les imiter... Pour s'initier, le mieux est de commencer par le *low whistle*, c'est-à-dire la flûte seule. David Garrett, un des bons musiciens de la région, a écrit une méthode. Ceux qui veulent passer à l'étape supérieure et rapporter des instruments peuvent se rendre au *Music Shop*, 27, Church Street.

À voir

Vous aurez vite fait le tour de la ville. Il ne reste évidemment plus rien du château de Macbeth. À sa place, un pastiche du XIXᵉ siècle sans caractère. La plupart des vieilles maisons ont disparu, elles aussi.

Pourtant, par une belle soirée d'été, le coucher de soleil se fait charmeur sur le *quai de Huntly Street* et le vieux pont suspendu qui y mène. *Douglas Row*, qui prolonge Bank Street vers l'embouchure de la Ness, aligne encore de gracieuses demeures. Promenade bien agréable également sur les quais verdoyants et fleuris partant au pied du château.

🏛 **Inverness Museum and Art Gallery** (plan B2, 60) : Castle Wynd. ☎ 237-114. Tlj sf dim 10h-17h. Entrée gratuite. Sympathique petit musée d'Histoire locale et sur les Highlands, illustré de peintures et photos. Section d'histoire naturelle, pierres peintes et collection d'armes.

🏛 **Les monuments et les maisons caractéristiques :** dans un périmètre très restreint. Sur High Street, *Town Hall* en style gothico-XIXᵉ siècle et sa *Market Cross*.

Dans Town Hall, beaux vitraux. Il s'y tint en 1921 le premier Conseil des ministres de l'histoire en dehors de Londres, avec à l'ordre du jour la question irlandaise.
En face, à l'angle de Bridge et Church Streets, une tour, dernier vestige de la prison du XVIIIe siècle.
Dans Church Street, *Abertarff House,* la maison la plus ancienne d'Inverness (1592), restaurée, abrite désormais le siège régional du *National Trust for Scotland.* Sur le trottoir opposé, le *Dunbar Centre,* vieil hôpital du XVIIIe siècle, aux élégantes lucarnes sculptées.

🍴 🧍 *L'horloge à automates d'Eastgate Centre (centre commercial)* : à chaque heure, tous les mécanismes et automates sont animés.

🍴 *The Scottish Kiltmaker Visitor Centre* plan A2, *61)* : 4-9, Huntly St. ☎ 222-781. *De mi-mai à sept : tlj 9h-22h (21h sept) ; le reste de l'année : lun-sam 9h-17h30.* Pour les fanas de kilts et de tartans, aller faire un tour au magasin d'Hector Russell avec ses écharpes, ses kilts de toutes les tailles et tout le matériel qui va avec.
– À l'étage, petite expo payante. Passage devant la salle où les couturières, à peine distraites par votre présence, confectionnent des kilts pour l'Écosse et le monde entier (venir en semaine entre 9h et 16h45 pour les voir à l'œuvre). Vidéo très marrante, avec une plongée dans l'Écosse des clans et du kilt, ainsi qu'une vidéo plus technique (en anglais) sur la fabrication du kilt.

➤ *DANS LES ENVIRONS D'INVERNESS*

– Pour visiter les sites excentrés, la compagnie *Rapsons* a créé le *Tourist Trail Rover,* un *pass* valable de juin à septembre sur les bus nos 11, 11C, 12, 12A et 13. *Pour une journée, env £ 6 (9 €) le ticket, à acheter auprès du chauffeur de bus.*
– Sinon, de juin à septembre, le *City Sightseeing* propose un circuit dans la ville dans un bus touristique à étage. On l'attrape sur Bridge Street, devant l'office de tourisme. *Ticket : £ 6 (9 €), valable la journée. Infos : ☎ (01708) 866-000.* ● *city-sightseeing.com* ●

À l'est

🍴🍴 *Culloden Battlefield* (NTS) : Culloden Moor. ☎ 790-607. *À 5 miles (8 km) vers l'est, sur la B 9006. Bus no 12 d'Inverness, de Queensgate. Nov-mars : tlj 10h-16h ; avr-oct : tlj 9h-18h. Fermé quelques j. à Noël. Entrée : £ 8 (12 €) ; réduc. Prévoir une petite laine, le coin est venteux.* La bataille de Culloden (1746) fut la dernière tentative pour réinstaller la lignée des Stuarts (exilée en France depuis 1688) sur le trône d'Écosse. Menée par Charles Edward Stuart (Bonnie Prince Charlie) et soutenue par l'armée jacobite, largement constituée de Highlanders, la rébellion fut une sanglante défaite pour Bonnie Prince Charlie et ses *clansmen,* vaincus par le duc de Cumberland à la tête des troupes anglaises. Un musée du souvenir *in situ* commémore cet affrontement historique. Film très instructif de 15 mn (avec casques en français) présentant Culloden et ses enjeux, ainsi qu'une présentation très vivante (en écossais seulement) des armes utilisées. Sur le champ de bataille, émouvantes et simples roches marquant les tombes des *clansmen* (on y trouve également un mémorial français ; l'armée jacobite, soutenue par la France, ayant compté quelques soldats de l'Hexagone).

🍴🍴 *Un peu plus loin, à env 1,5 mile (2,4 km),* **Clava Cairns** *:* trois sites funéraires datant de l'âge du bronze. Bien fléché de Culloden. L'endroit, d'accès libre, respire la quiétude et les *cairns* sont vraiment imposants.

🍴🍴🍴 🧍 *Cawdor Castle* : ☎ (01667) 404-401. *Entre Nairn et Inverness, sur la B 9090. Bus no 12 d'Inverness. De début mai au 2e dim d'oct : tlj 10h-17h30 (17h dernière admission). Entrée : £ 7,30 (11 €) ; réduc.*

La tour centrale date du milieu du XIVᵉ siècle et les ailes remontent aux XVIIᵉ et XVIIIᵉ siècles. Quant aux magnifiques tilleuls à l'entrée, ils veillent sur les lieux depuis 1720. Ce château nous donne rendez-vous avec l'Histoire et la légende.

Près de la *Thorn Tree Room,* la petite prison *(small dungeon),* fut découverte en 1979 à la suite de travaux de réfection des murs. Elle aurait servi de cachette pour femmes et enfants en période de troubles, de salle de jeux (!) et bien sûr de geôle. Sinon, le château, toujours habité (hors saison), reste très vivant. Preuve en est, la cuisine moderne et pratique que l'on traverse avant d'accéder aux

ET SI C'ÉTAIT VRAI ?

On raconte qu'au XIVᵉ siècle, à la suite d'une vision, le comte de Cawdor, qui possédait un domaine à 2 km de là, remplit un coffre d'or et le chargea sur un âne. Un château devait être construit là où l'âne se reposerait pour la nuit. L'animal se coucha sous un arbre et la bâtisse fut donc édifiée autour de celui-ci, symbole de vie et de chance. On peut voir la pièce du château (Thorn Tree Room) qui abrite toujours le tronc du vénérable végétal. Personne ne connaît le degré de véracité de cette histoire, mais ce qui est certain, c'est que le carbone 14 a permis aux scientifiques de dater l'arbre. Sa mort aurait été causée par l'absence de lumière en... 1372 !

anciennes cuisines. L'ensemble des pièces, tantôt sobre, tantôt cosy, possède un charme indéniable (et de belles tapisseries !). Visite vraiment très plaisante, d'autant qu'on peut ensuite se balader dans le beau parc et ses jardins entourant le château.

Fort George (HS) : *près de Nairn, sur une pointe du Moray Firth.* ☎ *(01667) 460-232. À 10,5 miles (17 km) à l'est d'Inverness. Bus n° 11 depuis Queensgate. Avr-sept : tlj 9h30-17h30 ; oct-mars : tlj 9h30-16h30 ; dernière admission 45 mn avt la fermeture. Entrée : £ 6,50 (9,80 €) ; réduc.* Fort historique qui défendait la baie d'Inverness, toujours habité par un régiment de *Highlanders,* qui doit désormais cohabiter avec un régiment de touristes. Fortifications à la Vauban, musée des *Queen's Own Highlanders,* reconstitution de l'habitat des soldats à travers les époques, visite de la poudrière. Vue panoramique superbe sur le Moray Firth et la péninsule de Black Isle, au nord. Animations quotidiennes de mi-juin à fin août avec des comédiens habillés en soldats du XVIIIᵉ siècle (toutes les heures 11h-15h).

À l'ouest

Les vins écossais de Moniack Castle : *à 9 miles (14,5 km) d'Inverness.* ☎ *831-283. Prendre l'A 862 (direction Beauly), emprunter ensuite une petite route sur la gauche, c'est fléché. Bus n° 19 de Union St (en sem slt) ; demandez au chauffeur qu'il vous dépose le plus près possible (env 20 mn de marche). Avr-oct : tlj sf dim 10h-17h ; nov-mars : lun-ven 11h-16h. Entrée : £ 2 (2,90 €) avec dégustation ; réduc.*

Profitant de la richesse naturelle de cette région forestière, la famille Fraser s'amuse depuis longtemps à produire son propre vin pour elle et ses amis. En 1980, elle développe ce qui n'était à l'origine qu'un hobby en véritable entreprise vinicole. Celle-ci devient le premier centre de production dans le pays (un deuxième s'est ouvert ensuite dans le sud de l'Écosse). Ses méthodes sont artisanales et les résultats pour le moins surprenants.

Ne vous attendez surtout pas à tester un vin gouleyant, rond, qui a de la cuisse et un parfum du terroir à faire jubiler votre palais. Même si on retrouve la trilogie des couleurs habituelles (rouge, rosé et blanc), ici, le vin n'est pas produit à base de raisins mais de sève, de baies et de fleurs. Goûtez donc au vin à la reine-des-prés, légèrement sucré, à la sève de bouleau (un peu amer, mais idéal paraît-il pour lutter contre la calvitie !) ou encore à ce vin rouge à la mûre sauvage.

Au *Visitor Centre,* une vidéo raconte l'histoire de la famille, les méthodes de récolte, etc.

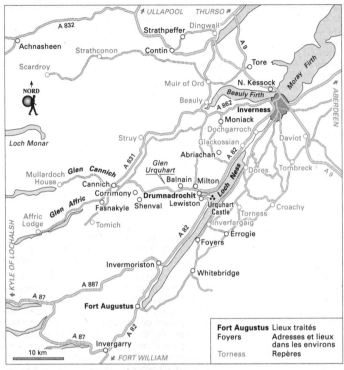

LA RÉGION DU LOCH NESS

Au nord

🦌 *Dolphins & Seals of the Moray Firth :* sur l'A 9 en direction d'Inverness. ☎ 731-866. Bus n° 13 depuis Queensgate. Juin-sept : tlj 9h30-16h30. Donation appré-ciée. En collaboration avec le centre de recherche de l'université d'Aberdeen, un tout petit mais ingénieux centre d'observation visuel et auditif des mammifères marins qui fréquentent la baie. On observe de loin les dauphins et les phoques aux jumelles et on les écoute grâce à des micros placés dans la baie.

LE LOCH NESS

Curieux accident géologique que les lochs Lochy et Oich, coupant l'Écosse en deux. Construit durant la première moitié du XIXᵉ siècle, le canal Calédo-nien, long de 38 km et ponctué de 29 écluses, relie les lochs aux deux mers. La construction de ce canal fut initialement projetée pour éviter aux bateaux anglais d'être attaqués par la marine française.

La naissance de Nessie

Le Loch Ness se révèle plus profond que la mer du Nord et maints secteurs de l'océan Atlantique (jusqu'à 230 m de profondeur) et il abriterait le fameux Nessie. Si les premiers témoignages sur l'existence d'une grosse bête dans ces eaux datent du VIIe siècle, tout commence vraiment en 1934, lorsque le *Daily Mail* publie la photo du monstre prise par un certain Mr Wilson. La publicité faite autour de l'événement attire les foules, désireuses elles aussi d'apercevoir la queue de *Nessie*. Le matériel le plus sophistiqué est utilisé (sonar, sous-marin de poche, etc.) pour prouver son existence. On sait maintenant que la photo du *Daily Mail* était une supercherie montée par cinq plaisantins, dont le dernier a révélé l'astuce en mourant (le « monstre » saisi par la photo était en fait un petit sous-marin mécanique doté d'une tête de serpent en plastique d'une quinzaine de centimètres), cela n'a néanmoins pas diminué le pouvoir d'attraction du lac et de son monstre.

Science et légende

De nombreuses thèses ont continué à être élaborées, dont celle de l'ingénieur britannique, Robert P. Craig. Selon lui, les trois lacs « habités par des monstres » en Écosse, les lochs Ness, Morar et Tay, ont en commun d'être très profonds et d'être bordés de vieilles forêts de *Pinus sylvestris*. Il pense que les troncs de pins, tombant dans le lac, finissent par couler au fond, où règne une très forte pression : 25 kg/cm². Les composants du pin (résine, gaz phénique, etc.) protègent un temps le bois de l'éclatement, puis, en s'altérant, le bois et l'eau déclenchent l'apparition de gaz à l'intérieur du tronc, jusqu'à provoquer des bulles qui le remettent à flot. La remontée du tronc s'accompagne de « fuites de gaz » qui peuvent prendre l'apparence de véritables explosions de ballast provoquant ainsi une brutale apparition du « monstre ». Une fois vidé, le tronc, à nouveau plus lourd que l'eau, disparaît tout aussi vite au fond. Et maintenant, vous y croyez toujours ? Tout aussi technique, une autre thèse s'appuie sur la différence de température entre les masses d'air du lac et de l'eau, ce qui provoquerait une distorsion des objets en surface. À moins que ce ne soit tout simplement la vitalité d'un banc de saumons qui ne fasse bouillonner l'eau.

LA SURVIE D'UN MYTHE

Et si, pour compléter toutes les thèses scientifiques tentant d'expliquer les soudaines « apparitions monstrueuses » dans le Loch Ness, on faisait simplement appel à notre bon sens. En effet, l'environnement même du loch s'avère hostile à la survie de tout reptile ou autre grand animal. D'abord parce que l'eau y est trop froide, ensuite parce que la chaîne alimentaire du lac est trop courte pour subvenir aux besoins d'un hypothétique monstre. Mais les mythes ont la vie dure et il faut bien plus que quelques théories fondées sur la simple raison pour décourager les nombreuses et coûteuses expéditions organisées chaque année pour repérer ce cher Nessie.

Par quel bout prendre le monstre ?

➤ *En bus*
– La rive ouest du loch est bien desservie par les bus nos 917, 918 ou 919 de la *Scottish Citylink*. ☎ 08705-50-50-50.
– La rive est, vers Foyers, est desservie (sf dim) par la compagnie *Rapsons*. ☎ (01463) 710-555. ● rapsons.co.uk ● Organisez-vous, les liaisons sont peu nombreuses.
– *Avr-oct :* Discover Loch Ness *propose plusieurs formules, autour de £ 18-40 (27-60 €), avec ou sans visite. Circuits à la journée ou à la demi-journée. Départ à 9h30 de l'office de tourisme d'Inverness. Résa conseillée. Infos :* ☎ (01456) 450-168. ● discoverlochness.com ● Châteaux, Loch Ness ou encore découverte du Glen Affric... Des programmes pour tous les goûts et toutes les bourses.
➤ *En bateau :* sur le Loch Ness et le canal Calédonien.

– *Jacobite experience Loch Ness :* ☎ 233-999. ● jacobite.co.uk ● *Plusieurs circuits*, £ 9-20 (13,50-30 €). Certains avec visite d'*Urquhart Castle* et du *Loch Ness 2000 Exhibition Centre* à Drumnadrochit. Infos complémentaires à l'office de tourisme d'Inverness.

– *Loch Ness Express :* ☎ 0800-328-64-26. ● lochnessexpress.com ● *Aller simple* £ 13 (19,50 €). Croisière d'Inverness à Fort Augustus avec possibilité d'embarquer à Foyers.

➤ *À cheval :* en pleine nature sauvage, 1h ou toute la journée. Poneys pour les enfants. *Infos au* Highland Riding Centre *à Drumnadrochit.* ☎ *(01456) 450-220.*

➤ *À vélo :* c'est la balade rêvée. Prévoir une centaine de kilomètres pour faire le tour du Loch Ness. Au début, suivre la *Great Glen Cycle Route,* sur pistes à travers la forêt. Nous vous déconseillons la route A 82, vraiment flippante. C'est à vous dégoûter du vélo et du monstre pour un certain temps. Arrivé à Fort Augustus, vous avez le choix entre poursuivre jusqu'à Fort William ou bien revenir par l'autre rive. La B 852, assez vallonnée, qui folâtre au milieu d'une nature superbement préservée, livre de beaux panoramas sur le loch.

D'INVERNESS À FORT AUGUSTUS PAR LA RIVE EST

Pour quitter la ville, suivre la direction de Dores (la B 862). À Dores, prendre de la hauteur et continuer la B 862 vers Torness plutôt que de longer le lac. Paysage doux et serein. Peu de touristes. Progressivement, belle vue sur le Loch Ness. La région devient même très attachante.

En continuant la B 862 vers Whitebridge, on arrive à **Errogie.** Ne pas hésiter à prendre à droite vers *Inverfarigaig.* Balade délicieuse, en suivant un ru, dans une gorge profonde à la végétation touffue. Au loch, tourner à gauche.

Ne pas rater, juste avant Foyers, le croquignolet **cimetière de Boleskine** avec ses très vieilles tombes sculptées et sa vue sur le loch.

Foyers est un gentil petit bourg, offrant une superbe promenade dans une gorge encaissée. Parcours totalement aménagé d'escaliers très pentus avec garde-fou (facile en descente, c'est au retour qu'on s'essouffle !). Au bout de vos efforts, une belle cascade qui inspira un poème à Robert Burns.

Où dormir ? Où manger ?

Prix moyens

🏠 **B & B Intake House :** *chez Mrs Grant.* ☎ *(01456) 486-258.* ● nessaccom. co.uk/intake.house ● *À la sortie de Foyers, en direction de Fort Augustus, prendre la petite route à droite ; c'est la dernière maison sur la gauche. Ouv mars-oct. Env £ 20 (30 €) par pers, avec ou sans sdb. Chambres à la déco coquette et un rien chargée. À 100 m, réserve d'eau accessible gratuitement pour pêcher la truite. Accueil* simple et agréable.

🏠 |●| **Whitebridge Hotel :** *à White-bridge.* ☎ *(01456) 486-226.* ● www.whi tebridgehotel.co.uk ● *Fermé pour les fêtes de fin d'année. Doubles env £ 30 (45 €) par pers. Pour y dîner, compter au moins £ 10 (15 €) ; snack le midi.* Un petit hôtel de charme dans un minuscule village. Chambres sobres mais agréables, certaines avec vue sur le Beinn a Vein. Accueil familial chaleureux.

Chic

🏠 |●| **Foyers Bay House :** *à Lower Foyers.* ☎ *(01456) 486-624.* ● foyersbay. *co.uk* ● *Avt d'entrer dans Foyers (en direction de Fort Augustus), prendre* une petite route sur la droite. Compter £ 29-33 (43,50-49,50 €) par pers. Possibilité de dîner (cher). Jolie maison victorienne de caractère, dans un grand parc. Grandes chambres avec salle de bains, dont une avec vue sur le loch et balcon. Également quelques cottages à louer en self-catering. Salon de thé sous une véranda. Accueil chaleureux.

🛏 |●| **Foyers House :** ☎ (01456) 486-405. ● foyershouse-lochness.com ● Dans le village, petite route à gauche juste avt la poste. Doubles £ 30-38 (45-57 €) par pers, avec ou sans sdb. L'exté-

rieur ne paie pas de mine, les couloirs non plus. Mais oh ! bonne surprise dans les chambres : elles sont fraîches, confortables, plutôt élégantes. Terrasse cachée derrière la maison avec vue délicieuse sur le loch (et quelques câbles électriques !). Excepté le cimetière, c'est un des rares endroits à jouir d'une telle vue ! Un peu cher, certes, mais la concurrence n'est pas rude de ce côté du lac... Possibilité de dîner au restaurant (19h-21h) dans une petite véranda (sans vue sur le lac). Environnement très paisible.

FORT AUGUSTUS   500 hab.   IND. TÉL. : 01320

Centre de villégiature bondé en été. Pas grand-chose à voir ni à faire.

Arriver – Quitter

➤ Fort Augustus se trouve sur la ligne **Inverness-Fort William** assurée par le bus n° 919 de la Scottish Citylink.

Adresse utile

🛈 **Tourist Information Centre :** sur le parking. ☎ 366-367. Avr-nov : tlj 10h-17h ; juil-août : tlj 9h-18h. Fermé déc-mars. Liste des B & B avec description des chambres et prix visibles de l'extérieur.

Où dormir à Fort Augustus et dans les environs ?

Campings

🏕 **Fort Augustus Caravan & Campingsite :** à la sortie du village, sur la route de Fort William. ☎ 366-618. ● camplinglochness.co.uk ● Avr-sept. Env £ 11 (16,50 €) pour 2 pers et une tente. Emplacements agréables, entretien correct. Laverie. Entièrement équipé pour les camping-cars.

Bon marché

🛏 **Morag's Lodge :** Bunoich Brae. ☎ 366-289. ● www.moragslodge.com ● Première à gauche après l'office de tourisme, direction Inverness. Nuit à env £ 16 (24 €) par pers en dortoir et £ 21 (31,50 €) par pers en chambre double. Également des chambres familiales. Hôtel reconverti en bunkhouse proposant des chambres de 2 à 6 lits avec salle de bains. Salle commune lumineuse à laquelle parquet et meubles de bois clair donnent un petit air scandinave. Ambiance jeune et internationale. Une très bonne étape.

🛏 **Loch Ness Youth Hostel :** au nord de Fort Augustus, à quelques kilomètres après Invermoriston, entre l'A 82 et le loch. ☎ 0870-004-11-38. ● syha.org. uk ● Bus n° 919 de Fort William ou d'Inverness. Avr-sept. Nuit env £ 14 (21 €) en hte saison. Chambres de 2 à 8 lits. Plein d'articles sur le mythique *Nessie*.

🛏 **Stravaigers Lodge** : à 100 m après l'abbaye, sur la B 862 en direction de Dores. ☎ 366-257. Nuit env £ 15 (22,50 €) par pers. Dans une construction tout en bois, une quinzaine de chambres tout confort mais minuscules pour 2 pers (lits superposés).

Prix moyens

🛏 **Sonas** : sur la route principale. ☎ 366-291. À 5 mn à pied du Tourist Information Centre, *en direction d'Inverness*. Fermé déc-janv. Doubles £ 25 (37,50 €) par pers. Jardin très fleuri, abritant quelques nains ici et là. La moquette de l'entrée style tartan est un peu étouffante et la déco un peu chargée, mais les chambres sont accueillantes et confortables. *Breakfast* copieux. Bon rapport qualité-prix. Accueil empressé.

🛏 **B & B Bank House** : chez Ann and

Duncan Stewart. ☎ (01809) 501-279. Sur l'A 82, à 7,5 miles (12 km) au sud de Fort Augustus. À Invergarry, prendre l'A 87 en direction de Kyle of Lochalsh. Après le post office, *sur la droite*. Fermé nov-mars. Doubles env £ 18 (27 €) par pers ; £ 20 (30 €) avec sdb ; petit déj royal. Jardin abondamment fleuri, tout comme l'intérieur : moquette, tapisseries, couvre-lits, les fleurs sont partout ! Les chambres sont coquettes, mais gare à ne pas se cabosser la caboche... plafonds bas. Accueil très gentil.

Où manger ?

🍴 **The Bothy** : Canalside. ☎ 366-710. Plats £ 8-11 (12-16,50 €). Également de bons sandwichs. Devant les écluses, resto-bar convivial, dans une maison en pierre tout en longueur, agrémentée

d'une belle véranda. Bonne cuisine écossaise servie en copieuses portions. *Haggis*, haddock, *steak pie*... Pas mal de touristes, mais aussi quelques habitués du lieu.

À faire

➤ **Cruise Loch Ness** : au bord du canal. ☎ 366-277. ● cruiselochness.com ● Mars-oct : tlj, départs ttes les heures 10h-16h (dernier départ). Nov-déc : les w-e slt à 14h. Durée : 1h. Prix : £ 9 (13,50 €) ; réduc. Richard Mac Donald, marin et chercheur, a dénombré 18 espèces vivantes dans le loch. Équipement sonar prévu en cas de rencontre monstrueuse !

DRUMNADROCHIT   800 hab.   IND. TÉL. : 01456

Le cœur touristique de la région du Loch Ness. Incontournable car, venant du sud, c'est la porte d'accès au Glen Affric.
À l'entrée de Drumnadrochit, sur la droite, les amateurs de vieux cimetières peuvent rendre visite au **Old Kilmore Cemetery** (ne pas confondre avec le nouveau autour de l'église du village).
– *The Glenurquart Highland Games* : le dernier sam d'août.

Arriver – Quitter

➤ Drumnadrochit se trouve sur la ligne **Inverness-Fort William** assurée par le bus n° 919 de la *Scottish Citylink*.

Adresse utile

Tourist Information Centre : dans le centre. ☎ 459-050. Lun-sam 9h-17h (18h hte saison) ; dim 10h-16h (14h sept-oct). Fermé nov-mars.

Où dormir ?

Camping

⚓ *Borlum Farmhouse :* à Lewiston. ☎ 450-220. À 0,6 mile (1 km) de Drumnadrochit, en direction de Fort Augustus. Env £ 9 (13,50 €) la nuit pour 2 pers et une tente ; douche payante. Camping à la ferme. En haut, terrain légèrement en pente. Dans le pré, plus bas, les emplacements sont plats et plus spacieux, mais près de la route et aussi plus loin des douches. À vous de choisir ! Possibilité de faire du cheval.

Bon marché

🏠 *Loch Ness Backpackers Lodge :* Coiltie Farm House, East Lewiston. ☎ 450-807 ● lochness-backpackers. com ● À la sortie de Drumnadrochit, en direction de Fort Augustus, juste avt le pont, prendre à gauche. Arrêt de bus à la pompe Esso, à 200 m. Résa conseillée. Env £ 13 (19,50 €) par pers. AJ indépendante, très confortable. Petits dortoirs avec toits en tôle ou dans la maison. Cuisine et barbecue. Très bien situé.

Prix moyens

🏠 *Glenkirk B & B :* à la sortie de Drumnadrochit ; chez Mrs Urquhart (même nom que la vallée détaillée plus bas !). ☎ 450-802. ● lochnessbandb.com ● Sur la route A 831 (vers le Glen Urquhart) ; le B & B est 200 m plus loin, sur la droite. Doubles £ 30 (45 €) par pers en hte saison. Dans une ancienne petite église en pierre, joliment rénovée. Clair, spacieux, impeccablement propre et vraiment original. Splendide baie vitrée en forme de rosace dans le *lounge*. Trois chambres familiales à l'étage, avec salle de bains. Accueil à l'image du lieu.

🏠 *Tramps B & B :* Balmacaan Rd. ☎ 450-499. ● lochnessbandb.com ● À 0,6 mile (1 km) du village, en direction de Fort Augustus. Après le stade, prendre à droite vers Balmacaan. Compter £ 20-27 (30-40,50 €) par pers selon saison. Mrs Beedham est aux petits soins pour ses hôtes et propose 3 chambres (dont une familiale) plutôt fraîches, mignonnes et avec salle de bains.

Où dormir dans les environs ?

🏠 *B & B chez Pierre-Marie et Christiane Lebrun :* à Shenval. ☎ 476-363. ● shenval-welcome.co.uk ● À 7 miles (11 km) de Drumnadrochit, sur l'A 831, en direction de Cannich, chemin sur la gauche, puis suivre les panneaux « Wooden toys-weaving ». Bus n° 17 (sf dim) ou demandez aux hôtes de venir vous chercher à l'arrêt de bus de Drumnadrochit. Doubles £ 25 (37,50 €) par pers petit déj inclus. Repas à base de produits biologiques, sur résa, env £ 15 (22,50 €). Tenu par un couple de Français, écossais d'adoption, écolos et sympas. Monsieur fabrique des jouets, madame tisse. Trois chambres d'hôtes douillettes (salle de bains à partager) à prix très corrects, variété de pains biologiques faits maison au petit déj, tisane du soir et conseils en tout genre. Une adresse attachante.

Où manger ?

|●| **Fiddlers** : *au centre du village.* ☎ *450-678. Plats £ 11-15 (16,50-22,50 €). Fermé janv-fév.* Une auberge familiale servant une cuisine abondante, de la bière et du whisky. En entrée, excellent *haggis* sauce whisky ! Ensuite saumon, gibiers et salades,

façon *Highlands.* L'été, possibilité de manger en terrasse si le temps le permet. Personnel agréable, service assez rapide. Sans oublier une belle collection de whiskies à siroter avec les conseils du patron.

À voir. À faire

🎿 🎿 **Urquhart Castle** (HS) : *à 2 miles (3 km) de Drumnadrochit, sur l'A 82, en direction de Fort William. ☎ 450-551. Bus n° 919. Avr-sept : tlj 9h30-18h ; oct-mars : tlj 9h30-17h. Entrée : £ 6,50 (9,80 €) ; réduc.* Construit au XIIe siècle et agrandi au XVIe siècle, il fut l'une des nombreuses victimes des guerres jacobites, puis de l'appétit des promoteurs au XXe siècle ! Plusieurs millions de livres ont servi à sa restauration, mais également à l'aménagement de ce qui l'entoure : on ne peut plus le visiter sans passer par la boutique... et elle occupe plus de place que le minuscule musée ! Soyons justes cependant : grâce aux travaux, on peut désormais visiter les ruines, monter sur les terrasses pour admirer la vue sur le loch (cela dit, on a la vue du parking)... et, croyez-nous, les enfants s'en donnent à cœur joie !

🎿 🎿 **Loch Ness 2000 Exhibition Centre** : *☎ 450-573. ● loch-ness-scotland. com ●C'est le 1er gros bâtiment quand on arrive d'Inverness par l'A 82. Pâques-fin mai : tlj 9h30-17h ; juin-sept : tlj 9h-18h (20h en juil-août) ; en oct : tlj 9h30-17h30 ; nov-mars : tlj 10h-15h30. Entrée : £ 6 (9 €) ; réduc.* Le nom seul devrait vous faire fuir ! Visite sous forme d'enquête sur le mythe du Loch Ness à l'aide de projections audiovisuelles (en français sur demande). À coups d'isotopes et de sonars, la visite tend à insinuer le doute dans votre esprit. Compter 30 mn de visite. À la limite de l'arnaque, d'autant qu'à la sortie vous tombez, comme d'hab', en plein dans les boutiques. Le plus impressionnant reste le nombre de peluches de Nessie en vente à la sortie...

🎿🎿 **Le Glen Urquhart** : une superbe balade dans une jolie vallée, relayée par celle du Glen Affric, considérée comme l'une des plus séduisantes d'Écosse. Le Glen Urquhart fait partie d'un sentier de randonnée reliant les rives du Loch Ness à la côte ouest (près des Falls of Glomach et d'Eilean Donan Castle) en passant par le **cercle de pierre** et le **cairn de Corrimony,** assez insolite, en pleine nature. Découvert il y a une trentaine d'années, il daterait de 1 500 à 3 000 ans av. J.-C. On rejoint ensuite le pittoresque village de Tomich, les Plodda Falls et le Glen Affric. Pour les amateurs de grand air.

🎿 **Abriachan** : *à env 7 miles (11 km) au nord de Drumnadrochit, en retrait de l'A 82.* Dans le but de valoriser le milieu naturel local, les habitants d'Abriachan ont aménagé un réseau de sentiers au cœur de la lande de bruyère, qui permettent de découvrir une reconstitution grandeur nature d'une hutte de l'âge du bronze et d'un buron de berger-vacher du XIXe siècle, à un poste d'observation ornithologique lacustre, deux cabanes arboricoles, une distillerie « clandestine » et des points de vue superbes sur le Loch Ness et les montagnes du Glen Affric. Parcours agrémenté d'illustrations sonores de la faune des environs. Balades d'1h à 4h.

🎿 **Balnain Bike Park** : *à Drumnadrochit prendre l'A 831 vers Cannich jusqu'à Balnain, à env 5 miles (8 km).* Pour les fanas de VTT acrobatique (ou leurs spectateurs), pistes aériennes, ponts trébuchet, sauts de l'ange. Parcours de différents niveaux. Gratuit.

🦌 *Corrimony RSPB Nature Reserve :* située entre Cannich et le Glen Urquhart (stationnement au Corrimony Cairns Car Park). ☎ *(01463) 715-000.* ● *rspb.org.uk* ● Cette réserve a pour espèce emblématique le tétras-lyre dont la spectaculaire parade nuptiale peut être observée en avril-mai, à l'aube, en compagnie du garde naturaliste des lieux.

LE GLEN AFFRIC

IND. TÉL. : 01456

Un des musts d'Écosse. Véritable paradis écolo, promu réserve naturelle nationale en 2002 ! Le nirvana des randonneurs et amoureux de la nature. Beaucoup de monde en été, c'est inévitable, mais il y a de la place pour tous. Pour se repérer, la ville de *Cannich* est au carrefour de quatre *glens* : Strathglass, Cannich, Urquhart et Affric. Si vous manquez de temps, privilégiez le Glen Affric. Le Glen Cannich est, quant à lui, plus isolé, plus rude.

Arriver – Quitter

➤ *Glen Affric-Inverness :* bus n° 17 ou 21 pour *Cannich* (sf dim). Ensuite (de début juil à mi-sept slt), correspondance avec le *Ross's Mini Bus* pour atteindre le bout du Glen Affric.

Où dormir ?

Camping

🏕 *Cannich Caravan et Camping Park :* à Cannich. ☎ 415-364. ● highland camping.co.uk ● Ouv mars-oct. Env £ 9 (13,50 €) pour 2 pers et une tente. Site très agréable, paisible, bien ombragé (peut-être trop pour l'Écosse). Bon équipement. Souvent plein en août. Surtout pour les caravanes.

Bon marché

🏠 *Glen Affric Backpackers Hostel :* à Cannich, non loin du camping. ☎ 415-263. Fermé pour les fêtes de fin d'année. Nuit env £ 10 (15 €) par pers. Dans un bâtiment tout en longueur, cellules monacales toutes bleues, avec juste 2 ou 4 lits superposés. Assez bien équipé (grande salle TV et cuisine commune, barbecue) mais douches peu nombreuses. Peu chauffé en hiver. Environnement vraiment paisible.

🏠 *Allt Beithe Youth Hostel :* dans le Glen Affric. ☎ 0870-155-32-55. Avroct (annexe ouv tte l'année ; elle sert de refuge en cas d'intempéries sévères). Résa très conseillée en juil-août. Nuit env £ 14 (21 €) par pers. Pas de boutique, apporter ses provisions. *Attention :* il est interdit de tenter de rejoindre l'AJ en voiture, car elle est située sur une propriété privée. En principe, le bus s'arrête à Dog Falls. Ensuite, il faut marcher 15 km ! De même, si vous souhaitez crapahuter dans les montagnes alentour, à partir du 1er août (ouverture de la chasse) demandez conseil au gardien de l'auberge.

Chic

🏠 *Kerrow House :* un peu avt Cannich (en venant de Drumnadrochit), prendre le chemin de gauche en direction de Tomich ; c'est bien indiqué. ☎ 415-243 ou 0794-472-64-89. ● kerrow-hou se.co.uk ● Fermé fin déc. Doubles £ 30

(45 €) par pers pour une chambre avec sdb dans le couloir et £ 35 (52,50 €) avec sanitaires privés. Très joli manoir, aux murs crème et au toit d'ardoises, dans un grand parc. Belle décoration intérieure pour ce *B & B,* rustique comme il se doit et non dénué de classe. Également des cottages tout équipés à louer à la sem : plus cher, donc autant s'y mettre à plusieurs (4 personnes maximum). Plein d'activités aux alentours, idéales pour les familles. Accueil détendu.

À voir

🏃 À *Fasnakyle,* les ingénieurs et architectes du barrage ont tenté de l'intégrer dans le paysage. De Fasnakyle, une route mène à Tomich, à la lisière d'une belle forêt de pins. Un sentier de 5 km conduit vers le sud aux *Plodda Falls,* jolies chutes d'eau.

🏃🏃🏃 Le charme du *Glen Affric* réside dans la douceur, la variété de ses paysages et les tonalités de vert. Encore plus beau en automne, bien sûr.
Petite promenade facile jusqu'aux *Dog Falls,* avec un sentier qui vous balade de part et d'autre de la route, près de la rivière, sous les arbres, jusqu'à la jolie cascade (qu'on devine loin en bas plus qu'on ne la voit). Plusieurs autres chemins de randonnées de tous niveaux. La route qui longe le Loch Beinn à Mheadhain s'arrête au bout de 20 km sur une aire de pique-nique.
De là, possibilité de rejoindre la *Allt Beithe Youth Hostel* de Glen Affric (voir plus haut « Où dormir ? ») par un chemin de grande randonnée, avec pour objectif Kintail et la côte ouest. Balade magnifique. Les fameuses *Falls of Glomach* sont à une dizaine de kilomètres de l'AJ.

🏃🏃 Si vous avez plus de temps, poussez jusqu'au *Loch Monar,* au nord de Cannich. Balade de 45 km bien agréable à vélo dans des paysages uniques, en passant par les *glens* Strathglass et Strathfarrar. Les voitures ne sont pas autorisées au-delà de Struy.

LE NORD DES HIGHLANDS

Voilà qu'ici, l'imaginaire rejoint la réalité d'un pays sauvage, qu'un habitat dispersé trouble à peine. Des routes à une voie *(single track roads)* sillonnent à travers vallées et lochs en multitude, modifiant sans cesse l'environnement, et débouchent soit sur des châteaux (comparé au reste du pays) que sur des petits et grands ports ou des plages de sable blanc, alanguies dans un paysage du bout du monde.
Si l'on dispose de quelques jours, il est possible d'effectuer la boucle : longer la côte nord-est jusqu'à Helmsdale, Wick et John O'Groats, puis suivre la route côtière nord jusqu'à Durness avant de redescendre sur l'ouest. À notre humble avis, ceux qui ont un emploi du temps serré devraient monter directement à Tongue et rejoindre la côte ouest. C'est dans cette partie que la nature est la plus époustouflante.

LA PÉNINSULE DE BLACK ISLE   Ind. TÉL : 01381

Eh oui ! Malgré son nom, la Black Isle n'est pas une île mais une péninsule où rivages de bord de mer alternent avec des paysages verts, doucement vallonnés. On y accède par l'A 832, perpendiculaire à l'A 9.

LE NORD DES HIGHLANDS

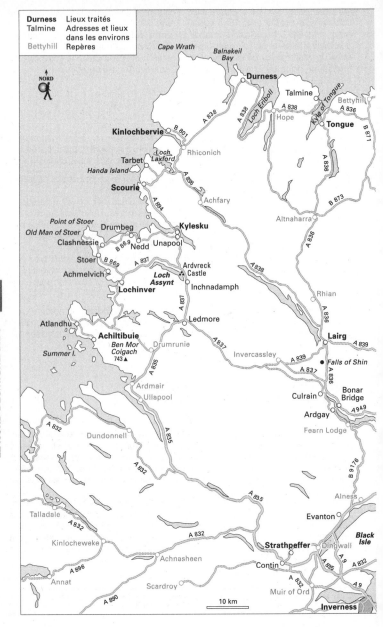

Durness	Lieux traités
Talmine	Adresses et lieux dans les environs
Bettyhill	Repères

NORD

Cape Wrath

Balnakeil Bay

Durness

Talmine

Bettyhill

Tongue

Loch Eriboll

Hope

Kyle of Tongue

A 838

A 838

A 838

A 836

A 836

B 871

Kinlochbervie

B 801

Rhiconich

Tarbet

Loch Laxford

Handa Island

Scourie

A 838

A 836

A 894

Achfary

B 873

Altnaharra

Point of Stoer

Drumbeg

Kylesku

Old Man of Stoer

Clashnessie

B 869

Nedd

Unapool

A 836

Stoer

B 869

A 837

Ardvreck Castle

Achmelvich

Loch Assynt

Inchnadamph

A 838

Rhian

Lochinver

A 837

Ledmore

A 836

Atlandhu

Ledmore

Lairg

A 839

Achiltibuie

Ben Mor Coigach 743 ▲

Drumrunie

A 837

Invercassley

A 839

A 839

● *Falls of Shin*

A 837

A 836

Summer I.

A 835

Ardmair

Culrain

Bonar Bridge

Ullapool

A 835

Ardgay

A 949

Fearn Lodge

A 832

Dundonnell

B 9176

A 832

Alness

A 835

Talladale

A 832

Evanton

Black Isle

Kinlocheweke

A 832

Strathpeffer

Dingwall

A 9

A 832

Achnasheen

Contin

A 835

A 896

A 832

A 9

Annat

Scardroy

Muir of Ord

A 890

10 km

Inverness

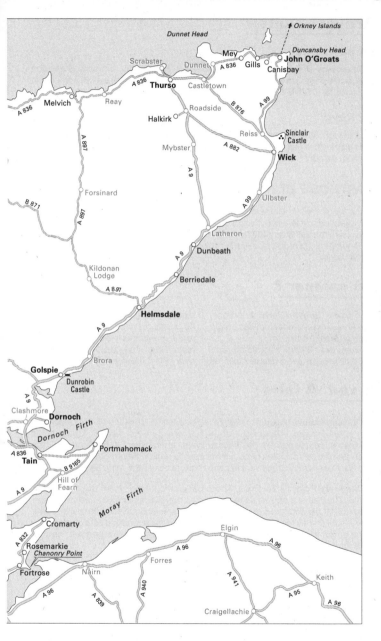

Arriver – Quitter

En bus

➤ **Inverness-Black Isle** (Cromarty, Fortrose et Rosemarkie) : lun-sam, une liaison env ttes les 2h (le dim 2 trajets/j. entre Inverness et Rosemarkie) avec la compagnie *Rapsons*. ☎ (01463) 710-555. ● rapsons.co.uk ●

En ferry

➤ Juin-oct : 8h-18h, ttes les 30 mn, un tout petit **ferry** (il ne peut prendre que 2 voitures en plus des passagers) traverse le détroit depuis **Nigg.** Pratique pour ceux qui viennent du nord.

FORTROSE ET ROSEMARKIE (1 200 et 230 hab.)

À une vingtaine de kilomètres d'Inverness, ces deux petits villages voisins ne manquent pas d'élégance. Datant du XIIIe siècle, la cathédrale de Fortrose, aujourd'hui en ruine, est charmante avec son grès rose usé par le temps. Ne pas manquer non plus l'héritage picte de la région, exposé au *Groam House Museum* de Rosemarkie.

Où camper ?

Ⅹ **Fortrose Caravan Park :** à Fortrose. ☎ 621-927. ● caravancampsites.co.uk/highland/fortrose.htm ● Env £ 13 (19,50 €) pour 2 pers. Pâques-fin sept. Ouvert à tous les vents (plantez bien les piquets !), ce camping non clos, au bord de la mer, est traversé par une petite route. Sanitaires restreints mais corrects. Bien situé, à proximité de Chanonry Point (pour voir les dauphins).

À voir. À faire

Groam House Museum : High St, à Rosemarkie. ☎ 620-961. Mai-sept : lun-sam 10h-17h ; dim 14h-16h30. Oct-avr : slt w-e, 14h-16h. Gratuit. Musée dédié aux Pictes, peuple du nord de l'Écosse avant l'arrivée des Scots d'Irlande. Exposition de pierres sculptées découvertes dans la région, datant des VIIIe et IXe siècles. La *Rosemarkie Stone* vaut le coup d'œil, avec ses 2,6 m de hauteur !

Chanonry Point : à **Fortrose.** Accès par une route traversant un golf, où « les golfeurs ne peuvent être tenus responsables des balles perdues », selon les panneaux ! Tant pis pour vous donc si une balle égarée échoue sur votre pare-brise ! Sans doute un des meilleurs spots pour observer les dauphins, à côté du phare. Se munir de jumelles et attendre. C'est l'endroit du Moray Firth le plus étroit, les courants sont violents et la baignade est interdite.

CROMARTY (700 hab.)

Joli village paisible à la pointe de la **Black Isle,** au bord du détroit qui relie le Cromarty Firth au Moray Firth. La petite cité, aux maisons de pêcheurs (c'est un port naturel) et de marchands blotties les unes contre les autres, a jadis connu la prospérité grâce au commerce avec la Scandinavie, la Hollande et le Portugal. On importait même du chanvre de Saint-Pétersbourg. Macbeth fut comte de Cromarty.

Où dormir ? Où manger ? Où boire un verre ?

🛏 *Gisborne B & B : chez Ewen & Rhona Garratt, Marine Terrace.* ☎ 600-376. ● oldhospital@tiscali.co.uk ● Près du port, après le Royal Hotel et l'imposante bâtisse de pierre rouge en U. Doubles env £ 22 (33 €) par pers. Dans une grande et belle maison de grès rose, un ancien hôpital, de jolies chambres avec salle de bains privée mais dans le couloir. Des pièces spacieuses, une déco aérée, sobre... et une vue sur la mer à croquer !

🛏 *B & B Watson : chez Marjory Watson, Trade Winds, Little Vennel.* ☎ 600-430. Dans une petite rue perpendiculaire à la Shore St, à l'opposé du port. Doubles env £ 22 (33 €) par pers. Petites chambres coquettes et douillettes à l'étage, avec salle de bains commune. Jardinet à l'extérieur face à la mer. Breakfast particulièrement copieux.

🍴 *Sutor Reel : 21, Bank St.* ☎ 600-855. Proche du port. Prévoir £ 7-9 (10,50-13,50 €) le plat. Déco moderne et aérée, avec sofas, tables et chaises blanches. Au menu : pizzas, salades et spécialités de la mer, selon la pêche du jour. Ambiance agréable et service attentionné. Prix très corrects. Une aubaine !

🍴 *Pantry : 1, Church St.* ☎ 610-264. Tlj 10h30-16h. Env £ 4-6 (6-9 €). Cuisine sans prétention. Tearoom traditionnel avec nappes à petits carreaux. Bons gâteaux et vrai café.

🍷 *Royal Hotel : sur le port.* Le repaire des pêcheurs. Ambiance assurée le week-end. Quelques tables en terrasse, face à la mer.

À voir. À faire

🎭 *Cromarty Courthouse : Church St.* ☎ 600-418. ● www.cromarty-courthouse.org.uk ● Pâques-fin oct : tlj 10h-17h. Entrée : £ 5 (7,50 €) ; réduc. Ce petit musée de la ville fait revivre le passé au moyen de personnages de cire animés. On assiste ainsi à une étonnante scène de tribunal. On peut aussi écouter Sir Thomas Urquhart nous parler de Rabelais, dont il fut le premier traducteur. Également une instructive reconstitution des conditions de détention au XIXᵉ siècle. Promenade de 1h20 dans la ville, avec baladeur en français, comprise dans le prix du billet.

🏛 *Hugh Miller's Cottage (NTS) : Church St.* ☎ 600-245. Avr-sept : tlj 12h30-16h30 ; oct : mer et dim 12h30-16h30. Entrée : £ 5 (7,50 €). Réparti entre deux maisons, cet intéressant musée est dédié à Hugh Miller, personnage haut en couleur du XIXᵉ siècle, qui exerça successivement en tant que maçon, comptable, géologue, journaliste, écrivain et réformateur. Dans la grande maison où il vécut, sa vie et son œuvre sont présentés sur trois étages. Sa maison de naissance, une belle chaumière au toit de roseaux, est juste à côté. Un audioguide (en anglais) narre les jeunes années de Miller, mais aussi l'histoire et l'architecture de ce cottage fort bien préservé, aux plafonds très bas et aux fenêtres minuscules.

➤ *South Sutor Walk :* au bout du village, ce sentier chemine paisiblement entre la plage et les champs avant de grimper vers un promontoire. Vue sur Cromarty et l'estuaire, avec ses plates-formes pétrolières désaffectées.

➤ 🚶 *Ecoventures : Victoria Pl.* ☎ 600-323. ● ecoventures.co.uk ● Juste à côté du resto Sutor Reel. Jusqu'à 3 départs/j. (selon la météo). Résa conseillée. Tarifs : £ 20 (30 €) pour une sortie de 2h sur un bateau limité à 12 pers ; réduc. Mini-croisières à la rencontre de la faune du Moray Firth : dauphins, phoques, marsouins, baleines, oiseaux de mer, etc. Pas donné, mais extra, avec des gens très respectueux du milieu marin et qui connaissent leur sujet sur le bout des doigts.

STRATHPEFFER   900 hab.   IND. TÉL. : 01997

Une ancienne station thermale qui mérite un détour, ne serait-ce que pour le plaisir des yeux. Elle a conservé un charme fou avec une architecture victorienne raffinée. Même si l'eau de Strathpeffer est aujourd'hui disponible dans le commerce, on peut toujours, comme autrefois, se rendre au *Water Sampling Pavilion* sur The Square pour goûter cette eau sulfureuse supposée soulager les tuberculeux.

Arriver – Quitter

➤ **Strathpeffer-Inverness :** liaison ttes les heures jusqu'à 17h30 lun-sam ; ttes les 2h dim. Bus n° 27 avec *Stagecoach.*

Adresse utile

🛈 **Office de tourisme :** *Main Rd, dans la* Pump House, *juste à côté du* Spa Pavilion. *Avr-oct : tlj sf dim 10h-17h.*

Où dormir dans le coin ?

Campings

⚕ **Riverside Campsite :** *à Contin.* ☎ *421-351.* ● *riversidecontin.co.uk* ● *Sur la route d'Ullapool. Avr-nov. Env £ 10 (15 €) pour 2 pers et une tente.* Poste et petite épicerie à l'entrée. ● Beau petit site au bord de la rivière (attention aux vilains *midges* !) et sur terrain plat. Sanitaires rudimentaires mais propres. Machine à laver et sèche-linge.

⚕ **Black Rock Caravan & Camping Park :** *à Evanton.* ☎ *(01349) 830-917.* ● *blackrockscotland.co.uk* ● *Sur la route de Wick, avt Alness. Fin mai-fin oct. Env £ 11-16 (16,50-24 €) pour 2 pers selon taille de la tente. Dans la* bunkhouse, *en dortoirs de 4 lits, prévoir £ 11-13 (16,50-19,50 €) par pers.* Terrain bien agencé. Terrasses de pelouse pour les tentes. Bibliothèque à la réception et court de tennis juste derrière. Machines à laver, sèche-linge. Accueil bonhomme.

De prix moyens à plus chic

🛏 **White Lodge :** *à côté de la place principale.* ☎ *et fax : 421-730.* ● *the-white-lodge.co.uk* ● *En été, doubles £ 28-32 (42-48 €) par pers selon nombre de nuits.* Dans une grande maison blanche qui ne manque pas de charme. Chambres bien tenues, avec salle de bains. Loue également à la semaine un *lodge* avec 2 chambres et un *living-room.*

Où boire un chocolat chaud ?

🍵 **Maya :** *Main Rd. Face à l'office de tourisme, sur la route principale. Mar-sam 10h-17h30.* Élégant petit salon de thé accolé à une boutique tenue par des chocolatiers belges venus s'installer dans les Highlands. Leur délicieux chocolat chaud mérite bien une petite halte pour le goûter.

TAIN

3 500 hab.   IND. TÉL. : 01862

Bourg royal qui eut un saint Duthac, de l'Église celtique, parmi ses natifs. Il attirait de nombreux pèlerins. La cloche du *Tolbooth* y sonne encore le couvre-feu tous les soirs.

Arriver – Quitter

En bus

➢ *Thurso-Tain-Inverness :* tlj env 2 bus/j. Bus n° 958. ● *citylink.co.uk* ● ☎ 08705-50-50-50.

En train

➢ *Thurso-Tain-Inverness :* lun-sam, env 2 trains/j. ● *firstscotrail.com* ● ☎ 0845-74-84-950.

Où dormir ? Où manger ?

⚁ *Dornoch Firth Caravan Park :* sur l'A 9, après le pont, au niveau du rond-point. ☎ 892-292. ● *dornochfirth.co. uk* ● Tte l'année. Compter £ 11 (16,50 €) pour 2 pers et une tente. Terrain convenable mais sans charme. Beaucoup de mobile homes.

🏠 *Golf View House B&B :* 13, Knockbreck Rd. ☎ et fax : 892-856. ● *golfview.co.uk* ● Compter £ 30 (45 €) par pers. Demandez les chambres avec vue sur la mer. Maison victorienne entourée d'un beau jardin fleuri. Intérieur raffiné et accueil souriant.

❚●❚ *Lounge Bar du Royal Hotel :* Hight St. ☎ 892-013. Dans le centre du village. Plat env £ 8 (12 €). Plats cuisinés avec soin et servis avec attention. Ambiance chic sans pour autant lever le petit doigt pour boire son thé. Une adresse qui fait sourire le palais, l'estomac et le porte-monnaie.

À voir

🎭🎭 *Tain Through Time Exhibition :* ☎ 894-089. ● *tainmuseum.org.uk* ● Avr-oct : tlj sf dim 10h-17h (18h juil-août). Le reste de l'année, sur résa. Entrée : £ 3,50 (5,30 €) ; réduc. Installé près d'une chapelle et d'un cimetière ! Reconstitution audiovisuelle de l'histoire locale.

🎭🎭 *La distillerie de Glenmorangie :* à la sortie de Tain sur la route de Wick. ☎ 892-477. Lun-ven 9h-17h, plus w-e de juin à août 12h-16h ; attention, dernière visite 1h à 1h30 avt la fermeture. Entrée : £ 2,50 (3,80 €) ; réduc. Une visite pour comprendre l'élaboration d'un des *single malt* favori des Écossais. Le clou de la visite est la salle des alambics. On se croirait dans le ventre d'une machine tout droit sortie d'un roman de Jules Verne.

PORTMAHOMACK

100 hab.   IND. TÉL. : 01862

Voici un petit port de pêche isolé et vraiment adorable, aux longues plages de sable fin. Quelques voiliers également dans la baie.

Arriver – Quitter

En voiture

➤ À 10 miles (16 km) à l'est de Tain. Depuis *Cromarty*, emprunter le bac de Nigg.

Où dormir ? Où manger ?

🛏 |●| *The Castle Hotel :* ☎ 871-263. ●castle.portmahomack.net ●À côté du port, en léger retrait de la route principale. Compter £ 35 (52,50 €) par pers. Repas env £ 12 (18 €). Chambres confortables et bien tenues juste au-dessus du pub. Adresse fréquentée et conviviale.

|●| *Oystercatcher :* ☎ 871-560. Fermé lun, mar et en nov et fév. Résa conseillée. Prévoir £ 28 (42 €) pour un repas. Moins cher le midi. Une adresse très prisée dans le coin. Cuisine sans faille, avec beaucoup de poisson à la carte.

À voir. À faire

🏃 *Tarbat Discovery Centre :* ☎ 871-351. ●tarbat-discovery.co.uk ●Avr-sept : 14h (10h mai-sept)-17h. Entrée : £ 3,50 (5,30 €) ; réduc. Centre d'interprétation archéologique logé dans une petite église blanche, au milieu d'un cimetière désordonné.

➤ *Balade :* au bout de la pointe de Tarbat Ness, vous pourrez apercevoir (de loin, on ne visite pas) le troisième phare de l'Écosse par sa taille. De là, part une très chouette promenade de 2-3h vers le hameau de Rockfield, par un sentier longeant la falaise. Avec un peu de chance, vous verrez peut-être des dauphins.

LAIRG

800 hab.

IND. TÉL. : 01549

À 97 km au nord d'Inverness sur la route A 836, qui mène à Tongue, Lairg est un gros bourg au cœur du Sutherland. Tous les ans, mi-août, on y organise pendant une journée le plus grand marché aux moutons d'Europe, à côté de la gare. Beaucoup d'Anglais viennent ici, et la TV aussi ! Mais si vous voulez apercevoir les fameuses *Highlands Cattle*, passez le pont, prenez la route à droite (Saval Road) et, après le premier virage, continuez tout droit. Sinon, animations diverses durant la saison (se renseigner à l'office de tourisme).

POISSONS PAS NÉS

Depuis la construction de la centrale hydraulique de Lairg, le nombre de saumons a beaucoup chuté. Pour compenser cette forte diminution, les œufs sont aujourd'hui prélevés sur site et élevés dans un alevinier. Mais sur les 500 000 alevins relâchés au mois d'avril, seulement 1 % deviendront adultes. Ce qui ne les empêchera pas d'être à leur tour victimes de prédateurs, de la pollution, de la pêche ou des mauvaises conditions hydriques de la rivière. Quant aux survivants, ils batailleront encore contre le courant pour rejoindre leur lieu de naissance et boucler ce cycle infernal.

Arriver – Quitter

En bus

➤ *Lairg-Tain :* 4 à 5 minibus/j. (sf le dim). Plusieurs arrêts en route. Minibus *Macleod's Coaches* (accès handicapés possible) : ☎ *(01408) 641-354.* ●macleods coaches.co.uk ●

➤ **Lairg-Helmsdale :** 3 minibus/j. lun-ven, effectués par *Macleod's Coaches*.
➤ **Lairg-Tongue :** *postbus* tlj sf dim, départ en milieu de journée de Lairg ; le mat de Tongue.
➤ **Lairg-Lochinver-Drumbeg :** *postbus* tlj, départ de Drumbeg tôt le matin, retour de Lairg sur le coup de midi.

En train

La gare se trouve à 1 mile (1,6 km) au sud de la ville.
➤ **Ligne Inverness-Wick :** 3-4 passages/j. par Lairg (1 seul dim).

Adresses utiles

🛈 *Tourist Information Centre :* Ferry-croft Countryside Centre, à l'entrée de Lairg, sur la gauche, en venant du sud. ☎ et fax : 402-160. D'autres infos sur ● lairghighlands.org.uk ● Avr-oct : tlj 10h-16h (17h juil-août). Fermé nov-mars. On peut y réserver ses B & B. Petite expo gratuite sur la vie rurale. Le personnel, en plus d'être très aimable, propose des brochures bien ficelées sur les balades du coin, notamment celle à vocation archéologique d'1h (aller-retour) qui mène à *The Ord*. Accès Internet (payant).
▪ *Bank of Scotland :* en centre-ville. *Ouv slt lun, jeu et ven 9h15-12h30, 13h30-16h45.*

Où dormir dans le coin ?

Camping

⚠ *Dunroamin Caravan Park :* en sortant du village sur la route de Golspie. ☎ 402-447. ● lairgcaravanpark.co.uk ● *Réception ouv avr-oct : tlj 9h-20h (pause 12h30-14h dim). Prévoir £ 9-12 (13,50-18 €) pour 2 pers selon la taille de la tente. Douche chaude payante.* Loue aussi des mobile homes. Terrain bien entretenu où les tentes sont dotées d'un bel espace. Sanitaires propres, mais peu nombreux. *Attention :* infesté de *midges* en saison. Location de vélos (idéal pour découvrir la région). Un resto jouxte le camping.

Bon marché

🛏 *Sleeperzzz :* *Rogart Station.* ☎ (01408) 641-343. ● sleeperzzz.com ● *Sur la route A 839, à une dizaine de miles (17 km), en quittant Lairg par l'est. Sur la ligne de bus Lairg-Helmsdale opérée par* Macleod's Coaches *(voir « Arriver-Quitter »). La nuit env £ 12 (17,40 €) par pers. Réduc de 10 % pour les cyclistes et ceux qui circulent en train.* Original en diable : un fou de trains a transformé et restauré d'anciens wagons en hébergement bon marché. Douches, living-room et cuisine dans chacun des 2 wagons de 8 couchages. Pour plus d'intimité, demandez le petit pour deux ou celui prévu pour 4 personnes. Magasin tout près pour acheter de quoi faire sa popote. Un véritable succès pour Franck (ancien professeur de français) et Kate, qui vous donneront un tas de tuyaux sur les alentours.
🛏 *Carbisdale Castle Youth Hostel :* à Culrain. ☎ 0870-004-11-09. ● carbisdale.org ● ⚠ *À env 10 miles (16 km) de Lairg par l'A 286, mais l'AJ est mieux indiquée depuis Bonar Bridge, d'où l'on rejoint Ardgay, au sud. Bifurquer ensuite à droite au niveau du* Alladale Country Store *et suivre une petite route sur env 4 miles (env 6,5 km ; fléché). Sinon, la gare de Culrain est à 10 mn à pied de l'auberge. Ouv mars-oct. Résa de mi-juil à mi-août. Compter £ 15-16 (22,50-24 €) par pers selon saison ;* continental breakfast *en sus. Possibilité de dîner.* Voilà sans doute une des plus étonnantes AJ d'Écosse, et probablement de Grande-Bretagne. En pleine campa-

gne, niché dans les bois, un château du début du XXᵉ siècle semble tout droit sorti d'un film d'Alfred Hitchcock ou d'un roman de Conan Doyle. L'ancien propriétaire en a fait don à l'association des auberges de jeunesse après la Seconde Guerre mondiale, en laissant le décor intact : tout est resté en l'état ! Des murs couverts de tableaux, un immense salon abritant une collection de statues en marbre, dont une statue pivotante (dans le grand hall du rez-de-chaussée, sous l'escalier) représentant un ange malicieux commandant l'entrée d'un passage secret (ne cherchez pas, le mécanisme ne fonctionne plus, malheureusement). Des couloirs labyrinthiques desservent les chambres (dortoirs 2-14 lits) qui donnent sur le parc. Il paraît que le lieu est toujours hanté par la nurse Betty. Les amateurs de frisson réserveront à l'avance le dortoir n° 210 : on entend le craquement de son rocking-chair la nuit ! Location de vélos.

De prix moyens à chic

🛏 *Kincora B & B :* juste avt la sortie de Lairg, direction Tongue. ☎ 402-062. Fermé à Noël. Compter env £ 20 (30 €) par pers. Deux chambres coquettes en mezzanine, salle de bains à partager. Accueil charmant de Kathy. Une excellente adresse.

🛏 *Park House :* à Lairg. ☎ 402-208. ● david-walker@park-house.freeserve. co.uk ● Au-dessus du loch, entrée sur Main St, puis 1ʳᵉ à droite (en face de la Bank of Scotland). Prévoir £ 36 (54 €) par pers ; petite réduc à partir de 3 nuits. Dîner sur commande. Belle et grande construction. On y accède par l'arrière. Chambres tout confort, certaines avec vue sur le loch. Une adresse bucolique : des vaches broutent paisiblement sur un petit promontoire en face.

Où dormir ? Où manger ? Où boire un verre dans le coin ?

🍴 *Falls of Shin Visitor Centre :* à 5 miles (8 km) au sud de Lairg. Au fond de la boutique, self-service. ☎ 402-231. Ouv le midi slt (dernière commande à 15h30). Plat du jour env £ 8 (12 €). Cadre très banal de cafétéria, avec un parking pour les cars de tourisme. Cuisine familiale copieuse et roborative (bon *fish & chips, steak pie,* hachis Parmentier), mais aussi salades et sandwichs ; ne pas oublier les desserts, succulents. Rapport qualité-prix intéressant.

🛏 🍴 🍷 *Invershin Hotel :* à 10 miles (une quinzaine de kilomètres) de Lairg. ☎ 421-202. ● invershin.com ● Immanquable. Juste avt le pont en pierre, c'est un grand bâtiment à droite de la route en venant du sud. Bons plats écossais. Pas donné, mais les portions sont doubles. Pratique pour ceux qui logent à l'auberge de *Carbisdale,* on y accède en 15 mn à pied, par un raccourci. Sinon les chambres de l'hôtel sont assez spacieuses (env £ 30 par pers, soit 45 €, en été). Demandez-en une sur l'arrière. Également une familiale.

➤ *DANS LES ENVIRONS DE LAIRG*

🎇 *Falls of Shin :* chutes étonnantes, sur la route B 864, à 5 miles (8 km) au sud de Lairg. Un beau spectacle : les saumons tentant de franchir les chutes pour remonter la rivière. La meilleure période pour les observer est, en principe, février et septembre. Mais pas d'illusions : compte tenu du faible nombre de poissons qui parvient aujourd'hui à remonter la rivière, vous aurez beaucoup de chance si vous en apercevez qui tentent dans un ultime effort d' « escalader » la chute (voir encadré au niveau de l'introduction de Lairg). Cela dit, un lecteur nous a fait part de son émotion, quand, en plein mois de juillet, il a aperçu une vingtaine de saumons en l'espace d'une heure. On est vraiment mauvaise langue !

Outre le fait que le cours charrie beaucoup de tourbe, le paysage reste très plaisant, comme les balades à effectuer aux alentours.

■ *Visitor Centre :* ☎ 402-231. ● *fallsofshin.co.uk* ● *Fin mars-fin sept : tlj 9h30-17h30 ; début oct-fin mars : tlj 10h-17h.* Outre les infos qu'on peut y glaner, le centre mérite aussi un détour pour sa caféteria (voir plus haut « Où manger ? ») et sa boutique de souvenirs (et oui !), la seule en Écosse à vendre des produits du célèbre magasin londonien *Harrods.*

DORNOCH

1 200 hab.   IND. TÉL. : 01862

Agréable station de villégiature à l'embouchure du Dornoch Firth. Parfois appelée la « Saint Andrews du Nord », elle offre des kilomètres de sable et de dunes, un golf réputé et un petit air de plage normande. Assurément un endroit rêvé pour faire étape avec des mômes.

> **DU BALAI !**
>
> *C'est à Dornoch que la dernière sorcière d'Écosse, Janet Howe a été brûlée vive en 1722. Elle était accusée d'avoir transformé sa fille en poney. C'est pourtant mignon un poney, non ?*

Arriver – Quitter

En bus

➣ *Thurso-Dornoch-Inverness :* tlj, env 2 bus/j. Bus n° 958. ● *citylink.co.uk* ● ☎ 08705-50-50-50.

Adresse utile

🛈 *Point information :* Sherif Court, en face de la cathédrale. ☎ 0845-22-55-121. Lun-sam 9h30-17h ; dim 10h-16h.

Où dormir ? Où manger ?

Campings

⚐ *Dornoch Caravan and Camp Park :* à 400 m du centre. ☎ et fax : 810-423. *Ouv avr-oct. Compter env £ 11 (16,50 €)* pour deux avec une tente. Entre plage et golf. Beaucoup de mobile homes et de caravanes.

De prix moyens à plus chic

🏠 *Fourpenny Cottage :* à Fourpenny. ☎ 810-159. ● *fourpenny@tesco.net* ● *Au nord de Dornoch, vers le Loch Fleet (réserve d'oiseaux). Ouv avr-oct. Compter £ 30 (45 €) par pers.* Adresse parfaitement tenue. À l'étage, grand salon dominant le paysage. En dépannage, on peut se servir d'une cuisine très bien équipée. Belle balade alentour. Bon accueil.

🏠 🍽 *Dornoch Castle Hotel :* Castle St. ☎ 810-216. ● *dornochcastlehotel. com* ● *Ouv tte l'année. Dans le château, doubles à partir de £ 110 (165 €). Côté resto, tabler sur £ 30 (45 €) pour un repas. Moins cher le midi.* Ancienne demeure épiscopale du XVIe siècle, dont l'annexe servit également de prison. Aujourd'hui, on dort sur ses deux oreilles dans des chambres de carac-

tère, décorées avec goût. On déplore toutefois un accueil un peu froid.

À voir

🕯 **La cathédrale :** *ouv tte l'année. Entrée gratuite. Date du XIIIe siècle.* Dimensions modestes et silhouette un peu lourde. Jolis vitraux des deux derniers siècles et, surtout, de nombreuses gargouilles.

GOLSPIE   1 400 hab.   IND. TÉL. : 01408

Le village se résume à peu de choses, mais son magnifique château vaut à lui seul le détour.

Arriver – Quitter

En bus

➢ **Thurso-Golspie-Inverness :** ☎ *08705-50-50-50.* • *citylink.co.uk* • Tlj, env 2 bus/j. Bus n° 958.

En train

➢ **Thurso-Golspie-Inverness :** ☎ *0845-74-84-950.* • *firstscotrail.com* • Lun-sam, env 2 trains/j. Arrêt possible sur demande au *Dunrobin Castle.*

Où dormir ?

🛏 **AR Dachaidh :** ☎ *621-658.* • *badnel lan@madasafish.com* • *En arrivant à Brora, en direction de Helmsdale, prendre juste après le pont la 1re à gauche ; au panneau « Badnellan », prendre tout de suite à droite puis aller au bout du chemin. Ouv mars-oct. Prévoir env £ 20 (30 €) par pers. Breakfast* avec marmelade maison au whisky et jus d'orange fraîchement pressé, rien que ça ! *Bikers* bienvenus, les proprios étant eux-mêmes motards. Intérieur tout en bois. Une adresse du bout du monde, authentique, cachée entre champs et chèvres, dans un coin de paradis. Voisinage charmant.

À voir. À faire

🕯🕯 🚶 **Dunrobin Castle :** *au nord du village.* ☎ *633-177.* • *dunrobincastle.co.uk* • *D'avr à mi-oct, tlj 10h30 (12h dim)-16h30 (17h juin-sept). Entrée : £ 7 (10,50 €) ; réduc. Démonstration de dressage de faucons à 11h30 et 14h. Salon de thé au rez-de-chaussée, compter env £ 9 (13,50 €).* Imposant château de style *baronial,* avec sa tour du XIIIe siècle agrandie au cours des siècles. À l'intérieur, nombreuses pièces joliment décorées et des souvenirs de la famille des comtes et ducs de Sutherland. Il n'y eut que deux ducs entre les XIIe et XIXe siècles. Beau mobilier Louis XV, tableaux de quelques-uns des plus grands portraitistes anglais et étrangers. Intéressant surtout pour son étage, consacré aux souvenirs de voyages collectés aux quatre coins du monde. On se dit que les malles devaient être grandes, à l'époque... Le château a servi d'hôpital durant la Seconde Guerre mondiale. Dans le jardin, musée consacré aux trophées de chasse au gros gibier du monde entier.

🏹 **Carn Liath** *(HS) : en direction de Brora, sur la droite.* Ruines d'un ancien *broch* (fortification celte du IVᵉ siècle av. J.-C., aux murs très épais).

➤ **Big Burn Walk** *: départ du pont à la sortie de Golspie.* Une des balades les plus prisées de la région. Le chemin traverse le ruisseau par une série de passerelles pour aboutir à des chutes d'eau.

HELMSDALE
500 hab.   IND. TÉL. : 01431

Petit port encore en activité de la côte nord-est des Highlands. Belle balade le long de la rivière, réputée pour ses saumons et la ruée que la découverte d'or provoqua aux alentours de 1869. On en trouve encore parfois, si cela vous tente !
– **Highland Games** *: en principe, le 3ᵉ sam d'août.*

Arriver – Quitter

En bus

➤ **Thurso-Helmsdale-Inverness :** ☎ 08705-50-50-50. ● *citylink.co.uk* ● Tlj, env 2 bus/j. Bus n° 958.

En train

➤ **Thurso-Helmsdale-Inverness :** ☎ 0845-74-84-950. ● *firstscotrail.com* ● Lun-sam, env 2 trains/j.

Adresse utile

🅱 **Point Information :** *kiosque dans une boutique sur le port.* Accès Internet. Accueil très moyen.

Où dormir ? Où manger ?

🛏 **Helmsdale Hostel :** *avt la sortie nord de la ville (route de Wick).* ☎ 821-636. ● helmsdalehostel.co.uk ● Mai-sept. Prévoir £ 15 (22,50 €) par pers. C'est un bâtiment blanc, sans aucun charme, situé à une patte-d'oie. Auberge très simple. Coin-cuisine.

🛏 **Customs House :** *sur le port.* ☎ 821-648. Prévoir £ 18 (27 €) par pers. Chez une mamie bien sympathique, dont la famille fait *B & B* de génération en génération. Chambres coquettes et jardinet plein de roses odorantes. Salle de bains à partager. Une vraie bonbonnière.

I●I **La Mirage :** 7, Dunrobin St. ☎ 821-615. Env £ 6 (9 €) le plat. Une adresse singulière et incontournable. Le concept est unique au monde, c'est le *Fish and Tea.* De bons beignets de haddock servis dans un salon de thé rose bonbon ! Faut dire que l'ancienne patronne est devenue une célébrité locale. Elle se prenait pour Barbara Cartland ! Voir les photos. Bon accueil.

➤ DANS LES ENVIRONS D'HELMSDALE

🏹🏹 **Berriedale :** *minuscule village au bord de la mer.* De grands rochers accueillent des milliers de mouettes. On accède à la plage par une petite passerelle suspendue, un trampoline devrions-nous dire. Au début de l'été, colonies de macareux *(puffins).*

🔸 **Dunbeath Heritage Centre :** *The Old School.* ☎ *(01593) 731-233.* ● *dunbeath-heritage.org.uk* ● *Accessible par l'A 9, entre Helmsdale et Wick, légèrement excentré de Dunbeath, non loin de la poste. Ouv Pâques-fin oct : 10h-17h. Entrée : £ 2 (3 €) ; réduc.* Un plan géant de la rivière a été peint sur le sol de l'ancienne école, ce qui permet de repérer les points d'intérêt archéologique et de planifier une balade. Excellents conseils (parfois en français) pour visiter la région. Compter en moyenne une demi-journée pour une promenade.

WICK
7 300 hab.   IND. TÉL. : 01955

Petit port-étape, sympa et animé, qui tente de se reconvertir dans le pétrole depuis la disparition des bancs de harengs. Au temps de sa splendeur, plus de mille bateaux de pêche au hareng mouillaient à Wick. C'est peu de dire que la ville vivait pour et par le hareng, procurant du travail à une grande partie de la population. Les harengs *(golden herrings)* devaient être traités dans les 24h suivant leur capture. Les vider, puis les fumer et les conditionner en tonneaux après salaison demandait une main-d'œuvre nombreuse, constituée majoritairement de femmes.

Arriver – Quitter

En bus

➤ **Thurso-Wick-Inverness :** ☎ *08705-50-50-50.* ● *citylink.co.uk* ● Tlj, env 2 bus/j. Bus n° 958.
➤ **John O'Groats :** ☎ *0871-200-22-33.* ● *rapsons.co.uk* ● Lun-ven, env 3 bus/j. Bus n° 77.

En train

➤ **Thurso-Wick-Inverness :** ☎ *0845-74-84-950.* ● *firstscotrail.com* ● Lun-sam, env 2 trains/j.

Adresse utile

🅸 **Point Information :** *66, Hight St.* ☎ *602-547. Lun-sam 9h – 17h30. Au* *1er étage de la boutique* Mac Allans.

Où dormir dans le coin ?

Camping

⚊ **Riverside :** *depuis le sud, prendre l'A 882 en direction de Thurso ; c'est à env 800 m, sur la droite.* ☎ *605-420. Ouv de mi-avr à fin sept. Compter £ 10* *(15 €) l'emplacement.* Belle pelouse moelleuse plantée d'arbres, au bord de la rivière. Nombreux lapins. Un chemin mène au centre-ville.

Prix moyens

🏠 **Bilbster House :** *à 5,4 miles (8,7 km) de Wick, sur l'A 882 (route de Thurso). ☎ et fax : 621-212. Vous verrez sur la droite une rangée d'arbres et une pan-* *carte indiquant le B & B. Avr-sept, sur résa le reste de l'année. Env £ 21-24 (31,50-36 €) par pers avec ou sans sdb.* C'est une grande et charmante demeure campagnarde du XVIIIᵉ siècle enfouie sous la végétation. Chambres à la hauteur du lieu, coquettes et confortables. On sent dans chaque pièce l'âme et l'histoire de la maison. Au fond du parc, ondule une calme rivière, véritable enchantement pour les oreilles. Excellent rapport charme-qualité-prix.

🛏 **Nethercliffe Hotel :** Louisburgh St.

☎ 602-044. ● peepba@aol.com ● Situation centrale. Passer par l'impasse à droite du Post Office sur Hight St. Doubles £ 30 (45 €) par pers. Petit déj inclus. Chambres, petites, simples mais plaisantes. Un hôtel donnant sur un jardinet très fleuri. Un piano à dispo pour chatouiller les gammes. Accueil plein de bonne humeur.

Où manger ? Où sortir ?

|●| ⍦ **The Alexander Bain :** Market Pl. ☎ 609-920. Au cœur de Wick, dans la rue piétonne. Env £ 10 (15 €) le repas. Immense pub proposant une grande variété de plats et de spécialités locales. Portion copieuse et fraîche, servie dans un cadre agréable et convivial. C'est le lieu de rendez-vous : qu'il soit familial, amoureux ou professionnel.

Très bon rapport qualité-prix.

|●| ⍦ **Bord de l'eau :** 2, Market St. ☎ 604-400. Tlj sf lun. Compter £ 12-15 (18-22,50 €) le plat. Resto français. Salle intime en bois très agréable, avec une jolie terrasse. Le patron, originaire du Sud-Ouest de la France, fait parfois le tour des tables pour s'assurer que la clientèle est satisfaite.

À voir. À faire

🎇🎇 **Sinclair Castle :** à 15 mn en voiture de Wick. Assez difficile à trouver car ce n'est pas du tout fléché. Du centre de Wick, prendre Willowbank et George Street, vers Papigoe ; à Staxigoe, tourner à gauche vers Noss Head ; à l'embranchement, tourner à droite ; on finit par l'apercevoir, près du phare, au bord de la mer ; il faut continuer à pied et emprunter les passerelles qui enjambent les clôtures. À voir absolument. De loin, le château, en ruine, ne paie pas de mine, mais sur place, ça vaut le coup. Il est au bord de la falaise qui lui sert de fondations, dans un coin totalement sauvage (déconseillé d'emmener des enfants, falaises à pic !). La belle pierre usée du château se confond presque avec le paysage. S'il fait beau et que l'on est tout seul (à deux, quoi !), c'est un enchantement.

⌁ Dans la Sinclair's Bay, à **Keiss,** belles plages avec de grandes dunes.

🎣 **Wick Heritage Centre :** sur Bank Row. ☎ 605-393. ● wickheritage.org ● Pâques-fin oct : lun-sam 10h-17h ; le reste de l'année, sur résa. Entrée : £ 2 (3 €) ; réduc. Compter 1h de visite. Beau musée d'Histoire locale, consacré en grande partie à la pêche. Plein de bibelots et de souvenirs intéressants. Nombreuses photos anciennes de la famille Johnston (trois générations de photographes !).

Manifestation

– **Pipe Band Week :** début juil. Animations en soirée sur Market Square. Concerts de cornemuses à travers les rues, danses traditionnelles et ceilidhs le soir.

JOHN O'GROATS   260 hab.   IND. TÉL. : 01955

La racine du nom du village vient du Hollandais Jan de Groot, premier passeur régulier à la fin du XVᵉ siècle pour les îles Orcades. Mais le nom actuel provient de l'ancienne monnaie écossaise, le groat (prix de la traversée). Endroit qui ne doit sa célébrité qu'à sa position, et se présente comme la fin des routes écossaises. Eh bien nous, on vous dit la vérité : l'aventure et les routes continuent bien plus au nord ! Voir les îles Orcades et Shetland. Vue superbe sur les falaises à angle droit des Orcades, juste en face. Bien sûr, vous verrez aussi *the last house in Scotland,* bourrée de cartes postales et de souvenirs idiots, comme toujours. Plus intéressant à voir, les phoques qui se prélassent sur la côte, selon la saison.

Arriver – Quitter

Avec la compagnie de bus *Rapsons.* Attention, pas de service le week-end ! ● *rapsons.co.uk* ● ☎ *0871-200-22-33. Liaisons avec :*
➢ **Wick :** bus n° 77, env 3 bus/j.
➢ **Thurso :** prendre le n° 80, env 3 bus/j.

Adresse utile

🄸 **Tourist Information Centre :** *County Rd ; sur le parking, dans un magasin de souvenirs.* ☎ *611-373.* ● *visitjohno groats.com* ● *Mars-oct : 10h-17h (11h-16h dim) ; juil-août : tlj 9h-18h. Accueil compétent.*

Où dormir dans le coin ?

Camping

⌂ **John O'Groats Caravan & Campingsite :** *à John O'Groats.* ☎ *611-329. Ouv avr-sept. Compter £ 10 (15 €) pour 2 pers et une tente.* En bordure de mer, avec l'archipel des Orcades à l'horizon. Infrastructures très moyennes et emplacements ventés. Bon accueil.

Bon marché

🛏 **Youth Hostel :** *à Canisbay.* ☎ *0870-004-11-29.* ● *syha.org.uk* ● *Un bled complètement paumé, à l'intérieur des terres, à env 4 miles (6,4 km) de la pointe. Bus n° 80 depuis John O'Groats. Avr-oct. Prévoir £ 13 (19,50 €) par pers.* Belle maison blanche aux fenêtres encadrées de rouge. Pas d'épicerie. Juste à côté, la poste vend quelques produits. Possibilité d'observer les oiseaux dans une cabane située à près de 6 miles (10 km) de l'auberge, près du Loch Mey. La gérante est une fana de vélo.
🛏 **The Farmhouse :** *à Freswick.* ☎ *611-254.* ● *thefarmhousebb@yahoo. co.uk* ● *À 2,8 miles (4,5 km) de John O'Groats. Sur la route de Wick prendre à gauche direction Skirza puis suivre le fléchage. Ouv tte l'année, mais hors saison, mieux vaut téléphoner avt. Compter £ 19 (28,50 €) par pers.* Chambres petites et simples, mais avec vue sur la mer et les falaises. Salle de bains commune. Accueil tranquille et attentif.
🛏 🍴 **Creag-Na-Mara :** *à 4,7 miles (7,5 km) de John O'Groats, sur la route de Thurso, tout proche du Castle of Mey.* ☎ *(01847) 851-850.* ● *creagnama ra.co.uk* ● *Ouv tte l'année. Compter £ 29 (43,50 €) par pers. Fait aussi resto.* Chambres fraîches et confortables. *Breakfast* soigné. Accueil enjoué.

Où manger dans le coin ?

Pour un simple en-cas, on trouve des cafétérias sur le parking de John O'Groats.

The Schoolhouse Restaurant : à 0,4 mile (0,6 km) de John O'Groats. ☎ 611-714. Sur la route de Wick, à gauche au niveau de la poste, puis 1re à droite. C'est la 2e maison à droite. Fermé lun et mar. Attention, dernière commande à 20h30. Résa conseillée. Compter £ 13 (19,50 €) le déjeuner, £ 23 (34,50 €) le soir. Une des meilleures adresses de la région. Cuisine familiale préparée avec un grand savoir-faire, des ingrédients simples et frais. Salle chaleureuse à la déco sobre et élégante. Service et accueil parfait.

Castle Arms Hotel : à Mey. ☎ (01847) 851-244. À 7 miles (11,3 km) de John O'Groats, en direction de Thurso. Env £ 8 (12 €) le plat. Dans une auberge de village du XIXe siècle. Pas de folies gastronomiques. Salle classique, avec une tripotée de photos de la famille royale. Et le patron en est plutôt fier ! Parfois envahi par les groupes de passage au Castle of Mey.

➤ *DANS LES ENVIRONS DE JOHN O'GROATS*

Castle of Mey : à **Mey.** À 7 miles (11,3 km) de John O'Groats, en direction de Thurso. ☎ (01847) 851-473. ● castleofmey.org.uk ● Le bus n° 80 s'arrête à 1 km env (sf le dim). Mai-sept : tlj sf ven 10h30-16h. Attention, fermeture 2 sem fin juil-début août, because, Charles est là, en vacances. Entrée : £ 7,50 (11,30 €) ; réduc.
Château le plus au nord du Mainland, acquis en ruine en 1952 par la reine mère. Elle entreprit sa restauration complète pour en faire une résidence de villégiature. Aujourd'hui, le prince Charles veille à ce que la propriété garde son âme.
Le site est splendide, et le château ressemble à un bouquet de tourelles face aux Orcades. L'intérieur n'a pas bougé d'un poil. Avec l'aide des guides, la visite devient vraiment intéressante pour saisir la personnalité de feu la reine mère. Sinon, c'est plutôt monotone... Voir le potager. Un miracle sous ces latitudes, où les vents arrachent les choux hors de la terre ! Il est protégé des intempéries et du sel marin par un muret, ajoutant une touche à l'ensemble. Un caprice de la reine mère ! Faut dire qu'elle avait la main verte.

Duncansby Head : à 1 km de John O' Groats. Venir entre mi-avr et mi-juil. Falaises de grès rose où nichent fulmars, cormorans et guillemots. Criques de sable entre les parois vertigineuses et un peu au sud, en partant du phare, un sentier surplombe les *Stacks of Duncansby,* arêtes rocheuses de plus de 60 m de haut. Impressionnant.

Canisbay : sur la route A 836, direction Thurso. C'est l'église du village où la regrettée mère de la reine Elizabeth venait assister à l'office quand elle était en vacances dans son château à côté. À l'entrée, voir la pierre tombale sculptée, de Jan de Groot (à l'origine du nom John O'Groats), datant du XVe siècle.

Les îles Orcades : ferry au départ de John O'Groats. ☎ 611-353. ● jogferry. co.uk ● Mai-sept. Excursions env £ 35-38 (52,50-57 €) selon durée ; réduc. Départs à 9h et 10h30. Organise des excursions à la journée sur les Orcades. Pratique si vous ne disposez pas de beaucoup de temps. Pour plus de détails sur ces îles, voir plus loin le chapitre « Les archipels du Nord ».

THURSO
7 700 hab.   IND. TÉL. : 01847

Petite ville qui n'a qu'un intérêt : sa proximité d'un des ports d'embarquement pour les îles Orcades. Le départ du ferry étant à Scrabster, à 2,5 miles (4 km) à l'ouest de Thurso. Jolies balades derrière le phare : falaises extraordinaires pleines de gouffres et d'oiseaux (assez dangereux en raison du vent, prudence).

Arriver – Quitter

En bus

➤ **Inverness-Thurso :** ☎ 08705-50-50-50. • *citylink.co.uk* • Tlj env 2 bus/j. Bus n° 958.

➤ **Wick :** ☎ 0871-200-22-33. • *rapsons.co.uk* • Lun-ven, 1-2 bus/j. Bus n° 81.

En train

➤ **Inverness-Thurso :** ☎ 0845-74-84-950. • *firstscotrail.com* • Lun-sam, env 2 trains/j.

Adresses utiles

🛈 **Tourist Information Centre :** Riverside. ☎ 0845-22-55-121. •*visitscotland.* com •*Ouv avr-oct :* 10h-17h (16h dim). Plan de la ville. Excellent accueil.

Où dormir ?

Campings

⚊ **Thurso Caravan & Campingsite :** ☎ 895-782. *À 10 mn de marche du centre-ville, sur la route de Scrabster (A 882). Ouv avr-sept. Env £ 8 (12 €) la nuit. Camping très bien situé, en haut d'une falaise. Vue superbe. À deux pas de la plage.*

⚊ **Dunnet Bay Caravan Club Site :** *à Dunnet.* ☎ 821-319. *À 7 miles (11,3 km* sur la route de John O'Groats. Ouv avrsept. Env £ 14 (21 €) une tente et 2 pers. S'installer au fond pour profiter de la vue sur la mer. Réveil avec les lapins. Plage de sable fin fréquentée par des surfeurs ! Un peu cher, mais accueil super. Les rangers sont installés au-dessus de la réception. Ils organisent des randos de mai à juillet (☎ 821-531).

Bon marché

🏠 **Sandra's Backpacker's Hostel :** *24-26, Princes St.* ☎ 894-575. • *sandras-backpackers.co.uk* • *Ouv tte l'année. Prévoir £ 13 (19,50 €) par lit, avec le petit déj. Également des chambres £ 33 (49,50 €) pouvant accueillir* jusqu'à 3 pers. Cuisine tout en bois, style scandinave. Sinon, snack au rez-de-chaussée. Accès Internet, machine à laver. Quelques vélos sont mis à la disposition des clients.

Prix moyens

🏠 **Orcadia B & B :** *27, Olrig St. À deux pas du centre-ville, à côté de l'église (Free Church).* ☎ 894-395. *Compter £ 20 (30 €) par pers. Jolie maison blanche datant de 1842. Chambres parfaitement tenues. Accueil cordial.*

🏠 **Murray House :** *1, Campbell St.* ☎ 895-759. •*murrayhousebb.com* •*À deux pas du centre-ville, au croisement d'Olrig St, à côté de l'église (Free Church). Compter £ 25-30 (37,50-45 €)* par pers. Chambres un peu kitsch mais tout confort. Adresse végétarienne, mais on ne refuse pas de servir du bacon au breakfast. Dîner sur demande.

🏠 **Skara B & B :** *à 1,5 mile (2,4 km) du centre, dans les champs, au calme.* ☎ 890-062. • *skara.freeserve.co.uk* • *Du centre, traverser le pont sur la rivière ; au feu, prendre à gauche direction John O'Groats ; 50 m plus loin, s'engager sur Mont Pleasant Rd à* *droite ; remonter la rue et c'est à 1 km env. Ouv tte l'année. Résa indispensable. Compter £ 25 (37,50 €) par pers. Les chambres sont impeccables. Elles* disposent de salle de bains et même d'un sauna pour l'une d'elles. Maison bien tenue et accueil dynamique.

Où manger ? Où boire un verre ?

I●I **Le Bistro** : *2, Trail St. Tlj sf dim et lun. Compter £ 6 (9 €) le plat. Plus cher le soir.* Sandwichs et bons petits plats servis dans une salle toute en longueur. Service agréable.

I●I **Upper Deck Restaurant** : *à Scrabster, à 2,5 miles (4 km) à l'ouest de Thurso.* ☎ *892-814. Env £ 11 (16,50 €) le plat.* Spécialisé dans les produits de la mer fraîchement débarqués du port.

Service aimable.

♈ ♪ **Commercial Bar** : *à l'angle de Princes St et d'Olrig St.* Pub le plus animé de la ville. Intérieur tout en lambris, avec vieilles photos noir et blanc sur les murs, roue de charrue... Tous les âges se côtoient autour d'une bière ou pour jouer au billard. Musique folk le mercredi. Parfois des *ceilidhs.*

À voir

🦌 **Dunnet Head** : véritable nord géographique du *Mainland,* marqué par un phare construit en 1831 par Robert Stevenson (grand-père de l'écrivain Robert Louis Stevenson). Perché à près de 105 m, les vitres du phare sont régulièrement brisées par des pierres projetées par la puissance des vagues. Cela traduit bien la violence du *Pentland Firth,* bras de mer reliant l'Atlantique à la mer du Nord, un des passages les plus agités du monde, avec des courants puissants créant des tourbillons. Pour couronner le tout, la violence des vents accentue les phénomènes pour donner des vagues de près de 8 m de haut !

Manifestations

– **Caithness Agricultural Show** : *vers mi-juil.* Rencontre des fermiers.
– **Mey Games** : *en principe, début août.* La reine mère avait l'habitude d'y assister. Musique, sport...
– **Championnat de surf** : *en avr.*
– **Northlands Festival** : *en sept.* Au programme : musique nordique, théâtre, danses, arts... avec un accent sur l'héritage viking.

TONGUE   560 hab.   IND. TÉL. : 01847

À une centaine de kilomètres au nord d'Inverness (compter 3h de route environ ; *single track road* à partir de Lairg), Tongue a une consonance bien adaptée : ça sonne comme le bruit grave d'une cymbale – Tonggghhh –, le coup d'envoi qui marque le début de la grande et superbe route des Highlands de l'Ouest. La ville en elle-même est toute petite. On peut se rendre à pied au château en ruine qui domine le loch. La balade dure environ 1h. Suivre le petit chemin « To Castle Varick » (départ à côté de la *Royal Bank of Scotland*). À l'horizon, l'inquiétant Ben Hope. La vue est superbe, surtout le soir au coucher du soleil.

Arriver – Quitter

➤ **Tongue-Lairg :** bus postal tlj sf le dim. Départ le mat de Tongue, vers midi de Lairg.
➤ **Tongue-Thurso :** bus postal tlj sf dim. Départ le mat de Thurso, en fin de matinée de Tongue.

Adresse et infos utiles

■ **Royal Bank of Scotland :** au centre du village. Lun-ven 9h15 (mer 10h)-12h30, 13h30-16h45.

✉ **Poste :** lun-sam 9h-17h30. Fermé mer ap-m et dim.
■ **Épiceries :** SPAR et à la poste.

Où dormir ? Où manger dans le coin ?

Camping

⚸ **Talmine Campsite :** à Talmine, prendre à droite après la digue sur le Kyle of Tongue. ☎ 601-225. Compter env £ 10 (16 €) pour 2 pers dans une tente. La proprio passe le matin ou le soir. Camping sommaire : on fait la vaisselle dans le bloc sanitaires (eau chaude), moyen-nement entretenu, mais situé dans un cadre idyllique. Crique où viennent parfois se nicher des phoques à marée basse. Pas mal d'habitués. Le fils et le frère de la proprio sont pêcheurs et vendent de temps à autre crabes et homards au camping.

Bon marché

🏠 **Youth Hostel :** à env 2 miles (ou 3 km ; 15-20 mn à pied) de Tongue, repérer la maison rouge sur la droite, avt la digue. ☎ 611-789. ● syha.org.uk ● Avr-sept. Lit en dortoir (8 pers max) £ 14 (21 €) ou chambre double £ 32 (48 €) pour deux. Une petite auberge idéalement située face au Kyle of Tongue. Cuisine à dispo. Warden adorable.

De prix moyens à chic

🏠 **Strathtongue Old Manse :** à Coldbackie (3 miles, soit env 5 km, à l'est de Tongue). ☎ 611-252. ● strathtongue.co.uk ● À la sortie du village, sur la route côtière en direction de Thurso. Fermé en hiver. Compter £ 25 (37,50 €) par pers. Dans cet ancien presbytère, entouré d'un jardin fleuri, rien d'étonnant à ce qu'il règne un calme religieux. Stephanie, depuis longtemps dans l'hotellerie, a aménagé et décoré avec goût trois chambres équipées de salle de bains (soit privée mais à l'extérieur, soit dans la chambre). Vraiment une adresse de charme tant dans la déco que dans l'accueil et un bon rapport qualité-prix. Nos vœux sont exaucés.
🏠 **Cloisters :** à Talmine, prendre à droite après la digue sur le Kyle of Ton-gue. ☎ 601-286. ● cloistertal.demon.co.uk ● ⚒ Fermé parfois en hiver. À partir de £ 23 (34,50 €) par pers. Si les proprios ont transformé l'église en résidence principale, d'une grande originalité, les trois chambres d'hôtes, elles, se trouvent à part, construites dans un style traditionnel, qui ne dépare pas. Spacieuses et joliment décorées, elles sont toutes équipées de salle de bains. Une seule dispose de la vue sur la mer. Le petit déj se prend avec recueillement dans la maison familiale, mais un nouveau bâti-ment sur l'arrière devait abriter une salle à manger. Accueil adorable d'Audrey et de Bob, rentrés au pays après avoir long-temps vécu en Australie.
🏠 **Rhian Guesthouse :** à la sortie de Tongue par un petit chemin, env 1 mile

(1,6 km) après la poste, sur la droite. ☎ *611-257.* ● *rhiancottage.co.uk* ● *Compter £ 27-30 (40,50-45 €) par pers.* En pleine campagne, face au majestueux Ben Loyal, la *guesthouse* propose des chambres dans la maison principale ou dans les annexes (anciennement le chenil et l'étable) plus humides toutefois quand le ciel n'est pas de la partie. Le vaste jardin sert de terrain de jeux aux nombreux animaux en liberté (chèvres, moutons, poules, chien, etc.) qu'on peut aussi observer de l'agréable véranda. Accès wi-fi.

|●| ▲ *Craggan Hotel :* à Melness, prendre à droite après la digue sur le Kyle of Tongue. ☎ 601-278. ● thecragganhotel.co.uk ● Env £ 20 (30 €) la double par pers. Tabler sur £ 10-15 (15-22,50 €) le plat de poisson. Le bâtiment face à la mer abrite un resto réputé dans le coin pour son poisson et ses fruits de mer. Du coup, il reçoit aussi bien les locaux que les touristes qui se mêlent dans une joyeuse ambiance populaire. Chambres petites avec lavabo (salle de bains communes) dont certaines bénéficient d'une vue sur la mer. Attention au bruit, car l'hôtel fait aussi resto.

|●| ▲ *Tongue Hotel :* à l'entrée de Tongue en venant du sud. ☎ 611-206. ● ton

guehotel.co.uk ● Env £ 45-50 (67,50-75 €) par pers selon saison en chambre double. Env £ 11-13 (16,50-19,50 €) le plat. Ce relais de chasse de l'époque victorienne a du chien, y'a pas à dire ! Mais si tout le monde ne peut pas s'offrir les belles et vastes chambres de l'hôtel (on aime le style tartan de celle en mezzanine), le pub et le resto sont heureusement plus accessibles. Cadre chic et formel pour le resto, décontracté pour la partie pub : à vous de choisir votre atmosphère, les prix et le resto sont identiques, la cuisine est goûteuse et généreusement servie dans les deux cas. De plus, le jeune couple d'Anglais qui a repris l'établissement est tout à fait serviable.

▲ *The Sheiling :* à Melvich, à la sortie du village en direction de Thurso. ☎ (01641) 531-256. ● thesheiling.co.uk ● Fin avr-début oct. Réserver longtemps à l'avance. Compter £ 35-38 (52,50-57 €) par pers. Guesthouse de bonne qualité, tant du point de vue du confort que de l'hospitalité. Elle dispose de trois chambres doubles, toutes avec salle de bains, deux avec vue sur la baie. Prix un peu au-dessus de la moyenne. Accueil rayonnant.

DE TONGUE À DURNESS

➢ S'il fait beau, que vous êtes d'humeur à folâtrer, que votre véhicule l'est aussi et que tout le monde est d'accord, nous conseillons vivement l'ancienne route qui se perd dans la montagne ; en faisant le tour du *Kyle of Tongue.* Ça rallonge d'une quinzaine de kilomètres, mais quel enchantement ! On rejoint ensuite la route principale.

Arrivée sur le *Loch Eriboll,* l'un des plus profonds de Grande-Bretagne où des bateaux trouvèrent refuge durant la Seconde Guerre mondiale. Les marins britanniques qui stationnaient ici avaient surnommé le Loch Eriboll « orrible » (avec l'accent *British*) en raison du climat rigoureux qui y sévissait. On vous rassure, les paysages qu'il offre sont parmi les plus beaux de la côte. Par ailleurs, la plus grande île du lac, qui par sa taille et sa forme, ressemble à un navire de guerre, servit de terrain d'entraînement aux bombardiers de la R.A.F.

Après le loch, quelques belles plages au sable blond et à la mer turquoise avant Durness. Arrêtez-vous, par exemple, en surplomb de *Rhispond Bay* pour une vue d'anthologie... si (par chance) le soleil darde.

DURNESS   350 hab.   IND. TÉL. : 01971

À une cinquantaine de kilomètres à l'ouest de Tongue. Un village aux maisons éparpillées dans un paysage d'herbe rase et de falaises battues par les vents

du nord. Elles abritent des colonies d'oiseaux et quelques jolies plages de sable blanc. Si vous continuez plus au nord, vous arriverez aux îles Féroé, puis en Islande, puis au Groenland. John Lennon passa plusieurs étés durant son enfance à Durness, dans la maison de Bertie Sutherland, une de ses tantes. Fut-il inspiré par la beauté sauvage des lieux ? Il semblerait que oui et que sa chanson « In my life » évoque le village des Highlands. En tout cas, Durness fut inspirée en créant le 1er festival John Lennon en septembre 2007.
Plus d'infos sur • northhighlandsscotland.com/festival •

Arriver – Quitter

– **Durness- Inverness** *(via Kinlochbervie, Scourie, Lairg) :* 2 bus/j. tôt le mat au départ de Durness, dans l'ap-m depuis Inverness. Avec les compagnies *George Rapson Travel* et *IP Mackay • rapsons.com •*
– **Durness- Inverness** *(via Ullapool) :* 1 bus/j. fin mai-fin sept : lun-sam ; juil-août : tlj. *Tim Dearman. • rapsons.com •*
– **Durness-Kinlochbervie :** 3 bus/j. slt les jours d'école, plus celui d'Inverness lun-sam. *• rapsons.com •*
– **Durness-Scourie :** 1 bus/j. tôt le mat depuis Durness, en fin d'ap-m au départ de Scourie opéré par *Rapsons,* slt les jours d'école. Plus celui d'Inverness lun-sam.

Adresses utiles

🏚 **Tourist Information Centre :** *Sango-more.* ☎ 511-368. *• durness.org •* Avr-oct : lun-sam 10h-17h (16h dim). Nov-mars : lun-ven 10h-13h30. Infos sur les hébergements (résa possible). Vend une brochure avec 4 promenades dans la lande (macareux, cormorans et autres sont visibles dans certaines balades...). Le mieux peut être de suivre le ranger qui propose 3 à 6 randonnées par semaine en été (juin-septembre). Parfois une lunette à disposition, laissée par le ranger dans l'office pour observer la faune.
◼ **Distributeur d'argent :** *devant l'épicerie* SPAR, *près de la poste et avt l'embranchement pour Balnakeil.*
◼ **Épiceries :** il y en a 2 dans le village.

Où dormir ?

Camping

🏕 **Sango Sands Camping :** ☎ *511-222 ou 726. • keith.durness@binternet. com • Ouv avr-oct.* Compter env £ 10 (15 €) la nuit pour deux ; douches chaudes payantes. Très bien situé sur la falaise, avec une vue magnifique sur la mer. Plutôt rudimentaire mais suffisant. Assez venteux. Plein de lapins partout. Pub et resto bon marché à proximité. Au pied de la falaise, deux belles criques de sable rose.

Bon marché

🏠 **Youth Hostel :** à Smoo, 1,3 mile (env 2 km) avt Durness (centre), sur la droite de la route, en venant de Tongue, juste après Smoo Cave. ☎ 0870-004-11-13. *• syha.org.uk •* Ouv avr-sept. Résa de mi-juil à mi-août. Lit £ 13 (19,50 €). Deux rustiques baraques en bois bleu et rouge, l'une accueillant les dortoirs, l'autre les pièces à vivre (cuisine, salle à manger). Dortoirs très simples de 6 à 14 lits. Problème : une seule douche pour tout le monde. Cadre toutefois enchanteur avec vue sur la mer, le jardin et les champs de moutons. Pas de laverie.
🏠 **The Lazy Crofter Bunkhouse :**

☎ *511-202.* • *durnesshostel.com* • *Face à la poste, il surplombe le Mac-kays Hotel. Compter env £ 12 (18 €) le lit. Non-fumeur.* Sur une butte her-beuse, un petit bâtiment en préfabri-qué, prolongé par une véranda agréa-ble (vue sur mer). Intérieur très propre, clair et calme. Dortoirs impeccables,

prévus pour une vingtaine de person-nes. Tenu par un couple sympa, égale-ment propriétaire du restaurant *Mac-kays* (voir « Où manger ? »). Cuisine à disposition, salon, machine à laver. Si les *wardens* ne sont pas là, adressez-vous à leur restaurant.

Prix moyens

🏠 **B & B Smoo Falls** : à Smoo. ☎ *511-228.* • *joey@smoofalls.com* • *Juste en face de la* Youth Hostel *et du parking de* Smoo Cave, *2 km avt le centre de Dur-ness. Pas d'enseigne. Ouv Pâques-fin oct. Compter £ 21-23 (31,50-34,50 €)*

par pers. Une gentille dame à la retraite propose de petites chambres bien tenues. Vue sur la route (très calme), les champs, les falaises et la mer. Parking intérieur (avec un *cattle grid*).

Où manger ? Où boire un verre ?

🍴 **Balnakiel Bistrot & Resto** : *dans le* Balnakiel Craft Village, *à l'ouest du vil-lage.* ☎ *511-232. Sert tlj jusqu'à 21h30. Plats autour de £ 9 (13,50 €). CB refu-sées.* Une modeste baraque aux murs peinturlurés. Ne pas se fier aux appa-rences : elle abrite un bon petit resto comme on les aime. Cuisine simple et économique.

🍴 **Bookshop Restaurant & Gallery** : *juste à côté du* Balnakeil Bistro & Resto. ☎ *511-777. Lun-sam 10h-17h (16h dim). Plats chauds servis à partir de 12h30, autour de £ 8 (12 €). Menu intéressant le dim.* On commande au comptoir. « On vient ici pour nourrir tant le corps que l'esprit », prévient l'enseigne. À notre avis, ce sont plus les esprits qui sortiront rasasiés de lecture anglophone que l'estomac, la nourriture se révélant correcte, sans plus. Cadre malgré tout agréable pour avaler sur le pouce un sandwich, une assiette de saumon ou maquereau fumés au milieu des bouquins. Bon

café, moulu à la demande et accueil aimable.

🍴 **Mackays** : *face à la poste.* ☎ *511-202. Résa conseillée.* Le resto chic du coin. Le menu change tous les jours en faisant la part belle aux produits de la région : haddock fumé, sanglier, agneau ou langoustines. C'est pas donné, mais la qualité des produits associée à l'ori-ginalité des préparations lui valent une belle réputation.

🍷 **Pub du Smoo Cave Hotel** : ☎ *511-227. Avt la* Smoo Cave *en venant de* Tongue, *tourner à droite (indiqué) ; pour-suivre sur 250 m, c'est au bord de la falaise.* L'hôtel (chambres avec ou sans salle de bains, pas données) fait aussi resto et pub. Billard, piano et cheminée. Bon accueil.

🍷 **Sango Sands Oasis** : *en bordure de parking, près du camping du même nom (voir plus haut « Où dormir ? »).* L'autre pub du village, doté d'un billard, *of course !* Plus central que celui de l'hôtel *Smoo Cave.*

➤ DANS LES ENVIRONS DE DURNESS

🚶 **Smoo Cave** : *à env 1,3 mile (2 km) avt le centre de Durness, sur la droite en venant de Tongue.* Il s'agit d'une cavité naturelle creusée dans la roche calcaire et remplie d'eau. Cette caverne, la plus large du royaume, a été habitée par des hom-mes préhistoriques, puis par des Vikings. C'est aujourd'hui un paradis pour volati-les en tout genre (notamment des fulmars). Celle qu'on visite est plus récente : elle a été forgée par la glace et n'a été occupée qu'après sa fonte. Une plate-forme, à l'entrée de la grotte, permet de voir la cascade (ou de ne rien voir du tout s'il n'a pas plu depuis longtemps, ce qui arrive, si, si !). Vous rencontrerez sans doute Colin Coventry, un spéléologue. Il propose de faire un tour en bateau dans la grotte (☎ 511-704. Juin-août : 10h-17h ; avr, mai, sept : 11h-16h. Env £ 3 soit 4,50 € ; réduc). Pas de balade si la pluie est tombée au cours des derniers jours, car les inondations dans la grotte sont aussi rapides que dangereuses. Prévoir de bonnes chaussures. Petite promenade très instructive, avec commentaire en français, s'il vous plaît. Au bout du tunnel, un siphon près de 500 m de long. L'eau y est très sombre à cause de la tourbe, et Colin vous racontera la fois où il y est descendu, dans le noir, avec des anguilles qui lui glissaient entre les doigts...

🥾🥾 *Balnakeil :* *hameau à 2 km à l'ouest de Durness.* Joli cimetière avec une chapelle en ruine, au bord d'une magnifique baie. Plage extra.

🥾 *Balnakeil Craft Village :* ancienne base militaire qui sert maintenant d'atelier à des artistes et à des artisans (sculpteurs, peintres, graveurs, potiers, etc.). Vente sur place.

🥾🥾 *Faraid Head :* ce bout de côte sauvage qui s'élance dans la mer au nord de Durness peut faire l'objet d'une très belle randonnée. *Rens auprès de l'office de tourisme. Départ du parking de Balnakeil. Compter 2-3h de marche aller-retour pour un niveau assez facile.* C'est l'occasion d'apercevoir une petite colonie de macareux *(puffins),* des fulmars, cormorans, sternes (appelées aussi hirondelles de mer), parfois aussi des baleines et des phoques. On revient soit par le même chemin, soit à travers les dunes.

🥾🥾🥾 *Cape Wrath :* vaut sans hésiter le déplacement. Pointe extrême du nord-ouest de l'Écosse. En face, pas de terre ferme (enfin, de banquise) avant l'Arctique. Les *Clo Mor Cliffs* sont les plus hautes falaises de Grande-Bretagne, sanctuaire d'oiseaux de mer, martelées par les vagues furieuses de l'Atlantique et peu perturbées par les rares visiteurs.

➤ *Pour y aller :* prévoir une demi-journée. Un ferry pour piétons slt (vélos acceptés) part de Keodale au sud de Durness et traverse le Kyle of Durness. Env 3 à 4 départs/j. de fin mai à mi-sept, selon la demande, 9h30-11h, 13h30-15h ; horaires définis en fonction de la marée et du climat, se renseigner à l'office de tourisme ou rdv directement à Keodale. Il prend deux fois 14 pers max. Il est relayé par 2 minibus qui vous emmènent en 40 mn jusqu'au cap. *Compter £ 5 (7,50 €) pour le ferry et £ 8 (12 €) pour le bus aller-retour ; réduc. Le bus vous récupère au bout de 40 mn.* Cette visite ne fait pas l'unanimité parmi nos lecteurs, certains frustrés par le peu de temps resté sur place, d'autres qui ont dû attendre 3h pour reprendre un bus ! Compte tenu du prix, on préférait vous avertir.

➤ Les marcheurs les plus expérimentés poursuivront à pied au sud vers *Sandwood Bay* et sa fabuleuse plage de sable blanc. Attention aux *midges* ! Solitude et horizons infinis assurés. *Attention,* ne vous aventurez pas en mer à la nage, les courants sont dangereux. Du cap Wrath au premier village (Blairmore), il faut compter environ 18 km de sentiers vallonnés, pas toujours commodes. Équipez-vous donc en conséquence. Arrivé à Blairmore, il faut passer la nuit à Kinlochbervie (à 3 km) et prendre le bus *Rapsons* le lendemain pour remonter sur Durness.
– *Mrs MacKay, Bus Service :* ☎ 511-287. Mai-sept : 3 à 4 bus/j., mais ça dépend de la météo.

KINLOCHBERVIE   200 hab.   IND. TÉL. : 01971

Après avoir traversé des paysages austères, âpres et dénudés, la route A 838 venant de Durness aboutit à Kinlochbervie, un port de pêche au fond d'une baie abritée par des collines. Très belle plage bordée de dunes à Idshoremore.

Où dormir ? Où manger ?

🏠 Quelques *B & B* avant d'arriver au port.

🏠 |●| *Old School Restaurant and Guesthouse* : à Inshegra. ☎ 521-383. ● oldschoollkb.co.uk ● *Sur la droite de la route, à 2,5 miles (4 km env) en venant de Rhiconich. Ouv tte l'année. Compter £ 28-35 (42-52,50 €) par pers selon la taille du lit et confort (avec ou sans sdb). Plats à partir de £ 9 (13,50 €). Resto le soir, snack le midi.* Près d'un torrent, face à un petit loch, une maison en pierre et ardoise, avec 6 chambres confortables en bungalow et une restauration de très bon niveau servie dans l'ancienne salle de classe.

|●| *Fishermen's Mission* : à l'entrée de la zone portuaire. ☎ 521-261. *Lun-ven 9h30-13h45, 17h-20h (ven jusqu'à 14h). Env £ 5-6 (7,50-9 €) le plat.* Une banale cantine de pêcheurs pour manger (ne fait pas bar) du poisson pané (du vrai !) ou du poulet arrosé d'un grand verre de lait, avant de reprendre la route ou la mer. Bon gâteau au chocolat chaud.

À faire

➤ Rejoindre Blairmore et Sheigra pour entreprendre la promenade de 8 km vers la merveilleuse plage aux sirènes de *Sandwood Bay,* hantée, dit-on, par le fantôme d'un marin barbu.

SCOURIE   140 hab.   IND. TÉL. : 01971

Petit port situé sur la route de Durness à Ullapool. La route est fort belle et traverse un massif sauvage entrecoupé de profondes vallées. Le village constitue une étape agréable. Plage sûre.

Arriver – Quitter

➤ *Scourie-Durness :* fin mai-fin sept : lun-sam 1 bus/j. ; juil-août : tlj, opéré par *Tim Dearman.* ☎ (01349) 883-585. Un autre par *George Rapson Travel :* ☎ (0131) 552-86-69. ● *rapsons.com* ●

➤ *Scourie-Inverness :* 1 bus/j. avec *Tim Dearman (via **Ullapool**) slt en été, dim slt en juil-août.* Un autre avec *George Rapson Travel (via **Lairg**).* ● *rapsons.com* ●

Adresses utiles

Dans le centre du village, on trouve une *poste* et une *station d'essence,* accessible 24h/24 en payant par carte de paiement.

Où dormir ? Où manger ? Où boire un verre ?

Camping

⚐ *Camping :* juste à la sortie du village, sur la droite, en allant vers Kylesku. ☎ 502-060. *De mi-avr à fin sept. Ne prend pas de résa. Compter £ 11-12 (16,50-18 €) pour 2 pers selon taille de* la tente. Idéalement situé, en terrasses, face à la mer. Bien équipé et propre. Laverie. Épicerie à 150 m. Plats à emporter au café-resto *Anchorage,* juste à côté. Bon accueil.

De prix moyens à chic

🛏 **Scourie Guesthouse :** dans la partie résidentielle du village. De la route principale, prendre à gauche au niveau de la station d'essence. Fléché « 55 Scourie Village ». ☎ 502-001 ● scourieguesthouse.co.uk ● Env £ 28 (42 €) par pers. CB refusées. Chambres pas bien grandes mais cosy, en mezzanine et équipées de salle de bains et d'un frigo. Petit déj pris dans la véranda. Accueil gentil.
🛏 **Scourie Lodge :** à côté du port. ☎ 502-248. ● scourielodge.co.uk ● En venant de Durness, sur la droite, au niveau du café-resto Anchorage. C'est au bout de la petite rue, une belle résidence derrière un portail. Ouv mars-oct. Env £ 30-35 (45-52,50 €) par pers. CB refusées. Dîner sur demande. Non-fumeur. Trois chambres spacieuses (avec salle de bains) dans une demeure

construite en 1835 sur ordre du duc de Sutherland. Lounge à l'étage. Quant au jardin, en 1851, un jardinier envoya des graines de palmier de Nouvelle-Zélande ; elles mirent 6 mois à atteindre l'Écosse, mais le résultat est aujourd'hui surprenant !
🍽 🍷 **Pub du Scourie Hotel :** dans le village, à droite de la route principale, en haut d'une petite côte. ☎ 502-396. Plats autour de £ 7-10 (10,50-15 €). Ce quartier général des pêcheurs et des chasseurs en saison possède à la fois un resto (chic) et un pub. On a opté pour ce dernier (contourner le bâtiment par la droite) pour déguster de bons poissons, face aux collines. Tables en bois, billard, bonnes ales, bref un bon petit pub classique, à l'accueil, qui plus est, charmant.

Randonnée

➤ **Balade pédestre de Scourie à Tarbet :** du camping, on aperçoit un sentier qui grimpe sur la colline. Près du camping, prendre la route goudronnée vers le port ; le sentier démarre le long du mur du Scourie Lodge. Escalader et admirer cette multitude de minuscules lacs. Superbe. Env 4h aller-retour.

➤ DANS LES ENVIRONS DE SCOURIE

🥾🥾🥾 **Handa Island :** accessible en barque à moteur depuis le petit port de Tarbet : à 3 miles, soit env 5 km, au nord de Scourie, prendre une petite route sur la gauche sur 3 autres miles, fléché. Départs de début avr à début sept, tlj sf dim (selon météo) à 9h30 et 14h ; dernier retour à 16h30. Rens : Handa Ferry, ☎ 07768-167-786. Tarif : £ 10 (15 €) ; réduc. L'île est une propriété privée, mais est gérée par le Scottish Wildlife Trust. ● swt.org.uk ● Prévoir 2-3h de balade et de bonnes chaussures pour parcourir le sentier long de 6 km qui fait le tour de l'île.
Cet îlot rocheux, dont les falaises sont percées de nombreuses grottes, est devenu une réserve d'oiseaux, certains faisant le

UN TRÔNE SUR HANDA

Au XIXe siècle, une soixantaine d'habitants vivaient sur Handa Island, quasi en autarcie, se nourrissant de pommes de terre, de poissons et d'oiseaux marins. Mais le plus étonnant est l'État qu'ils avaient créé. Pour ne pas faire les choses à moitié, ils placèrent une reine à leur tête et mirent en place un parlement qui se réunissait chaque matin pour discuter des affaires du jour. Une vraie démocratie à échelle réduite ! Malheureusement, la famine mit un terme à ce royaume du bout du monde. Les sujets de sa Majesté émigrèrent en Nouvelle-Écosse, contraints d'abandonner leur île, leur patrie et système politique. Aujourd'hui, on peut encore voir les ruines de leurs habitations.

voyage depuis l'Arctique ! Ils sont 180 000 individus à nicher : vaste colonie de guillemots de Troïl, de petits pingouins (razorbills), également quelques macareux les hauteurs, fulmars et labbes dans la lande.

Des volontaires restent sur place pendant la période estivale. Terrain spongieux, mais paysage magnifique.

KYLESKU   110 hab.   IND. TÉL. : 01971

À une quinzaine de kilomètres environ au sud de Scourie sur la route d'Ullapool. Deux lochs, le Glendhu et le Glencoul, se rejoignent à la hauteur de Kylesku pour former un gros loch (Loch Chairn Bhain) qui se jette dans la mer. Pas vraiment de village, mais un habitat dispersé. L'endroit n'en est pas moins charmant pour un court séjour, avec de jolies balades à faire aux alentours autour du *Loch Glendhu* et surtout vers les *Eas-a'Chual Iluin,* les plus hautes chutes de Grande-Bretagne.

Arriver – Quitter

➢ *Inverness-Kylesku-Durness* (via Ullapool) : 1 bus/j. fin mai-fin sept : lun-sam ; juil-août : tlj. Liaison assurée par la compagnie *Tim Dearman.* ☎ *(01349) 883-585.* • *rapsons.com* •

Où dormir ? Où manger ?

Plus chic

🏠 |●| *Kylesku Hotel :* au lieu-dit Kyles-trome, sur le Loch Glendhu. ☎ *502-231.* • kyleskuhotel.co.uk • *En venant de Scourie par la route A 894, traverser le pont Caolas Dumhan et prendre la 1re à gauche. Ouv de début mars à mi-oct. Résa conseillée. Compter £ 35-44 (52,50-66 €) par pers pour une chambre double avec ou sans sdb. Également une chambre familiale à £ 110 (165 €) pour 2 adultes et 2 enfants. Menus au resto à partir de £ 25 (37,50 €).*

Au pub, plats autour de £ 10 (15 €). Un hôtel en bordure de loch, particulièrement chaleureux et aux chambres cosy. On aime bien la n° 1 pour sa grande fenêtre qui s'ouvre sur le lac ou la n° 8 en annexe, pour plus de tranquillité. Quant au resto, ce sont les poissons et les fruits de mer qui ont assis l'excellente réputation de l'établissement. N'hésitez pas à opter pour la partie « pub », bien moins chère que le resto.

À voir. À faire

🍴 *Maryck Museum :* Unapool, Kylesku. ☎ *502-341. À 0,5 mile (env 1 km) au sud du pont Caolas Dumhan, sur la gauche de la route A 894, en allant vers Ullapool. Pâques-oct : tlj 10h-17h30. Entrée : £ 2 (3 €).* Maryck, une très gentille dame, a rassemblé une collection de maisons de poupées de 1880 à 1960 (une par décennie). Également des poupées de cire (manque celles de son !) et des robes de communiantes. Pour les nostalgiques.

➢ *Les chutes d'Eas-a'Chual Iluin :* les plus hautes de Grande-Bretagne, avec plus de 200 m de dénivellation. Accès difficile par des chemins de randonnée escarpés et mal indiqués. Se procurer les cartes de rando très bien faites à l'office de tourisme d'Inverness. La promenade demandera 2h aux bons marcheurs.

➢ *Promenades en bateau* vers les chutes (on ne voit pas grand-chose), avec colonies de phoques au passage et parfois des aigles. ☎ *502-345. Prix : £ 15 (22,50 €). Départs du Old Ferry Pier, face au Kylesku Hotel, mai-sept, tlj sf sam à 11h et 15h (14h ven).*

➤ *Kerrachar Gardens : jardins accessibles en bateau (30 mn) depuis le* Old Ferry Pier, *face au* Kyalesku Hotel. ☎ *502-345 (bateau) et* ☎ *(01571) 833-288 (jardins).*
● *kerrachar.co.uk* ● *Prévoir £ 15 (22,50 €) pour la traversée et la visite ; gratuit pour les jeunes enfants. Départs de mi-mai à mi-sept : mar, jeu et dim à 13h. Si, comme les Britanniques, vous êtes amoureux des jardins, celui-ci vous séduira à coup sûr par son originalité puisqu'il est situé le long d'un loch et que son accès n'est possible qu'en bateau.*

ASSYNT

Une des plus belles régions du Nord (eh oui, encore une !) qui s'étire entre Kylesku et Ullapool, avec Lochinver comme « chef-lieu ». Romantisme, côtes sauvages, hébergements de qualité et pour tous budgets, restauration qui ne démérite pas, bref, voilà un beau coin de nature qu'on plébiscite haut et fort.
À consulter aussi : ● *assynt.info*
● *historicassynt.co.uk* ●

PEUPLE SOUVERAIN

En 1993, une transaction peu banale a eu lieu : dans la région d'Assynt, les habitants ont racheté 21 500 ha à son propriétaire. Ils avaient en effet perdu leur souveraineté avec l'effondrement du système des clans et la politique de « privatisation » du sinistre duc de Sutherland. Pour mener à bien ce « rachat », une première dans l'histoire des Highlands, les £ 300 000 nécessaires ont été réunies grâce à des dons du monde entier. Aujourd'hui, droits de pêche et de chasse sont enfin acquis aux habitants d'Assynt.

DE KYLESKU À LOCHINVER PAR LA CÔTE

(IND. TÉL. : 01571)

Regardez sur la carte cette petite route insignifiante (la B 869) qui passe par Drumbeg et Clashnessie. Eh bien, c'est une de celles qui livrent les panoramas les plus époustouflants. Route presque plus étroite que la largeur du véhicule, sinueuse à souhait. À déconseiller aux camping-cars... et pourtant on en croise (du moins, on essaie !). Avoir fait le plein d'essence avant : une seule pompe à Lochinver.

Adresses utiles

– *Poste* et *épicerie* à Drumbeg.

Où dormir ? Où manger dans le coin ?

Campings

⚴ *Clachtoll Beach Campsite :* un peu après Stoer, sur la droite, en venant du nord. Sinon, à 6 miles (9,6 km) de Lochinver. ☎ 855-377. ● clachtollbeach campsite.co.uk ● Ouv Pâques-fin sept. Prévoir £ 10-12 (15-18 €) selon la taille de la tente, pour 2 pers. Le terrain herbeux surplombe une magnifique plage de sable blanc (accès direct) qui borde une eau turquoise. Grandiose ! Mieux vaut fortement ancrer les piquets de tente toutefois, car le coin peut être très venteux. Outre sa situation, le camping assure aussi côté entretien (sanitaires étincelants et même croquignolets : fleurs, jolis miroirs). Au fait, si la plage est sûre, l'eau est réfrigérante : 14 °C en juillet... Pour amateurs !

⚓ *Shore Campingsite :* à Achmelvich. ☎ 844-393. Au bout de la route, juste devant la belle plage de sable blanc. Ouv avr-sept. Compter £ 8-10 (12-15 €)

pour 2 pers selon la taille de la tente. Camping bien équipé, avec laverie et quelques provisions en vente l'été. Également *fish & chips* à emporter.

Bon marché

🛏 *Youth Hostel :* à Achmelvich. ☎ 0870-004-11-02. • syha.org.uk • Ouv fin mars-fin sept. Résa conseillée pour juil-août. La nuit env £ 13 (19,50 €). Cette AJ rudimentaire occupe une ancienne maison de pêcheur retapée (pas assez). La trentaine de lits est

répartie en 3 dortoirs (2 pour garçons avec 8 lits chacun et un de 16 couchages pour les filles !). Boules Quies en vente à la réception... à bon entendeur ! Douche et w-c dans un autre bâtiment. Un atout : sa superbe situation, à 200 m de la plage.

Prix moyens

🛏 |●| *Drumbeg Hotel :* à l'entrée du village de Drumbeg, sur la droite. ☎ 833-236. • drumbeghotel.co.uk • Doubles avec sdb £ 30-35 (45-52,50 €) par pers selon taille. On aime bien cet hôtel posé devant un petit loch romantique à souhait. Préférez les chambres à l'étage, plus spacieuses et jouissant d'une meilleure vue. Le resto, en revanche, nous a laissé sur notre faim. Mais les sandwichs peuvent dépanner. Accueil souriant.

🛏 *Ardsaile B & B :* sur la B 869, à 1 mile (1,6 km) d'Achmelvich, sur la droite. ☎ 844-363. • ardsaile.co.uk • Ouv Pâques-fin oct. Accès par un chemin pierreux. Il faut ouvrir la barrière. Prévoir env £ 25-30 (37,50-45 €) par pers selon saison. Dans une maison en pleine nature, Angela accueille très gentiment ses hôtes dans 3 vastes chambres, toutes dotées de salle de bains. Le salon de l'étage, avec ses grandes baies vitrées qui donnent sur la mer au loin, est laissé à la disposition des résidents.

🛏 *Stac Fada :* à Stoer, presque à la sortie du village en venant du nord, bifur-

quer à gauche au niveau du cimetière par un chemin étroit. ☎ 855-366. • stac fada.co.uk • Viser la bâtisse jaune en hauteur. Ouv avr-oct. Compter £ 22-25 (33-37,50 €) par pers selon la taille de la chambre (sdb à partager). Ce B & B distille une atmosphère agréable avec ses deux grandes chambres en mezzanine joliment arrangées et son accueil enthousiaste. Vue incroyable sur la baie.

🛏 *Ardmore House :* chez Sandra MacLeod, sur la B 869, à env 1,5 mile (2,4 km) d'Achmelvich, sur la droite. ☎ 844-310. Ouv avr-oct. Il en coûte £ 22 (33 €) par pers avec petit déj, sdb commune. Barrière à ouvrir avant de grimper jusqu'à cette belle maison isolée qui propose deux chambres coquettes et spacieuses. Sandra est très aimable.

🛏 *Stoer Villa :* à Stoer, à l'entrée du village, sur la droite, en venant du nord. ☎ 855-305. Ouv tte l'année. Compter env £ 18 (27 €) par pers. Deux grandes chambres à l'étage. Attention, les sanitaires sont au rez-de-chaussée. Accueil sympathique des proprios hollandais.

À voir

🌟🌟🌟 À ne pas manquer : *Nedd,* un village tout mignon, puis *Drumbeg,* non moins adorable, et la plage de sable rose de *Clashnessie.* Sur cette même route, un petit crochet en suivant le panneau « Lighthouse » mène à un cul-de-sac, *Point of Stoer,* où généralement une colonie de phoques a la bonne habitude de se dorer au soleil. À vos objectifs ! Mais attention, les rochers sont glissants. Puis l'*Old Man of Stoer,* à la pointe de la péninsule de Stoer, à 45 mn de marche du phare. C'est une aiguille rocheuse de plus de 60 m, fichée comme un minaret au milieu des vagues de l'Atlantique. Escalade réservée aux grimpeurs très expérimentés. À noter aussi, le mont Suilven, en forme de pain de sucre, objectif très prisé des randonneurs.

En redescendant vers Lochinver, possibilité de rejoindre *Achmelvich,* hameau perdu au bout d'une route sans issue, isolé et battu par les vents, qui vaut le déplacement pour sa splendide petite plage blanche léchée par des eaux turquoise.

LOCHINVER   90 hab.   IND. TÉL. : 01571

Joli port niché au bord d'une rivière, dans le fond du Loch... Inver (logique !). Plusieurs B & B, mais souvent complets. N'hésitez pas à loger plus au nord, vers Almevich et Stoer, voir plus haut « Où dormir ? Où manger das le coin ? ».

Arriver – Quitter

➣ *Lochinver-Lairg :* un aller-retour/j. (sf dim) en bus postal.

➣ *Inverness-Lochinver-Durness (via **Ullapool** et **Scourie**) :* un bus/j. fin mai-fin sept : lun-sam ; juil-août : tlj. Liaison assurée par la compagnie *Tim Dearman.* ☎ *(01349) 883-585.* ● *rapsons.com* ●

➣ *Ullapool-Lochinver-Drumbeg :* 2 à 3 bus/j. lun-sam. ☎ *(01463) 710-555.* ●*rap sons.com* ●

Adresses utiles

🛈 *Tourist Information Centre :* Assynt Visitor Centre, *dans le village, sur la gauche en venant du nord.* ☎ *0845-225-51-21.* ● *lochinver@visitscotland.com* ● *Avr-oct : tlj 10h-17h (16h dim).* Très bien documenté et efficace. Réservation pour les *B & B.* Plein d'infos utiles sur la région nord. À l'étage, bureau des rangers.

■ *Royal Bank of Scotland : 400 m après l'office de tourisme en direction* du port, *à gauche dans un virage, juste avt le pont. Difficile à apercevoir. Lun-ven 9h15 (9h45 mer)-12h30, 13h30-16h45.* Distributeur de billets (rare dans les parages).

■ *Station d'essence : à l'entrée du village, sur la droite.*

■ *Poste : dans la rue principale, sur la gauche. Lun-ven 8h30-13h, 14h-17h ; sam 8h30-12h30. Fermé mar ap-m, sam ap-m et dim.*

Où manger ?

|●| *Lochinver Larder* (Riverside Bistro) *: dans la rue principale, à l'entrée de Lochinver, sur la droite en venant du nord. Facile à trouver.* ☎ *844-356. Tlj 10h-20h (dernière commande).* Pies £ 6 (9 €) *le midi ou plats £ 9 (13,50 €) ; le soir compter plutôt £ 11-13 (16,50-19,50 €).* Un resto réputé pour ses *pies* (sorte de ~~u~~rtes salées). Très goûteux (celui au ~~ha~~ddock fumé notamment), ils vous ~~servent~~ un homme ni une ni deux ! Le tout ~~accompagné~~ d'une bonne *ale.* Les desserts ne ~~sont pa~~s mal non plus. Après ça, rando ~~et~~ le monde !

~~...~~feidh Restaurant & Lounge

Bar : dans la rue principale, juste à côté du Lochinver Larder. Tlj 11h-23h. Plats autour de £ 8-10 (12-15 €). Intérieur chaleureux en lambris et pierre apparente où l'on sert de bonnes spécialités écossaises.

|●| *Fishermen's Mission : juste à l'entrée du port en venant de l'office de tourisme, dans une petite rue perpendiculaire à la rue principale. Accès par l'arrière du bâtiment. Lun-ven 9h30-18h (dernière commande à 17h30).* Du bon poisson pané qui frétille encore, arrosé d'un grand verre de lait. Bon rapport qualité-prix.

AUTOUR DU LOCH ASSYNT

À environ 6 miles (10 km) à l'est de Lochinver commence le Loch Assynt, qui offre des paysages de monts à la végétation pelée et aux formes arrondies. Là, au bord de l'eau, se dressent les très photogéniques ruines d'*Ardvreck Castle.* La route A 837 passe ensuite par la réserve naturelle d'*Inchnadamph,* lieu de rendez-vous des géologues au milieu d'un décor montagneux exceptionnel, tandis qu'à *Ledmore Junction,* la rivière Oykel pullule de saumons.

Où dormir ?

🏠 *Inchnadamph Lodge :* à 11 miles (18 km) à l'est de Lochinver par la route A 837. ☎ (01571) 822-218. ● inch-lodge.co.uk ● Ouv mars-nov. Résa impérative en été. Une trentaine de lits en dortoirs £ 15 (22,50 €) par pers ; en chambres doubles autour de £ 22 (33 €) par pers ou familiales (lit double et un ou deux lits simples) pour £ 19 (28,50 €) par pers, breakfast compris. Très bien situé, entre le Loch Assynt et les montagnes, on aperçoit parfois des biches aux abords du lodge. Une maison de 1821, rénovée (ouf !) et bien équipée, très propre, avec des dortoirs de 4 ou 8 lits au rez-de chaussée, et quelques *family rooms* dotées de lavabo, à l'étage. Toilettes et douches sur le palier. Cuisine collective et agréable salle à manger. Laverie et épicerie. Salle télé et de jeux dans l'annexe. Possibilité de camper si l'auberge est complète.

Où dormir ? Où manger loin de tout ?

🏠 *The Alt Motel :* à 1 mile (1,6 km) à l'est de Ledmore, sur l'A 837 vers Inverness. ☎ (01854) 666-220. ● thealtmotel. com ● Ouv avr-oct. Prévoir £ 29 (43,50 €) par pers. Moins cher en loc à la sem (self-catering, *mais serviettes non fournies*). Situé sur les bords du Loch Borralan (truites et ombles-chevaliers), dans un paysage dépeuplé et beau. Pas une seule maison en vue. Un motel simple et confortable de 5 chambres seulement, avec une kitchenette. Beaucoup de pêcheurs. Prévoir une bombe contre les *midges.* Accueil très aimable.

|●| *Altnacealgach :* juste à côté de l'Alt Motel. ☎ (01854) 666-260. Ouv tte l'année, mais en hiver, slt le soir et le w-e. Plats £ 9-16 (13,50-24 €), moins cher le midi. Déjeuner léger (soupes et sandwichs), repas plus élaboré le soir, comme souvent. La carte change régulièrement, mais en principe, il y a de quoi satisfaire aussi bien les carnivores que les amateurs de poissons et même d'exotisme *(chicken masala).* Cuisine éclectique donc, dans une région qui ne compte pas beaucoup de tables où se sustenter.

À voir. À faire dans les environs

🎣 *Ardvreck Castle :* à env 10 miles (16 km) à l'est de Lochinver par la A 837. Du parking, petite balade bucolique le long du Loch Assynt jusqu'aux ruines de la forteresse. Construite au XVᵉ siècle, par le puissant clan MacLeod, elle fut agrandie au XVIᵉ siècle dans le style de l'époque. Ce ne sont ni les meurtres, ni les exécutions, ni même les batailles entre clans ou au sein de la famille MacLeod qui détruisirent le château au XVIIIᵉ siècle. Non, la forteresse fut anéantie par... la foudre. Comme quoi, la nature signe toujours le dernier acte ! Ses vestiges seraient toujours hantés, dit-on, par deux fantômes : celui, « triste à mourir », de la fille d'un chef MacLeod qui s'est noyée dans le lac après son mariage avec le diable, contracté

LE NORD DES HIGHLANDS

pour sauver le château de son père ! Et celui, plus réjouissant, paraît-il, d'un grand homme habillé de gris, qui rôde souvent près des ruines. Réjouissant ou pas : brrr !

🎣 🚶 *Knockan Crag : kiosque sur la gauche en venant de Ledmore (fléché), en surplomb du loch. Ou à 13 miles (21 km) au nord d'Ullapool.* ● *nnr-scotland.org.uk* ● *Pas du tout pratique en bus, mieux vaut être véhiculé.* Le centre d'informations (en libre accès) borde la réserve naturelle d'*Inverpolly*.

Grâce à des illustrations très pédagogiques : BD, panneaux explicatifs, table d'orientation et écran interactif (en français), on apprend pourquoi les scientifiques considèrent la région comme un site témoin pour la formation géologique du nord de la Grande-Bretagne. On a tout compris (ou presque) : il y a des millions d'années, le nord-ouest des Highlands était en effet relié à l'Amérique du Nord, les Highlands et les Appalaches constituant à l'origine une seule et même chaîne montagneuse. Ainsi, on peut dire que l'Écosse a plus en commun d'un point de vue géologique avec certaines régions des États-Unis qu'avec l'Angleterre.

Départ de sentiers nature bien balisés. Prévoir de bonnes chaussures et ne pas s'y aventurer par grand vent.

ACHILTIBUIE ET LA PÉNINSULE DE COIGACH

IND. TÉL. : 01854

Achiltibuie (prononcer « Areltiboui ») est le principal village de la magnifique péninsule de Coigach, entre Lochinver et Ullapool, véritable royaume des moutons. Des monts aux versants verts en été (couleur rouille en automne) descendent là vers une plage de sable blanc (à Achnahaird), plongent ici vers une côte dont une multitude de rochers s'est détachée pour saupoudrer la mer *(Summer Isles)*. Panorama grandiose si le temps est de la partie. Que l'on vienne de Lochinver ou par la route côtière ou par celle du centre qui longe les lochs Lurgainn et Bad à Ghaill, le plaisir est identique.
– *Infos sur* ● *coigach.com* ● *ou* ● *achiltibuie.net* ●

Arriver – Quitter

➤ *Achiltibuie-Ullapool :* 3 bus/j., 1 seul le sam, aucun le dim. Durée : 1h env. Rens : *D & E Coaches*, ☎ *(01463) 222-444.* ● *decoaches.co.uk* ●

Où dormir ?

🏕 *Camping Achnahaird :* à 4 miles (env 6 km) d'Achiltibuie en venant d'Ullapool. ☎ 622-348. Ouv mai-sept. Prévoir env £ 8 (12 €) pour 2 pers et une tente ; réduc pour les cyclistes. Quelqu'un récupère l'argent mat et soir. Un site exceptionnel, bordé par une magnifique plage de sable d'un côté, la lande à perte de vue et ses moutons de l'autre. Le camping joue à fond la carte « nature ». Équipement très sommaire : sanitaires dans un préfabriqué et pas de douche (il faut aller à Achiltibuie, sur résa auprès du proprio !). Mais évidemment bon marché.

🏠 *Youth Hostel Achininver :* à env 1 mile (1,6 km) env à l'est du Summer Isles Hotel *(centre du village).* ☎ 0870-004-11-01. ● *syha.org.uk* ● Arrêt du bus d'Achiltibuie-Ullapool à 2 km. En venant du centre d'Achiltibuie, un panneau l'indique sur la droite. Un sentier dans les fougères mène à l'auberge (500 m), adorable maison blanche au toit rose, face à la mer. Ouv mai-sept. Réception ouv 8h-10h, 17h-22h. Compter £ 13 (19,50 €) par pers. Pour les routards audacieux, aimant les beaux paysages d'Écosse, la solitude et le vent. Petit, coquet, propre, pourvu en eau, électricité et même chauffage. Dortoirs de 8 lits au rez-de-chaussée ou à l'étage en soupente. Coin-cuisine. Épicerie la plus proche à 4 km.

Où manger ? Où boire un verre ?

|●| ▼ *Summer Isles Hotel :* à Achiltibuie. ☎ 622-282. ● summerisleshotel. co.uk ● À 1 mile (1,6 km) avt l'AJ. Ouv Pâques-fin sept. Excellents sandwichs £ 5-7 (7,50-10,50 €), fruits de mer et poissons autour de £ 16 (24 €), avec un verre de muscadet. On est servi au bar, en terrasse ou dans le jardinet aux tables en bois qui surplombe la mer. Le soir, resto également réputé (un des meilleurs d'Écosse), mais beaucoup plus cher. Pour les nantis, belles chambres face à la mer, mais très très chères.

|●| ▼ *Am Fuaran Bar :* à Altandhu, à 4 miles (6 km) env à l'ouest d'Achiltibuie. ☎ 622-339. Ouv tte l'année, slt à partir de 16h l'hiver. Le midi, salades autour de £ 6 (9 €) ; le soir, compter £ 10-16 (15-24 €) le plat. Pub à la déco chaleureuse, qui mêle la pierre et le bois, entre repaire de marins et de touristes échoués. Deux cheminées, gobelets en étain suspendus, lampe tempête sur chaque table, faiblement éclairée. Au menu, que du frais. Si les pêcheurs ont pu sortir et si vous aimez les grosses crevettes *(scampi* et *prawns),* c'est ici qu'il faut venir les déguster. Mais le dimanche, c'est *roastbeef* pour tout le monde... Belle terrasse avec vue sur les îles Summer.

À voir. À faire

🥗 *The Hydroponicum :* en face du Summer Isles Hotel. ☎ 622-202. ● www.thehy droponicum.com ● Ouv Pâques-oct : tlj 11h-16h (fermé le w-e en oct). Fermé nov-mars. Entrée : £ 4,50 (6,80 €) ; réduc. Étonnante visite de cultures hors sol dans un jardin couvert, face à la mer. Légumes, fruits et fleurs. En fait, un beau mélange et surtout un bel exemple de ce que pourrait être l'agriculture de demain. Cette technique d'irrigation utilise en effet un minimum d'eau pour une efficacité maximum. Vente de kits sur place avec fertilisant et mode d'emploi ; envoi par correspondance possible ! Agréable cafétéria sous une grande serre.

➤ *Excursion en bateau :* d'Achiltibuie, possibilité de se rendre aux *Summer Isles.* Contacter Ian MacLeod : Summer Isles Cruises, *Post Office, Wester Ross.* ☎ 622-200 ou 315. ● summer-isles-cruises.co.uk ● Prix aller-retour : £ 18 (27 €) ; réduc. Deux traversées/j., sf dim, de Badentarpet Pier, à 10h30 et 14h15 ; retour 3h30 après. On y voit, entre autres, une belle colonie de phoques et de nombreuses espèces d'oiseaux marins.

🥗 *Smokehouse :* à *Altandhu,* après le village de Polbain. ☎ 622-353. ● summeris lesfoods.co.uk ● Ouv de Pâques à mi-oct : lun-sam 9h30-17h (éviter les heures de repas, aucune activité). Gratuit. Ils brûlent des copeaux de bois de vieux tonneaux ayant contenu du whisky, ce qui donne ce goût si particulier à leurs poissons, viandes ou fromages fumés. On observe les opérations de l'extérieur, derrière des vitres, mais on ne voit pas grand-chose. Vente de produits.

LA CÔTE OUEST

ULLAPOOL   1 300 hab.   IND. TÉL. : 01854

Sur les rives du Loch Broom, à une soixantaine de kilomètres au sud de Lochinver, ce dynamique petit port de pêche aux maisons blanches est devenu une importante étape touristique, en même temps qu'un centre de transit pour les voyageurs à destination de l'île de Lewis et Harris. Ne pas manquer le retour des pêcheurs le soir. Certains jours, on aperçoit les phoques. Amusante horloge monumentale en face de l'hôtel *Caledonian,* en souvenir de lord Arthur of Braemae.

Arriver – Quitter

En bus

– Tous les horaires sont affichés à l'office de tourisme d'Ullapool. Plusieurs compagnies : *Scottish Citylink, Rapsons, Spa Coaches, KSM, Westerbus.* Liaisons avec :
➢ **Inverness :** avec *Scottish Citylink,* ☎ 08705-50-50-50. ● *citylink.co.uk* ● Selon saison, 2 à 3 départs/j. (sf dim). Durée : 3h. Également 1 départ/j. (sf dim) avec *Tim Dearman.* ☎ *(01349) 883-585.*
➢ **Achiltibuie :** 1 à 3 bus/j. sf le dim avec *D & E Coaches.* ☎ *(01463) 222-444.* ● *decoaches.co.uk* ● Durée : env 1h.
➢ **Lochinver :** 1 à 3 bus/j. avec *Rapsons.* ● *rapsons.co.uk* ●
➢ **Gairloch :** 1 bus/j. lun-ven ; une autre liaison quotidienne avec correspondance ; le sam un bus/j. avec changement à Braemore. Durée : 1h45. Assuré par *Westerbus,* ☎ *(01445) 712-255.*

En bateau

➢ Ligne **Ullapool-Stornoway (sur l'île de Lewis).** *Rens* à Caledonian Mac-Brayne : ☎ *612-358 ou 08705-650-000 (résa).* ● *calmac.co.uk* ● Compter 2h45 de traversée. En principe, tte l'année 1 à 3 fois/j. (sf dim) selon saison. On peut prendre aussi un billet circulaire pour plusieurs îles Hébrides *(Hopscotch ticket).* Plusieurs formules. En voiture, traversée prohibitive. Mieux vaut la laisser à Ullapool et en relouer une à Stornoway.

Adresses utiles

🔲 *Tourist Information Centre :* 6, Argyle St. ☎ 612-486. ● *ullapool@visits cotland.com* ● *Une rue parallèle au port, derrière Shore St.* Ouv début avr-fin mai : lun-sam 9h-16h30 ; de fin mai à mi-sept : lun-sam 9h-17h, dim 10h-16h ; de mi-sept à fin oct : lun-sam 10h-17h. Bien documenté, sérieux et efficace. Horaires de bus affichés à l'intérieur. Vend aussi une petite brochure détaillant les sentiers balisés aux alentours.
■ *Banques et distributeurs automatiques :* Royal Bank of Scotland *sur Ladysmith St, derrière l'AJ.* Pas de change mais un autre distributeur à la Bank of Scotland, *sur West Argyle St, angle avec Quay St.* Accepte les principales CB. Possibilité de changer à un bon taux à la poste. En dépannage, voir aussi les boutiques de souvenirs sur Shore St.
✉ *Poste :* sur West Argyle St.
🖳 *Internet :* à la bibliothèque municipale sur Mill St., artère perpendiculaire à la côte.
■ 🖳 *Captain's Cabin :* Quay St. Lun-ven 9h-21h (18h sam) ; dim 10h-18h. Belle librairie pour choisir des cartes postales originales et des petits cadeaux. Accès Internet (payant).
■ *Stations-service :* à la sortie du village, vers le sud.
■ *Costcutter :* West Argyle St. Lun-ven 7h-20h ; w-e 8h-20h. Épicerie centrale et assez bien fournie. Plus au nord, se trouve le supermarché *Somerfield.*

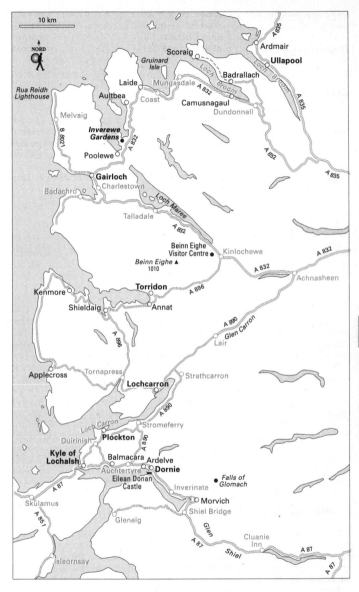

10 km

NORD

Rua Reidh
Lighthouse

Scoraig

*Gruinard
Isle*

Ardmair

Ullapool

Badrallach

Laide

Mungasdale A 832

Aultbea

Coast

Camusnagaul

Melvaig

Dundonnell

B 8021

*Inverewe
Gardens*

A 832

Poolewe

Gairloch

Charlestown

Badachro

Loch Maree

Talladale

A 832

Beinn Eighe
Visitor Centre

Kinlochewe

A 832

Beinn Eighe
1010 ▲

Achnasheen

Kenmore

Torridon

A 896

Shieldaig

Annat

A 890

Glen Carron

A 896

Lair

Applecross

Tornapress

Strathcarron

Lochcarron

A 890

Loch Carron

Stromeferry

Duirinish

A 890

Plockton

**Kyle of
Lochalsh**

Balmacara

Ardelve

Dornie

*Falls of
Glomach*

Auchtertyre

Eilean Donan
Castle

Inverinate

Skulamus

Morvich

Shiel Bridge

A 87

Glenelg

Glen

Cluanie
Inn

A 87

A 851

A 87

Shiel

A 87

Isleornsay

LA CÔTE OUEST

Où dormir ?

Campings

⚕ **Ardmair Point Caravan Site :** à 3 miles (5 km) au nord d'Ullapool. ☎ 612-054. ● ardmair.com ● Dans le virage, face à la baie. Ouv avr-sept. Prévoir env £ 13 (19,50 €) pour 2 pers avec une tente, douches chaudes comprises. Loue également des chalets face au lac. Bien situé, sur une bande de terre qui s'avance dans le loch Broom. Bon équipement et accueil jovial.

⚕ **Broomfield Caravan Park :** West Shore St. ☎ 612-020 ou 612-664. ● broomfieldhp.com ● Prendre la route du rivage et tourner à droite au 2e croisement. Ouv Pâques-sept. Compter £ 11-13 (14,50 à 17,40 €) pour 2 pers selon taille de la tente. Douches payantes. Le plus proche de la ville. Grand terrain plat et vert, avec de l'espace pour les tentes. Vue superbe sur le loch : on peut guetter le retour des pêcheurs et aller assister au déchargement.

Bon marché

🏠 **West House Hostel :** West Argyle St. ☎ 613-126. ● scotpackers-hostels.co.uk ● Ouv tte l'année. Réserver en saison. Env £ 16 (24 €) en dortoir ; 3 chambres doubles £ 20 (30 €) la nuit par pers, petit déj compris. AJ indépendante située dans le village. Grande cuisine collective suréquipée, salle conviviale dotée d'un vieux poêle. Petits dortoirs impeccables de 4 ou 6 lits ; salle de bains pour certains. Ambiance familiale et accueil sympathique. Laverie, location de vélos, Internet.

🏠 **Le Clubhouse de The Ceilidh Place :** West Lane. Réception à l'hôtel The Ceilidh Place, 14, West Argyle St. ☎ 612-103. ● theceilidhplace.com ● Fermé 2 sem en janv. Prévoir env £ 15 (22,50 €) par pers ; ou £ 50 (75 €) la chambre familiale (4 pers). La partie dite clubhouse room, l'annexe de l'hôtel, de l'autre côté de la rue, est aménagée en chambres doubles ou dortoirs de quatre (sans breakfast et pas de cuisine à dispo). Très propre, et décoration coquette. Lavabo dans les chambres, w-c à l'étage, douche en bas. C'est deux fois moins cher que les chambres de l'hôtel, certes dotées de beaucoup de charme, mais vraiment chères. Accueil jeune.

🏠 **Youth Hostel :** Shore St, rue le long du port, dans une jolie maison. ☎ 0870-004-11-56. ● syha.org.uk ● Ouv avr-oct. Résa conseillée de début juil à mi-août. Compter £ 15 (22,50 €) par pers en hte saison. Dortoirs de taille variable, de 4 à 9 lits, agréables. Grande salle commune, jardin sur l'arrière. Pour vos petits déj, café juste à côté. En prime, jolie vue sur les bateaux qui débarquent. Très bon accueil.

Prix moyens

🏠 **B & B Carnoch :** 16, West Argyle St. ☎ 612-749. ● carnoch.com ● La nuit £ 23 (34,50 €) par pers. Fermé déc-janv. Deux chambres avec salle de bains. Vue sur la petite rue ou le jardin. Assez central et pas trop cher.

🏠 **Dromnan Guesthouse :** Garve Rd. ☎ 612-333 ● dromnan.com ● Dernière maison sur la droite à la sortie du village, en allant vers le sud. Compter £ 27-30 (40,50-45 €) par pers, en double ou twin. Également deux chambres familiales. Cette maison au bord du loch Broom propose des chambres avec salle de bains, à la déco soignée. On aime la grande véranda devant le lac où est servi le petit déj. Accès Internet.

🏠 **Eilean Donan Guesthouse :** 14, Market St. ☎ 612-524. ● ullapoolholidays.com ● Compter env £ 28 (42 €) par pers. Une guesthouse sans grand charme ni personnalité, mais d'un bon niveau de confort (salle de bains dans toutes les chambres, TV). La table (accessible seulement aux résidents) jouit d'une excellente réputation. La ½ pens est donc conseillée. Agréable coin-salon avec cheminée. Bon accueil.

Où dormir dans les environs ?

🏠 **Corry Lodge B&B :** *Garve Rd. À env 2 mile (3 km) au sud d'Ullapool.* ☎ 612-681. ● *corrylodge-ullapool.co.uk* ● *Ferme parfois à l'automne. Prévoir env £ 25 (37,50 €) par pers. Un chalet en bois* abrite deux chambres (chacune avec sa salle de bains), et une kitchenette (micro-ondes, frigo) dans un environnement bucolique, style « ma cabane au Canada ». Très copieux petit déj.

Où manger ? Où sortir ?

|●| 🍷 ♪ **Seaforth :** *Quay St.* ☎ 612-122. *Ouv jusqu'à 22h env en hte saison. Résa conseillée. Plats £ 7-12 (10,50-18 €).* On mange au bar (tapas, snacks et plats chauds) ou au « bistro », à l'étage. Là, dans une grande salle, virevolte un ballet de serveurs autour de convives venus s'attabler devant les traditionnels *fish & chips,* mais aussi les *burgers* à l'*Angus beef* et les poissons, des plats qui bénéficient d'une bonne réputation en ville. À juste titre. *Music live* certains soirs au pub, souvent animé.

|●| 🍷 ♪ **The Ceilidh Place** (prononcer « kaïli ») : *14, West Argyle St.* ☎ 612-103. *Dîner jusqu'à 21h. Fermé 2 sem en janv. Sandwichs à env £ 7 (10,50 €), plats de poisson £ 14-16 (21-24 €).* Cadre lumineux et carte variée, mais assez cher. À la fois hôtel, resto, bar et librairie, c'est un lieu écolo, alternatif et sympa, qui centralise aussi tous les événements culturels : expos de peintures, de tapisseries,

et concerts certains soirs.

|●| **The Frigate Café :** *Shore St. Tlj 9h-22h. Plats autour de £ 9 (13,50 €).* Face au quai, un petit resto moderne pour avaler une soupe et un sandwich le midi, des pâtes, poissons fumés ou, comble de l'exotisme, du poulet cajun, le soir. Glaces maison.

|●| **Morefield Motel :** *North Road. Du centre-ville, remonter Quay St et emprunter la passerelle.* ☎ 612-161. *Résa conseillée. Compter £ 9-16 (13,50-24 €) le plat.* On mange dans le resto (plus chic) ou dans le Lounge Bar. Spécialisé dans les produits de la mer. Restaurant dans un hôtel sans charme particulier, mais on y mange plus que bien pour un prix raisonnable.

🍷 ♪ **Ferry Boat Inn :** *Shore St ; face au port. Connu localement sous le nom de FBI. Tlj 12h-23h. Live music le jeu à 20h.* Pub dans une petite salle avec coin cheminée et collection de billets sur les murs.

À voir. À faire

🏛 **Ullapool Museum & Visitor Centre :** *West Argyle St, dans une chapelle restaurée.* ☎ 612-987. ● *ullapoolmuseum.co.uk* ● *Avr-oct : tlj sf dim 10h-17h (parfois fermé entre 13h et 13h45). Fermé nov-mars. Entrée : £ 3 (4,50 €) ; réduc. Petit livret en français.*
Explique l'établissement du village d'Ullapool en 1788 par la *British Fisheries Society.* Il faut savoir qu'aux XVIII et XIXe siècles, la compagnie *British Fisheries* a créé plusieurs ports en Écosse pour exploiter la pêche au hareng. Une stratégie qui a bien fonctionné à Wick, au nord-est des Highlands, beaucoup moins à Ullapool, qui a vite périclité. C'est grâce à l'instauration de la ligne de ferry vers Stornoway dans les années 1970 que le village a été sauvé du déclin.
Le musée évoque aussi l'épisode du voyage d'Hector, le premier navire à transporter des émigrants vers la Nouvelle-Écosse, en juillet 1773.

Remarquer également la collection de broderies réalisées pour célébrer le bicentenaire de la ville. Au nombre de 200, elles reprennent les faits marquants de l'histoire année par année. La dernière, « Ulapul 200 », a été commencée par feu la reine mère et achevée par la princesse Anne. Reconstitution d'une salle de classe des années 1960. Vraiment très complet, on y trouve quantité de correspondances. Également un documentaire sur le peuplement de la région au lendemain de la période glaciaire jusqu'à nos jours (casque audio en français).

➤ **Excursions en bateau :** si le temps le permet, Pâques-oct : Summer Queen : ☎ 612-472. ● summerqueen.co.uk ● Rens sur le port. Départ lun-sam à 10h, dim (en été) 11h. Compter £ 15 (22,50 €) pour 2h de balade jusqu'à l'île Martin ; £ 24 (36 €) pour le grand tour de 4h. Excursions jusqu'aux îles Summer, au cours desquelles on peut apercevoir des phoques, parfois même des dauphins. Autre style de navigation avec Seascape Expeditions : ☎ 633-708. ● sea-scape.co.uk ● Départs tlj, en été slt. Résa conseillée. Prévoir £ 28 (42 €) ; réduc. Sorties en horsbord pendant 2h jusqu'aux îles Summer via le sanctuaire ornithologique de l'île Martin. Emporter des jumelles et des vêtements chauds.

🏞 **L'île de Lewis et Harris :** excursions d'une journée en juil-août, mer et ven. Départ à 9h30, retour avt 22h. Rens à Caledonian MacBrayne au terminal du ferry. ☎ 612-358. ● calmac.co.uk ● Balade d'une journée en bus. Pratique pour ceux qui ont peu de temps. Les îles sont traitées plus loin dans le chapitre « Les Hébrides Extérieures ».

SUR LA ROUTE DE GAIRLOCH

La route d'Ullapool à Gairloch (90 km environ) longe une succession de lochs : le Loch Broom, boisé et abrité, le Little Loch Broom et le Loch Ewe qui jouit d'un microclimat. Idéal pour musarder, d'autant que ce ne sont pas les étapes qui manquent.

Où dormir ?

Campings

⛺ **Badrallach Bothy & Camping Site :** Croft 9, Badrallach. ☎ 633-281. ● badrallach.com ● Un peu avt Dundonnell, prendre une petite route sur la droite (en venant d'Ullapool) sur 7 miles, soit 11 km (c'est indiqué 8,5 miles). Aucun transport en commun. Ouv tte l'année. La nuit env £ 9 (13,50 €) pour 2 pers et une tente. Le proprio habite la maison d'à côté. Petit camping sur la berge du Little Loch Broom, loin de tout, avec une vue imprenable sur An Teallach. Les biches ne sont jamais bien loin. Un refuge chauffé au feu de tourbe peut abriter les routards sans tente (prévoir son couchage). Sanitaires impeccables.

⛺ **Inverewe Gardens Camping & Caravan Club :** à Poolewe. ☎ 781-249. À l'entrée du village, sur la gauche en venant du nord. Ouv maioct. Prévoir autour de £ 10-15 (15-22,50 €) pour une tente et 2 pers, ajouter £ 6 (9 €) de taxes pour les nonmembres. Bien équipé, mais les emplacements sont assez petits. On n'est pas loin des jardins.

Bon marché

🏠 |◎| **Sàil Mhór Croft Hostel :** à Casmusnagaul. ☎ 633-224. ● sailmhor.co.uk ● Après Dundonnell, à gauche de la route A 832, en allant vers Gairloch (panneau). Ouv tte l'année. Compter £ 12 (18 €) par pers, petit déj sur demande. Petite maison blanche dans un bouquet d'arbres. Dortoirs de 4 et 8 lits superposés. Intérieur sobre et bien tenu. Laverie, cuisine bien équipée à disposition. Accueil aimable.

De prix moyens à chic

🛏 *Cnoc Donn (Brown Hill) : à Aultbea, 2,5 miles (4 km) au sud de Laide.* ☎ 731-485. • *badfearn.co.uk* • *En venant du village d'Aultbea, prendre à gauche la route A 832 en direction du nord et de Laide ; à env 700 m sur la droite, un panneau indique Cnoc Donn (Lowfearn). Compter £ 20 (30 €) par pers la chambre avec sdb ; réduc à partir de 3 nuits.* Une maison sans prétention, dans les champs, tenue par la sympathique Anne, qui reçoit très bien. Elle peut vous renseigner sur la région. Les chambres, calmes, donnent sur la campagne.

🛏 *Braemore Square : à env 11 miles (18 km) au sud d'Ullapool en direction d'Inverness (A 835). Sur la droite de la route.* ☎ 655-357. • *www.braemore square.com* • *Ouv tte l'année. Nuit env £ 30 (45 €). À noter aussi trois appartements à louer à la sem.* Près du Loch Broom, cette grande maison construite en 1840 a jadis appartenu à Sir John Fowler, l'ingénieur qui conçu le *Forth Bridge* et imagina l'*underground* de Londres. Aujourd'hui, le *B & B* mise sur la clarté, le confort et l'espace. Les trois chambres sont dotées de salle de bains (l'une est à l'extérieur, mais privée). Notre préférée est au nord, avec 3 fenêtres. Produits bio et équitable au petit déj. Au rez-de-chaussée, un *lounge* avec TV satellite, ainsi qu'une salle de lecture. La cuisine et la salle à manger dans la véranda sont à disposition, moyennant un petit supplément. Connexion wi-fi. Accueil plein de naturel et de bonne humeur. De nombreuses balades dans les environs.

Où déguster thé et pâtisseries ?

🍴 *Bridge Cottage Coffee Shop : Main St, à Poolewe.* ☎ 781-335. *Tlj sf mer en saison 10h30-16h30, slt w-e en hiver.* Michael et Connie ont quitté Leeds pour ouvrir ce *coffee shop.* Ils servent thé et café dans des tasses en grès, en tablier s'il vous plaît, et toujours avec le sourire. Pour les petits creux, succulents gâteaux à l'orange et au chocolat, le tout garanti sans OGM.

À voir

🏃🏃 *Corrieshalloch Gorge (Falls of Measach) : à env 12 miles (19 km) au sud d'Ullapool. Fléché.* Du parking, un chemin descend en 5 mn jusqu'aux gorges formées à l'époque glaciaire. Traverser ensuite le pont suspendu (pas plus de 6 personnes dessus, à déconseiller à ceux qui souffrent de vertige... il bouge pas mal). Puis suivre le panneau « View Point » sur un sentier forestier qui surplombe la rivière. On arrive à une plate-forme (là encore pas plus de 6 personnes) d'où on profite, en faisant abstraction du vide sous nos pieds (!), d'une vue panoramique grandiose sur la chute qui dévale de 40 m de haut...

🏃 *Scoraig :* village situé sur la péninsule entre le Loch Broom et le Little Loch Broom. Les habitants vivent ici en retrait de la société ; aucune route ne permet d'y accéder. Longtemps sans commerce aucun, on y trouve désormais un *B & B* et une galerie d'art. L'électricité est produite à partir des éoliennes.
Si vous tenez à vous y rendre, prenez la petite route (sinueuse à souhait) au départ de Dundonnell, jusqu'à Badrallach, et continuez à pied le long de la côte ; comptez 2h l'aller. Un bateau effectue également la liaison entre Badluarach (de l'autre côté du Little Loch Broom) et Scoraig les lundi, mercredi et vendredi. Il existe aussi une embarcation appartenant à la communauté qui peut vous faire traverser. *Rens auprès de l'office de tourisme d'Ullapool.*

🦌 **Gruinard Isle** : *au large, entre Ullapool et Gairloch.* En 1942, le ministère de la Défense britannique, persuadé que les Allemands développaient un programme d'armes bactériologiques, se livra ici, sur des moutons, à des expériences de propagation du bacille de l'anthrax. Résultat : les moutons succombèrent comme prévu, mais, plus grave, l'île fut interdite en raison de la subsistance des spores du virus, dont les scientifiques prévoyaient la survie pendant mille ans ! Il fallut attendre les années 1980 pour qu'une décontamination, réalisée avec des moyens modernes, permette enfin aux braves moutons de brouter à nouveau leur herbe favorite.

🦌🦌 **Inverewe Gardens** (NTS) : *prononcer « Ineverriou ». À 7,5 miles (12 km) de Gairloch.* ☎ 0844-493-22-25. •*nts.org.uk* •*Horaires des jardins : avr-oct : tlj 9h30-21h (ou au coucher du soleil s'il est plus tôt) ; nov-mars : tlj 10h-16h.* Le Visitor Centre *ouv avr-oct : tlj 9h30-17h ; fermé en hiver. À voir de préférence au printemps. Visite guidée avec un jardinier tlj, de mi-mai à début sept, à 13h30 (sf le w-e). Entrée trop chère : £ 8 (12 €) ; réduc. Audioguide en français (£ 1, soit 1,50 €). Parking payant ! À ces prix-là, mieux vaut être motivé. Si vous l'êtes modérément, venez plutôt entre 17h et 21h (ou en hiver, mais moins intéressant), le* Visitor Centre *est en principe fermé et vous donnez ce que vous voulez (merci au lecteur qui nous a filé le tuyau). Pour s'y rendre : juin-sept, 3 bus/j. relient les jardins à Gairloch.*
Cet étonnant jardin botanique renferme des plantes et arbres de tous les continents, dont on ne sait si l'acclimatation est due à la proximité du Gulf Stream ou à l'existence d'un microclimat. On se demande comment ces fleurs arrivent à pousser dans un tel endroit. La balade, fort agréable, peut durer une heure, avec de beaux points de vue sur le Loch Ewe. Un bol d'air reposant. Ceux qui ont le coup de foudre pour certaines plantes peuvent en acheter les graines à la boutique (très cher).
– Pensez à emporter de quoi vous protéger contre les *midges,* car ces petits moucherons peuvent gâcher la visite.

Randonnée

➤ **Loch Kernsary** : *départ du parking de Poolewe. En arrivant par le sud dans le village, tourner à droite après le pont. Balade de 10 km (trois bonnes heures), essentiellement en basse altitude. Prévoir de bonnes chaussures et se munir de la carte Landranger n° 19.* Au début, on longe la rivière Ewe, peuplée de saumons et de truites de mer les premiers mois de l'été. Ensuite, on traverse une forêt peuplée de bouleaux et de chênes. Ne pas manquer la bifurcation à gauche indiquée *Kernsary Estate.* Le paysage se révèle d'une exceptionnelle beauté. La fin de l'itinéraire suit le Loch Kernsary pour rejoindre la route entre les jardins et le village.

GAIRLOCH   2 300 hab.   IND. TÉL. : 01445

À 56 miles (90 km) au sud d'Ullapool, une bourgade au bord du Loch Gairloch qui s'étire sur plusieurs kilomètres : le quartier de *Strath* correspond au village proprement dit, avec ses boutiques et sa poste et continue plus à l'ouest vers une zone résidentielle le long de la route qui conduit à Melvaig ; le quartier d'*Auchtercain* abrite l'office de tourisme et le musée, entre autres ; enfin, le quartier de *Charleston* se situe près du port (autre poste). Plages de sable fin, oiseaux et maisons typiquement écossaises.
– *Highland Gathering : 1ᵉʳ sam de juil (parfois fin juin).* Danses, épreuves de force, etc.

Arriver – Quitter

➢ *Gairloch-Inverness :* 1 bus/j. (juin-sept) avec *Westerbus.* ☎ *712-255.* Également liaison possible en train entre Inverness et Achnasheen, puis correspondance en bus 2 fois/j. jusqu'à Gairloch.
➢ *Gairloch-Ullapool :* 1 bus les lun, mer et sam avec correspondance à Braemore ; 1 bus direct le jeu. Avec *Westerbus.*

Adresses utiles

🖳 *Tourist Information Centre :* ☎ *712-130.* • *highlandwelcome.co. uk* • *Mai-sept : lun-sam 9h30-17h ; dim 11h-15h30. Mars, avr, oct : lun-sam 10h-16h. Nov-fév : ouv 3 j./sem.* Infos sur les hébergements et les activités :

golf, pêche en mer et en rivière, poney, vélos, etc.
■ *Bank of Scotland : sur la route en direction du Loch Maree.* Distributeur de billets.

Où dormir ?

Campings

⚒ *Sands Holiday Centre : sur la route de Melvaig.* ☎ *712-152.* • *sandsholidaycentre.co.uk* • *À env 3 miles (5 km) de Gairloch, peu après l'AJ. Ouv avr-oct. Résa conseillée. Compter £ 11-13 (16,50-19,50 €) selon saison pour 2 pers et une tente. Pour les huttes en bois (wigwams) de 3 ou 4 couchages, compter autour de £ 11 (16,50 €) par pers. Caravanes à louer.* Site exceptionnel : dans les dunes, derrière la plage. Tentes d'un côté, caravanes de l'autre. Petit

supermarché (mai-septembre), tables de pique-nique, coin couvert pour la cuisine et les repas, laverie. Beaucoup d'habitués.
⚒ *Gairloch Holiday Park : au centre de Gairloch, derrière l'hôtel* Milcroft. ☎ *712-373.* • *gairlochcaravanpark. com* • *Ouv Pâques-oct. Env £ 15 (18 €) pour 2 pers et une tente en été.* Camping bien équipé, au cœur du village (sur les hauteurs). Accueil sympathique.

Bon marché

🏠 *Carn Dearg Youth Hostel : sur la petite route menant à Melvaig.* ☎ *0870-004-11-10.* • *syha.org.uk* • *À env 2 miles (3 km) de Gairloch. Ouv avr-sept. Env £ 13 (19,50 €) par pers en hte saison.* Jolie maison en granit, surplombant la mer. Dortoirs de 6 ou 8 lits. Salle

commune agréable avec cheminée, piano et vue sur la mer. Cuisine bien équipée. Chambres un peu sombres, mais assez spacieuses et correctement tenues. Sanitaires impeccables. Superbe plage à 5 mn de marche.

Prix moyens

🏠 *B & B Mrs Mackenzie : 46, Caberfeidh.* ☎ *712-416. À env 1 mile (1,6 km) à l'ouest de la ville, sur la route de Melvaig.* Une petite maison aux murs blanc et bleu sur la gauche, en surplomb du loch. *Résa préférable. Env £ 16 (24 €) par pers.* La gentille propriétaire, une vieille dame, tient soigneusement

une chambre, simple mais propre. Douche et w-c sur le palier.
🏠 *Lochview : 41, Lonemore. À env 1 mile (1,6 km) à l'ouest de la ville, sur la route de Melvaig, fléché sur la droite (ça grimpe), la maison est plus haut sur la droite.* ☎ *712-676.* • *lochview@lonemore.freeserve.co.uk* • *Prévoir £ 25*

(37,50 €) par pers. Cette maison moderne, perchée à flanc de colline porte bien son nom, la vue sur le loch est imprenable et le coucher de soleil mémorable. Chambres spacieuses avec salle de bains (mais l'une, privée, se situe au bout du couloir). Accueil très cordial.

🛏 *Tregurnow :* 57, Lonemore, Strath. ☎ 712-116. *Prévoir £ 29 (43,50 €) par pers. Non-fumeur.* Deux chambres avec chacune une salle de bains (dans ou à l'extérieur de la chambre). Celle du haut, en mezzanine, est plus coquette. Le petit déj est servi dans le *lounge* aux baies vitrées largement ouvertes sur le loch. Noter que les enfants ne sont pas acceptés, car le chien de la maison en a peur. Accueil charmant.

🛏 *B & B Mrs Mackay :* Slioch, Lonemore. ☎ 712-110. • *sylviamackay@egg*

connect.net • *De Gairloch, partir vers Melvaig à l'ouest ; 1 mile (1,6 km) plus loin, prendre la petite route sur la droite (*B & B *indiqué) ; 800 m plus loin, à flanc de colline, se trouve la maison des Mackay. Ouv mai-sept. Env £ 21 (31,50 €) par pers.* Chambres confortables, style jeune fille romantique, donnant sur le jardin ou sur le loch. Salle de bains et w-c dans le couloir. Belle vue et nuits calmes. Accueil très aimable.

🛏 *Strathlene B & B :* 45, Strath. Sur la route de Melvaig, côté droit. ☎ 712-170. • strathlene.com • *Avr-oct. Compter env £ 27 (40,50 €) par pers.* Chambres décorées simplement, pas trop grandes. Prix un peu surestimé si l'accueil, adorable, ne relevait pas l'ensemble. De plus, le petit déj se prend devant le loch.

Où dormir dans les environs ?

Bon marché

🛏 *Rua Reidh Lighthouse Hostel :* au bout de la péninsule. ☎ 771-263. • www.ruareidh.co.uk • *À 12 miles (19 km) de Melvaig. Fermé janv. Résa indispensable longtemps à l'avance. Env £ 10 (15 €) par pers en dortoir de 4 ou 6 lits ; et £ 15-20 (22,50-30 €) en chambre double selon confort. Également des chambres familiales à prix très intéressants. Petit déj et dîner sur demande (slt avr-oct).* Au bout d'une des plus belles mais aussi des plus

étroites routes des Highlands (éviter les arrivées de nuit). Au-dessus d'une falaise, entre ciel et mer, battues par les vents et baignant dans une lumière éclatante, les dépendances de ce phare encore en activité abritent une très sympathique AJ. Quelques chambres seulement, de 2 à 5 lits, parfois avec TV et salle de bains, le tout joliment arrangé. Cuisine à disposition, salons très cosy. Propose des stages d'escalade et des randonnées avec guides. Bon accueil.

Prix moyens

🛏 *Kerrysdale House :* à 1 mile (1,6 km) au sud de Gairloch, en direction d'Inverness, sur la A 832. ☎ 712-292. • kerrysdalehouse.co.uk • *Ouv tte l'année. Env £ 25-30 (37,50-45 €) par pers selon confort.* Belle et grande ferme du

XVIIIe siècle, retapée avec goût, où règne un esprit très écolo. Produits bio et équitable, recyclage, etc. Les 3 chambres avec salle de bains (une à l'extérieur) sont impeccables. Jardin soigné.

Où manger ? Où boire un verre ?

🍴 🍷 *The Old Inn :* à *Flowerdale.* ☎ 712-006. *Face au port, au sud du village, de l'autre côté de l'A 832. Plats £ 10-15 (15-22,50 €).* Belle auberge qui

se situe au point de départ d'une jolie balade *(Flowerdale Falls)* de 5 km. Intérieur chaleureux réparti entre un pub, un resto, des salons cosy et une belle terrasse sous les arbres, au bord de la rivière. Bonne cuisine traditionnelle, allant du *fish and chips* à des plats plus élaborés. L'endroit idéal pour manger un poisson frais, bien cuisiné ou, tout simplement, pour boire une bonne bière au retour d'une promenade.

|●| *Steading Restaurant : resto atte-nant au* Gairloch Heritage Museum. ☎ 712-449. *Snacks le midi, plats le soir £ 10-12 (15-18 €).* En journée, on y sert café, thé et sandwichs. Pour le dîner, on s'installe dans cette pièce tout en lon-gueur, le bar et le poêle à chaque extré-

mité pour distiller une agréable chaleur. Cuisine très correcte et plutôt goû-teuse, mais les desserts se sont révélés un peu décevants (mauvaise pioche ?). Accueil très attentionné.

♟ *Mountain Coffee Company : Strath Sq. Dans le village, dans la partie gau-che d'une maison, la droite étant occu-pée par la librairie* Hillbillies. *Avr-oct : tlj 9h30-17h30.* Mieux vaut y venir pour siroter un café dans l'agréable véranda à l'arrière que pour servir de cobaye à leurs expérimentations culinaires.

Où manger ? Où boire un verre dans les environs ?

|●| ♟ *Melvaig Inn : à* Melvaig, *sur la route du phare, côté gauche.* ☎ 771-212. *Jeu-dim à partir de 12h.* Perché sur la falaise. Bien pour un *afternoon-tea* ou

des plats plus élaborés le soir. Intérieur tout en bois et fenêtres ouvertes sur le large. Coin-salon, billard, *juke-box.* Bon accueil des proprios anglais.

À voir. À faire

♟ ♟ *Gairloch Heritage Museum : à l'intersection de la route nationale A 832 et de la petite route qui conduit dans le village.* ☎ 712-287. ● ghmr.freeserve.co.uk ● *Avr-sept : tlj sf dim 10h-17h ; oct : lun-ven 10h-13h30. Entrée : £ 3 (4,50 €) ; réduc.* Mise à disposition d'un petit livret en français. Différentes expos consacrées à la préhistoire, l'artisanat, la faune et la vie locale d'antan (reconstitution d'une salle de classe, d'un comptoir d'épicerie, etc.)... On peut aussi y voir l'étonnant mécanisme d'un phare. L'ensemble est un peu fouillis mais attachant. Étonnant tout ce qu'on peut caser dans un espace aussi réduit !

– ♟ *Gairloch Marine Life Centre & Cruises :* ☎ 712-636. ● porpoise-gairloch. com ● *Du port, 2 à 3 départs/j. en hte saison (mars-oct). Sorties en mer de 2-3h. Résa indispensable.* Sur le bateau, ils embarquent de temps en temps une caméra sous-marine. Observation des cétacés, marsouins, phoques, oiseaux marins et parfois des requins pèlerins *(basking sharks).* Avec ses 12 m de long et ses 5 t, le requin pèlerin est le deuxième plus grand poisson au monde après le requin baleine. Au printemps et en été, on l'observe parfois au large de Gairloch, généralement en surface, seul ou en groupe, à la recherche de son alimentation... Que les baigneurs se rassurent, il ne représente aucun danger pour l'homme puisqu'il se nourrit exclu-sivement de plancton !

■ ♟ *Gairloch Trekking Centre : chemin privé qui part près du resto* The Old Inn, *face au port. Le centre équestre est tt au bout.* ☎ 712-652. *Lun-ven 9h-17h30 ; w-e 9h30-16h30. Fermé jeu. Résa indispensable. Prévoir env £ 12 (18 €)/h.* Trekking, balade au pas. Cours débutants et activités enfants sur la journée.

➤ DANS LES ENVIRONS DE GAIRLOCH

♟♟ *Les plages de Red Point : après le port, suivre la direction de Shieldaig et la route côtière jusqu'au bout.* Là, se trouvent deux plages de sable rougeâtres, l'une devant le parking, l'autre après env 1 km de marche le long d'un sentier. Un bel endroit pour pique-niquer.

🐾🌿 **Loch Maree :** il personnifie à lui seul la beauté des Highlands, faite de rudesse et de majesté. Apprécié par la reine Victoria qui séjourna sur ses berges et à qui l'on fit la grâce de donner son nom à de splendides chutes. Le Loch Maree s'étend sur 20 km. Son nom vient d'un moine du VIIᵉ siècle (Maol Rubha) qui christianisa la région. Le lac fit ensuite l'objet d'un pèlerinage, et les malades venaient boire son eau et s'y ressourcer. D'ailleurs, il s'agit d'un des derniers lacs, dont l'eau n'est pas polluée, notamment par des élevages de poissons. Ses environs pullulent de cerfs, de midges... et de cars de touristes l'été. Plusieurs parkings se suivent le long du loch, ils abritent des panneaux explicatifs sur l'histoire de la région ou la faune et servent de point de départ pour des balades.

🌿🚶 **Beinn Eighe Visitor Centre :** le long du loch Maree, côté droit en direction d'Inverness (fléché). En hte saison : tlj 10h-17h. Centre d'information bien fait, qui apporte tous les éclaircissements sur les montagnes des environs. Petits sentiers familiaux et pédagogiques tout autour. Vous trouverez le long du Loch Maree les parkings d'où partent les sentiers de randonnée vous menant sur les pentes du **Beinn Eighe.**

TORRIDON 90 hab. IND. TÉL. : 01445

La route qui part de Kinlochewe vers Torridon est fantastique. C'est telle-ment beau que, pour mieux assurer la protection du site, on en a fait un parc naturel. Large vallée pour randonneurs, encaissée entre de hauts massifs granitiques.

Infos utiles

– Poste à essence au Ben Damph Bar.
– Pour le ravitaillement, épicerie bien fournie à Shieldaig (à 7,5 miles, soit 12 km de Torridon).

Où dormir ?

Camping

⛺ **Terrain de camping municipal :** juste avt l'AJ et en face du Countryside Centre. ☎ 791-313. Compter £ 4 (6 €) la nuit par tente (il arrive même, certaines années, que ce soit gratuit). Le war-den passe collecter l'argent en soirée. Un champ avec un bloc sanitaire à l'extérieur. Tentes uniquement. Très sommaire mais vraiment pas cher.

Bon marché

🏠 **Torridon Youth Hostel :** à l'entrée est du village. ☎ 791-284 ou 0870-004-11-54. ● syha.org.uk ● De la gare d'Achnasheen, bus postal (sf dim). Ouv mars-oct. Env £ 14 (21 €) par pers. Le bâtiment, qui s'insère mal dans le pay-sage, rappelle un motel américain. À l'intérieur, de grandes cartes détaillées de la région. Chambres de 2, 4, 6 ou 8 lits. Un peu vieillot mais correct.

Où dormir ? Où manger ? Où boire un verre dans les environs ?

🏠 |●| *Cromasaig B & B :* chez Tom & Liz Forrest, Cromasaig, Kinlochewe. ☎ (01445) 760-234. ●cromasaig.com ● À 10 miles (16 km) de Torridon, à Kinlochewe, au bord de l'A 896. Doubles env £ 26 (39 €) par pers. Dîner £ 16 (24 €). En bord de route, mais isolée dans un magnifique coin de nature, une maison confortable où l'on est chaleureusement accueilli par Tom et Liz.

|●| 🍷 *Ben Damph Bar :* à 1,2 mile (2 km) de Torridon, en direction de Lochcarron. ☎ 791-242. À la carte, plats £ 12-15 (18-22,50 €) le soir ; slt sandwichs et soupes le midi. C'est le seul endroit où manger et boire dans les parages. Établissement de construction récente, avec véranda en bois. Cuisine correcte et bonnes bières. Daniel, le maître des lieux, est francophone.

À voir. À faire

🎥 *Countryside Centre* (NTS) : en face du camping, au bord de la route principale. Pâques-fin sept : tlj 10h-17h. Env £ 3 (4,50 €) ; réduc. Audiovisuel un peu scolaire sur la faune et la flore de la région, et toutes les précautions à prendre pour les préserver.

➤ Nombreuses *balades* possibles : roches style canyon, montagnes pelées, torrents. Possibilité de promenade pour une journée avec *ranger*. S'adresser au *Countryside Centre* ci-dessus.

➤ *DANS LES ENVIRONS DE TORRIDON*

Après Torridon, allez vers l'ouest. Stop difficile, mais paix garantie.

🎥🎥🎥 *Shieldaig :* adorable village de pêcheurs, avec une île au milieu d'une baie fantastique ! Le site est un véritable paradis pour les amoureux de la nature ; on aperçoit de temps en temps des marsouins s'ébattre dans la baie. On peut photographier des phoques, pêcher le saumon en eau douce et la morue en eau salée. Bouquins, bons plans marche et calendrier des événements culturels à l'épicerie.

🏕 Possibilité de camper sur une terrasse dominant le village et le Loch Shieldaig. Eau potable mais pas de sanitaires. Terrain non payant, on compte sur votre bon cœur.

🏠 |●| *Guesthouse Rivendell :* chez Mr Taylor. ☎ (01520) 755-250. ● shieldaig50@aol.com ● Nuit £ 24 (36 €) par pers. Longue maison couleur crème au bord du loch qui propose une dizaine de chambres simples, certaines avec vue sur le Loch Torridon. Fait aussi resto avec, au menu, langoustines, saumon fumé et plateau de fruits de mer. Peu de concurrence dans le coin, dommage...

🏠 *B & B Aurora :* chez Ann Barte.

☎ (01520) 755-246. ● www.aurora-bedandbreakfast.co.uk ● Env £ 35 (52,50 €) par pers. Min 2 nuits. Chambres (avec salle de bains) agréables mais petites. Prix un poil surestimés (le manque de concurrence toujours), heureusement l'accueil est adorable. Du salon, magnifique vue sur le coucher de soleil.

|●| 🍷 *Tigh an Eilean Hotel :* Main St. ☎ (01520) 755-257. Tlj en été jusqu'à 20h30. Au pub, sandwichs et snacks £ 5-8 (7,50-12 €). Également de délicieux plats chauds £ 9-13 (13,50-19,50 €). Maison blanche abritant un pub à prix doux (et un resto, mais beaucoup plus cher). La halte des cyclistes.

🎥🎥🎥 *La route Torridon-Shieldaig-Applecross-Lochcarron* est superbe. En voiture, compter 2h30. Magnifique panorama au lieu-dit *Bealach-na-ba,* entre Applecross et Kishorn.

🛏️ |●| *B & B MacIver Shellfish* (Tigh a' Chracaich) : à Kenmore, à env 6,5 miles (env 10 km) à l'ouest de Shieldaig. ☎ et fax : (01520) 755-367. ● lochtorridon. net ● *Résa à l'avance conseillée : dans cette région, les B & B ne courent pas les routes. Env £ 28 (42 €) par pers (un peu moins pour les séjours prolongés ; autour de £ 30 (45 € dans le* cottage). *Dîner ; env £ 30 (45 €) dans le cottage ; sur demande.* Maison familiale où l'on vous accueille à bras ouverts. Seulement 2 chambres, dans lesquelles on se sent tout de suite à l'aise. Du salon, on aperçoit le bateau du chef de famille, pêcheur. Vous l'avez compris, pour le dîner, on mange donc des produits frais de la mer ; de même au petit déj. La famille a récemment construit un cottage abritant deux chambres, salle de bains et salon avec vue sur la mer. Location à la nuit ou à la semaine.

🎯 *Applecross :* plage de galets déserte. Intéressante pour les amoureux des oiseaux. Poste à essence et épicerie à proximité.

⛺ *Applecross Campsite :* à la sortie du village, en direction de Lochcarron. ☎ (01520) 744-268. ● applecross.uk. com/campsite ● *Ouv mai-oct. Env £ 13 (19,50 €) pour 2 pers et une tente.* Belle pelouse où planter sa tente. Les cerfs viennent s'y promener certains matins. *Tearoom* sous une grande serre fleurie (parfait quand il pleut...). Plats à emporter, et même croissants au petit déj !

🛏️ |●| *The Applecross Inn :* en bordure de mer. ☎ (01520) 744-262. Auberge traditionnelle proposant des chambres en ½ pens £ 50 (75 €) par pers ; ttes avec vue sur la mer. Bons plats chauds à partir de £ 8 (12 €). Le pub, tout simple, avec quelques bancs et tabourets, est fréquenté aussi bien par les touristes que par les locaux. Par beau temps, on s'installe sur les tables au bord de l'eau, avec une vue magnifique sur Skye et Raasay. Une superbe adresse loin de tout...

LOCHCARRON

900 hab.   IND. TÉL. : 01520

Petite bourgade charmante de la région du Wester Ross, nichée au bord du loch du même nom. Tout un éventail de belles balades autour. Golf en bordure du cimetière et des soirées très (trop ?) tranquilles.

Où dormir ? Où manger ?

Vous trouverez la plupart des *B & B* sur Main Street.

De prix moyens à chic

🛏️ *B & B Castle Cottage :* Main St. ☎ 722-564. *Doubles £ 23-25 (34,50-37,50 €) par pers, avec ou sans sdb.* Adresse familiale sympathique, où l'on aime la couleur rose bonbon.

🛏️ *Clisham Guesthouse :* Main St. ☎ 722-995. ● clishamguesthouse.co. uk ● *Doubles avec sdb £ 26 (39 €) par pers.* Face au Loch Carron, dans une maison étroite et cosy. Chambres à l'étage, très agréables bien que petites. Un imposant *king size bed* envahi même l'une d'entre elles. Derrière la maison, joli *cottage* à louer avec salle de bains et cuisine. Atmosphère feutrée et accueil charmant.

|●| *Lochcarron Hotel :* Main St. ☎ 722-226. *Bar meals à partir de £ 7 (10,50 €).* Endroit fréquenté par les locaux. Quelques tables à l'extérieur aux beaux jours, mais un peu près de la route.

Où dormir dans les environs ?

🛏 *Gerry's Achnashellach Hostel :* à env 10 miles (16 km) de Lochcarron, sur l'A 890 en direction d'Inverness. ☎ (01520) 766-232. • www.gerrysho stel-achnashellach.co.uk • Bien signalé sur la route. Ouv tte l'année, mais oct-avr : sur résa slt. Env £ 12 (18 €) par pers. Doubles £ 15 (22,50 €) par pers. AJ pri-vée, genre refuge de montagne où la salle commune sent bon le feu de bois. Fauteuils pour accueillir cyclistes et montagnards harassés. Gerry, le pro-priétaire, est très sympa. Voie ferrée à proximité, peu passante. Confort assez rudimentaire, mais on retrouve ici le véritable état d'esprit de la randonnée et de la route. Petite épicerie.

PLOCKTON   320 hab.   IND. TÉL. : 01599

Plockton est un joli petit port, arrimé à l'un des plus beaux paysages d'Écosse (d'où la fréquentation très touristique des lieux). Une baie nichée à l'intérieur du vaste Loch Carron, tournant le dos aux vents d'ouest. Le site est protégé par des collines boisées d'où émergent les tours crénelées d'un château. Le site de Plockton jouit d'un microclimat et d'une certaine douceur que l'on ne retrouve pas près des autres lochs. L'unique rue de ce coquet village est bor-dée d'une poignée de maisons aux jardinets verts et fleuris où poussent même des palmiers. Deux petites îles somnolent dans la baie. L'une est accessible à pied à marée basse.

Arriver – Quitter

En bus

➤ *Plockton-Inverness :* 3 bus/j. avec la compagnie *Citylink.* • citylink.co.uk • Billet moins cher en réservant sa place sur Internet. Les bus s'arrêtent à **Kyle of Lochalsh.** De là, prendre le petit train jusqu'à **Plockton.** Sinon, la marche.

En train

➤ *Plockton-Inverness :* • firstgroup.com/scotrail • 3 à 4 trains/j. lun-sam et 2 dim. Superbes paysages. La gare de Plockton est en dehors du village. Prévoir 10 mn à pied jusqu'au port.

Adresse utile

🛈 *Point Information :* Cooper St. Sui-vre Harbour St, tourner à droite sur Coo-per St, puis encore à droite ; c'est dans la cabane en bois de la poste. • plock ton.com • Lun-ven (sf mer) 10h-13h (14h jeu).

Où dormir ?

Prix moyens

🛏 *B & B Heron's Flight :* chez Mrs Ann MacKenzie. ☎ 544-220. • heronsflight. org • Longer le port sur Harbour St, puis prendre et remonter jusqu'au bout la

Cooper St. À partir de £ 25 (37,50 €) par pers. Une maison dans un jardin au bord du loch, tenue par un couple de retraités adorables. Six chambres. Notre préférée, la East bedroom, possède de vieux meubles et 2 fenêtres avec une vue superbe sur le loch. Petit déj servi dans la véranda donnant sur ce même paysage. Parking gratuit et pratique. Notre meilleure adresse.

🛏 **Tomacs :** *chez Mrs Jones, 4, Frithard Rd.* ☎ 544-321. ●*janet@tomacs. freeserve.co.uk* ● *Rue dans le prolongement de la Harbour St. Prévoir £ 25 (37,50 €) par pers dans une chambre double avec sdb. Trois chambres dans une maison cosy sur les hauteurs. Bien sûr, vous n'aurez pas la vue sur le port dans ce quartier pavillonnaire, mais l'environnement, paisible, reste très plaisant. Un bon rapport qualité-prix et*

un accueil très chaleureux.

🛏 **B & B Sheiling :** *The Sheiling.* ☎ 544-282. ● *lochalsh.net/shieling* ● *De Harbour St, prendre sur la droite le petit chemin qui mène à la pointe de terre. Env £ 25 (37,50 €) par pers. Modeste maison bien tenue, entourée d'un jardinet tout fleuri. Chambres avec salle de bains à l'intérieur ou dans le couloir. Rien que pour la vue sur la chaumière voisine et la mer, on a bien aimé la chambre n° 3.*

🛏 **B & B An Caladh :** *25, Harbour St.* ☎ 544-356. ● *plockton.uk.com* ● *Compter £ 25-30 (37,50-45 €) par pers, avec sdb. Face au loch, dans une maison blanche aux encadrements de fenêtres verts. Madame parle le gaélique et monsieur le français. Trois chambres aux meubles anciens, décorées de tissus fleuris.*

Plus chic

🛏 **The Plockton Gallery :** *at The Manse, Innes St.* ☎ 544-442. ● *plockton.gallery.co.uk* ● *Près du port, en face du Plockton Inn. Env £ 40-45 (60-67,50 €) par pers, selon taille de la chambre. Deux chambres doubles avec*

salle de bains. Décoration soignée, puisque Miriam est artiste peintre. Ses œuvres et d'autres tapissent les murs de la maison. Ambiance chaleureuse et conviviale.

Où dormir dans les environs ?

🛏 **Craig Highland Farm :** *à mi-chemin entre Plockton et Stromeferry.* ☎ 544-205. ● *craighighlandfm@yahoo.co.uk* ● *Résa impérative. Sem £ 270-470 (405-705 €) en été, selon taille du chalet. Loc, une sem min, de cottages pour 2 ou 6 pers dans un beau paysage. Une baie charmante, une île en son milieu et une ligne de chemin de fer comme dans les maquettes de trains miniatures. Et tout cela au milieu des moutons, des cochons, des chèvres et des lamas. L'idéal avec des enfants.*

🛏 **Creag Liath B & B :** *chez Mrs Camp-*

bell, à Achnandarach. ☎ 544-341. ● *holiday.well@virgin.net* ● *À env 2 miles (3,2 km) de Plockton. De Plockton, prendre la direction de Duirinish, puis tourner sur la gauche vers Achnandarach, où le B & B est bien fléché. Tabler sur £ 26-32 (39-48 €) par pers. Dans un pavillon simple, entouré d'un jardin méticuleusement tenu, offrant, au loin, une jolie vue sur le loch. Chambres confortables, avec salle de bains. Délicieux petit déj. Accueil souriant et très prévenant.*

Où manger ?

🍴 **Off the Rails :** *au début du village, sur les hauteurs, dans l'ancienne gare rénovée.* ☎ 544-423. *Avr-oct : tlj ; nov-*

mars : slt le w-e. Plats £ 9-15 (13,50-22,50 €) et quelques en-cas moins chers. Déco très chaleureuse, à l'image de l'accueil. Cuisine goûteuse et parfois inventive. Préférer la salle du fond, plus sympathique que la première. Réservez !

|●| *Plockton Inn : à l'entrée du village, dans la rue menant au port.* ☎ 544-222. *Plats £ 8-14 (12-21 €). Musique live mar et jeu.* Hôtel-resto avec une salle à manger chaleureuse, aux banquettes *tartan.* Si le resto est complet, on peut manger dans la salle du bar avec le même menu. Excellent *seafood* à la carte, *lunch special, haggis* (et sa version végétarienne).

|●| *The Haven Hotel : Innes St.* ☎ 544-223. *Plats £ 17 (25,50 €). Également des petits plats et en-cas à env £ 8 (12 €) dans la partie pub.* Une adresse gastronomique réputée. Poisson et gibier dans un décor soigné. Prix en rapport avec le standing.

|●| *Plockton Hotel : Harbour St.* ☎ 544-274. *Plats £ 8-20 (12-30 €).* Curieuse bâtisse noire à rayures blanches, mais intérieur chaleureux. Petit jardin avec un palmier et quelques tables de l'autre côté de la route. Pub bien vivant, réputé pour ses fruits de mer (d'ailleurs, le plat à £ 20 est le plateau de fruits de mer).

KYLE OF LOCHALSH   700 hab.   IND. TÉL. : 01599

Petit bourg sans intérêt particulier, au centre d'une région renommée pour la beauté de son littoral particulièrement montagneux et entrecoupé de lochs très semblables aux fjords norvégiens. Kyle of Lochalsh est surtout connu comme point de passage vers l'île de Skye grâce à son pont. Si vous arrivez par le train, un bus vous conduira pour une somme modique de l'autre côté du détroit. Vous pouvez aussi le faire à pied.

Où dormir ? Où manger ? Où boire un verre ?

Camping

⚕ *Reraig Caravan & Camping site : à Balmacara, sur la route de Fort William.* ☎ 566-215. ● reraig.com ● *Ouv mai-sept. Env £ 12 (18 €) pour 2 pers et une tente ; douche payante.* N'accepte que les caravanes ou camping-cars et les petites tentes (celles que l'on porte sur son dos, où il n'est pas possible de se tenir debout). Le gardien, habitant sur les lieux, tient à sa pelouse ! Propreté exemplaire. Attention aux *midges.* Pub à proximité.

Bon marché

🏠 |●| ♟ *Cuchulainn's Backpackers Hostel : Station Rd.* ☎ 534-492. *Env £ 13 (19,50 €) par pers en chambre 4-6 lits et £ 15 (22,50 €) en* twin. Petite auberge en plein centre-ville, aux locaux bien équipés. Bon accueil. Fait aussi bar et resto.

De prix moyens à chic

|●| *The Seafood Restaurant : dans la gare de Kyle, quai n° 1, près de l'eau !* ☎ 534-813. *Ts les soirs sf dim ; le midi slt jeu et ven. Plats £ 13-16 (19,50-24 €)* à la carte. Spécialités de la mer avec pêche du jour au menu. Le tout bien présenté, la table en devient trop petite ! Cadre accueillant.

DORNIE
130 hab.   IND. TÉL. : 01599

À 8 miles (13 km) à l'est du pont de Kyle of Lochalsh, sur la route A 87 en direction de Fort William. Escale recommandée pour la haute forteresse dont la silhouette austère se reflète dans les eaux du Loch Alsh. L'une des plus photographiées de toute l'Écosse. Paysage magnifique, des *B & B* dans toutes les maisons... bienvenue dans l'Écosse touristique !

Où dormir dans le coin ?

⚊ *Camping Ardelve :* sur la route de Kyle à Ardelve. ☎ 555-231. Petit terrain à moins d'1 km du château de Dornie. Ouv de Pâques à mi-oct. La proprio passe mat et soir pour récolter son dû. Env £ 8 (12 €) pour 2 pers et une tente ; douche payante. Petite vue depuis votre tente sur *Eilean Donan Castle.* Terrain assez sommaire (2 ou 3 douches pour tout le camping et autant de w-c), en pente qui plus est.

⚊ *Morvich Caravan Club :* à 6,6 miles (9,6 km) au sud de Dornie. ☎ 511-354. Ouv mars-oct. Tabler sur £ 11-14 (16,50-21 €) pour 2 pers et une tente selon saison. Bien situé, bien équipé, bien tenu... mais bien cher en saison !

À voir

🏃🏃 *Eilean Donan Castle :* ☎ 555-202. ● eileandonancastle.com ● De mi-mars à mi nov : tlj 10h-18h (dernière admission 17h). Entrée : £ 5 (7,50 €) ; réduc. Ce château, érigé au XIIIe siècle pour interdire l'accès du loch aux pirates scandinaves, occupe un site exceptionnel, accessible seulement par un pont de pierre. Rasé en 1719, il fut reconstruit en 1932 d'après les plans originaux conservés à Édimbourg. Siège du clan MacRae. Nombreux souvenirs de famille. Visite intéressante pour ceux qui aiment l'histoire des clans. Le château servit de cadre au film *Highlander,* dans lequel Christophe Lambert tient le rôle principal, et abrita, quelques années plus tard, le Q.G. du film *Le monde ne suffit pas,* un *James Bond* sorti en 1999.

🏃🏃 *Falls of Glomach :* prendre l'A 87 et tourner à gauche après Inverinate en direction du Morvich Caravan Club ; tourner à gauche avt le camping et longer la forêt jusqu'à un parking. Du parking aux cascades : env 4 miles (6 km). Paysage magnifique : le sentier longe un ravin où coule le torrent en contrebas. Prévoir de grandes bottes ! Pour randonneurs avertis seulement.

SPEAN BRIDGE
140 hab.   IND. TÉL. : 01397

Petite bourgade au nord de Fort William, située au carrefour des routes vers Fort Augustus et le Loch Ness au nord, et vers Aviemore à l'est. Belle perspective sur le massif du Ben Nevis.

Adresse utile

🔲 *Office de tourisme :* au cœur du village, près du parking du Spean Bridge Mill. ☎ 712-999. Juin-sept : lun-sam 9h-17h30 (17h juin et sept) ; dim 10h-16h. Ouverture aléatoire le reste de l'année.

Où dormir à Spean Bridge et dans les environs ?

Campings

⏣ **Bunroy Park** : à Roy Bridge. ☎ 712-332. • bunroycamping.co.uk • Ouv mars-oct. Pour les piétons, gare de Roy Bridge à 500 m. Env £ 11 (16,50 €) pour 2 pers et une tente. Grand terrain, beau, verdoyant et bien paisible au bord de la rivière Roy. Sanitaires impeccables. Livres et jeux de société à la réception. Accueil agréable.

⏣ **Stronaba Caravan & Campingsite** : sur l'A 82, vers Inverness. ☎ 712-259. Ouv mai-fin sept. À 2 miles (env 3 km) au nord de Spean Bridge ; à gauche, au bord de la route. Env £ 9 (13,50 €) pour 2 pers et une tente. Terrain traversé par un ruisseau, avec vue dégagée sur les montagnes, mais un peu trop proche de la route. Accueil très gentil. Sanitaires simples mais suffisants. Pas de laverie.

⏣ **Gairlochy Holiday Park** : Old Station, Gairlochy Rd. ☎ 712-711. • theghp.co.uk • De Spean Bridge, suivre la direction d'Inverness, puis prendre la route B 8004 à gauche au Commando Memorial. Ouv avr-oct. Env £ 12 (18 €) pour 2 pers et une tente. Tout petit camping au cœur d'un paysage de monts et de versants boisés ; espace réservé aux tentes un peu limité. Réception dans une maison en hauteur. Accueil sympathique.

Bon marché

🛏 **Aite Cruinnichidh** : Achluachrach, Roy Bridge. ☎ 712-315. • highland-hostel.co.uk • À 2 miles (env 3 km) après Roy Bridge en direction d'Aviemore, pancarte sur la droite (en face du Glen Spean Lodge Hotel) ; attention, c'est indiqué au dernier moment et la sortie est un peu raide. Nuit £ 12 (18 €) par pers en chambres 4 ou 6 lits ; également une chambre twin et une double. Une maison de style scandinave, tout en bois et lambris. Cuisine itou. Et, cerise sur le pudding : un sauna... Pas de laverie, mais le charme de l'endroit compense ce petit inconvénient. En contrebas, pont suspendu au-dessus des gorges de Monessie. Un passage (demandez au proprio) permet de rejoindre l'autre côté de la voie ferrée en toute sécurité, des trains circulant tous les jours ! Accueil a-do-rable.

🛏 **Station Lodge** : Tulloch, Roy Bridge. ☎ 732-333. • stationlodge.co.uk • Sur la route vers Aviemore, à 5 miles (8 km) de Roy Bridge, route à droite de la cabine téléphonique. Env £ 14 (21 €) par pers en dortoir (6 ou 8 lits) et £ 17 (25,50 €) en twin. Plutôt originale comme AJ puisqu'il s'agit d'une gare construite en 1894 et toujours en activité (4 trains par jour, donc pas de quoi perturber votre tranquillité). Chambres très propres, dotées de beaux lits superposés en bois clair. Cuisine bien équipée, avec tri sélectif. Accueil hésitant à la 1re approche mais qui devient vite familier.

De prix moyens à chic

🏠 **Inverour Guesthouse** : juste au niveau du carrefour au centre de Spean Bridge. ☎ 712-218. • inverourguesthouse.co.uk • Compter £ 25-35 (37,50-52,50 €) par pers, avec ou sans sdb. Maison voisine du Russell's Bistro. Petites chambres propres et très bien tenues, donnant sur l'arrière (plus calme) ; un peu cher néanmoins, même si l'endroit reste douillet. Parking et service de laverie.

🏠 **Faegour House** : à Tirindrish. ☎ 712-903. • faegour.co.uk • Sur l'A 86, en direction de Newtonmore, juste à la sortie de Spean Bridge (sur la gauche). Prévoir £ 32-38 (48-57 €) par pers. Dans une grande maison moderne très bien arrangée au confort californien, 2 très belles chambres avec salle de bains. Notre préférée est la Master bedroom, très spacieuse et luxueuse, avec un king size bed. Vue sur les champs et monts boisés au loin. Accueil particulièrement chaleureux.

➤ *DANS LES ENVIRONS DE SPEAN BRIDGE*

🎥🎥 **Le barrage du Laggan :** *entre Spean Bridge et Newtonmore.* Construit en 1934 en aval du loch, il fournissait en énergie une usine d'aluminium en contrebas. Site magnifique par l'architecture du pont et le plan d'eau bordé de résineux, mais gare aux *midges* !

🎥🎥 **Clan Cameron Museum :** *à* **Achnacarry.** ☎ 712-090. ● *clan-cameron.org/ museum.html* ● *À env 5 miles (8 km) du carrefour de la route B 8004 et de l'A 86. Au* Commando Memorial, *prendre la B 8004, puis à droite après le pont sur le Caledo-nian Canal. Ouv de Pâques à mi-oct : tlj 13h30-17h (juil-août : tlj 11h-17h). Entrée :* £ 3 (4,50 €) ; *réduc.* Joli petit musée installé dans un cottage du XVIIᵉ siècle et rela-tant l'histoire du puissant clan Cameron, originaire des environs et dont les mem-bres sont éparpillés dans le monde entier. On y découvre notamment le rôle joué par les Cameron dans la révolte des jacobites et pendant la bataille de Waterloo, ainsi que durant la Seconde Guerre mondiale. En France, en 1940, les *Cameron Highlanders* formèrent le dernier régiment à combattre en kilt ! Dans une salle, quel-ques pièces de vaisselle (copies des originales) utilisées dans le film *Titanic* de James Cameron avec un mot sympathique de la maison de production américaine, ainsi que la robe d'une des demoiselles d'honneur (encore une petite Cameron !) de lady Diana à son mariage. Un autre William Cameron, géomètre à l'époque colo-niale, a laissé son nom au *Cameron Highlands,* chaîne de hautes collines situées en Malaisie, très réputées pour la qualité de leur thé.

🎥🎥 **Chia-Aig Falls :** *juste avt le Loch Akraig, sur la route B 8005 (celle qui mène au* Clan Cameron Museum*).* Cascade qui servit de lieu de tournage pour une scène du film *Rob Roy.* Vraiment un endroit qui donne envie de se baigner. Un chemin monte le long du cours d'eau.

🎥 **Commando Memorial :** *sur la route d'Inverness.* Imposante statue en bronze commémorant les soldats entraînés pendant la Seconde Guerre mondiale dans la petite localité d'Achnacarry (quelques miles plus loin). Plus intéressant, la vue sur le massif du Ben Nevis qu'offre ce site.

FORT WILLIAM   9 300 hab.   IND. TÉL. : 01397

Ancienne ville de garnison au pied du Ben Nevis, le pic le plus élevé de tou-tes les îles Britanniques (1 344 m). L'air y est vraiment vivifiant. Fort William est à éviter pour ceux qui ne supportent pas les touristes : ils risqueraient d'en attraper une indigestion. Par ailleurs, on dit que c'est la ville la plus arrosée d'Écosse, avec 300 jours de pluie par an...
En juillet et août, l'hébergement (encore plus cher qu'ailleurs) est littérale-ment pris d'assaut, au point que l'Armée du Salut s'est déjà vue obligée d'ouvrir ses portes aux touristes à la rue ! Vous l'avez compris : autant venir en dehors du rush d'été ou réserver très longtemps à l'avance...

Arriver – Quitter

En train

➤ **De et vers Mallaig :** 2 possibilités, en train classique ou à vapeur ; sachez néan-moins que le trajet aller-retour coûte plus du double en train à vapeur *(£ 28, soit 42 €).* Fin mai-début oct : lun-ven (et dim fin juil-fin août). ☎ *(01524) 737-751.* ● *steamtrai-n.info* ● Réserver jusqu'à 5 j. à l'avance en été. Un départ/j. Les 70 km s'effectuent en 2h env. Paysages époustouflants (cela dit, ce sont les mêmes avec le train classi-que !)... par beau temps, et le *steamer* est plein de charme (vitesse escargot garan-

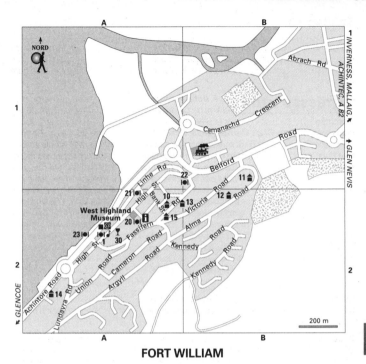

FORT WILLIAM

■ **Adresses utiles**

🛈 Tourist Information Centre
🚂 Gare ferroviaire
@ 1 One World et Off Beat Bikes

🛏 **Où dormir ?**

10 Bank Street Lodge
11 Fort William Backpackers
12 Rhu Mhor Guesthouse
13 St Andrews Guesthouse
14 Myrtle Bank Guesthouse

15 Stobahn

|●| **Où manger ?**

1 Hot Roast Company
  et Ben Nevis Bar
20 N°4 Restaurant
21 Imperial Hotel
22 The Great Food Stop
23 Crannog Seafood

🍸 **Où boire un verre ?**

30 The Grog & Gruel

tie). Dommage qu'on soit constamment sollicité à l'intérieur. Les paysages traversés par le train ont servi de décor à plusieurs scènes des films de *Harry Potter*.

➤ Le train *Fort William-Crianlarich-Glasgow* traverse de superbes paysages. Le bus est néanmoins plus rapide.

En bus

➤ *De et vers Glasgow :* 5 liaisons/j. avec *Scottish Citylink* ; durée du trajet : 3h. ☎ 08705-50-50-50. ● *citylink.co.uk* ●
➤ *De et vers l'Île de Skye :* même ligne que celle de Glasgow. Env 5 liaisons/j. avec *Portree* et 1 à 3 liaisons avec *Uig.*
➤ *Inverness-Fort William-Oban :* 4 à 5 liaisons/j. avec *Scottish Citylink.*
➤ *Fort William-Kilchoan (péninsule d'Ardnamurchan) :* 1 bus tlj sf le dim avec *Shiel Buses.* ☎ (01967) 431-272. *Départ de Fort William depuis le supermarché* Morrisons.

En stop

➢ La concurrence est rude en été et vous risquez d'attendre pas mal de temps. Prévoyez de la marge, surtout si vous avez un ferry à prendre à *Mallaig* (A 830). Pour rejoindre *Inverness* depuis Fort William, se positionner à la station-service après la distillerie.

Adresses utiles

🛈 *Tourist Information Centre* (plan A2) : Cameron Sq. ☎ 701-801. • fortwil liam@visitscotland.com • Juin-sept : lun-sam 9h-19h ; dim 9h30-17h. Avr-mai : lun-sam 9h-18h ; dim 10h-16h. Oct-mars, lun-ven 10h-17h ; sam 10h-16h. Très bien documenté et efficace. Horaires des bus et des trains affichés.

■ *Glen Nevis Visitor Centre* (hors plan par B1) : à env 2 miles (3 km) de Fort William, sur la gauche de la route en direction du Ben Nevis. ☎ 705-922. • walking.visitscotland.com • Avr-oct : tlj 9h-17h. Plein d'infos pratiques : météo affichée quotidiennement, itinéraires et conseils sur les sentiers de randonnée.

▤ *Internet :* l'office de tourisme propose la connexion la moins chère de la ville. Connexion également à One World (plan A2, **1**), dans High St.

■ *Location de vélos :* Bikes for Hire, Rhiw Goch. ☎ 772-373. • rhiwgoch.co. uk • En dehors de Fort William, par l'A 82 vers Inverness, puis l'A 380 vers Mallaig ; au Caledonian Canal, prendre la B 8004 vers Gairlochie. Prix raisonnables. Loc également de canoës. Off Beat Bikes (plan A2, **1**), 117, High St. ☎ 704-008. • offbeatbikes.co.uk • Plus cher que le précédent, mais central. Également une boutique à la station de ski de Nevis Range.

Où dormir ?

Plusieurs dizaines de *B & B* à la sortie vers Glasgow, sur Achintore Road (A 82). Cette route jouit d'une jolie vue sur le loch et les collines, mais elle est aussi très passante en journée.

Campings

⛺ *Glen Nevis Caravan & Camping Park* (hors plan par B1) : prendre l'A 82 vers Inverness puis vers Glen Nevis au rond-point ; 800 m env avt l'AJ officielle. ☎ 702-191. • glen-nevis.co.uk • De mi-mars à fin oct. Résa conseillée en été. Env £ 14 (21 €) pour 2 pers et une tente en hte saison. Au fond d'une vallée dominée par les monts, immense camping très bien équipé, situé dans un superbe environnement arboré. Terrain à l'écart pour les tentes, et en partie en pente. Téléphone, boîte aux lettres et magasin. Resto pas

très cher à 500 m et un bar.

⛺ *Lochy Holiday Park* (hors plan par B1) : à Lochy. ☎ 703-446. • lochy-holiday-park.co.uk • À 1,9 mile (3 km) au nord-ouest de Fort William par l'A 82, puis l'A 830 vers Mallaig. À l'écart de la ville. Loc de bungalows tte l'année, mais camping fermé de nov à mi-mars. Arriver avt 22h. Env £ 13 (19,50 €) en été pour 2 pers et une tente. Très grand et bien équipé (laverie, magasin, etc.). Beaucoup de caravanes, mais l'espace réservé aux tentes est agréable. Accueil tout sourire et attentionné.

Bon marché

🏠 *Bank Street Lodge* (plan A2, **10**) : Bank St. ☎ 700-070. • bankstreetlodge. co.uk • Env £ 14 (21 €) le lit en dortoir et

£ 50 (75 €) la chambre double. Petit *hostel* économique très central et bien équipé (cuisine, laverie...). Grand parking à côté. Les dortoirs de 3, 4 ou 7 lits sont propres et clairs, avec sanitaires collectifs. Jolies chambres familiales avec salle de bains privée, pouvant accueillir jusqu'à 6 personnes. Une bonne adresse.

🛏 **Fort William Backpackers** *(plan B1, 11)* : Alma Rd. ☎ 700-711. ●fortwilliam backpackers.com ●Accès en sens unique, arriver par la Belford Rd. Prévoir env £ 15 (22,50 €) par pers en dortoir. Également des chambres doubles. AJ privée située dans une charmante vieille baraque sur les hauteurs. Intérieur coloré un peu fouillis où il règne une vraie ambiance de *backpackers*. Très jolie vue de la pièce commune. Pour ceux qui préfèrent être à quelques minutes des pubs plutôt qu'en face du Ben Nevis.

Prix moyens

🛏 **Rhu Mhor Guesthouse** *(plan B2, 12)* : Alma Rd. ☎ 702-213. ● rhumhor. co.uk ●Entrée piétons par Victoria Rd ; en voiture, la rue étant en sens unique, arríver par la Belford Rd. Fermé nov-mars. Compter £ 19-28 (28,50-42 €) par pers selon saison, avec ou sans sdb. CB acceptées, mais taxées en dessous de £ 50. Très jolie maison des années 1930, entourée d'un jardin sauvage soigneusement entretenu par Ian MacPherson. Végétarien, il jardine et reçoit en kilt, dans la bonne humeur. Atmosphère familiale. Chambres un peu patinées par le temps mais confortables, et de caractère. Vue sur le jardin ou sur les toits de la ville. Œufs bio au petit déj.

🛏 **St Andrews Guesthouse** *(plan A-B2, 13)* : Fassifern Rd. ☎ 703-038. ● fortwilliam-accommodation.co.uk ● Fermé nov-janv. Pensez à prévenir si vous arrivez après 18h. Compter £ 22-28 (33-42 €) par pers selon confort et période. Imposante maison-manoir construite en 1880 et qui servit d'école. Six chambres coquettes et très soi-gnées, avec ou sans w-c. Vue sur la vallée ou sur l'arrière. Maîtresse de maison très stylée. Monsieur, lui, aime les vieilles voitures. Il y en a souvent une garée sous le porche. Bon rapport qualité-prix.

🛏 **Myrtle Bank Guesthouse** *(plan A2, 14)* : Achintore Rd. ☎ 702-034. ●myrtle bankguesthouse.co.uk ● Jolie maison face au loch et au bord de la turbulente A 82. Prévoir £ 16-34 (24-51 €) par pers selon confort et saison. Deux belles maisons victoriennes et une annexe dans le jardin avec tout le confort. Décoration de charme soignée. Les chambres les moins chères (seulement 2) sont dans l'annexe. Excellent accueil. Tennis.

🛏 **Stobahn** *(plan A2, 15)* : Fassifern Rd. ☎ 702-790. Env £ 20-28 (30-42 €) selon confort et période. Dans la rue des B & B, une maison toute simple et bien tenue. Giorgio, le propriétaire, propose 6 chambres un peu exiguës, avec salle de bains pour la plupart.

Où dormir dans les environs ?

Bon marché

🛏 **Glen Nevis Youth Hostel** : à la sortie nord de la ville, suivre la direction d'Inverness, puis prendre au rond-point vers Glen Nevis (2,5 miles, soit 4 km au total). ☎ 0870-004-11-20. ● syha.org. uk ●De la gare, le bus n° 42 opère juin-sept (une dizaine de liaisons/j.). Résa impérative en été, notamment pour les chambres familiales. Env £ 15 (22,50 €) par pers. Face à la montagne, et au pied d'une rivière traversée par une passe-relle juste en face de l'AJ. De l'AJ, les marcheurs peuvent prendre le très beau sentier qui mène, entre cailloux et moutons, au sommet du Ben Nevis.

🛏 **Achintee Farm Hostel** : AJ privée au pied du Ben Nevis. ☎ 702-240. ●achin teefarm.com ● En bus (n° 42), deman-der au chauffeur de s'arrêter au Glen Nevis Visitor Centre. Du parking, pren-dre le pont suspendu puis longer le che-min de droite. En voiture, prendre l'A 82 vers Inverness, au rond-point indiquant Glen Nevis poursuivre vers l'A 82 et

Inverness, tourner tt de suite à droite aux feux (direction Achintee), puis prendre la petite route à droite juste avt le magasin SPAR et la suivre jusqu'au Ben Nevis Inn. Le petit chemin d'accès à la ferme se trouve sur la droite. Tte l'année. Résa indispensable. Env £ 14 (21 €) par pers. Dispatchées autour d'une grosse maison dominant un ravissant jardin, des chambres de 2 à 5 lits. Les plus grandes (les familiales) disposent de leur propre salle de bains et cuisine. Les doubles (ou triples) se partagent une cuisine et une salle de bains ; des petits appartements, quoi ! Un peu plus cher qu'une AJ traditionnelle, mais aussi plus intime et plus confortable.

🛏 *The Smiddy Bunkhouse :* à 4,5 miles (7,2 km) du centre de Fort William, presque collé à la gare de Corpach (située sur la ligne Fort William-Mallaig). ☎ 772-467. ● highland-mountain-guides.co.uk ● *Suivre l'A 82 vers Inverness, puis l'A 380 vers Mallaig. Compter £ 10-14 (15-21 €) par pers en* *dortoirs 4-8 lits.* Bâtiment impeccable, style chalet de montagne, bien équipé (machine à laver, sèche-linge, mais pas Internet). Atmosphère à la fois intime et conviviale. Le proprio (guide de montagne) propose de nombreuses activités de plein air. Même si cela ne saute pas aux yeux au 1er abord (la voie ferrée passe vraiment juste à côté), l'endroit jouit d'une jolie situation, juste à côté du canal.

🛏 *Ben Nevis Inn :* AJ privée au pied du Ben Nevis. ☎ 701-227. ● ben-nevis-inn. co.uk ● *Pour rejoindre l'auberge, même itinéraire (bus et voiture) que pour l'Achintee Farm Hostel (voir plus haut). Pâques-oct. Env £ 14 (21 €) le lit.* AJ rustique, type refuge de montagne. Un seul grand dortoir composé d'une dizaine de lits superposés séparés par de fines cloisons. Sanitaires et cuisine rudimentaires mais propres et cadre extérieur magnifique. À l'étage, un superbe pub (voir « Où manger dans les environs ? »).

Prix moyens

🛏 *Achintee Farm B & B :* mêmes coordonnées et accès que l'Achintee Farm Hostel. *Fermé oct-Pâques. Compter £ 25-30 (37,50-45 €) par pers selon taille de la chambre (ttes avec sdb).* Un peu cher mais les chambres sont jolies, confortables et hébergées dans une grosse maison bien accueillante, nichée en pleine nature. Vraiment un beau cadre ! Et l'accueil ? Adorable !

🛏 *Guaich Cottage :* chez Val Mac Donald, Upper Banavie. ☎ 772-799. ● macdonald@quaichcottage.fsnet.co. uk ● *De Fort William, prendre l'A 82 vers Inverness puis l'A 380 vers Mallaig. Traverser le Caledonian Canal et prendre à droite la B 8004 (Neptune's Staircase). Ouv tte l'année. Env £ 28 (42 €) par pers.* En pleine campagne, dans une maison cossue au détour d'une route ravissante. Les nids douillets que sont les chambres ont une vue majestueuse sur le Ben Nevis. Accueil chaleureux et charmant.

Où manger ?

Bon marché

|●| *Hot Roast Company (plan A2, 1) :* 127, High St. Tlj sf dim 9h30-16h. Petit café qui sert des *breakfasts* abordables. Prépare également des *hot rolls,* de bons sandwichs garnis de viande. Personnel jeune. Cuisine légère et grand choix de cafés. Pour les petits creux.

Prix moyens

|●| *N° 4 Restaurant (plan A2, 20) :* Cameron Sq. ☎ 704-222. Une grosse maison en pierre derrière l'office de tourisme, sur la droite en haut de la place. *Déj, snack (11h-18h) et dinner jusqu'à 21h30. Plats £ 8-12 (12-18 €).* Intérieur

cosy côté salon, et une salle à manger sous une véranda claire donnant sur le jardin. Bonne cuisine écossaise à des prix raisonnables, dans ce qui ressemble un peu à l'annexe bistrot d'un grand chef.

|●| *Imperial Hotel (plan A2, 21) :* Fraser Sq. ☎ 702-040. *Env £ 8 (12 €) pour un bon petit plat au bar.* Toutes sortes de sandwichs, pâtes, *fish and chips,* etc. Plats basiques, mais déco originale avec bibliothèque et tableaux dans le style Renaissance. Banquettes confortables. Service sans faute.

|●| *The Great Food Stop (plan A-B1, 22) :* au rez-de-chaussée de l'Alexandra Hotel, à l'angle de High St et de The Parade. ☎ 702-241. *Service tlj jusqu'à 21h45. Sandwichs à partir de £ 3 (4,50 €) et plats £ 5-12 (7,50-18 €).* Le cadre ressemble à celui d'une cafét' mais la cuisine, servie avec générosité, est plutôt bonne.

|●| ♪ *Ben Nevis Bar (plan A2, 1) :* 103, High St. ☎ 702-295. *Plats env £ 8 (12 €).* Vieille maison immense abritant 2 pubs et un grand resto à l'étage. Carte banale mais prix très raisonnables. Des tables du fond, vue sur le lac. Musique *live* de temps à autre.

Chic

|●| *Crannog Seafood (plan A2, 23) :* sur le Waterfront. ☎ 705-589. *Tlj sf dim et lun midi. Mieux vaut réserver car il est réputé. Plats £ 11-20 (16,50-30 €).* Certainement le meilleur resto de la ville. À la base, une idée intelligente : une communauté de pêcheurs créée dans le but de servir directement le poisson frais dans les assiettes ! Au choix : truite, moules, crevettes, homard, etc. Savoureuse cuisine qui est aussi fine que bien préparée. Accueil adorable.

Où manger dans les environs ?

|●| ♟ *Ben Nevis Inn :* au pied des sentiers montant vers le Ben Nevis (pour l'accès, voir « Où dormir dans les environs ? »). *Ouv Pâques-oct. Cuisine servant jusqu'à 21h et pub jusqu'à 23h. Plats £ 8-14 (12-21 €).* Sur les grandes tables de bois de cette salle rustique tout en longueur, on se régale d'une cuisine simple (hamburgers, moules, steaks, etc.) mais bonne, fraîche et généreuse. Ambiance chaleureuse et service adorable. Terrasse extérieure dans un cadre magnifique, où les petits peuvent cavaler en toute liberté. Enfin un lieu digne du Ben Nevis ! Concerts de temps à autre.

Où boire un verre ?

♟ *The Grog & Gruel (plan A2, 30) :* 66, High St. ☎ 705-078. *Tlj jusqu'à minuit.* Pub chaleureux au rez-de-chaussée d'une jolie maison où l'on peut éventuellement grignoter une pizza ou un tex-mex.

À voir

🎭 *West Highland Museum (plan A2) :* Cameron Sq. ☎ 702-169. ● westhigh landmuseum.org.uk ● *Oct-mai : tlj sf dim 10h-16h ; juin-sept : tlj sf dim 10h-17h (juil-août dim 14h-17h). Entrée : £ 3 (4,50 €) ; réduc.* Musée intéressant, établi dans le bâtiment le plus vieux de la ville, une ancienne banque. On y déambule sur deux étages. Plein de salles, chacune tournant autour d'un thème : archéologie, histoire naturelle, Inverlochy et Fort William, les jacobites et le soulèvement de 1745... Dans une vitrine, quelques objets provenant d'un galion espagnol de l'Invicible Armada, coulé dans la baie de Tobermory (île de Mull) en novembre 1588. Quelques bizarreries comme cette table du palais de justice sur laquelle les délinquants étaient liés et punis à coups de branche de bouleau, et ce jus-

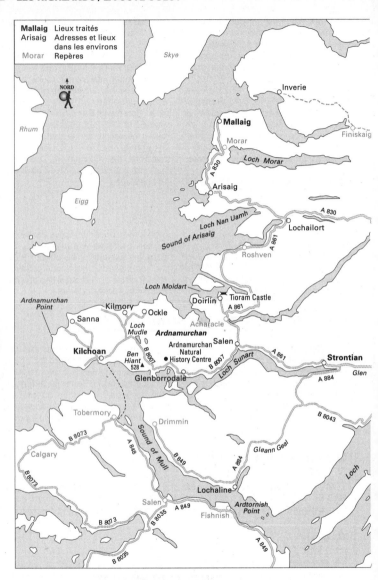

qu'en 1948... Une pièce insolite à ne pas manquer : *The Secret Portrait* de Bonnie Prince Charlie, réalisé au XVIIIᵉ siècle.

➤ *DANS LES ENVIRONS DE FORT WILLIAM*

🎿 *Nevis Range :* à 4 miles (env 6 km) au nord de Fort William, par l'A 82. Station de ski, dont l'attraction principale est le téléphérique. ☎ 705-825. •*nevisrange.co.uk* •

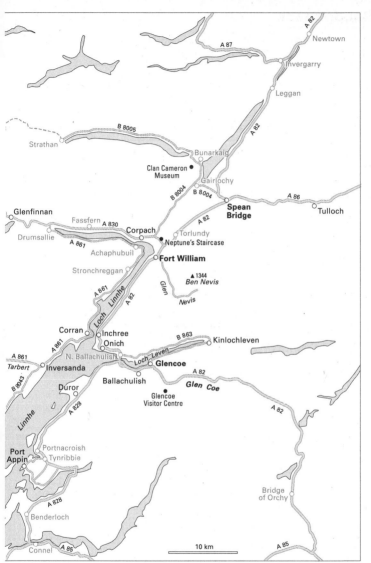

LA CÔTE OUEST

LA RÉGION DE FORT WILLIAM

Tlj 10h-17h ; juil-août 9h30-18h. Prix : env £ 10 (15 €) l'aller-retour (impossible d'acheter un aller simple) ; réduc. Liaison en bus avec Fort William (et l'AJ officielle) toutes les 1h30, de 8h30 à 18h30. Un peu cher pour le nombre de pistes en hiver, mais amusant en été : resto, panorama fantastique, randonnées, etc.

C'est également une piste de descente de VTT prestigieuse (la seule homologuée en Grande-Bretagne pour accueillir des championnats du monde). Location de VTT en bas et forfaits spéciaux pour monter avec en téléphérique.

Randonnées

➤ Promenade dans le superbe *Glen Nevis* qui débute à quelques centaines de mètres au nord de la ville. Paysage qui a inspiré des artistes et servi de lieu de tournage à des films comme *Braveheart, Highlander* et bien d'autres... Du parking, à l'extrémité de la vallée, un bon sentier vous mène dans des gorges très encaissées. On débouche ensuite dans une plaine avec des chutes d'eau en toile de fond. En scrutant les sommets, on peut observer les aigles royaux.

➤ *Excursions au Ben Nevis* (1 344 m) *: compter 7-8h max de marche aller-retour. Le chemin, balisé, très fréquenté, part exactement en face de l'AJ ou du* Glen Nevis Visitor Centre. L'ascension, un peu difficile à la fin en raison de la pierraille, révèle un panorama unique et des couleurs irréelles si le soleil joue un peu avec les nuages. Attention, il y a parfois de la neige au sommet mais surtout beaucoup de vent. En effet, sous ses airs anodins de gros caillou massif, le Ben Nevis cache des conditions atmosphériques équivalentes à celle de la haute montagne : équipez-vous donc en conséquence, comme si vous partiez randonner dans les Alpes (vraies chaussures de marche, des lainages car il fait très froid au sommet, un coupe-vent, etc.). Enfin, ne pas tenter la balade si le temps s'assombrit car on se retrouve très vite dans la purée de pois.

LA ROUTE DES ÎLES

Itinéraire obligé au départ de Fort William pour rejoindre Mallaig et le ferry pour Skye. Route très encombrée en été.

➤ Les non-motorisés ont deux possibilités : rejoindre Mallaig par la route A 830 en bus (lun-ven, 1 départ/j. de Fort William avec *Shiel Buses*) ou par le train, qui traverse des paysages à couper le souffle. Pour plus de détails, voir « Arriver – Quitter » à Fort William.

🐾🐾 *Neptune's Staircase (les escaliers de Neptune) : de l'A 830, prendre la B 8004 avt Corpach en venant de Fort William.* Il s'agit d'un groupe de huit écluses, construites en 1822 sur le canal Calédonien pour effacer les 21 m de dénivellation entre les lochs Linnhe et Lochy. Réaménagés, leurs abords sont très agréables. C'est d'ici que la silhouette du Ben Nevis paraît la plus imposante.

🐾🐾 *Glenfinnan Monument (NTS) :* une tranche de l'histoire mouvementée de l'Écosse. Sur ce rivage, par un beau matin d'août 1745, débarqua Bonnie Prince Charlie en provenance de Brest pour tenter de restaurer les Stuarts sur le trône d'Angleterre et d'Écosse. En ralliant les clans, il rassembla près de 1 300 *Highlanders.* Mais sa campagne de reconquête se solda tragiquement par la déroute de la bataille de Culloden quatorze mois plus tard. Il rembarqua près d'ici, définitivement évincé. Une colonne fut érigée en 1815 au bord du loch en souvenir des vaillants *Highlanders* qui accompagnèrent « *the Young Pretender* » dans son épopée. Bonnie Prince Charlie a marqué les esprits écossais, et les visiteurs viennent en masse en août commémorer le soulèvement. Ce n'est pas la tour qui mérite le déplacement, mais le paysage. On peut grimper à l'intérieur de la colonne *(avr-oct : tlj 9h-16h45 ; juil-août : 9h-17h15).* À la dernière marche, attention à la tête ! Par une gymnastique un peu difficile, on réussit à se tenir sur la minuscule plate-forme pour embrasser la vue magnifique sur le Loch Shiel.

🐾 *Glenfinnan Visitor Centre (NTS) : avec pour décor le viaduc du train à vapeur.* ☎ *(01397) 722-250. Avr-oct, tlj 10h-17h ; juil-août, 9h30-17h30. Entrée libre. Parking payant (cher).* Tout petit musée. Pour les amateurs d'histoire, toute la saga du malheureux prétendant jacobite au trône, dont la légende continue d'alimenter la nostalgie des partisans du nationalisme écossais. Diorama intéressant. Commentaires sonores en français.

🎒🎒 Un peu plus loin, sur la gauche, ne manquez pas la *Glenfinnan Church.* Adorable église à la pointe du Loch Shiel, avec sa cloche caractéristique, à l'ombre d'un sapin...

🎒 *Glenfinnan Station Museum :* ☎ *(01397) 722-295. Juin-oct : tlj 9h-17h. Entrée à prix très modique.* Pour les amoureux des vieux tchouk-tchouks, un tout petit musée dans la gare restaurée, où s'arrête le train à vapeur de la *West Highland Line.* Le viaduc, non loin de là, construit en 1901, ainsi que certaines parties de cette voie ferrée, furent utilisés pour le tournage de plusieurs des films *Harry Potter (Harry Potter et la Chambre des Secrets, Harry Potter et le Prisonnier d'Azkaban* et *Harry Potter et la Coupe de Feu).*

🛏 *Glenfinnan Railway Carriage Co. :* ☎ *(01397) 722-295. Env £ 10 (15 €) par pers, draps non compris (attention, leur loc revient à quelque £ 4, soit 6 €).* Une dizaine de couchettes, cuisine, douches réparties dans un wagon. Même gardien que le musée (voir plus haut). 🍽 *Glenfinnan Dining Car :* ☎ *(01397) 722-300. Juin-nov : ouv en journée (le soir slt jeu-sam) ; susceptible de changer ts les ans. Menu £ 18 (27 €).* Tearoom et restaurant dans un wagon des années 1950. Superbe vue depuis la plate-forme qui domine la vallée.

🍽 *Glenfinnan House Hotel :* ☎ *(01397) 722-235. Avr-oct : tlj ; nov-mars : slt le w-e. Plats autour de £ 9 (13,50 €).* Un hôtel charmant au bord du Loch Shiel et, surtout, un pub élégant, plein de cachet et d'atmosphère, avec bow-window et vieux piano. Le *bar food menu* propose une cuisine fine et copieuse, ainsi que des snacks et sandwichs. On peut manger dehors et admirer le *Glenfinnan Monument* sous un autre angle... Très bon accueil.

🎒🎒 À *Lochailort, 20 miles (env 30 km)* au sud de Mallaig, on rejoint la péninsule d'Ardnamurchan (voir plus bas). Un peu après, en direction de Mallaig, une petite église isolée, surplombant la route, servit de décor à une séquence du film *Local Hero* (voir la rubrique « Cinéma et Écosse » dans « Hommes, culture et environnement » en début de guide).

🎒 *Arisaig :* tapi dans la magnifique petite baie de Loch Nan Ceall et ses plages blanches, c'est le point de départ des excursions vers Eigg, Rum et Muck, et la rencontre éventuelle de grands cétacés. MV Sheerwater : ☎ *(01687) 450-224.* ● *arisaig.co.uk* ● *Mai-sept : un départ d'Arisaig vers Eigg et Muck tlj sf jeu, où Rum est l'unique destination ; pas de départ le w-e le reste de l'année. Traversées d'1 à 2h, excursions sur les îles de 2 à 5h.*
⛺ Pour les campings autour d'Arisaig, se reporter à Mallaig.

🎒🎒 *Le Loch Morar* et ses *silver sands* immaculés se trouve à l'embouchure de l'une des plus petites rivières britanniques, la *Morar River,* à quelques centaines de mètres de l'océan. Le Loch Morar abriterait *Morag,* une petite cousine de *Nessie,* du Loch Ness (pour les Écossais, les monstres sont en effet des « monstresses »... pas misogynes avec ça !). Il est vrai qu'avec plus de 305 m de profondeur, le loch le plus profond d'Europe a de quoi susciter l'imagination.

MALLAIG

800 hab.   IND. TÉL. : 01687

À 46 miles (74 km) à l'ouest de Fort William, cette petite ville portuaire est un cul-de-sac et le terminus de la ligne de chemin de fer de Glasgow. C'est aussi un port de pêche actif et le départ du ferry pour l'île de Skye et les petites Hébrides. Mises à part les très belles plages des environs, l'endroit ne donne pas particulièrement envie de s'attarder.

Arriver – Quitter

En bateau

➤ **Eigg et Rum :** avec la compagnie Caledonian MacBrayne, ☎ 462-403. ● calmac.co.uk ● En principe, 1 liaison tlj sf dim. Durée : 1h15 pour Eigg et 2h30 pour Rum. Piétons slt.

➤ **Armadale** (île de Skye) : 8 traversées/j. en été, 2 liaisons le reste de l'année. Embarque des véhicules tte l'année. Durée de la traversée : 30 mn.

> ### PLUS D'EMBROUILLES À EIGG
>
> *Pour la petite histoire, sachez que la répartition et l'organisation des terres en Grande-Bretagne répondent encore souvent à un système quasi féodal. Ainsi, l'île d'Eigg fut la propriété jusqu'en 1996 d'une seule personne, peu soucieuse du développement de l'île et de la vie de sa soixantaine d'habitants. Ces derniers, suite à de nombreux conflits avec leur propriétaire et en partenariat avec le Highland Council et le Scottish Wildlife Trust, décidèrent, en 1997, de racheter leur île, qu'ils gèrent désormais comme une coopérative.*

Adresses utiles

🛈 **Visitor Centre :** sur le port. ☎ 0845-225-51-21. Avr-oct : tlj sf dim 10h15-15h45 ; ouv slt 3 j./sem en hiver.

⚓ **Caledonian MacBrayne :** billetterie sur le port. ☎ 462-403. ● calmac.co.uk ●

⚓ **Bruce Watt Sea Cruises :** ☎ 462-320. ● knoydart-ferry.co.uk ● En été,

en semaine, ce caboteur relie Mallaig, Tabert et Inverie sur la péninsule de Knoydart, de l'autre côté du Loch Nevis, qui n'est desservie par aucune route ; en hiver, traversées lundi, mardi et vendredi. Organise aussi d'autres excursions vers le Loch Coruisk sur Skye, au pied des Cuillins Hills.

Où dormir ?

Les nuits de Mallaig sont loin d'être enfiévrées, mais il se peut que vous ayez à attendre le ferry du lendemain. Une promenade vers les rochers à droite vous permettra peut-être de voir quelques phoques débonnaires prenant leur petit bain du soir.

Campings

On trouve une densité de campings surprenante entre Mallaig et Arisaig, par la route côtière B 8008. Et pour cause, elle offre de bien jolies plages de sable blanc aux eaux claires. Voici nos préférés :

⛺ **Camusdarach :** ☎ (01687) 450-221. ● camusdarach.com ● Fermé de mi-oct à mi-mars. Résa fortement conseillée en été. Env £ 14 (21 €) pour 2 pers et une tente. La réception se trouve dans la dernière maison au bout du chemin. Terrain dans un adorable coin de verdure entre mer et campagne, avec accès à la plage du film *Local Hero*. Bel accueil. Possibilité de louer des vélos chez le voisin.

⛺ **Gorten Sands Caravan :** Gorten Farm. ☎ (01687) 450-283. Ouvrir grand les yeux : les panneaux sont discrets. Fermé oct-Pâques. Env £ 10 (15 €) pour 2 pers et une petite tente ; douche payante. Camping au bord d'une magnifique plagette de sable fin, face à l'île de Skye. Deux vastes parcelles, bien équipées et bien entretenues.

De bon marché à prix moyens

🏠 **Sheena's Backpackers Lodge :** Station Rd, au carrefour, face au port. ☎ 462-764. ● mallaigbackpackers.co.uk ● Fermé de Noël à mi-fév. Nuit £ 13

(19,50 €) par pers. AJ indépendante à l'étage d'une maison très mignonne. Deux chambres de 6 lits et une double. Belle cuisine équipée et laverie. Au rez-de-chaussée, *tearoom* et petit resto (sandwichs, *baked potatoes,* etc.) avec une jolie terrasse dévorée par les fleurs. Une belle adresse conviviale.

🛏 *Shieling Hostel :* à Inverie (accessible slt en bateau avec Bruce Watt Sea Cruises, *voir plus haut « Adresses utiles ».*) ☎ 462-669. Env £ 20 (30 €) par pers. Laverie. AJ indépendante. Douze lits et une chambre familiale. On vient vous chercher au bateau si vous prévenez. Tranquillité garantie.

🛏 *B & B Jean Crocket :* 1, Loch Nevis Crescent. ☎ 462-171. Sur la colline aux maisons blanches que l'on aperçoit du port. Fermé oct-mars. Compter £ 20 (30 €) par pers pour une chambre avec sdb commune. Maisonnette blanche pimpante, un rien kitsch avec, dans le jardinet, une collection de... marmottes, nains de jardins et hérissons plutôt délirante. Le Front de libération des nains de jardin aurait fort à faire ici ! Accueil avenant et breakfast copieux.

Où manger ?

|●| *The Cabin :* dans la rue face au port qui monte vers le West Highland Hotel. ☎ 462-207. Tlj sf dim midi. Fermé déc-mars. Plats £ 7-14 (10,50-21 €). Venir tôt, le resto ne prend pas de résa. Le meilleur resto de poisson du coin, qui sert des produits de la mer à peine sortis du filet des pêcheurs. Le reste est moins bien. Petite salle, peu de tables, donc pas toujours facile de trouver une place.

|●| *The Fish Market :* Station Rd. ☎ 462-299. En face de l'AJ. Plats £ 8-17 (12-25,50 €). Maison en demi-cercle donnant sur le port. Salle agréable. Spécialisé dans les produits de la mer (sole, truite...), pas de surprise !

À voir

🏹 *Mallaig Heritage Centre :* Station Rd. À côté de la gare. ● www.mallaigheritage.org.uk ● Avr-juin et oct : tlj 11h-16h. Juil-sept : lun-sam 9h30-16h30 ; dim 12h30-16h30. Entrée : env £ 2 (3 €) ; réduc. Histoire et traditions des environs connus sous le nom de « Rough Bounds », l'épopée de la construction du chemin de fer et l'activité portuaire. Nombreuses photos, notamment des classeurs de photos de classe. Pour compléter la visite, jeter un coup d'œil au *Steam Train.*

LA PÉNINSULE D'ARDNAMURCHAN

Prononcer « Arnamouran ». Paradis des amateurs de nature vierge, cette péninsule risque de vous donner envie d'y planter vos pénates. Ces grands espaces glissant doucement vers la mer n'ont rien à envier aux paysages des Hébrides, au large, dont on a d'ailleurs une vue époustouflante depuis l'*Ardnamurchan Point.* Ce point géographique le plus à l'ouest de la Grande-Bretagne (îles mises à part) était presque inaccessible à la fin du XIXe siècle, jusqu'à ce qu'on y construise un phare. Aujourd'hui, on roule patiemment jusqu'à ce promontoire sauvage, et prudemment, car les routes sont à une voie. Compter deux jours à vélo pour traverser la péninsule.

Arriver – Quitter

➤ Depuis *Fort William,* aller au sud jusqu'à *Inchree* avant Onich. Traverser en 5 mn le goulet du Loch Linnhe en ferry (départ ttes les 15 mn). *Gratuit pour les piétons et leurs vélos et env £ 6 (9 €) pour une voiture et ses occupants.*

LA CÔTE OUEST

➤ De *Lochaline,* 1 ferry rejoint *Fishnish* (île de Mull) ttes les heures 7h-19h (18h dim) avr-oct. Tandis qu'un bus relie 3 fois/sem Lochaline à *Fort William.*

STRONTIAN

C'est à Strontian que fut découvert en 1791 le *strontium* (un métal rare utilisé en pyrotechnie et en médecine). En dehors de cette particularité géologique, c'est sa situation en bordure du magnifique *Loch Sunart* qui mérite qu'on s'y arrête.

Adresse utile

🛈 *Tourist Information Centre :* à Strontian. ☎ (01967) 402-382. Pâques-oct : tlj 10h-17h (16h dim).

Où dormir ? Où manger dans les environs ?

Plusieurs *cottages* et bungalows à la semaine. Se renseigner auprès de l'office de tourisme.

⚕ *Resipole Farm Caravan Park :* Loch Sunart, sur la route de Strontian ; à 2,5 miles (4 km) de Salen et 7,8 miles (12,5 km) de Strontian. ☎ (01967) 431-235. • www.resipole.co.uk • Site fermé aux tentes nov-Pâques. Env £ 13 (19,50 €) pour 2 pers et une tente. Loc de jolis chalets £ 375-445 (562,50-667,50 €) la sem en été. Au bord de la route mais tout près du loch, avec une vue magnifique. Laverie, boutique et plage. Cher mais très bien aménagé ; un emplacement rêvé.

🛏 |●| *Lochaline Hotel :* à Lochaline, dans la région du Morvern, au sud d'Ardnamurchan, à quelque 20 miles (29 km) de Strontian. ☎ (01967) 421-657. • sally@lochaline-hotel.co.uk • Env £ 37 (55,50 €) pour 2 pers. De bons plats au pub £ 8-12 (12-18 €). Tout petit hôtel simple, disposant de 5 chambrettes confortables, avec lavabo. Salle de bains à partager. Deux chambres ont vue sur Ardtornish Castle.

À voir dans les environs

🐾🐾 De Strontian, on peut bifurquer vers le sud par la A 884 et traverser le *Gleann Geal,* désert de toute présence humaine depuis les *clearances,* jusqu'à *Lochaline,* où les ruines du château d'*Ardtornish* agrémentent les berges du *Sound of Mull.*

🐾🐾 Depuis *Salen,* prendre l'A 861 vers le nord, direction le *Loch Moidart* et l'extraordinaire *baie du Sound of Arisaig.* Peu après Acharacle, faites un crochet par *Tioram Castle* (direction Doirlin), rien que pour la photo ! Magnifiquement situé sur un îlot rocheux, ce château (du XIIIe siècle) contrôlait l'accès au Loch Moidart. Désormais en ruine, on y accède seulement à marée basse. Au *Sound of Arisaig,* paysage remarquable : le rivage parsemé de petites criques abrite nombre de hérons, de phoques et de cerfs.

KILCHOAN *(ind. tél. : 01972)*

Depuis *Salen,* une petite route tortueuse mène, cahin-caha, à travers les forêts de vieux chênes, jusqu'au village endormi de *Kilchoan.*

Arriver – Quitter

En bus

Avec la compagnie *Shiel Buses,* ☎ *(01967) 431-272.*
➢ **Fort William :** 1 bus/j. À Kilchoan, le bus se prend devant *Ferry Stores.* Trajet : 2h20.

En bateau

⛴ **Ferry Terminal :** Caledonian McBrayne, *Tobermory (Mull),* ☎ *(01688) 302-017.* ● *calmac.co.uk* ●
➢ **Tobermory :** en hte saison, 7 traversées de 35 mn 8h-18h, dans les 2 sens ; 5 le w-e. Le reste de l'année, 2 à 3 traversées/j. ; pas de service le dim.

Adresses utiles

🆔 **Tourist Information Centre :** au Kilchoan Community Centre. ☎ *510-222. Avr-oct : lun-ven 9h-17h ; sam 10h-17h. Nov-mars : tlj sf dim 10h-16h.*
◼ **Ferry Stores :** *épicerie, bureau de poste et station-service. Tlj sf dim 9h-17h30 (station-service fermée le midi).* Pas une seule banque à la ronde ! Mais on pourra vous dépanner ici par *cash-back* (en contrepartie d'un petit achat par carte de paiement, vous obtenez la somme voulue).

Où dormir ? Où manger ?

⚊ **Kilchoan Campsite :** *prendre la route qui longe* Ferry Stores, *c'est à 0,7 mile (1 km) sur la gauche.* ☎ *07787-812-084. Compter £ 10 (15 €) pour 2 pers et une tente.* Tout petit camping au bord de l'eau. Sanitaires dans une cabane de fortune, mais corrects.
🛏 **Doirlinn House :** ☎ *510-209. Belle maison de granit sur la droite, après le Kilchoan House Hotel. Fermé nov-fév. Env £ 25 (37,50 €) par pers ; un peu moins cher pour un séjour prolongé.* Trois chambres très coquettes, dont 2 avec vue sur le *Sound of Mull.* Accueil agréable.

🛏 |●| **Kilchoan House Hotel :** *à l'entrée du village.* ☎ *510-200.* ● *kilchoanhousehotel.co.uk* ● *Fermé nov-mars. Doubles £ 34 (52,50 €) par pers ;* également de belles chambres familiales. *Plats £ 8-15 (12-22,50 €).* Une adresse qui cache bien son jeu : sa façade extérieure, fade et fermée, ainsi que le troquet à l'entrée ne laissent pas imaginer la charmante petite salle de restaurant qui donne sur la baie, ni les chambres, un peu chères, mais non dénuées d'élégance, jouissant pour la plupart d'une vue verte et paisible. Accueil convivial.

Où dormir ? Où manger dans les environs ?

🛏 |●| **Sonochan Hotel :** *à 2,7 miles (4 km) de Kilchoan, sur la route du phare et du* Ardnamurchan Point Visitor Centre. ☎ *(01972) 510-211. Tabler sur £ 20-25 (30-37,50 €) par pers selon confort.* Possibilité de se restaurer à prix moyens au pub. Chambres simples, gentiment colorées et bien tenues. Les plus onéreuses, avec salle de bains privée, se trouvent dans une maison récente au-dessus du pub ; certaines jouissent d'une jolie vue. Une adresse plantée dans un beau décor de collines verdoyantes avec la mer en toile de fond.

À voir. À faire dans les environs

🎭 🛶 ***Ardnamurchan Natural History Centre :*** *à* **Glenmore,** *à env 10 miles (16 km) à l'est de Kilchoan.* ☎ *(01972) 500-209.* ● *anhc.co.uk* ● *Avr-oct : tlj 10h30-17h30 (dim 12h-17h30). Fermé nov-mars. Entrée : £ 3,50 (5,30 €).* Exposition sur la vie sauvage et l'environnement de la péninsule dans un *living building* au toit de mousse, conçu pour attirer au plus près les animaux, que l'on observe à sa guise. Diaporama réussi. Un bon petit café-snack sous une véranda tapissée de vigne et de bois de cerfs.

🎭 ***Ardnamurchan Point Visitor Centre :*** *à env 6 miles (10 km) à l'ouest de Kilchoan.* ☎ *510-210.* ● *www.ardnamurchan.u-net.com* ● *Avr-oct : tlj 10h-17h ; visite guidée du phare, ttes les heures (dernière visite à 16h). Entrée : £ 2,50 (3,80 €) pour l'exposition ; £ 5,50 (8,30 €) pour l'exposition et le phare.*
Vous voici à l'extrême ouest de la péninsule, dans un paysage aussi désolé que grandiose, à proximité de plages de sable fin. Ce Finistère de la Grande-Bretagne, coiffé d'un phare, offre une vue inoubliable sur les petites îles de Coll, d'Eigg et de Rum.
Dans un bâtiment allongé presque au pied du phare, expo consacrée aux phares, mais aussi aux cétacés, qu'on peut venir scruter chaque hiver depuis ce poste d'observation idéal.

🔺 ***Sanna Bay :*** *à 5 miles (8 km) au nord-ouest de Kilchoan.* Splendide plage de sable blanc. Des dunes, quelques cottages et la mer d'un bleu profond.

➤ ***Randonnée :*** *à quelques miles à l'est de Kilchoan, la route file vers la montagne et le **Ben Hiant** (528 m).* Une marche de 2h30 (aller-retour) jusqu'au sommet permet de profiter des plus beaux panoramas. Départ depuis la route entre l'entrée du *Loch Mudle* et la barrière à bétail. Pour plus de détails, et d'autres randonnées, voir le guide *Ardnamurchan – Making the most of your stay here !* (en vente à l'office de tourisme).

GLENCOE
2 800 hab.   IND. TÉL. : 01855

À 20,5 miles (33 km) au sud de Fort William, sur la rive sud du Loch Leven, dominé par une série de monts verdoyants en été, Glencoe est une surprise que l'on découvre au débouché du Glen Coe (logique !). Un de nos coins préférés (mieux que le Ben Nevis). Par le nombre et la beauté sauvage de ses montagnes, la région est considérée comme le haut lieu et le rendez-vous favori des alpinistes en Écosse. Après l'agitation de Fort William, voilà un village d'une simplicité enfantine : une rue bordée de maisons mignonnes et fleuries (plusieurs *B & B*), autour d'un temple calviniste aux pierres sombres.

Arriver – Quitter

En bus

➤ Glencoe se trouve sur les lignes ***Glasgow-île de Skye*** et ***Édimbourg-île de Skye :*** 2 à 5 liaisons/j. *Infos :* Scottish Citylink, ☎ *08705-50-50-50.* ● *citylink.co. uk* ●

Adresses utiles

🏠 ***Tourist Information Centre :*** *à Bal-lachulish, à 1,8 mile (3 km) du village* | *de Glencoe, sur la route de Fort William.* ☎ *811-866.* ● *glencoe-scot*

land.net/index.html ● Tlj 9h-18h.
Accès Internet.
■ *Distributeur automatique :* dans
l'épicerie du village.
■ *Location de vélos :* au Lochaber

Watersports, à *Ballachulish*, en direction de l'office de tourisme puis de
l'hôtel The Isles of Glencoe *(dont il est le
voisin)*. ☎ *821-391*. Loue aussi des VTT
et des kayaks.

Où dormir ?

Campings

⚊ *Caolasnacon Caravan & Camping
Park :* Kinchlochleven, sur le Loch
Leven. ☎ *831-279*. ● kinlochlevencara-
vans.com ● À 3 miles (5 km) de Glencoe
en allant vers Kinlochleven. Fermé nov-
mars. Env £ 8-12 (12-18 €) l'emplacement selon taille de la tente. Dans une
ancienne ferme. Bien équipé, un accueil
gentil et une situation formidable en bordure du loch.
⚊ *Invercoe :* à 400 m du village de Glen-

coe, vers Kinlochleven. ☎ *811-210*. ● in
vercoe.co.uk ● Ouv tte l'année. Env £ 17
(25,50 €) pour 2 pers et une tente. Pris
d'assaut en été. Épicerie sur le site.
Cher, mais agréable car au bord de
l'eau, d'où l'on peut d'ailleurs admirer le
coucher de soleil. Également un petit
espace abrité, bien pratique quand il
pleut. Le *warden* passe en soirée prendre son dû. Dommage que les *midges*
soient compris dans le prix !

Bon marché

▤ *Youth Hostel :* à 1,9 mile (3 km) après
la sortie du village, au milieu des arbres
et près de la rivière. ☎ *0870-004-11-22*
ou *811-210*. ● syha.org.uk ● Avr-déc.
Env £ 15 (22,50 €) par pers en chambres 6-8 lits. Lieu de rencontre des randonneurs et des alpinistes, cette AJ rustique, un peu vieillotte mais bien tenue,
est surtout fréquentée par des familles,
donc pas d'ambiance délirante le soir,
mais bip à proximité.
▤ *Inchree Centre :* à Inchree, sur la
route de Fort William. ☎ *821-287*. ● in
chreecentre.co.uk ● Env £ 14 (21 €)
pour un lit dans une chambre de 6 ou
8 lits et £ 19-22 (28,50-33 €) par pers
pour une double avec sdb ; petit déj
continental compris. Dans un chalet
récent tout en longueur, 3 dortoirs,
8 chambres doubles et une grande cui-

sine à disposition. Loue également des
chalets 4 personnes. Resto-pub sur le
site, où l'on mange correctement. Une
agence à proximité propose aussi des
activités de plein air (kayak, canyoning...).
▤ *Glencoe Hostel :* juste avt l'AJ en
venant de Glencoe. ☎ *811-906*. ● glen
coehostel.co.uk ● Prévoir £ 10-18 (15-
27 €) par pers selon type d'hébergement. Dans un vallon, on a le choix entre
un *hostel*, un *cottage*, des *log cabins*
pour quatre (petit chalet) ou *caravans*
(mobile homes). Douches, w-c, cuisine
collective et service de laverie à disposition. Petite rivière qui passe au milieu
de tout ça ; assez rustique (d'autant que
l'entretien fait parfois défaut) mais cadre
sympathique. Accueil moyen.

De prix moyens à chic

▤ *St Brides Old Rectory :* chez Kate et
Alan Ward. ☎ *821-337*. ● catherine
ward@onetel.com ● Sur l'A 82, juste
après à Onich, en direction de Glencoe.
Ouv Pâques-oct. Env £ 22 (33 €) par
pers. Presque accolé à l'église Saint
Bride, ce vieux presbytère à l'intérieur

vertement coloré est un rien sombre,
mais confortable et chaleureux. Chambres spacieuses et douillettes, avec
salle de bains commune. Accueil en
douceur et souriant.
▤ *Greag Mhor Lodge :* à Onich.
☎ *821-379*. ● creagmhorlodge.co.uk ●

Prévoir £ 20-30 (30-45 €) par pers selon confort ; Également des suites £ 90 (135 €) par pers ! Au bord de l'A 82, dans une magnifique maison victorienne, une adresse de charme offrant des chambres pour tous les budgets. Les moins onéreuses, plus petites, situées à l'arrière de la maison (sans vue mais au calme), disposent de leur salle de bains privée, d'une cuisine commune pour préparer le petit déj (non compris dans le prix) et d'un petit salon. Les autres chambres (en *B & B*) sont vastes et élégantes. Bar dans le magnifique salon et salle de petit déj avec, en son centre, un piano. Du caractère et une belle atmosphère. Accueil chaleureux.

Où manger ? Où boire un verre dans les environs ?

I●I *Lochleven Seafood Café* : Lochleven, Onich. ☎ (01855) 821-048. Sur la rive nord du Lochleven (prendre à droite avt le pont vers Glencoe). Avr-oct : tlj ; nov-mars : le w-e slt. Résa conseillée. Plats env £ 8 (12 €). Avis aux amoureux de fruits de mer : ce petit café à la déco design un peu froide, égaré dans la nature, face au Loch Leven, offre tout ce qu'il y a de plus frais en la matière (la pêche du jour est livrée dans le bâtiment accolé, où l'on peut acheter homard, saumon, etc.). Plats de moules, huîtres à la pièce, assiettes de langoustines ou quelques petits plats simples et délicieux. Belles portions et prix doux... même l'*espresso* est bon !

I●I ▼ *The Clachaig Inn* : *auberge à 3 miles (5 km) de Glencoe par la même petite route forestière qui conduit au* Youth Hostel *et au* Glencoe Hostel. ☎ 811-252. Bar meals £ 4-8 (6-12 €), à commander au comptoir. En pleine nature, au fond de la vallée. Rendez-vous des fanas de la montagne. D'un côté le bar avec son vieux poêle et son billard, de l'autre, le resto, plus cosy. Même cuisine dans les deux, mais ambiance plus relax au bar. Propose une centaine de whiskies. En saison, musique folk certains soirs. Accès Internet.

À voir. À faire

🎿🏃 *Glencoe Visitor Centre* (NTS) : *sur la droite de la route A 82, à 1,5 mile (2,5 km) de Glencoe en allant vers Glasgow.* ☎ 811-307. En mars : tlj 10h-16h ; avr-août : tlj 9h30-17h30 ; sept-oct : tlj 10h-17h ; nov-fév : tlj sf lun 10h-16h. Entrée : £ 5 (7,50 €) ; réduc. Dans un baraquement sur pilotis, de construction ingénieuse. On a fait dans l'écologique avec une isolation faite de journaux recyclés, des joints en laine de mouton pour les fenêtres, des ouvertures exposées au sud pour économiser de l'énergie... Un centre pour tout comprendre sur les phénomènes géologiques du secteur, l'histoire de l'alpinisme écossais, ou bien le célèbre massacre de Glencoe en 1692 (voir la rubrique « Histoire. Vers la réunification » dans « Hommes, culture et environnement »). Expo intéressante et bien ficelée (même si la petitesse de l'expo surprend vu la taille de l'endroit...). Bornes interactives, vidéos.

🎿 *Glencoe and North Lorn Folk Museum* : *près de l'épicerie du village.* ☎ 811-664. Avr-oct : tlj sf dim 10h-17h30. Entrée : £ 2 env (3 €) ; réduc et gratuit jusqu'à 16 ans. À l'intérieur d'une *croft house* traditionnelle et de « ses dépendances » aux portes minuscules. La vie du village est décrite à travers une collection de costumes, textiles, outils agricoles, jouets et maquettes. Deux pièces sont également consacrées au massacre de Glencoe (voir la rubrique « Histoire. Vers la réunification » dans « Hommes, culture et environnement »).

🏃 *Ice Factor :* *Leven Rd, à Kinlochleven.* ☎ *831-100.* ● *ice-factor.co.uk* ● *Ouv à ts ; lun, ven et w-e 9h-19h ; mar, mer, jeu 9h-22h. Cours d'escalade (30 mn) : env £ 20 (30 €) ; tarifs fortement dégressifs selon nombre de pers. Initiation sur le mur de glace : £ 45 (67,50 €) par pers.* Non, ce n'est pas une entreprise de congélation frigorifique, mais une ancienne usine d'aluminium reconvertie. Sous la conduite de moniteurs expérimentés, on peut s'initier à l'escalade et à l'alpinisme, soit sur des parois artificielles, soit sur un haut mur de glace, dans une immense chambre froide de plusieurs mètres de haut. On trouve aussi un sauna, une cafétéria et un restaurant.

Randonnées

Glencoe est sans doute le berceau de l'alpinisme en Écosse. Et pour cause, ses pics et vallées, gérées depuis 1937 par le *National Trust,* sont tout simplement remarquables. Les possibilités de courses en montagne sont nombreuses. Bien qu'elles ne soient pas aussi ardues que dans les Alpes, ne pas les sous-estimer pour autant. Le climat, sur la côte ouest, est très capricieux. Ne vous aventurez que si vous êtes sûr de votre coup. Sinon, vous pouvez rejoindre des excursions avec guides. Se renseigner au *Glencoe Visitor Centre.*
Côté cartographie, se munir de la carte *Superwalker* de l'éditeur Harvey, échelle 1/25 000. Voici quelques itinéraires assez accessibles (dans un ordre croissant de difficulté) :

➢ *Lochan Trails :* *parking à la sortie du village (en direction de l'AJ), puis vers la gauche.* Parcours forestiers, de longueurs variables, juste au nord de Glencoe. Espèces d'arbres importées au XIXᵉ siècle d'Amérique du Nord par lord Strath-cona. On peut également faire le tour d'un petit loch. Une belle balade.

➢ *Pap of Glencoe* (742 m) *: départ à 1 mile (1,6 km) du village, en direction de l'AJ. Aucune pancarte ne l'indique.* Faute de s'engager sur les arêtes de Glencoe, cette rando assez ardue offre un panorama mémorable. Vue sur le Loch Leven et l'ouest (génial au coucher de soleil). Compter 3h aller-retour. C'est raide !

➢ *The Lost Valley :* *départ d'un parking à 3 miles (5 km) au-dessus de Glencoe (par l'A 82), le plus grand. Prévoir une bonne journée de marche.* Dans le Coire Gabnail, une vallée formée il y a 10 000 ans par un éboulement de pierres. Une bonne intro au massif de Glencoe. C'est ici que les MacDonald cachaient leur bétail volé. Chemin caillouteux par endroits, se chausser en conséquence.

Où dormir ? Où manger sur la route de Glencoe à Oban ?

De bon marché à prix moyens

⛺ *Achindarroch Caravan Park :* *à Duror.* ☎ *(01631) 740-329. De mars à mi-oct. Compter £ 8-12 (12-18 €) pour 2 pers et une tente.* Petit terrain sans grand charme mais tranquille et à la vue dégagée.
🏠 *House of Keil :* *en venant de Glencoe par la route A 828, c'est à 1,8 mile (3 km) après le panneau Cuil, sur la droite.* ☎ *(01631) 740-255.* ● *houseof keil@hotmail.com* ● *Fermé nov-mars. Env £ 27-30 (40,50 €) par pers.* Grande

maison à tourelles au bord de l'eau abritant seulement 2 chambres avec salle de bains, ouvertes sur le loch. À l'intérieur, trophées de chasse aux murs. On est accueilli par une petite dame très gentille. Constitue une bonne étape.
🍴 *Pierhouse Hotel :* *à Port Appin.* ☎ *(01631) 730-302. Sur l'embarcadère des bateaux vers Lismore (île dans le Loch Linnhe). Plats £ 10-20 (15-30 €) ; plateau de fruits de mer £ 65 (97,50 €)*

pour deux ! Excellent resto de poisson. Cher, mais quel cadre et quel service ! Et la vue... elle mérite le détour, même | sans un repas au restaurant : un loch, un phare et un château-île planté au loin dans le décor.

L'ARGYLL

Cette région transitoire entre les Lowlands et les Highlands présente un paysage de petite montagne. Si la majorité des visiteurs parcourt les rives du Loch Lomond, l'Argyll, plus à l'ouest, permet de sortir des sentiers battus.
🛈 *Infos touristiques sur la région en consultant le site • visitscottishheartlands. com •* Valable aussi pour le Loch Lomond, Stirling et les Trossachs.

Comment se rendre dans l'Argyll ?

En bus

➤ Bus *Glasgow-Oban* (par Tyndrum ou Inveraray), env 7 bus/j. dans les deux sens ; ligne *Glasgow-Campbeltown* (arrêts à Tarbet, Arrochar, Inveraray, Lochgil-phead et Tarbert). Autre service entre *Oban* et *Fort William*, 4 liaisons/j. avec *Scottish Citylink*, ☎ 08705-50-50-50. • *citylink.co.uk* • Ou 1 bus express pour *Fort William* et *Mallaig* avec *West Highland Flyer*, ☎ 07780-72-42-48 ; fin mars-fin oct.

En train

➤ La *West Highland Line* assure la liaison entre *Glasgow* et *Oban*, via, entre autres, *Tyndrum* et *Taynuilt*. *Rens :* Scotrail, ☎ 08457-48-49-50. • *firstgroup.com/sco-trail •*

OBAN   8 360 hab.   IND. TÉL. : 01631

Station balnéaire mise à la mode par la reine Victoria, qui trouvait le climat propice au soin des rhumatismes. Malgré l'affluence touristique, Oban, capitale de l'Argyll, garde un certain charme victorien. Elle est souvent décrite comme la porte des îles avec le départ des ferries vers les Hébrides Extérieures. D'ailleurs, depuis le port ou les hauteurs de la ville, on aperçoit les îles de Kerrera et, plus loin, Mull.
– À votre arrivée, pensez à consulter l'*Oban Times* et le gratuit *Holiday West Highland*.

Arriver – Quitter

En train

Oban est relié à :
➤ *Glasgow : Scotrail* opère un service de *Queen Street Station*, par la célèbre *West Highland Line*. 6 trains/j. d'Oban (4 dim) et 4/j. slt depuis Glasgow (3 dim). Durée : 3h15. *Rens :* ☎ 08457-48-49-50. • *firstgroup.com/scotrail •*

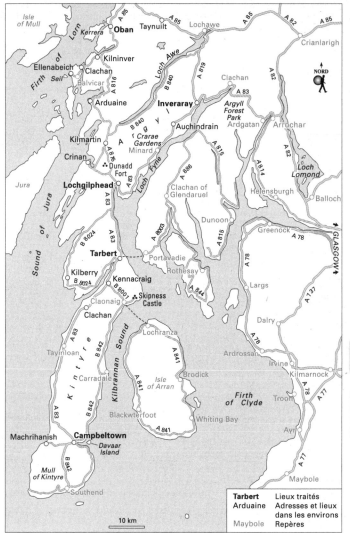

LE SUD-OUEST (L'ARGYLL-KINTYRE)

En bus

– *Résa à la* Scottish Citylink *:* ☎ 08705-50-50-50. ● *citylink.co.uk* ● Liaisons avec :
➤ *Glasgow :* 4 bus/j. répartis dans la journée via *Inveraray* et le *Loch Lomond.*
Sur une des 4 liaisons, changement à *Tyndrum.* Env 3h de trajet.
➤ *Campbeltown :* 2 bus/j. (mat et ap-m) au départ d'Oban via *Tarbert,* changement à *Lochgilphead.*

➤ *Fort William* et *Inverness :* 4 bus au départ d'Oban entre 8h et 16h, change-ment à Fort William pour continuer sur Inverness. Depuis Inverness, env 3 départs.
➤ Localement, 3 lignes rejoignent *Gallanachmore* en été et le ferry pour *Kerrera,* le *Scottish Sea Life Sanctuary* au nord d'Oban et *Clachan-Seil* sur l'île de Seil. *West Coast Motors :* ☎ 0870-850-66-87. ● *westcoastmotors.co.uk* ●

En bateau

– *Les liaisons en ferry sont assurées par la* Caledonian MacBrayne. ☎ *566-688.* ● *calmac.co.uk* ●
➤ Deux à six liaisons/j. avec *Craignure* (île de Mull), selon la saison. Compter 45 mn de traversée.
➤ Également des liaisons avec *Lochboisdale* (South Uist, Hébrides Extérieures), escale à *Castlebay* (Barra), mais aussi *Colonsay, Coll* et *Tiree,* et *Lismore* (45 mn de traversée).

Adresses utiles

🛈 *Tourist Information Centre (plan B3) :* Argyll Sq. ☎ 563-122. ● *info@oban. visitscotland.com* ● *À droite, en sortant de la gare. Juil-août : tlj 9h-19h. Sept-nov et avr-juin : lun-sam 9h-17h30 ; dim 10h-16h. Déc-mars : lun-sam 9h30-17h ; dim 12h-16h. Bureau de change qui accepte aussi les chèques de voyage (travellers). Accès Internet. Vend des billets de bus (City Link, National Express).*
– *Consulter* ● *oban.org.uk* ●*. Site conçu par une association touristique d'Oban.*
✉ *Poste (plan B2) : sur l'esplanade de Corran. Lun-ven 9h-17h30 ; sam 9h-12h30. Un autre bureau sur Comble St (plan B3).*
▣ *Fancy That (plan B2, 1) :* 106, George St. *Boutique de souvenirs ouv lun-sam 9h30-17h ; dim 10h-17h.*
■ *Banques :* attention, les banques d'Oban n'acceptent pas les chèques de

voyage. On peut les changer à l'office de tourisme.
■ *Lorn Medical Centre (plan B3, 2) :* Soroba Rd. ☎ 563-175.
■ *Location de vélos (plan B3, 3) :* Evo bikes, 29, Lochside St. ☎ 566-996. ● *in fo@evobikes.co.uk* ● *À côté du super-marché* Tesco. *Tlj sf dim 10h-17h30 (17h sam). Compter £ 14/j., soit 21 €.*
■ *Borro Boats (hors plan par A3) :* Dun-gallan Parks, Gallanach Rd. ☎ 563-292. *Location de bateaux à voile, à moteur ou avec rames...*
✿ *Waterstone's (plan B2) :* 12, George St. *À côté de* The Kitchen Garden Deli-catessen *(plan B2, 22). Librairie très fournie en ouvrages sur la région, ainsi qu'en cartes et livres de randonnée.*
■ *Laverie (plan B2, 4) : à l'angle des rues Stevenson et Tweeddale. Lun-ven 9h-17h (13h sam).*

Où dormir ?

Une profusion de *B & B,* dont la plupart sont sur Breadalbane Street et Dunollie Road (nord de la ville). Les autres, en hauteur et déjà plus chers, privilégient une clientèle pour plusieurs nuits.

Camping

⚊ *Oban Caravan & Camping Park :* Gallanachmore Farm, Gallanach Rd. ☎ 562-425. ● *obancaravanpark.com* ● *À 2,5 miles (4 km) du centre-ville, vers le sud, au-delà du port de Gallanach-more. Un bus fait la navette 2 fois/j. De Pâques à mi-oct. Compter £ 11-14*

(16,50-21 €) pour 2 pers et une tente. Juste en face de l'île de Kerrera, au milieu des collines. Fabuleux mais parfois bondé en été. Hygiène moyenne. Bar-resto, magasin, laverie. Pas de résa pour les tentes. Accueil inégal.

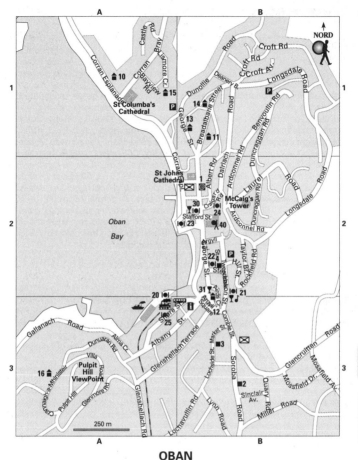

OBAN

Adresses utiles		Où manger ?

■ **Adresses utiles**

- ℹ️ Tourist Information Centre
- ✉️ Postes
- 🚌 Gare routière
- 🚃 Gare ferroviaire
- @ 1 Fancy That
- 2 Lorn Medical Centre
- 3 Location de vélos
- 4 Laverie

🛏️ **Où dormir ?**

- 10 Oban Youth Hostel
- 11 Oban Backpackers
- 12 Jeremy Inglis
- 13 B & B Dana Villa
- 14 B & B chez Mrs MacGregor
- 15 Cuan
- 16 Dungrianach

🍴 **Où manger ?**

- 20 Local Shellfish
- 21 The Lorne
- 22 The Kitchen Garden Delicatessen
- 23 Ee-Usk
- 24 The Studio Restaurant
- 25 Restaurant Waterfront

🍷🍴🎵 **Où sortir ?**

- 21 The Lorne
- 30 Oban Inn
- 31 Aulay's Bar

🏃 **À voir**

- 40 Distillerie de whisky Oban

L'ARGYLL

Bon marché

🛏 **Oban Youth Hostel** (plan A1, **10**) : sur Corran Esplanade. ☎ 0870-004-11-44. ● syha.org.uk ● Trois maisons après la cathédrale Saint Columba. Ouv tte l'année. Compter env £ 15 (22,50 €) par pers en dortoir. Des chambres avec sdb dans le lodge £ 65-72 (97,50-108 €) pour deux ; petit déj non compris. L'une des plus belles maisons victoriennes du coin. Vue splendide sur la mer et les îles. Dortoirs de 4 à 10 lits, souvent pleins en été. Vérifiez bien votre mail de confirmation car des erreurs de réservation ont été notées.

🛏 **Oban Backpackers** (plan B1, **11**) : Breadalbane St. ☎ 562-107. ● scotlands-top-hostels.com ● Près du cinéma. Ouv tte l'année. Prévoir £ 14 (21 €) pour une nuit en dortoir ; petit déj en supplément. Atmosphère très cool. Bonne musique. Six dortoirs confortables de 6 ou 12 lits. Accès Internet. Location de vélos. Organise des excursions sur l'île de Skye et dans les Highlands, ainsi qu'un service de bus vers Glasgow (service jump on jump off, avec réseau d'AJ). Très bon accueil.

🛏 **Jeremy Inglis** (plan B2-3, **12**) : 21, Airds Crescent ; accueil au 2ᵉ étage. ☎ 565-065. ● jeremyinglis@mactavish. freeserve.co.uk ● Ouv tte l'année. Prévoir env £ 11 (16,50 €) par pers avec petit déj pour partager une chambre 2-6 pers, en dormant dans un vrai lit. Si vous voulez être seul, compter dans les £ 20 (30 €). Doubles moyennes, certaines à la déco très colorée... Accueil chaleureux.

De prix moyens à chic

🛏 **B & B Dana Villa** (plan B1, **13**) : Dunollie Rd. ☎ 564-063. ● danavilla.co. uk ● Ouv tte l'année. Doubles £ 25-35 (37,50-52,50 €) par pers selon saison, avec sdb. Également deux appartements à louer à la semaine mai-sept. Dans la rue la plus dense en B & B. Sympathique adresse. Accueil souriant et service efficace.

🛏 **B & B chez Mrs MacGregor** (plan B1, **14**) : 1, Breadalbane Mews. ☎ 562-165. Au bout de Breadalbane St, à 2 mn du centre. Maison en angle avec une porte jaune fluo. Ouv juin-sept. Prévoir £ 18 (27 €) par pers. Deux chambres doubles et une simple. En revanche, il faut partager l'unique salle de bains, à l'étage. Gentille maîtresse de maison.

🛏 **Cuan** (plan A1, **15**) : Lismore Crescent. ☎ 563-994. Prendre la 3ᵉ rue à droite sur Corran Bray, celle juste après la cathédrale Saint Columba ; aller au bout de la rue et entrer dans la cour. Avr-oct. Chambres £ 18-22 (24-33 €) par pers. CB refusées. Propose 2 chambres correctes, une avec douche et une simple avec salle de bains à l'extérieur. Accueil familial et prix imbattables pour un B & B.

🛏 **Dungrianach** (plan A3, **16**) : à Pulpit Hill. ☎ et fax : 562-840. ● dungrianach. com ● Pancarte (visible dans un seul sens) sur un cairn le long de la route. Ouv Pâques-oct. Compter £ 30-35 (45-52,50 €) par pers selon saison. Préférez la chambre double avec vue complète sur la baie. Au sommet d'une colline, au bout d'une allée tapie dans la verdure, cette merveilleuse petite maison jouit ainsi d'une vue imprenable sur la baie et l'île de Mull. Intérieur adorable, et Mrs Robertson est charmante.

Où manger ?

Bon marché

🍴 **Local Shellfish** (plan A2-3, **20**) : sur le quai d'embarquement des ferries. Tlj 9h-18h. Fermé quelques sem en hiver. Petite restauration de la mer £ 3-7 (4,50-10,50 €). Baraque en bois, peinte en vert. Sert des petits plats iodés et d'excellents sandwichs. C'est un étonnant takeaway tenu par John Ogden, un ancien pêcheur, « un merveilleux pirate écossais », qui n'a qu'un credo : la fraîcheur. Coquilles Saint-Jacques, sardines, homard, saumon fumé, portions de langoustines et petit verre de blanc que l'on savoure par beau temps sur le port. Un régal !

|●| *The Lorne* (plan B2-3, **21**) : Stevenson St. ☎ 570-020. Bar meals *corrects* £ 7-18 (10,50-27 €). Musique live *le w-e*. Pub animé en été. Hamburgers, salades, paninis, omelette et, bien sûr, poisson. Tables disposées autour d'un grand bar central, et *beer garden* en partie couvert.

|●| *The Kitchen Garden Delicatessen* (plan B2, **22**) : 14, George St. Tlj 9h-17h. Compter £ 4-7 (6-10,50 €). Épicerie fine au rez-de-chaussée ; *coffee house* et petite restauration à l'étage. Service souriant et rapide. Souvent complet.

De prix moyens à chic

|●| *Ee-Usk* (plan B2, **23**) : North Pier. ☎ 565-666. Fermé 1 sem en janv. Plats £ 7-20 (10,50-30 €). Restaurant panoramique sur le port, où l'on s'attable plus ou moins haut perché. Cadre sobre et lumineux. Très bonne cuisine de la mer. Service avenant et efficace.

|●| *The Studio Restaurant* (plan B2, **24**) : Craigard Rd. ☎ 562-030. Tlj le soir slt 17h-22h. Plats £ 10-18 (15-27 €). Bonne cuisine traditionnelle et copieuse, égayée parfois d'une note exotique. Petite salle simple, mais service agréable et efficace.

|●| *Restaurant Waterfront* (plan A3, **25**) : 1, the Pier. ☎ 563-110. Fermé janv. En été, il est presque impératif de réserver pour le dîner. Compter largement £ 8-20 (12-30 €) le plat. Ancienne *Fishermen's Mission*, entre les quais du train et des ferries. Excellente cuisine de la mer et possibilité d'acheter des fruits de mer à un comptoir extérieur, où se fournit le cuisinier. Délicieux et copieux. Évidemment, jolie vue sur le port. Au rez-de-chaussée, le *Waterfront bar* pour un *fish and chips* bon marché.

Où manger dans les environs ?

|●| *Tigh-an-Truish Inn* : à Clachan, sur l'île de Seil. ☎ (01852) 300-242. De Pâques à mi-oct, midi et soir, slt le midi en hiver et fermé 1 sem à Noël. Compter £ 8-12 (12-18 €) pour un bar meal. Auberge du XVIIIe siècle, qui sert d'excellents déjeuners et du poisson frais. En gaélique, son nom signifie « la maison des pantalons ». On raconte que, suite à l'interdiction de porter le kilt dans les Highlands en 1746 (après la défaite des jacobites à Culloden), les insulaires se changeaient dans cette auberge avant de traverser le pont sur l'Atlantique.

|●| *Oyster Brewery Restaurant* : à Ellenabeich, sur l'île de Seil. ☎ (01852) 300-121. Avr-oct : tlj 11h-23h. Prévoir £ 12 (18 €) pour un petit repas. Un endroit agréable où se sustenter pour le lunch. Terrasse en été.

Où sortir ?

☖ |●| *Oban Inn* (plan B2, **30**) : Stafford St, à l'angle de l'Esplanade. Pub typique avec ses drapeaux et billets au plafond. Salle du bas au sol empierré, mais ayez la curiosité de monter à l'étage : *lounge bar* cosy servant de savoureux et solides en-cas (*haggis,* poisson, moules...). Convivial et personnel chaleureux.

☖ *Aulay's Bar* (plan B2, **31**) : 8, Airds Pl. Pub chaleureux à la façade débordant de fleurs, avec d'innombrables photos de bateaux aux murs. Deux salles contiguës, l'une recevant le trop-plein de clients de l'autre...

☖ ♪ Voir aussi le texte sur *The Lorne* (plan B2-3, **21**) dans « Où manger ? ».

À voir. À faire

🎯 **McCaig's Tower** *(plan B2) : à pied, emprunter les escaliers* Jacob's Ladder *au bout d'Argyll St. ; ensuite, c'est indiqué (le plus court, et le plus... fatigant).* En voiture, remonter Hill Street. McCaig était un banquier de la fin du XIXe siècle qui fit construire une réplique du Colisée de Rome, surplombant la ville, pour donner du travail aux chômeurs ! Résultat assez laid. Plus petit que l'original, mais quand même 30 m de diamètre. C'est plein de fleurs, de demoiselles avec leurs amoureux, et de touristes en quête de l'ultime photo de la baie.

🎯 **La distillerie de whisky Oban** *(plan B2, 40) :* Stafford St. ☎ 572-002 ou 004. *Pâques-juin et oct : lun-sam 9h30-17h. Mars-Pâques et nov : lun-ven 10h-17h. Juil-sept : lun-ven 9h30-19h30 ; sam 9h30-17h ; dim 12h-17h. Enfin, déc et fév : lun-ven 12h30-16h. Fermé quelques j. en janv. Dernière entrée 1h avt la fermeture. Résa conseillée. Visite guidée de 45 mn ttes les 15 mn en été, intéressante et dynamique (en anglais), close par une dégustation et un verre en cadeau : £ 6 (9 €) ; réduc.* C'est la seule distillerie de whisky en Écosse qui soit située dans le centre d'une ville. On y produit le fameux breuvage depuis 1794. Elle appartient aujourd'hui à Diageo (du puissant groupe *Guinness,* le fabricant de la fameuse bière brune d'Irlande). Peu d'ouvriers y travaillent. On suit les différentes étapes de fabrication du whisky, sauf le maltage et l'embouteillage, effectués ailleurs. Supports d'explications en français.

➤ Une balade d'environ 30 mn depuis **Corran Esplanade,** au coucher du soleil, jusqu'aux ruines du *Dunollie Castle* (XIIIe siècle), en passant par la cathédrale Saint Columba en granit bleu et rose (elle date des années 1930). Spectacle étonnant du va-et-vient des bateaux. On peut aussi poursuivre jusqu'à *Ganavan Bay,* une petite plage dotée d'un camping (que nous ne recommandons pas).

🏊 **Puffin Diving Centre** *(hors plan par A3) :* Port Gallanach. Un bureau de résa dans George St, en face du cinéma. ☎ 566-088. ● puffin.org.uk ● *À env 2,5 miles (4 km) au sud d'Oban. Tte l'année. Baptêmes de plongée à £ 60 (90 €).* Sorties dans le Sound of Mull et la réserve de Gallanach.

Manifestations

– **Music and Dance Festival :** *chaque année fin avr (en théorie, le dernier w-e).* Musique traditionnelle dans les pubs.
– **Highland Games :** *les derniers mer et jeu d'août.* Danses et jeux traditionnels.

➤ DANS LES ENVIRONS D'OBAN

🎯 **Kerrera :** petite île d'une dizaine de kilomètres de long, la plus proche d'Oban. *Pour s'y rendre, prendre le ferry à 2 km au sud d'Oban.* ☎ 563-665. *Un bateau à 8h45, puis env ttes les 30 mn entre 10h30-18h. Compter £ 4 (6 €).* Génial pour s'évader des foules estivales. Et pour cause, on y dénombre une trentaine d'habitants. L'île se visite bien à vélo. Pas de boutiques, mais un château en ruine, le *Gylen Castle,* du XVIe siècle, au sud de l'île.

🎯🎯 **Les îles de Seil et d'Easdale :** *de* Kilninver, *prendre la petite route B 844 pour Balvicar.* Assez cocasse, le village de **Clachan-Seil** est accessible grâce au « seul pont de l'Atlantique », construit en 1792 et l'un des plus photographiés d'Écosse. Il franchit un tout petit bras de mer de 10 m de large, d'où son surnom. À Balvicar, prendre à droite direction Easdale pour rejoindre **Ellenabeich.** Là, le **Highland Arts Exhibition** *(ouv tte l'année)* vaut une visite pour sa délirante collection d'objets kitsch. Le fils de John Taylor y expose les œuvres de son père, un petit Dalí du coin...

Un détroit d'à peine 100 m sépare Ellenabeich de l'île d'*Easdale.* On ne peut rejoindre le village d'Easdale et ses cottages blancs du XIXe siècle que par ferry. *Liaisons régulières au départ d'Ellenabeich, avr-oct : 7h15-20h50. Résa la veille avt midi,* ☎ *562-125.* Sur place, deux klaxons à actionner servent à appeler le ferry !

– *Sea-fari :* ☎ *(01852) 300-003. Rens et résa dans la boutique d'Ellenabeich. Ouv tte l'année.* En saison, excursion de 3h pour découvrir les baleines, ou encore dans le golf de Conyvreckan, troisième plus grand tourbillon d'eau au monde, paraît-il.

🐾 *Arduaine Garden* (NTS) : *à 12,5 miles (20 km) au sud d'Oban.* ☎ *(01852) 200-366.* ● *arduaine-garden.org.uk* ● *Réception ouv avr-sept : tlj 9h30-16h30. En dehors de ces horaires, on dépose la somme du ticket d'entrée dans une boîte prévue. Entrée : £ 5 (7,50 €) ; réduc.* Superbes jardins sur 8 ha où, par la magie d'un microclimat, les plantes se développent à des tailles inhabituelles. La baie en contrebas abrite une mignonne marina de maisons colorées : *Craobh Haven.*

🐾 *Bonawe Iron Furnace* (HS) : *à Taynuilt, à 12 miles (19 km) à l'est d'Oban sur l'A 85.* ☎ *(01866) 822-432. Avr-sept : tlj 9h30-18h ; dernière entrée à 17h. Entrée : £ 4 (6 €) ; réduc.* Des ruines, pas d'un château pour changer, mais d'une aciérie ! Le site date de 1753. À son apogée, l'usine employait près de 600 ouvriers. On y fabriquait notamment des boulets de canon pour les guerres napoléoniennes. Des panneaux explicatifs relatent les 120 ans d'activité du lieu et le processus de fabrication. Balades possibles aux alentours, notamment départ pour Glen Nant en face de l'hôtel dans le village.

🐾 *Inverawe Smokehouse :* à Taynuilt. ☎ *(01866) 822-808.* ● *smokedsalmon.co.uk* ● *À la sortie du village en direction d'Inveraray, prendre à gauche et c'est à 2 miles (3 km) env. Mars-oct : tlj 8h30-17h ; nov-24 déc : tlj 8h30-17h. Fermé Noël-mars. Prix modique.* Dernière fabrique de saumons fumés traditionnelle en Écosse qui utilise un fumage lent. Expo minuscule, juste pour en savoir assez sur l'élevage, le fumage et la découpe du saumon. Observation pendant les heures de travail. Ensuite, vous jugerez de la qualité des produits par vous-même. Vente de la production sur place, relativement abordable et authentique. Sinon, chouette parc dans lequel on peut pique-niquer et pêcher.

🐾 *Saint Conan's Kirk :* à la pointe nord du Loch Awe, à 10 km de Taynuilt. À l'entrée de Lochawe en venant d'Oban. Entrée libre. Magnifique église au bord de l'eau. Nef remarquable, charpente en bois et beaux vitraux. Sur la droite de la nef, ne manquez pas la chapelle dédiée à Robert the Bruce : sous sa statue endormie, une relique.

🐾🐾 *Kilchurn Castle :* à l'extrémité nord du Loch Awe. Accès à pied depuis l'A 85. Venant d'Oban, traverser le village de Lochawe. Parking non indiqué à droite, juste après le 1er pont. Une ruine du XVe siècle occupant une position unique sur le loch. L'un des plus romantiques de toute l'Écosse.

🐾 🐾 *Scottish Sea Life & Marine Sanctuary :* à 10 miles (16 km) au nord de la ville, sur l'A 828. ☎ *(01631) 720-386.* ● *sealsanctuary.co.uk* ● *Ouv tte l'année : mars-oct, tlj 10h-17h ; en hiver, variable, renseignez-vous. Dernière entrée 1h avt. Entrée : £ 11 (16,50 €) ; réduc.* Un peu cher, mais ça vaut le coup : Musée océanographique situé dans une réserve naturelle au bord du Loch Creran, conçu et présenté pour pouvoir admirer la faune aquatique écossaise sous tous ses angles. Visite très instructive : quelle est la distance parcourue par un crabe les deux premières années de sa vie ? À vos encyclopédies ! L'attraction principale reste le bassin de plein air réservé aux gentils phoques. Heures des repas (amusant) : 12h et 16h. On peut également y nourrir quelques requins...

I●I Le resto du centre est bon, quoique un peu cher pour les portions servies.

Excursions en mer

ᕯᕯᕯ Staffa : îlot désertique inhabité. Prévoir pull et ciré. À Staffa, on peut apercevoir l'immense **grotte de Fingal,** immortalisée par Mendelssohn, dont les parois sont formées de colonnes basaltiques. C'est seulement en abordant l'îlot qu'on peut distinguer (à marée basse) la **Grande Chaussée,** composée de blocs de basalte prismatique. Comme à la Chaussée des Géants en Irlande du Nord, ils ont été formés par le brusque refroidissement des coulées de laves basaltiques au contact de l'eau.

Des tours ferry + bus, d'une journée, sont organisés depuis Oban. Plusieurs possibilités. *Turcus Mara* propose deux boucles au départ d'Oban vers Staffa, Iona et les Treshnish Isles, entre avr et oct. *Rens :* ☎ 0800-85-87-86. • *turusmara.com* •
Un autre, *Gordon Grant Tours,* organise le même type de circuit de mars à oct (également vers l'île de Mull). *Rens :* ☎ 562-842. • *staffatours.com* •

AUTOUR DE LOCHGILPHEAD

Sur un bras du Loch Fyne, la ville de Lochgilphead ne possède pas d'attrait particulier, mais elle se situe à l'entrée du *Glen Kilmartin,* tout proche du petit port de Crinan et de son canal. Sites à ne pas manquer si vous traversez la région.

Adresse utile

🛈 **Tourist Information Centre :** à Lochgilphead, 27, Lochnell St. ☎ (01546) 602-344. • *info@visitscotland. com* • Avr-oct : tlj 10h (12h dim)-17h (18h juil-août).

Où dormir ?

🏠 **The Corran :** Poltalloch St, à Lochgilphead. ☎ (01546) 603-866. • *lamonthoy.co.uk* • À l'entrée de la ville en venant de Tarbert ; donne sur un rond-point. Ouv tte l'année. Compter £ 28 (42 €) par pers en double. Quatre chambres confortables et coquettes. Demandez les nᵒˢ 2 ou 3, à l'étage, pour leur vue imprenable sur le Loch Fyne.

🏠 **Tigh-Na-Glaic :** à Crinan, au-dessus du port. ☎ (01546) 830-245. Ouv tte l'année. Compter £ 25 (37,50 €) par pers. Trois chambres avec salle de bains et vue sur le port. Celle du rez-de-chaussée bénéficie d'un petit salon côté port.

À voir. À faire

🌿 *Kilmartin Glen :* une vallée aux paysages doux et vastes, berceau de l'Écosse (mais le déboisement fait des ravages). Les premiers Scots (venus d'Irlande) débarquèrent dans cette région, en terre picte, pour donner plus tard le nom de *Scotland.* La densité des sites historiques est surprenante, de part et d'autre de la route A 816, reliant Lochgilphead à Oban. Toute une série de *cairns,* pierres levées et châteaux. Parmi ces sites, **Dunadd Fort** *(accès gratuit),* capitale et carrefour commercial du royaume écossais de Dalriada, occupé entre les VIᵉ et VIIᵉ siècles. Au sommet d'un éperon rocheux, il profitait d'une excellente défense naturelle. Vue magnifique. Il n'en reste rien, si ce n'est l'empreinte de pied d'un roi, marque symbolique de son autorité sur le royaume. Plus en amont, halte intéressante dans le *cimetière de Kilmartin* pour sa remarquable série de pierres funéraires sculptées du XIVe siècle, ornées de motifs celtiques.

🎥🎥 *Achnabrek : à 3 km de Lochgilphead, en direction de Kilmartin.* Pétroglyphes âgés de 5 000 ans. Trois sites accessibles après environ 500 m de marche dans la forêt. On peut distinguer ces gravures étonnantes (cercles concentriques) depuis des barrières qui les protègent de trop de curiosité.

🎥 *Kilmartin House : dans le village de Kilmartin.* ☎ (01546) 510-278. • kilmartin. org • *Mars-oct : tlj 10h-17h30 ; horaires réduits en hiver et musée fermé de mi-déc à fin fév. Entrée : £ 4,60 (6,90 €) ; réduc.* Centre d'interprétation retraçant 5 000 ans d'histoire dans la vallée de Kilmartin. Le petit musée comprend cinq salles thématiques afin de tout comprendre sur le paysage du coin, l'occupation préhistorique, les sites archéologiques... Visite pédagogique, et diaporama très réussi. Une carte des sites à visiter est distribuée gratuitement. Sylvie, une expatriée française, saura vous renseigner.

🎥 *Crinan :* petit port paisible, dont la baie abrite des dizaines de voiliers en saison. Ne pas manquer le sentier sur les berges du canal, autrefois chemin de halage.

➢ *Gemini Cruises : Kilmahumaig, Crinan.* ▯07776-082-256. • gemini-crinan.co. uk • *Compter env £ 20 (30 €).* Mike Murray propose des balades de 3h à la rencontre des baleines et des oiseaux, sur le Loch Craignish et le Sound of Jura.

TARBERT   1 300 hab.   IND. TÉL. : 01880

À ne pas confondre avec son homonyme sur l'île de Lewis et Harris, ni avec Tarbet, village en face d'Arrochar ! Tarbert se déploie curieusement autour d'une anse du Loch Fyne, fermée par un îlot et adossée à la pointe de l'échancrure du Loch Tarbert, qui risque de couper la péninsule de Kintyre en deux. Le cirque presque complet du port, surmonté des ruines d'un château, ne manque pas de charme et d'originalité avec le clocher de son église aux allures de fusée.

Arriver – Quitter

On précise ici comment accéder à la région du Kintyre et comment la quitter pour les îles.

En bus

➢ *Scottish Citylink* relie quotidiennement *Glasgow* et *Oban* à *Tarbert, Kennacraig, Clachan* et *Campbeltown* (3 bus/j. dans les 2 sens). *Infos et résa au* ☎ 08705-50-50-50. • citylink.co.uk •
➢ Pour rejoindre *Claonaig* et *Skipness* depuis Tarbert, 4 bus/j. dans chaque sens 8h-16h. *Henderson Hiring,* ☎ (01880) 820-220.

En bateau

– *Résa :* Caledonian MacBrayne, ☎ 08705-650-000. *Bureau de Tarbert :* ☎ (01859) 502-444. • calmac.co.uk •
➢ *Kennacraig (Loch Tarbert)-île d'Islay :* 1 à 3 ferries/j. pour *Port Ellen* (sud de l'île) ou *Port Askaig* (est de l'île, correspondance pour Jura et Colonsay). Compter 2h20 de traversée pour *Port Ellen* et 2h pour *Port Askaig.*
➢ *Claonaig-île d'Arran :* bac-ferry pour *Lochranza* (env 8 traversées/j.).

En avion

✈ **Aéroport de Campbeltown :** ● hial.co.uk/campbeltown-airport.html ● Liaison **Glasgow-Campbeltown** assurée par Loganair, ☎ (01586) 552-571. Rens égale-ment auprès de British Airways, ☎ 0875-511-155. Deux vols/j. (mat et ap-m) dans les 2 sens. Compter 40 mn de vol.

Adresses utiles

🄸 **Tourist Information Centre :** Har-bour St. ☎ 08707-200-624. ● info@vi sitscotland.com ● Avr-oct : 10h (11h dim)-17h. Juil-août : lun-sam 9h30-18h ; dim 10h-17h. Nov-mars : slt le w-e. Panneaux intéressants qui retra-cent l'histoire du Kintyre.

✉ **Poste :** sur School Rd, rue perpen-diculaire à Harbour St. Près de l'office de tourisme.

■ **Banques :** 2 banques dans Harbour St.

Où dormir à Tarbert et dans les environs ?

Camping

⌕ **Port Bàn Holiday Park :** à Kilberry (14 miles, soit 22,5 km de Tarbert), sur la côte ouest du Kintyre. ☎ 770-224. ● port ban.com ● Quitter Tarbert par l'A 83 ; après 2 km, prendre la B 8024 sur la droite ; le camping se situe à 1,6 km après Kilberry. Ouv avr-sept. On vous demandera £ 8-15 (12-22,50 €) pour 2 pers et une tente. Camping un peu en retrait, offrant une petite épicerie, un tearoom, terrain de football, jeux pour enfants, petite plage... Dans le hall près de la réception, ceilidh (musique et dan-ses traditionnelles) le vendredi en juillet et août, où les locaux viennent se mêler aux campeurs. Pas mal de mobile homes, mais terrain idéal pour les cam-peurs en contrebas sur la droite, au-delà des caravanes et au bord de l'eau. Sanitaires un peu vétustes. Jolie vue sur les îles d'Islay et de Jura. Un de nos campings préférés sur la côte ouest.

Prix moyens

🛏 **B & B Southcliffe :** à Tarbert, Lady lleene Rd. ☎ 820-604. À l'entrée du vil-lage en venant de Kennacraig. Ouv tte l'année. Résa conseillée. Env £ 20 (30 €) par pers. Jolie maison d'un bleu tendre, pas loin du centre. Quatre chambres seulement. Breakfast très matinal pos-sible si le ferry vous fait vous lever tôt.

🛏 **B & B Springside :** à Tarbert, Pier Rd. ☎ 820-413. ● scotland-info.co.uk/ springside ● Ouv tte l'année. Compter £ 25-28 (37,50-42 €) par pers, petit déj compris. Jolie maison avec jardin don-nant sur le port. Quatre chambres très fringantes et confortables, dont 2 avec vue sur le loch.

🛏 **The Old Smithy :** à Clachan. ☎ 740-635. ● refreshingscotland.co.uk ● Char-mant village à 17 km de Tarbert sur l'A 83, direction Campbeltown. Ouv tte l'année, mais mieux vaut vérifier hors saison. Compter £ 22 (33 €) par pers ; sdb commune. Maison bien tenue. Deux chambres communicantes, donc idéal pour les familles. Hôtes très accueillants. Loue également un cot-tage juste à côté.

Plus chic

🛏 **Stonefield Castle hotel :** Loch Fyne. À 3 km env au nord de Tarbert, sur l'A 83 (direction Glasgow). ☎ 820-836. ● inns cotland.com ● Ouv tte l'année. Comp-ter autour de £ 100 (150 €) par pers en ½ pens. Un charmant château construit au XIXe siècle, campé au bord du Loch Fyne et serti d'un vaste parc. Égale-ment un bon restaurant (voir ci-des-sous « Où manger ? »).

Où manger ?

De prix moyens à chic

I●I *Victoria Hotel :* à l'extrémité du port ; façade jaune. ☎ 820-236. En été, dernier service à 21h30. Plats à partir de £ 7 (10,50 €) au bar. Pour dîner, compter au moins £ 20 (30 €). Cuisine traditionnelle de qualité et abondante. Salle chaleureuse et appréciée des locaux, très animée en saison ; table de billard près de la cheminée. Dîner dans la véranda pour une vue sur le port, un cadre plus formel et des menus bien plus élaborés.

I●I *The Anchorage :* Harbour St. ☎ 820-881. Fermé mer, dim midi et en janv. Compter env £ 25 (37,50 €) pour un repas. Petit restaurant de *seafood* à la déco sobre et douce. Cuisine raffinée et originale. Service agréable et discret.

I●I *Stonefield Castle Hotel :* Loch Fyne. Voir « Où dormir ? ». Le restaurant panoramique de l'hôtel propose un menu gastronomique (4 plats) à £ 35 (52,50 €), mais on peut s'en sortir à la carte pour £ 18 (27 €) avec un plat et un dessert. Cuisine savoureuse, présentée et servie élégamment. La vue sur le lac vaut son pesant d'or.

À faire

➤ *Tarbert Castle :* longer le quai, au-delà de l'office de tourisme ; au niveau d'un hangar bleu, quitter la rue pour grimper les escaliers fléchés « Tarbert Castle ». On rejoint rapidement les ruines du château, d'où la vue s'ouvre sur le village de Tarbert et son port. Construit au XIIIe siècle, et agrandi par Robert the Bruce, seul son donjon érigé par James IV au XVe siècle perce à jour parmi la végétation envahissante. Deux balades aux abords du château sont possibles (45 mn ou 2h).

➤ *Randonnées :* pour les plus courageux, il existe plusieurs parcours balisés pour s'aventurer dans les collines au sud de Tarbert. Le plus long (17,7 km, soit 4 à 5h) vous mène jusqu'à Skipness Point. Voir le descriptif auprès de l'office de tourisme.

Fêtes

– *Scottish Series Yacht Races :* dernière sem de mai. Les courses ont lieu sur le Loch Fyne et autour de l'île d'Arran. Appelée aussi *Bell Lawrie Scottish Series*, cette course de voiliers est de loin l'événement le plus important du calendrier. Attire de nombreux visiteurs et plus de 300 voiliers venus de toute la Grande-Bretagne.
– *Tarbert Seafood Festival :* en juil. Poissons, coquillages et crustacés sont à l'honneur et couronnent un prince et une princesse des flots...
– *Tarbert Music Festival :* mi-sept pdt 3 j. La ville résonne alors au son des *pipe bands*.

➤ DANS LES ENVIRONS DE TARBERT

🏛 *Skipness Castle* (HS) : à *Skipness,* au sud de Tarbert. Direction Campbeltown, puis Claonaig (ferry pour Arran). Accès libre. Ce château, dont les plus vieilles parties datent de la première moitié du XIIIe siècle, n'offre guère plus que ses ruines aux visiteurs. Observez la porte principale et ses blocs de grès rose érodés. Néanmoins, le donjon, du XVIe siècle, fut très bien restauré. Ainsi, au 1er étage, on trouve les appartements du lord, et du toit, on jouit d'une vue étonnante sur les reliefs de l'île d'Arran.

L'ARGYLL

Au sud-est du château, l'ancienne *chapelle de Saint Brendan* (XIIIe siècle), privée de sa toiture, participe aussi au charme fou de l'endroit. Quelques sentiers balisés dans le secteur permettent de combler, si besoin, l'attente avant la traversée vers l'île voisine.

AUTOUR DE CAMPBELTOWN

Campbeltown est une ville grise et morne, délaissée par les touristes. Pourtant, l'architecture témoigne de la prospérité passée de cette agglomération au bout de l'Argyll, où le revenu par tête d'habitant fut pendant quelque temps le plus élevé de Grande-Bretagne. L'économie reposait avant tout sur la pêche. À son apogée, au XIXe siècle, la ville comptait pas moins de 34 distilleries. On raconte même que les marins pouvaient rentrer au port grâce à l'odeur du whisky ! Aujourd'hui, la reconversion est difficile, et les habitants attendent beaucoup de la liaison par ferry vers l'Irlande.

Adresse utile

🛈 *Tourist Information Centre : sur le port de Campbeltown.* ☎ *(01586)* | *552-056. Lun-sam 9h-18h ; dim 11h-17h.*

À voir

🥃 *Springbank : Well Close, à Campbeltown.* ☎ *(01986) 552-085. Visite sur résa slt, en sem à 14h.* Sur les trois distilleries encore en activité à Campbeltown, seule celle-ci se visite.

🥃🥃 *Mull of Kintyre :* la chanson de Paul McCartney, vous vous rappelez... (d'ailleurs, une statue a même été érigée à Campbeltown en mémoire de Linda McCartney). On vous propose une boucle (d'une trentaine de kilomètres) au départ de Campbeltown. Pour rejoindre Southend, emprunter la route qui suit la côte plutôt que la B 842, directe et sans intérêt. Cette route passe près de *Davaar Island,* que l'on peut rejoindre à pied à marée basse pour admirer les peintures rupestres au fond de ses caves (demander les horaires de marée à l'office de tourisme). C'est dans cette partie de la péninsule que l'on trouve les paysages les plus surprenants, souvent considérés comme la quintessence du Kintyre : un petit bout du monde. En s'approchant de Southend, l'extrémité nord-est de l'Irlande devient visible. Au terminus de la route, le *Mull of Kintyre* est coiffé d'un phare, construit en 1788, distant d'à peine 20 km de la côte irlandaise ! Vous devrez faire une bonne trotte à pied si vous voulez l'approchez au plus près.

🍴 *Muneroy Stores & Tea Rooms : à Southend.* ☎ *(01586) 830-221. Ouv tte l'année. Snacks à partir de £ 2 (3 €) et plats autour de £ 6 (9 €).* Un agréable | tearoom attenant à l'épicerie du village. Bien pour une pause déjeuner. Très bonne soupe maison.

– *Mull of Kintyre Music Festival : ts les ans, le 3e w-e d'août.* Le meilleur de la musique traditionnelle écossaise, mais aussi irlandaise (du fait de sa proximité). Concerts dans les pubs. Ne pas manquer la *survivors night,* la dernière soirée, le dimanche dans le Victoria Hall (entrée payante).

🥃 *Sur la côte est du Kintyre, à env 6 miles (10 km) au nord-est de Tarbert, le village de Saddell* vaut le détour. Non seulement Paul McCartney a tourné son clip « Mull of Kintyre » sur cette plage, mais les ruines de l'*abbaye* méritent aussi une visite. Fondée en 1148, elle abrita la *Kintyre School,* célèbre au XVe siècle pour ses gravures de pierres. Douze sont ainsi exposées, dont quatre grandes stèles sculptées à Iona, qui représentent des *Highlanders.*

Sur la côte ouest du Kintyre, quelques grandes plages comme celle de **Westport.**

INVERARAY   580 hab.   IND. TÉL. : 01499

À 40 km au nord-est de Lochgilphead et 52 km au sud-est d'Oban, Inveraray, ancien bourg royal et capitale des ducs d'Argyll depuis le XVᵉ siècle, se situe en bordure du Loch Fyne. Mais la ville n'occupe sa situation actuelle que depuis le milieu du XVIIᵉ siècle. À l'origine, la bourgade avait été établie sur l'autre rive. C'est en 1744 que le duc d'Argyll, chef du clan Campbell, décide de construire un nouveau château de ce côté-ci : la ville a suivi... De l'ancienne cité ne subsiste que la croix sculptée, rapportée sur le port. Des maisons blanches, de style XVIIIᵉ siècle, bordent la rue principale qui se termine par un temple protestant de style néoclassique.

– **Highland Games :** une journée en principe mi-juil. ● inveraray-games.co.uk ● *Pipes & Drums,* concours bien sûr et activités pour enfants.

Arriver – Quitter

En bus

➢ Inveraray est desservi 4 fois/j. (dans les 2 sens) par les bus de la ligne **Glasgow-Campbeltown** au départ de Campbeltown et 3/j. depuis Glasgow, via **Lochgilphead** et **Tarbert.** Compter 1h45 de trajet pour Glasgow. *Rens auprès de* Scottish Citylink : ☎ 08705-50-50-50. ● citylink.co.uk ●

Adresses utiles

🛈 **Tourist Information Centre :** *Front St.* ☎ 302-063. Fax : 302-269. ● info@inveraray.visitscotland.com ● *Face au Loch Fyne. Avr-oct : lun-sam 9h-17h ; dim 11h-17h. Juil-août : tlj 9h-18h. Sept-oct : lun-sam 10h-17h ; dim 12h-*17h. *Nov-mars : tlj 10h-15h.*

✉ **Poste :** *Main Street South. Lun-ven sf mer ap-m 9h-13h, 14h-17h30 ; sam 9h-12h30.*

■ **Banques :** *2 banques sur Church Sq.*

Où dormir ?

Bon marché

🛏 **Youth Hostel :** *Dalmally Rd.* ☎ 0870-004-11-25. À *la sortie de la ville, sur l'A 819, à côté d'une station-service. Pâques-oct. Prévoir £ 13 (19,50 €) par* pers, en dortoir 2-4 lits ; £ 15 (22,50 €) par pers en chambre double. *Construction en bois, sanitaires plutôt vieillots. Accueil minimum.*

De prix moyens à plus chic

🛏 **Kilean House :** *sur la route de Campbeltown, à env 4 miles (6 km) d'Inveraray.* ☎ 302-474. ●killean-farmhouse.co.uk ● *Ouv avr-oct. Prévoir £ 28 (42 €) par pers, ou £ 25 (37,50 €) dans les* cottages à côté. Prendre le chemin sur la droite juste avant le panneau *B & B.* Belle maison blanche, dans un cadre tranquille et verdoyant. Cinq chambres confortables et colorées, avec salle de bains. Une charmante adresse où l'on trouve un agréable accueil.

🏠 **Fernpoint Hotel :** *juste à l'angle du* pier. ☎ 302-170. ● *fernpointhotel.co. uk* ● *Ouv tte l'année. Huit chambres de taille et confort variables, £ 28-65 (42-97,50 €) par pers selon saison, petit déj compris.* Voici le plus vieux bâtiment de la ville (milieu du XVIIIᵉ siècle), de style

géorgien donc, idéalement situé en bordure du loch. Les chambres très confortables révèlent une déco raffinée. Les moins chères sont petites et n'ont pas de salle de bains privative (deux chambres). Les plus chères, spacieuses, avec vue sur le loch, disposent d'un jacuzzi... Un coup de cœur pour la n° 7. Accueil délicat.

Où manger ? Où boire un verre ?

🍽 🍷 **Pub The George Hotel :** *dans la rue principale, près du temple protestant. Plats £ 6-13 (9-19,50 €).* Le *George,* comment l'oublier ! Un pub de famille depuis le milieu du XIXᵉ siècle. Il a accueilli les rassemblements religieux, jusqu'à ce que l'église paroissiale soit construite. C'est l'endroit le plus animé de la ville. En outre, la cuisine est excellente avec des *specials* recherchés. Déco chaleureuse, poutres au plafond, cheminées, mobilier d'époque, vieille

horloge. Service efficace et charmant.

🍽 **The Poacher coffee house :** *juste à* côté du Fernpoint Hotel. ☎ 302-142. *Tlj 10h-20h30 (17h30 jeu) ; horaires plus variables en hiver.* Salon de thé qui sert de bons petits plats £ 5-10 (7,50-15 €). Carte variée, du *Scottish breakfast* à la pâtisserie accompagnée d'un bon café, en passant par quelques salades, lasagnes, *baked potatoes,* et l'incontournable *fish and chips...* La salle, très élégante, arbore un plafond rouge !

À voir. À faire

🎥🎥 **Le château d'Inveraray :** *au nord du village.* ☎ 302-203. ● *www.inveraray-cast le.com* ● *Avr-oct : lun-sam 10h-17h (dernière entrée) ; dim 12h-17h. Fermé nov-mars. Entrée : £ 6,30 (9,50 €) ; réduc.* Résidence familiale du treizième duc et de la duchesse d'Argyll, 27ᵉ chef de la branche aînée du clan Campbell. Les Campbell s'établirent à Inveraray en 1474. Ils étendirent leur influence sur l'Argyll, luttant contre les clans rivaux des îles (MacLeod, MacLean, MacDonald), et se rangèrent finalement du côté des intérêts de la couronne d'Angleterre en Écosse. Le bâtiment actuel, sans utilité défensive, fut construit entre 1746 et 1786 pour remplacer un donjon fortifié plus primitif, marquant le début d'une période d'accalmie dans le pays. Intérieur assez intéressant : célèbre collection (1 300 pièces) dans la salle d'armes soi-disant la plus haute d'Écosse, certains portraits de famille réalisés par Gainsborough, tapisseries de Beauvais et souvenirs historiques. Dans la salle à manger, des galions en argent plaqué or, d'origine allemande. Et enfin dans le salon, la charte accordée en 1648 par Charles Iᵉʳ faisant d'Inveraray un bourg royal. Ne manquez pas les cuisines, utilisées jusqu'en 1953.

🎥 **Inveraray Maritime Museum :** *sur le quai du port d'Inveraray.* ☎ 302-213. ● *inveraraypier.com* ● *Avr-sept : tlj 10h-17h. Entrée : £ 3,80 (5,70 €) ; réduc.* Impossible de rater l'*Arctic Penguin,* ce trois-mâts de 1911 à coque métallique, construit à Dublin et amarré pour l'éternité au quai du port. Il abrite un musée maritime reconstituant la vie à bord : cabines du capitaine, de l'équipage et des ladies victoriennes, salle des machines, poste de pilotage. Expo intéressante et interactive sur la construction navale, maquettes, mannequins de cire, documents, gravures anciennes. Également une évocation des *clearances* et des migrants vers le Nouveau Monde à partir de 1782. Montage audiovisuel sur l'épopée navale britannique. Un *coffee shop* à bord.

🎥 **Inveraray Jail :** *dans le centre.* ☎ 302-381. ● *inverarayjail.co.uk* ● *Avr-oct : tlj 9h30-18h ; nov-mars : tlj 10h-17h ; fermeture des caisses 1h avt. Entrée : £ 6,50*

(9,80 €) ; réduc. Visite d'1h. Rens et guide en français. Une « belle » prison du XIXe siècle, aux remparts baignant dans le loch, est venue effacer les conditions de vie déplorables de l'ancienne prison utilisée jusqu'en 1857, que l'on visite aussi. Le visiteur se retrouve dans les conditions d'incarcération propres aux deux prisons. Les guides jouent le rôle de prisonniers et de gardiens, des mannequins miment le déroulement d'un procès en 1820, etc. Des montages sonores et sensitifs signent l'authenticité du lieu. En prime, expo sur les châtiments infligés aux détenus jusqu'à la fin du XVIIIe siècle et une présentation de la *treadwheel,* que les prisonniers faisaient inlassablement tourner en marchant ; âmes jeunes et sensibles, s'abstenir...

🏃 *Bell Tower :* The Avenue. ☎ 302-259. Fléché du centre-ville. Pâques-sept : tlj 10h-13h, 14h-17h. Entrée : £ 2 (3 €) ; réduc. Beffroi de 38 m de haut, tout en granit, construit entre 1925 et 1931 sur ordre du huitième duc d'Argyll, pour sa seconde épouse Amelia. Abrite un mécanisme de dix cloches de près de huit tonnes, actionné parfois à trois reprises dans le mois, généralement un samedi à 11h. Un escalier en colimaçon (176 marches, on attrape vite le tournis !) permet l'accès à une terrasse panoramique. Sachez qu'une cloche est souvent ornée d'un proverbe, permettant de l'identifier : « *A trusty friend is harde to fynde* » (Un ami de confiance est difficile à trouver)...

– *Argyll Riding Dalchenna :* Dalchenna Farm. ☎ 302-611. ● argylladventure. com ● 2 miles (3 km) avt Inveraray en venant de Lochgilphead. Ouv Pâques-oct. Balades à cheval sur les bords du Loch Fyne.

Où acheter un bon whisky ?

⊛ *Loch Fyne Whiskies :* Main St West. ☎ 302-219. Une liste impressionnante de breuvages, pour toutes les bourses. | Nous avons noté une bouteille de 1939 ! On ne parle même pas du prix...

➤ *DANS LES ENVIRONS D'INVERARAY*

🏃 *Auchindrain Township :* à 5,5 miles (9 km) d'Inveraray, sur l'A 83 en direction de Campbeltown. ☎ 500-235. ● auchindrain-museum.org.uk ● Avr-oct : tlj 10h-17h (dernière entrée 16h). Entrée : £ 4,50 (6,80 €) ; réduc. Pour ce musée de plein air, un hameau des Highlands a été entièrement restauré. C'est l'un des rares à avoir traversé les siècles en gardant son plan d'origine, tel qu'il fut avant l'époque des *clearances* et la planification d'Inveraray. *Cottages* au toit rouge, d'autres en chaume. La plupart réunissent un mobilier d'époque, outillage agricole, charrue...

🏃 *Crarae Gardens* (NTS) : à 10 miles (16 km) en suivant l'A 83 en direction de Campbeltown, avt le village de Minard. ☎ (01546) 886-614. Tte l'année : tlj de 9h30 au coucher du soleil. Visitor Centre ouv avr-oct : tlj 10h-17h ; nov-mars : lun-ven 10h-15h. Entrée : £ 5 (7,50 €) ; réduc. Considéré comme l'un des jardins les plus séduisants de l'ouest. À visiter à partir du printemps et en automne. Collection unique de rhododendrons, d'azalées et d'eucalyptus dans un parc de 40 ha. Promenades balisées entre 20 mn et 1h15.

Nous traitons les îles du sud au nord, en longeant la côte ouest, pour finir avec les archipels au nord de l'Écosse : les Orcades et les Shetland.

L'ÎLE D'ARRAN   5 000 hab.   IND. TÉL. : 01770

Coincée entre l'Ayrshire et l'Argyll, Arran donne l'impression d'une Écosse en modèle réduit. La douceur du Gulf Stream favorise une végétation riche en essences subtropicales. Un vrai petit paradis ! Ce contraste s'explique par le passage de la *Boundary Fault,* une faille géologique qui traverse l'île en son milieu, et qui poursuit sa trajectoire vers le nord-est. Avant d'attirer les touristes, l'île d'Arran intéressa l'un des pères de la géologie moderne, James Hutton (fin XVIIIe siècle), qui porta une attention toute particulière à son patrimoine géologique.

– Pour se tenir informé de la vie insulaire, lire l'*Arran Banner.*

Arriver – Quitter

⛴ *Ferry Terminal :* Caledonian MacBrayne. ☎ *302-166 (Brodick). Résa au* ☎ *08705-650-000.* ● *calmac.co.uk* ● Liaisons avec :

➢ *Ardrossan-Brodick :* 1h de traversée. Jusqu'à 6 allers-retours/j. en été (4 dim), entre 7h et 20h30 depuis Ardrossan. Dernier départ de Brodick à 20h30. Très cher. *Résa conseillée en été si vous embarquez votre voiture.*

➢ *Claonaig (péninsule de Kintyre)-Lochranza :* une dizaine de traversées/j. (moins l'hiver). Dernier départ autour de 19h, dans les 2 sens. Compter 30 mn. *Cher en voiture : £ 8,50 (12,80 €) par pers et £ 44,50 (66,80 €) pour une voiture.*

Comment circuler ?

En bus

🚌 *Stagecoast West Scotland :* Brodick, ferry terminal. ☎ 302-000. Trois lignes, par l'intérieur pour *Blackwaterfoot,* le sud via *Lamlash-Whiting Bay,* ou le nord via *Lochranza.* On peut donc effectuer une boucle à sa guise. Le *Arran Rural Rover* permet la libre circulation à la journée.

Adresses utiles

🛈 *Tourist Information Centre :* à l'arrivée du ferry à Brodick. ☎ 303-774. ● *ayrs hire-arran.com* ● *Mai-sept : lun-sam 9h-19h30 (17h mai) ; dim 10h-17h. Oct-avr : tlj sf dim 9h-17h (19h30 ven et sam).*
🖥 *Adventure Centre :* gratuit pour ts.
■ *Banque :* à Brodick, sur Shore Rd. Les seuls et uniques distributeurs de billets de l'île.
■ *Médecin :* à Brodick, au Health

Centre, *Shore Rd.* ☎ 302-175.
■ *Location de vélos :* Arran Adventure Centre, *à Brodick, sur Shore Rd.* ☎ 302-244. À 400 m des quais. Également du canyoning, kayak de mer, etc. Blackwaterfoot Garage, *à l'entrée de Blackwaterfoot en venant de Lagg.* ☎ 860-277.
🌐 *Épicerie :* la supérette de Brodick est la plus vaste et la moins chère de l'île.

L'ÎLE D'ARRAN

Où dormir ?

Campings

△ **Middleton Caravan & Camping Park :** à Lamlash, au sud. ☎ 600-251. Avr-oct. Prévoir £ 10 (15 €) pour 2 pers et une tente. À 5 mn de la plage et des boutiques. Sanitaires et laverie pas tout neufs. Quelque 40 emplacements sur une grande pelouse.

△ **Lochranza Golf Caravan & Camping Site :** à Lochranza. ☎ 830-273. Avt la distillerie, sur la gauche à la sortie du village en venant de Catacol. Avr-oct. Autour de £ 11-14 (16,50-21 €) l'emplacement pour 2 pers. Quiétude au milieu des montagnes. Moutons, cerfs rouges et même *midges* sont aussi de la fête. Épicerie (seul point de ravitaillement du village avec celui de l'AJ).

△ **Sealshore Camping & Touring site :** à Kildonan, dans le sud de l'île. ☎ 820-320. Pâques-fin oct. Compter env £ 12 (18 €) pour 2 pers et une tente. Une quarantaine d'emplacements pour ce camping en bord de plage, face à l'îlot de Pladda et son phare. Épicerie, laverie. Très bon accueil.

△ **Glenrosa Campsite :** à 3 km de Brodick, prendre la direction Glenrosa après le croisement pour Blackwaterfoot. ☎ 302-380. ● glenrosa.com ● En principe, ouv tte l'année. Tarif unique : £ 3,50 (5,30 €) par pers. Signaler sa présence à la ferme située 500 m avant le terrain. Site reposant, en bordure d'un ruisseau, mais camping spartiate : un champ avec un bloc sanitaire, sans douche, sans eau chaude ni électricité. Parfois très venté : installez votre tente près des haies. On le recommande aux campeurs à pied ou à vélo, car il n'y a quasiment pas de places de parking.

De bon marché à prix moyens

🛏 *Lochranza Youth Hostel :* à Lochranza, au nord de l'île, à l'arrivée du petit ferry venant de Kintyre. ☎ 0870-004-11-40. ● syha.org.uk ● Bus de Brodick et Blackwaterfoot. Mai-oct. Prévoir autour de £ 13 (19,50 €) par pers. Grand pavillon, bien équipé, d'une soixantaine de lits. Dortoirs clairs et propres. Boutique d'appoint. Responsable dynamique. L'interroger sur les meilleures promenades dans le massif du Goat Fell et les trekkings à dos de poney. Location de vélos au camping, dans le même village.
– À noter que le *Youth Hostel* de *Whiting Bay* sera fermé jusqu'en 2008.

🛏 *B & B Castlekirk :* à Lochranza. ☎ 830-202. ● castlekirk.co.uk ● Tte l'année. Chambres avec sdb £ 28 (42 €) par pers, petit déj (plantureux) compris. Dans une ancienne église, en face du château. Appeler à l'avance hors saison.
🛏 *B & B The Greannan :* Blackwaterfoot ; à la sortie du village, direction Lochranza. ☎ 860-200 ou 303-606 (demander Suzan Murchie). ● thegreannan.co.uk ● Tte l'année. Chambres avec sdb £ 25 (37,50 €) par pers. Chambres coquettes et impeccables, dont 3 profitent d'une jolie vue sur mer.

Où manger ?

De prix moyens à plus chic

|●| *The Lighthouse :* à Pirnmill. Un tea-room agréable. Petit déj, high tea et aussi des plats autour de £ 7 (10,50 €). Juste à côté, une épicerie et un bureau de poste.
|●| *Catacol Bay Hotel :* à Catacol, près de Lochranza. ☎ 830-231. Buffet à volonté dim 12h-16h pour moins de £ 10 (15 €) ; le reste du temps, des bar meals copieux (env £ 8, soit 12 €) servis 12h-22h, bien pratique. Sélection de plats végétariens. Assez sympa et animé. Très populaire sur l'île.
|●| *Brodick Bar & Brasserie :* à Brodick, en face de la poste. ☎ 302-169. Fermé dim midi. Plats £ 11-19 (16,50-

28,50 €). Salle immense et souvent pleine. Le menu est très complet et original, comme ces beignets de fleurs de courgette farcies au crabe ! Service rapide, efficace et souriant.
|●| *Creelers* (The Home Farm) *:* sur la route de Corrie. ☎ 302-810. À 2 km de Brodick. Fermé lun et jeu midi, sf en août. Résa conseillée. Excellent resto de poisson, où la facture grimpe vite à £ 20-25 (30-37,50 €) ; service non compris. Tout l'éventail des produits de la mer, d'une fraîcheur irréprochable (le patron, Tim, pêche lui-même) et chef compétent. Fait aussi *smokehouse shop.*

À voir

🌲🌲🌲 *Brodick Castle* (NTS) *:* sur la route de Corrie. ☎ 302-202. À 3 km du centre. Arrêt de bus. Mars-oct : tlj 11h-16h30 (15h30 oct) pour le château ; dernière entrée 30 mn avt la fermeture. Jardins accessibles tte l'année dès 10h. Entrée : £ 10 (15 €) ; £ 5 (7,50 €) pour les jardins slt ; réduc.
Le château de Brodick, en grès rouge, s'aperçoit dès l'arrivée du ferry, avec la masse du Goat Fell (860 m) en arrière-plan. Propriété des Hamilton depuis le XVIe siècle, la forteresse a connu pas mal de transformations. La dernière en date (au XIXe siècle) lui confère cette allure de style *baronial.*
En entrant, un escalier monumental, où sont accrochées les têtes de dizaines de cerfs chassés par les proprios. Les appartements exposent une ribambelle de portraits de famille, un mobilier élégant et de la vaisselle de porcelaine délicate. Dans la *dining room* et la bibliothèque, des peintures intéressantes sur le thème

du sport et des courses. Au rayon toiles de maîtres, une *Tentation de saint Antoine* de David Teniers, des paysages de Gainsborough, un portrait du duc d'Alençon par Clouet et deux petits Watteau. Rutilante quincaillerie de cuivre dans les cuisines. Enfin, à défaut d'avoir croisé un fantôme, il y a la *Bruce Room,* un cachot qui renferme bien sûr un prisonnier-mannequin, d'où montent des bruits inquiétants.

À la sortie, une adorable maison de poupée et une collection d'argenterie. Les jardins méritent qu'on s'y attarde : massifs de rhododendrons, de fuchsias et d'hortensias, arbres multicentenaires et plantes subtropicales.

▐●▌ En-cas possible au *Brodick Castle Restaurant (ouv avr-oct)* : grand choix de pâtisseries délicieuses et vue superbe depuis la terrasse.

🏃🏃 *Arran Heritage Museum :* Rosaburn, Brodick. ● arranmuseum.co.uk ● Avr-oct : tlj 10h30-16h30. Entrée : £ 3 (4,50 €). Musée installé dans un *cottage* aménagé selon les us et coutumes du XIXᵉ siècle. Une partie du bâtiment évoque les métiers traditionnels ; l'autre rassemble des témoignages historiques et géologiques, comme le *Dalradian shist* (la pierre la plus vieille de l'île), les travaux de James Hutton et des objets retrouvés à *Machrie Moor* (voir « À faire. Le tour de l'île », ci-dessous).

À faire

➤ *Le tour de l'île :* env 90 km, à vélo pour les plus sportifs. En partant de Brodick vers le sud, on longe les baies et les plages agréables de **Lamlash** et **Whiting Bay,** d'où l'on aperçoit **Holy Island,** où vivent des bouddhistes. Service régulier de ferries au départ de Lamlash. Vient ensuite la route en corniche du sud de l'île jusqu'à *Drumadoon Bay.* Au passage, vue sur le phare de Pladda et l'impressionnante silhouette d'Ailsa Craig, l'île aux oiseaux. Dans la partie sud-ouest, plusieurs sites préhistoriques et alignements de pierres sont accessibles. *Machrie Moor* (âge du bronze) et *Auchagallon* en sont les plus impressionnants (au nord de **Blackwaterfoot**). Un sentier au départ du golf de Blackwaterfoot vous mène à *Machrie* via *Kings Cave.*
En remontant vers le nord, on longe le *Kilbrannan Sound* qui sépare Arran de la péninsule de Kintyre (repérer les phoques bruns paressant sur les rochers), jusqu'à **Lochranza.** Les ruines du château, aménagé entre le XIIIᵉ et le XVIIIᵉ siècle, se visitent.
– *La* **distillerie Isle of Arran** *est accessible au public de mi-mars à fin oct, tlj 10h-18h ; le reste de l'année, se renseigner au ☎ 830-264. ● arranwhisky.com ● Entrée gratuite à l'exposition permanente ; visite guidée de 45 mn avec dégustation : £ 3,50 (5,30 €) ; réduc.*
La route qui revient vers Brodick traverse le *Glen Chalmadale,* lande austère au pied des montagnes. Après *Sannox* et sa jolie plage, on atteint **Corrie,** notre village préféré, avec ses cottages peints à la chaux.
– Le retour à Brodick se fait à proximité des jardins du château.

➤ **Pony Trekking :** entre Lochranza et Sannox. ☎ 810-222. Tlj sf dim. Compter £ 14 (21 €) pour 1h de balade à cheval.

Randonnées

En matière de randos, l'île d'Arran, bien dotée en sentiers balisés, comblera tous les marcheurs. Le massif du Goat Fell offre une multitude d'itinéraires, et Lochranza est un point privilégié pour s'aventurer dans les *glens* comme celui de Catacol. Se procurer la carte *Superwalker* de l'éditeur Harvey, échelle 1/25 000.

Quelques itinéraires, parmi les meilleurs (par ordre croissant de difficulté) :

➤ *Giants' Grave et Glenashdale Falls :* à *Whiting Bay,* une rando populaire sur l'île d'Arran. Départ juste à côté de l'AJ ; une carte détaille l'itinéraire. Balade de 8 km. Le sentier grimpe une colline pour atteindre *Giants' Grave.* Marche éprouvante : 265 marches sur 1 km, courage ! En récompense : vue sur *Whiting Bay* et *Holy Island.* S'enfoncer en forêt pour gagner la cascade de Glenashdale.

➤ *Beinn Bharrain :* dans la partie ouest de l'île (721 m). Départ à côté de la poste de Pirnmill. Une randonnée moins impressionnante que celle du massif du Goat Fell et plus accessible. Compter 3h pour atteindre le sommet. Panorama jusqu'aux îles de Islay et Jura.

➤ *Goat Fell (NTS) :* point le plus haut de l'île (874 m), dans la partie nord. Une expérience unique, et l'une des excursions les plus prisées de toute l'Écosse. La marche débute à Cladach, peu avant le château de Brodick, sur la route de Corrie. Le sommet se trouve à 5,5 km, soit une moyenne de 5h pour l'aller-retour. D'en haut, la vue s'étend de l'Irlande à l'île de Mull, mais ne sous-estimez pas la météo.

➤ *Beinn Tarsuinn :* un pic voisin du Goat Fell (826 m), sur l'arête centrale du massif. Départ du *Glen Rosa.* Sommet bien moins fréquenté mais tout aussi intéressant. Compter un minimum de 7h l'aller-retour. Possibilité d'effectuer une traversée en direction du nord, vers le *Glen Sannox.* Réservé aux plus expérimentés.

➤ La randonnée vers *Beinn Nuis,* proche de Beinn Tarsuinn, est aussi très populaire, tout comme les balades sur le sentier côtier. Renseignements et quelques cartes gratuites à l'office de tourisme.

Fête

– *Big Session Week :* 1 sem en juin (dates variables). Rens : ☎ 302-668 (organisateurs). L'événement le plus animé de l'année. Musique traditionnelle à travers toute l'île.

LES HÉBRIDES INTÉRIEURES

Sous cette appellation sont regroupées les îles de l'ouest allant de Gigha à Skye. Plus au nord se dressent les Hébrides Extérieures.

L'ÎLE DE GIGHA   110 hab.   IND. TÉL. : 01583

Prononcez « Gui-ya ». Petite île à l'est d'Islay, au large du Kintyre. *Gigha* signifierait « God's Island » (l'« île de Dieu »). On y vient pour visiter les jardins d'Achamore, ou tout simplement pour apprécier sa tranquillité. Longue de 8 km et dotée d'une unique route du nord au sud, elle se visite facilement à pied. Quelques belles plages de sable blanc où l'on peut apercevoir des phoques et des otaries.

Les habitants sont tous copropriétaires de l'île. Jusqu'en 2002, Gigha était « *for sale* ». Les îliens se sont donc mobilisés et, grâce à l'aide financière de deux organismes publics œuvrant pour la mise en valeur de l'Écosse, ils ont pu racheter leur île.

N'hésitez pas à consulter le site de l'île ● *gigha.org.uk* ●, très bien fait.

Arriver – Quitter

➢ Ferry quotidien ttes les heures 8h-18h (11h-17h dim) entre *Tayinloan* (dans le Kintyre) et *Ardminish* (20 mn de traversée). *Rens à Kennacraig auprès de* Caledonian MacBrayne : ☎ *(01880) 730-253.*

Adresses utiles

■ *Location de vélos : dans le bureau de poste.* Pour les visiteurs les plus énergiques, un moyen de locomotion très adapté à Gigha.

🕸 *Épicerie : dans le bureau de poste.*

Où dormir ? Où manger ?

Le camping et le caravaning sont interdits. Comme ça c'est clair !

De prix moyens à plus chic

🏠 *Tighnavinish B & B : non loin du terminal de ferry, à 800 m du bureau de poste.* ☎ *505-378.* ● *gigha.net* ● *Tte l'année.* Compter £ 25 (37,50 €) par pers. Chambres simples, réparties dans 2 cottages. Possibilité d'y dîner. Accueil chaleureux.

🏠 |●| *Gigha Hotel :* ☎ *505-254.* ● *gig ha.org.uk* ● *Tte l'année.* Env £ 42 (63 €) par pers ; ½ pens possible (particulièrement intéressante en basse saison). Bar meals à partir de £ 7 (10,50 €) ; légèrement plus cher le soir. Côté resto, prévoir £ 25 (37,50 €) le menu. Hôtel proposant une dizaine de chambres confortables, décorées avec goût. C'est aussi le seul pub de l'île.

À voir

🌿 *Achamore Gardens : ouv tte l'année.* Entrée : £ 3,50 (5,30 €) ; *réduc.* Il n'y a personne au guichet : on vous fait confiance pour laisser la monnaie dans la *honesty box* ! Deux parcours fléchés d'1h à 2h permettent de visiter les jardins. À voir surtout au printemps. Vélos interdits.

L'ÎLE D'ISLAY   3 500 hab.   IND. TÉL. : 01496

Prononcer « Aïe-la ». La plus méridionale des Hébrides Intérieures. On l'appelle parfois « *Queen of the Hebrides* » (« la reine des Hébrides »), en référence à sa production de whisky au goût de tourbe si prononcé. On dénombre encore sept distilleries en activité sur l'île, toutes très réputées. La richesse ornithologique, que l'on explore à travers la réserve naturelle du *Loch Gruinart*, fait aussi l'attrait de l'île. Ajouter à cela une population chaleureuse, fière de son histoire et de sa culture gaélique. Autant de raisons qui incitent à s'y rendre.

Arriver – Quitter

En bateau

⛴ *Ferry Terminal :* Caledonian Mac-Brayne, ☎ *302-209 (Port Ellen).* Résa : ☎ *08705-650-000.*

➢ Env 3 ferries/j. (slt 1 les mer et dim) entre *Kennacraig* (sur Kintyre) et *Port Ellen* (sud de l'île) ou *Port Askaig* (est de l'île, correspondance pour Jura). Compter 2h de traversée.
➢ En été, 3 liaisons/sem entre *Oban* et *Port Askaig*.

En avion

✈ *Islay Airport* : à 3 miles (5 km) au nord de Port Ellen. Infos auprès de British Airways, ☎ 302-361 ou 0870-551-155. ● ba.com ●
➢ *Glasgow* : 2 vols/j. (1 le sam) dans les 2 sens. Compter 45 mn de vol. Cher.

Comment circuler ?

En bus

– *Islay Coaches* : Cie B Mundell Ltd, ☎ *(01880) 840-273*. Deux lignes : Ardbeg-Port Ellen-Bowmore-Portnahaven et Ardbeg-Port Ellen-Bowmore-Port Askaig. Horaires très irréguliers ; pas de bus le dim.

BOWMORE (870 hab.)

« Capitale de l'île », elle a donné son nom à l'une des distilleries les plus célèbres d'Écosse. La culture du coin s'est indéniablement forgée autour du whisky ; même l'école possède un toit en forme de pagode. L'église mérite également un détour, blanche et arrondie (telle un phare miniature), pour empêcher le diable de se cacher dans un coin... On trouve ici le seul office de tourisme de l'île, ainsi que tous les commerces de base.

Adresses utiles

🛈 *Tourist Information Centre* : The Square. ☎ 810-254. Tte l'année 10h (14h dim)-17h (horaires variables selon saison). Fermé dim en avr, sept et oct.
■ *Banque* : The Square. Avec distri-buteur.
■ *Islay Hospital* : ☎ 301-000.
■ *Location de vélos* : dans le bureau de poste, sur Main St. ☎ 810-366. Fermé dim.

Où dormir ? Où manger ?

🛌 *Fairlie B & B* : sur la route de Port Charlotte. ☎ 810-464. ● ileach.co.uk/fairlie ● Peu après Bridgend (3 km au nord de Bowmore). Avr-oct. Compter £ 30 (45 €) par pers. Ravissante villa, construite avec goût, dissimulée derrière les arbres. Les propriétaires, charmants, proposent 2 chambres (avec salle de bains) très claires et impeccables. La chambre double dispose d'un grand dressing (parfait, paraît-il, pour ranger les bottes !). Excellent rapport qualité-prix.
🍴 *Bridgend Hotel* : à Bridgend, à 5 km env de Bowmore. ☎ 810-212. Plats à partir de £ 7 (10,50 €). Le pub de l'hôtel propose un *bar food menu* apprécié des locaux. Très bon *fish and chips* !
🍴 *The Harbour Inn* : The Square, au centre-ville. ☎ 810-330. Fermé à Noël. Résa conseillée. Compter env £ 30 (45 €) le repas complet. Plats à partir de £ 18 (27 €) env. Le must sur Islay. Produits locaux, dont gibier et poisson du jour. Présentation soignée pour une cuisine raffinée. Sélection de malts impressionnante. Cadre relaxant grâce à sa très jolie vue.

LES ÎLES D'ISLAY ET DE JURA

À voir

🕍🕍 **Bowmore Distillery :** *School St.* ☎ *810-671.* ● *morrisonbowmore.com* ● *Visite guidée d'env 1h, tte l'année, lun-sam à 10h, 11h, 14h et 15h (aussi dim juil-sept) ; en hiver, sam slt, visite à 10h ; fermé dim. Entrée : £ 4 (6 €) ; réduc.* Fondée en 1779, la distillerie produit la moitié de son malt. Visite particulièrement intéressante, où l'on nous décrit les méthodes de maltage traditionnelles. La maturation du whisky se fait dans des caves en dessous du niveau de la mer. Cela expliquerait l'un des secrets de son goût si particulier et tant apprécié. À l'entrée de l'établissement, un ancien entrepôt abrite aujourd'hui la piscine communale, chauffée par le surplus d'énergie émis par la distillerie. Astucieux, non ?

🕍🕍 **Finlaggan :** *à 3 km de Ballygrant, sur l'île d'**Eilean Mor.** ● finlaggan.com ● Visitor Centre ouv tlj 10h30-12h, 13h-16h30. Entrée : £ 2 (3 €). Visite gratuite lorsque le Visitor Centre est fermé.* On accède au site par une passerelle qui recouvre un simple chemin de pierres suffisamment surélevé (le lac est en effet peu profond), construit au XIXᵉ siècle. Il s'agit du site historique le plus important de l'île, siège des *lords of Isles,* seigneurs qui gouvernaient l'Argyll et les îles Hébrides. *Eilean Mor,* « île large », abritait déjà une vingtaine de bâtiments au Moyen Âge. Aujourd'hui subsistent quelques ruines, celles de la chapelle et du *Great Hall* étant les plus reconnaissables. D'impressionnantes pierres sculptées reposent toujours au sein de la chapelle.

🥃 **Caol Ila Distillery :** *à quelques miles au nord de Port Askaig.* ☎ 302-760. Avr-oct : tlj sf w-e ; visite guidée sur rdv. Entrée : £ 3 (4,50 €). Site très pittoresque au pied d'une côte escarpée, avec ses quais juste en face de l'île de Jura.

🥃 **Bunnahabhain Distillery :** *encore au nord de Port Askaig.* ☎ 840-646. ●bunna habhain.com ● De fin avr à mi-oct, visite guidée gratuite lun-jeu à 10h30, 13h et 15h ; ven 10h30 slt. Fermé le w-e. Bunnahabhain signifie « l'embouchure de la rivière » en gaélique. En 1883, les frères Greenlees décident en effet de construire leur distillerie à l'embouchure de la rivière Margadale.

Fêtes

– **Islay Festival :** *les 2 dernières sem de mai. Infos :* ☎ 302-413. Festival autour du whisky. Programme chargé : visite de distilleries, concerts, *ceilidh,* démonstration du découpage de la tourbe, dîners...
– **Monday Visitors' Evening :** *Pâques-oct. Détails à l'office de tourisme.* Tous les lundi, concert de musique traditionnelle et dégustation de malt gratuits, souvent organisés dans une distillerie.

PORT CHARLOTTE

Village le plus mignon de l'île, avec ses façades blanchies qui lui donnent un air bien singulier. Il abrite une petite communauté de pêcheurs et de fermiers.

Où dormir ? Où manger ?

🛏 **Youth Hostel :** *dans un ancien entrepôt de whisky.* ☎ 850-385 ou 08700-041-128 (central de résa). ● syha.org.uk ● Avr-sept. Env £ 13 (19,50 €) par pers en hte saison. Trente lits en dortoirs de 3 à 7 lits, très propres et confortables. Salle commune cosy avec vue sur mer.

🍴 **The Croft Kitchen :** *petite maison à l'entrée de Port Charlotte (face au musée).* ☎ 850-230. Ouv de mi-mars à fin déc, en journée (sf mer) ; le soir en saison. Compter env £ 7 (10,50 €). Sert des petits plats surprenants pour le lunch. *Tearoom* le reste de la journée ; délicieux desserts (un crumble irrésistible !). Cuisine plus élaborée le soir, plus chère aussi. Ambiance décontractée. Attention aux heures de pointe ou au *tea time,* car la salle est assez petite.

À voir

🏛 **Museum of Islay Life :** *dans une église blanche en arrivant à Port Charlotte.* ● islaymuseum.freeserve.co.uk ● Avr-oct : tlj 10h (14h30 dim)-16h30. Entrée : £ 3 (4,50 €) ; réduc. Ticket valable pour la durée de votre séjour sur l'île. Musée très documenté sur l'histoire naturelle et sociale de l'île. On y trouve la reconstitution d'une cuisine et d'une chambre de style victorien, toutes sortes d'outils agricoles des campagnes d'autrefois. Pièces archéologiques au fond du musée, et bibliothèque en libre accès. Dans le cimetière, collection de pierres tombales gravées datant du XVIe siècle.

🏃 **Loch Gruinart Nature Reserve :** *au nord de Port Charlotte.* ☎ 850-505. *Expo accessible tlj 10h-17h. Mai-oct : visite guidée à £ 2 (3 €) ts les jeu à 10h ; sur résa le reste de l'année. Durée : 2-3h*. Réserve naturelle de 1 670 ha, importante notamment pour sa population d'oies, une variété du Groenland venant passer l'hiver sur Islay. Également, refuge pour de nombreux échassiers et oiseaux de proie. Plate-forme d'observation à proximité du *Visitor Centre*.
– Si le sujet vous passionne, on vous recommande de passer au *Islay Wildlife Information Centre, en dessous de l'AJ de Port Charlotte.* ☎ 850-288. *Pâques-fin oct : tlj sf sam 10h-15h (17h juil-août). Ticket : £ 3 (4,50 €), valable pour 1 sem ; réduc.*
Un petit centre très bien conçu pour les amateurs de vie sauvage et de géologie, avec des ouvrages de référence et une salle pour les enfants. Mise à jour des dernières observations. À l'entrée, quelques restes d'un squelette de baleine. Les mardi et jeudi à 14h en été, beaucoup d'activités pour faire découvrir le rivage aux enfants.

🏃🏃 **Kilnave Chapel :** *suivre la B 0817 entre Bridgend et Bruichladich ; aucune indication ; au* Visitor Centre *du Loch Gruinart, prendre à droite direction Ardnave ; après 4 km, c'est sur la droite.* Ruines d'une chapelle et petit cimetière au bord du Loch Gruinart. Panorama somptueux. Une majestueuse croix est plantée à l'entrée. Abîmée par les intempéries, elle date de 750 av. J.-C.

🏃 **Islay Woolen Mill :** *à Bridgend. Sur la route de Ballygrant.* Un atelier de tissage à vapeur tenu par la famille Covell et qui fonctionne depuis 1883. Un atelier plus ancien est réservé au tissage à la main. Si ça vous dit, vous pouvez venir y prendre des cours ! Gordon Covell saura gentiment vous initier à son artisanat, rendu célèbre par les films *Braveheart* et *Rob Roy,* qui ont choisi ses tartans pour porter haut les couleurs de l'Écosse... Bon choix de plaids et d'écharpes dans sa petite boutique.

🏃 **Portnahaven :** un village de pêcheurs tout mignon à l'extrémité ouest de l'île, avec sa rangée de cottages à « touche-touche ». La communauté de Portnahaven et sa jumelle Port Wemyss (en face de la baie) partagent la même église, avec deux portes séparées pour chaque village, pour le moins insolite. En fait, l'église fut construite bien avant la création de Port Wemyss. Entre Portnahaven et **Kilchiaran,** route dépaysante à souhait, riche de verts pâturages et de quelques fermes perdues. En chemin, des aigles, des lièvres... et des moutons ! Au nord de Kilchiaran se déploie la majestueuse **Machir Bay.**

PORT ELLEN *(870 hab.)*

Dans la partie sud de l'île, il s'agit du port le plus actif. Les bateaux acheminent aussi bien des visiteurs que de l'orge destinée aux distilleries. Le village ne présente en fait aucun intérêt. Une forte odeur de malt flotte dans les ruelles... On y passe surtout pour visiter les distilleries.

Adresse utile

📶 **Cybercafé :** Mactaggart Community Centre, *Mansfield Pl. Dans la rue longeant la baie, tourner entre le* foodstore *et l'église ; ensuite, c'est à droite. Tlj sf lun 12h-14h, 16h30-18h30.* Unique cybercafé de l'île.

Où dormir ?

⚓ **Kintra Farmhouse :** *à Kintra.* ☎ 302-051. ●kintrafarm.co.uk ●À quel- *ques kilomètres au nord-ouest de Port Ellen. Avr-sept. Pour ts les budgets : au* camping, prévoir £ 8 (12 €) pour 2 pers et une tente ; £ 25 (37,50 €) par pers en B & B ; également des cottages loués à la sem. Un bon resto ouvert en pleine saison. Le tout dans un cadre très rural, à proximité de la plus grande plage de l'île. Accueil frisquet.

🏠 **The Trout-Fly Guesthouse :** 8, Charlotte St. ☎ 302-204. Tte l'année. Pré-voir £ 27 (40,50 €) par pers. Derrière la maison, un cottage à louer pour env £ 25 (37,50 €) par pers. Trois chambres un peu à l'étroit, avec lavabo, qui se partagent une salle de bains ; une 4e chambre avec douche. Bien souvent, une odeur de malt remonte dans l'escalier. Adresse pratique en cas d'arrivée tardive par le ferry. Accueil plaisant.

À voir

À l'est de Port Ellen, voici par ordre d'arrivée l'ensemble des distilleries à visiter :

🎒🚶 **Laphroaig Distillery :** la première d'entre elles. ☎ 302-418. ● laphroaig.com ● Visite : £ 3,50 (5,30 €) ; dégustation sur rdv, en sem à 10h15 et 14h15. L'une des rares distilleries à exécuter son propre maltage. Il n'en reste que six en Écosse ! Son whisky est peut-être bien le plus caractéristique de la région. D'ailleurs, pendant l'époque de la prohibition aux États-Unis, ce malt continuait d'être importé légalement pour ses « vertus médicinales ».

🚶 **Lagavulin Distillery :** ☎ 302-400. Visite guidée sur rdv en sem à 9h30, 11h15 et 14h30. Attention, parfois fermé quelques sem en été pour réparations. Tour : £ 4 (6 €), suivi d'une dégustation. Site incomparable. Distillerie établie en 1816, célèbre pour son blend, White Horse.
– De la distillerie, on aperçoit le **Dunyveig Castle,** une ruine érigée sur un éperon rocheux.

🎒🚶 **Ardbeg Distillery :** la dernière de la série. ☎ 302-244. ● ardbeg.com ● Juin-août : tlj 10h-17h ; sept-mai : lun-ven 10h-16h. Entrée : £ 2,50 (3,80 €). Une visite à durée variable, suivie d'une dégustation. Distillerie rachetée par le groupe Glenmorangie (également propriétaire de Glen Moray). Au 2e étage, expo gratuite sur Islay et son histoire intimement liée au whisky. Pour une pause, au rez-de-chaussée, le Old Kiln Café à la jolie charpente.

🎒🚶 **Kildalton Cross** (HS) : à 10 km env à l'est de Port Ellen. Accès libre. Elle se dresse dans un cimetière, dont les tombes datent du Moyen Âge. La chapelle du XIIIe siècle a, quant à elle, perdu sa toiture. Il s'agit de la croix celtique la mieux conservée de toute l'Écosse, gravée à la fin du VIIIe siècle par un sculpteur d'Iona. Sur la face ouest de la croix sont représentés quatre lions, tandis qu'à l'est apparaît la Nativité.
– Sur la route entre Ardbeg Distillery et Kildalton Cross, une large crique abrite une petite colonie de phoques, que l'on peut observer depuis la route.

🎒🚶 **The Mull of Oa :** prononcez « O ». Au sud-ouest de Port Ellen. Une route étroite traverse un paysage quasi désertique, peuplé de choughs (oiseaux au bec rouge), lièvres et aigles royaux. Au sud-ouest du Mull, un monument américain érigé en mémoire des 266 soldats morts en 1918 à bord d'un bâtiment torpillé par un sous-marin allemand. Balades possibles aux abords des falaises, à condition d'être prudent.

L'ÎLE DE JURA   190 hab.   IND. TÉL. : 01496

Voisine de l'île d'Islay, Jura est à bien des égards très différente. Avant tout sauvage : ses 6 500 cerfs rouges cohabitent avec quelque 200 habitants !

D'ailleurs, le nom de Jura serait dérivé d'un mot norrois qui signifierait « Deer Island » (« île aux Cerfs »). Jura offre donc un terrain de chasse exceptionnel, même si on préfère ces beaux spécimens en liberté. Une unique route parcourt les 45 km de long, dominés par ses « pics arrondis » connus sous le nom de *Paps of Jura*. Jusqu'à Inverlussa, le paysage n'est que montagnes et plaines tourbeuses se reflétant dans le Loch Tarbert. *Craighouse* est le seul village significatif de l'île. Un voyage sur Jura conviendra surtout à nos lecteurs en quête de solitude, ou aux randonneurs endurcis.
Un dicton dit que l'on trouve son cheval sur Mull, sa vache sur Islay et sa femme sur Jura... À bon entendeur !

Arriver – Quitter

➤ Liaisons tte l'année entre **Port Askaig** (île d'Islay) et **Feolin** (Jura) par un bac quotidien (très sujettes aux intempéries). Ttes les 45 mn env, 7h35-18h30 (service limité le dim, voire nul). Compter 10 mn de traversée.

Adresse et infos utiles

■ *Jura service point :* près de l'école de Craighouse. Lun-ven 10h-13h. Infos sur les randonnées et accès Internet.

■ Une **poste,** une **pompe à essence** et quelques **commerces** à Craighouse.

Transports sur l'île

Env 5 bus/j. relient **Feolin** à **Craighouse.** Deux slt continuent jusqu'à **Inverlussa.**

Où dormir ?

⋏ *Jura Hotel :* à Craighouse. ☎ 820-243. Cet hôtel, un peu impersonnel, intéressera surtout les campeurs, qui pourront planter leur toile dans le petit terrain attenant. Bloc sanitaire à proximité. Donation à vot' bon cœur !
🏠 *B & B The Manse :* à Craighouse.

☎ 820-384. Une jolie demeure à la sortie du village, en direction de Lagg. Tte l'année. Prévoir £ 25 (37,50 €) par pers. Trois chambres douillettes, dont 2 avec vue sur mer. Salle de bains à partager. Bon accueil.

À voir. À faire

🍴 *La distillerie :* à Craighouse. ☎ 820-240. ● isleofjura.com ● Pâques-oct : visite sur rdv à 10h et 14h30 en sem.

➤ *Randonnées :* un guide de randonnée est en vente à l'office de tourisme de Bowmore (sur Islay). On vous conseille notamment celle près du *Loch Tarbert,* un loch de près de 10 km de long, situé au centre de l'île, et qui la couperait presque en deux. Compter 3h de marche aller-retour pour découvrir ses plages, ses grottes, et atteindre la colline de *Cruib,* avant de revenir vers la route et le hameau de *Tarbert* (tous les détails dans le guide à l'office de tourisme).

L'ÎLE DE MULL

2 700 hab.

Deuxième île des Hébrides Intérieures (en taille), après Skye. Des randonnées côtières à la visite de l'abbaye d'Iona, en passant par le port de Tobermory, elle offre de quoi s'occuper pendant une bonne semaine. Une majorité d'Écossais la considèrent d'ailleurs comme l'île la plus complète des Hébrides.

Arriver – Quitter

🚢 *Ferry Terminal :* Caledonian Mac-Brayne. *À Tobermory,* ☎ *302-017 ; à Craignure,* ☎ *812-343 ; ou à Fionnphort,* ☎ *700-559. Résa :* ☎ *08705-650-000.*
➢ *Oban-Craignure :* avr-oct env 6 liaisons/j. ; nov-mars, 2-4 liaisons/j. *Compter 45 mn de traversée, £ 4 (6 €) par adulte et £ 36 (54 €) pour une voiture.*
➢ *Lochaline-Fishnish :* avr-oct, bac presque ttes les heures, 7h-19h (18h dim) ; moins fréquent le reste de l'année, et pas de départ dim. C'est la traversée la moins chère.
➢ *Kilchoan-Tobermory :* avr-oct, 7 traversées 7h-18h en sem ; juin-août, 4 liaisons dim slt ; 2-3 départs en hiver. Durée : 35 mn.
➢ *Fionnphort-Iona :* mars-oct, une dizaine de ferries/j. 8h-18h15 (ttes les heures dim à partir de 9h) ; fréquence moindre nov-fév.

Comment circuler ?

En bus

➢ Deux lignes de bus : *Craignure-Tobermory,* via Fishnish et Salen, et *Craignure-Fionnphort,* via Bunessan, avec *Argyll & Bute Council. Rens :* ☎ *(01546) 604-360.*

TOBERMORY *(880 hab. ; ind. tél. : 01688)*

L'un des plus beaux villages de la côte ouest, voire le plus beau ! Petit port à l'extrémité nord de l'île, aux maisons pastel se reflétant dans l'eau. Son horloge, installée au milieu de Main Street depuis 1905, lui confère une touche unique.
– Consulter le gratuit *Round & About* pour les événements à ne pas manquer.

Adresses utiles

🛈 *Tourist Information Centre :* sur le port, près du terminal de ferry. Main St. ☎ *302-182. Avr-oct :* en principe tlj 9h (10h dim)-17h (18h juin-août).
✉ *Poste :* sur Main St.
■ *Clydesdale Bank :* sur le port. La seule banque de l'île. Distributeur sur la façade gauche du bâtiment.

■ *Centre médical :* Tobermory Surgery, *Rockfield Rd.* ☎ *302-013.* Sur les hauteurs de la ville.
■ *Location de vélos :* Brown's Shop, 21, Main St. ☎ *302-020. Réduc en passant par l'AJ.*
■ *Supérette :* sur Main St.

Où dormir ?

Bon marché

🏠 *Tobermory Youth Hostel :* la maison violette sur le port. ☎ *302-481.* ● *tobermory@syha.org* ● *Mars-oct. La nuit* revient à env £ 11 (16 €). Seule adresse bon marché et confortable de la ville. Très bien située, supermarché à proximité.

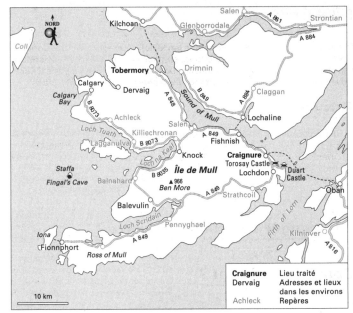

L'ÎLE DE MULL

Chic

🏠 *Copeland House :* Viewmont Dr. ☎ 302-049. ● www.copelandhouse. com ● En arrivant à Tobermory (de Salen), au rond-point, continuer tt droit, et 50 m plus loin, à droite, en suivant la direction du commissariat de police ; traverser le village, puis c'est indiqué sur la gauche. Fermé à Noël. Compter à partir de £ 28 (42 €) par pers dans l'une des 3 chambres confortables, avec sdb. Superbe vue pour l'une d'entre elles sur le Sound of Mull. Jeux pour enfants dans le jardin.

🏠 *Baliscate Guesthouse :* Salen Rd. ☎ 302-048. ● baliscate.com ● À la sortie de Tobermory sur la route de Salen. Ouv avr-oct. Env £ 25 (37,50 €) par pers. Grosse demeure dans une vaste propriété. Bon accueil, mais souvent complet.

🏠 *Fàilte Guesthouse :* Main St. ☎ 302-495. ● failteguesthouse.com ● De début avr à mi-nov. Compter £ 32 (48 €) par pers, avec sdb. Également une chambre familiale. Maison de caractère sur le port.

Où dormir dans les environs ?

Camping

⛺ *Tobermory Campsite :* sur la route de Dervaig, à 2 km. ☎ 302-525. ● tobermory-campsite.co.uk ● Mai-sept. Prévoir £ 8 (12 €) pour 2 pers et une tente.

Site très reposant, bon accueil. Une cabane au milieu du terrain fait office de sanitaires.

Prix moyens

⌂ **Arle Farm Lodge :** Aros. ☎ (01680) 300-299. ● arlelodge.co.uk ● Sur la route entre Salen et Tobermory. Tte l'année. Env £ 20 (30 €) par pers ; £ 25 (37,50 €) avec sdb. Auberge impec- cable d'une dizaine de chambres, cui- sine bien équipée, machine à laver, et salle commune spacieuse. Accueil très courtois et vue irrésistible sur le Sound of Mull.

Très chic

⌂ **Glengorm Castle :** ☎ 302-321. ●glen gormcastle.co.uk ● À 4 miles (6,5 km) de Tobermory. Prendre la route de Der- vaig, puis une petite route sur la droite en direction de Glencorm. Tte l'année. Chambres £ 140-180 (210-270 €) pour 2 pers en B & B, selon standing et vue sur mer (pour 3 chambres) ou pas. Châ- teau de 1860 occupant un site formida- ble au nord de Mull. Magnifique vue sur les îles... Des cottages à louer dans le parc de 2 500 ha, fourniture de bois gra- tuite. Une vraie vie de château !

Où manger ? Où boire un verre ?

|●| ▼ **The Mishnish Hotel :** au bout du port. Plats £ 5-9 (7,50-13,50 €) en salle ou au bar. Maison de famille depuis 1869, à la façade noire ; ambiance très chaleureuse. Albums photos sur la cheminée. Quant à la nourriture, elle est excellente !
|●| ▼ **MacGochans :** maison bleue à côté de la distillerie. Bâtiment converti en 3 salles, Gochie's Bar avec groupes les vendredi et samedi soir, le Mac Gochan's Bistro et ses spécialités de fruits de mer, également salle de ceilidh (entrée gratuite) et The Jailer's, salle de restaurant à l'étage. Le tout avec un per- sonnel vraiment gentil.

Où dormir ? Où manger dans les environs ?

⌂ **Torr Buan House :** à Ulva Ferry. ☎ 500-121. Sur la B 8073 après Lagga- nulva. Tte l'année. Compter £ 45 (67,50 €) par pers, avec petit déj ; ½ pens possible. Une maison moderne, à la déco marine raffinée. On s'y sent loin de tout. Depuis le salon, vue pano- ramique sur l'île d'Ulla et le Loch Tuach. Il n'y a qu'une seule chambre, chic et confortable, avec une entrée privée : parfait pour des tourtereaux ! L'hôte, David Woodhouse, ornithologue, orga- nise des excursions à la découverte des golden eagles.
|●| **Carthouse Gallery :** à Calgary. Tlj 10h30-16h30. Plats le midi £ 3-5 (4,50- 7,50 €). Dans un hameau, un charmant tearoom et une galerie exposant des artistes locaux. De bons plats et de déli- cieux brownies.

À voir. À faire à Tobermory et dans les environs

⚒ **Tobermory Distillery :** à l'extrémité sud du port. ☎ 302-645. Tte l'année. Pâques-oct : 6 visites/j. lun-ven 10h-17h. Résa conseillée. Entrée : £ 2 (3 €). L'uni- que distillerie de Mull, fondée en 1823, bénéficie d'un emplacement exceptionnel dans la baie de Tobermory. Dégustation.

⚒ **Mull Museum :** sur Main St. De Pâques à mi-oct : lun-ven 10h-16h ; sam 10h- 13h. Fermé le reste de l'année. Entrée dérisoire. Une ancienne boulangerie réamé- nagée en un petit espace à la mémoire de l'île, tenu par des bénévoles. On y découvre sa géologie, ses tombes néolithiques, son histoire contemporaine et ses grands personnages. Maquettes, outils agricoles, alambic clandestin, vieilles photos et bric-à-brac.

🍴 *Dervaig :* à 6 miles (10 km) de Tobermory. On visite l'église au clocher rond et, d'avril à septembre, « le plus petit théâtre du monde » : 43 places !

🍴🎬 *Calgary Bay :* la plus belle plage de Mull, immaculée et nichée dans une magnifique baie avec, à l'horizon, les îles de Coll et Tiree. Possibilité d'y camper (bloc sanitaire au bord de la route).

➤ *Route B 8073 :* entre *Calgary* et *Ulva Ferry*. Route à flanc de falaise, puis musardant dans les forêts de chênes le long du *Loch Tuath*.

Fêtes

– *Mull Music Festival :* ts les ans fin avr, début mai. Festival de folklore, avec groupes de musique celte et irlandaise jouant souvent dans les pubs et autres lieux publics.
– *Highland Games :* 3e jeu de juil. Traditionnels jeux écossais.
– *Tour of Mull Rally :* en oct. Original et très populaire, le rallye autour de l'île. Mais attention, pendant un w-e, certaines routes sont fermées !

CRAIGNURE (ind. tél. : 01680)

Beaucoup de touristes en provenance d'Oban débarquent dans ce village. Vous y trouverez le seul office de tourisme de Mull ouvert à l'année. À part ça, pas grand-chose.

Adresses utiles

🏠 *Tourist Information Centre :* sur le pier *(embarcadère)* de Craignure. ☎ 812-377. En été : lun-sam 8h30-19h (17h ven, 18h30 sam) ; dim 10h-17h15. Le reste de l'année, lun-sam 9h-17h ; dim à partir de 10h30.

■ *Location de vélos :* Bayview Garage. ☎ 812-444. En débarquant du ferry, sur la route à gauche. Tlj sf dim 10h30-18h.

Où dormir ?

Campings

⛺ *Camping Shieling Holidays :* prendre à gauche en sortant du ferry, puis de nouveau à gauche avant l'église. ☎ 812-496. ● shielingholidays.co.uk ● À côté du petit train touristique, un camping ombragé au bord de l'eau. Pâques-fin oct. Env £ 15 (22,50 €) en été pour 2 pers avec une tente. Et cottages £ 58 (87 €) pour 2 pers. Équipement et entretien impeccables. Propriétaire très accueillante.

⛺ *Balmeanach Park :* à Fishnish. ☎ 300-342. Sur la route entre Craignure et Salen. Avr-oct. Env £ 10 (15 €) pour 2 pers et une tente. Pas de cuisine ni de laverie, mais un *tearoom* ! Camping entouré de sapins, bien tranquille et propre.

Prix moyens

🏠 *Gorsten Farm House :* à Gorten. ☎ 812-332. En venant de Craignure, avt

Lochdon, prendre la direction Gorten ; c'est à env 2,5 km. Avr-oct. Compter

£ 25 (37,50 €) par pers. Chambres avec salle de bains. B & B dans une ferme tra- | ditionnelle. Vue sur Duart Castle et jusqu'au Ben Nevis.

Où manger ? Où boire un verre ?

|●| ♆ **Craignure Inn :** *sur la route principale. Tte l'année.* Bar meals £ 6-12 | *(9-18 €).* Intérieur chaleureux, poêle, jeux de fléchettes...

À voir dans les environs de Craignure

🎥 **Duart Castle :** ☎ 812-309. ● *duartcastle.com* ● *De Pâques à mi-oct : tlj sf ven et sam 10h30-17h30. Entrée : £ 5 (7,50 €) ; réduc.* Explications en français. Château à l'extrémité est de l'île, dont le donjon date de 1350. Il fut attaqué par la flotte de Cromwell en 1653, et restauré en 1911 par la famille MacLean, l'un des clans les plus anciens d'Écosse. Il est toujours habité, même s'il a servi à plusieurs reprises de décor de cinéma. Au 1ᵉʳ étage, la salle des banquets et ses portraits de famille. Au 2ᵉ étage, les appartements particuliers. On trouve au 3ᵉ étage une exposition sur la construction du château et le clan MacLean. Enfin, le chemin de ronde au sommet du donjon donne un petit coup de fouet !

🎥 **Torosay Castle :** ☎ 812-421. ● *torosay.com* ● *Pâques-fin oct : tlj 10h30-17h. Entrée : £ 5,50 (8,30 €). Jardins ouv tte l'année jusqu'à 19h. Entrée : £ 4,80 (7,20 €) ; réduc.* Un petit chemin de fer touristique relie Craignure à Torosay Castle de Pâques à fin octobre : tlj 11h-15h depuis *Craignure*, 17h30 depuis *Torosay Castle* (bien vérifier les horaires). Manoir victorien restauré, intérieur décoré. On ne visite que le rez-de-chaussée, les étages étant habités par Chris James, le propriétaire actuel. Dans l'entrée, étonnant trophée de chasse : la tête d'un tigre abattu par Mrs Millers, sa grand-mère ! Vue sur *Duart Castle* depuis la *dining room,* ornée d'une gigantesque tête d'élan irlandais. Jardins splendides.

🎥 **Aros Castle :** ruine sur la route de Salen. Construit au XIIIᵉ siècle par McDougall of Lorn.

AU CENTRE DE L'ÎLE

🎥 **Ben More :** très ancien volcan et point culminant de l'île à 966 m. Même si Mull est l'île des Hébrides la plus arrosée, la vue peut être magnifique par beau temps. Départ de *Dhiseig,* sur la route B 8035, au sud-ouest de Salen. Randonnée de 13 km et 950 m de dénivelée. Compter au moins 5h.

🎥 **Route B 8035 :** *entre Knock et Balevulin.* Très pittoresque : falaises d'un côté, mer de l'autre.
– Pour profiter de ce coin plus paisiblement, **Pony trekking** : à *Killiechronan.* ☎ 0774-880-74-47. ● *freewebs.com/mullponytrekking* ● *Prévoir £ 15 (22,50 €) pour 1h de balade en forêt ou le long du Loch Na Keal.*

AU SUD-OUEST DE L'ÎLE

Cette partie de l'île est appelée *Ross of Mull,* péninsule traversée par la route menant à Fionnphort et Iona.

🎥 **L'île d'Iona :** *accessible en ferry depuis Fionnphort (piétons slt).* C'est d'Iona que partit saint Colomban pour christianiser les îles Britanniques. Il y avait établi un monastère en 563. Les premiers rois chrétiens d'Écosse furent enterrés sur Iona, et l'on raconte que Macbeth reposerait également sur l'île. Deux abbayes témoignent du passé religieux de l'île : l'une, en ruine, était réservée aux femmes ; l'autre, res-

taurée, aux moines. Site superbe, à 15 mn à pied du ferry. *Tte l'année. On vous demande une contribution de £ 3,50 (5,30 €) pour la visite.*
Sur les plages nord et ouest de l'île, une curiosité : la roche d'Iona, sorte de galet marbré dont on fait des bijoux.

🛏 Pour ceux qui auraient envie d'y séjourner, jolie AJ sur l'île : *Iona Hostel,* ☎ (01681) 700-781. ● *ionahostel.co.* │ *uk* ● *Tte l'année. Compter £ 18 (27 €) la nuit.* Chambres et dortoirs de 2 à 6 lits. Cuisine à dispo.

🧍🧍🧍 *Staffa :* avec Staffa Trips, *Tigh-Na-Traigh, Iona,* ☎ (01681) 700-358. ● *staffa trips.f9.co.uk* ● *Prix :* £ 20 (30 €) ; *réduc.* Départs 2 fois/j. d'Iona et de Fionnphort pour découvrir cet îlot rocheux aux étonnantes colonnes basaltiques (visibles à marée basse) et visiter la *grotte de Fingal.* Phoques et macareux peuplent ce secteur, propriété du *National Trust for Scotland* depuis 1986.

L'ÎLE DE SKYE   9 300 hab.

De loin, la plus grande des îles Hébrides Intérieures ; c'est aussi la plus visitée par les touristes, d'autant que son accès a encore été facilité par la construction d'un pont entre Kyle of Lochalsh et l'île, au grand dam des habitants. Il faut dire que l'île de Skye, surnommée « l'île des brumes », déploie un paysage fait d'une alternance de landes et de tourbières, au relief tantôt vertigineux, tantôt à la courbe caressante.
Occupée jusqu'au XIIIᵉ siècle par les Norvégiens, l'île est ensuite peuplée de petits fermiers qui cultivent la terre, élèvent du bétail et pêchent. Après l'échec de la rébellion jacobite, les habitants ont aidé Bonnie Prince Charlie dans sa fuite. Du coup, Skye, au même titre que les Highlands, a beaucoup souffert des représailles anglaises. On y a introduit des moutons et chassé les paysans pour développer l'élevage. Beaucoup ont émigré dans le sud de l'Écosse et en Australie.
Aujourd'hui, Skye se repeuple et arbore fièrement son identité gaélique. On y enseigne toujours la langue celte, et les panneaux sont parfois écrits dans les deux langues.
– *Avertissement :* entre juin et septembre sévissent les *midges.* Pour avoir une idée, se reporter à la rubrique qui leur est consacrée dans « Hommes, culture et environnement » en début de guide.

Arriver – Quitter

Trois ports d'embarquement différents :

Par le pont

➢ *Skye-Kyle of Lochalsh par le pont (gratuit).* Pensez à faire le plein avant d'arriver sur l'île : peu de stations et l'essence y est plus chère.

En bateau

➢ *Kylerhea (sur Skye)-Glenelg :* Glenelg est à env 3 miles (5 km) au sud de Kyle of Lochalsh. Liaisons de Pâques à mi-oct, 9h-18h (10h-17h dim). *Infos :* Skye Ferry, ☎ (01599) 522-253. ● *skyeferry.co.uk* ●
➢ *Skye-Mallaig :* en saison, lun-sam, 8 traversées/j., 4 à 6 dim ; 2 liaisons en hiver. Traversée : 30 mn. Embarque les véhicules. Assez cher. *Infos :* Caledonian Mac Brayne, ☎ (01471) 844-248. ● *calmac.co.uk* ●

En bus

➤ *Inverness-Kyleakin :* 3 liaisons/j. Durée : 3h. *Infos :* Scottish Citylink, ☎ 08705-50-50-50. ● www.citylink.co.uk ●
➤ *Kyle of Lochalsh, Kyleakin, Broadford* et *Portree :* env 7 liaisons/j. en sem et 5 le w-e. *Infos :* Rapsons, ☎ (01462) 222-244. ● rapsons.co.uk ●

Comment se déplacer dans l'île ?

➤ *En bus :* le Rover Ticket s'achète auprès du chauffeur. Pour £ 6 (9 €), il permet de voyager de façon illimitée pendant 24h sur l'île de Skye (jusqu'à Kyle of Lochalsh) avec les bus Rapsons ; ticket 3 j. à £ 15 (22,50 €). Le réseau de bus est plutôt bon et les horaires sont disponibles dans les offices de tourisme. Planifiez vos déplacements pour rentabiliser au mieux le ticket (les bus ne passent pas non plus toutes les 30 mn !).
➤ *En stop :* ne pose en principe pas de problème... quand il y a des voitures (!).

KYLEAKIN *(ind. tél. : 01599)*

Port du débarquement du ferry qui effectuait la liaison avec Kyle of Lochalsh, son *pier* ne sert aujourd'hui que pour les balades en mer. On y trouve quelques sympathiques adresses d'hébergement bon marché *(hostels).*

Où dormir ?

Bon marché

🛏 *Skye Backpackers :* Independent Hostel, *à côté de l'AJ.* ☎ 534-510. ● scotlandstophostels.com ● *Sur la grande place du village, à droite en arrivant du pont. Env £ 15 (22,50 €) par pers.* Chambres de 3 à 8 lits dans une maisonnette sympa, à taille humaine. Possibilité aussi de dormir dans une caravane ou un chalet installés dans l'agréable jardin. Accueil et ambiance jeunes et toniques. Location de vélos.
🛏 *Kyleakin Youth Hostel :* sur la rue principale. ☎ 0870-004-11-34. ● syha. co.uk ● Fermé nov-mars. Prévoir £ 13-16 (19,50-24 €) par pers selon saison. Pas de petit déj. Grande bâtisse blanche, ancien hôtel transformé en AJ. Agréable salon à l'entrée. Chambres (2 ou 4 lits) avec sanitaires sur le palier. Une adresse bien adaptée aux familles et où l'espace ne manque pas.
🛏 *Dun-Caan Independent Hostel :* juste devant le pier, avec vue sur le Castle Moil, *demeure de la princesse viking Saucy Mary.* ☎ 534-087. ● skye rover.co.uk ● Tte l'année, mais nov-fév sur résa slt. Env £ 13 (19,50 €) par pers. Petite maison blanche au bord de la route qui mène au port. Deux chambres de 6 lits et une de quatre. Intérieur croquignolet et cosy. Le tout proprement tenu. Excellente bibliothèque. Location de vélos. Bon accueil.

Prix moyens

🛏 *White Heather Hotel :* The Harbour. ☎ 534-577. ● whitecheatherhotel.co. uk ● Sur la gauche de la petite route qui longe le port. Env £ 30 (45 €) par pers. Petit hôtel sympathique, abritant des chambres propres et joliment arrangées, avec vue sur les bateaux et une belle ruine.

BROADFORD *(ind. tél. : 01471)*

La première ville après Kyleakin, dont le seul mérite est de posséder un office de tourisme, une station-service, un grand supermarché et une laverie (avec accès Internet).

L'ÎLE DE SKYE

Adresse utile

🛈 *Tourist Information Centre :* The Car Park. ☎ *(01845)-225-51-21. À côté* *de la station* Esso. *Avr-oct : lun-sam 9h30-17h ; dim 10h-16h (18h juil-août).*

Où dormir ?

Bon marché

🛌 *Broadford Youth Hostel :* à la sortie de la ville, en direction de Portree. ☎ 0870-004-11-06. ● syha.org.uk ● Fermé nov-fév. Env £ 14 (21 €) par pers. *Résa conseillée en juil et août. Dortoirs de 4 à 6 lits. C'est une maison bien grise mais située dans un joli jardin, avec une belle vue. Calme et propre.*

Prix moyens

⌂ **B & B Fairwinds :** *Mrs Donaldson, Elgol Rd.* ☎ 822-270. ● *isleofskye.net/ fairwinds* ● *Au* Broadford Hotel, *prendre la direction d'Elgol ; c'est peu après sur la gauche. Fermé oct-Pâques. Env £ 30 (45 €) par pers.* Trois chambres dans une maison récente. Jardin fleuri et soigneusement mis en scène avec un florilège de bestioles ou autres sirènes en terre cuite. Location de vélos. Fait unique : Mrs Donaldson, par les pouvoirs qui lui sont conférés, est autorisée à marier légalement.

À faire

➤ **Excursions en bateau :** vers le *Loch Coruisk* au cœur des *Cuillins Hills*. Une fois sur place, petite randonnée (1h30 à 3h). Départs fréquents d'*Elgol,* tlj avr-oct ; résa conseillée. Le mardi, également vers l'*île de Rum. Infos :* ☎ *0800-731-30-89.* ● *bellajane.co.uk* ●

PORTREE *(ind. tél. : 01478)*

C'est la capitale de l'île. Si la ville en elle-même n'a rien de bien séduisant (de plus elle est touristique et chère !), son petit port, avec ses maisons aux façades peintes de tons pastel, est bien mignon et, surtout, il occupe un site merveilleux, en bordure d'un loch qui s'enfonce à l'intérieur des terres.

Arriver – Quitter

En bus, liaisons avec :
➤ **Uig :** c'est le port des ferries pour l'île d'Harris et Lewis ; 3 bus/j. lun-sam ; 1 bus le dim.
➤ **Dunvegan, Glendale :** 3 à 4 bus/j. lun-sam. Pour Glendale, changement à Lonmore. Trajet superbe.
➤ **Broadford, Armadale, Kyleakin :** bus réguliers tlj.

Adresses utiles

🛈 **Tourist Information Office :** ☎ 612-137. ● *portree@visitscotland.com* ● *visi thighlands.com* ● *De juin à mi-sept : lun-sam 9h-18h ; dim 10h-16h. Le reste de l'année : tlj sf dim 9h-17h.* Un poste avec connexion Internet.
■ **Location de vélos :** Island Cycles, The Green. ☎ 613-121. *Sur le « long stay parking », en contrebas de l'office de tourisme. Tlj sf dim 9h-17h.*
■ **Laverie :** *juste en dessous du* Portree Independant Hostel, *face au grand parking central.*

Où dormir ?

Camping

⊼ **Torvaig Caravan & Campingsite :** *en dehors de la ville. À 1 mile (1,6 km) sur la route de Staffin.* ☎ 611-849. *De début avr à mi-oct. Env £ 8 (12 €) pour 2 pers et une tente.* Terrain en pente mais bien tenu et fort apprécié des routards... d'ailleurs, en été, mieux vaut arriver avant 18h, car il n'est pas rare que ce soit plein (mais impossible de réserver).

De bon marché à prix moyens

🛏 **Bayfield Backpackers :** en plein centre. ☎ 612-231. ● skyehostel.co.uk ● Ouv tte l'année (sur résa en hiver). Env £ 13 (19,50 €) par pers en chambre de 4 lits. Derrière le Portree Independant Hostel, au bord du loch. Petite AJ indépendante très bien tenue et à la déco monacale. Cuisine un peu exiguë, mais la baie de la salle commune offre une bien jolie vue sur l'eau. Quelques chambres disposent d'une salle de bains privée ; celles à l'étage sont particulièrement agréables.

🛏 **Portree Independant Hostel :** ☎ 613-737. ● hostelskye.co.uk ● En plein centre-ville, face au parking central. Env £ 13 (19,50 €) par pers. Dortoirs de 2 à 12 lits. L'ensemble, plutôt propre, a déjà bien vécu. Grande cuisine bien équipée plutôt sympathique et conviviale, comme l'accueil. Laverie juste à côté (qui ne dépend pas de l'AJ).

🛏 **B & B Grenitote :** 9, Martin Crescent. ☎ 612-808. Prendre la route A 855 vers Staffin. Au Bosville Hotel, tourner à gauche dans la petite rue qui monte, puis dans la 2ᵉ rue à droite. Env £ 25 (37,50 €) par pers. Un quartier résidentiel, vert et calme, au nord du centre-ville. Maison bien tenue, avec 3 chambres dont 2 sur le jardin.

Prix moyens

🛏 **Bay View House :** en plein centre, face au parking central. ☎ 613-340. ● bayviewhouse.co.uk ● Tte l'année, mais mieux vaut téléphoner pour nov-fév. Compter £ 20-25 (30-37,50 €) par pers, avec sdb mais sans petit déj. Dans un bâtiment gris pas très joli, des chambres très simples, mais confortables, propres et colorées. Une bonne alternative entre hôtel et B & B.

Où dormir dans les environs ?

Camping

⛺ **Campsite :** à Sligachan. À env 9 miles (15 km) au sud de Portree, sur la route de Broadford. ☎ 650-204. De Pâques à mi-oct (selon climat). Compter £ 9 (13,50 €) pour 2 pers et une tente. Non loin de la route principale, dans un site montagneux et venteux, avec parfois les moutons au milieu des tentes. Très fréquenté en été et assez bruyant. Sommaire et pas toujours nickel. Possibilité de manger au bar du Sligachan Hotel voisin. Bon camp de base pour partir en randonnée ou pratiquer l'escalade.

Prix moyens

🛏 **B & B Myrtle Bank :** Achachork Rd. ☎ 612-597. Sortir de Portree par la route A 855 vers le nord sur env 1 mile (1,6 km), puis prendre à gauche, direction Achachork, pdt à peu près 0,8 mile (1,3 km) ; maison sur la gauche de la route. Avr-oct. Env £ 20 (30 €) par pers. Maison à flanc de colline, nichée dans un jardin à la végétation fleurie et généreuse, et tenue par des gens adorables. Chambres convenables et très calmes, avec une vue dégagée sur les monts.

🛏 **Caberfeidh B & B :** chez Mrs MacKenzie, 1, Heatherfield. ☎ 612-820. De Portree, suivre la B 883 vers Braes et tourner vers Penifiler, puis tourner dans la petite route sur la gauche après le panneau indiquant Heatherfield ; dernière maison sur la droite tt au bout du chemin. Ouv slt en été. Résa impérative. Prévoir £ 22 (33 €) par pers. Situation superbe, avec une vue magnifique sur la baie et Portree. Chambres confortables.

🛏 **B & B Torranuaine :** chez Stewart et Catherine Watt, 2, Heatherfield. ☎ 611-028. ● torranuaine@supanet.com ● Même accès que le Caberfeidh B & B. Mai-sept. Env £ 23 (34,50 €) par pers. Dans une maison moderne qui ne paie pas de mine de l'extérieur, mais à l'intérieur douillet et lumineux. Jolies chambres avec salle de bains et un petit bout de vue sur le loch.

🏠 *B. & B Nancy Wightman :* *Inverala-vaig, Penifiler.* ☎ 612-322. • *isleofskye. me.uk* • *De Portree, prendre la B 883 vers Braes, puis tourner à gauche vers Penifiler et continuer jusqu'au bout de la route ; accès par un chemin fermé par une barrière. Env £ 25 (37,50 €) par pers.*

Dans une maison en bois bleue, isolée au milieu des arbres, au bord du lac, 3 chambres *twin* (lits séparés) avec salle de bains. Intérieur avenant, un rien design et très scandinave. Au rez-de-chaussée, une belle salle commune avec parquet de bois clair, cheminée et bow-window offrant une vue magnifi-que sur le lac.

Où manger ? Où boire une bière ?

|●| *The Cuillin Hills Hotel :* en périphé-rie de Portree, dans un beau quartier chic. ☎ 612-003. *Suivre la direction de Staffin (A 855), puis le fléchage. Résa conseillée. Plats £ 9-15 (13,50-22,50 €).* Situation et vue somptueuses sur le loch, avec les Cuillins en toile de fond. Belle surprise : la cuisine, fraîche et goûteuse, vous régalera autant que la vue. Poissons et viandes cuits à point, sans bain de graisse. Service agréable. L'endroit (un hôtel chic) est feutré, beau sans être intimidant... et cette vue, quand même !

|●| 🍸 *The Isles :* sur la place. *Plats £ 8-15 (12-22,50 €).* Banque, police, temple protestant, il y a tout sur cette place et surtout cette vieille *croft house,* où crépite le feu de cheminée en hiver. On y mange vraiment bien à prix sages. Le meilleur *haggis* de Portree. Petits groupes de musique de temps en temps.

|●| *Bosville Hotel :* Bosville Terrace. ☎ 612-846. *Plats env £ 8 (12 €) le midi et £ 8-15 (12-22,50 €) le soir.* Sur-plombe le port (qu'on ne voit pas). Salle de restaurant élégante mais un peu triste. On préfère le joli bar cosy avec ses banquettes au coin du feu (et qui possède aussi une belle collection de whiskies). Quelques sandwichs et snacks à la carte au déjeuner (11h30-17h) ; plats plus sophistiqués et plus chers, le soir.

À voir

🏹 *Aros Centre :* à 2 km au sud de Portree, sur la route de Broadford. ☎ 613-649. *Tlj 9h-18h. Entrée libre, mais expo payante : £ 4 (6 €).* Petite expo sur la musique traditionnelle et la faune locale (rapaces, hérons, etc.) et vidéo sur les paysages des Highlands. Cher quand même pour ce qui est proposé. L'endroit est surtout une grosse boutique pleine de souvenirs divers et variés, avec un bon petit espace réservé aux livres et aux disques de musique traditionnelle.

Manifestation

Bien se renseigner à l'office de tourisme sur les dates.
– *Highland Games :* le mer de la 1re sem d'août. Si vous y allez, entraînez-vous d'abord à dormir sur la plage.

LA PÉNINSULE DE TROTTERNISH (ind. tél. : 01470)

Du château de Duntulm à l'Old Man of Storr, en passant par le Quiraing et Kilt Rock, on découvre un paysage sauvage et grandiose, théâtre d'une histoire dominée par les MacDonald.
La route A 855, qui aboutit à Uig (village sans intérêt), permet de découvrir des chaumières traditionnelles et aussi de très beaux points de vue sur la côte, parfois très accidentée. Puis de grandes falaises à pic dominent le Sound of Raasay.

Arriver – Quitter

En bus

➤ Entre la péninsule et *Portree* : env 4 bus/j. sf dim. Horaires indiqués devant l'entrée du *Uig Ferry Terminal. Infos auprès de* Highland Country *(Rapsons),* ☎ *(01462) 222-244.*

➤ *Uig-Glasgow :* 3 bus/j. lun-sam (1 bus le dim) avec la compagnie *Scottish City Link.*

En bateau

⛴ Entre Uig et l'*île de Lewis et Harris* (Tarbert) : 1 à 2 ferries/j. sf dim. *Infos :* Caledonian MacBrayne, ☎ *(01470) 542-219.* ● *calma.co.uk* ●

Où dormir ? Où manger ? Où boire un verre ?

Camping

⚿ *Staffin Caravan & Camping Site :* à 200 m à gauche avt la petite église blanche (en venant du sud). ☎ 562-213. ● *staffincampsite.co.uk* ● *Bus depuis Portree. Avr-oct. Env £ 11 (16,50 €) pour 2 pers et une tente.* Une partie du terrain est bien en pente mais l'ensemble reste protégé du vent. De là, belles excursions dans la baie et les montagnes du Quiraing (demander conseil au proprio).

Bon marché

🛏 ⚿ *Dun Flodigarry Hostel :* à Flodigarry. ☎ et fax : (01470) 552-212. ● ho stelflodigarry.co.uk ● *À env 4 miles (6,4 km) au nord du village de Staffin, sur la droite de l'A 855, en contrebas près d'un bois surplombant la mer. Parfois fermé nov-mars (téléphoner avt). Env £ 13 (19,50 €) par pers en dortoir (6-8 lits) et £ 14-17 (21-25,50 €) pour deux avec ou sans sdb. CB refusées.* Possibilité de camper derrière le bâtiment, sur un beau terrain entouré de sapins. Dans une grande maison surplombant la baie de Staffin. Accueil très sympa. Infos et tuyaux sur les randonnées dans le Quiraing.

🛏 *Uig Youth Hostel :* à Uig, sur la route de Portree. ☎ 0870-004-11-55. ● syha. org.uk ● *À env 2 miles (3 km) au sud d'Uig. Demandez au chauffeur de bus de vous arrêter pas trop loin. Pâques-fin* sept. *Env £ 13 (19,50 €) par pers en été en chambre 4-8 lits.* Face à la baie de Uig. AJ grisâtre aux chambres un peu sombres, mais la salle commune et la cuisine sont bien agréables, comme l'accueil. Quelques chambres pour les familles. Plein d'infos à glaner sur place.

🍴 ☕ *Columba 1400 :* à Staffin. ☎ 611-400. *Dans le village, au bord de la route. Tlj sf dim 10h30-19h30. Snacks pour env £ 4 (6 €).* Possibilité de boire un verre ou de dîner dans ce grand bâtiment moderne en rotonde, appartenant à la fondation *Columba 1400.* Intérieur en bois clair, lumineux et aéré. Son but est d'offrir des stages de formation professionnelle à des responsables du monde associatif. On y déguste des snacks ou, pour le dîner, une cuisine écossaise fraîche et joliment présentée, à prix sages.

Chic

🛏 🍴 *Glenview Hotel :* à Culnacnoc. ☎ 562-248. *Au nord de Portree, sur l'A 855.* ● glenviewskye.co.uk ● *Prévoir* £ 33-45 (49,50-67,50 €) *par pers selon saison. Menus £ 20 et £ 25 (30 et 37,50 € ; 2 ou 3 plats) ; slt le soir et sur résa.* Une auberge de charme. Dommage, il n'y a pas de vue sur mer, pourtant proche. Le menu change régulièrement et propose une bonne cuisine à base de produits locaux. Côté chambres, ceux qui ont les moyens pourront toujours demander la n° 1, avec lit à baldaquin. Accueil adorable.

À voir

🎥🎥🎥 Arrivée magnifique sur *Staffin Bay.*
Deux curiosités : le *Kilt Rock,* une cascade qui se jette directement dans la mer du haut d'une falaise. Beau, mais peu d'eau en été. Et puis, le *Old Man of Storr,* situé à 10 km au sud de Staffin (voir ci-dessous « Randonnées »), un caillou d'une cinquantaine de mètres de haut, planté comme un menhir et entouré d'un chaos rocheux, visible de la route.
– À voir également, une petite plage de sable noir tout au bout du chemin qui mène à la baie.

🎥🎥 Ensuite, pittoresques échappées sur les falaises et les éboulis de roches. Sur son rocher, *Duntulm,* vieux château en ruine, fief du clan MacDonald. On y rendait autrefois justice en enfermant l'accusé dans un tonneau bardé de clous, que l'on faisait rouler du haut de la colline. S'il en sortait vivant, il était innocent ! On dit aussi que le château est hanté par le fantôme d'un enfant, qu'une nurse maladroite (!) aurait laissé tomber de la fenêtre.

🎥🎥 *Skye Museum of Island Life :* à *Kilmuir.* ☎ (01470) 552-206. ● skyemuseum-.co.uk ● À 5 miles (8 km) au nord d'Uig. Pâques-oct : tlj sf dim 9h30-17h. Entrée : £ 2,50 (3,80 €) ; réduc. Près du monument de Flora MacDonald. Groupe de maisons typiques en chaume des XIXᵉ et XXᵉ siècles. Deux d'entre elles, originellement sur ce site, furent habitées jusque dans les années 1950 ; les autres furent « importées » d'autres endroits de l'île et reconstituées (le musée existe depuis 1965). Une visite vraiment intéressante pour qui désire en savoir plus sur Skye, la vie sur l'île, son histoire, ses traditions, ses anciens métiers (et vieux outils) présentés dans ses chaumières.
– *La tombe de Flora MacDonald :* dans le cimetière au-dessus du musée. Héroïne locale qui permit à Bonnie Prince Charlie de s'enfuir après la défaite de Culloden.

🎥 *Le port d'Uig :* on y trouve l'embarcadère pour les bateaux à destination de l'île de Lewis et Harris (Hébrides Extérieures), une cafétéria dans une boutique de souvenirs, un pub-restaurant, quelques possibilités d'hébergement et une station-service. Pas vraiment séduisant comme bourg !

🎥🎥 *The Beer Isle of Skye Brewery :* à *Uig, à côté des quais d'embarquement.* ☎ (01470) 542-477. ● skyebrewery.co.uk ● Boutique ouv lun-sam 10h-18h ; dim 12h30-17h. Visite de la brasserie slt sur rdv d'avr à oct. Entrée : £ 2,50 (3,80 €). L'unique brasserie de l'île, qui produit une très bonne bière de couleur dorée. Sa particularité : en plus des bières habituelles (à base de houblon), elle produit des bières à partir d'avoine. Vente de la production dans la boutique. Sinon, dégustation directe d'une *pint* au pub voisin, le *Pub at the Pier.*

Randonnées

Le petit livret *Walks Isles of Skye, 30 walks* de Paul Williams (disponible dans tous les offices de tourisme) est bien fait, pas cher (*env £ 3, soit 4,50 €*) et donne de bonnes idées de balades de tous niveaux. Les deux itinéraires ci-dessous sont parmi les plus beaux de toute l'île. À ne pas manquer, d'autant qu'ils ne sont pas difficiles du tout.

➢ **Old Man of Storr** : *départ du parking au niveau de la forêt. Compter env 45 mn pour atteindre le Storr.* Étrange menhir. Attention, plus on monte, plus le vent et le brouillard sont susceptibles de sévir. Prévoir un vêtement imperméable et de bonnes chaussures.

➢ **Quiraing** : bien moins fréquenté que le Storr. Et pour cause, c'est un vrai labyrinthe, non balisé. Il est donc indispensable de se munir d'une carte détaillée. Pour vous aider (et ne pas manquer l'essentiel), partir du parking situé au point le plus haut de la route joignant Staffin à Uig. Suivre les sentes pour arriver au pied d'escarpements rocheux. De là, trouver le secteur érodé (sur votre gauche) et assez pentu qui permet d'atteindre le cœur des Quiraing. Ensuite, à vous de faire votre itinéraire. On peut ainsi grimper jusqu'à *The Stable,* une terrasse gazonnée, parfaite. Attention toutefois à la météo : le mauvais temps arrive vite et on peut tourner un bon moment dans le brouillard avant de se repérer.

À L'OUEST DE L'ÎLE *(ind. tél. : 01470)*

Région fort belle, sauvage et assez peu fréquentée. Côtes très découpées, avec des falaises impressionnantes et des culs-de-sac longs de 15 km. À admirer surtout au coucher du soleil.

➢ Service de **bus** quotidien entre Portree, Dunvegan et Glendale (aucune liaison jusqu'à Glendale le dim). *Infos : compagnie* Rapsons, ☎ *(01462) 222-244.*

Adresse utile

🔅 **Tourist Information Centre** : 2, *Lochside, à Dunvegan.* ☎ 521-581. *Juil-août : tlj 10h-17h (16h dim) ; hors saison : lun-ven 10h-13h30.* Plein d'infos sur la région.

Où dormir ?

Campings

⛺ **Loch Greshornish Camping** : ☎ 582-230. *Sur la gauche de la route A 850 en venant de Dunvegan, après Edinbane (1 km env), et en allant vers Portree. Avr-sept. Env £ 9 (13,50 €) pour 2 pers et une petite tente.* Petit camping admirablement bien situé, au bord du Loch Greshornish. En contrepartie, vous aurez les *midges.* Accueil très agréable. Ravitaillement à Edinbane, à 20 mn à pied.

⛺ **Kinloch Campsite** : *à Milburn, à la sortie de Dunvegan.* ☎ 521-210 ou 531. ● kinloch-campsite.co.uk ● *Prendre la route de Glendale. Avr-oct. Env £ 9 (13,50 €) pour 2 pers et une tente.* Très joliment situé au bord d'un loch, avec des sanitaires propres.

Prix moyens

🏠 **Eabost House** : 5, Eabost, Struan. ☎ *(01470) 572-313.* ● *eabosthouses kye.co.uk* ● *À 8 miles (13 km) au sud-est de Dunvegan et 12 miles (19,2 km) au sud-ouest de Portree. Sur l'A 863 en direction de Dunvegan, suivre la direction d'Ullinish et Eabost. Env £ 25 (37,50 €) par pers.* Maison plantée dans un décor sauvage de rêve. Bel intérieur chaleureux à la déco aérée. Chambres très plaisantes, l'une d'entre elles offrant une vue sur la baie... de quoi combler vos mirettes pour les années à venir ! Précisons que cette petite route côtière qui s'échappe de l'A 863 est, elle aussi, un véritable délice pour les yeux.

🏠 **Kinnemond Cottage** : *à Colbost.* ☎ *511-718.* ● *cottage-skye.co.uk* ● *À la sortie de Colbost, direction Glendale, sur la gauche de la route (panneau).*

Séjour min de 3 nuits £ 250 (375 €) pour 4 pers. Il s'agit d'un bel appartement pour 4 personnes, avec cuisine équipée. Jolies chambres, claires, soigneusement et sobrement décorées, confortables... et la vue sur le Loch Dunvegan... de quoi vous scotcher à la fenêtre pendant de bons moments !

Plus chic

🏠 **Roskhill Guesthouse :** *sur la route de Sligachan.* ☎ 521-317. • *roskhillhou se.co.uk* • *À 3 miles (5 km) de Dunvegan. Résa impérative en été. Compter £ 30-36 (45-54 €) par pers.* Beau B & B installé dans un ancien bureau de poste, une jolie maison blanche tout en longueur qui abrite des chambres élégantes, à la déco recherchée et très soignée. Balades géniales tout autour, idéales pour l'observation des oiseaux et la pêche.

Où manger ? Où boire un verre dans le coin ?

Bon marché

🍴 🍸 **Stein Inn :** *à Stein, péninsule de Waternish. Tlj jusqu'à minuit. À 8 miles (13 km) au nord de Dunvegan, par la route A 850, puis à gauche la B 886.* Bar food *à prix doux ; plats env £ 8 (12 €).* Elle abrite une charmante auberge rurale date de 1790. Elle abrite un charmant vieux pub, tout petit et patiné par le temps, où il fait bon boire un verre en grignotant.

🍴 **An Strupag :** *à Glendale.* ☎ 511-204. *En face du post office. En été : lun-* *sam jusqu'à 21h ; dim jusqu'à 16h30. Hors saison, slt le midi. Plats autour de £ 10 (15 €).* Un petit resto-salon de thé sans prétention offrant, entre autres, un beau buffet de pâtisseries maison. Pour les repas plus conséquents, fiez-vous aux *today's specials* du tableau : bonnes spécialités régionales (notamment de poisson) joliment présentées et pas si chères. Terrasse aux beaux jours.

À voir. À faire

🎭 **Stein :** *à 8 miles (13 km) au nord de Dunvegan, par la route A 850, puis à gauche la B 886.* Dans la péninsule de Waternish, minuscule village au bord du Loch Bay. En contrebas d'une falaise, avec quelques bateaux de pêcheurs et des voiliers ancrés dans une magnifique baie.

🏰 **Dunvegan Castle :** ☎ 521-206. • *dunvegancastle.com* • *Haute bâtisse en bordure du Loch Dunvegan, résidence du célèbre clan MacLeod depuis le XIIᵉ siècle. De mi-mars à fin oct, tlj 10h-17h ; de nov à mi-mars, tlj 11h-16h. Entrée château et jardins : £ 7 (10,20 €) ; réduc. Visite des jardins slt : £ 5 (7,50 €).* Le château en lui-même n'a pas beaucoup de charme vu de l'extérieur ; il ressemble à un château de théâtre juché sur un rocher au-dessus des eaux du loch, mais les jardins sont agréables. Ils valent à eux seuls la balade. Dans l'une des salles est exposé le *Fairy Flag*, pièce de soie, qui aurait 1 300 ans d'âge. Ce serait un morceau en mauvais état d'un ancien étendard rapporté de Syrie ou de Rhodes au temps des croisades. Il aurait une force mystique et aurait servi de porte-bonheur au clan MacLeod dans des situations périlleuses, lui permettant de gagner de grandes batailles. Ne pas manquer non plus, dans la North Room, la coupe de Dunvegan (de 1493) et la corne de Dunvegan *(Rory Mor's Horn),* datant du XIVᵉ siècle, que Malcolm MacLeod sectionna au taureau qui l'avait attaqué. Considérée comme un des plus grands trésors du clan, elle est à l'origine d'une tradition : pour prouver sa virilité, chaque héritier mâle doit vider d'un trait la corne remplie de... bordeaux.

➤ **Balades en bateau :** *embarcadère au pied du château de Dunvegan. Infos :* ☎ 521-500. *Accès à pied par les jardins. Pâques-fin oct : départ ttes les 20 mn,*

10h-17h. *Durée des tours : 25 mn. Billet : £ 6 (9 €) ; réduc.* La balade consiste à observer de près une colonie de phoques, séjournant autour des petites îles du Loch Dunvegan.

🎐🎐🎐 *Neist Point : au bout d'une belle route depuis Dunvegan (11 miles, soit 17,6 km), complètement à l'ouest en passant par Colbost.* Lochs, vastes baies, jolies maisons éclatantes de blancheur. Neist Point a servi de lieu de tournage au film *Breaking the waves* de Lars von Trier. On laisse sa voiture à 1 km. Site inoubliable avec les vagues se fracassant au pied du phare. Tout à fait époustouflant, surtout par grand vent, mais attention aux enfants : fortes bourrasques, marche longue et pénible en raison de nombreux escaliers.

🎐 *Folk Museum : à Colbost. Avr-oct : tlj 10h-18h. En l'absence du gardien, un message laissé dans la cabane vous demande gentiment de payer l'entrée (£ 1,50, soit 2,30 €).* Tout petit, un peu enfumé lorsque la tourbe se consume, mais intéressant : outils agricoles, objets domestiques. La chaumière a été remeublée comme autrefois. On y a même reconstitué une distillerie clandestine ! Articles de journaux racontant les luttes des petits paysans pour la terre. Ce sont les seuls qui résistèrent aux expulsions et les seuls qui... gagnèrent.

AU SUD-OUEST DE L'ÎLE *(ind. tél. : 01478)*

➤ *Portree-Fiscavaig :* 4-6 bus/j. en sem et 3 sam. *Infos : compagnie* Rapsons. ☎ *(01462) 222-444.*

Où dormir ?

Camping

🏕 *Campsite : au bout de Glenbrittle.* ☎ *640-404. Compter env £ 4 (6 €) par pers.* Au pied des départs de rando vers les Cuillins. Site rudimentaire (mais avec douches et w-c propres), dans un décor magnifique, qui pourrait être idyllique, si ce n'était ces foutus *midges...*

Bon marché

🛏 **Glenbrittle Youth Hostel :** *à Glenbrittle.* ☎ *0870-004-11-21.* ● *syha.org. uk* ● *Au sud-ouest de Sligachan. En venant de Portree par la route A 863, tourner à gauche 1,2 mile (2 km) avt d'arriver à Carbost et suivre sur env 7 miles (11 km) la petite route qui conduit au (terminus)* Glenbrittle House *; c'est indiqué. Un bus/j. de Portree. Avr-sept. Env £ 13 (19,50 €) par pers.* AJ située au pied des monts Cuillins. Le rendez-vous des marcheurs. Cuisine bien équipée, petite épicerie, sanitaires propres mais moyennement pratiques. Confort général moyen, mais ambiance paisible très agréable, plus proche de celle d'un refuge de montagne que d'une AJ traditionnelle.

🛏🏕 *Skyewalker Independent Hostel : Fiscavaig Rd, à Portnalong.* ☎ *(01478) 640-250.* ● *skyewalkerhostel. com* ● *Env £ 9 (13,50 €) par pers.* On peut aussi planter sa tente pour £ 3 (4,50 €). Dans un bâtiment de tôle ondulée vert, une ancienne école reconvertie en AJ. L'endroit est certes très marqué années 1960, les douches sont un peu justes (propres mais pas très intimes), toutefois les chambres colorées (2 à 10 lits) sont très bien compte tenu du prix doux. Petite épicerie juste à côté.

🏕🛏 *Croft Bunkhouse & Bothies : 7, Portnalong.* ☎ *640-254.* ● *skyehostels. com* ● *Au bout de la rive est du Loch Harport. Tte l'année. Compter £ 9-13 (13,50-19,50 €) par pers selon type d'hébergement. Apporter son couchage. Possibilité de camper (£ 6, soit 9 € par pers).* AJ indépendante, offrant différents types de chambres dans plusieurs bâtiments contigus alignant entre 2 et 14 lits, certaines étant équipées d'une cuisine privée ou d'une salle de bains. Les bâtiments eux-mêmes ne sont pas franchement affriolants (voire tristounets), mais la vue sur le loch et les montagnes est agréable. Accueil extra.

🛏 **Waterfront Bunkhouse :** The Old

Inn, à Carbost. ☎ 640-205. ● carbost. f9.co.uk ● À droite, juste avt la distillerie. Env £ 13 (19,50 €) par pers. Maison bien conçue, comme un bateau, au bord du loch. Entrée par le toit. Cuisine amusante sous les toits et bien aménagée. Chambres de 4 à 6 lits agréables. Pub à côté (même proprio). Terrasse avec vue sur l'eau.

Un peu plus chic

🛏 |●| 🍷 **The Old Inn :** The Old Inn, à Carbost. ☎ 640-205. ● carbost.f9.co. uk ● Dans une maison à côté du Waterfront Bunkhouse. Le pub The Old Inn loue également des chambres £ 34 (51 €) par pers, avec sdb privée et vue sur l'eau. Au resto, plats £ 7-12 (10,50-18 €). Même si les chambres sont

agréables et plutôt coquettes, les tarifs nous semblent un peu élevés. Le petit déj se prend au pub à l'intérieur très chaleureux ou sur la délicieuse terrasse au bord de l'eau. Carte traditionnelle : fish and chips, lasagnes, steak, saumon, etc.

À voir. À faire

🎭🎭🎭 **The Cuillins Hills :** au sud-ouest de l'île. Les monts Cuillins (ou Black Cuillins, à cause de leur couleur sombre) constituent l'un des plus beaux paysages de Skye. Un massif montagneux aux cimes hérissées et dentelées (point culminant à 1 009 m) descend dans la mer, décrivant un paysage austère et majestueux qui inspira de nombreux artistes, comme Walter Scott et Turner.

En 2003, ces montagnes auraient été à vendre ! Pour réparer la toiture de son château de Dunvegan, John MacLeod, le chef du clan MacLeod, aurait mis en vente « ses » montagnes, avançant des titres de propriété remontant au Moyen Âge. Il ne trouva pas d'acquéreur, mais provoqua l'indignation des habitants de Skye, attachés à leurs montagnes comme à des bijoux de famille. Aujourd'hui, un projet plus sérieux est à l'étude pour que les Cuillins soient incluses dans un parc naturel. La mer, la montagne, les moutons et la lande font en effet de cet endroit un lieu exceptionnel. D'ailleurs, de nombreux randonneurs en arpentent les cimes.

Pour admirer une vue d'ensemble des monts, on conseille de prendre les petites routes qui mènent à Elgol ou à Glenbrittle. Autre possibilité : le bateau au départ d'Elgol jusqu'au Loch Coruisk (voir, à Broadford, « À faire »).

➤ **Randonnée d'Elgol à Camasunary :** départ d'Elgol (sentier en haut de la colline, juste à l'entrée du village ; garer sa voiture sur les parkings plus bas, près des cafés). Env 12 km aller-retour ; dénivelée : 90 m. Magnifique balade sur un sentier côtier avec vue sur les Cuillins. Facile car assez plat, mais un peu éprouvant pour les sujets au vertige et déconseillé avec les petits : le sentier, très étroit, tombe à pic dans l'eau. – Grande cérémonie en juillet, lors de la Glamaig Hill Race ; le record (ascension et descente) est de moins d'1h...

🎭🎭 **Talisker Distillery :** à Carbost. ☎ 614-308. Pâques-oct : lun-sam 9h30-17h (dim en juil-août 12h30-17h) ; nov-Pâques : lun-ven 14h-17h. Dernier tour à 16h30. Entrée : £ 5 (7,50 €), dégustation comprise. Durée de la visite : 30-40 mn. Fondée en 1830, c'est la seule distillerie de l'île. Au XIXᵉ siècle, l'orge et les provisions étaient apportées par un petit bateau à vapeur qui chargeait ensuite les fûts. Ce n'est qu'au siècle suivant que le laird accepta l'idée de la construction d'une jetée, qu'on peut encore voir aujourd'hui. Ce single malt a la particularité d'être fumé, en raison de l'eau à forte teneur en tourbe. Il est classé parmi les plus grands whiskies d'Écosse.

Dans un poème intitulé *The Scotsman's Return from Abroad,* Robert Louis Stevenson (l'auteur de *L'Île au trésor*) ne mentionne-t-il pas le whisky *Talisker* comme le « roi des breuvages » ?

🎒🎒 *Talisker Bay :* se rendre au bout de la route de Talisker. De là part une piste permettant l'accès à cette magnifique baie flanquée de falaises sur les côtés. Un endroit de rêve.

À LA POINTE SUD DE L'ÎLE

Correspond à la péninsule de *Sleat,* prononcez « Slète ». Souvent nommée « le jardin de Skye » pour sa richesse florale.

➢ *En bus :* bus réguliers tlj entre Armadale et Portree ; service min le dim. Durée : 1h20. *Infos :* Rapsons. ☎ *(01462) 222-244.* D'Armadale à Portree, le bus part de la poste d'Ardvasar.

Où dormir ?

🛏 *Youth Hostel :* à Ardvasar, près d'Armadale Castle. ☎ 0870-004-11-03. • syha.org.uk • À 800 m de l'embarcadère du ferry et de l'arrêt de bus. Avrsept. Env £ 13 (19,50 €) par pers. Juste avt la baie, en allant de Broadford à Ardvasar, une maison dominant le Sound of Sleat, à gauche de la route A 851. Dortoirs de 10, 12 et 20 lits. Ces derniers sont plutôt spacieux, propres et l'endroit jouit vraiment d'une belle vue et d'un accueil agréable. Location de vélos.

À voir

🎒🎒🎒 *Clan MacDonald Centre et le Museum of the Isles :* à *Armadale,* à env 17 miles (27 km) au sud de Broadford, par la route A 851. ☎ (01471) 844-305. • clandonald.com • Avr-oct : tlj 9h30-17h30. Entrée : £ 5 (7,50 €) ; réduc. Audioguide en français compris dans le prix. Dans un parc splendide, où il ne reste plus qu'un manoir (à l'entrée) et, surtout, l'impressionnante ossature (ni toit ni fenêtres) du château d'Armadale. Dans un bâtiment récent, un musée très bien fait reprend l'histoire des Highlands ainsi que celle du clan MacDonald of Sleat, propriétaire des lieux, une des familles les plus puissantes de Skye. C'est très bien fait, complet, clair et tout en français grâce à l'audioguide ! L'endroit constitue un bon récapitulatif de l'histoire régionale et mérite vraiment le détour. De plus, les jardins sont très beaux. Se renseigner sur les dates du concours de tir à l'arc du clan, très prisé sur l'île.

🎒🎒 *Point of Sleat :* à l'extrémité sud de Skye, à env 20 miles (33 km) de Broadford. Départ de la balade au bout de la route, à *Aird of Sleat,* puis continuer le chemin ; compter une bonne heure pour y arriver. Points de vue magnifiques sur les Cuillins, encore plus intenses au coucher du soleil.

LES HÉBRIDES EXTÉRIEURES

Site internet des Hébrides Extérieures : • visithebrides.com •

L'ÎLE DE LEWIS ET HARRIS

Au physique comme au caractère, elle se distingue du reste de l'Écosse par ses vastes paysages marins, balayés par les vents d'ouest, et sa culture gaélique encore très forte. En arrivant de la mer, par la côte Est, cette île ne montre pourtant pas son plus beau visage. Entre un littoral oriental rocailleux et pauvre, avec quelques criques protégées et l'intérieur de Lewis, plat et dénudé, avec ses étendues de landes tourbeuses et de marécages couleur rouille, ce paysage dépeuplé peut provoquer un sentiment de tristesse chez le voyageur, par temps de pluie. Une averse, un rayon de lumière, et tout change, tout est coloré. Le plus beau des Hébrides Extérieures se trouve à l'ouest, et surtout à l'ouest de South Harris (notre secteur préféré). Là se cachent les plus belles plages des Hébrides (Luskentyre), au sable fin et aux eaux turquoise, une vision quasi « méditerranéenne » sur une terre de nuages et de pluie !

UN PEU D'HISTOIRE

« Les îles aux limites de la mer »

Kirkibost, Garrabost, Benbecula, Borve ! Cette ribambelle de noms étranges rappelle peu les consonances celtiques. D'où viennent alors ces mots bizarres ? Ils viendraient tout droit du norvégien, ou plutôt de la langue parlée autrefois par les Vikings, quand ceux-ci furent les maîtres des îles de l'Ouest. Le nom même de l'archipel – Hébrides – est d'origine scandinave et signifierait « les îles aux limites de la mer ». Reprenons l'histoire au début.

Passons sur les tout premiers habitants, probablement des chasseurs et des nomades du mésolithique, venus du sud de l'Europe (il y a 6 000 ans). Comme à Carnac, ces gens aimaient planter de grosses pierres dans la terre, et les contempler en pensant à l'au-delà. Ce sont eux qui auraient dressé les alignements de pierres de Callanish (côte ouest de Lewis). Les choses commencèrent à devenir sérieuses vers le VIIIe siècle, quand les îles reçurent la visite de rudes gaillards aux cheveux blonds venus de Scandinavie (actuelle Norvège). Au IXe siècle, la présence viking était si forte qu'elles s'appelaient *Innsigal,* c'est-à-dire « les îles des étrangers ».

UN RÉSERVOIR DE CULTURE GAÉLIQUE

Plus que les Hébrides Intérieures, les Hébrides Extérieures constituent une enclave pour la culture gaélique (populations celtes du Nord de l'Écosse). Près de 80 % de la population (sur 20 000 habitants) est bilingue. Vous le sentirez très rapidement dès votre descente du ferry. Tous les panneaux sont écrits en gaélique, avec un sous-titrage en anglais. D'ailleurs, c'est l'orthographe anglaise qui sera indiquée tout au long de ce chapitre, choix tout à fait arbitraire, surtout pour un problème de prononciation !

Stornoway diffuse *Radio BBC nan Gaidheal* sur 104 FM, des informations et une très bonne musique en gaélique. Autre caractéristique importante de cette île de l'Ouest, la conviction religieuse de ses habitants. On ne compte plus le nombre d'églises et de temples calvinistes. Rien qu'à Stornoway, il y en aurait une vingtaine. En effet, le dimanche, tout s'arrête, notamment les transports publics (ferry, bus...), car les habitants vont au temple. Sont aussi fermés les musées, les magasins, etc. Détail très important pour programmer votre séjour. Et comme toute histoire finit toujours par un clin d'œil ironique : sachez que la plus vieille maison de Stornoway abrite une loge maçonnique !

Arriver – Quitter

En bateau

La compagnie *Caledonian MacBrayne* assure toutes les liaisons maritimes. *Central de résa :* ☎ *08705-650-000.* ● *calmac.co.uk* ● Avec :

Stornoway	Lieux traités
Barvas	Adresses et lieux dans les environs
Achmore	Repères

L'ÎLE DE LEWIS ET HARRIS

➢ *Ullapool :* env 2 ferries/j. (sf dim), tte l'année. Compter 3h de traversée pour rejoindre *Stornoway* (sur Lewis). ☎ *(01854) 612-358.*
➢ *Skye :* 1 à 2 ferries/j. (sf dim) entre *Uig* (côte ouest de Skye) et *Tarbert,* tte l'année. Compter 2h de traversée. ☎ *(01470) 542-219.*

En avion

Stornoway est relié à :
➢ *Édimbourg* avec *British Airways* et *BMI.*
➢ *Inverness* avec *Highland Airways* et *British Airways.*
➢ *Glasgow* avec *British Airways.*

LEWIS *(ind. tél. : 01851)*

Correspond à la partie nord de l'île, dont Stornoway est la principale ville. Paysage de landes sombres et de marécages, sous lesquels dorment depuis 10 000 ans des couches de tourbe noire. Une fois découpée, celle-ci est utilisée comme combustible. Elle est ensuite entassée et mise à sécher dans les jardins (avis aux observateurs). Très utilisée autrefois, elle l'est de moins en moins aujourd'hui, car son exploitation est désormais réglementée et ce combustible possède un rendement relativement faible. Ce qui choque, c'est l'architecture des maisons, des pavillons modernes sans goût ; c'est d'autant plus triste que l'habitat traditionnel *(black house)* est vraiment charmant. Le nom de *black house* vient du fait que la combustion de la tourbe, avec le temps, noircissait les murs de pierre.
– La partie la plus intéressante de Lewis est la côte ouest, où se trouvent les principaux sites archéologiques. Les cinéphiles, quant à eux, pourront découvrir la côte est, dont les paysages arides et rocailleux ont inspiré Stanley Kubrick pour une scène de son film *2001 : l'Odyssée de l'espace.* Dans le scénario, l'action se passe sur la planète Jupiter !

STORNOWAY

À 57 km au nord de Tarbert (45 mn en voiture), voilà un petit port agréable. Pour les piétons, tout est facile, car la ville est à taille humaine. Capitale administrative des Hébrides Extérieures, Stornoway a l'avantage de concentrer tous les services au même endroit. Vous y trouverez notamment des supermarchés (ravitaillement problématique sur le reste de l'île !). C'est aussi le point d'accès privilégié des ferries venant d'Ullapool.

Adresses utiles

▣ *Tourist Information Centre :* 26, Cromwell St. ☎ 703-088. Fax : 705-244. ● witb@sol.co.uk ● En été : lun, mar, jeu et sam 9h-17h30, 20h-21h, mer et ven 9h-20h ; hors saison : 9h-17h. Fermé dim.
■ *Bank of Scotland :* Cromwell St. En face de l'office de tourisme. Lun-ven 9h (9h30 mer)-17h. Distributeur extérieur.

▣ *Internet :* Stornoway Library, 19, Cromwell St. ☎ 708-631. Lun-sam 10h-17h (18h jeu et ven). Postes au fond de la bibliothèque.
⚓ *Terminal Ferry Caledonian Mac Brayne :* ☎ 702-361.
■ *Location de vélos :* Alex Dan Cycle Centre, 67, Kenneth St. ☎ 704-025. Compter £ 10 (15 €) la journée.

Où dormir ?

⚐ *Laxdale Holiday Park & Bunkhouse :* 6, Laxdale Lane. ☎ 706-966. À 2 km de la ville, direction Barvas. Avr-oct. Prévoir £ 11 (16,50 €) pour 2 pers et une tente. Sinon, bunkhouse £ 11-12 (16,50-18 €) selon saison (ouv tte l'année). Camping très confortable, le mieux équipé de l'île. Bon accueil.

Où dormir dans les environs ?

🏠 *Kershader Youth Hostel :* à Ravenspoint, Kershader, South Lochs. ☎ 880-236. ● syha.org.uk ● À 20 miles (32 km) au sud de Stornoway en allant vers Tarbert. Au niveau de Balallan, prendre la route B 8060 vers l'est, qui longe le Loch Erisort. Ouv tte l'année. Prévoir env £ 12 (18 €) par pers. Dans un site splendide, au bord d'un bras de mer aux eaux calmes. Malheureusement, bâtiment sans cachet, qui abrite les dortoirs. Pourrait être mieux entre- tenu. Petite épicerie et snack de dépannage.

Où manger ?

|●| **An Leabharlann Coffee Shop :** Stornoway Library, 19, Cromwell St. Entrée par la bibliothèque. Lun-sam 10h-16h. Sandwichs et soupes autour de £ 3 (4,50 €) en moyenne.

|●| **An Lanntair Arts Centre :** South Beach. ☎ 703-307. Lun-sam 10h-17h. Au 1er étage de la mairie (Town Hall), une cafétéria-salon de thé modeste mais sympathique, près d'une salle d'expo et d'un comptoir de vente de souvenirs. Sandwichs, soupes et petits plats.

|●| **Thaï Café :** 27, Church St. ☎ 701-811. Tlj sf dim 12h-14h30, 17h-23h. Repas complet £ 10 (15 €). Ces Thaïlandais qui se sont installés en Écosse ici ne craignent ni la pluie ni le vent. Salle remplie tous les jours, penser à réserver. Carte très variée, on s'y perd un peu ! Dites-leur merci en thaï, ça leur fera chaud au cœur : *kop kun kap !*

|●| **The Park Guesthouse & Restaurant :** 30, James St. ☎ 702-485. Tte l'année, mar-sam, le soir slt. Compter £ 20-30 (30-45 €) pour un repas complet. Menus à la carte, cuisine à base de produits locaux. Service sérieux, c'est l'adresse chic de la ville !

Où boire un verre ? Où danser ?

🍷 **MacNeills :** Cromwell St ; à l'angle de Francis St. Dans l'une des rues perpendiculaires à la rue piétonne. Pub plein de vie, salle chauffée au feu de bois... Pour les soirs de grande pluie.

🍷 **Crown Inn :** à l'angle de North Beach et de Castle St. Ferme à 23h30. Pub assez grand avec un billard, bien fréquenté. Personnel sympathique. Pour les soirs de grand vent.

🍷 **Criterion :** Point St ; derrière la mairie de Stornoway. Une maison mignonne bleu et blanc sur la rue piétonne. Intérieur petit, tout en longueur, avec de nombreuses photos aux murs. Pour les soirs de brume.

🍷 ♫ **The Heb Nite Club :** South Beach ; à l'angle de Castle St. Ouv les jeu, ven et sam soir. Entrée gratuite en début de soirée. Musique *dance* pour une clientèle jeune.

À voir

🗡 **Lewis Loom Centre :** Old Grainstore, 3, Bayhead. Dans le petit passage sur la droite en venant du port. ☎ 704-500. Visite guidée (40 mn) avr-sept : lun-sam 9h-18h, à condition de former un groupe de 10 pers. L'occasion de tout comprendre sur le fameux *Harris Tweed*. La laine de mouton de Harris a longtemps été réputée comme la meilleure d'Écosse (et du monde). Aujourd'hui, concurrencée déloyalement par les fibres synthétiques, le *Harris Tweed* survit en dépit des avanies des temps modernes. Démonstration et boutique (ouv tte l'année).

🗡 **Museum Nan Eilean :** Francis St. ☎ 709-266. Avr-sept : lun-sam 10h-17h30 ; oct-mars : mer-sam 10h-17h (jusqu'à 13h sam). Entrée gratuite. Musée sur l'histoire locale de Lewis et Harris. Thèmes variés sur la culture gaélique, l'archéologie, l'industrie de la pêche, le *Harris Tweed*...

🗡 **Stornoway Churches :** autour de la principale rue piétonne s'étend une série d'édifices témoignant de l'emprise de l'Église protestante. L'un d'entre eux, *The Free Church,* regroupe plus de 1 500 personnes à la messe du dimanche, la plus importante de Grande-Bretagne !

🌂 *Lady Lever Park :* parc avec une grande variété d'arbres plantés par James Matheson (il a également mis au jour le site de *Callanish Stone* en découpant de la tourbe) au milieu du XIXᵉ siècle. Entourant le château de Lewis (fermé au public). La vue sur Stornoway et son port est superbe.

Manifestation

– **Hebridean Celtic Festival :** *pdt 3 j. en juil. Infos sur le site* ● hebrides.com ● Festival de musique celte. A lieu essentiellement dans les jardins de Lady Lever Park. La ville de Stornoway est littéralement envahie de groupes de musique se produisant partout à travers la ville, et même dans les pubs. Un événement majeur dans le calendrier celtique européen.

AU NORD DE LEWIS

➤ **En bus :** plusieurs allers-retours quotidiens (sf dim) avec *Galson Motors.* ☎ 840-269. Dessert tous les bleds jusqu'à **Port of Ness** (via Barvas).

Où dormir ? Où manger ?

🏠 |●| *Galson Farm Bunkhouse & B & B :* à South Galson. ☎ et fax : 850-492. ● galsonfarm.freeserve.co.uk ● À 20 miles (32 km) au nord de Stornoway, sur la route menant au Butt of Lewis, extrémité nord de Lewis ; au village de Galson, un panneau l'indique sur la gauche. Ouv tte l'année. Résa conseillée en saison. Compter £ 11 (16,50 €) la nuit en dortoir. Non-fumeur. Cette ancienne ferme de plus de 300 ans abrite des chambres superbement aménagées (mais chères) ainsi qu'un dortoir de 8 lits, pour les petits budgets, avec coin cuisine bien équipé. Accueil très sympa, vue sur l'Atlantique. Fait aussi resto. Là encore, mieux vaut réserver. La maison abrite probablement le plus petit bureau de poste de l'île !

À voir

🌂 *Juste au nord de* **Tolsta**, *vers la fin de la route B 895, plage la plus longue de Lewis.* Plusieurs allers-retours en bus lun-ven avec *Comhairle nan Eilean Siar* (☎ 709-721). Et tout au bout de la route, départ de randonnée vers Port of Ness. L'*Heritage Trail* (10 miles, soit 16 km) passe à proximité d'anciennes habitations et d'une chapelle. Compter au moins 4h de marche. Chemin très tourbeux. S'équiper en conséquence.

🌂🌂 *Butt of Lewis :* phare marquant l'extrême pointe nord de l'île de Lewis et Harris. À environ 1,5 mile (2 km) du petit Port of Ness (crique abritée), on se croirait au bout du monde ! En fait, on y est pour de bon. Continuez tout droit vers le nord et vous arriverez en Islande ou aux îles Féroé. Les dunes d'herbe rase, la côte rocheuse et découpée, le vent qui rugit, les nuages qui vont à toute vitesse, l'écume des vagues au loin, quelque chose de troublant rappelle la Bretagne, en plus violent, en plus sauvage. Oubliez vos antidépresseurs et respirez du Butt of Lewis : c'est le meilleur décapant naturel des Hébrides. Sachez que les oiseaux nichés dans les falaises apprécient aussi le site. Attention à ne pas s'approcher du rebord de la falaise lorsque le vent se lève : il souffle très fort. Même en été, la mer peut être mauvaise.

🌂 *Saint Moluag's Church :* à *Eoropie, sur la droite en allant vers le nord.* Chapelle très bien restaurée, toujours en activité.

🏶 **Port of Ness :** *petite crique abritée à 1,5 mile (env 2 km) à l'ouest du phare de Butt of Lewis.* Là vit une communauté de pêcheurs ; à côté du port, belle plage vous invitant à faire une petite marche.

À L'OUEST DE LEWIS

➤ **Ligne circulaire** au départ de **Stornoway,** desservant **Barvas, Shawbost, Carloway, Callanish.** Plusieurs départs/j. lun-ven. *Avec* Maclennan Coaches, ☎ 702-114.
➤ **Bus postal** *vers Uig.* Départ tlj sf dim à 12h.

Où dormir ? Où manger ?

Camping

⚿ **Eilean Fraoich Campsite :** *77, North Shawbost.* ☎ 710-504. *À gauche en venant de Barvas, au niveau de l'école. Mai-oct. Prévoir env £ 8 (12 €) pour 2 pers avec une tente.* Camping familial, simple, mais qui a la particularité d'avoir une salle commune pour manger (avec cuisine) à l'abri du vent et de la pluie.

Bon marché

🏠 **Garenin Youth Hostel :** *à Carloway.* ☎ 0870-155-32-55 *(central de résa).* ● *syha.org.uk* ● *À 35 km à l'ouest de Stornoway par la route A 858 ; 3 km env avt d'arriver au village de Dun Carloway, un panneau indique sur la gauche la petite route menant au hameau restauré de Garenin (1 mile env, 1,6 km). La ligne de bus circulaire y fait un crochet. Tte l'année. Aucune résa à l'avance, c'est l'aventure. Compter £ 9 (13,50 €) par pers.* Certainement l'AJ la plus charmante (au sens rustique du terme) de l'Écosse, dans une *black house* à toit de chaume. Intérieur chaleureux, chauffé au poêle, 2 dortoirs de 7 lits, un à chaque extrémité de la chaumière. Ne pas craindre la promiscuité. La gardienne habite la maison sur la gauche juste avant l'entrée du village, une dame âgée bien gentille.

🍴 **Doune Braes Hotel :** *juste avt le Carloway Broch en venant du sud, au bord d'un petit lac, le long de la route. Tte l'année, tlj. Compter £ 8-11 (12-16,50 €) pour un bar lunch et £ 13-18 (19,50-27 €) pour le dîner.* Une bonne adresse pour se restaurer au cours d'une balade dans l'Ouest.

Prix moyens

🏠 **B & B Kelvindale :** *17, Tobson, Bearnaraigh (Great Bernera).* ☎ 612-347. *De Stornoway, direction Achmore, et Garynahine ; prendre à gauche la B 8011 et la B 8059 vers Great Bernera ; continuer la route jusqu'au bout (enfin presque). Avr-oct. Compter £ 20 (30 €) par pers en chambre double, sdb à partager. Dîner £ 17 (25,50 €).* C'est loin de tout, mais quel bonheur d'y être ! La maison basse et moderne se trouve sur la gauche, sur une petite butte de terre, au cœur d'un paysage vert semé de blocs rocheux. Mrs Macdonald est aidée de son fils, un très sympathique professeur de Tarbert. Les chambres sont petites mais impeccables et très calmes. Possibilité de dîner sous une véranda donnant sur les prés à moutons : très bonne et copieuse cuisine écossaise, mitonnée par cette généreuse mamie gaélique. Une bonne adresse.

À voir

🎥🎥🎥 *Calanais Standing Stones (HS) : à Callanish. Accès libre.* Cercle et alignements de pierres impressionnants, prolongés par deux allées en forme de croix
celtique. À ne pas manquer, surtout au crépuscule. Des études récentes révèlent
que ce site serait plus ancien (entre 2900 et 2600 av. J.-C.) que son rival anglais
Stonehenge. Connu en France grâce à la campagne d'affichage d'une célèbre
marque de whisky... À proximité, le *Calanais Visitor Centre,* ☎ 621-422. Avr-
sept : tlj sf dim 10h-19h ; oct-mars : mer-sam 10h-16h. Entrée : env £ 2 (3 €).* Pour
les mordus d'archéologie, petite exposition audiovisuelle (avec livret en français)
très bien faite.

🎥🎥 *Arnol Black House (HS) : à Arnol.* ☎ 710-395. *Avr-sept : tlj sf dim 9h30-
18h30 ; oct-mars : tlj sf dim 9h30-16h30. Entrée : £ 4 (6 €).* Ancienne habitation,
datant de 1885, au toit de chaume traditionnel. Entièrement meublée, elle reflète la
vie quotidienne d'autrefois. L'odeur du feu de tourbe est omniprésente !

🎥🎥 *Dun Carloway Broch (HS) : sur la route au sud de Carloway. Accès libre.* Ruine
d'une tour défensive, l'intérieur présente des détails d'architecture utilisés il y a
près de 2 000 ans ! Certains murs atteignent encore 8 m de hauteur. *Le* Dun Broch
Centre *est ouv avr-oct, lun-sam 10h-18h.*

HARRIS (ind. tél. : 01859)

Contrairement à sa voisine Lewis, plate et marécageuse à l'intérieur, Harris est
plus accidentée. Monts escarpés, collines arrondies, lochs encaissés, tels sont
les paysages naturels de cette partie des Hébrides Extérieures. Dans la partie
nord de Harris *(North Harris),* le mont *Clisham* culmine à 799 m. La partie sud de
Harris *(South Harris)* cache plusieurs plages immenses, parmi les plus belles
d'Écosse. Une occasion unique pour effectuer quelques randonnées, face à
l'océan.

Harris Tweed

Comme la *Guinness* en Irlande, le *Harris Tweed* fait partie des produits de réputation mondiale. C'est en 1842 que tout commença, lorsque la comtesse de Dunmore décida de promouvoir cet artisanat. Après quelques années, la notoriété de
la production en fit une véritable industrie. Aujourd'hui, le *Harris Tweed Authority*
certifie les produits finis par l'apposition d'un timbre *Certification Mark,* ou bien
ORB Mark. Cela prouve la qualité et l'authenticité, c'est-à-dire 100 % laine, et
surtout la fabrication dans les Hébrides Extérieures.

TARBERT

Le plus grand village de Harris, situé sur un isthme marquant la frontière entre
North Harris et South Harris. La rue principale est bordée de maisons surplombant le port, d'où partent les ferries vers l'île de Skye. Un bon point de
départ pour découvrir Harris. Dispose d'une bonne épicerie (au départ de la
route de Scalpay) et d'un distributeur automatique de billets, plutôt rare dans la
région.

Adresses utiles

🛈 *Tourist Information Centre :* Pier │ *début avr à mi-oct : lun-sam 9h-17h ; de*
Rd. ☎ *502-011.* ● *witb@sol.co.uk* ● *De* │ *mi-oct à fin mars : lun-sam 11h-13h ;*

ouverture tardive lors de l'arrivée des ferries. Des casiers à bagages sont disponibles derrière l'office de tourisme ;

c'est bien pratique.

⚓ **Terminal Ferry Caledonian Mac-Brayne :** ☎ *502-444.*

Où dormir ? Où manger ?

De bon marché à prix moyens

🛏 **Rockview Bunkhouse :** *Main St.* ☎ *502-211. Tte l'année. Compter env £ 11 (16,50 €) par pers.* Maison blanche située dans la rue principale du village. Deux grands dortoirs, un par étage. Au rez-de-chaussée, cuisine bien équipée, machine à laver, sèche-linge. Bonne adresse si vous êtes coincé en attendant le ferry.

🛏 **Tigh Na Mara, chez Mrs Flora Morrison :** *à 500 m du port, sur les hauteurs, en suivant la route de Scalpay.* ☎ *502-270. • tigh-na-mara-co.uk • Tte l'année. Chambre avec sdb £ 25 (37,50 €) par pers. Dîner sur demande.* Cette maison juchée au sommet de la colline propose des chambres confortables avec une belle vue sur le loch de Tarbet. Très bon accueil.

🍴 **AD'S Takeaway :** *Main St.* ☎ *502-700. Dans la rue principale, comme son nom l'indique. Lun-sam midi. Prévoir autour de £ 4 (6 €).* Rien de très gastronomique, snack à emporter pour les fauchés. Très bon *fish and chips.*

AU NORD DE HARRIS

➤ Service de bus très limité. En période scolaire, 3 allers-retours/j. (sf dim) de Tarbert à Hushinish ; pdt vac scol : slt mar et ven. *Rens :* Comhairle nan Eilean Siar, ☎ *502-213.*

Où dormir ?

Bon marché

🛏 **Rhenigidale Youth Hostel :** *à Rhenigidale. Pas de téléphone. Rens :* Harris Car Services, ☎ *502-221 ou central de résa des AJ :* ☎ *0870-155-32-55. • syha.org.uk • À 12 miles (19 km) au nord de Tarbert, par la route A 859, direction Stornoway ; après 5,5 miles (9 km env), prendre sur la droite une petite route de construction récente qui longe le Loch Seaforth et permet d'atteindre ce havre de paix. Deux bus/j., résa obligatoire la veille (places très limitées). Ouv tte l'année. Prévoir env £ 9 (13,50 €) par pers.* Au pied des montagnes, sur la côte est de l'île, rien dans les environs. La première épicerie est à une dizaine de kilomètres ! Dans une ancienne *croft house* blanche, cette AJ ressemble plus à un refuge. Petite salle commune avec fauteuils autour du poêle, 2 dortoirs à l'étage (capacité de 11 lits en tout !).

À voir

🏛 **Amhuinnsuidhe Castle :** *sur la route conduisant à Hushinish. Ne se visite pas.* Château de style *baronial* construit en 1868 par le comte de Dunmore (qui avait acheté Harris en 1834).

🏛 **Hushinish Bay :** *magnifique plage au bout de la route B 887. Vue sur l'île de Scarp,* habitée jusqu'en 1971. Cette île fut le théâtre d'une expérience postale originale. En juillet 1934, on envoya tout simplement le courrier par fusée. Sans suite, car les fusées explosèrent avant d'atterrir. Aujourd'hui, les échantillons de ces *rockets* valent quelques centaines de *pounds* auprès des collectionneurs.

Randonnées

Brochures en vente à l'office de tourisme de Tarbert.

➤ *L'ascension du Clisham :* rens à l'office de tourisme. Point culminant de Harris, à 799 m. Ne pas oublier que le temps change très vite.

➤ *Urgha :* sur la route de Scalpay, départ d'un bon réseau de sentiers de randonnée. Possibilité d'emprunter les chemins de traverse, notamment vers l'AJ de Rhenigidale. Il y a 2 à 5 bus/j. (sf dim) vers Scalpay, au départ de Tarbert. *Rens :* Scalpay Community Minibus, ☎ *(01859) 540-356.*

AU SUD DE HARRIS

➤ Service de bus avec *Harris Coaches.* ☎ 502-441. Une ligne part de Tarbert, suit la *Golden Road* (côte est), pour terminer à Leverburgh. Une autre suit la côte ouest. De quoi faire une boucle. Plusieurs trajets/j. (sf dim) dans chaque sens.

Où dormir ?

Bon marché

🏠 *Drinishader Bunkhouse :* 5, Drinishader. ☎ 511-255. À Drinishader, sur la Golden Rd. Le bus s'arrête à 100 m de là. Avr-nov. Prévoir env £ 10 (15 €) par pers. En bord de mer, petite maison avec 12 couchages. L'épicerie la plus proche est à 200 m et le 1er pub à 6 km.
🏠 *Am Bothan Bunkhouse :* Brae House, Ferry Rd, Leverburgh. ☎ 520-251. ● www.ambothan.com ● Village situé à 33 km au sud de Tarbert, sur la route pour accéder au débarcadère. Ferme parfois en hiver. Appeler pour réserver. Compter £ 15 (22,50 €) par pers. Dans un grand chalet moderne, intérieur agréable et convivial : poêle chauffé à la tourbe, une barque suspendue au plafond, dortoir à l'étage dans une cabine de bateau, cuisine bien équipée... Très confortable. Épicerie la plus proche à 800 m.

Prix moyens

🏠 *Seaview B & B :* chez Mrs Morrison, 10, Luskentyre. ☎ 550-263. En venant de Tarbert, par la route principale A 859, panneau à droite pour Luskentyre ; continuer 5 km jusqu'au 1er cimetière sur la gauche. Compter £ 22 (33 €) par pers. Modeste maison habitée par un couple de gens âgés et adorables, face à la plus belle baie d'Écosse. Quel site enchanteur ! Seulement 2 chambres (w-c sur le palier), avec vue sur la plage et les eaux turquoise de la baie.
🏠 *Sandview House B & B :* Sgarasta Mhor, à Scarista (en anglais). ☎ 550-212. À 25 km au sud de Tarbert, sur la gauche de la route, 500 m avt l'église et le cimetière de Scarista. Compter env £ 25 (37,50 €) par pers. Maison moderne et confortable, aux chambres bien équipées, avec vue sur les montagnes et au loin la grande baie de Sgarasta. Possibilité de prendre un repas le soir.

Où manger ?

🍽 *Rodel Hotel-Bar :* ☎ 520-210. Déjeuner 12h-14h30, afternoon menu 14h30-17h30. Sandwichs ou plats £ 9-11 (13,50-16,50 €). Grande bâtisse grise située à la pointe de Rodel, dans une crique rocheuse. Intérieur rénové avec soin ; décoration originale, avec des peintures modernes sur les murs. Propriétaire très sympathique, qui pourra vous raconter l'histoire de cette maison du XVIIIe siècle.

À voir

🏃🏃 *Saint Clement's Church :* à **Rodel,** *pointe sud de Harris. Accès libre, ou bien demander les clés au* Rodel Hotel-Bar. Église du XVIe siècle, particulièrement charmante, sur une petite butte gazonnée. À l'intérieur se trouve le cénotaphe en pierre d'Alexander MacLeod, ancêtre de la lignée MacLeod, qu'il avait conçu lui-même au XVIe siècle, 19 ans avant sa mort ! Une échelle permet d'accéder à l'intérieur du clocher. Petit cimetière autour de la chapelle.

🏃🏃 *Golden Road :* route à une voie, tortueuse à souhait, qui longe la côte est de Harris. Paysage très rocheux, voire lunaire, parsemé de petits lochs. Son nom vient du coût de sa construction pour desservir quelques petites communautés de pêcheurs !

🏃🏃 *La côte ouest :* par l'A 859. Itinéraire longeant l'une des plus belles successions de plages de sable blanc d'Écosse. Grandes baies avec, en toile de fond, les montagnes abruptes du nord de Harris, panorama inoubliable par beau temps.

🏃🏃🏃 *La baie de Luskentyre :* à 7,5 miles (12 km) au sud de Tarbert, une petite route single track *se détache sur la droite de la route principale A 859, et conduit à la baie de Luskentyre.* Celle-ci s'avance de plusieurs kilomètres à l'intérieur des terres, comme une grande échancrure dans un paysage de monts arrondis et de collines caillouteuses.
La baie de Luskentyre est réputée pour sa splendeur naturelle. Si réputée qu'un timbre postal du Royaume-Uni la représente vue d'avion : c'est la fierté de ses rares habitants. De longues plages de sable fin et blanc épousent la forme du littoral. Des dunes sauvages suivent les contours du rivage. Mirage ou miracle ? La mer n'est pas grise ou noire mais d'un bleu turquoise avec de subtils dégradés vert émeraude. L'effet est d'autant plus surprenant que la baie donne à l'ouest, donc au vent. Pour les scientifiques, aucune énigme à Luskentyre, mais l'alliance réussie d'un microclimat et d'une lumière océanique cristalline (surtout en été).
Hormis la température de l'eau et de l'air (impossible de se baigner), rien n'indique à première vue que l'on se trouve en Écosse. On dirait presque un morceau de Méditerranée, la Corse par exemple ou un coin de la côte dalmate, en Croatie (sans les pins, ni les oliviers). Derrière les plages, il y a le vert pâle du *marram grass,* l'herbe qui fixe le sable ; puis la bande de terre fertile appelée le *machair,* où s'étendent des prés et des pâturages parsemés de toutes sortes de plantes et de fleurs (pâquerettes, boutons d'or, primevères). Les moutons y paissent en liberté.
– Parking pour les voitures au bout de la route, près d'un cimetière. Puis sentier qui conduit à la plage (5 mn de marche).

LES ARCHIPELS DU NORD

LES ÎLES ORCADES

(20 000 hab.)
Les Orcades *(Orkney Islands)* **forment un archipel de 70 îles, dont seulement une vingtaine sont habitées. D'ailleurs, la définition d'une île selon les Orca-**

diens serait « un morceau de terre sur lequel on peut laisser paître un mouton une année entière, sinon, c'est un rocher ».

Les terres sont surtout vouées à l'élevage (vaches, poneys, moutons). Certains champs sont cultivés, ce qui donne un paysage assez différent des Highlands. *Orcades* viendrait d'un mot islandais signifiant « île aux phoques »...

Avec ses quelque 300 espèces d'oiseaux migrateurs qui font escale dans les îles de mai à août, les Orcades représentent un vrai paradis pour les ornithologues. La société royale de protection des oiseaux a ainsi créé six réserves sur l'archipel.

C'est d'ailleurs la faune locale, tout autant que la flore et la nature (magnifiques paysages de falaises), qui attirent chaque année de plus en plus de touristes. Ne comptez pas vous y retrouver seul, surtout en été !

Dans la baie de Scapa Flow, au centre de l'archipel, l'île de Flotta abrite un terminal pétrolier. Une flamme gazeuse y brûle en permanence. Dans la baie, qui servit longtemps de mouillage à la *Royal Navy,* reposent de nombreuses épaves de bateaux coulés, reconverties en lieux d'élevage de coquilles Saint-Jacques. Curieuse destinée pour ces fiers vaisseaux rouillés, dont une partie de la flotte de guerre allemande qui s'y saborda en 1919. Ces épaves attirent de nombreux amateurs de plongée.

Infos utiles

– Avant de partir, on peut trouver plein d'infos sur le site internet des Orcades ● *visitorkney.com* ●
– La carte *Orkney joint ticket (HS),* permet de visiter les monuments des Orcades. *Coût : £ 15,50 (23,30 €) ; réduc. En vente dans les propriétés* Historic Scotland.
– Sur l'archipel, peu de campings. Mais d'une manière générale, le camping sauvage est bien accepté tant que l'on demande la permission au propriétaire.
– Se procurer aussi la brochure *The Islands of Orkney,* un guide gratuit pour visiter toutes les petites îles des Orcades, avec les horaires des ferries.

Arriver – Quitter

En bus

■ *John O'Groats Ferries :* ☎ *(01955) 611-353.* ● *jogferry.co.uk/orkexp.htm* ● *Départ de la gare routière d'Inverness. Vente des billets directement dans le bus.*
➢ Mai-août : la compagnie de ferry affrète un bus entre *Inverness et Kirkwall (via le ferry) :* 2 bus/j. Durée : 5h.

En bateau

Les départs d'Aberdeen et de Scrabster sont de loin les plus pratiques. À noter que de John O'Groats, il n'est pas possible d'embarquer en voiture.
■ *Northlink Ferries :* Kiln Corner, Ayre Rd à Kirkwall, et sur le port à Stromness. ☎ *0845-6000-449.* ● *northlinkferries.co.uk* ● *Départs tte l'année. Résa obligatoire.*
➢ *Aberdeen-Kirkwall :* 3-4 bateaux/sem. Durée : env 6h.
➢ *Lerwick-Kirkwall :* 2-3 bateaux/sem. Durée : 6h.
➢ *Scrabster-Stromness :* 2 à 3 départs/j. Durée : 2h30. Scrabster est à 2,5 miles (4 km) de Thurso.
■ *Pentland Ferries :* Pier Rd, à Saint Margaret's Hope. ☎ *(01856) 831-226.* ● *pentlandferries.co.uk* ● *Départs tte l'année. Résa obligatoire.*
➢ *Gills-Saint Margaret's Hope :* 3 bateaux/j. Durée : 1h. Gills se trouve à l'ouest de John O'Groats, sur l'A 836.

LES ÎLES ORCADES

■ *John O'Groats Ferries :* à John O'Groats. ☎ (01955) 611-353. ● jogferry.co.uk ● Juin-août : 2 à 4 bateaux/j. Passagers à pied slt. Liaison avec **Burwick** sur South Ronaldsay (durée : 40 mn), de là bus pour Kirkwall à la sortie du ferry. Résa obligatoire.

En avion

■ *British Airways :* rens à Kirkwall au ☎ (01856) 873-611. ● ba.com ●
➢ Vols quotidiens entre **Édimbourg, Inverness** et **Kirkwall.**

Transports intérieurs

– *Le stop :* plutôt facile, à condition d'être sur des axes assez fréquentés (ce qui n'est pas toujours le cas).
– *La bicyclette :* loueurs à Stromness et Kirkwall. Le plus beau moyen de découvrir les Orcades mais surtout le plus endurant, car pas mal de vent.

– *Le bus :* liaisons entre Stromness, Kirkwall et Saint Margaret's Hope avec la compagnie *Rapsons Orkney Coaches (plan Kirkwall, B1) : West Castle St.* ☎ *(01856) 870-555.* • *rapsons.co.uk* • *Forfait Day Rover : £ 6 (9 €)/j. et £ 15 (22,50 €) pour 3 j.* Kirkwall est relié à tous les départs de ferries inter-îles (Houton Ferry, Tingwall Ferry et Burwick Ferry via Saint Margaret's Hope). Pour le reste, service irrégulier, voire pas du tout les dimanche et jours fériés ; renseignements aux offices de tourisme. En rase campagne, n'hésitez pas à faire signe au bus, même sans être à un arrêt. La consigne veut que le conducteur s'arrête.

– *La voiture :* les véhicules loués sur les îles Orcades ne peuvent quitter l'archipel. En fonction du temps que l'on passe ici, il peut être intéressant d'arriver avec sa voiture (propre ou louée) qui aura voyagé en ferry.

■ *Orkney Car Hire : Junction Rd, à Kirkwall.* ☎ *(01856) 872-866.* • *orkneycarhire.co.uk* •
■ *Stromness Self Drive Cars :* 16, *John St, à Stromness.* ☎ *(01856) 850-*

973. Fax : (01856) 851-777.
■ *Tullock : Castle St. À Kirkwall* ☎ *(01856) 876-262. Fax : 874-458.* • *orkneycarrental.co.uk* •

– *Le ferry :* un réseau bien développé de ferries permet de visiter bon nombre d'îles. En voiture, on vous recommande de réserver systématiquement les traversées, au minimum un jour à l'avance.

■ *Orkney Ferries Ltd (plan Kirkwall B1, 3) : Shore St, Kirkwall.* ☎ *(01856) 872-044.* • *orkneyferries.co.uk* • *Lun-ven 7h-17h ; sam 7h-12, 13h-15h. Fermé dim. Le coast to coast,* valable un mois,

permet de visiter trois îles de l'archipel en ferry. Ou bien deux îles en ferry et une en avion (North Ronaldsay ou Papa Westray), à condition de passer la nuit sur place.

– *L'avion :* les Orcades vu de haut, un vrai bonheur par beau temps. Avis au amateurs de record, la ligne Westray-Papa Westray est la ligne commerciale la plus courte du monde, le vol dure moins de... deux minutes !

■ *Loganair : rens à l'aéroport de Kirkwall au* ☎ *(01856) 872-494.* • *loganair.co.uk* • *De Kirkwall, liaisons régulières avec Westray, Papa Westray,*

North Ronaldsay. Pour Eday : slt 1/sem. Intéressant d'acheter la formule *coast to coast* de *Orkney Ferries Ltd* pour bénéficier d'un vol à bon prix.

MAINLAND

STROMNESS

3 000 hab.   Ind. Tél. : 01856

Au sud de Mainland, Stromness est une ville paisible. Sa rue principale possède un certain cachet et a la particularité de changer de nom au fur et à mesure que l'on s'y promène. C'est une base idéale pour partir à la découverte des vestiges néolithiques, notamment les pierres levées de Stenness et celles du *Ring of Brodgar*. Elles ne sont pas aussi connues que Stonehenge, mais sont dignes d'intérêt et on peut y flâner à loisir.

Adresses utiles

🅸 *Tourist Information Centre : sur le port.* ☎ *850-716.* • *stromness@visitorkney.com* • *Mars-nov : tlj 9h-17h.* On

peut s'y procurer un plan de Mainland (gratuit).
■ *Northlink Ferries : sur le port.*

☎ 0845-6000-449. ● northlinkferries.co.uk ● Tlj 5h30-16h45.

■ **Location de vélos :** Orkney Cycle Hire, 54, Dundas St. ☎ 850-255. Dans la rue principale. Prêt de casques et de cartes.

Où dormir ?

Campings

X **Point of Ness Caravan & Camping :** à 10 mn de marche vers le sud, au bout de la rue principale, après le chantier naval. ☎ 873-535. Compter env £ 8 (12 €) pour 2 pers et une tente. Douche payante. Situation magnifique entre le golf et la mer, mais très exposé au vent.

X **Eviedale Campsite :** à Evie, env 20 miles (32 km) au nord de Stromness. Bus n° 6. Prévoir £ 7 (10,50 €). Douche payante. Camping tout simple. Deux petits terrains, dont l'un avec vue sur la mer. Épicerie à côté.

De bon marché à prix moyens

🛏 **Brown's Hostel :** 45-47, Victoria St. ☎ 850-661. En sortant du port, à 100 m à gauche dans la rue principale. Résa conseillée. Compter £ 12 (18 €) par pers. Style AJ mais privée. Cuisine bien équipée pour préparer ses repas. Mais salle de bains un peu limite. Internet gratuit pour les résidents.

🛏 **Orca Hotel :** 76, Victoria St. ☎ et fax : 850-447. ● orcahotel.com ● Dans la rue piétonne, non loin du débarcadère. Résa conseillée. Compter £ 25-32 (37,50-48 €) par pers. Chambres sobres, avec salle de bains. Également des chambres familiales. Machine à laver et sèche-linge à disposition. Sympa.

Où manger ?

De bon marché à prix moyens

|●| **The Cafe :** 22, Victoria St. ☎ 850-551. Au tt début de la rue principale, au niveau du port. Entrée derrière l'épicerie. Lun-sam 9h-17h ; dim 12h-16h. Env £ 6 (9 €) le plat. Une des terrasses les plus agréables de la ville. Cuisine simple et sans chichis.

|●| **Julia's :** 20, Ferry Rd. ☎ 850-904. Sur le port. Tlj 9h-17h. Plats env £ 8 (12 €). Maisonnette agrandie par une véranda et une terrasse où sont posées quelques tables. Déco fraîche sur tons jaunes. Une cuisine sans faille, mais les portions sont plutôt maigres. Dommage. Fait également tearoom avec breakfast, thé, café et gâteaux.

|●| **Stromness Hotel :** Victoria St. ☎ 850-298. En face du port, au 1er étage. Env £ 9 (13,50 €) le plat. Cuisine très classique servie dans une ambiance pub.

Chic

|●| **Restaurant Hamnavoe :** 35, Graham Pl. ☎ 850-606. Accès par la Victoria St, puis à droite. Ouv le soir, fermé lun. Résa indispensable. Repas env £ 25 (37,50 €). Petite salle chaleureuse où brûle un feu de bois. Éclairage doux et cuisine assez inventive. Poissons variés habilement garnis. Desserts tout en finesse et carte des vins intéressante. Service souriant.

Où boire un verre ? Où écouter de la musique ?

The Flattie : pub du *Stromness Hotel*. Déco chaleureuse avec parquet et cheminée. Un *flattie* est une barque à fond plat utilisée autrefois pour atteindre les bateaux de pêche, embarcation typique de la région. Vous en trouverez une relique suspendue au plafond.

Ferry Inn : bar-pub souvent plein à craquer. Organise des concerts, soirées karaoké...

À voir. À faire

Stromness Museum : *52, Alfred St, dans l'ancien hôtel de ville.* ☎ 850-025. *Avr-sept : tlj 10h-17h ; oct-mars : lun-sam 11h-15h30. Entrée : £ 3 (4,50 €) ; réduc.* Y sont rassemblés des souvenirs de l'époque où Stromness armait des baleinières et fournissait des équipages aux navires explorant les régions arctiques. Également une collection d'histoire naturelle.

The Pier Arts Centre : *Victoria St.* ☎ 850-209. • pierartscentre.com • *À deux pas du port, au début de la rue principale. Lun-sam 10h30-17h ; dim (mai-sept) 13h-17h. Gratuit.* Petit musée d'Art contemporain à la carrure internationale. Installé dans un ancien entrepôt habilement restauré, les œuvres sont présentées de manière très claire. La collection est celle de Margaret Gardiner qui aura toute sa vie soutenu bon nombre d'artistes reconnus mondialement aujourd'hui. Notamment le sculpteur britannique Barbara Hepworth. À noter aussi des œuvres de Naum Gabo et Serge Poliakoff.

➢ **Balade côtière :** au-delà du camping, un chemin se dessine le long de la côte. Au bout de 2 miles (3,2 km), on aboutit à la plage de Warebeth. Belle vue sur Hoy.

– **Plongée** avec **Scapa Scuba :** *Dundas St.* ☎ 851-218. • scapascuba.co.uk • *Au milieu de la rue principale.* Une spécialité locale : la plongée sous-marine dans la baie de Scapa Flow, au milieu d'épaves des guerres mondiales. S'adresse à tous, du débutant au plongeur confirmé.

➢ DANS LES ENVIRONS DE STROMNESS

Skara Brae (HS) : *dans la baie de Skaill.* ☎ 841-815. *Au nord de Stromness (bus n⁰ˢ 7 et 8). Avr-sept : tlj 9h30-17h30 ; oct-mars : tlj 9h30-16h30 ; fermeture des caisses 45 mn avt. Prix : £ 6,50 (9,80 €) ; réduc. Compter 1h de visite.* Le Pompéi des Orcades. Site préhistorique auparavant enfoui dans les dunes et révélé par la mer lors d'une tempête en 1850. Date d'environ 3 000 ans av. J.-C. Il s'agit de tout un village, avec des habitations de pierre reliées par des passages. Le mobilier de dalles est encore reconnaissable, et les habitants disposaient de latrines avec un système d'égouts (le luxe, quoi !).

Brough of Birsay (HS) : *sur un îlot à la pointe nord-ouest de Mainland.* ☎ 841-815. *Bus n⁰ 8 depuis Stromness ou Kirkwall. De mi-juin à fin sept : tlj 9h30-18h30. Accessible à marée basse : horaires à l'office de tourisme de Kirkwall. Entrée : £ 2,50 (3,80 €) ; réduc.* Vestiges d'un établissement picte puis viking. Les débris de ferronnerie proviennent des Pictes, peuple de l'Écosse ancienne. Les Vikings ont laissé des fermes et un monastère. Sur la réplique de la « pierre de Birsay », des guerriers armés sont gravés. À côté des restes de l'église, le cimetière et, plus loin, des maisons vikings. Petit *musée* des fouilles.

🎬 *Barony Mills : à* **Birsay.** ☎ 771-276. *Mai-sept : tlj 10h-13h, 14h-17h. Entrée : £ 1,50 (2,30 €) ; réduc.* Moulin à eau du XIXᵉ siècle, remis en état en 1997 par le *trust* du village. Le clou de la visite : la mise en route de ce vieux mécanisme en bois d'époque, qui fait vibrer le sol ! D'ailleurs, on y fabrique encore de la farine pendant les longs mois d'hiver...

🎬 *Broch of Gurness* (HS) : à **Evie,** *village à env 20 miles (32 km) de Stromness.* ☎ 751-414. *Bus nº 6, demander au chauffeur de vous arrêter au plus près, puis 20 mn de marche. Avr-sept : tlj 9h30-17h30. Ticket : £ 4,50 (6,80 €) ; réduc.* Découvert par hasard, en 1929, par un habitant. Assis paisiblement à contempler le paysage, il perdit un pied de son tabouret sous terre ! Et voilà une structure picte. Encore ! Les ruines du *broch* matérialisent le centre d'un ancien village agricole, plutôt important, et peu commun pour les îles du Nord. Aujourd'hui, le travail de l'érosion de la mer a bien empiété sur le site. Le coin est charmant, face à l'île de Rousay. Visite rapide.

🎬🎬🎬 Ⓠ *Maes Howe* (HS) : *sur l'A 965.* ☎ 761-606. *À 7 miles (11,3 km) à l'est de Stromness (bus nº 1). Avr-sept : tlj 9h30-18h30 ; oct-mars : tlj 9h30-16h30. Entrée : £ 5 (7,50 €) ; réduc. Visite guidée ttes les 45 mn. Très prisée en été, résa conseillée si possible.* Tombe souterraine du néolithique, composée d'une chambre accessible par un étroit passage. Plusieurs inscriptions gravées sur les murs, dont certaines évoquent un hypothétique trésor.

🎬🎬🎬 Ⓠ *Standing Stones of Stenness* (les pierres levées de Stenness) : *à 6 miles (9,5 km) au nord-est de Stromness. Non loin du Maes Howe. Bus nᵒˢ 1 et 8A.* Il s'est avéré que les pierres de Stenness ont été redressées en 1906 par des archéologues passionnés, il n'en reste pas moins que le site est splendide, surtout quand des moutons broutent aux pieds des pierres millénaires.

🎬🎬🎬 Ⓠ *Ring of Brodgar* (cercle de Brodgar) : *à 7 miles (11,3 km) au nord-est de Stromness. Juste après les Standing Stones of Stenness. Bus nᵒˢ 1 et 8A.* À l'origine, 60 mégalithes répartis sur la circonférence d'un cercle de 103 m de diamètre. Aujourd'hui, il ne reste que la moitié des pierres levées. Cet ensemble témoigne d'une forte activité sociale et culturelle à l'âge du bronze, grosso modo entre - 2500 et - 5000 av. J.-C. Très agréable les soirs de beau temps à l'heure où le soleil se couche.

🎬🎬 *Corrigal Farm Museum : sur la route de Dounby.* ☎ 771-411. *Mars-oct : lun-sam 10h30-13h, 14h-17h ; dim 14h-19h. Entrée gratuite.* Ferme du XVIIIᵉ siècle, restaurée et transformée en musée : cuisine aux murs de chaux avec feu de cheminée, poissons en train de sécher, fromages. Chambres avec lits clos et les chemises de nuit jetées dessus. On a l'impression d'avoir remonté le temps et de vivre au milieu des gens.

🎬🎬 *Kirbuster Farm : dans le hameau de Kirbuster.* ☎ 771-268. *Près de Birsay. Bus nº 7D. Mars-oct : tlj sf dim mat 10h30-13h, 14h-17h. Entrée gratuite.* Ferme du XIXᵉ siècle, unique en son genre. Beaucoup d'objets d'époque ; noter les petites chaises aux longs dossiers, un artisanat typique des Orcades. À ne pas manquer, le *firehoose,* resté intact tel qu'il fut habité au XIXᵉ siècle. Le feu de tourbe y brûle encore. C'est là que l'on se racontait, pendant les longues soirées d'hiver, les histoires des guerres napoléoniennes, celles de la Compagnie de la baie d'Hudson...

🎬 *Marwick Head : à côté de Birsay. Bus nº 7D jusqu'à Birsay puis 30 mn de marche.* Encore une réserve naturelle où grouillent les oiseaux. Falaises vertigineuses où se dresse un mémorial. Colonies de guillemots et mouettes tridactyles. L'odeur est parfois saisissante !

KIRKWALL

9 000 hab.   ind. tél. : 01856

Ville principale de l'archipel, elle fut fondée au début du XIe siècle. Son nom en norvégien signifie « l'église de la baie ». D'ailleurs on peut y visiter la cathédrale Saint Magnus, dont les fondations datent de cette époque. Tout autour, se croisent des ruelles étroites, bordées de maisons de pierre grise.
Kirkwall est aussi la base idéale pour partir à la découverte des îles du Nord.

LA GRANDE BA'STON

C'est à Noël et au Jour de l'an que la ville s'enflamme pour des parties de Ba'. Un jeu de balle extrêmement violent, sans règle ni temps limité. Comme pour la soule pratiquée en France : le but consiste à porter une balle de cuir dans le camp adverse par tous les moyens. Un seul point marqué et c'est la victoire. Certains cachent le ballon, d'autres passent par les toits, tout est permis ! Le plus drôle dans l'histoire, c'est que l'événement rassemble des centaines de participants qui, parfois, ne connaissent même pas le but du jeu...

Adresses utiles

🛈 *Tourist Information Centre* (plan B1) : Travel Center, *West Castle St, au croisement de Junction Rd.* ☎ 872-856. ● visitorkney.com ● *Juin-août : tlj 8h30-20h. Sept-mai : lun-ven 9h-17h ; sam 10h-16h ; fermé dim.* Accueil efficace et souriant.

🚌 *Bus Station* (plan B1) : Travel Center, *West Castle St, au croisement de Junction Rd.* Pas ou peu de service le dimanche.

✉ *Poste* (plan B1) : *15, Junction Rd. Lun-ven 9h-17h (16h mer) ; sam 9h30-12h30. Fermé dim.*

✈ *Aéroport de Kirkwall* (hors plan par B2) : *à quelques kilomètres à l'est de la ville, sur l'A 960.* ☎ 886-210. *Bus n° 4X, depuis la Bus Station.*

📧 *Orkney Library* (plan A1, **1**) : *44, Junction Rd. Dans la bibliothèque municipale. Accès Internet gratuit. Lun-jeu 9h-19h ; ven-sam 9h-17h. Fermé dim.*

🚲 *Location de vélos* (plan B1, **2**) : Circle Orkneys, *Tankerness Lane.* ☎ 875-777. *Tlj sf dim.*

🚢 *Orkney Ferries Ltd* (plan B1, **3**) : *Shore St.* ☎ 872-044. ● orkneyferries. co.uk ● *Lun-ven 7h-17h ; sam 7h-12h, 13h-15h. Fermé dim. En voiture, résa conseillée.* Liaisons entre Kirkwall et les îles de l'archipel. Pour Hoy : départ de Stromness et Houton. Pour Rousay : départ de Tingwall.

🧺 *Laverie* (plan B1, **4**) : *47, Albert St. Fermé dim.*

Où dormir ?

Camping

🏕 *The Pickaquoy Centre Caravan Park* (plan A1, **10**) : *sur Pickaquoy Rd.* ☎ 879-900. *À la sortie de la ville. Ouv de mi-mai à mi-sept. Compter £ 7 (10,50 €)* l'emplacement. Douches payantes dans le bâtiment et gratuites dans le préfabriqué. Salle pour manger à l'abri. Laverie et centre sportif à proximité.

Bon marché

🏠 *Peedie Hostel* (plan A1, **11**) : *Ayre Rd.* ☎ 875-477. *Maison grise à la pancarte très discrète. Tte l'année. Compter £ 12 (18 €) par pers. Dortoirs équipés de tables et lavabos ; douche et w-c* sur le palier. Capacité de 8 lits seulement. Minuscule et bruyant mais très clean.

🏠 *Youth Hostel* (plan A2, **12**) : *Old Scapa Rd.* ☎ 0870-004-11-33. ● syha.

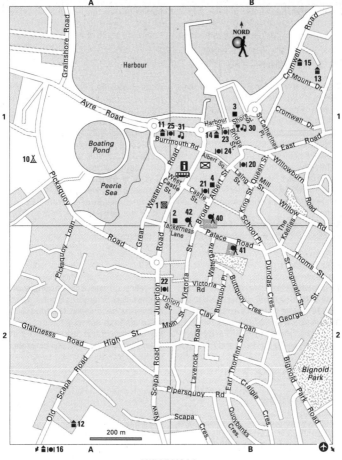

LES ARCHIPELS DU NORD

KIRKWALL

■ **Adresses utiles**

🛈 Tourist Information Centre
🚌 Bus Station
✉ Poste
✈ Aéroport
📖 1 Orkney Library
2 Location de vélos
3 Orkney Ferries Ltd
4 Laverie

⚐ 🏠 **Où dormir ?**

10 The Pickaquoy Centre Caravan Park
11 Peedie Hostel
12 Youth Hostel
13 Lerona B & B
14 St Ola Hotel
15 B & B Mrs Flett
16 Foveran Hotel

|◉| **Où manger ?**

16 Foveran Restaurant
20 Trenabies
21 The Reel - The Wrigley Sisters
22 Happy Haddock
23 The Kirkwall Hotel
24 Lounge Bar de l'Albert Hotel
25 The Ayre Hotel

🍷 ♪ 🎵 **Où boire un verre ? Où sortir ?**

30 Torvhaug
31 Fusion

🏃 **À voir**

40 Saint Magnus Cathedral
41 Bishop's and Earl's Palace
42 Tankerness House

org.uk ● *À la sortie sud de la ville, sur l'A 964 ; bien fléché. Avr-oct. Réception 8h-10h30, 15h-30-23h30. Prévoir env £ 15 (22,50 €) par pers.* Accès Internet gratuit pour les résidents. Chambres familiales bien tenues. Cuisine à disposition. Une AJ où la convivialité l'emporte sur le charme.

Prix moyens

🛏 ***Lerona B & B*** *(plan B1, 13) : Cromwell Crescent ; bien indiqué.* ☎ 874-538. *Tte l'année. Résa conseillée. Env £ 24-26 (36-39 €) par pers pour une chambre avec ou sans sdb.* Un univers fabuleux où des nains ont pris possession du jardin, et les propriétaires ont même creusé un bassin pour qu'ils puissent se sentir en vacances ! Ensemble parfaitement tenu et petit déjeuner servi sous une véranda. Accueil chaleureux dans un cadre kitsch.

🛏 ***St Ola Hotel*** *(plan B1, 14) : Harbour St.* ☎ 875-090. ● *stolahotel.co.uk* ● *Résa conseillée. Prévoir £ 28 (42 €) par pers en chambre double.* Établissement parfaitement tenu, central et d'un bon rapport qualité-prix. Les chambres, toutes équipées de salle de bains, sont correctes et les n°s 5 et 6 ont vue sur le port. Le soir, accès par le bar voisin. Accueil aimable.

🛏 ***B & B Mrs Flett*** *(plan B1, 15) : Cumliebank, Cromwell Rd.* ☎ 873-160. *À 5 mn du centre. Tte l'année. Env £ 20 (30 €) par pers.* Vue sur le port. Chambres simplement tenues (une dispose d'une salle de bains privée).

Plus chic

🛏 ***Foveran Hotel*** *(hors plan par A2, 16) : à env 3 miles (4,8 km) du centre-ville par l'A 964 sur la route d'Orphir.* ☎ 872-389. ● *foveranhotel.co.uk* ● *Résa conseillée. Compter £ 52 (78 €) par pers.* Niché sur les bords de Scapa Flow, sur un vallon constellé de moutons et de vaches. Les chambres sont agréables mais sans déco réelle. Le bon point de cette adresse est sa situation au vert, loin des rues grises de Kirkwall. Petit déj avec vue sur l'eau. Accueil courtois.

Où manger ?

Bon marché

🍴 ***Trenabies*** *(plan B1, 20) : 16, Albert St.* ☎ 874-336. *Lun-sam 9h-17h30 ; dim 12h-16h. À la carte £ 4-12 (6-18 €) le plat.* Une des adresses incontournables de la ville. Café à l'esprit victorien, idéal pour un *lunch* ou un goûter en famille. Cuisine fraîche, vrai café et gâteaux appétissants. Toujours bondée.

🍴 ***The Reel*** *(The Wrigley Sisters ; plan B1, 21) : Castle St.* ☎ 871-000. *Tlj 10h-17h30. Sam, session musicale 20h-* minuit. *Env £ 6 (9 €) pour un repas léger.* Quelques tables à l'étage d'une école de musique. Chaleureuses banquettes de velours rouge et tables dépareillées, pour déguster des sandwichs originaux. Si vous avez une mélodie au bout des doigts, un piano vous tend ses touches. Cadre et accueil très convivial.

🍴 ***Happy Haddock*** *(plan A2, 22) : 65, Junction Rd.* ☎ 872-533. *Compter £ 4 (6 €).* Le *fish and chips* ad hoc en dépannage.

Prix moyens

🍴 ***The Kirkwall Hotel*** *(plan B1, 23) : Harbour St.* ☎ 872-232. *Résa conseillée. Env £ 9 (13,50 €) le plat.* Le bon plan est de dîner au *lounge bar,* la carte et les prix sont les mêmes qu'au resto, mais l'ambiance y est plus décontractée. Cuisine de très bonne qualité, servie avec soin. Une adresse d'où l'on sort le ventre heureux.

🍴 ***Lounge Bar de l'Albert Hotel*** *(plan*

B1, **24**) : Mounthoolie Lane. ☎ 876-000. Accès par l'arrière de l'hôtel. Env £ 9 (13,50 €) le plat. Cuisine très classique servie dans une bonne ambiance de pub.

|●| **The Ayre Hotel** (plan A-B1, **25**) : Ayre Rd, sur le port. ☎ 873-001. Plats env £ 8 (12 €) au bar, ou resto. Recettes créatives. Bar spacieux accueillant des groupes de musique folk le mercredi.

Chic

|●| **Foveran Restaurant** (hors plan par A2, **16**) : pour les coordonnées, voir « Où dormir ? Plus chic ». Ouv le soir slt. Fermé janv. Résa impérative. Compter £ 30 (45 €) pour un repas complet. Une des meilleures tables de l'archipel. Look scandinave, boiseries et vues sur Scapa Flow. Cosy lounge, avec feu de cheminée. Addition replète et service un peu maniéré.

Où boire un verre ? Où sortir ?

♈ ♩ **Torvhaug** (plan B1, **30**) : Bridge St. Ambiance soft et design. Bar en zinc, parquet et plafonnier diffusant une lumière tamisée fuchsia. Piste au 1er étage et DJ en fin de semaine.
♩ **Fusion** (plan B1, **31**) : Ayre Rd. Jeu-sam, jusqu'à 2h. Entrée payante. La seule discothèque des Orcades, mais énorme, avec un bar carré au milieu. Musique dance sur laquelle se trémousse une clientèle frôlant la vingtaine.

À voir

🎦🎦🎦 **Saint Magnus Cathedral** (plan B1-2, **40**) : tlj sf dim 9h-17h. Gratuit. Remarquable monument de style roman, auquel la pierre rose confère un charme particulier. Près de la cathédrale se dresse une tour du XIVe siècle, vestige du palais épiscopal.

🎦 **Bishop's and Earl's Palace** (HS ; plan B2, **41**) : ☎ 871-918. Avr-sept : tlj 9h30-17h (dernière admission). Entrée : £ 3,50 (5,30 €) ; réduc. Le bâtiment ne fut jamais achevé. Ruines malgré tout intéressantes.

🎦 **Tankerness House** (plan B1-2, **42**) : en face de la cathédrale. ☎ 873-191. Lun-sam 10h30-17h. Fermé dim. Entrée gratuite. La plus vieille maison de la ville abrite le musée racontant 6 000 ans d'histoire.

Manifestations

– **Folk Festival :** fin mai, pdt 4 ou 5 j. Rens sur ● orkneyfolkfestival.com ● Festival de musique folk qui draine les meilleurs groupes de l'archipel. Grosse affluence et une occasion de faire la fête.
– **Saint Magnus Festival :** se tient mi-juin, pdt les journées les plus longues de l'année. Infos sur ● stmagnusfestival.com ● Festival de musique et d'art, plus classique que le Folk Festival.
– **Orkney Blues Festival :** fin sept. Détails sur ● orkneybluesfestival.co.uk ● Comme son nom l'indique, un festival blues qui égrène ses notes à travers tout l'archipel.

➤ DANS LES ENVIRONS DE KIRKWALL

🎦🎦 **Highland Park Distillery :** à la sortie sud de la ville en allant vers Burwick. ☎ 874-619. ● highlandpark.co.uk ● Visites guidées. Avr-oct : lun-ven 10h-17h. Mai-août : ouv aussi le w-e ; sam 10h-17h ; dim 12h-17h. Dernière admission 1h avt la

LES ARCHIPELS DU NORD

fermeture. *De début juil à mi-août, la production est suspendue pour raison climatique, mais la visite est ouverte. En compensation la maison régale d'un verre supplémentaire. Entrée : £ 5 (7,50 €).* La distillerie la plus septentrionale du monde est l'une de nos préférées. Elle est petite et utilise les moyens de fabrication traditionnels. Ils vendent surtout du vieux whisky (12 ans d'âge minimum). Deux cheminées superbes en forme de pagode.

🎎 *Mine Howe :* à env 7 miles (11,3 km) de Kirkwall, sur l'A 960, au-delà de l'aéroport. ☎ 861-234. Bus n° 4 depuis Kirkwall. Mai : mer et dim 11h-15h ; de début juin à mi-sept, tlj 11h-17h ; de la dernière quinzaine de sept, tlj 11h-14h. Entrée : £ 3 (4,50 €) ; réduc. *Chambre funéraire dissimulée sous un tertre, dans les champs. Datant de l'âge du fer, elle fut ouverte une première fois en 1946. Jugé inutile et gênant pour les cultures, le site fut comblé... pour être exploré de nouveau en... 1999. Un archéologue suggère que le site aurait eu une vocation rituelle ou religieuse, une porte vers les enfers... Visite avec casque et torche. Une histoire à la* Harry Potter et la Chambre des Secrets !

🎎 *The Gloup :* dans la réserve naturelle de Mull Head, à 13 miles (env 21 km) de Kirkwall. Prendre l'A 960 en direction de l'aéroport ; c'est après Deerness. *Dans un décor de falaises, un phénomène naturel assez spectaculaire. La mer a profité d'une faille dans la falaise pour s'engouffrer sur une longueur de 50 m à l'intérieur des terres en laissant une arche intacte. Attention en vous promenant le long du précipice où nichent des pétrels, c'est très dangereux. Aux abords, splendides ensembles rocheux battus par les vagues.*

LES ÎLES DU SUD

SOUTH RONALDSAY ET BURRAY   Ind. Tél. : 01856

L'île de South Ronaldsay est reliée à Mainland par les *Churchill Barriers* (des digues). On peut aussi débarquer directement à Saint Margaret's Hope (principal village de l'île) en ferry depuis Gills, à l'ouest de John O' Groats (voir plus haut « Arriver – Quitter » au début du chapitre sur les Orcades). Logé au fond d'une baie, où quelques maisons s'alignent à flanc d'océan, Saint Margaret's Hope est assurément l'un des plus jolis ports des Orcades. Au programme : tranquillité et bon air marin ! On

LE REMPART « CHURCHILL »

En 1939, un navire de guerre britannique, le Royal Oak, est torpillé par un sous-marin allemand dans la baie de Scapa Flow. Pas moins de 833 marins périssent dans l'attaque, mais près de 400 hommes parviennent à s'en sortir. Pour empêcher de nouvelles invasions ennemies dans la baie, Churchill décide alors de construire des digues (appelées Churchill Barriers). Bonne reconversion : elles servent aujourd'hui de ponts pour relier les îles entre elles.

indique également quelques adresses à Burray, petite île coincée entre Mainland et South Ronaldsay. Ne pas manquer non plus l'*Italian Chapel,* un endroit tout à fait étonnant.

Où dormir ? Où manger ?

Bon marché

🛏 *Backpacker's Hostel :* à Saint Margaret's Hope, au niveau du bureau de poste. ☎ 831-205. Tte l'année. Prévoir env £ 12 (18 €) par pers. « Réception » à *l'épicerie voisine.* Cuisine équipée et dortoir nickel. Petite cour au calme pour déjeuner. Profond canapé pour se vautrer en fin de journée. Une adresse routarde et conviviale.

🏠 *Bankburnhouse B & B : à la sortie de Saint Margaret's Hope, sur la route de Burwick.* ☎ *831-310.* ● *bankburnhouse.co.uk* ● *Compter £ 25-30 (37,50-45 €) par pers selon confort.* Une belle petite maison avec un gazon à faire pâlir un *green* de golf ! Chambres confortables, on préfère les moins chères avec les salles de bains à l'extérieur. Déco aux couleurs fraîches, lavande et citron.

Accueil aimable.

🏠 *Ankersted B & B : à la sortie de Burray, sur la route de Saint Margaret's Hope.* ☎ *731-217.* ● *ankersted.co.uk* ● *Env £ 24 (36 €) par pers.* Chambres confortables et bien équipées (toutes disposent d'une salle de bains). Petit salon avec vue sur la mer. Accueil gentil.

🍴 *Sands Hotel : sur l'île de Burray.* ☎ *731-298. Plats env £ 9 (13,50 €). Bar meals* ordinaires, mais copieux. Établissement logé dans un ancien entrepôt à harengs, du XIXᵉ siècle. Très animé le week-end.

À voir

🎭 *Italian Chapel : en venant de Mainland, juste après avoir franchi la première digue qui traverse la mer. Bus n° 10 depuis Kirkwall. Accès libre.* Il s'est passé une curieuse chose aux Orcades pendant la Seconde Guerre mondiale : l'armée de Sa Gracieuse Majesté y avait installé un camp de prisonniers italiens ; complètement isolés, ceux-ci ont construit une chapelle avec des matériaux de récupération : tôles, papier goudronné... De l'extérieur, c'est un grand hangar triste. La porte franchie, c'est le miracle ! Toutes les décorations, l'autel, les bas-flancs, les pierres mêmes, sont en trompe-l'œil. Un festival de formes et de couleurs.

HOY

Ind. Tél. : 01856

Hoy serait dérivé du norrois et signifierait « la haute île ». C'est la deuxième de l'archipel par sa taille. Le nord et l'ouest, très vallonnés, ressemblent aux Highlands, tandis que le reste de l'île présente un paysage bien typique des Orcades. Ne pas manquer les falaises de la côte ouest, parmi les plus impressionnantes d'Écosse. Sentiers bien signalés, qui permettent la découverte de l'île à pied. Prévoir impérativement des victuailles.

➤ Hoy est relié en ferry à *Houton* (sur Mainland) ou *Stromness* (pour les piétons).

Où dormir ?

🏠 *Youth Hostels : deux AJ gérées par* Orkney Islands Council *à Kirkwall.*
– ☎ *873-535.* ● *syha.org.uk* ● *À Rackwick, non loin de Old Man of Hoy. De début mai à mi-sept. Env £ 13 (19,50 €) par pers.* Dortoir rudimentaire et confort monastique. Sinon, sur la plage, une petite maison (gratuite) au pied d'une falaise est ouverte à tous. Aucun confort, on dort à même la pierre, une expérience rustique et humide. Avec pour seule consolation le paysage sublime et rude.
– *L'autre AJ se trouve à Moaness dans l'ancienne école primaire, près du débarcadère.* Si personne ne répond, s'adresser au *Post Office* plus bas. Prévoir un sac de couchage.

Randonnées

Aux piétons arrivant à *Moaness* (depuis Stromness), on recommande d'emprunter le chemin, à travers les collines, pour rejoindre *Rackwick* et sa superbe baie. C'est à 6 miles (9,6 km). Possibilité de camping sauvage.

➢ *Ward Hill* (479 m) : colline la plus haute des Orcades. Sa voisine Cuilags culmine presque à la même altitude. Vue sur tout l'archipel des Orcades.

➢ *Old Man of Hoy :* piton rocheux qui surplombe la mer, très connu. Mérite le déplacement. Vaincu pour la première fois en 1966. Départ de Rackwick. Voir le *Crow's Nest Museum* sur le chemin, dans un baraquement typique aux toits gazonnés. L'intérieur est tout mignon (articles et photos). Prévoir 1h pour la balade.

➢ *Saint John's Head :* en prolongeant le chemin du Old Man of Hoy. Balade fantastique le long des falaises. Sentier vertigineux et parfois dangereux. Ne pas y emmener les enfants et éviter les journées ventées.

LES ÎLES DU NORD

Chaque île possède son charme propre et sa petite histoire. Prenez le temps d'en visiter une ou deux, vous ne le regretterez pas !
Peu d'hébergement toutefois : s'adresser directement auprès des fermes pour camper. Et prévoir des provisions, car les épiceries sont rares et l'alimentation est très chère.

Arriver – Quitter

La plupart du temps il est possible de faire l'aller-retour dans la journée. Pour Westray, Papa Westray et Rousay, on vous conseille vivement de passer une nuit sur place pour profiter pleinement du lieu.
■ *Orkney Ferries* (plan Kirkwall B1, 3) : ● orkneyferries.co.uk ● Forfait intéressant, voir plus haut rubrique « Transports intérieurs ». Départs quasi quotidiens pour toutes les îles. En voiture, résa indispensable.
➢ *Kirkwall :* pour Westray, Papa Westray, Sanday, Eday et Shapinsay. Pour North Ronaldsay, slt ven.
➢ *Tingwall :* pour Rousay.
■ *Loganair :* ☎ (01856) 872-494. ● loganair.co.uk ● Avions réguliers au départ de Kirkwall pour Westray, Papa Westray, North Ronaldsay. Pour Eday : slt 1/sem.

WESTRAY ET PAPA WESTRAY   Ind. Tél. : 01857

Elles font partie des îles les plus septentrionales justifiant une visite. Vous serez là-bas vraiment au bout du monde. Très belle réserve ornithologique. Au nord de Westray, la balade jusqu'au phare est grandiose, aussi bien pour sa colonie de macareux que pour la découpe de ses falaises. Impressionnant ! La plus grande colonie au monde de sternes arctiques.
Papa Westray doit son nom aux nombreux religieux, ou « pères », qui y vivaient en solitaires au Moyen Âge. On y a découvert deux maisons préhistoriques, vieilles d'environ 5 000 ans.
Un ferry, pour passagers seulement, relie Westray à Papa Westray. La fréquence est toutefois très irrégulière en été car calquée sur l'école.
– Voir le site des deux îles : ● westraypapawestray.co.uk ●

Où dormir ? Où manger ?

🏠 **Papa Westray Youth Hostel :** Beltane House, sur Papa Westray. ☎ 644 321. AJ ouv tte l'année. Env £ 13 (19,50 €) par pers en dortoir et £ 25 (37,50 €) en chambre double ; ½ pens possible.

🏠 **Bisgeos :** à proximité de la pointe nord-ouest de Westray (vers le phare de Noup Head). ☎ 677-238 et 420. 🖥 077-96-91-53-71 ● bisgeos.co.uk ● Du ferry, demandez au minibus de vous déposer. Résa impérative. Env £ 12 (18 €) par pers en dortoir. Petite maison en pleine nature, face à la mer. Cuisine parfaitement équipée et dortoirs nickel. Salonobservatoire dans l'esprit cabane en rondins pour contempler l'horizon. Une des meilleures adresses de l'île.

⛺🏠 **The Barn :** à l'entrée de Pierowall, sur Westray. ☎ 677-214. ● thebarnwestray.co.uk ● Tte l'année. Résa conseillée. Prévoir £ 13 (19,50 €) par pers. Env £ 5 (7,50 €) pour la tente. À la ferme, grange d'une centaine d'années, rénovée en logement style AJ. Salon très convivial et cuisine bien équipée. L'ensemble est confortable. Accueil adorable du patron, voir avec lui comment se procurer des vélos.

🏠 |●| **Cleaton House Hotel :** à droite, bien avt d'arriver à Pierowall. ☎ 677-508. ● cleatonhouse.co.uk ● Compter env £ 45 (67,50 €) par pers, petit déj compris. Env £ 28 (42 €) le dîner de 3 plats. Belle maison blanche sur un promontoire face à la mer. Chambres luxueuses et très bonne table des Orcades. Sert le saumon biologique de Westray, ou bien encore l'agneau de North Ronaldsay. L'adresse chic de l'île. Accueil toutefois un peu distant.

LES AUTRES ÎLES

SHAPINSAY

Sans grand intérêt, si ce n'est le très beau *Balfour Castle* et son jardin potager de l'époque victorienne. *Visite guidée : mai-août, dim slt. Rens au* ☎ *(01856) 711-282.* ● *balfourcastle.co.uk* ● *Résa obligatoire. Env £ 22 (33 €) par pers !*

EDAY

Île désertique au centre de l'archipel, un habitant au kilomètre carré, mais tellement bon pour la méditation. Plages avec phoques.
● *visit-eday.co.uk* ●

Où dormir ?

🏠 **Eday Youth Hostel :** London Bay. ☎ *(01857) 622-206 et 311.* ● *syha.org.uk* ● *Ouv avr-août. Assez loin du ferry ; faire du stop. Téléphoner pour prévenir de son arrivée, car le gérant peut s'absenter. Sinon s'annoncer au maga-* sin à 2 km de l'AJ. Compter £ 10 (15 €) par pers. Un simple baraquement en bois au centre de l'île. Confort de base. Attention, à l'épicerie, denrées à des prix prohibitifs.

ROUSAY, EGILSAY ET WYRE

Souvent appelées l'« Égypte du Nord » pour leur densité de sites archéologiques. On vous conseille de faire la *Westness Walk* sur l'île de Rousay, décrite comme « le mile historique le plus important d'Écosse ». Parmi les sites les plus marquants, citons le *Midhowe Broch & Cairn, Knowe of Yarso, Blackhammar, Taver-*

soe Tuick et *Saint Magnus Kirk* sur Egilsay, *Cubbie Roo's Castle* sur Wyre.
● *visitrousay.co.uk* ● Location de vélos à la *Trumland Farm*.

Où dormir ? Où manger ?

🍴 🏠 **Trumland Farm :** *London Bay, sur l'île de Rousay.* ☎ *(01856) 821-252. À 10 mn à pied du débarcadère. Tte l'année. Env £ 12 (18 €) en dortoir ; £ 5 (7,30 €) pour camper.* Une toute petite auberge privée à la ferme. Cuisine bien équipée. C'est l'occasion d'apprécier la vie rurale des Orcades, loin de tout...

Accueil en français du maître des lieux. Possibilité d'acheter des œufs frais.

|●| **Pier Restaurant :** *devant le débarcadère.* ☎ *(01856) 821-359. Tlj 11h-19h. Env £ 10 (15 €) par repas.* Ambiance pub et jeux de société à dispo. Connexion Internet en dépannage (très lente).

NORTH RONALDSAY

La plus isolée de toutes et la plus septentrionale. On y trouve une variété unique de mouton, qui se nourrit uniquement d'algues. D'ailleurs, il existe même un mur le long de la côte pour empêcher ces moutons de manger la pelouse. Ainsi, le label est conservé. Au dire de certains, leur chair révèlerait un goût remarquable. À essayer dans l'un des restos des Orcades.
● *northronaldsay.com* ●

Où dormir ?

🏠 **The Observatory Hostel :** ☎ *(01857) 633-200.* ● *alison@nrbo.pres tel.co.uk* ● *Tte l'année. Compter £ 17 (25,50 €) en dortoir, petit déj inclus, et*

£ 29 (43,50 €) par pers dans le B & B ; ½ pens possible. Station d'observation ornithologique fonctionnant à l'énergie solaire et éolienne.

SANDAY

Comme son nom l'évoque, elle regorge de plages de sable blanc. C'est aussi la plus grande île du nord de l'archipel. Endroit reposant, qui nécessite du temps pour en apprécier le charme.

LES ÎLES SHETLAND

(23 000 hab.)
À la même latitude que Bergen en Norvège, c'est un archipel d'une centaine d'îles, dont à peine une quinzaine sont habitées. Battues par les vents de l'Atlantique qui peuvent atteindre parfois les 250 km/h, ces îles ne voient pas beaucoup d'arbres pousser. Cette déforestation serait le fait d'anciens habitants de l'île il y a plus de 2 000 ans. À moins que l'appétit des moutons en soit la cause, véritable meute de jardiniers façonnant les vallées à l'herbe rase. Rien ne dépasse ! Ils ne laissent aucune chance à la moindre pousse. Le climat peut être parfois rude : du vent, de la pluie et aussi du soleil, les paysages se révèlent alors flamboyants de lumière. Un dicton local dit : « Si le temps ne te plaît pas, attends cinq minutes ! » et de toute manière, il peut faire beau plusieurs fois par jour. Surtout si les jours sont longs, comme

c'est le cas autour du 21 juin, lorsqu'on enregistre jusqu'à 19h de soleil (euh ! disons de clarté) dans la journée. Le soleil se lève vers 4h et se couche vers 23h.

Les Shetland, c'est un voyage grandeur nature. Les fanas d'ornithologie *(bird-watchers)* et de sites préhistoriques ne seront pas en reste. Tandis que les sympathiques et courageux petits poneys vous attendriront et les robustes moutons à laine fine vous donneront l'occasion d'acquérir un de ces inestimables lainages tant réputés.

La population parle le norrois, dérivé du norvégien, et le caractère scandinave des Shetlandais, fortement ancré, provient d'un héritage viking du VIIIe siècle, époque à laquelle les guerriers débarquèrent sur les îles. L'archipel entre dans le giron écossais au XVe siècle, alors que le roi du Danemark offre les îles Orcades et Shetland pour compléter la dot de sa fille, qui doit épouser Jacques III, futur roi d'Écosse. D'ailleurs, le drapeau non-officiel des Shetland fait allusion à l'héritage des deux cultures. Une croix nordique blanche sur les couleurs écossaises (bleu), on le voit flotter devant certaines maisons.

Infos utiles

– On peut préparer son voyage en consultant le site officiel : ● *visitshetland.com* ● et ● *shetlandtourism.com* ●
– *Hébergement bon marché* : les **böds.** *Rens à l'office de tourisme de Lerwick :* ☎ (01595) 693-434. ● *camping-bods.com* ● *Avr-sept. Résa préférable, au risque de se trouver devant porte close. Compter £ 6-8 (9-12 €) par pers.* Les *böds* sont des petites maisons utilisées autrefois comme refuges par les pêcheurs au cours de leurs campagnes. Ils sont situés le long des côtes. Chacun possède sa propre atmosphère et sa petite histoire. Confort de base, prévoir nourriture et couchage. Ambiance conviviale, c'est le rendez-vous des archéologues, ornithologues et des routards.
– Sur l'archipel, on peu camper librement, à condition de demander la permission au propriétaire du terrain. Sauf sur Noss et Fair Isle. Mais, franchement, le vent pourrait poser quelques problèmes d'arrimage à votre tente. Parmi nos sites préférés : Sumburgh Head et Scousburgh Sands. On aime bien aussi les pelouses d'Esha Ness vers le nord.
– Pour faciliter le voyage, on vous conseille de faire le plein d'argent et de carburant à Lerwick.

Quand y aller ?

Sans aucun doute dès le mois de mai, lorsque les oiseaux marins viennent nicher dans les falaises. Juin et juillet permettront de profiter d'une clarté maximale. Mais prévoir une bonne laine et un coupe-vent, les Shetland sont à la même latitude que la pointe sud du Groenland.

Arriver – Quitter

En bateau

■ **Northlink Ferries :** ☎ 0845-6000-449. ● *northlinkferries.co.uk* ● *Résa obligatoire.* Restauration sur le bateau, à prix abordables. Liaisons avec :
➤ *Aberdeen :* tlj. Départ le soir. Durée : env 12h.
➤ *Kirkwall :* 2-4 bateaux/sem. Durée : env 5h30. Ferry de nuit.

En avion

→ *L'aéroport de Sumburgh est situé à la pointe sud de la péninsule, à 25 miles (40,2 km) de Lerwick.* Liaisons avec **Aberdeen, Édimbourg, Glasgow** et les **Orcades.** Les vols sont opérés conjointement par :
■ **Loganair :** ☎ *(01950) 460-345.* ● *loganair.co.uk* ●
■ **British Airways :** ☎ *0870-850-9-850 (slt depuis le Royaume-Uni).* ☎ *0825-825-400 (de France).* ● *ba.com* ●
Par ailleurs :
■ **Atlantic Airways :** ● *atlanticairways.com* ● Liaisons avec **Londres,** lun et ven de mi-juin à mi-sept.

Transports intérieurs

Ts les horaires des bus, ferries et vols sur ● *shetland.gov.uk/transport* ●
– **Le stop :** fonctionne moyennement bien, arrangez-vous pendant la traversée en ferry.
– **Le vélo :** toujours possible, mais gare au vent ! Location à Lerwick.
– **Les bus :** *rens au* ☎ *(01595) 694-100.* Services réguliers sur les grands axes desservant la plupart des villages. Brochure (payante) avec les horaires au *Tourist Information Centre.* Service très réduit dim. Également, de Lerwick, liaisons vers les îles de Yell, Unst et Fetlar.
– **Les ferries :** *gérés par le* Shetland Islands Council. *Rens et résa :* ☎ *(01957) 693-535. En voiture, résa conseillée.* Liaisons fréquentes.

MAINLAND

LERWICK   Ind. tél. : 01595

Jusqu'au XIXᵉ siècle Lerwick fut une des plaques tournantes du commerce du hareng, mais le petit poisson argenté s'est raréfié et la pêche s'est peu à peu tarie. Il subsiste de cette époque de beaux bâtiments victoriens qui donnent à la ville un charme si particulier. On déambule avec plaisir le long des rues de la capitale des Shetland. Ce petit port tire aujourd'hui toute sa vitalité de la présence d'or noir dans la mer du Nord.

Adresses utiles

🛈 *Tourist Information Centre (plan C2) : Market Cross.* ☎ *693-434.* ● *visits hetland.com* ● *Près du port. Avr-oct : lun-ven 8h-18h ; w-e 8h-16h. Nov-mars : lun-ven 9h-17h.* Accueil de qualité et une efficacité sans faille. Très belle doc.
✉ *Poste (plan C2) : 46, Commercial St. Près de l'office de tourisme. Tlj sf dim 9h-17h (12h30 sam).*
📖 *Public Library (plan C2, 4) : Lower Hillhead.* Installée dans une ancienne église. Accès Internet gratuit.
→ *Aéroport de Sumburgh : à Sumburgh, à l'extrémité sud de l'archipel.* ☎ *(01950) 461-001. Office de tourisme,*

ouv tte l'année en sem 7h30-20h. Accueil très compétent. Bonnes cartes routières et de randos. Distributeur d'argent en dépannage. Bus pour Lerwick. Petite curiosité : la piste est traversée par l'A 970, ce qui occasionne la fermeture de la route avec un passage à niveau pour avion !
🚌 *Gare routière (plan C2) : Commercial Rd.* ☎ *694-100.*
■ *Location de voitures (et vélos) : sur résa slt, voitures disponibles à l'aéroport.*
■ *Star Rent-a-Car (plan C1, 1) : 22, Commercial Rd.* ☎ *692-075.* ● *starren tacar.co.uk* ●

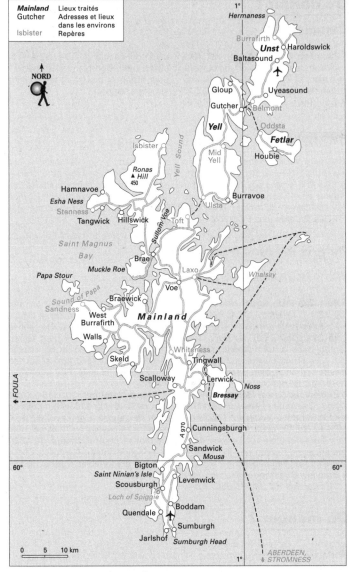

Mainland	Lieux traités
Gutcher	Adresses et lieux dans les environs
Isbister	Repères

NORD

1°
Hermaness
Burrafirth
Unst Haroldswick
Baltasound
Gloup
Uyeasound
Gutcher Belmont
Yell Oddsta
Isbister **Fetlar**
Mid Houbie
Yell
Ronas
▲ Hill
450
Yell Sound
Ulsta Burravoe
Hamnavoe
Esha Ness
Stenness
Tangwick Hillswick
Toft
Sullom Voe
Saint Magnus
Bay
Brae
Muckle Roe Laxo
Papa Stour Whalsay
Voe
Braewick
Sound of Papa
Sandness
West Mainland
Burrafirth
Walls
Whiteness
Skeld Tingwall
Scalloway Lerwick
Noss
FOULA **Bressay**
Cunningsburgh
A 970
Sandwick
Mousa
60° Bigton 60°
Saint Ninian's Isle
Scousburgh Levenwick
Loch of Spiggie
Boddam
Quendale
Sumburgh
Jarlshof Sumburgh Head
0   5   10 km
1°
ABERDEEN,
STROMNESS

LES ÎLES SHETLAND

■ **Bolts Car Hire** (plan B1, **2**) : 26, North Rd. ☎ 693-636. ● boltscarhire.co.uk ●
■ **Grantfield Garage Ltd** (plan B1, **3**) : North Rd. ☎ 692-709. Station-service qui propose des vélos à la location.

■ **Laverie** (plan A3, **6**) **:** Dry Cleaners, 43, Kantersted Rd. Tlj sf dim. Seule laverie de la ville ; demander au comptoir pour faire une machine.

Où dormir ?

Camping

⚖ **Clickimin Campsite** (plan A2, **10**) : Lockside, sur l'A 970, à 10 mn du centre à pied. ☎ 741-000. Réception dans le complexe sportif. Mai-sept. Env £ 10 (15 €). Tous les aménagements et commodités pour en faire un camping confortable. Bon plan : prix spéciaux pour utiliser la piscine et toute l'infrastructure sportive.

Bon marché

🛏 **Lerwick Youth Hostel** (plan C2, **11**) : Islesburgh House, King Harald St. ☎ 692-114. ● syha.org.uk ● Avr-sept. Prévoir env £ 16 (23,20 €) par pers. Petits veinards, voilà la plus moderne AJ des îles Britanniques ! Confort quasi hôtelier dans une grosse maison victorienne. En dortoir ou chambre familiale de 4 lits, pimpante et nickel. House Cafe servant des plats simples en journée. Piano à dispo. Pourquoi chercher ailleurs ?

De prix moyens à plus chic

B & B pas très nombreux (liste à l'office de tourisme).

🛏 **Fort Charlotte Guest House** (plan C2, **12**) : 1, Charlotte St. ☎ 692-140. ● fortcharlotte.co.uk ● Compter £ 25-30 (37,50-45 €) par pers. Très central, dans la rue piétonne, sous le fort. Chambres claires aux couleurs vivantes : orangé, bleu... Jardin en terrasse. Accueil amical.

🛏 **Eddlewood Guest House** (plan C2, **13**) : 8, Clairmount Place. ☎ 692-772. ● eddlewood@xln.co.uk ● À l'angle de Hillhead Rd. Compter £ 28 (42 €) par pers. Sur les hauteurs de Lerwick, dans une ancienne maison de ville. Chambres simples et agréables.

🛏 **Breiview Guesthouse** (plan A3, **14**) : 43, Kantersted Rd. ☎ 695-956. ● brei viewguesthouse.co.uk ● Dans un quartier résidentiel du sud de la ville, à 1,2 mile (2 km) du centre. Tte l'année. Compter £ 30 (45 €) par pers. Chambres correctes. Déco un brin kitsch. Du salon, vue sur l'eau. Accueil souriant et parfois en français. Prix légèrement élevés.

🛏 **Grand Hotel** (plan C2, **15**) : Commercial St. ☎ 692-826. ● kgghotels.co. uk ● Tte l'année. Doubles £ 50 (75 €) par pers. Réception au 1er étage. Hôtel élégant et central, datant de 1860. Belle façade dotée de tourelles. Chambres très confortables. Vue sur les toits de la vieille ville.

Où manger ?

Bon marché

|●| **Peerie Cafe** (plan C2, **20**) : Esplanade. ☎ 692-816. Tlj sf dim 9h-18h. Env £ 7 (10,50 €) le repas. Ancien lodberrie (habitation de pêcheurs) à la déco moderne sur tons violets. Un peu branché et toujours animé. Café serré et quelques tables en terrasse. Pris d'assaut le midi, c'est normal, c'est une bonne adresse.

|●| **Fort Cafe** (plan C2, **21**) : 2, Commercial St. ☎ 693-125. Tlj 11h-22h30 (sam 11h-19h). Env £ 4 (6 €). Fish and chips dont l'unique intérêt est de fermer tard.

LES ARCHIPELS DU NORD

Prix moyens

⦿ Lounge Bar du Grand Hotel *(plan C2, 15) : Commercial St. ☎ 692-826. Au 1ᵉʳ étage du* Grand Hotel, *ne pas confondre avec le restaurant et le pub. Env £ 11 (16,50 €) le repas.* Bonnes spécialités locales. Cuisine d'excellente qualité servie dans une ambiance cosy et feu de cheminée. Service impeccable. Incontournable.

⦿ Raba Indians *(plan C1, 23) : 26, Commercial Rd. ☎ 695-585. En face de la gare routière. Env £ 12 (18 €) le repas.* Bon resto indien, souvent bondé. Fait aussi vente à emporter.

Chic

⦿ Monty's Bistro *(plan C2, 24) : 5, Mounthooly St. ☎ 696-555. Derrière l'office de tourisme. Tlj sf dim et lun midi. Résa conseillée. Env £ 15 (22,50 €) le plat ; moins cher le midi.* Restaurant intime, à l'intérieur tout en bois et pierres apparentes. Cuisine écossaise moderne qui utilise les meilleurs ingrédients des Shetland.

⦿ Kveldsro House Hotel *(plan C2, 25) : vers l'extrémité sud de Commercial St, sur les hauteurs. ☎ 692-195. Pas évident à trouver, après la Scottish Episcopal Saint Magnus Church. Env £ 33 (49,50 €) pour un repas complet. Moins cher le midi.* Cadre assez formel pour un dîner en tête à tête. Cuisine de qualité, assiettes chaudes et plats bien présentés. Service à la hauteur.

Où boire un verre ? Où sortir ?

Ambiance uniquement le week-end.

🍸 🎵 The Lounge *(plan C2, 30) : Mounthooly St. Salle à l'étage. Musique : mer et w-e à 21h30.* On peut y écouter le violon des Shetland. Intérieur simple et photos de musiciens accrochées aux murs.

🎵 Posers Disco *(plan C2, 15) : dans le* Grand Hotel. *Ouv slt ven-sam soir, 23h-2h.* Seule discothèque de l'archipel. Sans plus.

■ **Adresses utiles**

- 🛈 Tourist Information Centre
- ✉ Poste
- 🚌 Gare routière
- 1 Star Rent-a-Car
- 2 Bolts Car Hire
- 3 Grantfield Garage Ltd
- @ 4 Public Library
- 6 Laverie

🛏 **Où dormir ?**

- 10 Clickimin Campsite
- 11 Lerwick Youth Hostel
- 12 Fort Charlotte Guest House
- 13 Eddlewood Guest House
- 14 Breiview Guesthouse
- 15 Grand Hotel

⦿ **Où manger ?**

- 15 Lounge Bar du Grand Hotel
- 20 Peerie Cafe
- 21 Fort Cafe
- 23 Raba Indians
- 24 Monty's Bistro
- 25 Kveldsro House Hotel

🍸 🎵 **Où boire un verre ? Où sortir ?**

- 15 Posers Disco
- 30 The Lounge

🗡 **À voir**

- 40 Fort Charlotte
- 41 Clickmin Broch
- 42 Town Hall

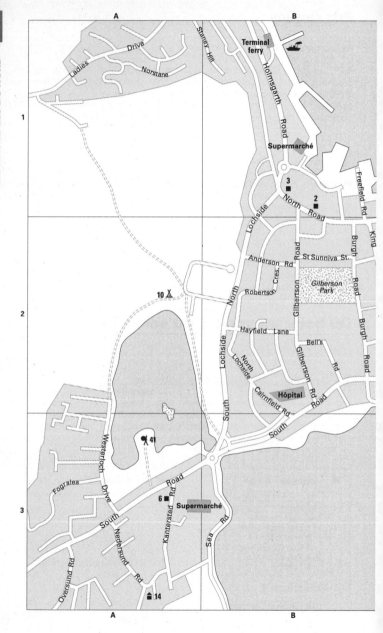

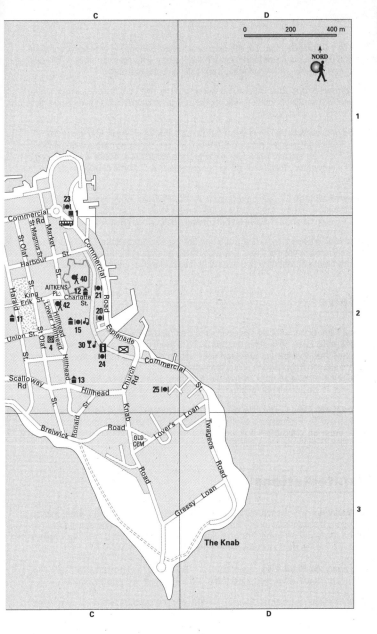

C D

0 200 400 m

NORD

1

Commercial

St Rd

Market

St

Commercial

St Magnus Str

St Olaf

Harbour

St

Road

St

40

AITKENS

PL

King

Erik

St

12

21

Charlotte

St.

Harald

St

11

20

2

15

Union St

4

Lower Hillhead

Hillhead

St

Esplanade

30

24

St Olaf

St

Commercial

St

13

Church Rd

25

Scalloway

Rd

Hillhead

St

Ronald

St

Knab

Lover's

Loan

Twageos

Road

Breiwick

Road

Road

OLD

CEM

Gressy

Loan

3

The Knab

C D

LERWICK

À voir

🏛 *Le fort Charlotte (plan C2, 40) : dominant le port.* Place de garnison construite en 1665 dans le but de défendre la baie de Bressay. Il fut reconstruit en 1781, puis modifié sous l'époque victorienne. Il en reste de bons remparts.

🏛 *Clickmin Broch (plan A3, 41) : à la sortie de la ville vers le sud. Gratuit.* Faute d'aller à *Mousa Broch,* cette fortification de l'âge du bronze offre l'avantage d'être facile d'accès. Vaut le détour.

🏛 *Böd of Gremista : au nord de la ville. De début mai à mi-sept : mer-dim 10h-13h, 14h-17h. Entrée gratuite, mais donation appréciée.* Ancienne baraque de pêcheur, du XVIIIe siècle, aujourd'hui noyée dans la zone industrielle. Abrite le musée dédié à Arthur Anderson, fondateur de la compagnie *P & O Ferries.* Expo aussi sur la pêche.

🏛 *Town Hall (plan C2, 42) : l'hôtel de ville, sur Hillhead.* Magnifique bâtiment, de style gothique, datant du XIXe siècle. Demander à voir le *Main Hall,* avec ses splendides vitraux. Chacun évoque un personnage célèbre de l'histoire des Shetland.

🏛 *The lodberries :* terme donné aux habitations traditionnelles de pêcheurs, avec embarcadères privés sur l'eau. Les plus beaux exemples se trouvent à l'extrémité de Commercial Street. Voir la balade du Knab ci-dessous dans « À faire ».

À faire

– *Noss :* îlot rocheux face à l'île de Bressay, en face de Lerwick. Réserve naturelle classée, avec 2 km de falaises de grès où se nichent quelque 100 000 oiseaux. On dit même que « visiter les Shetland sans voir la réserve naturelle de Noss, c'est comme aller en Égypte sans visiter les pyramides ».
➤ *Pour y aller directement en bateau :* Shetland Sea Charters. *Résa à l'office de tourisme.* Tlj de juin à août, sf conditions météo défavorables.

➤ *The Knab (plan C-D3) : départ au-delà du* Queens Hotel, *à l'extrémité sud de Commercial St.* Promenade aménagée, surplombant la mer. Compter une petite heure. Jeter un coup d'œil aux *lodberries,* habitations traditionnelles au bord de l'eau. Observation de phoques. En revanche, les loutres sont plus timides.

Manifestations

– *Up Helly Aa : le « festival du feu »,* se tient le dernier mar de janv. Cérémonie qui se prépare pendant des mois. Cortège de torches à travers la ville et mise à feu du drakkar. À défaut de vous rendre en janvier aux Shetland, vous pouvez toujours passer au musée dédié à cette cérémonie :

🔳 *Up Helly Aa Exhibition : Saint Sun-* | *16h, 19h-21h ; ven 19h-21h ; sam 14h-*
niva St. De mi-juin à mi-sept : mar 14h- | *16h. Entrée : £ 3 (4,50 €) ; réduc.*

– *Folk Festival : début mai. Rens au* ☎ *693-434.* ● *shetlandfolkfestival.com* ● Pendant une semaine, à travers tout l'archipel. Musique traditionnelle. Accueille des artistes de tous les continents. À ne pas manquer.
– *Shetland Accordian and Fiddle Festival : mi-oct.* Festival célébrant les instruments traditionnels de la vie des Shetland : le violon et l'accordéon. Musique entraînante.

LE SUD DE MAINLAND

Ind. TÉL. : 01950

– *Info* : la majeure partie des adresses sont accessibles par le bus n° 6.

Où dormir ?

Camping

⚠ **Levenwick Campsite :** *sur l'A 970, à la sortie de Levenwick, vers Sumburg.* ☎ 422-207. *Mai-sept. Env £ 5 (7,50 €) l'emplacement.* Le gardien passe collecter son dû en soirée. Mer à perte de vue. Les jours de vent, difficile de ne pas transformer sa tente en cerf-volant ! Bloc sanitaire acceptable.

De bon marché à prix moyens

🏠 **Betty Mouat's Böd :** *à Sumburgh.* ☎ (01595) 693-434 *(office de tourisme).* ● camping-bods.com ● En bout de piste de l'aéroport, on adore voir décoller les avions du fond du jardin. Confort rustique. Hélas souvent réservé par des universitaires. Déco en lambris, cuisine et poêle à charbon (à se procurer dans le commerce local).
🏠 **Chez Janette Stove :** *à Sandwick, sur les hauteurs.* ☎ 431-410. Compter £ 22 (33 €) par pers. Propose deux chambres simples, dont l'une avec vue sur l'île de Mousa. Accueil amical.
🏠 **Setterbrae :** *sur les rives du Loch of Spiggie.* ☎ 460-468. ● setterbrae.co.uk ● *Compter £ 27-30 (40,50-45 €) par pers.* Chambres confortables avec couettes fleuries. Véranda réservée aux invités. Idéal pour observer les oiseaux de la réserve du Loch of Spiggie. Accueil familial.

Où manger ? Où boire un verre ?

🍽 **Saint Ninian's Isle Cafe :** *à Bigton.* ☎ 422-417. *Avr-août : tlj 11h-18h (fermé mar et mer en avr-mai). Env £ 5 (7,50 €) pour un petit plat.* Cuisine saine. Le patron a un excellent tour de main pour les desserts. *Tearoom* propret, avec vue sur la mer. Une bonne adresse.
🍽 🍷 **Spiggie Hotel :** *non loin du Loch of Spiggie.* ☎ 460-409. *Env £ 8 (12 €) pour un repas servi au pub.* Repas bien consistants et bière locale à la pression. Accueil un peu froid.

À voir. À faire

🏃🏃🏃 **Mousa Broch :** *île sur la côte est. Départ de Sandwick.* ☎ 431-367. 📱 079-01-87-23-39. ● mousaboattrips.co.uk ● *Avr-sept : départ quotidien. Prix : £ 10 (15 €) ; réduc. De début juin à mi-juil : mer et sam départ à 23h (retour à 0h30) pour profiter des dernières lueurs du soleil (plus cher). Résa impérative. Pour les visites de jour on peut rester sur l'île ; pensez au pique-nique.* Visite en bateau (15 mn de traversée) avec *Tom Jamieson* et son petit rafiot. À ne pas rater : le *broch* est le plus bel exemple de tour défensive de l'âge du fer. Colonie nombreuse de phoques en prime. Parfois des loutres et des dauphins.

🏃🏃🏃 **Saint Ninian's Isle :** *tombolo (mot savant pour dire : pont de sable qui relie des îles entre elles, mais vous le saviez déjà !)* d'une élégance remarquable, abritant des petites baies de sable idylliques. Sur l'île, on découvrit dans une église un fabuleux trésor d'argenterie qui se trouve aujourd'hui à Édimbourg.

🏃🏃🏃 **Jarlshof** (HS) : *à la pointe sud de Mainland.* ☎ 460-112. *Avr-oct : tlj 9h30-17h (dernière admission). Entrée : £ 4,50 (6,80 €) ; réduc.* Site archéologique de première importance. Trois époques successives : âge du bronze, âge du fer et période viking. Panneaux explicatifs très bien faits. Petit musée.

¶¶\ **Old Scatness Broch :** tt proche de l'aéroport. ☎ 694-688. Mai-sept : tlj sf ven 10h-17h ; w-e 10h30-17h. Entrée : £ 4 (6 €). Visite guidée et costumée. Fouilles archéologiques vivantes, attirant de nombreux universitaires. Il s'agit des ruines d'un broch, entouré de son village, datant de l'âge du fer. La dernière trouvaille de l'archipel : peut-être le Skara Brae des Shetland !

¶¶\ **Sumburgh Head :** près du phare, réserve naturelle et paradis des oiseaux. Ne pas rater l'arrivée des macareux dès mi-mai. Ils sont touchants de cocasserie.

¶¶\ **Quendale Water Mill :** à Quendale. ☎ 460-969. • quendalemill.shetland.co. uk • Non loin du Loch of Spiggie. De mi-avr à mi-oct, tlj 10h-17h. Visite : £ 2 (3 €) ; réduc. Moulin datant de 1867. Aujourd'hui complètement restauré, il se visite en compagnie du gardien, qui se fera un plaisir de vous expliquer tout le processus de fabrication de la farine. Pancartes très pédagogiques.

¶\ **Shetland Crofthouse Museum :** à **Boddam,** sur la route de Sumburgh. De mi-avr à fin sept, tlj 10h-13h, 14h-17h. Entrée gratuite, mais donations bienvenues. Une chaumière du XIXᵉ siècle comme on les aime, murs blanchis à l'intérieur, beau mobilier d'époque (berceau, lits clos...) et outils agricoles.

LE CENTRE DE MAINLAND   Ind. TÉl. : 01595

– Info : la majeure partie des adresses sont accessible par le bus n° 9, sauf Scalloway bus n° 4.

Où dormir ?

⊿ **Camping :** sur le port, à Skeld. ☎ 860-287. Prévoir £ 6 (9 €) par pers. Simple et reposant. La pelouse est tendre et le cadre tranquille. La gérante habite sur les hauteurs et passe collecter son dû le matin.

⌂ **Böd of Skeld :** à Skeld. ☎ (01595) 693-434 (office de tourisme). • camping-bods.com • Petite maison blanche très coquette, juste au dessus du camping. Confort très simple.

⌂ **Voe House Böd :** à Walls. ☎ (01595) 693-434 (office de tourisme). • camping-bods.com • Dans une maison au-dessus du village. Prévoir de la monnaie pour l'électricité, compteur à pièces dans l'escalier. Intérieur sympa, parquet et poutres apparentes. Plusieurs dortoirs.

⌂ **Skeoverick :** à 1 mile (1,6 km) au nord de Walls. ☎ 809-349. Tte l'année. Compter £ 20 (30 €) par pers. Maison moderne paumée dans les tourbières, à côté d'un petit loch. Chambres confortables et accueil charmant, on se sent comme à la maison. Belles balades avoisinantes.

Où manger ? Où boire un verre ?

|●| **Walls Bakery :** à Walls. ☎ 809-308. Dans le centre du bourg, au-dessus de l'épicerie. Lun-sam 10h30-16h30 ; dim 12h-16h30. Compter £ 6 (9 €) pour un petit repas. Petite salle avec vue sur un loch. Une excellente adresse pour un en-cas.

|●| **Weisdale Mill :** au nord de Whiteness, dans le tearoom. Mar-sam 11h-16h ; dim 12h-16h. Env £ 4 (6 €). Voir plus bas dans « À voir ». Sous une véranda, sandwichs créatifs à base de produits locaux.

|●| ♟ **Herrislea House Hotel :** à Tingwall. ☎ 840-208. En allant vers Lerwick, bifurquer dans la première à droite après l'aéroport de Tingwall. Env £ 9 (13,50 €) le plat. Resto à l'ambiance pub. Une adresse simple et bonne. Service cool.

À voir

🍴🏃 *Scalloway :* ancienne capitale des Shetland, c'est à présent un village paisible face à la mer. Ruines en bon état du château et musée retraçant les liens qui unirent les Shetland à la Norvège, surtout au cours de la dernière guerre.

🍴 *Weisdale Mill :* au nord de Whiteness. ☎ 830-400. Mar-sam 10h30-16h30 ; dim 12h-16h. Prix modique. Petite exposition à thème portant sur le textile des Shetland, logée dans un ancien moulin. C'est le moment de poser toutes vos questions sur ces fameux lainages. À l'étage, expo de peintres locaux.

🍴 *Papa Stour :* île située à l'ouest de Mainland. Accès par ferry au départ de West Burrafirth, tlj sf mar et jeu. On y trouve des grottes à moitié submergées, accessibles en bateau par temps calme seulement.

LE NORD DE MAINLAND
Ind. TÉL. : 01806

C'est au-delà de Voe que s'ouvrent des paysages d'une beauté inouïe, les plus caractéristiques des Shetland.

Où dormir ?

🛏 *Sail Loft Böd :* à Voe, dans le quartier de Lower Voe. ☎ (01595) 693-434 (office de tourisme). • camping-bods. com • Bus n° 23. Maison rouge de style scandinave sur le port. Grands dortoirs avec fenêtres au bord de l'eau. Sanitaires rudimentaires. Pub et bar meals dans le village. Fabrique et vente de pain en face, c'est royal !

🛏 *Johnie Notions' Böd :* à Hamnavoe. ☎ (01595) 693-434 (office de tourisme). • camping-bods.com • Situé dans un hameau déserté par la majorité de ses habitants, au milieu d'un environnement naturel magnifique. Le plus rudimentaire de tous les böds et le plus isolé. Un point d'eau en guise de salle de bains et de cuisine. Le bon plan est de se doucher au camping d'Eshaness.

⛺ I●I *Camping d'Eshaness :* sur la route du phare, vers Braewick. ☎ (01806) 503-345. • eshaness.shetland.co.uk • Café tlj 10h-17h. Terrain sans prétention mais vue sublime. Sanitaires nickel. Accueil souriant. Petit snack.

🛏 *Eshaness Lighthouse (le phare) :* à Hillswick. ☎ 08701-999-440 • lighthouse-holidays.com • L'appartement du gardien se loue min 3 j. ou à la sem. Il peut accueillir 6 pers. Prévoir env £ 200 (300 €) les 3 j. en hte saison et £ 450 (675 €) la sem. Le phare surplombe la falaise au milieu d'un paysage battu par les vents. Pas d'inquiétude, on ne vous demandera pas de veiller la lumière, la lanterne est informatisée. Une adresse fabuleuse.

🛏 *Westayre :* sur Muckle Roe. ☎ 522-368. • westayre.shetland.co.uk • À 5 miles (8 km) de Brae, au bout de la route de Muckle Roe. Compter £ 28 (42 €) par pers. B & B à la ferme, au milieu des canards et des moutons. Chambres nickel, avec salle de bains. Sérénité et tranquillité. Très belles balades.

Où manger ? Où boire un verre ?

De bon marché à prix moyens

I●I *Da Böd Cafe :* à Hillswick. ☎ 503-348. Bus n° 21. Mai-sept : tlj sf lun. Par précaution, appeler avt de faire la route. Pas de prix. Chacun donne selon sa

LES ARCHIPELS DU NORD

consommation. Les bénéfices sont au profit du Hillswick Wildlife Sanctuary, *une œuvre caritative pour la protection des phoques et des loutres.* Cet ancien pub affiche un intérieur plutôt rustique. Le feu de tourbe y brûle encore. Ambiance chaleureuse. Pas de licence d'alcool, apporter sa bouteille.

IOI ♥ *Mid Brae Inn : à Brae.* ☎ 522-634. Bus nº 23. Env £ 7 (10,50 €) le plat. Cuisine familiale. On mange dans le *lounge bar,* tout en longueur, avec charpente apparente. L'endroit est fréquenté par les locaux. Service simple et jovial.

Chic

IOI *Busta House Hotel : à Busta.* ☎ 522-506. *Village en bord de la mer, près de Brae. Env £ 10 (15 €) le plat au bar. Compter £ 35 (52,50 €) pour un repas complet.* Excellente cuisine, ser- vie dans une maison au charme victo- rien. Nous aimons la petite alcôve avec vue sur le jardin. Accueil et service courtois.

À voir

Les bus nᵒˢ 21 et 23 sont les plus pratiques pour visiter les lieux suivants.

🍴 *Tangwick Haa Museum : près de Hillswick. Mai-sept : lun-ven 13h-17h ; le w-e 11h-19h. Gratuit.* Petit musée sur l'histoire locale.

🍴 *Hillswick : au nord-ouest.* Sites archéologiques remarquables, grottes sous-marines. De là, côte splendide jusqu'à *Esha Ness,* falaises déchiquetées et magnifiques plages.

🍴🍴 *Ronas Hill (450 m) : à l'extrémité nord-ouest de Mainland.* Le plus haut sommet des îles Shetland, au solstice d'été, on peut apercevoir au loin le soleil de minuit. Un panorama inoubliable. Pas de vrai chemin pour y accéder.

🍴🍴 *Esha Ness :* réserve d'oiseaux et falaises vertigineuses. La mer est tellement forte que l'on retrouve des coquillages dans l'herbe, 200 m au-dessus des vagues.

🍴 *Sullom Voe :* localement, un *voe* désigne un fjord, bras de mer pénétrant dans les terres. Terminal pétrolier, énorme et bien abrité. Impressionnant mais pas si intéressant.

LES AUTRES ÎLES

Bienvenue au bout de la terre d'Écosse. Yell est une île à l'atmosphère sauvage et solitaire. On la traverse pour atteindre Unst. Fetlar, quant à elle, abrite une réserve d'oiseaux.
Ferries réguliers pour Unst, Yell et Fetlar. *En voiture, résa recommandée au* ☎ *(01957) 722-259.*

UNST   Ind. Tél. : 01957

La plus au nord des îles Shetland. C'est d'ailleurs la première motivation des visiteurs de passage ! Les autres préfèrent prendre le temps de se promener et d'observer la faune et la flore locales, abondantes dans les réserves naturelles.

➢ À 2h30 de voiture de Lerwick. Bus nº 24.

Où dormir ?

De bon marché à prix moyens

🛏 🏕 *Gardiesfauld Youth Hostel :* à Uyeasound. ☎ 755-298 et 279. ● gardiesfauld.shetland.co.uk ● Avr-sept. Prévoir £ 11 (16,50 €) par pers en dortoir, £ 6 (9 €) pour camper. Confortable et bien équipée. Possibilité de camper à côté. À vos maillets, le terrain est venteux. La gardienne ne fait qu'une apparition par jour.

🛏 ●|● *Saxa-Vord :* à Haroldswick. ☎ 711-711. ● saxavord.com ● Compter à partir de £ 15 (22,50 €) par pers, sans petit déj. Maison pour 5 pers env £ 100 (150 €) par nuit. Repas sur demande env £ 14 (21 €). Ancienne base militaire de la R.A.F., très active pendant la guerre froide. Aujourd'hui transformée en centre d'hébergement. On peut louer de la chambre du soldat à la maison des officiers (80 m^2). En couple, la réception essaiera de vous arranger une chambre. Salle à manger jaune citron. Accueil adorable.

🛏 *Prestegaard :* à Uyeasound. ☎ 755-234. ● prestegaard@postmaster.co.uk ● Sur la route du château, à droite après l'école. Tte l'année. Env £ 22 (33 €) par pers. Dans une maison de style victorien, 3 chambres spacieuses ; salle de bains à partager. Attention, pas de lit double. Dîner sur demande.

Plus chic

🛏 *Buness Country House :* à Baltasound. ☎ 711-315. Fax : 711-815. ● http://users.zetnet.co.uk/bunesshouse/ ● Ouv tte l'année. Compter £ 55 (82,50 €) par pers. Possibilité de prendre le repas du soir. Maison du XVIIe siècle avec beaucoup de charme. Chambres étonnantes, surtout celle au bout du couloir avec ses murs couverts de découpages. Peaux de tigre et trophées de chasse dans l'escalier (on peut ne pas aimer !). Accueil *gentleman farmer.*

Où manger ?

●|● *Skibhoul Store :* à Baltasound. ☎ 711-304. Lun-sam 9h-17h. Demandez, tout le monde connaît. Une épicerie, où on peut consommer sur place ses achats. Micro-onde et tables dans l'arrière-boutique, en prime, vue sur l'eau.

●|● *Saxa-Vord :* voir « Où dormir ? ». Repas env £ 14 (21 €), résa impérative.

À voir

🏛 *Muness Castle* (HS) : au-delà de Uyeasound. Demander les clés et une lampe de poche au sympathique propriétaire de la maison blanche. Gratuit, participation bienvenue. Partez à la découverte du château le plus au nord de l'Écosse. Une bonne occasion pour passer le costume de lord ou lady Mac Routard et jouer au châtelain... Du château en ruine, certes mais du XVIe siècle tout de même !
Une petite marche vers le nord vous mènera ensuite vers la magnifique plage de *Sandwick,* complètement déserte.

🏛 *Unst Boat Haven :* à *Haroldswick.* ☎ 711-809. Quelques kilomètres au nord de Baltasound. Mai-sept : tlj 11h-17h. Ticket : £ 2 (3 €) ; ou bien £ 3 (4,50 €) combiné avec le Unst Heritage Centre ; réduc. Une collection unique de bateaux de pêche des Shetland. À côté, le *Unst Heritage Centre* (mêmes horaires) retrace l'histoire de la communauté locale.

Hermaness : *réserve naturelle à l'extrémité nord de l'île.* Observation d'oiseaux dans des paysages époustouflants. *Visitor Centre* dans le phare à côté de la plage de Burrafirth.

Keen of Hamar : *réserve juste à l'est de Baltasound.* Paysage lunaire et désolé, abritant quelques plantes parmi les plus rares de Grande-Bretagne. Un endroit ordinaire pour le simple visiteur, mais un paradis pour le botaniste.

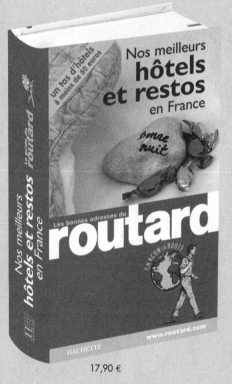

Tout pour partir*

*bons plans, concours, forums,
magazine et des voyages à prix routard.

> www.routard.com

routard com

Chacun
sa route

synergie-communication · photo · Digital Stock

NOS NOUVEAUTÉS

NORVÈGE (avril 2008)

Des grands voyageurs classent ce royaume septentrional de l'Europe parmi les plus beaux pays du monde. Ils n'ont pas tort. La Norvège est un cadeau de Dame Nature fait aux humains. Et c'est vrai qu'au printemps, le spectacle des fjords aux eaux émeraude, bordés de vertes prairies fleuries dévalant des glaciers, est d'un romantisme absolu. Ici, la préservation de la nature est élevée au rang de religion. Oslo, Bergen, Trondheim sont des villes très agréables en été, mais ne peuvent rivaliser avec le bonheur intense d'un séjour dans les villages de marins aux îles Lofoten ou avec le spectacle émouvant d'une aurore boréale qui embrase la voûte céleste. Les plus intrépides de nos lecteurs continueront vers le mythique cap Nord et feront aussi un crochet par le Finnmark pour découvrir la culture étonnante des éleveurs de rennes.

FLORIDE (paru)

Du soleil toute l'année, des centaines de kilomètres de sable blanc bordés par des cocotiers et une mer turquoise. Voilà pour la carte postale. Mais la Floride a bien d'autres atouts dans son sac : une ambiance glamour et latino à Miami qui, au cœur de son quartier Art déco, attire une foule de fêtards venus s'encanailler sous les *sunlights* des tropiques ; des parcs d'attractions de folie qui feront rêver petits et grands ; une atmosphère haute en couleur et *gay-friendly* à Key West où l'âme de « Papa » Hemingway plane toujours. Là, on circule à bicyclette au milieu de charmantes maisons de bois. Et pour les amateurs de nature, le parc national des Everglades, un gigantesque marais envahi par la mangrove et peuplé d'alligators, qui se découvre à pied (eh oui) ou en canoë. Alors, *see you later alligator* !

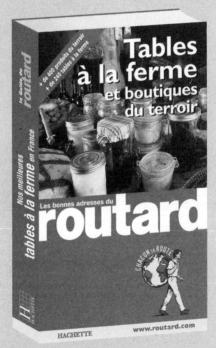

La Chaîne de l'Espoir

Ensemble, sauvons des enfants !

Chirurgiens, médecins, infirmiers, familles d'accueil… se mobilisent pour sauver des enfants gravement malades condamnés dans leur pays.

Pour les sauver nous avons besoin de vous !

Envoyez vos dons à
La Chaîne de l'Espoir
96, rue Didot - 75014 Paris
Tél. : 01 44 12 66 66 - Fax : 01 44 12 66 67
www.chainedelespoir.org
CCP 3703700B LA SOURCE

COMITE DE LA CHARTE
donner en confiance

La Chaîne de l'Espoir est une association de bienfaisance assimilée fiscalement à une association reconnue d'utilité publique.

Espace offert par Le Guide du Routard

yellowstone

routard
ASSISTANCE
L'ASSURANCE VOYAGE
UNION EUROPÉENNE

VOTRE ASSISTANCE EUROPE LA PLUS ETENDUE

RAPATRIEMENT MEDICAL   **ILLIMITÉ**
(au besoin par avion sanitaire)
VOS DEPENSES : MEDECINE, CHIRURGIE,   (env. 650.000 FF)   **100.000 €**
   HOPITAL, GARANTIES A 100% SANS FRANCHISE
   HOSPITALISE : RIEN A PAYER ! ... (ou entièrement remboursé)
BILLET GRATUIT DE RETOUR DANS VOTRE PAYS :   **BILLET GRATUIT**
   En cas de décès (ou état de santé alarmant)   **(de retour)**
   d'un proche parent, père, mère, conjoint, enfant(s)
*BILLET DE VISITE POUR UNE PERSONNE DE VOTRE CHOIX   **BILLET GRATUIT**
   si vous être hospitalisé plus de 5 jours   **(aller - retour)**
   Rapatriement du corps – Frais réels   **Sans limitation**

RESPONSABILITE CIVILE «VIE PRIVEE» A L'ETRANGER

Dommages CORPORELS (garantie à 100%) ....(env. 4.900.000 FF)   **750.000 €**
Y compris Assistance Juridique (accidents)
Dommages MATERIELS (garantie à 100%) ....(env. 2.900.000 FF)   **450.000 €**
(dommages causés aux tiers)   (AUCUNE FRANCHISE)
Y compris Assistance Juridique (accidents)
EXCLUSION RESPONSABILITE CIVILE AUTO : ne sont pas assurés les dommages
causés ou subis par votre véhicule à moteur : ils doivent être couverts par un contrat
spécial : ASSURANCE AUTO OU MOTO.
CAUTION PENALE .... (env. 49.000 FF)   **7500 €**
AVANCE DE FONDS en cas de perte ou de vol d'argent ..(env. 4.900 FF)   **750 €**

VOTRE ASSURANCE PERSONNELLE «ACCIDENTS» A L'ETRANGER

Infirmité totale et définitive   (env. 490.000 FF)   **75.000 €**
Infirmité partielle – (SANS FRANCHISE)   **de 150 € à 74.000 €**
                  (env. 900 FF à 485.000 FF)
Préjudice moral : dommage esthétique   (env. 98.000 FF)   **15.000 €**
Capital DECES   (env. 98.000 FF)   **15.000 €**

VOS BAGAGES ET BIENS PERSONNELS A L'ETRANGER

Vêtements, objets personnels pendant toute la durée de votre voyage à l'étranger :
vols, perte, accidents, incendie,   (env. 13.000 FF)   **2.000 €**
Dont APPAREILS PHOTO et objets de valeurs   (env. 1.900 FF)   **300 €**

À PARTIR DE 4 PERSONNES
TARIFS
"Spécial Famille"
Nous consulter Tél. : 01 44 63 51 00
Souscription en ligne : www.avi-international.com

routard
ASSISTANCE
L'ASSURANCE VOYAGE
UNION EUROPÉENNE

BULLETIN D'INSCRIPTION

NOM : M. Mme Melle

PRENOM :

DATE DE NAISSANCE :

ADRESSE PERSONNELLE :

CODE POSTAL :   TEL.

VILLE :

E-MAIL : ....

DESTINATION PRINCIPALE..

Calculer exactement votre tarif en SEMAINES selon la durée de votre voyage :

7 JOURS DU CALENDRIER = 1 SEMAINE

Pour un Long Voyage (2 mois…), demandez le **PLAN MARCO POLO**
Nouveauté contrat Spécial Famille - Nous contacter

COTISATION FORFAITAIRE 2007-2008

VOYAGE DU   AU   =

SEMAINES

Prix spécial (3 à 50 ans) :   **15 € x**   =   **€**

De 51 à 60 ans (et – de 3 ans) :   **23 € x**   =   **€**

De 61 à 65 ans :   **30 € x**   =   **€**

Tarif **"SPECIAL FAMILLES"** 4 personnes et plus : **Nous consulter au 01 44 63 51 00**
Souscription en ligne : www.avi-international.com

Chèque à l'ordre de ROUTARD ASSISTANCE – *A.V.I. International*
28, rue de Mogador – 75009 PARIS – FRANCE - Tél. 01 44 63 51 00
Métro : Trinité – Chaussée d'Antin / RER : Auber – Fax : 01 42 80 41 57

ou Carte bancaire : Visa ☐   Mastercard ☐   Amex ☐

N° de carte :

Date d'expiration :   Signature

Je déclare être en bonne santé, et savoir que les maladies
ou accidents antérieurs à mon inscription ne sont pas assurés.

Signature :

Information : www.routard.com / Tél : 01 44 63 51 00
Souscription en ligne : www.avi-international.com

Faites des copies de cette page pour assurer vos compagnons de voyage.

Des grands chefs
vous attendent dans leurs
petits restos

Plein de menus à moins de 30 €.

19.⁹⁰ €

HACHETTE

INDEX GÉNÉRAL

C

D

E

INDEX GÉNÉRAL

H

I

J

K

INDEX GÉNÉRAL

L

M

N

O

P

Q-R

S

T

U-V

W-Y

OÙ TROUVER LES CARTES ET LES PLANS ?

Les **Routards** *parlent aux* **Routards**

Faites-nous part de vos expériences, de vos découvertes, de vos tuyaux.
Indiquez-nous les renseignements périmés. Aidez-nous à remettre l'ouvrage à jour.
Faites profiter les autres de vos adresses nouvelles, combines géniales... On adresse un exemplaire gratuit de la prochaine édition à ceux qui nous envoient les lettres les meilleures, pour la qualité et la pertinence des informations. Quelques conseils cependant :
– Envoyez-nous votre courrier le plus tôt possible afin que l'on puisse insérer vos tuyaux sur la prochaine édition.
– N'oubliez pas de préciser l'ouvrage que vous désirez recevoir.
– Vérifiez que vos remarques concernent l'édition en cours et notez les pages du guide concernées par vos observations.
– Quand vous indiquez des hôtels ou des restaurants, pensez à signaler leur adresse précise et, pour les grandes villes, les moyens de transport pour y aller. Si vous le pouvez, joignez la carte de visite de l'hôtel ou du resto décrit.
– N'écrivez si possible que d'un côté de la lettre (et non recto verso).
– Bien sûr, on s'arrache moins les yeux sur les lettres dactylographiées ou correctement écrites !
En tout état de cause, merci pour vos nombreuses lettres.

Les Routards parlent aux Routards : 122, rue du Moulin-des-Prés, 75013 Paris

e-mail : guide@routard.com
Internet : www.routard.com

Le Trophée du voyage humanitaire ROUTARD.COM s'associe à VOYAGES-SNCF.COM

Parce que le *Guide du routard* défend certaines valeurs : Droits de l'homme, solidarité, respect des autres, des cultures et de l'environnement, il s'associe, pour la prochaine édition du Trophée du voyage humanitaire routard.com, aux Trophées du tourisme responsable, initiés par Voyages-sncf.com.
Le Trophée du voyage humanitaire routard.com doit manifester une réelle ambition d'aide aux populations défavorisées, en France ou à l'étranger. Ce projet peut concerner les domaines culturel, artisanal, agricole, écologique et pédagogique, en favorisant la solidarité entre les hommes.
Renseignements et inscriptions sur ● www.routard.com ● et ● www.voyages-sncf.com ●

Routard Assistance 2008

Routard Assistance et Routard Assistance Famille, c'est l'Assurance Voyage Intégrale sans franchise que nous avons négociée avec les meilleures compagnies, Assistance complète avec rapatriement médical illimité. Dépenses de santé et frais d'hôpital pris en charge directement sans franchise jusqu'à 300 000 € + caution + défense pénale + responsabilité civile + tous risques bagages et photos. Assurance personnelle accidents : 75 000 €. Très complet ! Le tarif à la semaine vous donne une grande souplesse. Tableau des garanties et bulletin d'inscription à la fin de chaque *Guide du routard* étranger. Pour les départs en famille (4 à 7 personnes), demandez-nous le bulletin d'inscription famille. Pour les longs séjours, un nouveau contrat *Plan Marco Polo « spécial famille »* à partir de 4 personnes. Enfin pour ceux qui partent en voyage « éclair » de 3 à 8 jours visiter une ville d'Europe, vous trouverez dans les Guides Villes un bulletin d'inscription avec des garanties allégées et un tarif « light ». Pour les villes hors Europe, nous vous recommandons Routard Assistance ou Routard Assistance Famille, mieux adaptés. Si votre départ est très proche, vous pouvez vous assurer par fax : 01-42-80-41-57, en indiquant le numéro de votre carte de paiement. Pour en savoir plus : ☎ 01-44-63-51-00 ; ou, encore mieux, sur notre site : ● www.routard.com ●

Photocomposé par MCP - Groupe Jouve
Imprimé en Italie par L.E.G.O. S.p.A – Lavis (Tn)
Dépôt légal : mars 2008
Collection n° 13 - Édition n° 01
24/4244/0
I.S.B.N. 978-2-01-244244-3